Kreisbeschreibungen des Landes Baden-Württemberg

Der Stadtkreis Baden-Baden

Kreisbeschreibungen des Landes Baden-Württemberg

DER STADTKREIS BADEN-BADEN

Bearbeitet von der Außenstelle Karlsruhe
der Abt. Landesforschung und Landesbeschreibung
in der Landesarchivdirektion Baden-Württemberg

Herausgegeben von der Landesarchivdirektion Baden-Württemberg
in Verbindung mit der Stadt Baden-Baden

Jan Thorbecke Verlag Sigmaringen
1995

Die Deutsche Bibliothek – CIP-Einheitsaufnahme

Der *Stadtkreis Baden-Baden* / bearb. von der Außenstelle Karlsruhe der Abt. Landesforschung und Landesbeschreibung in der Landesarchivdirektion Baden-Württemberg. Hrsg. von der Landesarchivdirektion Baden-Württemberg in Verbindung mit der Stadt Baden-Baden. – Sigmaringen: Thorbecke, 1995
 (Kreisbeschreibungen des Landes Baden-Württemberg)
 ISBN 3-7995-1356-6

NE: Baden-Württemberg / Landesarchivdirektion / Außenstelle 〈Karlsruhe〉

© 1995 by Jan Thorbecke Verlag GmbH & Co., Sigmaringen

Alle Rechte vorbehalten. Ohne schriftliche Genehmigung des Verlages ist es nicht gestattet, das Werk unter Verwendung mechanischer, elektronischer und anderer Systeme in irgendeiner Weise zu verarbeiten und zu verbreiten. Insbesondere vorbehalten sind die Rechte der Vervielfältigung – auch von Teilen des Werkes – auf photomechanischem oder ähnlichem Wege, der tontechnischen Wiedergabe, des Vortrags, der Funk- und Fernsehsendung, der Speicherung in Datenverarbeitungsanlagen, der Übersetzung und der literarischen oder anderweitigen Bearbeitung.

Dieses Buch ist aus säurefreiem Papier hergestellt und entspricht den Frankfurter Forderungen zur Verwendung alterungsbeständiger Papiere für die Buchherstellung.

Gesamtherstellung: M. Liehners Hofbuchdruckerei GmbH & Co. Verlagsanstalt, Sigmaringen
Printed in Germany · ISBN 3-7995-1356-6

VORWORT

Mit dem vorliegenden Band über Baden-Baden erscheint in der neuen, beim Jan Thorbecke Verlag Sigmaringen verlegten Reihe »Kreisbeschreibungen des Landes Baden-Württemberg« die erste Beschreibung eines Stadtkreises. Bevölkerungszahl und Umfang des Stadtkreises Baden-Baden verlangten einen im Vergleich mit den bereits erschienenen Kreisbeschreibungen kleinen Band. Die gebührende Berücksichtigung von Baden-Badens Besonderheiten, die in seiner Landschaft und Geschichte begründet sind, führten aber auch zur Aufnahme von Beiträgen, die in anderen Kreisbeschreibungen nicht zu finden sind. So erfahren die seit der Römerzeit genutzten Thermen eine besondere Würdigung aus hydrogeologischer Sicht, und in den historischen und gegenwartskundlichen Kapiteln über die Wirtschaft werden das für die Stadt so bedeutsame Bäder- und Kurwesen, der Fremdenverkehr und das Gastgewerbe sowie die Spielbank behandelt. Das gilt auch für den Südwestfunk als bedeutende kulturelle Einrichtung und größten Arbeitgeber der Stadt.

Die ersten Anregungen zur Ausarbeitung dieses Bandes wurden 1989 aus dem Arbeitskreis für Stadtgeschichte der Stadt Baden-Baden e. V. Herrn Professor Dr. Reinhard nach einem Vortrag bei der Badischen Heimat in Baden-Baden unterbreitet. Aus diesem stadtgeschichtlichen Arbeitskreis kamen dann auch einige Autorinnen und Autoren, die zum Erfolg dieses Werkes beitrugen. Herr Oberbürgermeister Ulrich Wendt hat diese Anregungen anläßlich eines Besuches der Herren Professoren Dr. Schaab und Dr. Reinhard aufgegriffen und durch einen namhaften Zuschuß zu den Kosten für die Kartographie und Bildausstattung bekräftigt. Dafür gebührt der Stadt Baden-Baden Dank und Anerkennung. Das große Interesse, das die Stadtverwaltung Baden-Baden am Zustandekommen dieser Kreisbeschreibung hatte, beweist nicht zuletzt die Tatsache, daß sich neben dem Oberbürgermeister alle Bürgermeister und darüber hinaus auch Leiter und Mitarbeiter städtischer Fachbehörden als Autoren gewinnen ließen.

Die konzeptionelle Gliederung, die Verpflichtung der außeramtlichen Mitarbeiter und die redaktionelle Betreuung gehen auf Herrn Ltd. Regierungsdirektor Professor Dr. Eugen Reinhard zurück, der die ehemalige Abteilung Landesbeschreibung im Generallandesarchiv Karlsruhe bis zum Jahresende 1993 leitete. Er hat die Hauptredaktion auch nach der Übernahme der Leitung der gesamten baden-württembergischen Kreisbeschreibungsarbeit in der Landesarchivdirektion bis zum planmäßigen Abschluß weitergeführt und die Hauptbeiträge zur Natur- und Siedlungsgeographie auch selbst verfaßt. Wenn dieser Band nach einer dreieinhalbjährigen Bearbeitungszeit nun vorliegt, so ist dies nicht zuletzt auch das Verdienst seiner hauptamtlichen Karlsruher Mitarbeiter, von Herrn Oberarchivrat Dr. Kurt Andermann und Frau Oberregierungsrätin Dr. Gudrun Schultz.

Herr Dr. Andermann hat nicht nur die geschichtlichen Kapitel vom Frühmittelalter bis zum Ende des Alten Reiches für die Stadt und ihre heutigen Stadtteile verfaßt, er hat Herrn Professor Dr. Reinhard auch bei der Redaktion der historischen Abschnitte unterstützt. Frau Dr. Schultz hat die gesamte Geschichte des 19. und 20. Jahrhunderts bis zur Kreis- und Gemeindereform der 1970er Jahre geschrieben. Ihre Beiträge bieten eine in sich geschlossene Darstellung der jüngsten Geschichte, die Wesentliches zum Verständnis der gegenwärtigen Verhältnisse beiträgt. Geschichtliche Entwicklungen seit der Gründung des Großherzogtums Baden werden von ihr als Grundlegung der heutigen gesellschaftlichen und wirtschaftlichen Situation vermittelt. Der Wissenschaftliche Angestellte Herr Dr. Klaus Tiborski, der im Sommer 1994 als Referent für geographische Landeskunde in die Karlsruher Außenstelle der Abteilung Landesforschung und Landesbeschreibung eintrat, hat mit seinen Beiträgen über das Baden-Badener Klima und die jüngste Bevölkerungsentwicklung ebenfalls zum Gelingen des Werkes beigetragen.

Große Verdienste am Gegenwartsteil dieser Stadtkreisbeschreibung haben zahlreiche außeramtliche Mitarbeiterinnen und Mitarbeiter aus der Stadtverwaltung Baden-Baden, aus für den Stadtkreis zuständigen Fachbehörden, aus der Industrie- und Handelskammer sowie der Handwerkskammer Karlsruhe und der Wirtschaft. Das Mitarbeiterverzeichnis nennt ihre Namen. Stellvertretend für sie alle sei an dieser Stelle Herr Diplom-Verwaltungswirt Roland Seiter, der Pressesprecher der Stadt Baden-Baden, genannt. Er hat mehrere Beiträge verfaßt und am Bildprogramm des Bandes durch eigene Aufnahmen, die er zur Verfügung gestellt hat, mitgewirkt. Herr Seiter hat darüber hinaus stets den Kontakt zu zahlreichen Baden-Badener Autoren gehalten und war für den Redaktor die vermittelnde Anlaufstelle in der Stadtverwaltung.

Allen Autoren und Mitarbeitern sei an dieser Stelle für ihren Einsatz gedankt. Das gilt auch für Frau Ursula Reinhard, Karlsruhe, die wieder einmal ohne Auftrag und Verpflichtung an den Korrekturarbeiten mitgewirkt und so zum rascheren Abschluß beigetragen hat. Mein Dank gilt auch allen Mitarbeitern des Jan Thorbecke Verlags für ihre gediegene drucktechnische und verlegerische Leistung.

Die Literatur über Baden-Baden ist vielfältig. Als eine umfassende Landeskunde des Baden-Badener Raums, geschrieben von zahlreichen Fachleuten aus den verschiedensten Forschungsbereichen, aus Kultur, Wirtschaft und Verwaltung, ragt diese Kreisbeschreibung aber doch aus der umfangreichen Buchproduktion über Baden-Baden heraus. Ich wünsche ihr daher eine gute Aufnahme bei den Einwohnern Baden-Badens und bei den zahlreichen Gästen der Stadt.

Stuttgart, im Sommer 1995

Professor Dr. Wilfried Schöntag
Präsident der Landesarchivdirektion
Baden-Württemberg

GELEITWORT

Ich freue mich, daß mit der Herausgabe des vorliegenden Bandes über Baden-Baden die erste amtliche Kreisbeschreibung eines Stadtkreises in der Reihe »Kreisbeschreibungen des Landes Baden-Württemberg« beim Jan Thorbecke Verlag in Sigmaringen vorliegt. Als umfassende, wissenschaftlich untermauerte Darstellung des Stadtkreises Baden-Baden ist sie ein wichtiges Informations- und Nachschlagewerk. Niemand, der sich mit der Natur, Geschichte, Kunstgeschichte, Bevölkerung oder Wirtschaft, dem öffentlichen und kulturellen Leben des Stadtkreises Baden-Baden befassen möchte, wird in Zukunft an diesem Werk vorbeikommen.

Der Stadtkreis Baden-Baden ist voll von kulturellen Werten der Vergangenheit und der Gegenwart; sie zu pflegen und weiter zu entwickeln, ist unser aller Aufgabe. Dabei sind wir dankbar für ein Fundament, das man auch in einer Zeit, in der alles möglich scheint, nicht eilfertig bauen oder schnell mal kaufen kann: unsere Natur und unsere Geschichte.

Baden-Baden ist immer ein gesuchter Platz gewesen. Man trägt Kultur, gesellschaftliche, geistige und sportliche Begegnung aus allen Teilen der Welt hierher, weil dieses Schwarzwaldtal, das mit den Thermen und der einzigartigen Lichtentaler Allee zwei prächtige Juwele besitzt, einen unverwechselbaren Charakter hat.

Als 1989 in den Reihen des Arbeitskreises für Stadtgeschichte der Stadt Baden-Baden e.V. die Idee einer Stadtkreisbeschreibung geboren wurde, wurde spontan die Unterstützung der Stadt Baden-Baden zugesagt. Ich danke allen, die am Zustandekommen dieses Werkes mitgewirkt haben, recht herzlich. Den Leserinnen und Lesern wünsche ich viel Gewinn bei der Lektüre.

Baden-Baden, im Sommer 1995

Ulrich Wendt
Oberbürgermeister

DIE MITARBEITER UND IHRE BEITRÄGE

Andermann, Kurt, Dr. phil., Oberarchivrat, Landesarchivdirektion Baden-Württemberg, Abt. Landesforschung und Landesbeschreibung, Außenstelle Karlsruhe: Mitredaktion der historischen Abschnitte; in Teil II: *Die Stadt Baden-Baden bis 1806; Geschichte der Stadtteile.*
Bartholemy, Josef M., Baden-Baden: in Teil IV: *Kurbetrieb und Fremdenverkehr.*
Drechsler, Heike, Dr. phil., Heidelberg: Auswertung von Literatur und gedruckten Quellen.
Ebert, Johannes, Diplom-Biologe, Städtisches Forstamt Baden-Baden: in Teil I: *Naturschutz und Landschaftspflege.*
Fischer, Klaus, Schriftsteller, Baden-Baden: in Teil IV: *Spielbank; Südwestfunk.*
Gauges, Lore, Realoberlehrerin a.D., Baden-Baden: in Teil IV: *Religionsgemeinschaften* (mit Uwe Serr).
Hammer, Anton, Dr. rer. nat., Direktor des Städtischen Forstamtes Baden-Baden: in Teil I: *Pflanzen- und Tierwelt*; in Teil IV: *Die Funktionen des Stadtwaldes.*
John, Herwig, Dr. phil., Archivdirektor, Generallandesarchiv Karlsruhe: in der Einleitung: *Beschreibung des Stadtwappens.*
Käß, Werner, Dr. rer. nat. habil., apl. Professor am Geologischen Institut der Universität Freiburg, Geologiedirektor a. D., Umkirch: in Teil I: *Thermen.*
Klein, Klaus, Diplom-Ingenieur, Bürgermeister, Stadtverwaltung Baden-Baden: in Teil IV: *Verkehr und Verkehrsgewerbe; Ver- und Entsorgung; Gesundheitswesen.*
Lauck-Oelze, Ingrid, M.A., Kunsthistorikerin, Baden-Baden: in Teil IV: *Kulturelle Einrichtungen: Museen, Stadtarchiv, Kunsthalle, Theater, Konzerte.*
Leis, Hannes, Diplom-Ingenieur, Baudirektor, Staatl. Hochbauamt Baden-Baden: in Teil V: *Baudenkmäler.*
Liebenstein, Kurt, Bürgermeister, Stadtverwaltung Baden-Baden: in Teil IV: *Gemeinderat und Stadtverwaltung* (mit Roland Seiter).
Peh, Christiane, Diplom-Ingenieurin für Kartographie (FH), Eppelheim: Gestaltung von Farb-, Schwarzweißkarten und Grafiken (mit Gerd Schefcik).
Plocher, Michael, Rechtsassessor, Leiter der Außenstelle Baden-Baden der Handwerkskammer Karlsruhe: in Teil IV: *Handwerk.*
Reinhard, Eugen, Dr. phil., Honorarprofessor der Universität Karlsruhe, Ltd. Regierungsdirektor, Landesarchivdirektion Baden-Württemberg, Stuttgart: Gesamtleitung und Redaktion, Bild- und Kartenausstattung; Fotos; in Teil I: *Oberflächenformen und Gewässernetz*; in Teil V: *Siedlungsentwicklung und Siedlungsfunktionen.*
Rößling, Wilfried, Dr. phil., Kunsthistoriker, Wissenschaftlicher Angestellter, Generallandesarchiv Karlsruhe: in Teil II: *Kunstgeschichte bis ins 20. Jahrhundert.*
Schallmayer, Egon, Dr. phil., Direktor des Saalburgmuseums, Bad Homburg: in Teil II: *Vor- und Frühgeschichte.*
Schefcik, Gerd, Diplom-Ingenieur für Kartographie (FH), Eppelheim: Gestaltung von Farb-, Schwarzweißkarten und Grafiken (mit Christiane Peh).
Schmidt-Trenz, Hans-Jörg, Dr. rer. pol., Geschäftsführer der Industrie- und Handelskammer Karlsruhe: in Teil IV: *Industrie.*

Schreiber, Hartmut, Diplom-Ingenieur agr., Landwirtschaftsdirektor, Amt für Landwirtschaft, Landschafts- und Bodenkultur, Bühl: in Teil IV: *Landwirtschaft und Weinbau.*
Schultz, Friedhelm, Dr. phil., Karlsruhe: *Register.*
Schultz, Gudrun, Dr. phil., Oberregierungsrätin, Landesarchivdirektion Baden-Württemberg, Abt. Landesforschung und Landesbeschreibung, Außenstelle Karlsruhe: in der Einleitung: *Für den Stadtkreis zuständige Behörden;* in Teil III: *Bevölkerung; Politisches Leben; Wirtschaft und Verkehr; Öffentliches und kulturelles Leben.*
Seiter, Roland, Diplom-Verwaltungswirt, Pressesprecher der Stadt Baden-Baden: Fotos; in Teil IV: *Politisches Leben; Gemeinderat und Stadtverwaltung* (mit Kurt Liebenstein); *Presse und privater Rundfunk.*
Serr, Uwe, Diplom-Kirchenmusiker, Kantor an der Stiftskirche Baden-Baden, Rastatt: in Teil IV: *Religionsgemeinschaften* (mit Lore Gauges).
Sittig, Eberhard, Dr. rer. nat., Professor am Institut für Regionale Geologie der Universität Karlsruhe: in Teil I: *Geologie.*
Stihler, Annegret, M.A., Karlsruhe: Auswertung von Ortsbereisungsakten im Generallandesarchiv Karlsruhe.
Tiborski, Klaus, Dr. phil., Wissenschaftlicher Angestellter, Landesarchivdirektion Baden-Württemberg, Abt. Landesforschung und Landesbeschreibung, Außenstelle Karlsruhe: in Teil I: *Klima;* in Teil IV: *Bevölkerung.*
Tremmel, Rosemarie, Archivangestellte, Landesarchivdirektion Baden-Württemberg, Abt. Landesforschung und Landesbeschreibung, Außenstelle Karlsruhe: Computermanuskripte der Beiträge von außeramtlichen Mitarbeitern.
Weber, Peter, Dr. rer. pol., Stellvertretender Hauptgeschäftsführer der Industrie- und Handelskammer Karlsruhe: in Teil IV: *Handel.*
Wendt, Ulrich, Oberbürgermeister der Stadt Baden-Baden: in der Einleitung: *Baden-Baden in Vergangenheit und Gegenwart;* in Teil IV: *Wirtschaftsstruktur.*
Wörner, Horst, Bundesbankdirektor, Zweigstelle Esslingen am Neckar der Landeszentralbank in Baden-Württemberg (früher: Zweigstelle Baden-Baden): in Teil IV: *Bankwesen.*
Zwosta, Jörg, Erster Bürgermeister der Stadt Baden-Baden: in Teil IV: *Soziale Einrichtungen; Sport; Schulen.*

INHALT

EINLEITUNG

Stadtwappen *(H. John)* 1

Für den Stadtkreis zuständige Behörden *(G. Schultz)* 2

Baden-Baden in Vergangenheit und Gegenwart *(U. Wendt)* 4

I. NATÜRLICHE GRUNDLAGEN 10

1. **Geologie** *(E. Sittig)* 10
   Überblick S. 10 – Grundgebirge (Kristallin) S. 12 – Deckgebirge S. 16 – Staufenberg-Formation S. 16 – Porphyr-Formation S. 18 – Michelbach-Formation S. 19 – Trias und Jura S. 20 – Känozoikum, Tertiär S. 21 – Quartär S. 22 – Fachausdrücke S. 23 – Literatur S. 25

2. **Thermen** *(W. Käß)* 26
   Einleitung S. 26 – Historischer Thermalquellenbezirk S. 26 – Thermalbohrungen im Pflutterloch S. 30 – Beschaffenheit der Thermalquellen S. 30 – Nutzung der Thermen S. 32 – Gesichtspunkte zur Genese der Thermalwässer S. 35 – Bohrungen bei Baden-Oos S. 35 – Anmerkungen S. 37 – Weitere Literatur S. 37

3. **Oberflächenformen und Gewässernetz** *(E. Reinhard)* 37
   Landschaftsbau und Lage S. 37 – Oberrheinisches Tiefland S. 40 – Schwarzwaldvorstaffel S. 42 – Friesenberg und Battert S. 43 – Lichtentaler Mulde S. 44 – Nordschwarzwälder Grundgebirge S. 46 – Südliche Buntsandsteinhöhen S. 47 – Wasserläufe und Talformen S. 48 – Anmerkungen S. 50 – Weitere Literatur und Karten S. 51

4. **Klima** *(K. Tiborski)* 52
   Windrichtung S. 52 – Temperatur S. 52 – Nebelhäufigkeit S. 54 – Sonnenscheindauer S. 57 – Niederschlag S. 58 – Phänologie S. 60 – Literatur S. 61

5. **Pflanzen- und Tierwelt** *(A. Hammer)* 61
   Einleitung S. 61 – Waldgesellschaften S. 62 – Feldgehölze, Hecken und Gebüsche S. 65 – Wiesengesellschaften S. 66 – Parks und Gärten S. 68 – Tierwelt S. 68 – Liste der im Text aufgeführten Pflanzen S. 69 – Liste der im Text aufgeführten Tierarten S. 71 – Literatur- und Quellenangaben S. 72

6. **Naturschutz und Landschaftspflege** *(J. Ebert)* 73
   Zielsetzungen S. 73 – Schutzgebiete im Stadtkreis S. 74 – Vorgesehene Naturschutzgebiete und Naturdenkmäler S. 75 – Landschaftsschutzgebiete S. 76 – Baumschutz S. 76 – Biotopvernetzung S. 76 – Landschaft: Ein Pflegefall S. 77 – Literatur- und Quellenangaben S. 78

II. GESCHICHTE DER STADT UND DER STADTTEILE BIS 1805 ... 79

1. Vor- und Frühgeschichte *(E. Schallmayer)* 79
Einleitung S. 79 – Mesolithische Fundstellen S. 79 – Neolithikum S. 82 – Bronzezeit S. 83 – Urnenfelderkultur S. 83 – Hallstattzeit S. 84 – Latènezeit S. 84 – Aquae – das römische Baden-Baden S. 85 – Merowingerzeit S. 100 – Anmerkungen S. 100

2. Geschichte der Stadt Baden-Baden bis 1806 *(K. Andermann)* 104
Siedlung und Gemarkung S. 104 – Herrschaft und Staat S. 109 – Grundherrschaft und Grundbesitz S. 114 – Gemeinde S. 115 – Kirche S. 119 – Schule S. 126 – Bevölkerung S. 128 – Wirtschaft S. 129 – Yburg S. 136 – Anmerkungen S. 137

3. Kunstgeschichte bis ins 20. Jahrhundert *(W. Rößling)* 138
Einleitung S. 138 – Ältere Bauwerke S. 138 – Neuere Bauwerke S. 140 – Nachkriegszeit S. 144 – Zusammenfassung S. 145

4. Geschichte der Stadtteile *(K. Andermann)* 146

Balg 146
Siedlung und Gemarkung S. 146 – Herrschaft und Grundbesitz S. 146 – Gemeinde S. 146 – Kirche und Schule S. 146 – Bevölkerung und Wirtschaft S. 147

Ebersteinburg 147
Siedlung und Gemarkung S. 147 – Herrschaft und Staat S. 147 – Grundherrschaft und Grundbesitz S. 148 – Gemeinde S. 149 – Kirche und Schule S. 149 – Bevölkerung und Wirtschaft S. 150

Haueneberstein 150
Siedlung und Gemarkung S. 150 – Herrschaft und Staat S. 151 – Grundherrschaft und Grundbesitz S. 151 – Gemeinde S. 151 – Kirche und Schule S. 152 – Bevölkerung und Wirtschaft S. 153

Lichtental 153
Siedlung und Gemarkung S. 153 – Herrschaft und Grundherrschaft S. 154 – Gemeinde S. 155 – Bevölkerung und Wirtschaft S. 155 – Kloster Lichtenthal S. 155

Neuweier 158
Siedlung und Gemarkung S. 158 – Herrschaft und Staat S. 158 – Grundherrschaft und Grundbesitz S. 159 – Gemeinde S. 160 – Kirche und Schule S. 160 – Bevölkerung und Wirtschaft S. 160

Oos 161
Siedlung und Gemarkung S. 161 – Herrschaft und Staat S. 162 – Grundherrschaft und Grundbesitz S. 162 – Gemeinde S. 163 – Kirche und Schule S. 163 – Bevölkerung und Wirtschaft S. 164

Sandweier 164
Siedlung und Gemarkung S. 164 – Herrschaft und Staat S. 165 – Grundherrschaft und Grundbesitz S. 165 – Gemeinde S. 166 – Kirche und Schule S. 166 – Bevölkerung und Wirtschaft S. 166

Steinbach 167
Siedlung und Gemarkung S. 167 – Herrschaft und Staat S. 168 – Grundherrschaft und Grundbesitz S. 168 – Gemeinde S. 169 – Kirche und Schule S. 169 – Bevölkerung und Wirtschaft S. 170

Varnhalt 172
Siedlung und Gemarkung S. 172 – Herrschaft, Grundbesitz und Gemeinde S. 172 – Kirche und Schule S. 172

Anmerkungen zu Kapitel 4 172
Quellen und Literatur zu den Kapiteln 2–4 174

Inhalt XIII

III. ENTWICKLUNG IM 19. UND 20. JAHRHUNDERT BIS ZUR
KREIS- UND GEMEINDEREFORM 177

1. **Bevölkerung** *(G. Schultz)* 177
Bevölkerungsentwicklung S. 177 – Geschlechterproportion S. 185 – Altersaufbau
S. 186 – Konfessionelle Gliederung S. 188 – Nationalität S. 189 – Sozialstruktur
S. 190 – Anmerkungen S. 196 – Quellen zu den Bevölkerungsdaten S. 196

2. **Politisches Leben** *(G. Schultz)* 198
Vormärz und badische Revolution S. 198 – Kirchenstreit und Kulturkampf S. 199
– Parteien und Reichstagswahlen S. 200 – Landtagswahlen S. 204 – Zeit der
Weimarer Republik S. 204 – Jahre des Nationalsozialismus S. 211 – Neubeginn seit
1945 S. 211 – Bundestags- und Landtagswahlen S. 212 – Anmerkungen S. 217 –
Wahlstatistik S. 217 – Archivalische Quellen S. 218

3. **Wirtschaft und Verkehr** *(G. Schultz)* 218
Wirtschaftsstruktur S. 218 – **Weltbad und Kurort**: Fremdenverkehr S. 221 –
Bäder- und Kurverwaltung S. 224 – Kureinrichtungen S. 227 – Spielbank S. 229 –
Iffezheimer Rennen S. 231 – **Gastgewerbe** S. 231 – **Handel und Dienstleistungen**: Handel S. 237 – Dienstleistungsgewerbe S. 241 – Kreditgewerbe und Versicherungen S. 241 – Genossenschaften S. 245 – **Produzierendes und Baugewerbe**: Natürliche Voraussetzungen S. 246 – Handwerk S. 247 – Industrie S. 250 – **Land- und Forstwirtschaft**: Landwirtschaft S. 254 – Obst- und Gartenbau S. 259 – Weinbau S. 259 – Tierhaltung S. 260 – Forstwirtschaft S. 261 – **Verkehr**: Eisenbahn S. 264 – Straßen S. 265 – Innerörtlicher und Nahverkehr S. 266 – Flugverkehr S. 267 – Post, Telegraf, Telefon S. 267 – Anmerkungen S. 268 – **Anhang**: Die gastgewerblichen Betriebe 1800–1970 S. 269 – Quellen S. 281

4. **Gemeinde und Öffentliches Leben** *(G. Schultz)* 281
Gemeinde: Verwaltungszugehörigkeit S. 281 – Gemarkung S. 282 – Bürger S. 282
– Gemeindeverwaltung S. 284 – Städtische und Gemeindebehörden S. 286 –
Nichtkommunale Behörden S. 288 – **Ver- und Entsorgungseinrichtungen**: Wasserversorgung S. 289 – Kanalisation S. 291 – Gasversorgung S. 292 – Stromversorgung S. 292 – Feuerwehr S. 292 – **Gesundheitswesen und soziale Einrichtungen**: Medizinische Versorgung S. 293 – Krankenhäuser und Sanatorien S. 294 – Private Sanatorien und Kliniken S. 295 – Hebammen und Krankenpflege S. 296 – Apotheken S. 296 – Friedhöfe S. 296 – Soziale Einrichtungen S. 297 – Kindergärten S. 298
– Altenheime S. 298 – **Sport** S. 298 – **Schule**: Volksschule S. 299 – Höhere Schulen
S. 302 – Gewerbliche Schulen S. 305 – **Kirchen und Glaubensgemeinschaften**:
Römisch-katholische Kirche S. 307 – Stift und Klöster S. 307 – Evangelische
Landeskirche S. 308 – Sonstige christliche Religionsgemeinschaften S. 309 –
Israelitische Glaubensgemeinschaft S. 310 – **Vereine** S. 310 – Anmerkungen
S. 311 – Literatur zu III. Entwicklung im 19. und 20. Jahrhundert bis zur Kreis-
und Gemeindereform S. 312

IV. DIE STADT DER GEGENWART 316

1. **Bevölkerung** *(K. Tiborski)* 316
Entwicklung S. 316 – Jüngste Tendenzen S. 319

2. **Wirtschaft und Verkehr** 324
Wirtschaftsstruktur *(U. Wendt)* 324
Fremdenverkehr und Kurbetrieb S. 325 – Dienstleistungen 325 – Gewerbe und
Industrie S. 326 – Räumliche Verflechtungen und Verkehr S. 326

Landwirtschaft *(H. Schreiber)* 328
Die Bedeutung der Landwirtschaft im Stadtkreis Baden-Baden: Nahrungsmittelproduktion S. 328 – Landwirtschaft und Landschaftspflege S. 329 – **Flächennutzung und Betriebsstruktur** S. 329 – **Bodennutzung durch landwirtschaftliche Betriebe**: Grünland S. 330 – Ackerland S. 330 – Weinbau S. 330 – Struktur der Winzergenossenschaften und Weingüter S. 331 – Obstbau S. 331 – Schnapsbrennereien S. 331 – **Tierhaltung** S. 332 – **Leistung der Landwirtschaft** S. 332 – **Landwirtschaftliche Organisationen** S. 332 – **Strukturwandel in der Landwirtschaft**: Landwirtschaftliche Betriebe S. 333 – Bewirtschaftete Flächen (LF) S. 333 – Rückgang der Tierhaltung S. 334 – Staatliche Förderprogramme S. 334 – Geringe Ausbildungsquote in »Grünen Berufen« S. 334

Funktionen des Stadtwaldes *(A. Hammer)* 334
Einleitung S. 334 – Geschichte des Stadtwaldes S. 335 – Struktur des Waldes S. 336 – Funktionen des Waldes S. 337 – Gefährdung des Waldes S. 340 – Anmerkungen S. 345 – Literatur S. 347

Handwerk *(M. Plocher)* 347
Bau- und Ausbaugewerbe S. 349 – Elektro- und Metallgewerbe S. 349 – Holzgewerbe S. 350 – Bekleidungs-, Textil- und Ledergewerbe S. 350 – Nahrungsmittelgewerbe S. 350 – Gewerbe für Gesundheits- und Körperpflege, chemische und Reinigungsgewerbe S. 351 – Glas-, Papier-, keramische und sonstige Gewerbe S. 351 – Organisation des Handwerks S. 352

Industrie *(H.-J. Schmidt-Trenz)* 352
Überblick S. 352 – Rückblick S. 353 – Industriestruktur S. 355 – Export S. 356 – Verhältnis zu den übrigen Wirtschaftsbereichen S. 356 – Industrielle Infrastruktur S. 357 – Einzelne Industriegruppen S. 357 – Chemische Industrie S. 358 – Investitionsgüterindustrie S. 362 – Bauindustrie S. 363 – Sonstige Industrie S. 364

Handel *(P. Weber)* 364
Einzelhandel S. 364 – Großhandel und Handelsvertreter S. 368 – Sonstige Dienstleistungen S. 369

Bankwesen *(H. Wörner)* 371
Entwicklung und Aufgaben S. 371 – **Einzelne Kreditinstitute**: Landeszentralbank S. 372 – Kreditbanken S. 372 – Sparkassen S. 373 – Genossenschaftsbanken S. 373 – Baufinanzierung und Versicherungen S. 374

Kurbetrieb und Fremdenverkehr *(J. M. Bartholemy)* 374
Baden-Baden, die führende Kur-, Ferien- und Kongreßstadt S. 375 – Baden-Baden, internationalster Kurort S. 376 – Baden-Baden, ein besonderer Kurort S. 378 – Kurbetrieb und Fremdenverkehr, wirtschaftliche Grundlage Baden-Badens S. 379 – Baden-Baden, Kurort mit Zukunft S. 381 – Tabellenanhang S. 382

Spielbank Baden-Baden *(K. Fischer)* 385

Verkehr und Verkehrsgewerbe *(K. Klein)* 391
Straßenverkehr: Überörtliches Straßennetz S. 391 – Innerörtliches Straßennetz S. 392 – Öffentlicher Nahverkehr S. 394 – Merkurbergbahn S. 396 – **Eisenbahn**: Verkehrslage S. 396 – **Luftverkehr**: Flugplatz S. 397

Ver- und Entsorgung *(K. Klein)* 399
Versorgung: Versorgungsbetriebe S. 399 – Wasserversorgung S. 399 – Stromversorgung S. 402 – Gasversorgung S. 404 – Ausblick S. 406 – **Entsorgung**: Abwasserbeseitigung S. 407 – Abfallbeseitigung S. 408

Inhalt XV

3. **Öffentliches und kulturelles Leben** 412
Politisches Leben *(R. Seiter)* 412
Gemeinderat und Stadtverwaltung *(K.Liebenstein und R. Seiter)* 417
Gemeinderat S. 417 – Stadtverwaltung S. 419
Kirchen und Religionsgemeinschaften *(L. Gauges und U. Serr)* 422
Entwicklung S. 422 – **Römisch-katholische Kirche**: Dekanatsgliederung und Pfarreien S. 423 – Sonstige kirchliche Einrichtungen S. 426 – Klösterliche Niederlassungen S. 426 – **Evangelische Landeskirche in Baden**: Dekanats- und Pfarreiorganisation S. 427 – Übrige kirchliche Einrichtungen S. 427 – **Übrige evangelische Kirchen** S. 429 – **Weitere christliche Kirchen**: Altkatholische Kirche S. 429 – Rumänisch-Orthodoxe Kirche S. 429 – Russisch-Orthodoxe Kirche S. 430 – Anglikanische Kirche S. 430 – Kirche Notre Dame de la Paix S. 431 – **Jüdische Gemeinde Baden-Baden** S. 431
Soziale Einrichtungen *(J. Zwosta)* 431
Einführung S. 431 – Sozial- und Jugendamt der Stadt Baden-Baden S. 431 – Selbsthilfegruppen S. 432 – Verbände der freien Wohlfahrtspflege S. 432 – Kreisverband Baden-Baden der Arbeiterwohlfahrt (AWO) S. 432 – Caritasverband für die Stadt Baden-Baden e.V. (CV) S. 432 – Evangelische Diakonie S. 433 – Kreisverband Baden-Baden des Deutschen Roten Kreuzes (DRK) S. 433 – Deutscher Paritätischer Wohlfahrtsverband (DPWV) S. 433 – Kreisseniorenrat (KSR) S. 434 – Mütterzentrum Känguruh e.V. S. 434 – Stationäre Alten- und Altenpflegeeinrichtungen S. 434 – Ambulante Hilfen S. 435 – Stulz-Schriever'sche Waisenanstalt (Kinder- und Jugendheim) S. 435 – Ausblick S. 435
Gesundheitswesen *(K. Klein)* 435
Sport *(J. Zwosta)*... 441
Entwicklung des Sports S. 441 – Sportvereine S. 441 – Sportausschuß Baden-Baden S. 442 – Sportstätten in Baden-Baden S. 442 – Südbadische Sportschule Steinbach S. 443 – Finanzierung der Sportvereine und der Sportstätten S. 443 – Herausragende sportliche Ereignisse S. 444 – Ausblick S. 444 – Anmerkungen S. 444
Schulen *(J. Zwosta)*... 445
Jüngste Entwicklung S. 445 – Bestehende Schulen S. 447 – Ausblick S. 452 – Quellen und Literatur S. 453
Kulturelle Einrichtungen. Museen, Stadtarchiv, Kunsthalle, Theater, Konzerte *(I. Lauck-Oelze)* 453
Museen: Stadtgeschichtliche Sammlungen S. 453 – Stadtmuseum im Baldreit S. 454 – Zähringer Museum S. 455 – Museum im Kloster Lichtenthal S. 455 – Brahmshaus S. 455 – Heimatmuseum Steinbach S. 455 – Heimatmuseum Haueneberstein S. 455 – Heimatmuseum Sandweier S. 456 – Spielzeugmuseum S. 456 – Weitere Ausstellungen S. 456 – Römische Badruinen S. 456 – **Stadtarchiv** S. 456 – **Staatliche Kunsthalle** S. 456 – **Theater** S. 458 – **Konzerte**: Baden-Badener Orchester S. 459 – Südwestfunk-Sinfonie-Orchester S. 460 – Jugendorchester S. 460 – Weitere Konzerte S. 460 – Literatur S. 460
Der Südwestfunk Baden-Baden *(K. Fischer)* 460
Aufgaben und Bedeutung S. 460 – Anfänge unter französischem Besatzungsregime S. 461 – Aufbau des Hörfunks S. 463 – Frühe bauliche Entwicklung S. 464 – Anstalt des öffentlichen Rechts S. 465 – Programmausweitung durch das Fernsehen S. 466 – Intendanten und Programmgestaltung S. 467
Presse, Verlagswesen und privater Rundfunk *(R. Seiter)* 469
Zeitungen und Wochenblätter S. 470 – Kurzeitungen S. 473 – Verlage S. 473 – Privater Rundfunk S. 477

V. DAS BILD DER STADT 478

1. Siedlungsentwicklung und Siedlungsfunktionen *(E. Reinhard)* 478
Die Kernstadt: Altstadt S. 478 – Kur- und Bäderviertel S. 480 – Innerstädtische Villenviertel S. 481 – Lichtentaler Vorstadt S. 484 – Lichtental S. 486 – Weststadt S. 489 – Oos S. 492 – **Die ländlichen Stadtteile:** Balg S. 497 – Ebersteinburg S. 499 – Haueneberstein S. 501 – Neuweier S. 505 – Sandweier S. 508 – Steinbach S. 510 – Varnhalt S. 513 – Literatur und Karten S. 516

2. Baudenkmäler *(H. Leis)* 517
Kirchliche Bauten: Stiftskirche S. 517 – Spitalkirche S. 518 – Evangelische Stadtkirche S. 518 – Englische Kirche S. 518 – Pauluskirche S. 519 – St. Jakobus in Steinbach S. 519 – **Profane Bauten:** Altes Schloß Hohenbaden S. 519 – Neues Schloß S. 520 – Kurhaus mit Casino S. 521 – Kongresshaus S. 523 – Trinkhalle S. 523 – Kunsthalle S. 524 – Jagdhaus S. 525 – Neue Kanzlei S. 525 – **Bäder:** Friedrichsbad S. 526 – Caracalla-Therme S. 526 – Literatur S. 527

REGISTER *(F. Schultz)* 529

VERZEICHNIS DER TEXTKARTEN UND GRAFIKEN

Stadtwappen	1
Die Lage des Stadtkreises Baden-Baden im Bundesland Baden-Württemberg	3
Geologischer Längs- und Querschnitt durch die Baden-Badener Senke	11
Der Baden-Badener Thermalwasserbezirk vor Beginn der Fassungsarbeiten 1868	27
Nord-Süd-Profil von den Florentinerquellen im Pflutterloch bis zum ehemaligen Thermalsinterhügel	28
Die von 1868 bis 1902 durchgeführten Stollenanlagen und Fassungen mit Angaben der Quelltemperaturen	29
Geologisch-tektonische Übersichtsskizze zum Thermalgebiet Stollenanlagen Pflutterloch	31
Verteilerschema des Baden-Badener Thermalwassers	34
Höhenschichten und Gewässernetz	39
Die vorgeschichtlichen, römerzeitlichen und frühmittelalterlichen Fundplätze	80
Baden-Baden in Mittelalter und früher Neuzeit	108
Das Kollegiatstift zu Baden als Gläubiger (15.–18. Jh.). Kauf von Geldgülten und Zinsen	122
Die Bevölkerungsentwicklung vom Beginn des 19. Jahrhunderts bis 1970. Stadt Baden-Baden, Vororte Lichtental, Oos, Balg	180
Die Bevölkerungsentwicklung vom Beginn des 19. Jahrhunderts bis 1970. Dörfer nördlich der Oos. Orte im Rebland	181
Die Zusammensetzung der Bevölkerung 1880 nach ihrem Geburtsort	183
Die Berufsbevölkerung 1885. Erwerbstätige, ihre Angehörigen und häuslichen Dienstboten nach Wirtschaftsgruppen	191
Die Wohnbevölkerung 1970. Ernährer und Ernährte nach überwiegendem Lebensunterhalt des Ernährers	195
Die Ergebnisse der Reichstagswahlen 1871, 1890 und 1912. Prozentanteile an den gültigen Stimmen	201
Die Wahlbeteiligung an den Reichstagswahlen von 1871 bis März 1933 und an den Landtagswahlen von 1905 bis 1929. Anteil der Wähler an je 100 Wahlberechtigten	203
Die Wahlergebnisse in der Stadt Baden-Baden zwischen 1919 und März 1933	207
Die Wahlergebnisse in den Landorten zwischen 1919 und März 1933	208
Die Reichstagswahlergebnisse des Zentrums 1919 bis März 1933 in den Landorten	209
Die Wahlergebnisse der drei größeren Parteien in der Stadt Baden-Baden zwischen 1949 und 1970	213
Die Wahlergebnisse der drei größeren Parteien in den Landorten zwischen 1949 und 1970	214
Die Wahlbeteiligung an den Bundestagswahlen von 1949 bis 1969 und den Landtagswahlen von 1952 bis 1968	215
Die Bevölkerungsentwicklung 1974 bis 1994 (Stadt Baden-Baden, Vororte)	317
Die Bevölkerungsentwicklung 1974 bis 1994 (Orte nördlich der Oos, Orte im Rebland)	318
Bevölkerungspyramide (Stand 31. 12. 1994)	321
Anteil der ausländischen Bevölkerung in Baden-Baden	324
Vorratsentwicklung im Stadtwald Baden-Baden	336
Altersstruktur des Stadtwaldes Baden-Baden	338
Baumartenverteilung im Stadtwald Baden-Baden	339
Waldschäden im Stadtwald von Baden-Baden	342
Vom Rotwild geschälte Fichtenbestände	343
Beschäftigte im Verarbeitenden Gewerbe (absolute Werte)	354
Beschäftigte im Verarbeitenden Gewerbe (1977 = 100)	355
Beschäftigung nach Wirtschaftsgruppen 1991	356
Umsätze nach Wirtschaftsgruppen 1991	357
Exportquote im Verarbeitenden Gewerbe	358
Auslandsumsätze im Verarbeitenden Gewerbe in 1000 DM	359
Auslandsumsätze im Verarbeitenden Gewerbe (1977 = 100)	360

Kartenbeilagen

Beschäftigte nach Bereichen 1970 361
Beschäftigte nach Bereichen 1987 361
Ausländeranteil in den Kurorten der Bundesrepublik und in Baden-Baden 377
Beherbergungsbetriebe in Baden-Baden (Stand 1. 4. 92) 379
Generalverkehrsplan Baden-Baden 393
Michaelstunnel (Längs- und Querschnitt) 394
Wasser-, Strom-, Gasabsatz 403
Abfallentwicklung 1984–1989 410
Fließschema zur getrennten Erfassung und Verwertung der organischen Abfälle 411
Römisch-katholische Pfarreien 424
Evangelische Landeskirche in Baden. Pfarreien 428
Siedlungsentwicklung von Oos 493
Siedlungsentwicklung von Balg 498
Siedlungsentwicklung von Ebersteinburg 500
Siedlungsentwicklung von Haueneberstein 502
Siedlungsentwicklung von Neuweier 506
Siedlungsentwicklung von Sandweier 508
Siedlungsentwicklung von Steinbach 512
Siedlungsentwicklung von Varnhalt und Gallenbach 514

KARTENBEILAGEN
(in Tasche auf hinterem Umschlagdeckel)

1. Geologie (Entwurf: Eberhard Sittig)
2. AQUAE – das römische Baden-Baden (Entwurf: Egon Schallmayer)
3. Der Besitz des Klosters Lichtenthal von der Gründung bis zur Säkularisation (Entwurf: Kurt Andermann)
4. Der Besitz des Kollegiatstifts zu Baden von der Gründung bis zur Säkularisation (Entwurf: Kurt Andermann)
5. Weststadt, Ooscheuern, Innenstadt, Lichtental, Oberbeuern, Geroldsau – Siedlungsentwicklung (Entwurf: Eugen Reinhard)
6. Baden-Baden Funktionale Gliederung (Entwurf: Christiane Peh)

VERZEICHNIS DER TABELLEN

Erdgeschichtliche Tabelle (Teil 1)	12
Erdgeschichtliche Tabelle (Teil 2)	13
Die einzelnen Thermalquellen im Baden-Badener Thermalwasserrevier	32
Chemische Analyse des Thermalwassers aus dem Friedrichsstollen vom 14. Juli 1987	33
Monatlicher Abfluß der Oos in cbm/s am Pegel Aumatte (Tagesmittel)	49
Mittlere Monatstemperatur in Baden-Baden, gemessen in 211 m ü. NN in °C	52
Lufttemperaturtagesmittel von 5° C (10° C) im Stadtkreisgebiet Baden-Baden	53
Das Klima in Baden-Baden, gemessen in 211 m ü. NN in °C (1951–1980). Klimaelemente Temperatur und Luftfeuchtigkeit	55
Das Klima in Baden-Baden, gemessen in 211 m ü. NN (1951–1980). Klimaelemente Wind, Bewölkung und Niederschlag	56
Niederschlag in Baden-Baden und Umgebung	58
Bevölkerungsentwicklung	178
Verteilung der Bevölkerung auf die Stadtteile	179
Weiblicher Bevölkerungsanteil im Jahr 1900 nach Altersklassen	186
Der Anteil der Unter-14-jährigen an der Bevölkerung	187
Altersgliederung der Bevölkerung im erwerbsfähigen Alter	188
Landtagsabgeordnete des Wahlbezirks Baden-Baden 1819–1918	205
Landtagswahlen 1871–1903	206
Die Gewerbestruktur 1895 im Vergleich mit den fünf größten badischen Städten und dem Großherzogtum	219
Nichtlandwirtschaftliche Arbeitsstätten und Beschäftigte 1970	220
Vergleich der gastronomischen Betriebe 1900–1970	235
Das Gastgewerbe 1968	236
Branchenstruktur des Einzelhandels 1968 (Betriebe mit einem Jahresumsatz ab 12000 DM). Baden-Baden im Vergleich mit den übrigen badischen Stadtkreisen	238
Betriebsgrößen und Umsatz im Einzelhandel 1968 (Betriebe mit einem Jahresumsatz ab 12000 DM). Baden-Baden im Vergleich mit den übrigen badischen Stadtkreisen	239
Die Einzelhandelsbranchen im Zeitvergleich	240
Einzel- und Großhandel 1960 und 1968 im Vergleich mit den übrigen badischen Stadtkreisen	240
Das Dienstleistungsgewerbe im Zeitvergleich	242/3
Der Tertiäre Wirtschaftssektor 1970	246
Gewerbebetriebe in Baden-Baden im Jahr 1855	248
Gewerbebetriebe in Lichtental im Jahr 1903	249
Handwerksbetriebe bzw. Betriebe mit Schwerpunkt im Handwerk	249
Verarbeitendes Gewerbe und Baugewerbe im Zeitvergleich	251/3
Die landwirtschaftlichen Haushaltungen 1873	255
Bodennutzung 1904	256
Bodennutzung 1949	257
Bodennutzung 1971	258
Gemeinde- und Körperschaftswald	262
Baumarten auf der ertragsfähigen Waldfläche im Gemeinde- und Körperschaftswald 1902	263
Das heutige Stadtgebiet im Jahr 1852	283
Die Gemarkungsflächen 1905 und 1950	283
Die Oberbürgermeister u. (1.) Bürgermeister der Stadt Baden-Baden bis zur Gemeindereform	286
Ärzte in Baden-Baden 1900, 1950, 1970	294
Schüler und Studierende 1970	303
Pfarrorganisation im heutigen Stadtgebiet Baden-Baden bis 1970	308
Anteil der über 65jährigen in den eingemeindeten Orten in % von 1989 bis 1994	320
Anteil der Jugendlichen unter 18 Jahren in den eingemeindeten Stadtteilen in % von 1990 bis 1994	322

Nahrungsmittelproduktion im Durchschnitt der Wirtschaftsjahre 1991/92 und 1993/94 ... 328
Flächennutzung 1989 329
Landwirtschaftliche Betriebe und Forstbetriebe 1993 nach Größenklassen der landwirtschaftlich genutzten Flächen (LF) 330
Betriebsfläche 1994 nach Hauptnutzungs- und Kulturarten in ha 330
Bruttoproduktion von tierischen Erzeugnissen im Durchschnitt der Wirtschaftsjahre 1991/92 und 1993/94 in 1000 DM 332
Landwirtschaftliche Betriebe nach Größenklassen der landwirtschaftlich genutzten Fläche (LF).. 333
Bewirtschaftete Fläche von Betrieben mit Betriebssitz in Baden-Baden 333
Tierhaltung in Betrieben im Stadtkreis Baden-Baden 334
Schadensfläche in % der Holzbodenfläche 344
Das Handwerk seit 1970... 348
Beschäftigte und Umsätze im Handwerk 1977 348
Arbeitsstätten und Beschäftigte des Einzelhandels in Baden-Baden 1987 nach Branchen 365
Arbeitsstätten und Beschäftigte des Großhandels und der Handelsvermittlungen in Baden-Baden 1987 nach Branchen 369
Betriebe und Beschäftigte der Kreditinstitute 1987 371
Entwicklung der Geschäfte einiger Kreditinstitute mit Sitz in Baden-Baden jeweils zum Jahresende in Mio. DM 371
Beherbergungsbetriebe Stand 1. 4. 1991 382
Bettenangebot 1919 in Baden-Baden... 382
Entwicklung des Kurbetriebs in Baden-Baden 1892–1992 382
Entwicklung des Kurbetriebs in der Bundesrepublik Deutschland 1972–1992 383
Rangliste der 26 führenden Heilbäder in der Bundesrepublik 1970 mit über 500000 Übernachtungen 383
Rangliste der 26 führenden Heilbäder in der Bundesrepublik 1992 384
Entwicklung des Kurverkehrs 1972–1992 in den westlichen Bundesländern 384
Ausländeranteil in den Kurorten der Bundesrepublik und in Baden-Baden 385
Entwicklung des Kurverkehrs in Baden-Baden 1962–1992 385
Spielbankeinnahmen 1970–1994 in DM 389
Spielbankabgabe und Rückfluß 1970–1994 in DM 390
Maximale Verkehrsbelastung pro Tag 391
»Baden-Baden-Linie« (1991) 395
Technische Angaben zur Merkurbahn 396
Zughalte in Baden-Baden 1992/93 397
Flugbewegungen in Baden-Baden 1981–1992 398
Das Baden-Badener Trinkwasser. Chemisch-Physikalische Wasseruntersuchung 400
Stromabgabe 1991/92 in Tsd. KWh... 402
Stromverteilungsnetz 1991/92 402
Abfälle in Tonnen 1984–1989 409
Wertstoffabfälle in Tonnen 1986–1989 409
Kommunalwahlen in Baden-Baden 420
Personalentwicklung 421
Dezernatsverteilung in der Stadtverwaltung 422
Übersicht über die Schülerzahlen zum Einschulungsstichtag September/Oktober 1993 446

ABBILDUNGSVERZEICHNIS

Umschlagbild: Blick vom Friesenberg auf die Stiftskirche und den Merkur
1. Das Oostal von Nordwesten. Im Vordergrund die Rheinebene und der breite Talausgang der Oos mit dem Stadtteil Oos und dem Verkehrslandeplatz (Flughafen Baden-Baden). Im Tal der Oos die Weststadt, Lichtentaler Vorstadt, Lichtental und Oberbeuern. Links der Battert mit der Ruine des Alten Schlosses, dahinter der Merkur und Kleine Staufenberg. Rechts der Fremersberg, dahinter die Badener Mulde, überragt vom nördlichen Buntsandsteinschwarzwald mit der Badener Höhe.
2. Das Baden-Badener Rebland von Westen. Im Vordergrund die Rheinebene mit dem Steinbacher Gewerbegebiet. Dahinter die Rebhänge der Schwarzwaldvorberge mit den Stadtteilen Steinbach (Mitte), Varnhalt mit Gallenbach (links) und Neuweier (rechts), überragt vom Iberg mit der Ruine der Yburg.
3. Oberrotliegend-Fanglomerat mit der Burgruine Hohenbaden (Altes Schloß).
4, 5, 6 Battertfelsen. Felsen in den Oberrotliegend-Fanglomeraten am Südhang des Battertrükkens.
7. Kletterer an den Battertfelsen.
8. Battertfelsen.
9. Großer und Kleiner Staufenberg vom Fremersberg aus. In der Bildmitte Stadtbebauung im Oostal und auf dem Rettighügel. Darüber die durch Reliefumkehr entstandenen, bewaldeten Buntsandsteinkegel von Großem (Merkur) und Kleinem Staufenberg.
10. Iberg und Nördlicher Talschwarzwald vom Fremersberg aus. In der Bildmitte der Porphyrkegel des Ibergs mit der Burgruine der Yburg. Dahinter die durch fluviale Erosion stark zerkuppten Grundgebirgshöhen im Bühlertalgranit am Westabbruch des Nordschwarzwaldes.
11. Geroldsauer Wasserfall. 9 m hoher, kaskadenartiger Wasserfall des Grobbachs in einer harten Ruschelzone des Bühlertalgranits.
12. Vorbergzone mit flurbereinigten Rebanlagen. Rebanlagen am Nellenberg und unter dem Iberg.
13. Vorbergzone mit flurbereinigten Rebanlagen. Rebanlagen unter der Buntsandstein-Hochscholle des Fremersbergs.
14. Oostal im innerstädtischen Bereich. Das Luftbild aus Nordwesten zeigt das Oostal von der westlichen Innenstadt bis Lichtental. Etwa rechtwinklig einmündende Seitenbäche verbreitern das Tal des Oosbaches. Dichte Bebauung im Innenstadtbereich und in der Lichtentaler Vorstadt.
15. Altstadthügel von Norden. Das Luftbild zeigt den Altstadthügel über den Tälern der Oos und des Rotenbachs. Die herausragenden Gebäude sind auf dem Hügel das Neue Schloß aus der Zeit der Renaissance und des Barocks sowie in mittlerer Höhe am Hang die Stiftskirche mit ihrem nach dem Stadtbrand von 1689 barock umgestalteten Glockenturm.
16. Die mittelalterliche Stadt nach der Mitte des 17. Jahrhunderts. Foto eines farbigen Kupferstichs aus »Theatrum exhibens illustriores principesque Germaniae superioris civitates«. Amsterdam 1657. Stadtgeschichtliche Sammlungen Baden-Baden Inv.-Nr. 8810
17. Stadtansicht vom Kurhaus nach der Mitte des vorigen Jahrhunderts. Foto einer Lithographie, gestochen von T. Le Blanchard, verlegt von Lemercher, Paris. Stadtgeschichtliche Sammlungen Baden-Baden Inv.-Nr. 9891
18. Die Altstadt von Südosten. Die Luftaufnahme zeigt die Topographie des Altstadthügels sowie das Grund- und Aufrißbild der nach 1689 wiederaufgebauten, im 19. und 20. Jahrhundert durch die monumentalen Bäderbauten veränderten Altstadt, die im Südosten und Westen durch die gut sichtbaren Straßenzüge von Sophien- und Luisenstraße begrenzt wird.
19. Die Altstadt vom Friesenberg. Altstadthügel von Westen mit dem Neuen Schloß und der Stiftskirche.
20. Schloß Hohenbaden (Altes Schloß) von der Ritterplatte aus. Ober- und Unterschloß am Westhang des Batterts.
21. Altes Schloß, Palasbau der Unterburg von außen.
22. Schloß Hohenbaden von der Bergseite.

23 Neues Schloß, Innenhof. Blick aus dem Torduchgang in den Innenhof des Neuen Schlosses mit dem Hauptbau, einem barock umgestalteten Renaissancepalast von 1573–75.
24 Neues Schloß, Innenhof mit Hauptbau und Küchenbau.
25 Neues Schloß, darunter das Kloster zum Hl. Grab und die ehemalige Spitalkirche.
26 Stiftskirche und Friedrichsbad von Südosten.
27 Stiftskirche vom Florentinerberg.
28 Schloßstraße und obere Hirschstraße. Barocker Wiederaufbau der Altstadt nach 1689.
29 Schloßstraße und Stiftskirche.
30 Kloster zum Hl. Grab vom Florentinerberg. Im Hintergrund: ehemalige Spitalkirche, das einstige Amtshaus, die Vincentischule und die Bebauung am Rettig.
31 Kloster zum Hl. Grab und Neues Schloß.
32 Chor der ehemaligen Spitalkirche. Erbaut 1486.
33 Ölberg des einstigen Spitalfriedhofs. Errichtet 1422; beim Bau der Caracalla-Therme an den heutigen Platz versetzt.
34 Altes Dampfbad vom Florentinerberg. Errichtet 1846–48 von Heinrich Hübsch. Dahinter Kuppel und Ecktürme des Friedrichsbads.
35 Friedrichsbad vom Florentinerberg. Staatsbadpalast im Stil der Neorenaissance.
36 Friedrichsbad. Gesamtansicht vom Römerplatz; erbaut 1875–77 von Carl Dernfeld.
37 Mittelrisalit des Friedrichsbads. Im Bogenfeld Büste von Großherzog Friedrich von Baden.
38 Kurmittelhaus und Caracalla-Therme. Erbaut nach dem Abbruch des Augustabades nach 1970 als Kurmittelhaus, mit Thermenanlage erweitert 1983–85. Rechts im Bild die ehemalige Spitalkirche.
39 Rotunde der Caracalla-Therme.
40 Thermalbrunnen im Garten des Hotels Badischer Hof.
41 Reiherbrunnen in der Sophienstraße. Jugendstil-Thermalbrunnen, entworfen von Karl Albiker 1912, seit 1981 in der Mittelachse der Sophienstraße.
42 Kurhaus. Das Luftbild zeigt den Gesamtkomplex des Kurhaus- und Spielbankgebäudes mit dem Kurhauspark, der Orchestermuschel (links) und der Trinkhalle (rechts).
43 Kurhaus, Säulenhalle Friedrich Weinbrenners. Erbaut 1821 bis 1824.
44 Kurhaus und Orchestermuschel. Die im Jugendstil gestaltete Orchestermuschel ersetzte 1912 einen älteren Musikpavillon.
45 Straßenlaterne am Kurhaus.
46 Trinkhalle, Mittelrisalit mit Marmorbüste Kaiser Wilhelms I. Die Kaiserbüste wurde 1875 von dem Bildhauer Joseph von Kopf geschaffen.
47 Trinkhalle. Bau von Heinrich Hübsch 1839–43.
48 Trinkhalle, Giebelrelief am Mittelrisalit. Relief des Bildhauers Xaver Reich mit Darstellung der Quellnymphe, zu der die Kranken kommen (links) und von der die Geheilten gehen (rechts).
49 Gernsbacher Straße. Geschäftsstraße in der Altstadt, überragt vom Turm der Stiftskirche.
50 Lange Straße. Hauptgeschäftsstraße der Altstadt mit dem Kaufhaus Wagener.
51 Badhotel zum Hirsch. Ansicht des Hotelbaus von der Hirschstraße.
52 Lange Straße. Bild der Hauptgeschäftsstraße vom Badhotel zum Hirsch.
53 Bürgerhäuser an der Luisenstraße.
54 Altstadthügel, Battert und Altes Schloß. Blick auf die Altstadt vom Kurhaus aus. Typische Bürgerhäuser des ausgehenden 19. Jahrhunderts, darüber der barocke Turm der Stiftskirche und das Neue Schloß. Im Hintergrund der Battert mit dem Alten Schloß (Hohenbaden).
55 Leopoldsplatz. 1990/91 als Fußgängerzone neu gestaltet mit einem Granitplattenbelag und einer Brunnenanlage aus weißem Carrara-Marmor.
56 Ehemaliges Palais Hamilton. Heutige Stadtsparkasse Baden-Baden, erbaut 1808 von Friedrich Weinbrenner.
57 Russisch-Orthodoxe Kirche. Erbaut 1880–82.
58 Stourdza-Kapelle. Griechisch-Orthodoxe Kapelle, Grablege der rumänischen Fürstenfamilie Stourdza; erbaut 1863–66 durch Leopold von Klenze.
59 Reliefwappen der Fürsten Stourdza. Angebracht an der östlichen Längswand der Stourdza-Kapelle.

Abbildungsverzeichnis XXIII

60 Das Paradies. Wasserspiele von Max Laeuger, gebaut 1922–25, mit Blick zur Stiftskirche.
61 Das Paradies. Blick hangaufwärts.
62 Gönneranlage. Parkanlage an der Oos und Lichtentaler Allee, gestaltet 1909–12 von Max Laeuger. Im Bild oben: Tennisplätze an der Lichtentaler Allee. Im Bild rechts: das Bertholdsbad. Im Bild unten: Villen an der Ludwig-Wilhelm-Straße.
63 Theater am Goetheplatz. Erbaut 1860–62 im Stil des französischen Neubarocks durch Charles Derchy, Charles und Ludwig Lang.
64 Theater und Kolonnadengeschäfte an der Kastanienallee. Die Kastanienallee wurde 1766 angelegt, erste Verkaufsboutiquen aus Holz entstanden 1818, die 1867 in Luxusgeschäfte umgestaltet wurden.
65 Lichtentaler Vorstadt. Blick auf die »Protestantische Vorstadt« mit der Evang. Stadtkirche vom Friesenberg. Das protestantische Gotteshaus wurde 1855–64 von Friedrich Eisenlohr erbaut.
66 Evang. Stadtkirche. Blick von der Augustaanlage auf die neugotischen Glockentürme.
67 Ev.-Lutherische Johanniskirche. Ehemalige Englische Kirche.
68 Goldenes Kreuz. Fünfgeschossiges Bürgerhaus großstädtischer Prägung von 1891/92 nach Plänen von Wilhelm Vittali.
69 Oos an der Lichtentaler Allee. Die Lichtentaler Allee wurde um 1850 von Spielbankpächter Edouard Bénazet angelegt.
70 Oossteg an der Lichtentaler Allee.
71 Hotel an der Lichtentaler Allee. Typische Jugendstilfassade, kennzeichnend für zahlreiche Baden-Badener Hotelbauten.
72 Villa an der Lichtentaler Allee. Ehemalige Villa Schriever, erbaut 1897.
73 Villa an der Oos. Gartenseite der früheren Villa Eden oder Biron.
74 Gönneranlage, Hirschtor an der Josefinenbrücke.
75 Gönneranlage, Josefinenbrunnen.
76 Lichtental und Oberbeuern vom Friesenberg.
77 Lichtental von Südosten. Am Hang über dem Ort: die neuromanische kath. Pfarrkirche St. Bonifatius von 1865. Am Leisberghang (im Bildhintergrund links): die burgartige Villa Stroh.
78 Kloster Lichtenthal, Marienbrunnen. Barocke Brunnenanlage aus Buntsandstein von 1602.
79 Kloster Lichtenthal, Brunnenstock mit Marienstatue.
80 Kloster Lichtenthal, Fürstenkapelle. Stiftung Markgraf Rudolfs I. als Grablege der markgräflichen Familie; Restaurierung 1830–32.
81 Kloster Lichtenthal, Abteigebäude. Konventsgebäude errichtet 1728–34 nach einem Entwurf von Peter Thumb.
82 Kloster Lichtenthal, Wappen am Abteigebäude.
83 Kloster Lichtenthal, Klosterhof mit Schulgebäude.
84 Kloster Lichtenthal, ehemalige Wirtschaftsgebäude.
85 Oberbeuern. Siedlungslage im Oostal.
86 Oberbeuern, Beuerner Straße.
87 Oberbeuern, Beuerner Straße.
88 Weststadt mit der St. Bernhardus-Kirche vom Friesenberg.
89 Weststadt und Oos vom Friesenberg.
90 Oos, Bahnhof Baden-Baden.
91 Oos, kath. Pfarrkirche St. Dionys, Ostchor.
92 Oos, Ooser Hauptstraße.
93 Oos, ehemaliges bäuerliches Anwesen Ooser Hauptstraße 51. Quer zur Straße stehendes Einhaus mit Wohnteil in Fachwerkbauweise.
94 Balg, Balger Hauptstraße.
95 Balg, Streckgehöft Im Gässel.
96 Ebersteinburg, Burgruine Alteberstein. Erster eberteinischer Herrschaftssitz mit Bergfried des 13. Jahrhunderts.
97 Ebersteinburg, Ortsansicht vom Batterthang.
98 Burgruine Alteberstein und Ebersteinburg vom Merkur.
99 Haueneberstein von Südwesten.

100 Haueneberstein, Eberbachstraße.
101 Haueneberstein, Neubaugebiet Am Mühlwäldle.
102 Haueneberstein, Ortszentrum beim Rathaus.
103 Schloß Neuweier.
104 Neuweier, Grundschule.
105 Neuweier mit der Yburg. Blick aus der Parkanlage beim Friedhof.
106 Sandweier von Südwesten.
107 Sandweier, kath. Pfarrkirche St. Katharina.
108 Sandweier, Iffezheimer Straße.
109 Sandweier, Autobahnkirche St. Christophorus.
110 Steinbach, ehemaliges Amtshaus (Amt Yburg).
111 Steinbach, Barockhaus mit Durchgang (Steinbacher Straße 34).
112 Varnhalt vom Nellenberg.
113 Gallenbach vom Nellenberg.

BILDNACHWEIS

Foto Schneider, Baden-Baden: 42, 62, 63, 99, 106 (Copyright Stadtverwaltung Baden-Baden)
Prof. Dr. Eugen Reinhard: Umschlagbild, 3, 4, 5, 6, 7, 8, 9, 10, 11, 12, 13, 19, 20, 21, 22, 23, 24, 27, 28, 29, 30, 31, 32, 33, 34, 35, 36, 37, 38, 39, 41, 43, 44, 46, 47, 48, 49, 50, 51, 52, 53, 54, 55, 56, 58, 59, 60, 61, 64, 65, 66, 67, 68, 69, 70, 72, 73, 74, 75, 76, 77, 78, 79, 80, 81, 82, 83, 84, 85, 86, 87, 88, 89, 90, 91, 92, 93, 94, 95, 96, 97, 98, 100, 101, 102, 104, 105, 107, 108, 109, 110, 111, 112, 113
16, 17 (Copyright Stadtgeschichtliche Sammlungen Baden-Baden)
Schwabenflugbild, Dombühl: 18 (Copyright Stadtverwaltung Baden-Baden)
Roland Seiter: 25, 26, 40, 45, 57, 71, 103
Stuttgarter Luftbild Elsässer GmbH: 1, 2, 14, 15 (Copyright Stadtverwaltung Baden-Baden)

EINLEITUNG

Heraldische Beschreibung

Wappen: In Gold (Gelb) ein roter Schrägbalken.

Baden-Baden führt seit jeher das Stammwappen der Markgrafen von Baden, der früheren Stadt- und Landesherren, als heraldisches Zeichen der Stadt. Die ältesten Zeugnisse für das Stadtwappen bieten die Stadtsiegel. Schon das erste Typar aus dem 14. Jahrhundert (Siegelabdrucke seit 1377 überliefert) zeigt den markgräflichen Wappenschild. Wappendarstellungen außerhalb der Siegel, etwa an öffentlichen Gebäuden, sind vom 16. Jahrhundert an nachzuweisen.

Ende des 18. Jahrhunderts und im 19. Jahrhundert wurde gemäß der damaligen Mode bei kommunalen Siegeln über dem Schild eine Laubkrone hinzugefügt. Heute wird das Stadtwappen auch mit einer (braunen) Mauerkrone über dem Schild geführt, eine Gepflogenheit, die Ende des 19. Jahrhunderts einsetzte. Die Mauerkrone bildet jedoch keinen festen Bestandteil des Wappens, diente aber – solange Baden als Staat bestand – zur Unterscheidung des Stadtwappens vom Wappen des Großherzogtums und des Landes Baden.

Für den Stadtkreis zuständige Behörden

Amt für Flurneuordnung und Landentwicklung: Karlsruhe; Amt für Landwirtschaft, Landschafts- und Bodenkultur: Bühl; Amt für Wasserwirtschaft und Bodenschutz: Karlsruhe; Amtsgericht Baden-Baden; Arbeitsamt: Rastatt, Dienststelle Baden-Baden; Arbeitsgericht: Karlsruhe; Bundesanstalt Technisches Hilfswerk: Geschäftsführerbereich-Dienststelle Pforzheim; Bundesverband für den Selbstschutz: Offenburg; Bundeswehr: Deutscher Beauftragter beim Oberbefehlshaber der französischen Streitkräfte in Deutschland, Baden-Baden; Kreiswehrersatzamt: Karlsruhe; Wehrbereichsbekleidungsamt V, Baden-Baden; Eichamt: Karlsruhe; Finanzamt Baden-Baden; Staatliches Forstamt: Kaltenbronn in Gernsbach; Badische Gebäudeversicherungsanstalt – Außenbeamter –: Rastatt; Gerichtsvollzieher: Verteilungsstelle beim Amtsgericht Baden-Baden; Staatliches Gesundheitsamt: Rastatt mit Außenstelle Baden-Baden und Außenstelle Bühl; Gewerbeaufsichtsamt: Karlsruhe; Handwerkskammer: Karlsruhe, Außenstelle Baden-Baden; Staatliches Hochbauamt I: Karlsruhe, Außenstelle Baden-Baden; Staatliches Hochbauamt Baden-Baden; Industrie- und Handelskammer Karlsruhe, Hauptgeschäftsstelle Baden-Baden; Landgericht Baden-Baden; Staatliches Liegenschaftsamt: Karlsruhe; Naturschutzbeauftragte in Baden-Baden; Notariat Baden-Baden; Polizeidirektion Baden-Baden; Staatliches Schulamt Baden-Baden; Sozialgericht: Karlsruhe; Staatsanwaltschaft Baden-Baden; Staatsarchiv: Generallandesarchiv Karlsruhe; Straßenbauamt: Karlsruhe; Versorgungsamt: Karlsruhe; Verwaltungsgericht: Karlsruhe; Staatliches Veterinäramt: Karlsruhe, Außenstelle Rastatt; Zolldienststellen: Hauptzollamt Baden-Baden.

Einleitung

Baden-Baden in Vergangenheit und Gegenwart

Als Stadt mit einer 2000 Jahre alten Geschichte steht Baden-Baden heute vor der Aufgabe, eine Tradition, die sich aus der Grundsteinlegung durch römische Legionäre und der Glanzzeit als Weltbad in der »Belle Époque« entwickelte, in eine gesicherte Zukunft als internationaler Standort einzubinden. Der weltweite Ruf der einstigen »Sommerhauptstadt Europas« als kultureller Treffpunkt inmitten einer einzigartigen Landschaft reicht allein nicht mehr aus, Baden-Badens Anziehungskraft zu sichern. Um das Wesentliche und Wertvolle zu bewahren, müssen die Strukturen verändert (BKV-Reform), moderne Arbeitsinstrumente geschaffen (Marketinggesellschaft), ein zugkräftiges Leitbild vorangestellt und die Stadt im Denken und Handeln verjüngt werden.

Glanzzeiten mit starker Außenwirkung erreichten in Baden-Baden dreimal eine üppige Blüte. Zwar wissen die Archäologen, daß schon in der Jungsteinzeit Menschen zeitweise im Tal der Oos siedelten, doch erst die römischen Bürgersöhne mit ihren Ansprüchen auf Zivilisation und Freude am angenehmen Leben entdeckten »Aquae Aureliae« als Ort, an dem dies im kalten Germanien möglich war. Die heißen Thermalquellen – ein auch heute noch unversiegter Schatz – gaben mehr als militärische Gründe den Ausschlag dafür, daß die Soldaten vieler Cäsaren im sumpfigen Gebiet unterhalb der Schwarzwaldhänge Lust zum Roden und Bauen bekamen. Mit der Errichtung der Kaiserbäder und weiteren bedeutenden Bauten schufen sie nicht nur Kulturgüter von Rang, sie gründeten damit auch einen Kurort, der schon bald die Großen des Römischen Reichs zum Kurieren des auch damals schon bekannten Rheumas lockte.

Im 2. Jh. n. Chr. erreichte das »bürgerliche Aquae« als Stadt mit baulichen, wirtschaftlichen und sozialen Strukturen römischer Prägung seine Hoch-Zeit als Mittelpunkt der Region und attraktive Bäderstadt für die in der Ferne herrschenden Kaiser – unter ihnen wohl auch Caracalla, der heute Namensgeber für Baden-Badens jüngstes und modernstes Thermalbad ist. Als einer der vielen, die nach schwerer Krankheit in den heißen Quellen Heilung fanden, hatte er die Macht und das Geld, die sprudelnden Naturschätze in kostbaren Bauwerken nutzbar zu machen und damit die junge Bäderstadt »aus der Taufe zu heben«. Als um das Jahr 260 die Alemannen den Limes im Osten durchbrachen und die germanischen Krieger das »kaiserliche Bad« fast völlig vernichteten, versank das gerühmte »Aquae Aureliae« in einen vielhundertjährigen Dornröschenschlaf.

Der Prinz, der die Bäderstadt zum zweiten Mal wachküßte, hieß Hermann (II.) Markgraf von Baden. Schon zu seiner Zeit wurde wohl auf den steilen Battertfelsen mit dem Bau der späteren Burg Hohenbaden, deren Ruine heute ein beliebtes Ausflugsziel ist, begonnen. Unter Hermann IV. wurde Baden-Baden zur ständigen Residenz der Markgrafen von Baden aus dem Haus der Herzöge von Zähringen. Das immer mächtiger werdende Geschlecht der Zähringer brachte auch die Stadt Baden zu neuer Blüte und Anziehungskraft. Auch in dieser Zeit finden sich die Namen von Kaisern und Königen in der »Gästeliste« – sei es der Kaiser Friedrich III., der am 30. Juni 1473 mit mehr als 400 Pferden und stattlichem Gefolge zur Badekur anreiste, sei es der »türkische Kaiser« Prinz Calixt Osman, ein Bruder des Sultans Mohammed II., den die Annalen der Stadt als ersten Kurgast aus dem Orient verzeichnen.

Der Aufstieg der Residenzstadt erreichte seinen Höhepunkt unter einem der bedeutendsten badischen Fürsten: Der junge Markgraf Christoph I. verlegte 1479 den Regierungssitz von der schwer zugänglichen Burg Hohenbaden in das schon vor 1400 gebaute »Neue Schloß« direkt über den Thermalquellen und baute es zum prächtigen

Regierungssitz aus. Noch gut zwei Jahrhunderte sollte der Glanz der kleinen Stadt Baden weit hinaus strahlen, bis der Orléans'sche Krieg ein jähes Ende setzte und die französischen Truppen, die Ludwig XIV. zu seinen Raubzügen ausgeschickt hatte, die blühende Stadt in Schutt und Asche legten. Am 24. August 1689, dem Tag des Apostels Bartholomäus, wurde Baden-Baden zu einer einzigen lodernden Brandfackel, von der nach wenigen Stunden nur noch rauchende Trümmer kündeten. Dieser schwärzeste Tag ihrer zweitausendjährigen Geschichte ließ die Kurstadt erneut in Vergessenheit geraten.

Und wieder waren es die Fremden, die Baden-Baden für sich entdeckten: Gäste des Rastatter Kongresses (dem Ort, an den auch die Markgrafen nach dem großen Brand ihre Residenz verlegt hatten), rühmten die liebliche Landschaft im Tal der Oos. Noch waren die Thermalquellen nicht wiederentdeckt, aber zum dritten Mal fand sich ein Prinz, die schlafende Schönheit an den Schwarzwaldhängen zu wecken. Diesmal war es der große badische Baumeister Friedrich Weinbrenner, der im Auftrag des kunstsinnigen Landesherrn, Großherzog Karl von Baden, mit dem Bau des »Promenadenhauses« und der bald weltberühmten Spielbank den Rahmen für das internationale Publikum und den Ruf eines Kurorts europäischen Rangs geschaffen hat, für den Baden-Baden noch heute steht. Glücksspiel, die wiederentdeckte Heilkraft des Thermalwassers und der Reiz einer Landschaft mit fast mediterranem Klima stellten die politischen Entscheidungsträger der »Bürgerstadt« für lange Zeit vor keine allzu großen Herausforderungen. Großherzogliche Gunst, kaiserliche Präsenzen und die Spielbank-Familie Bénazet, die Theater, Kurorchester und internationale Galopprennen in Iffezheim initiierte, standen Pate.

Auch nach dem 2. Weltkrieg setzte man in Baden-Baden fast ausschließlich auf die Renaissance der ruhmreichen Tradition. Hatte der »französische Feind« das kurörtliche Kleinod nahe der Grenze etwa verschont, um sich selbst nicht um den Genuß seiner Schönheiten zu bringen? Es hatte schon seinen Grund, daß die französische Siegermacht Baden-Baden bis 1993 zum Standort für das Hauptquartier ihrer in Deutschland stationierten Streitkräfte machte. Fast ein halbes Jahrhundert später, in dem aus geduldeten Besatzern willkommene Gäste und Freunde wurden, gilt die Kurstadt noch immer als »heimliche Hauptstadt« der Franzosen und frankophiler Ort.

Nicht nur die französischen Soldaten und ihre Familien prägten die neue Infrastruktur in den Nachkriegsjahren des Neubeginns, noch stärker prägte die Entscheidung über die Standorte der neuen Rundfunkanstalten das künftige und junge Gesicht der alten Kurstadt: Mit dem Südwestfunk, der innerhalb der ARD die – damals ausschließliche und heute verfassungsgerichtlich bestätigte – öffentlich-rechtliche »Grundversorgung« mit Information und Unterhaltung via Radio und Fernsehen für den südwestlichen Landesteil von Baden-Württemberg und das Land Rheinland-Pfalz übernehmen sollte, wurden die Weichen für den neuen »Medienstandort Baden-Baden« gestellt. Der junge Rundfunksender paßte als moderner Dienstleistungsbetrieb gut in das politische Landschaftsbild der lang anhaltenden Wirtschaftswunderjahre, in denen ansonsten die Wiederbelebung der unvergessenen Tradition ganz im Vordergrund stand. Kurgäste und Casinobesucher sollten auch dem modernen Baden-Baden Einkünfte und Wohlstand sichern. Konsequent verwarfen Oberbürgermeister und Gemeinderäte alle Vorschläge nach Industrieansiedlungen. Fremdenverkehr und Fabrikschornsteine – das paßte und paßt nicht zusammen und hätte den Ruf Baden-Badens als Kurort bald zerstört.

Doch schon zeigte sich, daß die Zurückhaltung bei Gewerbesteuereinnahmen aus der Wirtschaft auch seine Schattenseite hat. Die attraktiven, aber eben wenigen Firmen in den Stadtrandlagen, die zwar mit ihrer Produktion das kurörtliche Klima nicht belasteten, trugen – ausgehend von der Größe Baden-Badens – nur unterdurchschnittlich zur Finanzausstattung bei. Haupteinnahmequellen blieben vor allem das Casino, dessen sprudelnde Gewinne das Land Baden-Württemberg zwar zu 80, später 90 % einkassierte, aber auch wieder zu wesentlichen Teilen für »kurörtliche Zwecke« nach Baden-Baden zurückfließen ließ.

Die Zerbrechlichkeit einer solchen Teilfinanzierung aus Landesmitteln zeigte sich, als Stuttgart mehr und mehr sein Selbstbestimmungsrecht über die »Spielbankabgabe als Steuereinnahme« durchsetzte und die »Zuschüsse«, die die Stadt im übrigen nicht nur aus geschichtlichen Gründen als eigenes Geld ansieht, von Jahr zu Jahr, trotz aller Interventionen, weiter drosselte. Immer schmerzlicher machte sich aber auch bemerkbar, daß kurstädtische Politik von Stuttgarter Wohlwollen abhing. Der Oberbürgermeister »regierte« als gewähltes Stadtoberhaupt zwar die »Bürgerstadt«, hatte aber in der von Stadt und Land zu gleichen Teilen getragenen Bäder- und Kurverwaltung nur begrenzte Kompetenz; für die kurörtlichen Belange war der vom paritätisch besetzten Verwaltungsrat gewählte Kurdirektor zuständig.

Wo Kurort- und Stadtentwicklung so eng miteinander verzahnt sind wie in Baden-Baden, wirkt sich eine solche geteilte Entscheidungsverantwortung auf Dauer blockierend und damit negativ aus. Nicht immer waren Stadt- und Landesinteressen so in Übereinstimmung zu bringen, daß die Zielgerade in die Zukunft ohne kraftraubende Umwege angesteuert werden konnte. So wurde die Kurstadt einmal mit einem schwerfälligen Tanker verglichen, der nur mit immer größeren Energieverlusten gesteuert werden könnte; jetzt soll aus dem Tanker eine schlanke Jacht werden. Die Werftarbeit dazu leisten Stadt und Land in einem gemeinsamen Kraftakt, indem sie eine Reform der Bäder- und Kurverwaltung beschlossen. Es ist eine Reform, die Auflösung und Integration zugleich bedeutet: Wesentliche Teile des Kurbetriebs wie die Thermalbäder, Kur- und Kongreßhaus, Veranstaltungen sollen eigenständig geführt und über Pachtverträge möglichst privaten Betreibern überantwortet werden. Theater, Orchester und Grünanlagen (Kurpark) kamen bereits 1994 in städtische Verantwortung. Die wichtige Vermarktung im In- und Ausland hat eine Marketing GmbH übernommen. So wird es zwar in Baden-Baden keine bisherige Bäder- und Kurverwaltung als allumfassende Anstalt des öffentlichen Rechts und keinen klassischen Kurdirektor mehr geben, aber die kurörtliche Verantwortung soll unter Mitwirkung möglichst vieler, insbesondere der kurorttragenden privaten Gruppen in einem bisher vermißten Umfang gebündelt, d. h. zusammengeführt werden. Das Land bleibt mit einer Eigentumsverwaltung (Kurhaus, Bäder) und mit einer langfristig gesicherten Finanzverpflichtung in der Verantwortung.

Für die Kurstadt stellt der geplante Balanceakt zwischen Tradition und Moderne eine nie zuvor gestellte Herausforderung dar. Der Ruf als internationaler Kurort, die Sicherung des Medienstandortes und die Öffnung als Gewerbestandort müssen in Einklang gebracht werden. Die erste Schlüsselaufgabe: Baden-Baden soll sein klassisches Gesicht nicht nur behalten, es will mit diesem Pfund auch wuchern. Es wird so mit einem neu formulierten Leitbild, das seinem Wesen »Gesunden, Kultur, Begegnung auf internationalem Niveau« entspricht, über die Marketinggesellschaft offensiv auf den Markt gehen. Die Weichen dafür sind mit der Reform der Bäder- und Kurverwaltung gestellt.

Der Abschied vom »Staatsbaddenken« erfolgt ohne Rückblick im Zorn, schließlich währte die »goldene Zeit« des halbstaatlichen Kurbades, so wie es sich in den Nachkriegsjahren aus den historischen Wurzeln weiterentwickelt hatte, bis in die 80er

Jahre mit großen Erfolgen, z. B. dem IOC-Kongreß, und wichtigen Investitionen: Die historischen Bauten erhielten neuen Glanz, die Bäder wurden in ihrer Technik modernisiert, die 1985 fertiggestellte Caracalla-Therme mit ihrem Mix aus Spaß- und Gesundheitsangebot zum Publikumsmagnet, das Jahrhundertbauwerk Michaelstunnel zur zentralen Verkehrsentlastung. Aus damaliger Sicht war das Festhalten am Bewährten verständlich, hatte es doch eine Sicherheit gegeben, die anfangs fest, dann aber leider brüchiger wurde.

Oberbürgermeister Dr. Walter Carlein hatte ganz im Geiste der 70er Jahre einen Stadt- und Kurortentwicklungsplan erstellt, der 1987 fortgeschrieben wurde und planerisch administrativ auch die heute noch aktuelle und gültige Leitlinie aufzeigt. Ergänzt werden muß er jetzt durch eine moderne Marketingstrategie und größtmögliche Einbindung privater Initiativen sowie privater kurortstärkender Investitionen.

Doch trotz aller Anstrengungen blieben in etlichen Hotels immer häufiger zu viele Betten leer. Die klassischen Kurgäste, die ihre vom Arzt verordnete Vier-Wochen-Kur so gern in Baden-Baden verbrachten, wurden seltener, und auch die zahlungskräftigen Urlauber, die viele der langen und schönsten Wochen des Jahres in der einstigen Sommerhauptstadt Europas verleben wollten, kamen zwar noch, aber sie blieben nur noch wenige Tage. Die neue Mobilität im Tourismus traf das tradierte Baden-Baden tief. Skepsis prägte viele Jahre lang alle Anstrengungen, neue Angebote für Kurgäste und Touristen mit veränderten Bedürfnissen zu entwickeln. Auch die Tatsache, daß die meisten der renommierten Hotels mit Fitness-Wochen, Erlebnis-Wochenenden, Pauschalpaketen und Investitionen in »Wellness und SPA« den neuen Trend im Fremdenverkehr zu nutzen versuchten, brachte zwar bemerkenswerte Teilerfolge, aber noch keine durchgreifende Trendwende.

Jetzt – mitten in einer großen Rezession, aber auch wirtschaftlichen Strukturkrise der Bundesrepublik Deutschland schwer genug – wird das Kurwesen als moderner Dienstleistungsbetrieb in all seinen Zweigen umgebaut. Unternehmer mit der Erfahrung für marktfähige Produkte werden gesucht und sollen teilweise defizitäre Kleinode möglichst noch attraktiver und auch gewinnorientierter gestalten. Angesichts steigender Kosten für die staatliche Gesundheitsversorgung und eines gleichzeitig gestiegenen Gesundheitsbewußtseins scheinen die Hoffnungen berechtigt, daß das Naturgeschenk der heißen Thermalwasser mit neuen Angeboten von Medizinern und Heilberuflern zu einer gemeinsam gespeisten Quelle für Gesundheit und Lebensfreude werden kann. Baden-Baden mit seinem breitgefächerten medizinischen Fach- und Erfahrungswissen (Staatl. Rheumaklinik, Orthopädische Spezialklinik des DRK, städt. Krankenhaus der Zentralversorgung, gut geführte Fachkliniken und Sanatorien) bieten hierfür eine vorzügliche Basis.

Eng mit dem Fremdenverkehr ist das Kongreßwesen der Stadt verknüpft. Vor allem Mediziner, aber auch viele große Wirtschaftsverbände lernten das Kongreßhaus am Augustaplatz, direkt an die berühmte Lichtentaler Allee geschmiegt, und die Atmosphäre der Kurstadt so zu schätzen, daß sie hier ihre Stammheimat für ihre jährlichen Tagungen fanden. Doch dann wurden die Grenzen des Wachstums deutlich: Bei der »Medizinischen Woche«, zu der sich bis zu 4000 Besucher in Baden-Baden treffen, oder bei der »Zellcheming« mit ihren 1500 Teilnehmern wurden die Räumlichkeiten zu eng. Schwerwiegender noch war, daß auch der Platz für Ausstellungen fehlte, die wesentlich den wirtschaftlichen Erfolg eines Kongresses sichern – vom guten Ruf allein kann niemand leben. So wurde noch vor der Reform die letzte große Investition, überwiegend landesfinanziert, ins Kongreßhaus gesteckt. Für über 55 Mio. Mark wurde es entkernt und erweitert, mit modernster Technik sowie neuen Sälen für Tagungen und

Ausstellungen ausgestattet und so für die Zukunft fit gemacht. So wird sichergestellt, daß Baden-Baden in der seit Jahren erfolgreichen Kongreßgemeinschaft mit Karlsruhe und Straßburg, neuerdings auch Basel, seinen sicheren Standort nicht an die Konkurrenz verliert, zumal auch Freiburg dabei ist, sich zum Kongreßstandort zu entwickeln.

Seit vielen Jahren sind die Nutzung der Alten Polizeidirektion, ein Badhotel im Bäderviertel, das Neue Schloß und ein Festspielhaus am Standort des ehemaligen Stadtbahnhofs auf der politischen Tagesordnung. In Zeiten leerer öffentlicher Kassen sind private Investoren, verbunden mit tragfähigen Nutzungskonzeptionen, gesucht. Hier liegt zweifellos der zukünftige freie und stets umkämpfte Spielraum der Kurstadt.

Die zweite Schlüsselaufgabe, die Baden-Baden für die Zukunft zu lösen hat, ist die Sicherung als Medienstandort. Ganz vorne steht hier der Südwestfunk, der größte Arbeitgeber und moderner Gegenpol einer traditionsreichen Stadt, deren Name der Sender tagtäglich weithin verbreitet. Der Südwestfunk ist überall bekannt und weit über die Landesgrenzen bis tief hinein nach Nordrhein-Westfalen zu empfangen. Im Schatten seiner explosionsartigen Entwicklung hat sich Baden-Baden auch einen von der Öffentlichkeit eher unbemerkten Spitzenplatz als Medienstandort für eine Vielzahl von Zeitungs-, Zeitschriften- und Buchverlagen erobert. Zahlreiche baden-württembergische Buch- und Fachverlage haben ihren Sitz in der Kurstadt, vielleicht mit ein Grund, warum die Pressegroßhändler aus ganz Deutschland sich hier zu ihrer jährlichen Hauptversammlung treffen.

Auch nach dem Scheitern der Fusionspläne zwischen SDR/SWF 1989/90 sind weitergehende Kooperations- und Fusionsüberlegungen nicht zum Ruhen gekommen. Vor dem Hintergrund des wachsenden privaten Fernsehanteils und der benachbarten öffentlich-rechtlichen Sender Saarländischer und Hessischer Rundfunk münden Stuttgarter Überlegungen meist in eine Stärkung des Medienplatzes Landeshauptstadt. Es wird vor diesem Hintergrund ständig und möglichst vorbeugend Baden-Badener Daueraufgabe sein, Bündnispartner für den regionalen europäischen Standort der Kurstadt zu sichern und einer schleichenden Verlagerung nach dem Motto »alles Aktuelle nach Stuttgart, Produktion und Kultur nach Baden-Baden« entgegenzuwirken.

Eine neue zusätzliche Herausforderung für die Stadt aber bringt die dritte Schlüsselaufgabe, die es zu lösen gilt: Baden-Baden auch – und auf diesem kleinen Wort liegt die Betonung – als Gewerbestandort noch attraktiv zu machen. Der Kurort besteht eben nicht nur aus seinem Kurviertel, zu ihm gehören auch Bürger, die ein Recht auf Wohnung und Arbeit haben und dafür auf eine gesunde Wirtschaftsstruktur angewiesen sind. Die Ansiedlung von erwünschter »weißer Industrie« – Handel, Banken und Versicherungen – reicht dazu allein nicht aus und stößt wegen des knappen Immobilienangebots in der Innenstadt auf natürliche Grenzen. Deshalb wurden jetzt alle Flächenressourcen Baden-Badens überprüft. Rund 140 ha sollen danach in eine neue Flächennutzungsplanung, vornehmlich in den Außenstadtteilen, Eingang finden. Zusammen mit Baden-Badener Unternehmern soll ein maßgeschneiderter Gewerbeentwicklungsplan erarbeitet werden; von der Auswirkung her wird hier und jetzt die Arbeit für die nächste Generation geleistet.

Baden-Baden ist aber nicht nur Innenstadt und Oostal, es ist mit dem größten kommunalen Waldbesitz Deutschlands bis hinauf auf die Schwarzwaldhöhen und den selbstbewußten Stadtteilen im Rebland und in der Rheinebene ein einmaliger Lebensraum für Bürgerinnen und Bürger, die heimatverbunden und weltoffen in Vereinen, Organisationen und Funktionen in und für ihre wertvolle Stadt wirken.

Baden-Baden hat bei der Gebietsreform von 1972 zwar diesen reizvollen, eigenen Stadtkreis durchsetzen können – was für das Ego und die Bedeutung nach außen sicherlich wichtig war –, hat aber auch die Folgen dieser »Insellage«, voll umschlossen vom Landkreis Rastatt, zu beachten. Baden-Baden ist heute deshalb in besonderem Maße aufgefordert, eigeninitiativ über sich selbst hinauszudenken, was nichts anderes heißt, als die Kooperation mit seinen Nachbarn zu suchen. Die Voraussetzungen hierfür sind denkbar günstig: Die Technologieregion Karlsruhe, zu deren Gründungsmitgliedern die Kurstadt gehört, hat in ihren gemeinsamen Anstrengungen zur Stärkung der Region schon viele Erfolge für die badische Seite verbuchen können. Wirtschaftsunternehmen haben die Vorteile des europäischen Grenzraumes zwischen Karlsruhe und Straßburg entdeckt, und Baden-Baden will an dieser zukunftsweisenden Entwicklung teilhaben und sie mitprägen.

Regional denken und auch handeln, lautet die Devise. Infrastrukturelle Zusammenarbeit muß und kann sich dabei nicht auf die ersten erfolgversprechenden Ansätze in der Abfallentsorgung und im öffentlichen Nahverkehr beschränken, sie muß auch die Vorteile von Wirtschaftsstandorten in der Nachbarschaft entdecken. Dazu gehört an erster Stelle gewiß das von den kanadischen Streitkräften geräumte Flughafengelände in Söllingen, für dessen Konversion als Zivilflugplatz, als Gewerbegebiet bzw. Technopark, Wohnanlage, Freizeitgelände und Naturschutzraum die gesamte Region jetzt eine private Entwicklungsgesellschaft gegründet hat – eine sehr teure, aber auch große Chance, für die noch viele Hürden zu nehmen sind. Für Baden-Baden als internationale Kurstadt wäre ein regionaler Flugplatz gewiß eine zentrale Standortverbesserung.

Das Freimachen von zuviel Selbstverliebtheit und das solidarische Eintreten für eine gesamtregionale Stärkung gehören somit heute zu den wichtigsten Aufgaben Baden-Badener Kommunalpolitik. In der Zusammenarbeit mit den Nachbarn, in der Wahrung der eigenen Tradition und der Offenheit für die Welt will die Stadt ihr eigenes Ich stärken, sich von ihrer lange währenden Bittstellerposition gegenüber der Landeshauptstadt befreien und beweisen, daß sie Zukunftsaufgaben mit Tatkraft angehen kann.

Dieses neu angelegte Bündnis zeigt, daß das Land seine über sechs Jahrzehnte gewachsenen historischen Verpflichtungen gegenüber der Kurstadt anerkennt, daß es sich der Werbekraft des internationalen Kurortes bewußt ist, und daß nur gemeinsame Anstrengung den notwendigen Strukturwandel zum Erfolg führen kann.

Der Schlüssel für eine gute Zukunft aber liegt letztlich in einer von der Bevölkerung getragenen noch stärkeren Zusammenführung von Bürgerinnen und Bürgern sowie Stadt, von traditionell beharrenden und dynamisch verändernden Elementen. Baden-Baden darf voller Zuversicht auf seinen Doppelnamen schauen, solange es den Bindestrich – die für sie besonders lebensnotwendige Zusammengehörigkeit – stärkt!

I. NATÜRLICHE GRUNDLAGEN

1. Geologie

Überblick. – Die Umgebung der Stadt Baden-Baden, deren landschaftlichem Reiz sich kaum ein Betrachter entziehen kann, ist mit der Vielzahl ihrer Gesteine und Baueigentümlichkeiten eine »klassische geologische Quadratmeile«, und die Analyse dieser geologischen Überlieferung verschafft uns Einblick in ein variantenreiches Kapitel aus der Erdgeschichte. Mehr als zwei Jahrhunderte schon hat diese Gegend die Erdwissenschaftler angezogen, und groß ist die Zahl der geologischen und mineralogischen Notizen und Mitteilungen in Fachzeitschriften oder in Buchform, die nicht alle aufgezählt werden können. Sie alle haben dazu beigetragen, das Verständnis vom geologischen Werdegang der »Senke von Baden-Baden«*, ihrem Fundament und Deckgebirge zu begründen. Das Vorkriegswissen ist zusammengefaßt im Kartenblatt BADEN (Nr. 7215/alte Nr. 67) der Geologischen Spezialkarte von Baden 1:25 000 (BILHARZ, BRILL & THÜRACH 1926) und in seinem Erläuterungsheft (BILHARZ & HASEMANN 1934). Eine gediegene Informationsquelle ist auch die Publikation von R. METZ (1977).

Seit den 50er Jahren ist vieles erforscht worden, was der Verfasser für den vorliegenden Beitrag auswerten konnte. Die beigegebene geologische Karte des Kreisgebietes stellt gegenüber Blatt BADEN aus zeichentechnischen Gründen und mit Rücksicht auf den Leserkreis manches vereinfacht dar, berücksichtigt aber auch Neues (Kartenbeilage 1). Die Quellen werden im anschließenden Text genannt und zitiert. Instruktive Geländepunkte sind der Karte zu entnehmen, als Wegweiser empfiehlt sich auch der amtliche Stadtplan 1 : 15 000. Wenig bekannte Fachausdrücke (mit *) sind am Schluß erläutert (S. 23).

Das Stadtkreisgebiet reicht von der *Oberrheinebene* (rd. 120 m ü. d. M.) über die *Vorhügelzone* (Steinbach–Baden-Oos–Haueneberstein–Kuppenheim) und die östlich anschließende *Vorbergzone* (Fremersberg–Hardberg–Wolfartsberg–Dürrenberg) zum hohen *Schwarzwald* (Badener Höhe 1000 m ü. d. M.). Dem 900 Höhenmeter betragenden Abfall des Gebirges zur Oberrheinebene entspricht tektonisch* ein staffelartiges Absinken. Gesteinsmäßig beteiligen sich am Aufbau des Kreisgebietes: Bekannte Festgesteine wie Granit, Gabbro, Porphyr (es fehlt nur Basalt!) und Gneis, Marmor, Ton- und Glimmerschiefer, Konglomerat, Breccie, Kalkstein, Sandstein und Schieferton – aber auch Lockergesteine wie Kies und Sand, Löß, Lehm, Ton und der Schutt und Grus* der Berghänge. Zum leichteren Verständnis genetischer Fragen führen wir die Sammelbegriffe Magmatit*, Metamorphit* und Sedimentit* ein, die uns eine klare Unterscheidung der Gesteine nach ihrer Entstehung ermöglichen. Darauf gründet die Erörterung der geologischen Zusammenhänge, die sich aus dem geologischen Alter und dem räumlichen Nebeneinander verschiedener Gesteine ableiten lassen. Rasch erkennen wir größere Gesteinsverbände mit gemeinsamer Geschichte, was die komplexe Baustruktur durchsichtiger und den erdgeschichtlichen Werdegang in Entwicklungsepochen auflösbar macht. Die wichtigsten dieser Verbände sind das Grund- und Deckgebirge: Das Grundgebirge, kurz »Kristallin« (Sockelgesteine, Fundament) umfaßt den Granit und die Metamorphite. Es bildet normalerweise das geologische Tiefenstockwerk. Ihm lagert das Deckgebirge winkeldiskordant auf, d. h. es kappt alle Strukturen des Sockels. Aus der normalen Lagerungsbeziehung: Grundgebirge unten,

1. Geologie 11

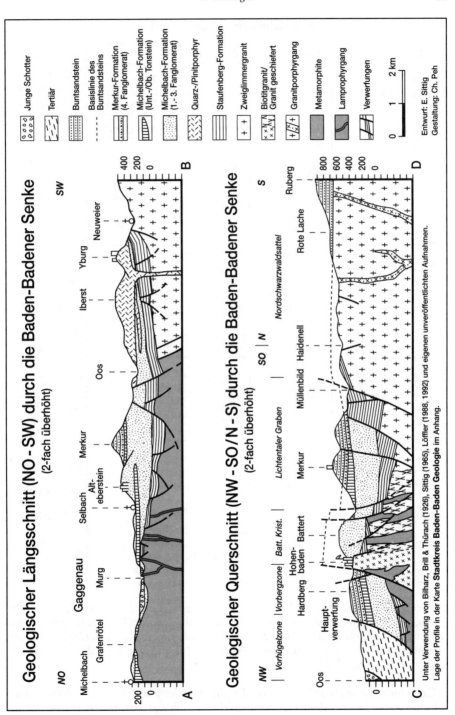

Erdgeschichtliche Tabelle (Teil 1)

Zeitalter		System	Abteilung		Vertretung
KÄNOZOIKUM	10 000 J.	QUARTÄR	Holozän	Postglazial	Talauen Hochflutlehm
			Pleistozän	Würmglazial	NT, Jüng. Löß
	100 000 J.			Riß-Würm-Interglazial	Lößlehm
				Rißglazial	HT, Ält. Löß Jg. Steinbach-Schotter
	200 000 J.			Mindel-Riß-Interglazial	Torfgyttja v. Steinbach
	5–600 000 J.			Mindelglazial	Ält. Steinbach-Schotter
	1,8 – 2 × 10⁶ J.			Präglazial	?
	5 × 10⁶ J.	TERTIÄR	Pliozän		Weißerde
	25 × 10⁶ J.		Miozän		Vererzungen
			Oligozän	oberes mittleres unteres	Cyrenenmergel Septarienton
	38 × 10⁶ J.		Eozän	oberes	Pechelbronner Schichten
	55 × 10⁶ J.		Paläozän		
	65 × 10⁶ J.	KREIDE			
	140 × 10⁶ J.	JURA	Malm Dogger Lias		(abgetragen) (abgetragen) Kalk, Mergel
MESOZOIKUM	200 × 10⁶ J.	TRIAS	Keuper	Ob. = Rät. Mittlerer Unterer	Sandstein Bunt. Mergel ?
			Muschelkalk	Oberer Mittlerer Unterer	Ceratitenkalk Trochitenkalk Zellendolomit ?
			Bunter (Buntsandstein)	Ob. = Röt Mittlerer + Unterer	Plattensdst. Sandstein + Konglomerat

Deckgebirge darüber ergibt sich das verschiedene geologische Alter: Das Grundgebirge ist älter und entstammt dem *Proterozoikum* und *Paläozoikum* (Tab. S. 13), während das jüngere Deckgebirge im *Meso- und Känozoikum* entstanden ist (vgl. S. 12). Dazwischen ereignete sich die große *variscische Orogenese** (Gebirgsbildung), die also nur das Grundgebirge betroffen hat.

Grundgebirge (Kristallin). – Wenn die Gesteine des normalerweise tief versenkten Grundgebirges heute überhaupt zugänglich sind, hängt das mit der sehr jungen

Erdgeschichtliche Tabelle (Teil 2)

Zeitalter		System	Abteilung		Vertretung
PALÄOZOIKUM	250 × 10⁶ J. ? 300 × 10⁶ J.	PERM	Zechstein		Merkur-F. Michelbachf. + Pinitporph. Gallenbachp.
			Rotliegend	Oberes	
				Unteres	
		OBER- KARBON		Stephan-Stufe	Staufenberg- Formation
				Westfalstufe (Namur-St.)	Staufenberg- Formation
			Variscische Haupt-Faltung		
		UNTER- KARBON	Anatexis Granitbildung Metamorphose 325 × 10⁶ J.		Gr.porphyre 2-Glimmer- Granite Friesenberg- Granit
	360 × 10⁶ J. 400 × 10⁶ J.	DEVON			Metagrau- wacken?
		SILUR			Metapelite + Marmor der Traischbach- Serie
	440 × 10⁶ J. 500 × 10⁶ J.	ORDO- VIZIUM			Metabasalte?
	570 × 10⁶ J.	KAMBRIUM			Quarzite?
		Assyntische Orogenese (600 × 10⁶ J.)			
PROTEROZOIKUM (Erdfrühzeit)					Gneise
2500 × 10⁶ J.					
ARCHAIKUM (Erdurzeit)					
3800 × 10⁶ J.					

Entstehung des Oberrheingrabens zusammen (S. 21). Nur weil die Flanken des Grabens im Pleistozän epirogen* kräftig (1000 m) herausgehoben wurden, gelangte das Schwarzwälder Grundgebirge nach oben, wo die Deckgebirgshülle inzwischen erodiert und das Fundament freigelegt wurde.

Am ältesten sind die *Gneise** aus proterozoischer Zeit. Es sind Metamorphite, entstanden bei der assyntischen Orogenese vor ca. 600 Mio. Jahren. Zum Beweis dienen geologische Analogien des böhmischen Grundgebirges. Im Kreisgebiet tritt Gneis nur an vier Stellen zutage, so beim Schloßgut Neuweier (Aufschluß 1), bei Eisental und im hinteren Steinbachtal. Diesen südlichen Vorkommen steht ein nördliches (außerhalb des Stadtkreises) am Hummelberg von Gaggenau gegenüber (Aufschluß 2). Allgemein bringen die Gneise der Badener Senke die geologische Forschung in Erklärungsnöte. Es sind moldanubische* Gneise, die im Mittelschwarzwald durchaus verbreitet sind. Hier in der Badener Senke dagegen treten sie merkwürdig isoliert auf und stimmen auch untereinander nicht völlig überein: Die südlichen Vorkommen, die an den Granit grenzen, sind wohl Reste vom Dach des Nordschwarzwälder Granitmassivs (S. 15); denn das Gebiet, in das der Granit im Karbon intrudierte*, bestand primär aus solchen Para- (Sedimentgneisen) und Orthogneisen (Eruptivgneisen), und der Granit hat sie großenteils aufgeschmolzen und assimiliert. Für den Orthogneis vom hinteren Steinbach (ein zungenförmiger Ausläufer der Omerskopfgneise) befriedigt diese Erklärung nicht ganz. Er liegt an einem Lineament (große Blattverschiebung) und ist dem Granit tektonisch einverleibt (CLOOS 1922).

Noch rätselhafter ist der Verband des Mischgneises* vom Hummelberg (SITTIG 1965) mit den paläozoischen Schiefern (Silur), die einen anderen geologischen Bildungsraum repräsentieren. Man muß auch hier an einen tektonischen »Einschub« denken. Schubweg und Schubweite sind ebenso unklar wie der »Einwurzelungsbereich« (Ursprungsort) dieses Gneises. Hier sind also noch viele Fragen ungeklärt.

Das nächstjüngere Bauelement sind die *metamorphen Schiefer*. Bislang hielt man sie für devonisch, doch scheinen sie teilweise auch etwas älter (silurisch) zu sein (MEHL 1988). Sie treten im Stadtgebiet am Friesenberg und am Battert zwischen Altem und Neuem Schloß auf (»Battertkristallin«, Aufschluß 5), weiter in der Eberbachschlucht (NW Ebersteinburg) und Schindelklamm hart an der Kreisgrenze (Aufschluß 3). Von dort aus kann man sie über das Traischbachtal bis Gaggenau-Sulzbach verfolgen (Aufschluß 4 mit Marmor). Wertvolle Hinweise erbrachte die Auffahrung des Michaelstunnels (LÖFFLER 1992).

Die Schiefer umfassen einen Schichtenverband von ehemaligen marinen Sedimenten, die bei der variscischen Gebirgsbildung gefaltet, geschiefert und metamorphisiert wurden. Ursprünglich waren es sandige, kalkige und tonige Ablagerungen und submarine Vulkanite in einem langlebigen (Kambrium-Karbon) ozeanischen Meeresraum (variscische Geosynklinale*, TORNQUIST-Ozean) zwischen Nordeuropa (Skandinavien-Großbritannien) und Afrika. Seine geographische Ausdehnung ist nicht genau bekannt (vermutlich hatte er 1000 oder mehr Kilometer Durchmesser). Es ist nicht mehr zu klären, wo etwa die Muttersedimente der kristallinen Schiefer abgelagert wurden. Das gilt auch für die räumliche Lage der Gneise (s. o.), die wohl Inseln oder submarine Schwellen im Ozean waren. Im Mittelkarbon vor rd. 325 Mio. Jahren ist dieser Ozean verschwunden: Nordeuropa und Afrika drifteten aufeinander zu bis zur Kollision*. Der schwere ehemalige Ozeanboden ist in die Tiefe gesunken und vom Erdmantel subduziert (»verschluckt«) worden. Nur die leichten Muttersedimente des Meeresgrundes blieben erhalten: Sie wurden von den herandriftenden Kontinenten (Nordeuropa, Afrika) wie die Haut auf der Milch abgeschöpft und zusammengefaltet. Der starke seitliche Gebirgsdruck verursachte ihre Verschieferung, das Porenwasser wurde ausgepreßt, und zusätzlich bewirkte ein starker Wärmestrom aus der Tiefe eine Umkristallisation (regionale Metamorphose)* ihres Mineralbestandes. So entstanden aus wasserreichen verformbaren Meeressedimenten die harten Tonschiefer, Phyllite* und (bei stärkerer Umwandlung) Glimmerschiefer* (allgemein: Ton → Metapelit), Grauwacken*, Grünschiefer* (Basalt → Metabasalt), Metaquarzite (metamorpher Quarzsandstein), Marmor (Kalk → Metakarbonat), die heute das altpaläozoische »Badener Schiefergebirge« aufbauen.

Der Vorgang der Orogenese (Gebirgsbildung)* hat seinen Namen daher, weil er zur Entstehung eines Hochgebirges führt: Die sich faltenden Sedimentgesteine bilden einen langsam anschwellenden, kilometerdicken Wulst, der sich aus Gründen der Isostasie*

immer höher heraushebt, während die in den Erdmantel eintauchende Faltenwurzel aufgeschmolzen wird (Anatexis*). Das rd. 600–800° C heiße (darum leichte) anatektische Magma* von silikatischer* Zusammensetzung tendiert ebenfalls zum Aufstieg (Intrusion*), was die orographische* Gebirgsbildung fördert. Die Intrusion führt zu neuen Gesteinsverbänden und metamorphisiert ihre Umgebung (Kontaktmetamorphose*). Die Intrusivmasse verliert dabei viel Wärme und kühlt ab, was ihre Beweglichkeit hemmt: Nach längerem Aufstieg und sinkendem Druck bleibt das Magma als Schmelzpfropf stecken und unterliegt der schrittweisen Kristallisation. Bei diesem trägen Prozeß (nach Berechnungen viele Tausende von Jahren) wachsen recht große Kristalle heran (bis 8 cm lange Feldspäte* im Bühlertalgranit). Das schließlich im Gebirge erstarrte Magmavolumen bildet einen sogenannten Pluton. Das im Süden des Kreisgebietes ausstreichende *Nordschwarzwälder Granitmassiv* ist ein solcher Pluton mit einem radiometrischen Abkühlungsalter von 293 Mio. Jahren. Es ist die räumlich bedeutendste Baueinheit des Grundgebirges, die primär von den moldanubischen Gneisen umgeben war. – Im heutigen Landschaftsbild ist der Granit wegen seiner Verwitterungsformen (»Wollsäcke«) nicht zu übersehen (Bernickelfels in der hinteren Geroldsau, Lanzenfelsen an der Schwarzwaldhochstraße, Eulenfelsen am Plättig, Wiedenfelsen u. v. a.). Primär sind die viele Kubikmetergröße erreichenden »Wollsäcke« natürliche Granit-Kluftkörper, deren Kanten sich durch Vergrusung* abrundeten. Die Nordschwarzwälder Granite (Forbachgranit, Bühlertalgranit, Seebachgranit, Oberkirchgranit – z. T. schon außerhalb des Kreisgebietes gelegen) sind Zweiglimmergranite (mit Hell- und Dunkelglimmer*). Im Stadtgebiet von Baden-Baden tritt der *Friesenberggranit* auf, ein reiner Biotitgranit. Am Friesenberg und am Fuße des Battert ist er vielerorts aufgeschlossen, gut zugänglich an der Schützenstraße (Abzw. Wetzelstraße) und weiter bergauf am Belzenweg. Nördlich der verkehrsreichen Zähringerstraße (L 79a) verläuft ein Querweg zum Benzenwinkel, wo der Kontakt (Berührungsfläche) zwischen Friesenberggranit (im Osten) und metamorphem Schiefer an der Böschung freiliegt (Aufschluß 5). Der Granit ist dort locker vergrust, während der Tonschiefer durch Kontaktmetamorphose in Hornfels* verwandelt und splittrig-hart und schwer verwitterbar ist. Wenig weiter nach Westen ändert sich das Gestein erneut: Aus der Böschung ragen hier Blöcke von verkieselter* Breccie heraus. Frisch aufgeschlagene Blöcke zeigen weiße schlierige Mineralaggregate von Quarz (SiO_2) in mehreren Generationen (auch hübsche Drusen von Bergkristall), die z. T. (zweite Quarzgeneration) auch ein älteres Mineral (Schwerspat $BaSO_4$) ersetzt haben. Hier stehen wir in einer mineralisierten Verwerfung (»Quarzriff«). Sie hat eine ziemliche Ausdehnung und ist jünger als Schiefer und Granit. Nach älteren Unterlagen gibt es solche Mineralisierungen auch weiter nördlich am Balzenberg und hinter dem Kurhaus.

Friesenberggranit mit Wollsackverwitterung steht unterm Alten Schloß an (Alter Steinbruch am Rotenfelser Weg, im Stadtplan vermerkt). Der Friesenberggranit reicht hier fast bis an die Fundamente von Hohenbaden, demnach bis in 410 m Seehöhe. Dies ist die höchste Aufragung von Grundgebirge im Innern der Badener Senke, die lagerungsmäßig als ein tektonischer Horst* zu deuten ist (S. 17, 19).

Andere Magmatite außer Granit haben im Kreisgebiet keine großen Flächenanteile. Im Eberbach (1 km NNW der Kirche von Eberginburg) treten vereinzelte Blöcke (Wollsäcke) von *Gabbro* auf. Das kleine Vorkommen ist in der geologischen Karte nicht eingetragen (auf Blatt BADEN ist es als K = Kersantit* angegeben). In der Umgebung sind die Alten Schiefer kontaktmetamorph in Fleckschiefer umgewandelt (gesprenkeltes Aussehen durch Neubildungen kontaktmetamorpher Minerale). Der Gabbro scheint eine größere Tiefenerstreckung zu haben und könnte dann die Ursache einer auffälligen geomagnetischen Anomalie im Raum von Ebersteinburg sein (GREINER & SITTIG 1971).

Im Süden sind Gänge* von *Granitporphyr* (s. u.) anzutreffen, als längster der zwischen Scherrhof (Aufschluß 7) und Steinberg. Weitere Vorkommen liegen bei der Horhalde und bei Neuweier. Granitporphyre sind Subvulkanite. Ihr Magma füllt Spalten und ist oberflächennah erstarrt, gleichsam »abgeschreckt«. Ihre Struktur ist deshalb »porphyrisch«, d. h. mikrokristallin mit wenigen Einsprenglingen*. Das bedingt ihre schwere Verwitterbarkeit und macht sie als Straßen- und Bahnschotter geeignet.

Größer an Zahl sind im Kreisgebiet die *Pegmatite, Aplite* und *Lamprophyre*: Pegmatite bestehen aus Riesenkristallen von Quarz, Feldspat, Glimmer und seltenen Mineralen (z. B. Turmalin). Im Gegensatz dazu sind Aplite und Lamprophyre sehr feinkörnig. Jene enthalten helle Gemengteile (Quarz, Feldspat), diese sind reich an schwarzen Gemengteilen (Biotit, Hornblende). Die zahlreichen Vorkommen, besonders die Pegmatite und Aplite sind bei BILHARZ et al. (1934) angeführt. Reich an Lamprophyren ist das Kristallingebiet von Gaggenau (Waldseebad, Hummelberg).

Erzgänge sind im Kreisgebiet extrem selten (s. auch S. 22). Einen Eisenerzgang (mit Schwerspat) im Forbachgranit S Gernsbach führen BILHARZ et al. (1934, S. 90) an.

Deckgebirge. – Es umfaßt alle jüngeren Gesteine, die nach der variscischen Orogenese gebildet wurden (postunterkarbonisch) und in ihrer Masse dem Grundgebirge auflagern. Petrogenetisch sind es Sedimentite, Vulkanite und z. T. Subvulkanite. Stratigraphisch* empfiehlt sich eine Zweiteilung in Älteres (Oberkarbon-Perm) und Jüngeres Deckgebirge (meso- und känozoisch).

Älteres Deckgebirge spielt für das Kreisgebiet eine sehr große Rolle. Der Gesteinsverband ist in Ausbildung und Verteilung von den variscischen Bauformen abhängig und ist selbst von den letzten Krustenbewegungen noch betroffen worden (S. 17). Da ein Faltengebirge leichter als seine Umgebung ist, unterliegt es isostatischer Hebung und wird abgetragen. Die oberkarbonisch-permischen Klastite sind die Abtragungsprodukte, die in der Badener Senke erhalten geblieben sind. Isostatische Hebung und Abtragung halten sich lange Zeit etwa die Waage. Man bedenke jedoch, daß der Prozeß zugleich in immer tiefere Stockwerke des Orogens (bis 10 km) hinabgreift. Schließlich bleibt ein Kraton (Gebirgsrumpf) übrig, der nur noch die Wurzel des Orogens darstellt: Jedes Grundgebirge ist ein Kraton. Mit der Annäherung an den Kratonzustand nimmt die Stapelung von Trümmersedimenten in den gebirgsinternen Becken (intermontane Senken) wieder stark zu. Solche Ablagerungen (Geröll, Sand und Schlamm) tragen in den Alpen (einem Faltengebirge der Erdneuzeit) den Schweizer Namen *Molasse*, ein Terminus, der sich allgemein eingebürgert hat. Die Senke von Baden-Baden ist eine der intermontanen Senken des variscischen Gebirges von Europa, und ihre (variscische) »Molasse« (Staufenberg-, Michelbach- und Merkurformation) hat einen hervorragenden Anteil am geologischen Aufbau des Kreisgebietes.

Staufenberg-Formation. – Von der ältesten Molasse-Sedimentation ist wenig erhalten (Eberkopf W vom Scherrhof, Benzenwinkel und Michaelstunnel, die beiden letzteren in der günstigen Position des Trogzentrums). Schon jünger sind wohl die ausgedehnten Schuttsedimentite in der Umgebung von Staufenberg, nach denen die ganze Formation inzwischen getauft wurde (LÖFFLER 1992). Bei BILHARZ et al. (1934) hieß das schlicht *Oberkarbon* oder *Unterrotliegendes*. Typisch sind violette, graue und rostbraune Arkosen, Konglomerate und grünlichgraue oder schwarze Schiefertone,

1. Geologie

zusammen ein Schichtenverband von ca. 250 m Mächtigkeit. Am Büchelberg (Varnhalt-Neuweier) sind auch kleine Flöze von Steinkohle eingeschaltet. Sie gaben jahrhundertelang den Anstoß zu einem kümmerlichen Bergbau (METZ 1971). Heute ist davon nichts mehr zu sehen. Im Süden lagert die Staufenberg-Formation überall dem Zweiglimmergranit auf.

In den Schiefertonen und Kohleflözen sind fossile Landpflanzenreste (Samenfarne, echte Farne, Schachtelhalm- und Bärlappgewächse, Cordaiten) vorhanden, mit denen das stratigraphische Alter der Formation (jüngeres Oberkarbon: Westfal- und Stephanstufe) und unteres Unterperm (Unterrotliegend) bestimmt werden konnte. Die begehrten Kieselhölzer* (Büchelberg) sind selten geworden. Über das Artenspektrum unterrichtet die bei BILHARZ et al. (1934) abgedruckte Fossilliste von FRENTZEN.

Gesteine und fossile Flora sprechen anfänglich für ein tropisch-feuchtes Sumpfmilieu inmitten von Bergzügen, wo die Entwicklung von Waldmooren (Kohleflöze!) nur begrenzt möglich war. Mit der folgenden *Permzeit* nahm die Trockenheit zu, was die zunehmende Einschaltung von violetten und ziegelroten Schichten in die sonst graue Abfolge anzeigt. Solche »Red Beds« enthalten das Mineral Hämatit*, das sich aus den eisenhaltigen Verwitterungslösungen bei wechselfeuchtem Klima bildet und unter geeigneten Folgebedingungen (periodische Austrocknung) sehr stabil bleibt.

In der Staufenberg-Zeit entwickelt sich der *Lichtentaler Graben* – eine asymmetrische tektonische Hohlform –, mit bedeutenden Verwerfungen an den Rändern. In ihm nimmt die Mächtigkeit der Sedimentschichten sprunghaft zu, (s. Profil S. 11). In der Folgezeit erwies sich der südöstliche Grabenrand als eine Zone von anhaltender Beweglichkeit (Linie Gernsbach-Müllenbach-Geroldsau); denn auch die jüngeren Schichten (Michelbach-Formation) sind hier sukzessiv in die Absenkung einbezogen worden (Aufschluß 10). Schließlich entstand eine zweite große Randverwerfung. Bis in die Gegenwart hinein sind hier gleichsinnige Bewegungen lebendig geblieben (Gernsbacher Störung, in der Murg als Gefällsknick nachweisbar, WAGNER 1929). Der Gegenflügel des Grabens verläuft mitten im Stadtzentrum: Es ist die Kristallinaufragung von Friesenberg – Altes und Neues Schloß – Ebersteinburg – Gaggenau (»Battertsattel« bei BILHARZ et al. 1934), bestehend aus Friesenberggranit und den Alten Schiefern. Hier taucht auch die Staufenberg-Formation mit ihren ältesten Schichten wieder auf (Waldsee im Michelbachtal, Beutig-Beutigäcker, temporär in Baugruben an der Werderstraße, hinter dem Kurhaus). Guterhaltene Funde fossiler Pflanzen in Schiefertonen von hier bestätigen das relativ hohe Alter (obere Westfal- oder unterste Stephan- Stufe). Auch nördlich der Oos liegen äquivalente Gesteine (»Oberkarbon« BILHARZ & HASEMANN 1934), wo am Florentiner Berg aus ihnen die *Thermalquellen* austreten (vgl. Beitrag »Thermen« S. 26 ff.). Weiter nach NO verschwindet die Staufenberg-Formation und ist jenseits der Murg (Gaggenau-Sulzbach) nicht mehr vorhanden. Dort liegen die Gesteine der Michelbach-Formation direkt auf dem Grundgebirge.

Am östlichen Rand des Lichtentaler Grabens stoßen wir noch auf einige Besonderheiten. Der Aufschluß 8 (Waldbachtal SW von Gernsbach) zeigt eine harte verkieselte Arkose, die sich von der üblichen Ausbildung der Staufenberg-Schichten abhebt und als letzter Erosionsrest einer früher weiter verbreiteten älteren Formation anzusehen ist (Gernsberg-Formation, LÖFFLER, 1992). – Weiter südlich tritt am Pass Müllenbild (Gasthaus Nachtigall) oberhalb der Fahrstraße inmitten der Staufenberg-Formation die 40 cm dicke Bank eines gelblich-weißen bis rötlich geflammten *vulkanischen Tuffes** auf. Es ist das erste Signal der nun einsetzenden vulkanischen Tätigkeit in der Badener Senke (s. u.). – Zu Anfang der siebziger Jahre wurde im Müllenbach eine Uranlagerstätte entdeckt. Das Uranerz (u. a. Pechblende) ist an kohlige Arkose und Schieferton in der Staufenberg-Formation gebunden (KNEUPER et.al. 1977, ZUTHER 1983). Der inzwischen zugemauerte »Kirchheimerstollen« (westliche Talflanke) erinnert noch an die wieder eingestellte Prospektion, die durch Untertageerschließung und Bohrungen einige geologische Neuerkenntnisse über den Baustil der Staufenberg-Formation (Aufbau aus alluvialen Schwemmfächern) erbracht hat. Schutt- oder Schwemmfächer kennt man aus allen Gebirgen. Der Aufschluß 9 an der L 78 oberhalb von Müllenbach (scharfe Kehre) mit seinem unruhigen Schichtenverband (Verzahnung von Konglomeraten, Arkosen und Schiefertonen) läßt eine ähnliche Interpretation zu. Auffällig sind z. B. einige mit Geröll gefüllte »Kolke« (channels), die fossile Strömungsrinnen nach N darstellen.

Porphyr-Formation. – Leisberg und Korbmattenkopf, Iberst und Yburg sind die vier Eckpfeiler des großen vulkanischen Bergmassivs im Süden der Stadt. Geologisch gehört es zur Michelbach-Formation (s. u.); denn der Vulkanismus ereignete sich in der Oberrotliegendzeit. In den mehr oder weniger langen Ruhepausen zwischen den Ausbrüchen sind die Vulkanbauten selbst wieder erodiert worden. Das erklärt die verbreiteten Wechsellagerungen von Vulkangestein mit Molasseschichten. Die *petrographische Zusammensetzung der Vulkanite* ist ziemlich eintönig. Ursprünglich erstarrte die Lava zu *Obsidian* (Glas), um nachvulkanisch auszukristallisieren. Bereiche mit porphyrischer Struktur haben bestimmbare Einsprenglinge. Im großen Steinbruch am Leisberg (Aufschluß 15) ist der *Pinitporphyr* am besten zu studieren: Ein (im ungebleichten Zustand) rotbraunes dichtes Gestein mit Einsprenglingen von Pinit* neben solchen von Quarz (glasklar) und »Butzen« von zersetztem (gelblichweißem) Feldspat. Petrographisch ist der Pinitporphyr ein Quarzporphyr mit Pinit als Nebengemengteil. Geologisch ist die Ausbildung vielseitiger. Die plattige bis bankige Absonderung wird als Fließgefüge gedeutet. Diese Lavavorkommen stellen offenbar echte Ströme dar. Die für Vulkanite oft typisch säulige Absonderung kann man im aufgelassenen Steinbruch östlich Varnhalt beobachten. Dort ist das Gestein hell gebleicht. – Anders ist der Pinitporphyr im aufgelassenen Steinbruch Peter am Korbmattenkopf (Aufschluß 16). Neben viel mehr Einsprenglingen, die auffallend zersplittert sind, enthält er hier Trümmer fremder Gesteine (Xenolithe). Ursache dafür ist ein besonderer Ausbruchsmechanismus: Die Lava ist nicht ausgeflossen sondern als Glutwolke* gefördert worden. (Historisch bekannt ist der Glutwolkenausbruch des Mt. Pelee von 1902 auf der Karibikinsel Martinique). Das Gestein am Korbmattenkopf ist auch ein solcher Ignimbrit* (auf Bl. BADEN als Tuff kartiert), und guterhaltene Fundstücke zeigen als Charakteristikum die länglichen roten oder dunkelbraunen Gesteinsfladen (cm-groß), die den ehemals schmelzflüssigen Glasfetzen der Glutwolke entsprechen (MAUS 1967). Ein dritter Gesteinstyp des Vulkanmassivs sind die *vulkanischen Tuffe*, die aus den häufigen Aschenregen entstanden und demgemäß meist lockerer sind. Solche weichen Tuffe sind am Weg vom Golfplatz zur Yburg direkt oberhalb des Steinbruchs Peter zu sehen. Sie finden sich auch im Gunzenbach zwischen Leisberg und Korbmattenkopf, wo sie von Mineraliensammlern wegen seltener Mineralstufen (verschieden farbige Varietäten von Chalcedon*) gerne besucht werden. Einen spektakulären *Tuffgang* gibt es im schon erwähnten Steinbruch Leisberg. – Der Pinitporphyr mit seinen geologischen Varietäten verwittert sehr unterschiedlich, was für das Kleinrelief im Porphyrgebiet eine Rolle spielt.

Geologisch etwas älter ist der zwischen Vormberg und Kloster Fremersberg anstehende *Gallenbach-Porphyr* (Aufschluß 11). Typisch ist seine violette Farbe und die vielen glasklaren Quarzeinsprenglinge. Der »Gallenbacher«, ein Quarzporphyr ohne

Pinit, steht stratigraphisch an der Grenze zwischen der Staufenberg- und der Michelbach-Formation. Räumlich war er ehedem weiter verbreitet und wurde stark abgetragen (hoher Geröllanteil in den Michelbach-Fanglomeraten). Reste der Vulkanruine könnten noch im Rheingraben in 3–4000 m Tiefe unter dem jüngeren Deckgebirge liegen. Die Geröllanalyse der Michelbach-Formation hat diesen Verdacht erhärtet (SITTIG 1983).

Michelbach-Formation. – Die Ablagerungen der Michelbach-Formation (nach dem Stadtteil Gaggenau-Michelbach) umfassen Fanglomerate*, Arkosen und schluffreiche Tonsteine, sog. »Bröckelschiefer«. Mit den Fanglomeraten ist eine Reliefbelebung angezeigt, für die neben den Vulkanbauten auch germanotype* tektonische Bewegungen (starke Zerblockung) verantwortlich sind. Diese sog. »saalische Tektonik« brachte auch den Lichtentaler Graben zu endgültiger Reife. Mechanisch waren es Dehnungsprozesse: Die Kruste zerbrach distraktiv unter Bildung schaufelförmig gekrümmter Verwerfungsflächen, auf denen die Schollen wie »kenternde Boote« in schiefe Lage rotierten. Mit dem Modus einer Schollenrotation* ist der »Battertsattel« hinreichend zu erklären (LÖFFLER 1992). Das hochgekippte Battertkristallin ist danach noch weiter eingerumpft worden, ehe die Michelbach-Formation es wieder bedeckte. Deshalb die unmittelbare Überlagerung des Friesenberggranits durch Fanglomerate am Alten Schloß.

Die Gesteine der Michelbach-Formation sind echte »*Red beds*« (Rotschichten). Ursache der allgemeinen Rotfärbung ist auch jetzt feinverteilter Hämatit, der für die intermontane Senke hohe Tagestemperaturen und Vegetationsmangel, also heiß-aride (trockene) Bedingungen dokumentiert. Es sind offenbar echte Wüstenbedingungen (Epoche des *Oberrotliegenden* vor 280–260 Mio. Jahren). Europa lag damals im nördlichen Trockengürtel der Erde (heute nimmt bekanntlich das nördliche Afrika mit der Sahara diese Position ein). Die seltenen Niederschläge (<200 mm jährlich) fielen als episodische Wolkenbrüche mit verheerender Wirkung auf das trockene, von Vegetation kaum geschützte Land, wo sie sich als Schichtfluten auf den Piedmont-(Bergfuß)-flächen verteilten und grobe Schuttkegel (Fanglomerate) ablagerten. Während der Michelbach-Zeit hat sich die intermontane Senke von Baden-Baden nach Norden zu einem abflußlosen Senkungsraum (Pfalzburg–Kraichgau-Trog) erweitert, der über 1000 m Rotliegendsedimente aufgenommen hat (JENKNER 1985). Geographisch bestand hier eine Playa*. Trotz gelegentlicher Überflutung war eine biologische Besiedlung jedoch stark eingeschränkt, und die »Bröckelschiefer« (Aufschluß 13, 14) sind deshalb fossilleer. Nur örtlich sind fossilführende Einschaltungen (mit Abdrücken der Schälchen von Kleinkrebsen, Fährten von terrestrischen Gliederfüßlern und von Reptilien) bekanntgeworden. Abdrücke von Pflanzen (Farne, primitive Nadelbäume) beweisen für manche Zeitintervalle auch die Existenz von Oasen. Solche Fundstellen liegen bei Gaggenau (KOZUR & SITTIG 1981).

Die Michelbach-Formation (2–300 m) ist das Hauptgestein im Umkreis von Baden-Baden, wo sie viele der Anhöhen ganz oder teilweise aufbaut (Battert, Merkur, Kleiner Staufenberg, Ebersteinburg, Fremersberg). Sie besteht aus einem Verband von drei Fanglomeratserien (eine vierte Serie genießt als Merkur-Formation geologische Selbständigkeit), die von der Unteren-, Mittleren- und Oberen Tonsteinfolge (im wesentlichen Bröckelschiefer) voneinander getrennt sind. Am Battert und Ebersteinburger Schloßberg liegen die Fanglomeratserien 2 und 3 direkt übereinander (Ausfall der Mittleren Tonsteinfolge) und sind sekundär verkieselt*, was sie extrem hart und witterungsbeständig hat werden lassen. Die steilen Kletterfelsen am Battert mit ihren glatten Wandfluchten zeigen besonders klar den petrographischen Aufbau der Fanglomerate aus Geröllen aller Größen von Porphyr, Granit und (seltener) kristallinen Schiefern, die von einer Matrix aus rotbraunem Schluff fest umschlossen sind. Hohes Materialaufkommen und rasche Schüttung haben dazu geführt, daß das alte Bergland z. T. in seinem eigenen Schutt »ertrank«. Spuren eines versunkenen Reliefs sind lokal noch vorhanden. Ein schönes Beispiel ist das Traischbachtal südwestlich von Gaggenau, das vom Fanglomerat 1 angefüllt und beiderseits von den kristallinen Schieferrücken der Oberen Ohl und des Schürkopfes flankiert ist. Der Traischbach arbeitet heute wieder an der Ausräumung der alten Talfüllung, ohne daß ihm das hundertprozentig gelingt (Aufschluß 4). Andere Beispiele für die »Exhumierung« des permischen Reliefs durch die rezente Erosion sind die Eberbachschlucht (hier quer zum alten Tal), der Hummelberg bei Gaggenau, das Grafenrötel bei Gaggenau-Sulzbach). Auch der Friesenberg von Baden-Baden ist teilweise ein alter »Härtling«. Die Auswirkung dieser Gegebenheiten auf das gegenwärtige Landschaftsbild sollte man nicht unterschätzen.

Trias und Jura. – Millionen Jahre lange Erosion des alten Gebirgskörpers und Auffüllung der intermontanen Senke mit dem Abtragungsschutt haben schließlich zur völligen Einebnung des Landes geführt. Über diese permische Rumpfebene oder Plattform greifen nun die Schichten des *Buntsandsteins* über: Ablagerungen eines großen, aus Frankreich kommenden Flußsystems. Der Buntsandstein leitet das *jüngere Deckgebirge* ein, das die *Trias* (Buntsandstein, Muschelkalk, Keuper) und den *Jura* umfaßt. Damals gehörte das Kreisgebiet zum Germanischen Becken*. Eine großräumige Absenkung erfaßte den Raum, so daß sich zunächst die Buntsandsteinflüsse (300 m sandig-konglomeratische Sedimente), danach der riesige, bis Ostdeutschland reichende Rötsee (50 m Feinsandstein und Schieferton = Oberer Buntsandstein) und schließlich das extrem flache Muschelkalkmeer (200 m Kalkstein, Mergel, Gips, Salz) ausbreiteten. Darüber lagerten sich die Bunten Mergel, Gipsmergel und Sandsteine der Keuperformation ab (ca. 350 m). Die Juraperiode bescherte dem Land nochmals hochmarine Verhältnisse (5–700 m Schelfsedimente: fossilreicher Kalkstein, Mergel, litoraler Sandstein, Schieferton und Ölschiefer), ehe die Wiederheraushebung in der Kreidezeit eine längere Festlandsperiode anbrechen ließ, die strenggenommen bis heute andauert. Vom jüngeren Deckgebirge ist nur der *Buntsandstein* (»Bunter«) noch weiter verbreitet. Die ausgedehnte Schichttafel des Buntsandsteinschwarzwaldes endet im Kreisgebiet mit einer 300 m hohen Schichtstufe (Vorfeldkopf-Badener Höhe-Eierkuchenberg). Wieder aufgedeckte Reststücke der permischen Landoberfläche sind an der Stufenbasis z. T. noch erhalten (Plättig, Scherrhof, Rote Lache). Merkur und Kleiner Staufenberg mit ihren Buntsandsteingipfeln sind »Zeugenberge« dafür, daß die Schichttafel einst die ganze Senke bedeckt hat. Natürlich gilt das auch für Fremersberg, Hardberg und weitere Anhöhen der Vorbergzone; hier wurde das Deckgebirge bei der Bildung des Oberrheingrabens (S. 21) tektonisch »abgeschoben«.

Die Sandsteine des Bunter sind in vielen Steinbrüchen abgebaut worden (Aufschluß 17). In zwei getrennten Niveaus tritt geröllführender Sandstein auf (ECK'sches und Hauptkonglomerat). Der Obere Buntsandstein (Röt) ist im Schwarzwald schon abgetragen und blieb nur in der Vorbergzone erhalten (Plattensandsteinbrüche im Eberbach westlich des Wolfartsbergs). Auch die jüngere Trias (Muschelkalk, Keuper) und der Jura sind nur noch entlang der Vorbergzone vorhanden. Der *Muschelkalk* ist noch in mehreren Steinbrüchen zugänglich, so bei Kuppenheim (Fichtental) in dem von Fossilsammlern gern »heimgesuchten« Kalksteinbruch (Aufschluß 18: Ceratitenschichten des Hauptmuschelkalkes). Weiter östlich am Dürrenberg der etwas ältere

Trochitenkalk (Trochiten: Versteinerte Stielglieder von Seelilien) mit darunterlagerndem Zellendolomit (Rückstandsbildung der ausgelaugten Anhydritgruppe des Mittleren Muschelkalkes). Leicht zu erreichen ist ein Kalksteinbruch (jetzt Grillplatz) SO vom Wolfartsberg an der K 9602 (bei der Abzweigung der K 9603 nach Haueneberstein). Die Gesteinsbänke sind hier nach N geneigt: Wir stehen hier dicht an der Ostrandverwerfung der Vorbergzone (Sprunghöhe 500 m), wo der Muschelkalk gegen das Grundgebirge aus metamorphen Schiefern der Schindelklamm-Serie (SITTIG 1965) verworfen ist.

Keuper ist wenig aufgeschlossen. Seine weichen Mergel verflößen leicht und sind meist von Fließerden (S. 23) oder Hangschutt überkleidet, besonders bei starken Reliefgegensätzen wie nördlich des Battert. Hier verrät sich die Formation nur durch den Quellenreichtum der Ochsenmatten: Es sind echte Schuttquellen, gespeist aus der riesigen Blockhalde, welche an der steilen Nordflanke des Battert den dortigen wasserstauenden Keupermergeln aufsitzt.

Auch vom *Jura* ist im Kreisgebiet gegenwärtig wenig zu finden. Das Vorkommen von Lias im Krebsbachtal (Gewann Specht nordöstlich vom Wolfartsberg) ist genauso verdeckt wie die Schollen an der Hauptverwerfung (S. 22) bei den Schweigroter Matten, beim Jagdhaus, nördlich vom Bergsee und bei Ebenung. Man muß sich darauf verlegen, Gerölle von Jura im alttertiären Küstenkonglomerat (s. u.) zu sammeln, die schon viel Fossilien geliefert haben (BILHARZ & HASEMANN 1934, S. 80).

Känozoikum, Tertiär. – Trias, Jura und die nicht vertretene *Kreide* (vor 240 bis 65 Mio. Jahren) belegen das Tafelstadium Südwestdeutschlands. In der Kreide bestand die süddeutsche Insel, die vom europäischen Schelfmeer völlig umschlossen war. Ganz im Süden lag der große Tethys-Ozean, in dem sich die alpidische Gebirgsbildung vorbereitete. Das süddeutsche Festland war ein von subtropischer Vegetation bedecktes Plateau oder Flachland, auf dem die Trias-Juratafel unter dem warm-feuchten kreidezeitlichen Klima der Verkarstung und Roterdeverwitterung unterlag. Im *Tertiär* änderte sich die geologische Situation wieder. Im Süden entstanden die Alpen (alpidische Orogenese), und diese Bodenunruhe teilte sich auch der vorher so trägen süddeutschen Insel mit. Im Bereich des (späteren) Oberrheins kam es im Eozän zu einer schildartigen Aufbeulung, in deren Mitte ein Krustensegment einbrach: Die »Geburtsstunde« des Oberrheingrabens. Das Ereignis hatte für das Kreisgebiet weitreichende Folgen: Die Heraushebung des Schwarzwaldes, seine tiefe Zertalung und die tektonische Zerstückelung des Grabenrandes mit allen Konsequenzen (z. B. Thermalwasseraufstieg) wurden damit initiiert. Der heutige Gebirgsrand als schroffe Bruchstufe ist zwar geologisch jünger (eiszeitlich), wurde aber bei der Anlage des Grabens schon festgelegt: Heute ist es die Grenze zwischen Vorhügel- und Vorbergzone (Linie Neuweier–Bergsee–Balg), die Grabenrand- oder Hauptverwerfung mit einer Sprunghöhe von gegenwärtig 2000 m (s. u.). Schon von Beginn an bestand hier eine Geländestufe, die für das eindringende Tertiärmeer die Küste bildete. Im Kreisgebiet muß damals ein Kliff vorhanden gewesen sein, gebildet von Jurakalken, und das Brandungsgeröll jener Zeit liegt auch heute noch an genau dieser Stelle, z. B. abgerollte Jura-Ammoniten als Einschlüsse in den Pechelbronner Schichten der Schweigroter Matten (Aufschluß 19). Ein noch besserer Fundpunkt ist bei Kuppenheim im Krebsbachtal (Fichtental), wo ein Seitenbach das alttertiäre Küstenkonglomerat freigespült hat. Das Geröll dort wurde von der Brandung des Tertiärmeeres zugerundet! Eine Aufzählung der Gerölltypen geben BILHARZ et al. (1934, S. 84). Das Jurakliff ist längst verschwunden, und das Brandungsgeröll grenzt heute tektonisch an Muschelkalk.

Wer die Hauptverwerfung direkt sehen will, ist auf künstliche Aufschlüsse wie den alten Steinbruch Vormberg (Bergsee) angewiesen (Aufschluß 20). Neben der »Seekanzel« am alten Bruchzugang ist eine Hohlgasse (Abflußgraben), welche die Verwerfung schneidet: Diese ist eine mehrere Meter breite Zerrüttungszone (»Ruschel«) und besteht überwiegend aus Kataklasit* mit Einschlüssen des gebleichten Nebengesteins (Bunter und Rotliegendfanglomerat). Im Westen schließt sich die Vorhügelzone mit dem marinen Tertiär an, hier vertreten durch den Cyrenenmergel (Oberoligozän). Die Vorhügelscholle ist an der Hauptverwerfung demnach um >2000 m »abgeschoben«. Die Tiefbohrungen Oos I und II haben das marine Tertiär der Grabenrandschollen durchteuft und rund 1800 m Alttertiär nachgewiesen (vgl. S. 35 ff.). Oberflächlich ist davon in der *Vorhügelzone* wenig zu sehen. Eine mächtige Bedeckung von eiszeitlichem Löß* verhüllt hier das Liegende. In zufälligen Baugruben stößt man zuerst auf rein weiße Ablagerungen von Porzellanerde und Klebsand. Es handelt sich um die Weißerde, früher ein begehrter Rohstoff der Keramik- und Glasindustrie. Industrielle Zentren im Kreisgebiet lagen bei Balg und Haueneberstein (Hafeneberstein!). Die Weißerde ist pliozänen Alters (2–5 Mio. Jahre), vertritt also jüngstes Tertiär und wird bereits einem ganz frühen Rheinflußsystem zugeschrieben. Das tertiäre Grabenmeer hatte sich schon zu Beginn des Miozäns nach Norden zurückgezogen und im Oberrheingraben eine Seenlandschaft zurückgelassen.

Die Grabenrandstufe war im Unterpliozän vollständig eingeebnet, und wieder muß damals eine flache Landschaft bestanden haben. Diese pliozäne Verebnungsfläche war vielfach vermoort und unterlag einer intensiven Verwitterung, die nur resistente Minerale (Quarzsand von ausgelaugtem Bunter) bzw. Verwitterungsneubildungen (Kaolin) zurückließ. Besonders das Eisen wurde ausgewaschen, so daß z. B. Gerölle von Rotliegendem auffällig gebleicht und gut kenntlich sind. Die tertiäre Grabentektonik war von hydrothermaler Mineralisierung begleitet. Einige der Randverwerfungen besonders der Vorbergzone enthalten bescheidene Erzgänge. Den Mineralsammlern vertraut ist der Schwerspatgang im Buntsandstein am Kälbelberg (nördlich der Silberquelle). Die Prozesse erfolgten in größerer Tiefe, und das gegenwärtige Auftreten der Mineralparagenesen an der Oberfläche ist das Werk der quartären Hebung (s. u.).

Quartär. – Im Quartär (seit 2 Mio. Jahren) vollzog sich der Wandel zur heutigen Landschaft, die bestimmt ist vom Gegensatz zwischen Oberrheinischer Tiefebene und dem Gebirge, der im Pliozän nicht bestand. Immerhin bezeugen die gebleichten Gerölle von Rotliegendem in der Weißerdeformation, daß die tertiäre (vorpliozäne) Anhebung der Rheingrabenflanke im Pliozän auf bereits 1000–1500 m zu veranschlagen ist. Nach der pliozänen Ruhepause vollzog sich im Quartär eine starke En-bloc-Heraushebung der Grabenflanken, die sich auf eine Verwerfungsstaffel verteilte. Für die insgesamt resultierende starke Hebung, die das Nordschwarzwälder Grundgebirge bis in fast 1000 m Seehöhe (Hornisgrinde) brachte, stehen knapp 2 Mio. Jahre zur Verfügung (mittlere Hebungsrate von ± 0,5 mm/Jahr). Nicht anzunehmen ist aber, daß diese Bewegungen ganz stetig abgelaufen wären (s. u.).

Ablesbar sind die Vorgänge an Fluß- und Bachschottern (Oberrhein, Murg, Oos, Steinbach samt Seitenbächen) sowie geomorphologischen Indizien (Tal- und Hangterrassen, Gefällsknicke), ferner an lokalen Sedimenten stehender Gewässer (Ton, Gyttja, Torf), an kaltzeitlichen Fließerden und an Löß. Eine gute Datenbasis fehlt noch; denn systematische Untersuchungen (z. B. Schotteranalysen) zu diesem Themenkreis liegen kaum vor.

Eines der bedeutendsten Zeugnisse des heimischen Quartärs sind die Ablagerungen der *Tongrube Steinbach* (Aufschluß 21) in der Vorhügelzone. Der inzwischen stillgelegte Abbau erschloß unter 4–12 m jungem Löß die jüngeren und älteren Steinbachschotter mit einem torfführenden Ton-Gyttja-Lager (5 m Stillwassersedimente) dazwischen, das auf Grund seines Pollengehaltes der Mindel-Riss-Zwischeneiszeit (Holstein-Interglazial) entstammt (KOLUMBE 1963). Der jüngere Steinbachschotter ist dann risszeitlich, während der ältere die Mindeleiszeit vertreten dürfte.

Der Geröllinhalt der mindelzeitlichen Steinbachschotter zeigt an, daß im Gebirge schon Bühlertalgranit erodiert wurde. Die Kiese haben neben ihrer glazialklimatischen (kaltzeitliche Aufschotterung) auch eine tektonische Bedeutung (Hinweis auf starkes Gefälle und damit Relief) und zeigen an, daß das Randgebirge im Altquartär weiter aufgestiegen sein muß. Dieser Hebung entspricht eine korrelate, durch Aufschotterung kompensierte Absenkung des Grabens. So verzahnen sich die zeitlich äquivalenten Schotterkegel der Schwarzwaldzuflüsse mit den großen Schotterterrassen der Tiefebene. Der Oberrhein, der seit der Risseiszeit ein echter »Urstrom« war, hat jungquartäre Kiese und Sande (Hoch- und Niederterrassenschotter: HT, NT) von 40–50 m Mächtigkeit im Graben abgelagert, die heute geomorphologisch als *Niederterrasse* in Erscheinung treten. Sandweier und Teile von Haueneberstein liegen auf Riedeln von »Hochgestade«. Die zwischen Niederterrasse und Vorhügelzone sehr gewunden verlaufende niedrige Geländeaue ist die bekannte *Kinzig-Murg-Rinne*, das wenige Meter tiefe holozäne Erosionstal (4–5000 Jahre alt) eines heute wieder verschwundenen Schwarzwaldrandflusses. Es sammelt die Schwarzwaldbäche und führt sie ein Stück weit parallel dem Gebirge (Sandbach, Ooser Landgraben) nach Norden.

Die Vorhügelzone mit dem Profil Steinbach liegt heute ca. 50 m über der Rinne und dürfte aus geologischen Gründen erst während oder nach der Risseiszeit (vor ca. 100–120 000 Jahren) gehoben worden sein (die Interglazialsedimente sind vom risszeitlichen Steinbach nicht ausgeräumt worden). Diese Hebung der Vorhügelzone, die ja ein Grabensegment ist, korreliert sicherlich mit einer viel stärkeren Heraushebung des Gebirges selbst, die also jungquartär sein dürfte. In gleichem Sinne spricht auch das würmzeitliche Alter der vielen einstigen *Kargletscher* im Nordschwarzwald (FEZER 1957), die eine entsprechende Hochlage des Gebirges erfordern. Im Kreisgebiet liegt nur ein Kar mit ehemaligem See (Mittelfeldkopf), in nächster Nachbarschaft zwei weitere (Blinder See am Immenstein und Herrenwieser See). Andere karähnliche Nischen in der Bergregion waren vielleicht Firnsammelmulden. Größere Verbreitung haben periglaziale Bildungen wie *Fließerden* und *Blockströme* auf den tieferen Hängen sowie die *Löß-* und *Lößlehmbedeckung* der Vorhügel- und Vorbergzone. Sie überziehen die Vorgebirgslandschaft und verbergen den wahren geologischen Schollenbau. Zusammen mit den holozänen Hangschuttmassen sind diese »Gesteine« in der Regel das erste, was in Baugruben und Schürfgräben zum Vorschein kommt – sehr zum Ärger des Geologen, dem dadurch der Einblick in das tiefere Gebirge verwehrt ist.

Fachausdrücke

Alpinotyp: Plastische Verformung (z. B. Faltung) von Erdkrustenarealen bei der Orogenese (Gegensatz: Germanotyp)
Anatexis: Natürliche Gesteinsaufschmelzung (möglich ab 680° C)
Baden-Badener Senke: Ein intermontaner Senkungsraum gefüllt mit Sedimenten der Oberkarbon-Rotliegendzeit
Chalcedon: Submikroskopisch-feinkristalliner Quarz (SiO_2)
Einsprenglinge: Die in Vulkaniten mit bloßem Auge sichtbaren Minerale

Epirogenese, epirogen (adj.): Langsame reversible Auf-/Abbewegungen der Erdkruste, ohne nennenswerte Gesteinsdeformation
Fanglomerat: Grobes Trümmersediment der Schuttkegel in Wüsten
Feldspat: Kali- bzw. Kalknatron-: Häufigstes Silikatmineral
Gabbro: Magmatisches Tiefengestein aus Feldspat und Pyroxen
Gang: Mineral oder Gestein, das eine Spalte füllt
Geosynklinale: Mobiler Erdkrustenabschnitt mit starker Tendenz zu Absenkung, oft ozeanisiert, später meist ausgefaltet
Germanisches Becken: Sedimentationsraum der Trias in Deutschland
Germanotyp: Bruchhafte Verformung (z. B. Verwerfungen) von Krustenarealen bei der Orogenese (Gegensatz: Alpinotyp)
Glimmer: Hell- (Muskowit) bzw. Dunkelglimmer (Biotit): Häufige gesteinsbildende Schichtsilikate
Glimmerschiefer: Schiefriger Metamorphit aus Glimmer und Quarz
Glutwolke: Eruption heißer hochfluider Gas-Magma-Suspension
Gneis: Metamorphes schiefriges Gestein aus Feldspat, Quarz, Biotit
Granat: Metamorphes Silikatmineral mit Ca, Mg, Al, Fe, Cr
Grauwacke: Sandsteinartiges schluffreiches Sedimentgestein mit sehr heterogenem Mineral- und Fremdgesteinsbestand
Grünschiefer: Geschieferter Metamorphit aus grünen Silikatmineralen (Chlorit, Epidot), z. B. ein Metabasalt (s. Metamorphit)
Grus: S. Vergrusung
Hämatit: Häufiges Eisenmineral Fe_2O_3, in Pulverform rotfärbend
Hornfels: Harter Kontaktmetamorphit aus Feldspat, Quarz, Biotit
Horst: An schräger Abschiebung rel. gehobene Erdkrustenscholle
Ignimbrit: Aus Glutwolke (s. d.) gebildeter Vulkanit (Schmelztuff)
Intrusion: Eindringen von Tiefenmagma in seichte Krustenbereiche
Isostasie: Schwimmgleichgewicht der verschieden dichten Kontinentalschollen auf dem Erdmantel
Kataklasit: Tektonisch zertrümmertes Nebengestein an Verwerfungen
Kersantit: Lamprophyr mit viel Biotit und Amphibol neben Feldspat
Kieselhölzer: S. Verkieselung
Kieselschiefer: Sehr feinkörniges quarzreiches Sedimentgestein
Kollision (von Kontinenten): Zusammenstoß aufeinanderzudriftender Kontinente, Ursache von Orogenesen (s. d.)
Kontaktmetamorphose: Von Magma verursachte Metamorphose (s. d.)
Lamprophyr: Ganggestein, reich an Biotit, Amphibol, Pyroxen
Löß: Durch Wind transportierter Gesteinsstaub der Eiszeiten
Magma: Natürliche heiße gasreiche Gesteinsschmelze
Magmatit: Eruptivgestein, gebildet durch Erstarrung von Magma
Metamorphit: Metamorph umgebildetes Gestein, Petrogenetische Benennungsweise; z. B. Metabasalt = metamorpher Basalt
Metamorphose: Durch Druck-/Temperaturveränderung verursachte Umwandlung von Gesteinen; bes. die regionale M.
Mischgneis: Gestein bestehend aus Eruptiv- und Sedimentgneis
moldanubisch: In der Art des südböhmischen Grundgebirges
Orogenese: Gebirgsbildung durch Faltung u. Bruchbildung
orographisch: Einen Berg o. ein Gebirge betreffend
Phyllit: Schiefriger Metamorphit aus Hellglimmer, Chlorit u. Quarz
Pinit: Ein Abbauprodukt von Cordierit (rhomb. Mg-Fe-Al-Silikat)
Playa: Endseegebiet im Innern abflußloser Wüstensenken
Sedimentit: Verfestigtes Sediment, Sedimentgestein, Schichtgestein
Silikate: Gesteinsbildende Minerale (Salze der Kieselsäure)
stratigraphisch: Auf die natürliche Abfolge eines Schichtenverbandes bezogen

1. Geologie

Schollenrotation: Drehung von Schollen um (meist) horizontale Achsen
Tektonik, tektonisch (adj.): Krustenbau u. -bewegungen betreffend
Tuff, vulkanischer: Sedimentit aus vulkanischer Asche
Vergrusung: Auflösung des Mineralverbandes von grobkörnigen Gesteinen, bes. Graniten
Verkieselung: Imprägnation oder Auflösung und Ersatz von Mineralen, Fossilien und Gesteinen durch Quarz; verbreitet bei Holz: Kieselhölzer

Literatur

Bilharz, A., R. *Brill* u. H. *Thürach*: Geologische Spezialkarte von Baden. Blatt Baden (Nr. 67). Farbiger Kartendruck im Maßstab 1:25000, Leipzig–Berlin 1926.

Bilharz, A. u. W. *Hasemann*: Geologische Spezialkarte von Baden. Erläuterungen zu Blatt Baden (Nr. 67). Freiburg i. Br. 1934, 144 S., 8. Textabb., 2 Taf.

Cloos H.: Über Ausbau und Anwendung der granittektonischen Methode. In: Abh. preuß. geol. Landesanst. N.F. 86. Berlin 1922, S. 1–18.

Fezer, F.: Eiszeitliche Erscheinungen im nördlichen Schwarzwald. Remagen/Rh. 1957, 86 S., 14 Abb.,6 Tabb., 7 Ktn., 9 Bilder.

Greiner, G. u. E. *Sittig*: Erdmagnetische Messungen in der Badener Senke. In: Jber.Mitt.oberrhein.geol.Ver., N.F. 53. Stuttgart 1971, S. 263–274.

Jenkner, B.: Ein Vorschlag zur Neugliederung des sedimentären Oberrotliegenden der Baden-Badener-Senke und ihrer nordöstlichen Fortsetzung (Nordschwarzwald). Diss. Geowiss. Fak. Univ. Freiburg i. Br. , Freiburg i. Br. 1985, 145 S., 7 Taf.

Kneuper, G., K. A. *List* u. H. *Maus*: Geologie und Genese der Uranmineralisation des Oos-Troges im Nordschwarzwald. In: Erzmetall 30. Stuttgart 1977, S. 522–526.

Kolumbe, E.: Die interglazialen und interstadialen Ablagerungen von Steinbach bei Baden-Baden. In: Oberrhein.geol.Abh. 12, Karlsruhe 1963, S. 25–43, 4 Abb., 2 Taf.

Kozur, H. u. E. *Sittig*: Das »Estheria« tenella-Problem und zwei neue Conchostracen-Arten aus dem Rotliegenden von Sulzbach (Senke von Baden-Baden, Nordschwarzwald). In: Geol.Paläont.Mitt. Innsbruck 11. Innsbruck S. 1–38.

Löffler, M.: Das Permokarbon des Nordschwarzwaldes. Eine Fallstudie am Beispiel des Beckens von Baden-Baden. Diss.Fak.f.Bio.-Geo.Wiss.Univ. Karlsruhe. Karlsruhe 1992, 284 S., 100 Abb.

Maus, H.: Ignimbrite des Schwarzwaldes. In: N.Jb.Geol.Paläont., Mh. 1967, Stuttgart, S. 461–489.

Mehl, J.: Biostratigraphische Datierung des Nordschwarzwälder metamorphen Paläozoikums mit Hilfe moderner Röntgenuntersuchungen. Vortragszusammenfass. Geol.Koll.Univ. Heidelberg. Heidelberg 1988, 1 S.

Metz, R.: Mineralogisch-landeskundliche Wanderungen im Nordschwarzwald. 2. Aufl. Lahr/Schwarzwald 1977, 632 S., 393 Abb.

Sittig, E.: Der geologische Bau des varistischen Sockels nordöstlich von Baden-Baden (Nordschwarzwald). In: Oberrhein.geol.Abh. 14, 1965 Karlsruhe, S. 167–207.

Sittig, E.: Eine Geröllbestandsaufnahme im grobklastischen Oberrotliegenden der Senke von Baden-Baden. In: Oberrhein.geol.Abh. 32, 1983 Karlsruhe, S. 45–68.

Wagner, G.: Junge Krustenbewegungen im Landschaftsbilde Süddeutschlands. In: Erdgesch.landesk.Abh.Schwaben u. Franken 10, 1929 Öhringen, 300 S., 131 Abb., 16 Taf.

Zuther, M.: Das Uranvorkommen Müllenbach/Baden-Baden, eine epigenetisch-hydrothermale Imprägnationslagerstätte in Sedimenten des Oberkarbon (Teil I: Erzmineralbestand). In: N.Jb.Miner.Abh. 147, 1983 Stuttgart, S. 191–216.

2. Thermen

Einleitung. – Das Baden-Badener Thermalwasservorkommen liegt in Baden-Württemberg an der Spitze in Bezug auf Temperatur und Mineralisationsgrad im Vergleich zu anderen natürlichen Thermalquellen. Lediglich die Schüttungsmenge liegt erst an vierter Stelle, wie die folgende Aufstellung beweist:

	Temperatur (° C)	Feststoffe (mg/kg)	Schüttung (l/s)
Baden-Baden	52–67	2680–3522	9,4
Wildbad	39	685	13
Bad Liebenzell	21–26	1112–1753	12
Hubbad	36	2675	2
Badenweiler	27	370	15

Die in den letzten Jahrzehnten durch Tiefbohrungen erschlossenen und genutzten Thermen im Albvorland (Urach, Beuren, Aalen u. a.), in Oberschwaben (Saulgau, Buchau, Jordanbad) und in der Rheinebene (Steinenstadt, Bellingen, Freiburg) erreichen nirgends die Baden-Badener Temperaturen, obgleich ihre Mineralisation und ihre durch Pumparbeit bewirkte Ergiebigkeit z. T. höher ist.

Auch im Vergleich zu den wichtigsten Thermalbädern Deutschlands kann Baden-Baden durchaus mithalten:

	Temperatur (°C)	Feststoffe (mg/kg)	Schüttung (l/s)
Wiesbaden	47–67,6	6700–8924	13
Aachen-Burtscheid	38–72	4145–6740	58

Mittlerer, d. h. nicht zu hoher Salzgehalt, die Wärme und die für einen Kurbetrieb ausreichende Schüttung der Thermalquellen haben zusammen mit der reizvollen Tallage am Schwarzwaldwestrand Baden-Baden zur weltweiten Bekanntheit verholfen.

Historischer Thermalquellenbezirk. – Er befindet sich am Südosthang des Florentinerberges zu Füßen des Neuen Schlosses. Die Thermalwasseraustritte entstanden im Diluvium. Seitdem bildete sich unterhalb der Thermalquellen ein 6 m hoher Sinterhügel aus porösem Kalk. Auf dem Sinterhügel und am Fuß desselben bauten die Römer ihr Bad (Karte S. 27). Nach dem Abzug der Römer wurden erst im späten Mittelalter die Thermalwässer in verschiedenen Badehäusern in Nutzung genommen. Im Badebüchlein von Küffer[1] aus dem Jahr 1625 werden zwölf Quellen aufgeführt:

Bei der Herberge zum Greiffvogel,
»Brühequell«, dort wurden Hühnervögel und Schweine gebrüht,
links der Herberge zum Greiffvogel eine dritte Quelle, »Ungemachquelle« bei der Herberge zum »Ungemach«,
»Höllquell«, oberhalb des »Brühebrunnens«,
unter der »Mohrstube« der Ungemach-Herberge tritt die sechste Quelle aus,
die »Fettquell« tritt im Garten der Ungemach-Herberge gegen Sonnenaufgang hervor,
in der Herberge zum »Kühlen Brunnen« kommen zwei warme und eine kühlere Quelle aus,
bei der »Metzig« kommen aus einer Kluft zwei Quellen hervor, die in Rinnen gefaßt sind. Die eine

2. Thermen

läuft in »Bitten«, daher »Bitten(= Bütten)quelle«, die andere wird in einem hölzernen Kanal in die »Herberge zum Baldreit« geleitet, daher wird sie »Baldreitquelle« genannt.

Von diesen zwölf Quellen haben bis zur Umgestaltung 1868 sechs Bestand gehabt. Einen Überblick über die noch im Jahr 1868 genutzten Thermalquellen gibt Karte S. 27. Bei der Neufassung wurden durch Robert Gerwig die wichtigsten Thermalwasseraustritte in zwei Stollensysteme neu gefaßt. Im *Friedrichsstollen* wurden neben der Friedrichsquelle die fast 69° C heiße Höllquelle, die Brühquelle sowie die Judenquelle zusammengefaßt. Bei diesen Fassungsarbeiten ist die Ungemachquelle versiegt. Wegen der hohen Temperaturen zogen sich die Arbeiten bis 1871 hin. Ein Seitenstollen nimmt die Römerquelle auf (Karte S. 29). Im Zuge der Umgestaltung wurden das Dampfbad

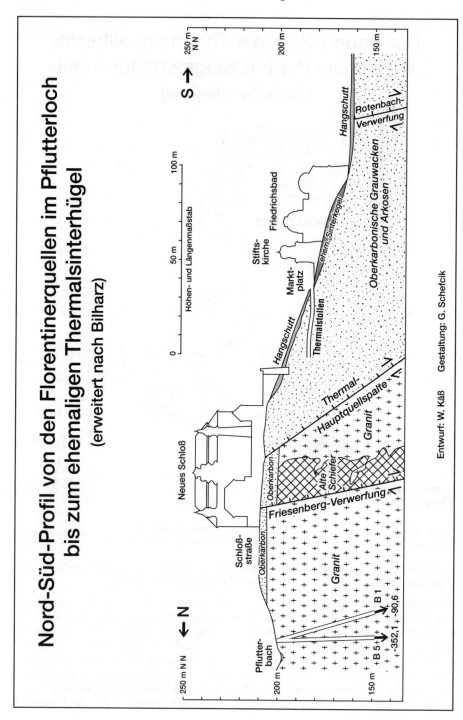

2. Thermen

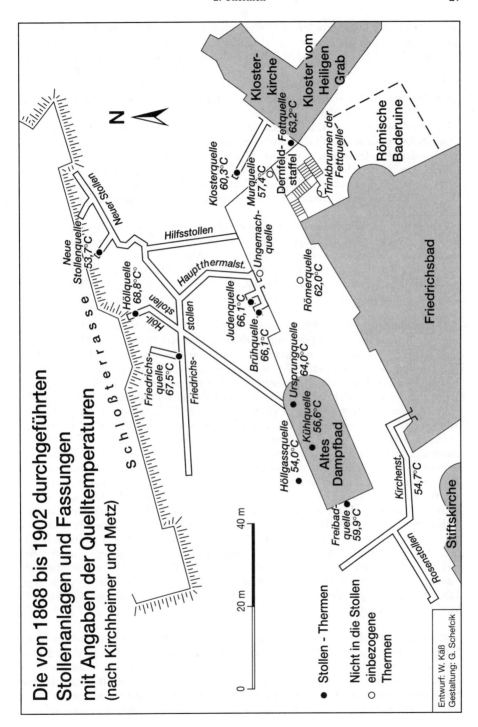

sowie das Friedrichsbad errichtet; letzterem mußte der Sinterhügel weichen. Mit seinen Sintersteinen wurde die Nische des Trinkbrunnens mit einem Abzweig der Fettquelle gemauert. Um die vom Marktplatz ablaufenden Thermalwässer zu fassen, legte man den *Kirchen- und Rosenstollen* an. Die Erschließungsarbeiten hatten vollen Erfolg: Neben der Steigerung der Quellschüttung um 20 % stieg auch die mittlere Quelltemperatur. Die etwa 100 m südwestlich des Thermalgebiets seit altersher bekannte *Büttenquelle* versuchte man 1894 durch eine nahezu 20 m lange, am Ende verzweigte Schachtverlängerung neu zu fassen. Es zeigte sich dabei, daß ihr Wasser nicht aus einer Quellspalte, sondern aus mit Ziegelbrocken vermengtem Gehängeschutt zutrat. Wegen ihrer niedrigeren Temperatur zwischen 13 und 35° C und wegen des offensichtlichen Anteils von Niederschlagswasser blieb die Quelle im Altstadtbereich bis heute ungenutzt. Lediglich die emanationshaltige Stollenluft wurde durch eine Absaugleitung von 1912 bis 1922 in das Emanatorium des ehemaligen Palais Hamilton, der heutigen Sparkasse, geleitet.

19 m östlich des Mundlochs des Hauptthermalstollens wurde in den Jahren 1894–1897 über einen Hilfsstollen der *Neue Stollen* in nordöstlicher Richtung angelegt. Das dort angetroffene Thermalwasser mittlerer Temperatur, Mineralisation und Schüttung stellte eine weitere Bereicherung des Thermalwassergebiets dar. 1901–1902 wurde die *Höllgaßquelle*, nicht zu verwechseln mit der Höllquelle im Höllstollen, neu gefaßt. Die Gesamtlänge der Stollenanlagen, die seit 1897 unverändert bestehen, beträgt rd. 200 m.

Thermalbohrungen im Pflutterloch. – Der Ausbau der Kurmitteleinrichtungen bewirkte Anfang der 1960er Jahre einen erhöhten Thermalwasserbedarf. Mit der Suche nach weiteren Thermalwasservorkommen wurde das Geologische Landesamt Baden-Württemberg beauftragt. Umfangreiche geophysikalische Untergrunduntersuchungen mittels Geoelektrik und vor allem mittels Geothermie ergaben jenseits des Florentinerberges, also im nördlich vom Neuen Schloß gelegenen Pflutterloch, eine deutliche Wärmeanomalie. Während normalerweise auf 100 m Tiefe mit einer Temperaturzunahme von 3° gerechnet werden kann, lag hier der Gradient bei 28°/100 m! Es wurden zwischen März 1965 und April 1966 zwei Bohrungen am Grund des Pflutterloches abgeteuft. Die Bohrung I wurde schräg nach Süden 301,5 m gebohrt, so daß die Bohrlochsohle unter dem Hof des Neuen Schlosses liegt. Die Bohrung II wurde saiger, d. h. senkrecht 552,5 m tief abgeteuft. Die Bohrungen durchteuften eine Wechselfolge von Granit mit Alten Schiefern. Die Bohrungen stehen also in völlig anderen geologischen Formationen als die Stollenanlagen am Südhang des Florentinerberges. Balneologisch gesehen waren die Bohrungen ein voller Erfolg: Aus beiden Bohrlöchern trat artesisch Thermalwasser aus von ähnlicher Beschaffenheit wie es vom historischen Thermalgebiet bekannt war. Die Schüttung aus beiden Löchern ging von ursprünglich 1,8 l/s auf 0,94 l/s im Jahr 1991 zurück. Die Bohrung II erbrachte Thermalwasser mit dem höchsten Mineralisationsgrad aller Baden-Badener Quellen (vgl. Tab. 1). Heute werden die neuerschlossenen Bohrungen als *Florentinerquellen I und II* balneologisch genutzt.

Beschaffenheit der Thermalquellen. – Hauptbestandteil aller Thermalwässer ist Natriumchlorid. Tab. 1 zeigt die wichtigsten Eigenschaften sowie die Ergiebigkeiten der einzelnen Quellen. Eine ausführliche Analyse des ergiebigsten Zulaufes vom Friedrichsstollen wird in der Tab. 2 aufgelistet. Die in der Original-Heilwasseranalyse aufgeführten anorganischen und organischen Spurenstoffe sind entweder nicht nachweisbar oder sie liegen hart an der Nachweisgrenze. Mikroorganismen fehlen völlig.

2. Thermen

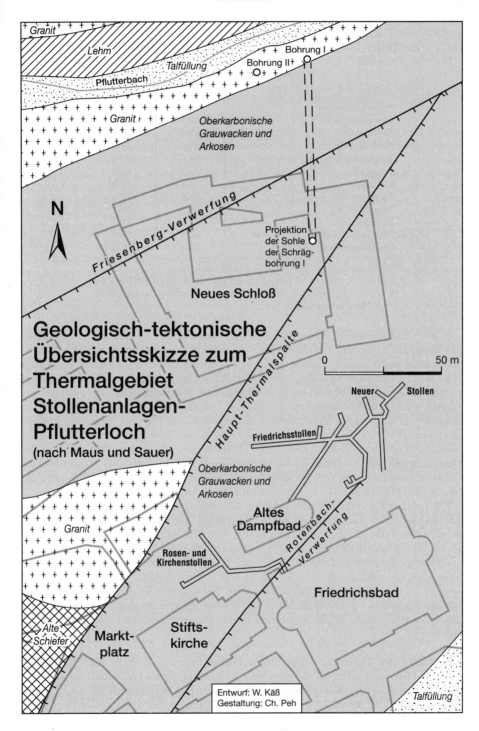

Tabelle 1: **Die einzelnen Thermalquellen im Baden-Badener Thermalwasserrevier**

Quelle	Schüttung (cbm/Tag)	Temperatur (° C)	Feststoffinhalt (mg/kg)
Friedrichsstollen	384	66,9	3013
Ursprungquelle	113	67,1	2999
Kühlquelle	29	59,8	2851
Freibadquelle	9	59,6	2811
Kirchenstollen	71	54,7	2778
Fettquelle	62	63,7	3041
Murquelle	6	54,1	3072
Klosterquelle	10	57,4	2898
Neuer Stollen	22	58,9	2692
Höllgaßquelle	8	52,6	2833
Florentinerquelle I	54	60,1	2680
Florentinerquelle II	27	51,6	3522

Jahresdurchschnitt 1992: 800 = 292150 cbm/Jahr
Die Schüttungen und Temperaturen sind am 1. April 1993 erhoben worden. Die Feststoffgehalte wurden aus Analysen unterschiedlicher Herkunft ermittelt.

In allen Baden-Badener Thermalwässern sind *Natrium* und *Chlorid* die vorherrschenden Bestandteile; sie verleihen dem Wasser einen leicht salzigen Geschmack. Als Nebenbestandteile sind *Calcium, Kalium, Sulfat* und *Hydrogenkarbonat* zu nennen, die jedoch in keinem Fall zu einer balneologischen Deklarationsfähigkeit reichen. Deklarationsfähig im Sinne der Begriffsbestimmungen des Deutschen Bäderverbandes[2] ist indessen das *Fluorid*, weil es die Mindestkonzentration von 1 mg/kg deutlich überschreitet. Erwähnenswert ist der ungewöhnlich hohe *Lithiumgehalt*, ein Element, dem eine gewisse therapeutische Wirkung zugeschrieben wird. Die früher hochgeschätzten radioaktiven Elemente *Radon* und *Radium* sind in den Thermen zwar gut nachweisbar. Selbst in der Murquelle mit der höchsten Radioaktivität wurde bei wiederholten Messungen die Deklarationsgrenze von 666 Bequerel/kg nie erreicht. Am 28. Januar 1972 hatte die Murquelle lediglich 501 Bq/kg bei einem Radiumgehalt von 0,8 Bq/kg.[3]

Ein Teil der Wasserinhaltsstoffe kann bei Abkühlung und Luftberührung ausgeschieden werden. Der mehrfach erwähnte Sinterhügel bestand aus porösem Kalk mit Kieselsäureanteilen. Früher setzte sich Kalk in den Rohren der Thermalwasserleitungen ab, so daß sie innerhalb weniger Jahre ausgewechselt werden mußten. Heute hat man geschlossene Systeme und vermeidet dadurch Kalkinkrustierungen. Die Absätze in den Sammelbecken sind durch scharfes Abspritzen leicht zu entfernen. Andere Absätze werden in den Rinnen der Stollenfassungen beobachtet. Sie bestehen sowohl aus schwarzem Manganmulm als auch aus Kieselsinter. Erstere werden durch Mikroorganismen abgeschieden. Beide Arten sind durch sorbierte Uranverbindungen deutlich radioaktiv.[4]

Nutzung der Thermen. – Die Thermalwässer werden zu Bade- und Trinkkuren genutzt. Hier wird nicht auf die einzelnen Anwendungen als Heilmittel, sondern nur auf die Verteilung des Wasserschatzes eingegangen. Das Schaubild S. 34 zeigt in einer Prinzipskizze die Sammel- und Verteilungsanlagen, wobei nebensächliche Details

2. Thermen

Tabelle 2: **Chemische Analyse des Thermalwassers aus dem Friedrichsstollen vom 14. Juli 1987 durch das Geologische Landesamt Baden-Württemberg**

Temperatur des Wassers:	64,6° C
pH-Wert:	7,47
Radongehalt:	10 Bq/kg
Leitfähigkeit bei 20° :	4410 µS/cm
Redoxpotential gegen Ag/AgCl/3mKCl:	107 mV
Oxidierbarkeit mit Mn-VII:	1,91 mg/kg (O_2)

KATIONEN	mg/kg	mval/kg	mval-%
Natrium	850,66	36,999	78,580
Kalium	75,05	1,920	4,077
Lithium	9,03	1,300	2,762
Rubidium	2,50	0,029	0,062
Caesium	2,20	0,017	0,035
Calcium	129,35	6,455	13,709
Magnesium	2,07	0,170	0,362
Strontium	1,71	0,039	0,083
Barium	0,35	0,005	0,011
Beryllium	0,00	0,000	0,000
Eisen-II-	0,40	0,014	0,030
Mangan-II-	0,46	0,017	0,035
Aluminium	0,37	0,039	0,084
Kationen zusammen	1073,75	47,004	100,000
ANIONEN			
Chlorid	1437,60	40,549	86,990
Bromid	3,10	0,039	0,083
Iodid	0,004	0,000	0,000
Fluorid	5,40	0,284	0,610
Nitrat	0,18	0,003	0,006
Nitrit	0,31	0,007	0,014
Hydrogenkarbonat	155,10	2,542	5,454
Sulfat	152,81	3,184	6,830
Hydrogenphosphat	0,08	0,002	0,004
Hydrogenarsenat	0,34	0,004	0,009
Anionen zusammen	1745,924	46,614	100,000
meta-Kieselsäure	174,42		
Meta-Borsäure	9,04		
meta-Titansäure	0,00		
Feststoffinhalt	3012,13		
Freie Kohlensäure	16,50		
Freier Sauerstoff	3,67		
Schwefelwasserstoff	0,01		
Lösungsinhalt	3032,31		

Charakteristik: Fluoridhaltige Natrium-Chlorid-Therme

Das Wasser des Friedrichsstollen enthält die Anteile der vier Einzelquellen, nämlich der Friedrichsquelle, der Höllquelle, der Brühquelle und der Judenquelle.

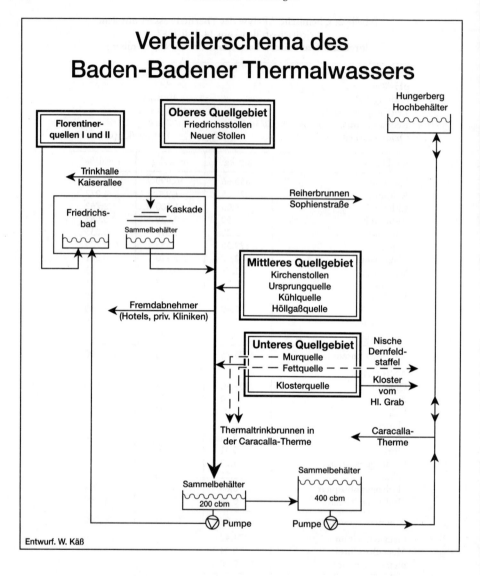

weggelassen sind. Der Hochbehälter auf dem Hungerberg, rd. 500 m nördlich des Quellgebiets, dient als Pufferspeicher. Die Abkühlung auf erträgliche Badetemperaturen erfolgt in einem Gegenstrom-Wärmetauscher. Im Jahr 1992 sind 292150 cbm Thermalwasser gefaßt worden und zur Verteilung gekommen. Die einzelnen Abnehmer und Verbraucher sind aus der Aufstellung auf S. 35 zu ersehen.

Wer nicht als Kurgast nach Baden-Baden kommt, kann sowohl am *Reiherbrunnen* in der Sophienstraße (47° C) als auch am *Trinkbrunnen der Fettquelle* (57° C) das Thermalwasser kosten. In der kalten Jahreszeit ist es jedermann möglich, im Garten des Hotels Badischer Hof den dampfenden Brunnen zu bewundern. Im Obergeschoß der

2. Thermen

Thermalwassernutzer	cbm/Jahr
Caracalla-Therme, einschl. Trinkbrunnen und Anteil Rheumakrankenhaus	165 244
Friedrichsbad (Bäder, Trinkbrunnen, Kaskade im irisch-römischen Bad)	83 621
Trinkhalle Kaiserallee	876
Reiherbrunnen Sophienstraße	3 311
Trinkbrunnen Fettquelle Dernfeldstaffel	1 167
Fremdabnehmer:	
Hotel Badischer Hof	18 250
Badhotel Hirsch	8 103
Rheumakrankenhaus	2 908
Klinik Dr. Dengler	6 242
Kloster vom Heiligen Grab	2 428
zusammen	292 150

Caracalla-Therme sind drei Trinkbrunnen eingerichtet. Sie werden gespeist aus dem Sammelwasser, das hauptsächlich vom Friedrichsstollen kommt (49° C), aus der Fettquelle (47° C) und der Murquelle (46° C).

Gesichtspunkte zur Genese der Thermalwässer. – Die Frage nach der Herkunft der großen Wasser-, Wärme- und Mineralmengen, die unentwegt seit urdenklichen Zeiten zu Tage treten, ist bis heute nicht eindeutig beantwortet. Täglich werden 1700 kg Natriumchlorid und 40 kg Lithiumchlorid gefördert.[5] Die Tag für Tag erfaßbare Leistung beträgt gegenwärtig 803 cbm Wasser, 2380 kg Mineralien und 42 Mio. Kcal an Wärme,[6] wobei unter Berücksichtigung der nicht faßbaren wilden Austritte diese Zahlen um mehrere Prozent zu erhöhen sind.

Zunächst muß die Auffälligkeit erwähnt werden, daß die Thermalvorkommen von Baden-Baden, Bad Herrenalb, Wildbad und Bad Liebenzell alle am Nordrand des Nordschwarzwälder Granitmassivs liegen. Die Herkunft des Wassers läßt sich dadurch erklären, daß in den Hochlagen des Schwarzwaldes Niederschlagswässer einsickern und in der Tiefe aufgeheizt werden. Im Granit existieren Abkühlungsklüfte, die zwar keine große Wegsamkeit für Wasser aufweisen, jedoch für ein großes Areal dennoch von Bedeutung sein können. Im *tektonischen Bruchfeld des Rotenbachtales* sind an zahlreichen Verwerfungen genügend Aufstiegsmöglichkeiten des Thermalwassers vorhanden. Bei der Aufheizung kann das heiße Wasser Mineralien aus dem Granit lösen; für eine derartige Herkunft sprechen die hohen Lithium- und Fluoridgehalte. Eine Herleitung des Natriumchlorids aus dem Tertiär des Oberrheingrabens erscheint angesichts des Höhenunterschieds zwischen dem Thermalgebiet und dem Grundwasserspiegel bei Oos von rd. 90 m abwegig. Allenfalls könnte man an Auslaugungsreste mesozoischer Schichten, insbesondere des Mittleren Muschelkalks, denken, die während der Heraushebung des Schwarzwaldes abgetragen worden sind und mit Sicherheit die darunterliegenden Gesteine mit Salzlösungen durchtränkt haben. Eine Klärung dieser Fragen steht noch aus. Systematische isotopenhydrologische Untersuchungen könnten in dieser Hinsicht eine Aufhellung bringen.

Bohrungen bei Baden-Oos. – Zur Erschließung weiterer Kurmittel entschloß sich die Bäder- und Kurverwaltung, nach geeigneten Vorkommen suchen zu lassen. Unter der Federführung des Geologischen Landesamtes Baden-Württemberg wurden zwischen Dezember 1971 und April 1972 im Gebiet zwischen Sinzheim und Kuppenheim

I. Natürliche Grundlagen

zwei Längs- und fünf Querprofile vibroseismisch vermessen. Daraufhin wurde die Bohrung I 1,5 km westsüdwestlich von Oos angesetzt. Da über die Bohrergebnisse bisher noch nichts in die Fachpresse gelangte, soll hier etwas ausführlicher darüber berichtet werden.

Die *Bohrung I* hat folgende Koordinaten, R:34 39580, H:5404760; Ansatzhöhe über NN: 124,7 m; Zeit des Abteufens: 4. Juli 1973 bis 19. September 1974; geologische Bearbeiter: Sauer, El Schami, Doebl, Sittig, Huf.

Kurzprofil:

0– 85 m	Pleistozän
– rd. 300 m	Bunte Niederröderner Schichten
– 765 m	Cyrenenmergel und Melettaschichten
– 780 m	Fischschiefer und Foraminiferenmergel
– 900/940 m	Obere Pechelbronner Schichten (bei 950 m reiche Foraminiferen- und Fischschieferfauna)
–1197 m	sichere Obere Pechelbronner Schichten
–1327 m	Mittlere Pechelbronner Schichten
–1855 m	Untere Pechelbronner Schichten und Lymäenmergel
———————— Störung ————————	
–2180 m	Jura
———————— Störung ————————	
–2220 m	Übergangszone
–2440 m	Buntsandstein
–2721 m	(Endteufe) Phyllit

Ergebnis: Der Muschelkalk, in dem man thermale Mineralwasserzuflüsse erwartete, ist an der Störung bei 2180 m ausgefallen. Ein Packertest brachte keine Zuflüsse. Das Bohrloch wurde am 27. Februar 1975 verfüllt.

Im August 1975 wurden die vibroseismischen Untersuchungen vom Winter 1971/72 teilweise verdichtet. Daraus ergaben sich Hinweise auf einen neuen Bohrstandort. Die *Bohrung II* liegt in der Oosaue, 100 m nordöstlich der Oosbrücke an der B 500; Koordinaten, R:3441201, H:5405405; Ansatzhöhe über NN: 129,5 m; Zeit des Abteufens: 12. August 1976 bis 18. Juli 1977; geologische Bearbeiter: Leiber und Ohmert.

Kurzprofil:

0– 70 m	Pleistozän
– 99 m	Mittlere Pechelbronner Schichten
– 315 m	Untere Pechelbronner Schichten
– 418 m	Rote Leitschicht
–1040 m	Lymnäenmergel
———————— Störung ————————	
–1076 m	Ober-Aalenium, Murchisonaeschichten mit Sandmergel
–1165 m	Unter-Aalenium (Opalinuston)
–1290 m	Lias
–1311 m	Rhät und Knollenmergel
–1446 m	Rote Mergel und Steinmergel
–1456 m	Schilfsandstein
–1502 m	(Endteufe) Gipskeuper

Ergebnis: Artesischer Wasserzutritt bei 750 m von 0,02 l/s mit 14910 mg/l Chlorid. Bei 906 m wurde eine Temperatur von 56° C gemessen, daraus folgt eine geothermische Tiefenstufe von 5,1° C/100 m. Bei 941 m Bohrtiefe erfolgte ein Gestängebruch, und da die Fangarbeiten erfolglos blieben, wurde durch eine Ablenkung an der

Bruchstelle vorbeigebohrt. Bei Erreichen der Endteufe von 1502 m wären bis zum thermalwasserhöffigen Muschelkalk noch 50 bis 100 m zu bohren gewesen. Wegen Erreichens der Grenzbelastung des Bohrgeräts und wegen Erschöpfung der Finanzmittel wurde vom Aufstellen einer stärkeren Bohranlage abgesehen. Das Bohrloch wurde am 6. Oktober 1978 verfüllt.

Anmerkungen

1. *Küffer, Johann*: Beschreibung des Marggrävischen Warmen Bades. Straßburg 1625 (Faksimile-Nachdruck 1976), 175 S.
2. *Deutscher Bäderverband und Deutscher Fremdenverkehrsverband e. V.*: Begriffsbestimmungen für Kurorte, Erholungsorte und Heilbrunnen. Bonn, 9. Aufl. 1989, 59 S.
3. *Kirchheimer, Franz*: Weitere Mitteilungen über das Vorkommen radioaktiver Substanzen in Süddeutschland. In: Jh. geol. Landesamt Baden-Württemberg 15. Freiburg/Br. 1973, S. 33–125.
4. *Kirchheimer, Franz*: Über radioaktive und uranhaltige Thermalsedimente, insbesondere von Baden-Baden. Abh. Geol. Landesamt Baden-Württemberg 3. Freiburg/Br. 1959, S. 67.
5. *Metz, Rudolf*: Mineralogisch-landeskundliche Wanderungen im Nordschwarzwald, besonders in dessen alten Bergbaurevieren. Lahr/Schwarzwald, 2. Aufl. 1977, S. 289.
6. *Kiderlen, Helmut*: Die Thermalquellen von Wildbad (Schwarzwald), ihre Mechanik und Genese. In: Jh. Geol. Landesamt Baden-Württemberg 19, Freiburg/Br. 1977, S. 214.

Weitere Literatur

Bilharz, Alfred: Die Thermalquellen von Baden-Baden. In: Erläuterungen zur geologischen Spezialkarte von Baden, Blatt 67 (= 7215) Baden-Baden. Freiburg/Br. 1934 (unveränderter Nachdruck Stuttgart 1985), S. 127–135.

Maus, Hansjosef und *Kurt Sauer*: Die Thermalwasserbohrungen im Gewann Pflutterloch auf Gemarkung Baden-Baden – Balneo- und regionalgeologische Ergebnisse. In: Mitt. bad. Landesver. f. Naturkde. u. Naturschutz 10. Freiburg/Br. 1972, S. 469–480.

Röhrer, Friedrich: Die Gegend von Baden-Baden. In: Geogr. Zeitschrift 33. Leipzig 1927, S. 204–209.

3. Oberflächenformen und Gewässernetz

Landschaftsbau und Lage. – Keine andere Landschaft des Schwarzwalds läßt abwechslungsreichere und vielgestaltigere Oberflächenformen erkennen als das durch das breite Oostal zur Rheinebene sich öffnende Stadtgebiet Baden-Badens. Auf einer Fläche von 14 022 ha erstreckt es sich aus der Rheinebene, wo in der Gebirgsrandniederung am Nordrand der Gemarkung Sandweier westlich der Autobahn A 5 und der badischen Hauptbahnlinie am Landgraben mit 118,75 m NN der niedrigste und in einer Luftlinienentfernung von 18,6 km auf der waldbestandenen Buntsandsteinkuppe der Badener Höhe mit 1002,5 m NN am Südostrand der Stadtgemarkung der höchste Punkt erreicht werden. Dieser gewaltige Höhenunterschied von fast 884 m ist für die bewegte Landschaft der Bäderstadt zwar bezeichnend, ihre Besonderheit und Einmaligkeit bedingt er aber nicht. Höhenunterschiede ähnlichen oder noch größeren Ausmaßes auf kurzen Entfernungen finden sich am Westabbruch des oberrheinischen Randgebirges häufig, so westlich der Hornisgrinde, wo die Schwarzwaldhöhen von der mauerartig aufragenden Schichtstufe des Nordschwarzwälder Deckgebirges rasch über das in den Grundgebirgssockel eingeschnittene Achertal und die Ortenauer Vorberge zur

Rheinebene abfallen. Derartige Höhenunterschiede zeichnen auch den Gebirgsrand am Ausgang des Elztals in die Freiburger Bucht mit dem Steilabbruch des Kandelmassivs aus, und sie bestimmen ebenso die Landschaft um Badenweiler vom Blauen zum Klemmbachtal und der Markgräfler Rheinebene.

Die besondere Vielgestaltigkeit von Baden-Badens Landschaft ist in erster Linie in ihrer Tektonik begründet. Bis auf seine westlichen Teile in der Vorbergzone und Rheinebene gehört der Stadtkreis ganz dem Nordschwarzwald an. Stark von junger fluvialer Erosion zerschnittene Grundgebirgskuppen im unteren und ausgedehnte Buntsandsteindeckschichten im oberen Gebirgsstockwerk, die mit ausgedehnten Wäldern überdeckt sind, prägen dieses geologisch und geomorphologisch zweigeschossige Nordschwarzwälder Bergland entscheidend. Sein oberes Stockwerk läßt über oft weite Strecken hochflächenartige und vorwiegend sanfte Oberflächenformen hervortreten. Diese beiden, recht unterschiedlichen Struktur- und Oberflächenelemente bewirken die Besonderheit und Vielgestaltigkeit der Baden-Badener Landschaft. Wenn ihr wechselvolles Bild, das an klaren Tagen eindrucksvoll von den Aussichtstürmen des Fremersbergs, Merkurs und der Badener Höhe – Landmarken im oberen Landschaftsstockwerk – oder auch von der Ritterplatte oberhalb des Alten Schlosses am westlichen Battert zu überschauen ist, offenbart sie ihre ganze Vielfalt. Dann erkennt der kundige Landschaftsbetrachter die Ursachen des raschen Wandels im Oberflächenbild und die Einmaligkeit dieser Landschaft. Sie sind in ihrem Bau begründet, der eine tektonische Senke hervortreten läßt, die in sich wiederum durch herausragende antiklinale und stark ausgeräumte synklinale Strukturen reich gegliedert ist.

Der trogartige Landschaftsbau in der jungpaläozoischen *Senke von Baden-Baden,* in der sich unterschiedlich widerständige Gesteine vom Friesenberggranit über oberkarbonische Sandsteine, Schiefertone und Konglomerate, Porphyre und Porphyrtuffe des Unterrotliegenden bis zu Porphyrfanglomeraten und Schiefertonen des Oberrotliegenden erhalten haben, war die entscheidende Voraussetzung für die Herausgestaltung eines kleingekammerten, durch vielschichtige Erosionsvorgänge geprägten Berglandes. Variskische und – im Zuge der bis heute nicht abgeschlossenen Bildung des Oberrheingrabens – alt- und jungtertiäre sowie pleistozäne Tektonik beflügelten in verschiedenen erdgeschichtlichen Epochen die Kräfte der Erosion. Sie führten letztlich zu einer weitgehenden Ausräumung innerhalb der Senke und zur Ausformung markanter Berggestalten im Zuge einer Reliefumkehr. Deckenartige Massive aus magmatischen Gesteinen, häufig begrenzt und zergliedert durch Verwerfungen sowie zerschnitten durch Gewässererosion, wurden herauspräpariert und in einzelne Blöcke sowie in kuppen-, kegel- und spitzkegelartige Einzelberge aufgelöst.

Diese Baden-Badener Senke verläuft nördlich parallel zum Schwäbisch-Fränkischen Sattel, einer Antiklinalstruktur im Höhenbereich des Nordschwarzwalds zwischen der Hornisgrinde und Bad Liebenzell. Noch in ihrem Bereich ragen am Südrand des Stadtgebiets auf dem Buntsandstein-Deckgebirge die höchsten Erhebungen vom Vorfeldkopf über den Mittelfeldkopf, die Badener Höhe, den Immenstein, Eierkuchenberg und Ruhberg auf. Bis auf den Ruhberg überschreiten sie 900 m Meereshöhe, an der Badener Höhe sogar 1000 m, und formen im Landschaftsbild eine hochflächige bis kuppige Waldmauer hoch über der Senke von Baden-Baden. In ihr dehnen sich im Stadtgebiet die *Lichtentaler Mulde* und der *Battertsattel* aus. An die Batterthochscholle grenzt im N die *Rotenfelser Mulde* an, die das nördliche Stadtgebiet auf der Gemarkung Ebersteinburg aber nur noch randlich berührt.

Diese Oberkarbon-Rotliegend-Senke, die wie der Schwäbisch-Fränkische Sattel von SW nach NO zieht, ist somit in zwei parallel streichende Teilmulden geschieden, die

3. Oberflächenformen und Gewässernetz

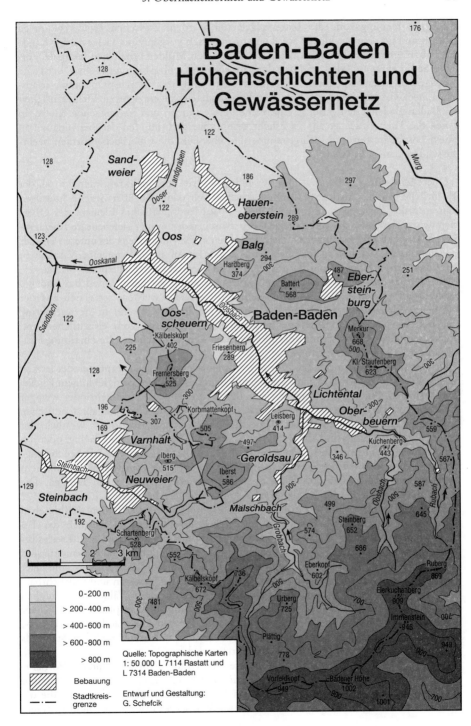

durch die Hebungszone des Batterts getrennt werden. Zwischen zwei synklinalen Strukturen ragt eine antiklinale auf. Dieser tektonisch vorgeprägte, vielgestaltige Landschaftsbau schafft im Zusammenhang mit den in den Mulden erhaltenen jungpaläozoischen Sedimenten und den am Ende der variskischen Gebirgsbildung an die Oberfläche durchgedrungenen Vulkaniten sowie aufsitzenden und erosiv herauspräparierten triadischen Deckenresten im harten Mittleren Buntsandstein die einzigartige Vielgestaltigkeit der Baden-Badener Umgebung. Zahlreiche Verwerfungen und tiefreichende Klüfte, in denen die Thermalwässer ans Tageslicht geführt werden, künden darüber hinaus von einem komplizierten und kleingekammerten, ebenfalls die Oberflächenformen beeinflussenden Landschaftsbau.[1]

Oberrheinisches Tiefland. – Im W und NW hat der Stadtkreis randlich an der Rheinebene Anteil. An ihrem Ostrand erheben sich dann die überwiegend hügeligen Schwarzwald-Vorberge, die als eigenständiges naturlandschaftliches Element des Oberrheinischen Tieflandes das verbindende Glied zwischen der weiten Tiefebene im Rheingraben und den Schwarzwaldbergen bilden. Sie führen im NW beiderseits des unteren Oostals zu den Buntsandsteinhöhen einer Gebirgsvorscholle hinauf, im Südwesten bei Varnhalt zu den Oberkarbon-Hängen und Porphyrbergen am Westrand der Lichtentaler Mulde.

Die Rheinebene, an der das Stadtgebiet nur einen geringen Anteil hat und wo Höhenlagen zwischen 118,75 und 144,6 m NN erreicht werden, setzt sich aus der würmeiszeitlichen Rheinniederterrasse und der an ihrem Ostrand in sie nur gering eingetieften Gebirgsrandniederung zusammen. Diese wurde vom eiszeitlichen und nacheiszeitlichen Kinzigstrom durchflossen, der sich nördlich des Beschreibungsraumes mit dem Murglauf vereinigte.

Der westliche Streifen der *Rheinniederterrasse* besteht aus Schotterplatten der letzten Eiszeit, die sich hauptsächlich aus sandigem Rheinkies und kiesigem, lehmigem Rheinsand aufbauen. Nicht überall stehen sie an der Oberfläche an. Eine mehr oder weniger mächtige, meist verwitterte und schwach lehmige Sanddecke, die auch äolischen Ursprungs sein kann, überlagert dann die Niederterrassenschotter.[2] Westlich der Gebirgsrandniederung sind die Rheinsande der Niederterrasse oberflächig oder im Untergrund geschlossen verbreitet.[3] In der Niederungszone des eiszeitlichen Kinzigstromes bauen sie auch die inselhaften Erhebungen auf,[3] die vom einstigen Fluß nicht wegerodiert wurden und die als Überreste der Niederterrasse gelten können. Die Höhenunterschiede auf der Niederterrasse sind gering. Sie bewegen sich zwischen 122 und 126 m NN, so daß diese geröllreichen und sandigen Schotterflächen weithin eben sind. Ein bewegteres Relief findet sich lediglich im Niederwald westlich der B 3 zwischen Sandweier und Rastatt, wo Sanddünen am Nordwestrand des Stadtkreises bis über 144 m NN aufragen. Neue, diese Rheinebenenlandschaft belebende Elemente sind Baggerseen, die mit dem Autobahnbau entstanden sind und die westlich von Sandweier noch auf dem Stadtgebiet ausgehoben wurden. Auf den trockensten und unfruchtbarsten Sand- und Geröllflächen der Rheinniederterrasse stocken Wälder, ursprünglich Eichen-Hainbuchen-Bestände, die heute vor allem mit der anspruchslosen Kiefer durchsetzt sind. Die besseren Böden sind gerodet und tragen Ackerland wie das Unter-, Mittel- und Oberfeld bei Sandweier, das von der unmittelbar westlich des Stadtteils vorbeiführenden A5 und der B 3 durchschnitten wird.[4]

Zwischen den geschlossenen Niederterrassenplatten und dem Westrand der Vorbergzone dehnt sich die 1–2 km breite *Gebirgsrandniederung* aus,[5] die von der Oos und dem Landgraben, dem Ooskanal sowie von Nebenbächen durchzogen wird, die die benachbarten Hänge und Hügel der Schwarzwaldvorberge entwässern. Diese zu einem

3. Oberflächenformen und Gewässernetz

großen Teil feuchte und auch versumpfte Niederung des eiszeitlichen und nacheiszeitlichen Kinziglaufes, der dem westlichen Gebirgsrand folgte, ist um 1,5–2 m in die Niederterrasse eingetieft.

Von Sand und Kies unterlagerter Lehm und Schlick mit Mächtigkeiten unter 0,8–1 m prägen ganz entscheidend die Böden in dieser Niederungs- und Feuchtzone. Das unter den Schlicken der Oos lagernde Niederterrassenmaterial ist mit Schwarzwaldgeröllen und -sedimenten vermischt. Am Westrand der Niederung findet sich westlich des Stadtteils Baden-Oos im Bruch bis zu den auf der Niederterrasse stockenden Wäldern sandige Moorerde, unter der bis zu 1 m mächtiger Torf lagert. Ausgedehnte Reste von alten Torfmooren sind dort auch unter einer etwa 2 m dicken Schotter- und Lehmdecke zu finden.[6] Diese feuchten Moor- und Torfflächen im Bruch haben eine Höhenlage von etwa 121 m ü. d. M. Kleine Niederterrassenreste (s. o.) ragen um rund 2 m inselartig aus ihnen auf, wie z. B. der Hurst »Eichtung« östlich des Bruchs (123,4 m NN). Andere Niederterrassenstücke östlich und südlich davon sind 124 m hoch. Als höhere und trockene Landstücke wurden sie nördlich des Ooskanals überbaut oder tragen einen von Wiesenland umgebenen Sportplatz.[7]

Zwischen den Talausgängen der Murg und des Steinbachs in die Rheinebene dehnen sich die Schwarzwald-Vorberge, beiderseits des Oostals als »Badener Vorberge« bezeichnet, in einer Breite von 1,5–2 km aus. An ihrem Westrand zwischen Haueneberstein und Steinbach liegen sie 130 bis 140 m hoch. Pleistozäne Abschiebungen, an denen die junge Tektonik einen stufenartigen Rand zwischen der lößfreien Niederterrasse und Gebirgsrandniederung sowie den flugsandbedeckten Vorhügeln herausgestaltete, bilden dort ihre naturräumliche Begrenzung. Im O, wo sie die Rheinebene bis zu 100 m überragen, bildet die äußere Rheingrabenhauptverwerfung oder Schwarzwaldrandverwerfung die geologische Grenze dieses Hügellandes am Westabbruch des Gebirges. Annähernd parallele Abschiebungen lassen dort einen unterschiedlich breiten Streifen aus triadischen Schollen hervortreten, der bereits dem eigentlichen Schwarzwald zuzurechnen ist. Dafür sprechen nicht nur die fehlende Lößbedeckung und die weitgehend geschlossene Bewaldung, sondern auch die kegel- und kuppenartigen Bergformen, die das alt- und dichtbesiedelte, weitgehend durch den Rebbau geprägte Vorhügelland weit überragen.

Die *Badener Vorberge* am Fuß dieser Buntsandsteinschollen am Westrand des Gebirges bilden einen flachwelligen und niedrigen Hügelsaum. Sein Untergrund besteht aus tertiären Gesteinen, die an der Oberfläche von einer mächtigen Löß- und Lößlehmdecke verhüllt werden. Tongruben an der Balger Straße erschlossen Mergel und Tone, die den Pechelbronner Schichten des Unteroligozäns zuzurechnen sind. Südlich der Oos wurden in einer großen Grube ebenfalls tertiäre Tone aus den Pechelbronner Schichten als Rohstoffe für die Ziegelherstellung der Hourdiswerke gewonnen. Die seit Jahrhunderten zwischen Balg und Baden-Oos abgebauten Tertiärtone dienten Hafnern und Ofensetzern als Rohstoffe und waren auch die Grundlage für eine 1868 gegründete Kachelofenfabrik. Zusammen mit den Weißerdegruben von Balg, die pliozäne Klebsande und Tone für die Porzellanherstellung in Baden-Baden und für andere keramische Manufakturen förderten, geben sie einen, wenn auch nur örtlich begrenzten Einblick in den Tertiärsockel aus dem Oligozän bis Pliozän, der beim Bahnhof in Baden-Oos 1856/57 bis in eine Tiefe von 200 m erbohrt wurde.[7]

An der Oberfläche bestimmen dagegen Löß und Lößlehme, die bei Oosscheuern links der Oos bis zur Mitte des vorigen Jahrhunderts für eine Ziegelhütte ebenfalls industriell verwertet wurden, die den Untergrund verhüllenden und durch ihre äolische Ablagerung auch ausgleichenden, vorwiegend sanften Landformen der Vorhügel und

Vorberge. Zur Rheinebene hin flach abfallende, riedelartige Hügelrücken beherrschen ihr Bild. In sie haben sich Bäche mit nur schmalen Talsohlen eingetieft. Sie entspringen im Grenzbereich der triadischen Sandsteine und der unterlagernden harten Porphyrkonglomerate oder entwässern die westliche Lichtentaler Mulde und das südlich anschließende granitische Grundgebirge, wie der Steinbach mit seinen Quellsträngen. Die von diesen Bächen herauspräparierten breiten und flachen Hügelrücken tragen auf ihren Höhen und an den oberen Talflanken Weinberge. Die mit jüngsten Anschwemmungen ausgekleideten Talböden und die unteren Talhänge sind wiesenbedeckt und bilden vor allem im südwestlichen Stadtgebiet die geschützten Siedlungsstandorte der erst in den 1970er Jahren eingemeindeten Stadtteile, die als Winzerorte einen guten Namen tragen.

Schwarzwaldvorstaffel. – Beiderseits des Oostals steigen östlich der Schwarzwaldrandverwerfung steile Waldhänge über den als Obstwiesen, Rebland- und Feldland genutzten Vorhügeln und Vorbergen zu Bergkuppen an, die am Hardberg 374 m, am Kälbelskopf und Fremersberg 402 und 525 m ü. d. M. erreichen. Sie gehören zu einer westlichen Buntsandsteinvorstaffel des Gebirges, die nach O gegen die Lichtentaler Mulde durch überwiegend rheingrabenparallele Störungen im Gebirgsbau abgesetzt ist. Gebirgscharakter erhält sie nicht nur durch ihr geschlossenes Waldkleid, sondern auch durch die im Mittleren Buntsandstein aufragende kegelartige Kuppe des *Fremersbergs*, dessen Gipfel im widerständigen Bausandstein liegt. Seine beherrschende und herausragende Lage am Schwarzwaldrand ist aber vor allem in seiner tektonischen Situation begründet, bildet er doch die südwestliche Fortsetzung des Battertsattels und ist damit Teil der herausragenden antiklinalen Struktur nordwestlich der Lichtentaler Mulde. Überhöht wird er durch einen 1961 erbauten Fernmeldeturm der Bundespost, der mit seinen Antennenanlagen 78 m hoch ist und der auf einem Rundbalkon in 25 m Höhe eine umfassende Aussicht in das Oberrheinische Tiefland, die Baden-Badener Senke und bis zur Hornisgrinde und Badener Höhe gewährt. Unter diesem weithin sichtbaren Funkturm, der einen älteren Aussichtsturm aus dem Jahr 1893 ersetzt hat, stehen an den steilen Berghängen alle tieferen Schichten des Buntsandsteins an. Der Untere Buntsandstein lagert auf dem oberen Porphyrkonglomerat des Oberrotliegenden auf. Das Eck'sche Konglomerat, der Untere Geröllhorizont, mit dem der Mittlere Buntsandstein einsetzt, ist 50 bis 60 m mächtig. In ihm lassen sich übersteilte Berghänge ausmachen. Der darüber lagernde Hauptbuntsandstein baut die oberen 75 m des Bergkegels auf.[8] Der ebenfalls noch im Mittleren Buntsandstein als wesentlich flachere Bergkuppe aufragende *Kälbelskopf (Kälbelberg)* ist dem Fremersberg im N gegen den Ausgang des Oostals vorgelagert.

Die herausragenden Erhebungen der Buntsandsteinvorscholle nördlich der Oos sind der *Hardberg* und der *Birket*, zwei flache und niedrigere Waldkuppen, die durch eine von SO nach NW streichende Verwerfung gegeneinander versetzt sind. Der Hardberg liegt daher auch weitgehend im Oberen Konglomerat des Mittleren Buntsandsteins. Nur sein flachkuppiger Gipfel baut sich aus Oberem Buntsandstein auf, während der zwischen Littersbach und Eberbach liegende und allseits von Brüchen begrenzte Birket einer tiefer abgesunkenen Scholle im Oberen Buntsandstein angehört.

Nördlich Ebersteinburg geht die westliche Vorscholle aus Buntsandstein, die nördlich des Murgtals mit dem Eichelberg wieder zutage tritt, in einen stark zerblockten Bereich kleinflächiger Schollen über, in dem unmittelbar nördlich und nordöstlich des bei Ebersteinburg entspringenden Eberbachs ungefähr 1000 m tief eingesenkte

3. Oberflächenformen und Gewässernetz

Muschelkalk- und Keupergesteine neben altpaläozoischen Gesteinen an die Oberfläche treten.[9] Es handelt sich dabei um erdgeschichtlich alte Bruchstrukturen, die wohl schon vor der jungtertiären Abtragungsphase im Pliozän ausgeglichen waren und sich im heutigen Oberflächenbild nicht mehr auswirken.[10] An diesem alten und weitgehend ausgeglichenen Bruchschollenrelief hat der Stadtkreis zwischen Eberbach und Schindelklamm nur noch einen randlichen Anteil. Eine junge, nordwestwärts dem Rheingraben zugewandte fluviale Erosion hat diese kleingekammerte Bruchschollenzone, in der an alten Bruchlinien Gesteine des Oberen Buntsandsteins, des Muschelkalks und Keupers an paläozoische Schiefer, Quarzite und an Porphyrkonglomerate des Oberrotliegenden stoßen, zum Teil schluchtartig zertalt. Die Kerbtäler des Eberbachs, dessen Talflanken im Plattensandstein von Steinbrüchen angenagt sind, oder des Krebsbachs, der sich in der Schindelklamm tief in altpaläozoische Schiefer eingesägt hat, sind Beispiele für diese von der tertiären und quartären Gebirgshebung ausgelöste und von der sich einsenkenden Rheinebene ausgehenden Zerschneidung.

Friesenberg und Battert. – Östlich der Gebirgsvorstaffel schließt mit dem granitischen Friesenberg und dem aus Oberrotliegend-Porphyrfanglomerat aufgebauten Battertrücken eine von SW nach NO ausgerichtete Hochschollenzone an, die als aufgewölbte Parallelstruktur zum Schwäbisch-Fränkischen Sattel zu verstehen ist. Gegen das Oberrheinische Tiefland gehört ihr im SW auch der die Baden-Badener Landschaft entscheidend beherrschende Fremersberg in der Schwarzwaldvorstaffel an (s. o.). Mit einem ganzen Bündel von Verwerfungen, die das Oostal westlich des ehemaligen Stadtbahnhofs in Oosscheuern sowie beim Kurhaus, im Altstadt- und Rotenbachtalbereich queren, sind diese Hochschollen gegen die Gebirgsvorstaffel und Lichtentaler Mulde abgesetzt.[11]

Der nur 289 m hohe *Friesenberg*, der an seinen Ost- und Nordhängen in die Bebauungszone der westlichen Kernstadt miteinbezogen ist, setzt die Hochschollenzone östlich des Michelbachtales fort. Er bildet eine flache und außerhalb der Bebauung bewaldete Kuppe, die im Kernbereich der Aufwölbungszone aus einem nur lokal verbreiteten variskischen Biotitgranit, dem Friesenberggranit, aufgebaut ist, der in mehreren Hochschollen in der Baden-Badener Senke an die Oberfläche tritt.[12] Am Westhang des Friesenbergs ist er an der Waldseestraße gut aufgeschlossen. Auf der Westseite des unteren Michelbachtals baut er auch die Waldhänge im Bereich des Pulver- und Katzensteins bis zum Weißwegbächle auf. Jenseits der Oos ist dieser Baden-Badener Granit am unteren überbauten Talhang zwischen Neuem Schloß und der Schloßstraße im O und der Karlstraße im W verbreitet. In einer von Verwerfungen begrenzten, tektonisch stark herausgehobenen Scholle, greift der Friesenberggranit dann auch auf den unteren Westhang des Battertrückens aus, wo er bis in eine Höhenlage von 400 m, fast bis zu den Ruinen des Alten Schlosses, den Untergrund des Waldbodens bildet. Am Nordhang des Batterts tritt ein weiteres Vorkommen in der Gestalt eines grauen, Hornblende und Biotit führenden Granites über dem mächtigen Rotliegendschutt zutage,[13] der den zur Vorstaffel beim Birketkopf und Hardberg steil abfallenden Berghang verhüllt. Die Hochlage dieser Granitschollen tritt durch die seit dem Tertiär wirksame Erosion im heutigen Oberflächenbild nicht mehr in Erscheinung. Der Hang unter den Ruinen des Alten Schlosses ist tiefgründig vergrust. Einzelne widerstandsfähigere Granitblöcke ragen als Blockstreu aus dem granitischen Verwitterungsmaterial heraus.

Der östlich des Alten Schlosses als langgestreckter Rücken bis auf 568 m aufragende *Battert* ist mit seinen an der Südseite steil zur Stadt hin abbrechenden Felsen eines der unverkennbaren landschaftlichen Wahrzeichen in Baden-Badens unmittelbarer Umgebung. Sein rund 1,5 km langer und 250 m breiter Rücken bildet die am stärksten herausragende und nach NW gekippte Hochscholle zwischen der Lichtentaler und Rotenfelser Mulde, die nicht nur im Landschaftsbau und Oberflächenbild eine hervorstechende Stellung einnimmt, sondern auch in der Geschichte des Baden-Badener Raums. Davon künden Überreste eines wohl laténezeitlichen Ringwalls auf dem stark verflachten östlichen Rücken sowie der ihn bedeckende, einst herrschaftliche Wald, die »Badenhard«, von der er auch seinen Namen trägt.

Aufgebaut wird der Bergrücken aus porphyrischen Oberrotliegend-Konglomeratschichten, die am Südhang unterhalb der Battertfelsen und am Nordhang über weite Strecken von mächtigen Schuttmassen verhüllt werden, die vorwiegend aus Oberrotliegend-Material bestehen. Sein besonderes Gepräge erhält der Bergrücken durch die dritte, bis 100 m mächtige Konglomeratschicht, aus der am verwerfungsbedingten Südabbruch des Berges die bei Kletterern und Wanderern beliebten Battertfelsen herausgewittert sind. Sie besteht aus fein- bis grobkörnigen, lockeren bis stark verkieselten Arkosen mit einer in der Menge wie in der Zusammensetzung rasch wechselnden Geröllführung. Porphyrgerölle überwiegen mit etwa 95 % fast ausschließlich. Die restlichen 5 % sind Gerölle aus Quarzen, Graniten, Granitporphyren, Gneisen und Arkosen des Unterrotliegenden.[14]

Diese vom 1839 angelegten Unteren und Oberen Felsenweg aus gut zu beobachtenden Felsbildungen zeichnen sich durch eine horizontale Schichtung und senkrechte Klüftung aus. Entlang des Oberen Felsenwegs sind die oberen Battertfelsen mauerartig ausgebildet und an der Basis mit verwitterter Blockstreu in felsenmeerartiger Ausbreitung verhüllt. Diese Felsenstreu überdeckt den oberen Südhang bis zu den aus der Südwand des Bergmassivs herausgewitterten Felsbildungen hinab. Auf ihrer Oberfläche ist eine sehr kleingekammerte Klüftung erkennbar, die verdeutlicht, daß die turmartige Herauswitterung von Felspartien an senkrechten Klüften an der Oberfläche der Felsköpfe ansetzte. Teils massige und umfangreiche Felsklötze, teils schmale Felstürme und zierliche Felsnadeln, immer mit einer sehr unterschiedlich dicken Bankung der einzelnen und horizontal lagernden Schichten, sind das Ergebnis von Frostsprengung, mechanischer und chemischer Verwitterung. Die meist steilen Hänge unter den Felsgruppen und Einzelfelsen sind mit Blockstreu bedeckt, die sich zu ausgedehnten Blockmeeren ausweiten kann.

Lichtentaler Mulde. – Südlich und östlich des Fremersberg-Battert-Sattels mit seinen herausragenden Berggestalten hat der Stadtkreis an zwei unterschiedlichen Landschaftszonen Anteil: An der Oberkarbon-Rotliegend-Mulde, die bei Varnhalt und Neuweier an die Schwarzwaldvorberge angrenzt und nordostwärts ziehend bei Lichtental das Oostal quert. An der Nordostgrenze des Stadtgebiets geht sie mit dem Merkur und Kleinen Staufenberg, Überresten des ihr noch auflagernden triadischen Deckgebirges, in eine bergige Höhenzone über, auf der die Wasserscheide zwischen dem Oos- und Murgtal verläuft. Nördlich des Merkurs ragt der Stadtkreis auf der Gkg Eberssteinburg randlich noch in die ähnlich gestaltete Rotenfelser Mulde hinein, die sich über 9 km von Eberssteinburg bis Gaggenau-Michelbach verfolgen läßt. Im S und SO greift Baden-Badens waldreiche Stadtfläche dann noch auf das Nordschwarzwälder Grund- und Deckgebirge über, wo auf der Stadtkreisgrenze die höchsten Erhebungen aufragen.

Die sich über fast 20 km erstreckende, bis gegen Bad Herrenalb im Landschaftsbau des Nordschwarzwalds verfolgbare *Lichtentaler Mulde* besteht in ihrem Kernbereich

3. Oberflächenformen und Gewässernetz

im südlichen Stadtgebiet aus fluvial stark zergliederten Porphyrdecken, Überresten vulkanischer Deckenergüsse am Ende der variskischen Gebirgsbildung. Im NO ihres Verbreitungsgebiets werden sie bei Lichtental und Oberbeuern vom Oostal zerschnitten. Der Grobbach im unteren Geroldsauer Tal mit seinen west- und ostwärts ausgreifenden Nebenbächen (Ibach, Übelsbach), die ebenfalls der Oos im Kernstadtgebiet zustrebenden Wasserläufe von Gunzenbach und Michelbach sowie der Grünbach und Steinbach, zwei in westlicher Richtung zur Vorbergzone und Rheinebene abfließende Talsysteme, haben sich mit ihren zahlreichen Quellarmen in die Gesteinsdecken vulkanischen Ursprungs eingesägt und diese in zahlreiche Einzelberge zerlegt. Der zentral in diesem Bergland aus Pinitporphyren 447 m hoch liegende Sattel »An der Lache« ist der Ausgangspunkt eines radialen Gewässer- und Talnetzes, dessen junge Erosion eine Auflösung in zahlreiche Bergkuppen und herausragende Einzelberge bewirkte.[15] Ihre höchste Erhebung ist der 586 m hohe Iberst zwischen dem zum Steinbachsystem gehörenden Schwarzwässerletal und dem über den Grobbach der Oos tributären Malschbachtal. Die wohl bekannteste Berggestalt dieser Porphyrdecken ist der 515 m aufragende Rhyolitkegel des Ibergs, der als Erosionsrest eines Deckenergusses am Rand des Rheingrabens übriggeblieben ist.[16] Zur landschaftlichen Vielfalt im Oberflächenbild tragen im Verbreitungsbereich der rhyolitischen Porphyrdecken die unterschiedlichen Verwitterungsformen dieser Vulkanite bei. Sie reichen von einer starken, oft über 3 m tiefen Vergrusung bis zu zusammenhängenden Felspartien, die sich im Zustand einer fortgeschrittenen Verwitterung in Wollsäcke auflösen können, so am Westfuß des burgbekrönten Ibergs, auf dem Felsgrat am Ostfuß des Ibergs gegen die Lache, am Pfeifersfels am Osthang des Waldenecks, an den Felsen am Korbmattenkopf und auf dem Rücken des Leisbergs und Cäcilienbergs. Am Fuß der Felsen haben sich häufig Blockmeere und mächtige kleinstückige Schutthalden gebildet.[17] Am Osthang des über Lichtental 414 m aufragenden Leisbergs wurde früher Pinitporphyr in großen Steinbrüchen in Platten- und Quaderform abgebaut. Diese Leisbergporphyre waren im vorigen Jahrhundert die wichtigsten Bausteine in Baden-Baden. In den vom Grobbachtal zugänglichen Steinbrüchen werden gelegentlich noch Werksteine zur Ausbesserung älterer Gebäude gewonnen, die aus diesem zum jüngsten permischen Deckenerguß in der Baden-Badener Senke zählenden Gestein errichtet wurden.[18]

Getrennt von diesen im südlichen Stadtgebiet verbreiteten und erosiv stark zergliederten Porphyrdecken ragen im Grenzbereich von Schwarzwald und Vorbergen noch einzelne, von Verwerfungen begrenzte kleinere Einzelschollen auf. Zwischen Ebenung (Gde Sinzheim, Lkr. Rastatt), Gallenbach und Varnhalt gestalten sie mit ihren steilen Hängen den Gebirgsabbruch entscheidend mit, so am 287 m hohen Nellenberg. Die östlich von Gallenbach zum Teil lößüberwehten Vulkanite tragen Rebland bis unter den Gipfel des Nellenbergs und verwischen durch ihre kulturlandschaftliche Nutzung die naturräumliche Grenze am Westrand des Schwarzwalds. Südlich des Nellenbergs bauen sich die Hänge und oberen Hügel unterhalb der Porphyrdecken bis zum Steinbachtal bei Neuweier aus Sedimenten des Oberkarbons auf, die auch am Südrand der Lichtentaler Mulde bis ins Müllenbachtal hinein an der Oberfläche anstehen. Gerundete Rücken und breitere, wannenförmige Tälchen beherrschen die in ihnen entstandenen, sanfteren Landformen, die bei Varnhalt und Neuweier ebenfalls Rebflächen tragen und in ihrer kulturlandschaftlichen Ausprägung den Vorbergen gleichen. Deren fruchtbare Flugsanddecke fehlt allerdings, und so findet sich in ungünstigeren und höheren Lagen auch Wald wie am Büchelberg (342 m NN) östlich von Umweg.[19]

In der Lichtentaler Mulde nördlich des Oostals ragen mit dem *Merkur* oder *Großen Staufenberg* und dem *Kleinen Staufenberg* die höchsten Erhebungen innerhalb der

Senke von Baden-Baden auf. Ihre Gipfel liegen in 668 und 623 m ü. d. M. Ein inselhafter Rest des Buntsandstein-Deckgebirges, der den Schiefertonen und Porphyrkonglomeraten als Muldenfüllung auflagerte, baut diese an den Hängen und in den Gipfelbereichen waldreichen Bergkegel auf, von denen der Merkur durch seinen 23 m hohen Aussichtsturm, der mit der 1913 erstmals in Betrieb genommenen Standseilbahn leicht und ohne Mühe zu erreichen ist, einen umfassenden Rundblick über das Murg- und Oostal bietet. Bereits 1837 errichtet, wurde dieser im Zentrum der Baden-Badener Landschaft erbaute Aussichtsturm anläßlich der Wiedereröffnung der Merkurbahn im Frühjahr 1979 erneuert. Die noch dem oberen Landschaftsstockwerk zugehörigen Waldkuppen von Großem und Kleinem Staufenberg sind in Reliefumkehr aus den Gesteinsbänken des Unteren und Mittleren Buntsandsteins herausmodelliert und werden durch eine wohl tektonisch vorgeprägte Einsattelung im Eck'schen Konglomerat am Binsenwasen in 517 m ü. d. M. voneinander geschieden. Im Unteren Buntsandstein am Nordhang des Merkurs entstanden ausgedehnte Steinbrüche. Ein Steinbruch im Hauptbuntsandstein südöstlich des Aussichtsturms lieferte das Baumaterial für das Merkurrestaurant und die Bergstation der Standseilbahn. Von dem durch zahlreiche Nebenbäche der Oos zergliederten und deutlich flacheren Oberrotliegend-Sockel steigen die Buntsandstein-Waldhänge steil an und lassen durch die Wasserdurchlässigkeit ihrer Schichten, deren Klüftung am anstehenden Fels häufig zu beobachten ist, kaum eine Zertalung erkennen. Lediglich am Nordwesthang des Merkurs ist der nördlichste Quellstrang des Rotenbachs in einer steilen Kerbe in den Unteren Buntsandstein eingeschnitten. Der Oberlauf des dem Falkenbach tributären Eckbächels entspringt westlich des Binsenwasens im Eck'schen Konglomerat und hat sich auch in den Unteren Buntsandstein unter Ausbildung eines schmalen Talgrundes eingeschnitten. Er folgt wohl einer Verwerfungslinie, in deren Zug der Binsenwasen eingesattelt wurde und – bereits außerhalb östlich der Stadtgemarkung – der Oberlauf eines bei Gernsbach in die Murg einmündenden Bachsystems seinen im Landschaftsbau vorgeprägten Ursprung hat. Die vom Fuß des Großen und Kleinen Staufenbergs ausgehenden und der Oos zustrebenden Wasserläufe entspringen weitgehend als Schichtquellen an der Gesteinsgrenze von Unterem Buntsandstein und oberstem Porphyrkonglomerat des Oberrotliegenden.

Nordschwarzwälder Grundgebirge. – Der Granitsockel des Nordschwarzwaldes bestimmt das südliche und südöstliche Stadtgebiet. Aus Höhenlagen um 200 m NN am östlichen Ortsrand von Neuweier, wo beiderseits des Steinbachs die Rebhänge am Simmelsberg und Losenberg bis auf 300 m ü.d.M. auf den Bühlertalgranit übergreifen, führt dieses untere Landschaftsstockwerk im Grundgebirge bis in 780 m NN am Kurhaus Plättig und westlich des Kurhauses Sand hinauf. Nördlich des Vorfeldkopfes, der Badener Höhe und des Ruhberges lagert das Deckgebirge in 720 bis 680 m NN auf dem Granitsockel auf. Steinbach, Grobbach, Oos und Rubach zerschneiden diese alte Rumpffläche, die durch die junge, seit dem Tertiär aktive Gebirgshebung wiederaufgedeckt wurde, in kuppige, nach S ansteigende Höhenrücken. Mit dem Kuchenberg östlich von Oberbeuern, dem Hummelberg an der Nordostgrenze des Stadtgebiets und dem Steinberg nördlich des Scherrhofs erreichen diese ebenfalls bewaldeten Granitkuppen Höhenlagen von 443, 559 und 652 m ü. d. M. Die Wasserläufe der steil und zuweilen klammartig zwischen die Bergrücken eingeschnittenen Kerbtäler entspringen in Schichtquellen an der Basis des Buntsandstein-Deckgebirges, wo die insgesamt mannigfach gegliederten granitischen Hänge im Grundgebirge gegenüber dem oberen Landschaftsstockwerk deutliche Verflachungen aufweisen. Wellig bewegte Grundgebirgshänge, die zu den tief eingekerbten Tälern hinabführen und darüber aufragende, eine steile Waldmauer formende, einheitlich geschlossene Buntsandsteinhänge, die zur hochflächigen und wenig bewegten Landoberfläche des triadischen oberen Landschaftsstockwerkes überleiten, sind die gegensätzlichen, die Landformen bestimmenden Oberflächenbestandteile in den südlichen und südöstlichen Höhenbereichen des Stadtkreises. Trotz der recht unterschiedlichen Ausgestaltung der Granithänge mit schroffigen Felstürmen wie bei den Falkenfelsen am oberen westlichen Steilabbruch des Gebirges nahe der Schwarzwaldhochstraße oder mit den steil eingeschnittenen unteren Talkerben, die durch Blockstreu und Wollsackverwitterung eine mannigfache Formenwelt erkennen lassen, wirken die Grundgebirgsformen in ihrer Gesamtheit sanfter und ausgeglichener als die übersteilte und mächtige Schichtstufe des Deckgebirges.[20]

Südliche Buntsandsteinhöhen. – Das obere Landschaftsstockwerk am Südrand des Stadtgebietes setzt mit einer dünnen Decke Unteren Buntsandsteins ein, die südlich des im Granit noch 725 m aufragenden Urbergs in ca. 735 m NN auf dem Grundgebirgssockel auflagert. Sie bewirkt einen Ausgleich der unterlagernden permischen Landoberfläche am Plättig und steigt am Nordfuß des Vorfeldkopfes bis in eine Höhenlage von etwa 840 m ü. d. M. an. Ähnliche, wenig mächtige Decken aus Unterem Buntsandstein sind weiter östlich dem Eierkuchenberg und Ruberg vorgelagert und überdecken die Landoberfläche im Granit zwischen den Quellsträngen der Oos und des Rubachs. Die Grenze von Grund- und Deckgebirge, die auch auf topographischen Karten durch zahlreiche Quellaustritte an der Basis des Unteren Buntsandsteins zu erkennen ist, liegt dort in 650 bis 670 m Höhe. Teils mächtiger Gehängeschutt mit Blockstreu, der bereits auf Grundgebirgshänge übergreift und aus dem auch erst unterhalb der eigentlichen Buntsandsteinbasis Schuttquellen ans Tageslicht treten, verhüllt zuweilen die genaue Gesteinsgrenze.[21]

Über diesen die permische Rumpffläche verhüllenden Sandsteinlagen ragt dann die steile Schichtstufe im Mittleren Buntsandstein auf, die an der Hornisgrinde am weitesten gegen den Rheingraben vorgeschoben ist und ihre größte Höhenlage erreicht. Am Süd- und Südostrand des Baden-Badener Stadtgebiets bildet diese Schichtstufe eine an der Badener Höhe bis zu 200 m aufragende Waldmauer. Die übersteilten und nur wenig durch fluviale Erosion zerschnittenen Hänge im unteren Geröllhorizont des Eck'schen Konglomerats und im darüberlagernden Hauptsandstein bauen sie auf. An der Basis der Konglomeratschichten treten Quellen aus. Zwischen dem Vorfeldkopf und der Badener Höhe ist die Schichtstufe im Mittleren Buntsandstein durch mehrere nordexponierte Kare, durch Hanggletscher verursachte Nischen in der Steilwand, ausgehöhlt. In sie greifen die Quellbäche des dem Grobbach zustrebenden Urbachsystems aus. Eine weitere nacheiszeitliche fluviale Einschneidung in die Schichtstufe war die Folge. Karbildungen in nordöstlicher Exposition sind wohl auch für die bereits pleistozäne Aushöhlung und teilweise Übersteilung der die permische Landoberfläche überlagernden Decke im Unteren Buntsandstein westlich des oberen Rubachs verantwortlich. Kurze, dem Rubach zufließende Quellbäche entspringen in ihnen in Schicht- und Schuttquellen.

Der nord- und nordwestwärts blickende Stufenrand ist an seinen steilen Hängen im Mittleren Buntsandstein mit teils mächtigem Gehängeschutt in der Gestalt ausgedehnter Felsenmeere überdeckt. Hangschutt überdeckt den Nordhang des Mittelfeldkopfes. Eine weite und flächenhafte Verbreitung erreichen Felsenmeere von der Badener Höhe bis zum Ruhberg, wo sie die Hänge unterhalb der Stadtkreisgrenze überziehen.[22]

Wasserläufe und Talformen. – Durch die Vielfalt an unterschiedlich widerständigen und unterschiedlich wasserdurchlässigen Gesteinen, die innerhalb des Stadtkreises verbreitet sind, lassen die Wasserläufe keine ausgeglichenen Längsprofile und keine einheitlichen Talformen hervortreten. Aus der tektonischen Senke mit dem breiten Sohlental der Oos, das sich trichterförmig in der Vorbergzone zur Rheinebene hin öffnet, greifen tief ins Gebirge eingeschnittene Talfurchen aus, die vor allem für die heftige Zergliederung der vulkanischen Decken in der Lichtentaler Mulde und im südlich angrenzenden Grundgebirge verantwortlich sind. Kleinere Quellbäche im Bereich der permischen Rumpfflächen des Granitgrundgebirges, die erst durch die seit dem Tertiär wirksame Erosion wieder aufgedeckt sind, lassen dagegen häufig nur flach und wannenartig eingemuldete Tälchen erkennen. Diese Hochflächentälchen bilden im südlichen Stadtgebiet häufig die oberen Endstücke von tief eingeschnittenen Tälern und sind als jüngste Glieder des Gewässernetzes in den Quellbereichen der Nebenarme von Grobbach, Oos und Rubach ausgebildet.

Die *Oos*, die mit mehreren Quellsträngen am Nordhang des Eierkuchenbergs entspringt, ist mit einer Lauflänge von 21 km und mit einem Einzugsgebiet von 80,28 qkm bis zur Mündung in die Murg das größte Flußsystem des Stadtgebietes. Ihre Quellen treten als Schicht- und Schuttquellen an und nahe der Basis des Unteren Buntsandsteins zutage. Zahlreiche kleine und kleinste Nebenbäche des oberen nordwärts gerichteten Oosbachs entwässern den Grundgebirgssockel und schneiden erst vor ihrer Einmündung in den Hauptbach etwas tiefer ein. Weiter oberhalb sind sie nur als flache Wannentälchen ausgeprägt. Westlich von Gaisbach, wo die Oos in eine westliche Fließrichtung umbiegt, mündet ihr erster größerer Nebenbach, der knapp 5 km lange Rubach ein, der nördlich des Rubergs entspringt, wo ebenfalls Schichtquellen an der Buntsandsteinbasis die Hauptwasserlieferanten sind.

Der etwa nordwärts gewandte Lauf der oberen Oos, deren Talausrichtung weitgehend im Zusammenhang mit vermuteten Verwerfungen zu sehen ist, die rheingrabenparallel verlaufen,[23] ist unausgeglichen und zeigt im Quellbereich nach einer Verflachung auf der permischen Einebnungsfläche des Grundgebirges bis zur Einmündung des Scherrbachs ein steiles Gefälle, wie es dem Oberlauf eines Gebirgsflusses entspricht. Unterhalb der Scherrbach-Einmündung verflacht sich das Gefälle zusehends, läßt aber mit Gefällsknicken immer noch den Oberlauf des Flußsystems erkennen. Unterhalb der Einmündung des Rubachs ist das Gefälle bis zum Eintritt in die Baden-Badener Senke noch recht unausgeglichen. Gefällsknicke künden vom Gesteinswechsel an der Grenze von Grundgebirge und Muldenfüllung. Flußabwärts zeigt die Oos bis zu ihrem Austritt in die Gebirgsrandniederung der östlichen Rheinebene ein flaches und gleichmäßiges Gefälle, das lediglich bei der Querung des Friesenberggranit-Sattels im zentralen Kernstadtbereich auf der Höhe des ehemaligen Stadtbahnhofs Knicke im Gefälle hervortreten läßt. In diesem Bereich ist der nach der Einmündung des Grobbachs sich verbreiternde Talboden der Oos von Oberbeuern bis Baden-Oos mit jüngsten Alluvionen, Anschwemmungen des Haupttals und der Nebentäler, bedeckt.

Die Wasserführung der Oos (vgl. Tab. 1) entspricht der des typischen Schwarzwaldflusses mit Höchstwasserständen während der Schneeschmelze in den Hochregionen des Stadtgebietes und – aber weitaus seltener – während sommerlicher Niederschlagsspitzen. In den Jahren 1982 bis 1990 lagen die Frühjahrshöchstabflüsse aufgrund der jährlich leicht schwankenden Klimaentwicklung im Februar (1984, 1985), März (1988) und April (1983). Winterliche Tauperioden brachten monatliche Höchstabflüsse im Dezember 1981 und Januar 1982, im Dezember 1983 und 1989 sowie im Januar 1986. Ausgeprägte sommerliche Höchstabflüsse gab es nur im Juni 1987. Verheerende

1 Das Oostal von Nordwesten

2 Das Baden-Badener Rebland von Westen

3 Oberrotliegend-Fanglomerat mit der Burgruine Hohenbaden (Altes Schloß)

4 (oben links): Battertfelsen

5 (oben rechts): Battertfelsen

6 (unten links): Battertfelsen

7 (unten rechts): Kletterer an den Battertfelsen

8 *Battertfelsen*

9 *Großer und Kleiner Staufenberg vom Fremersberg aus*

10 *Iberg und Nördlicher Talschwarzwald vom Fremersberg aus*

11 *Geroldsauer Wasserfall*

12 *Vorbergzone mit flurbereinigten Rebanlagen am Nellenberg und Iberg* ▷

13 *Vorbergzone mit flurbereinigten Rebanlagen am Fremersberg*

14 Oostal im innerstädtischen Bereich

15 Altstadthügel von Norden

3. Oberflächenformen und Gewässernetz

Tabelle 1: **Monatlicher Abfluß der Oos in cbm/s am Pegel Aumatte (Tagesmittel)**

Abfluß-Jahr	1982	1983	1984	1985	1986	1987	1988	1989	1990
Nov	32,77	40,58	16,53	28,51	30,09	50,85	43,35	22,46	9,96
Dez	158,01	141,71	47,21	34,69	38,67	45,14	38,09	115,40	50,89
Jan	133,98	62,42	98,54	49,94	133,73	69,24	40,78	28,73	18,53
Feb	55,72	47,66	77,11	85,83	22,21	47,45	68,62	22,33	63,27
Mrz	46,38	71,85	23,29	35,68	40,79	97,31	228,32	48,42	24,21
Apr	31,02	175,33	39,66	53,07	111,01	41,22	69,32	90,80	21,70
Mai	36,59	161,98	40,71	81,46	43,38	70,01	18,67	26,68	10,99
Jun	26,62	29,97	47,41	59,61	46,11	125,21	39,47	9,36	19,55
Jul	36,88	9,38	26,35	25,99	15,84	32,37	23,39	10,26	19,15
Aug	23,00	5,48	24,39	10,81	15,15	38,45	22,52	5,39	7,19
Sep	12,34	8,29	60,71	21,91	49,78	14,86	37,42	4,55	13,57
Okt	76,64	12,58	43,96	7,40	69,04	23,86	62,36	6,66	21,81

Quelle: Landesanstalt für Umweltschutz Baden-Württemberg, Abt. Wasser

Hochwässer sind aus den Jahren 1824, 1845, 1851, 1896 und 1919 bekannt. Für die Flößerei und zur Regulierung der Hochwässer wurde der oberhalb des einstigen Dorfes Oos zum Sandbach abgeleitete *Ooskanal* angelegt, der zusammen mit den Uferverbauungen des Flusses 1920 verbessert wurde. Der bereits im Mittelalter ausgebaute *Landgraben* bildet heute den Unterlauf des Flusses. Er mündet in Niederbühl (Stadt Rastatt) in den bei Oberndorf (Stadt Kuppenheim, Lkr. Rastatt) von der Murg abgeleiteten *Gewerbekanal*, der am Südoststrand von Rastatts barocker Stadtanlage wieder in die Murg eingeleitet wird. Bis gegen 1840 diente die Oos der Flößerei, betrieben von der »Badener Bachcompagnie«, an der auch Flößer aus Pforzheim beteiligt waren. In den Jahren 1748–60 wurden große Mengen von »Holländerholz« aus dem Baden-Badener Stadtwald geflößt.[24]

Der *Rubach* läßt an seinem gesamten Verlauf von der Buntsandsteinbasis nördlich des Rubergs in 780 bis 790 m Höhe bis zu seiner Einmündung in die Oos in 280 m ü. d. M. die typische Gefällskurve eines Bachoberlaufes erkennen: Ein fortlaufend steiles Gefälle mit gesteinsbedingten Gefällsschwankungen. Gleich nach dem Zusammenfluß seiner Quellarme am Nordfuß des Rubergs bildet er ein steil eingeschnittenes Kerbtal mit 50 bis 150 m hohen Talflanken aus.[25]

Der mit einem Einzugsgebiet von 31,86 qkm wichtigste Zufluß der Oos ist der *Grobbach*, auf dem bis 1835 auch Scheitholz nach Baden-Baden geflößt wurde.[26] Seine höchstgelegene Quelle in einer Karnische am Nordhang des Vorfeldkopfes reicht bis an die Basis des Eck'schen Konglomerats in fast 900 m Höhe. Ober- und Mittellauf des Grobbachs lassen zahlreiche Gefällsknicke erkennen. Der berühmteste hat die 9 m hohe Gefällsstufe der *Geroldsauer Wasserfälle* in 280 m ü. d. M. hervorgebracht, wo der durch den Zufluß des Harzbach- und Urbachsystems bereits wasserreiche Grobbach in einem schluchtartigen Talabschnitt über eine harte verkieselte Ruschelzone im Bühlertalgranit abstürzt.[26] Am Unterlauf bei Geroldsau, wo der Bach in einem schon breiteren Sohlental die Pinitporphyre der Lichtentaler Mulde durchschneidet, treten weitere Gefällsknicke auf. Seine Mündung in die Oos liegt in Lichtental in 180 m ü. d. M.

Die Einkerbung des Grobbachs ist oberhalb des Stadtteils Geroldsau sehr steil bis schluchtartig. Ein breiterer Talboden fehlt, und die im Bereich der Geroldsauer

Wasserfälle bis 150 m hohen Talflanken sind vor allem im unteren Bereich übersteilt. Schluchtartige Talwände, die fast senkrecht aufragen, zeugen von einer jungen Tiefenerosion. Unterhalb der Wasserfälle liegen im Bachbett große, zum Teil durch fluvialen Transport auch gerundete Felsbrocken. Am Rande des Bachbettes und im Bach fallen neben den zahlreichen Geröllen und eckigen Gesteinsbrocken immer wieder große Wollsäcke aus Bühlertalgranit auf, die auf eine intensive Hangverwitterung zurückgehen und nicht durch den Grobbach transportiert sein können. Stromschnellen beherrschen den Bachlauf ober- und unterhalb der in mehreren Stufen abstürzenden Wasserfälle. Teils fast karrenartige Schichtköpfe aus recht dünnbankigen Graniten ragen aus dem Bachbett heraus und verursachen die Schnellen.

Die übrigen von S der Oos zustrebenden Seitenbäche sind recht kurz und haben wie das *Gunzenbächel* oder der *Michelbach* einen nur kurzen Lauf von ca. 3 km Länge. Sie entwässern die Lichtentaler Mulde mit ihren permischen Vulkaniten und Porphyrkonglomeraten und bilden ebenfalls Kerbtäler mit Gefällsknicken, die ihre Ursachen in verschiedenartigen Gesteinswiderständigkeiten haben.

Kurz sind auch die zahlreichen rechtsseitigen Nebenbäche der Oos, die den Sockel aus porphyrischen Konglomeraten und Schiefertonen zergliedern. Die längeren wie der *Falkenbach* und *Heimbach* oder auch das *Rotenbächle* erstrecken sich bis zum Buntsandsteinsockel von Merkur und Kleinem Staufenberg, die sie teilweise einkerben (s. o.). Ihre steilen Ober- und Mittellaufabschnitte bewirken eine tiefe Einschneidung in die Hänge nördlich der Oos.

Nicht zum Oossystem gehören im nördlichen Stadtkreis der Eberbach und Krebsbach, die bei Niederbühl (Stadt Rastatt) der Murg zustreben. Der die Talmulde von Ebersteinburg zwischen dem Schloßberg und dem Battert entwässernde *Eberbach*, der nach seiner Einschneidung in Oberrotliegendgesteine, devonische und triadische Schichten bei Haueneberstein die Vorbergzone quert, und der *Krebsbach*, dessen Oberlauf sich in der Schindelklamm in eine altpaläozoische Schieferserie eingesägt hat,[27] fließen in nordwestlicher Richtung in die Gebirgsrandniederung am Ostrand der Rheinebene hinein.

Im SW des Stadtkreises entwässert der *Steinbach* mit seinen zahlreichen Nebenbächen die westliche Lichtentaler Mulde, wo seine Quellarme bis zur Lache in die permischen Porphyrdecken ausgreifen, und den Steilabbruch des stark zerkuppten und zerschnittenen Nördlichen Talschwarzwaldes im Bühlertalgranit. Kurze Bäche der Vorbergzone, die ihre Quellen an der Buntsandsteinbasis des Fremersbergs und Kälbelskopfes haben, streben im W ebenfalls unmittelbar der Gebirgsrandniederung zu und zergliedern mit ihren schmalen Sohlentälchen die Vorhügelzone.

Anmerkungen

1. *Bilharz*, Alfred u. Walter *Hasemann*: Geologische Karte 1:25000 von Baden-Württemberg. Erläuterungen zu Blatt 7215 Baden-Baden. Hrsg. v. Geol. Landesamt Bad.-Württ. Stuttgart 1985, 144 S. u. 2 Tafeln. (Unveränderter Nachdruck der Erläuterungen zu Blatt Baden (Nr. 67) der Geol. Spezialkarte von Baden. Freiburg i. Br. 1934). *Huttenlocher*, Friedrich: Nördlicher Talschwarzwald. In: Handbuch der naturräumlichen Gliederung Deutschlands Bd I. Hrsg. von Emil *Meynen* u. Josef *Schmithüsen* et al. Bad Godesberg, 2. Lieferung, 1955, S. 250 f. *Metz*, Rudolf: Mineralogisch-landeskundliche Wanderungen im Nordschwarzwald, besonders in dessen alten Bergbaurevieren. Lahr/Schwarzwald, 2. Aufl. 1977, S. 275 ff. *Reinhard*, Eugen: Schwarzwald. In: Das Land Baden-Württemberg. Amtl. Beschreibung nach Kreisen

3. Oberflächenformen und Gewässernetz   51

und Gemeinden Bd I: Allgemeiner Teil. Hrsg. v. d. Landesarchivdirektion Bad.-Württ. Stuttgart, 2. Aufl. 1977, S. 921. *Reinhard*, Eugen: Landschaftsräume (des Stadtkreises Baden-Baden). In: Das Land Baden-Württemberg Bd V: Regierungsbezirk Karlsruhe (s. o.). Stuttgart 1976, S. 7. − Geologische Karten: Geologische Spezialkarte von Baden. Blatt 67 Baden. Hrsg. v. d. Bad. Geol. Landesanstalt. Freiburg i. Br. 1934. ND Landesvermessungsamt Bad.-Württ. Stuttgart 1985. Hrsg. v. Geol. Landesamt Bad.-Württ. Badische Geologische Specialkarte 1:25000 Blatt 73 Bühlertal. Hrsg. v. d. Bad. Geol. Landesanstalt. ND Landesvermessungsamt Bad.-Württ. Stuttgart 1984. Hrsg. v. Geol. Landesamt Bad.-Württ. − Topographische Karten 1:25000 Nr. 7114 (Iffezheim), 7115 (Rastatt), 7124 (Sinzheim), 7215 (Baden-Baden), 7315 (Bühlertal). Hrsg.v. Landesvermessungsamt Bad.-Württ. Stuttgart Ausgaben 1986 und 1987.

2. *Bilharz*, Alfred u. Walter *Hasemann* (wie Anm. 1) S. 104.
3. *Bilharz*, Alfred u. Walter *Hasemann* (wie Anm. 1) S. 105. Geol. Spez.-Karte 1:25000 Blatt 67, 1934.
4. Top. Karte 1:25000 Nr. 7115 (Rastatt), 1986.
5. Top. Karte 1:25000 Nr. 7115 (Rastatt), 1986; 7214 (Sinzheim), 1987; 7215 (Baden-Baden), 1987.
6. *Bilharz*, Alfred u. Walter *Hasemann* (wie Anm. 1) S. 106f. Geol. Spez.-Karte 1:25000 Blatt 67, 1934. Top. Karte 1:25000 Nr. 7215 (Baden-Baden), 1987.
7. *Metz*, Rudolf: Mineralogisch-landeskundliche Wanderungen im Nordschwarzwald, besonders in dessen Bergbaurevieren. 20. Sonderheft zur Zeitschrift »Der Aufschluß«. Hrsg. v. d. Vereinigung der Freunde der Mineralogie und Geologie e.V. Heidelberg 1971, S. 229f., 254f. *Metz*, Rudolf (wie Anm. 1) S. 310ff.
8. *Bilharz*, Alfred u. Walter *Hasemann* (wie Anm. 1) S. 67f. *Metz*, Rudolf (wie Anm. 7) 1971, S. 229f., 235, 462. Geol. Spez.-Karte 1:25000 Blatt 67, 1934. Top. Karte 1:25000 Nr. 7215 (Baden-Baden), 1987.
9. Geol. Spez.-Karte 1:25000 Blatt 67, 1934.
10. *Metz* Rudolf (wie Anm. 1) S. 279.
11. Geol. Spez.-Karte 1:25000 Blatt 67, 1934.
12. *Metz*, Rudolf (wie Anm. 1) S. 24f., 280.
13. Geol. Spez.-Karte 1:25000 Blatt 67, 1934.
14. *Bilharz*, Alfred u. Walter *Hasemann* (wie Anm. 1) S. 57f.
15. Top. Karte 1:25000 Nr. 7215 (Baden-Baden), 1987. Geol. Spez.-Karte 1:25000 Nr. 67, 1934.
16. *Metz*, Rudolf (wie Anm. 7) S. 470.
17. *Bilharz*, Alfred u. Walter *Hasemann* (wie Anm. 1) S. 62.
18. *Metz*, Rudolf (wie Anm. 7) S. 256f.
19. Geol. Spez.-Karte 1:25000 Nr. 67, 1934. Top. Karte 1:25000 Nr. 7215 (Baden-Baden),1987. *Bilharz*, Alfred u.Walter *Hasemann* (wie Anm. 1) S. 43ff.
20. *Schmitthenner*, Heinrich: Die Oberflächenformen des nördlichen Schwarzwalds. Abhandlungen z. bad.Landeskunde 2. Karlsruhe 1913, S. 37ff.
21. Geol. Spez.-Karte 1:25000 Nr. 67, 1934.
22. Geol. Spez.-Karte 1:25000 Nr. 73, 1984.
23. Geol. Spez.-Karte 1:25000 Nr. 67, 1934.
24. *Metz*, Rudolf (wie Anm. 7) S. 231.
25. Top. Karte 1:25000 Nr. 7215 (Baden-Baden), 1987.
26. *Metz*, Rudolf (wie Anm. 7) S. 257.
27. *Metz*, Rudolf (wie Anm. 7) S. 253f. Geol. Spez.-Karte 1:25000 Nr. 67, 1934.

Weitere Literatur und Karten

Dongus, Hansjörg: Oberflächenformen. In: Das Land Baden-Württemberg. Amtl. Beschreibung nach Kreisen und Gemeinden. Bd. I: Allgemeiner Teil. 2. Aufl. Stuttgart 1977, S. 26–42.
Frank, M.: Geologische Karte von Baden-Württemberg 1:25000. Erläuterungen zu Blatt 7216 Gernsbach. (Unveränderte Ausgabe der I. Auflage von 1936). Stuttgart 1967, 162 S. u. Streichkurvenkarte des Gebietes der Nordschwarzwälder Granitmasse.

Hüttner, Rudolf: Geologischer Bau. In: Das Land Baden-Württemberg. Amtl. Beschreibung nach Kreisen und Gemeinden. Bd I: Allgemeiner Teil. 2. Aufl. Stuttgart 1977, S. 5–26.
Liehl, Ekkehard u.*Sick*, Wolf Dieter (Hrsg.): Der Schwarzwald. Beiträge zur Landeskunde. Veröffentlichung d. Alemannischen Instituts Freiburg i. Br. Nr. 47. Bühl/Baden 3. Aufl.1984, 576 S.
Pflug, Reinhard: Bau und Entwicklung des Oberrheingrabens. Erträge d. Forschung Bd 184. Wiss. Buchges. Darmstadt 1982, 145 S.
Regelmann, Karl: Geologische Karte von Baden-Württemberg 1:25 000. Erläuterungen zu Blatt 7316 Forbach. (Unveränderte Ausgabe der II. Auflage von 1934). Stuttgart 1973, 146 S.
Reinhard, Eugen: Baden-Badens Landschaft. In: Stadtführer Baden-Baden. Hrsg. v. Arbeitskreis für Stadtgeschichte der Stadt Baden-Baden e.V. Baden-Baden 1994, S. 17–25.
Sittig, Eberhard: Die Schichtenfolge des Rotliegenden der Senke von Baden-Baden. In: Oberrhein. Geol. Abhh. 23, 1974, S. 31–41.
Weigel, Bernd: Die Landschaft, Baden-Badens Kapital. In: Garten und Landschaft 86, 1976, S. 527–530.

4. Klima

Der Stkr. Baden-Baden liegt im Bereich zweier Klimabezirke des Klimaraumes Südwestdeutschland, die vorwiegend unter dem Einfluß von einerseits maritimen und andererseits kontinentalen Luftmassen stehen.

Windrichtung. – Die Hauptwindrichtung ist – wie durchweg in Süddeutschland West/Südwest. Dies geht aus den Beobachtungen der Windverteilung hervor, die seit 1881 durchgeführt wurden. Während der langjährigen Beobachtungsperiode wies Baden-Baden durchschnittlich die folgenden Windrichtungen auf: im Juni 50 % aus Südwest und 40 % aus West, im Dezember 60 % aus Südwest und 45 % aus West, im Jahresdurchschnitt 45 % aus Südwest und 40 % aus West.

Tabelle 1: **Mittlere Monatstemperatur in Baden-Baden, gemessen in 211 m ü. NN in ° C**

Jan.	Feb.	März	Apr.	Mai	Juni	Juli	Aug.	Sept.	Okt.	Nov.	Dez.
0,9	1,8	5,7	9,5	13,5	16,8	18,4	17,7	14,7	9,7	5,3	1,7

Temperatur. – Die *mittlere Lufttemperatur* beträgt im Januar in den zur Oberrheinebene gehörenden Bereichen und im von der Oos durchflossenen Talbereich um 0° C. Die –1° C-Isotherme verläuft an der Westseite des nördlichen Schwarzwaldes bei Baden-Baden in ca. 500 m ü. d. M. Im April bestehen im Stadtkreis ausgeprägte Temperaturgegensätze zwischen den Höhenlagen und den niedrigen, der Rheinebene zugehörigen Bereichen. Die noch kühlen Gebirgsgebiete heben sich nun deutlich von den bereits erwärmten Tälern und der Ebene ab. Die Rheinebene weist jetzt 9° C auf, die Vorberge und das innerstädtische Oostal 8° C, die Areale um den Fremersberg, Iberst, Hardberg, Battert, Merkur und Kleinen Staufenberg 7° C, an den Hängen der Badener Höhe, im Hinteren Wald und Schmalbacher Wald 6° C und auf der Badener Höhe in ca. 1000 m ü. NN schließlich lediglich 5° C.

Im Juli bestehen die aus den Höhenlagen resultierenden Temperaturunterschiede fort: der gesamte zur Oberrheinebene gehörende Teil des Stadtkreises sowie das Oostal im inneren Stadtbereich von Baden-Baden dürfen als warme Zone mit einem Monatsmittel von 18° C bezeichnet werden. Abgesehen von einigen Gegenden an der südpfälzischen Weinstraße und in dicht bebauten Großstadtarealen werden ansonsten nirgendwo in Südwestdeutschland höhere Temperaturen erreicht. In den Vorbergen und den höheren Lagen des Oos- und Grobbachtales werden durchschnittlich 17° C erreicht, um den Fremersberg, Iberst und den Staufenberg 16° C und oberhalb von 800 m 15° C.

Im Oktober liegt die *Temperaturspanne* zwischen 9° C in der Rheinebene und im innerstädtischen Oostal und 7° C auf der Badener Höhe. Die Isothermen verlaufen nun nicht mehr so gedrängt wie im Frühjahr und im Sommer, weil die Temperatur im Herbst mit der Höhe langsamer abnimmt. Der Gradient beträgt im Mittel lediglich 0,4–0,5° C je 100 Meter. Dies liegt daran, daß sich im Herbst die niedriger gelegenen Gebiete bei klaren Nächten durch das Absinken der Kaltluft stärker abkühlen. Auf den Bergen verzögert sich dagegen die Abkühlung, weil hier der Jahresgang der Temperatur in der freien Atmosphäre seinen Einfluß noch stärker geltend macht als in den Niederungen. Dies führt übrigens oft auch zu Inversionswetterlagen mit Nebel- oder Hochnebeldecken über der Rheinebene.

Die Wärmeverhältnisse in der Vegetationsperiode Mai, Juni, Juli, die die Hauptwachstumszeit, etwa von der Apfelblüte bis zur Getreideernte umfaßt, sind von entscheidender Bedeutung für die Landwirtschaft. Im Stadtkreis beträgt die mittlere wirkliche Lufttemperatur von Mai bis Juli im äußersten Westen 16° C, wobei die 16°C-Isotherme etwa entlang der B 3 verläuft. Im Vorbergbereich und im Oostal bis etwa Lichtental sind es 15° C. Die vornehmlich bewaldeten Hänge bis hin zur Badener Höhe weisen Temperaturen von 14 bis 12° C auf; abhängig von der jeweiligen Höhe.

Die *Jahresschwankung der Lufttemperaturen* bildet großklimatisch betrachtet einen Indikator für das Überwiegen maritimer oder kontinentaler Luftmassen. Im W von Baden-Württemberg dominiert der maritime Einfluß, im O dagegen der kontinentale. Das Gebiet des Stadtkreises liegt demnach im meeresklimatisch geprägten Bereich. Die Jahresschwankung ist ähnlich wie die Tagesschwankung auf den Talböden größer als an den Hängen. Daraus ergibt sich ein nicht zu unterschätzender Standortfaktor für den Weinanbau in den Schwarzwaldvorhügeln.

Tabelle 2: **Lufttemperaturtagesmittel von 5° C (10° C) im Stadtkreisgebiet Baden-Baden**

Bereich	Anfang	Ende	Dauer
Rheinebene und unteres Oostal	<20. 3. (<30. 4.)	10. 11.	240 Tage (170 Tage) 230 Tage (160 Tage)
Fremersberg, Iberst, Merkur, Staufenberg	<30. 3. (<10. 5.)	30. 10.	220 Tage (150 Tage)
Bergregion Hinterer Wald	<10. 4. (<20. 5.)	30. 10.	220–190 Tage
Badener Höhe	>10. 4.	>30. 10.	180–190 Tage (130 Tage)

Aus Tab. 2 lassen sich die folgenden Rückschlüsse ziehen:
– Der mittlere Beginn des Lufttemperaturtagesmittels von 5° C (10° C) in der Rheinebene und im stadtinneren Oostal fällt auf den 20. März (30. April), das mittlere Ende liegt um den 10. November; das sind normalerweise 240 Tage, im oberen Oostal ca. 230 Tage im Jahr.

- Der mittlere Beginn des Lufttemperaturtagesmittels von 5° C im Bereich des Fremersbergs, Iberts sowie des Großen und Kleinen Staufenbergs liegt um den 30. März, das mittlere Ende um den 30. Oktober (220 Tage im Jahr).
- Der mittlere Beginn eines Tagesmittels der Lufttemperatur von 5°C im daran anschließenden Bereich nördlich der Badener Höhe liegt um den 10. April, das mittlere Ende nach dem 30. Oktober (zwischen 220 und 190 Tagen im Jahr in Abhängigkeit von der Höhenlage).
- Der mittlere Beginn des Lufttemperaturtagesmittels von 5° C an der Badener Höhe liegt nach dem 10. April, das mittlere Ende nach dem 30. Oktober (180 bis 190 Tage im Jahr).
- Die mittlere Dauer des Lufttemperaturtagesmittels von mindestens 5° C (10° C) beträgt in den in der Rheinebene gelegenen Teilen des Kreisgebietes 240 (170) Tage, im Oostal einschließlich Lichtentals 230 (160), in den Berggebieten um Fremersberg, Iberst und Staufenberg immerhin noch 220 (150) und wird dann zur Badener Höhe hin immer weniger, wo es nur noch 190 (130) Tage ausmacht.
- Der mittlere Beginn des Lufttemperaturtagesmittels von 5° C (10° C) in der Rheinebene und dem Badener Tal findet bis zum 20. März (30. April), in den Bergarealen um Fremersberg, Iberst und Staufenberg bis zum 30. März (10. Mai) und an der Badener Höhe bis zum 10. April (20. Mai) statt.

Auch im Hinblick auf die Anzahl der *Eistage*, d. h. Tage mit einem Höchstwert der Temperatur von unter 0° C, stellt sich der Stadtkreis in Abhängigkeit von der Höhenlage differenziert dar. Während es sich in der Rheinebene und im stadtinneren Oostal um unter 20 Tage und in den Berggebieten um Fremersberg, Iberst und Großen und Kleinen Staufenberg um 20 bis 30 Tage handelt, sind es an der Badener Höhe immerhin 30 Tage. Die meisten Eistage treten dabei im Januar auf. Ähnlich verhält es sich mit der mittleren Zahl der *Frosttage* (Tiefstwert der Temperatur in zwei Meter Höhe unter 0 Grad), die in der Rheinebene weniger als 80 Tage beträgt, im Bereich des Badener Tals und der Vorberge zwischen 80 und 100 Tagen liegt, im Gebiet zwischen Staufenberg und Badener Höhe zwischen 100 und 120 Tagen beträgt und auf der Badener Höhe 120 Tage erreicht.

Der erste (letzte) Frost tritt in Baden-Baden laut 25jährigem Mittel am 25. Oktober (19. April) auf; auf der Bühlerhöhe allerdings erst am 22. Oktober (2. Mai), ein Wert, der auch für die Badener Höhe zutreffen dürfte. Die Gestaltung und die Form der Landschaft üben natürlich auch Einfluß auf die Häufigkeit der Fröste aus. Einerseits ist das dicht bebaute Stadtgebiet durch die verminderte Ausstrahlung und durch Wärme abstrahlender Häuser weniger frostgefährdet als freies Gelände. Andererseits werden die Talböden, insbesondere Talausweitungen sowie kleinere Becken, in denen sich bei Ausstrahlung die von den Höhen herabfließende Kaltluft sammelt, stärker vom Frost heimgesucht.

Nebelhäufigkeit. – Die mittlere Anzahl der Tage mit Nebel belief sich im Zeitraum 1951–1980 auf unter 20 Tage in der Rheinebene und im unteren Oostal. Dabei treten hier im Frühjahr um 3–5, im Sommer um 6–8, im Herbst um 9–11 und im Winter um 12–20 Tage auf. In der Vorbergzone und um Iberst, Fremersberg, Merkur und Staufenberg sind es ganzjährig zwischen 20 und 40 Tagen und um die Badener Höhe mehr als 40 Tage. Im Jahresverlauf kommt es dabei zu gewissen Schwankungen, die sich insbesondere in der Rheinebene ausprägen, denn die 20-Tage-Isolinie verschiebt sich vom Winter bis zum Herbst vom Rand der Vorberge beständig weiter nach Westen.

Die mittlere Anzahl der Nebeltage im Stkr. Baden-Baden wird aus der Aufstellung auf S. 56 ersichtlich.

Tabelle 3: Das Klima in Baden-Baden, gemessen in 211 m ü. NN in °C (1951–1980)
Klimaelemente Temperatur und Luftfeuchtigkeit

Klimaelement	Jan.	Feb.	März	Apr.	Mai	Juni	Juli	Aug.	Sept.	Okt.	Nov.	Dez.	Jahr	Mittel
Mittleres tägliches Temp.-Maximum in °C (2 m über Grund)	3,7	5,7	10,3	14,4	18,9	21,9	23,8	23,2	20,4	14,5	8,3	4,7		14,2
Zahl der Sommertage >25°C				0,5	3,7	8,3	12,6	10,7	4,4	0,3			40,6	
Zahl der heißen Tage >30°C					0,4	0,9	3,3	2,5	0,3				7,5	
Zahl der Frosttage <0°C	6,3	3,1	0,3								0,8	5,0	15,6	
Zahl der kalten Tage <10°C		0,1											0,1	
Mittleres tägliches Temp.-Minimum in °C (2 m über Grund)	−1,5	−0,8	1,7	4,5	8,2	11,5	13,3	13,0	10,3	6,2	2,4	−0,5		5,7
Zahl der Frosttage <0°C (2 m ü. Grund)	17,9	15,4	9,8	2,8	0,2					1,4	7,9	16,1	71,5	
Zahl der Tage mit Temp.-Minimum <−5°C (2 m ü. Grund)	7,2	4,3	1,8								0,9	5,4	19,6	
Zahl der Tage mit Temp.-Minimum <−10°C (2 m ü. Grund)	2,0	1,4	0,1									1,3	4,8	
Zahl der Tage mit Temp.-Minimum <−15°C (2 m ü. Grund)					0,4	3,5	9,0	8,1	2,3	0,1			23,4	
Zahl der Tage mit Temp.-Minimum <−20°C (2 m ü. Grund)							0,2						0,2	
Mittlere Tagesschwankung in °C	5,3	6,5	8,6	9,9	10,7	10,4	10,5	10,2	10,1	8,3	5,9	5,2		8,5
Mittleres tägliches Temp.-Minimum in °C (am Erdboden)	−2,5	−1,2	0,2	3,1	7,0	10,3	12,0	11,9	9,2	5,4	1,4	−1,8		4,6
Zahl der Frosttage <0°C (am Erdboden)	19,9	16,3	14,1	6,0	0,7				0,1	2,6	11,0	19,3	90,3	
Temp.-Minimum <−5°C (am Erdboden)	8,2	4,8	3,8								2,1	8,1	27,6	
Temp.-Minimum <−10°C (am Erdboden)	3,4	1,2	0,6							0,2	2,7	8,1		
Lufttemperatur in °C / 7 h	0,0	0,5	2,8	6,4	11,0	14,6	16,0	15,0	11,8	7,5	3,8	1,1		7,6
Lufttemperatur in °C / 14 h	2,6	4,7	9,2	13,2	17,6	20,6	22,5	22,1	19,3	13,6	7,1	3,5		13,6
Lufttemperatur in °C / 21 h	0,8	1,9	5,2	8,3	12,2	15,2	17,0	16,2	13,5	9,0	4,8	1,9		8,8
Zahl der Tage mit Temperaturmittel von <0°C	11,7	7,6	2,6	0,1							2,9	9,8	34,7	
Zahl der Tage mit Temperaturmittel von <12°C	31,0	27,7	29,6	22,6	10,9	2,9	0,6	0,8	6,6	22,3	28,6	30,6	214,2	
Zahl der Tage mit Temperaturmittel von >20°C					1,0	4,5	9,0	6,2	1,3				22,0	
Zahl der Tage mit Temperaturmittel von >25°C						0,1	0,1	0,1						
Mittlere relative Luftfeuchtigkeit in %	85	83	77	73	73	75	74	78	81	85	86	86	80	
Relative Luftfeuchtigkeit in % / 7 h	81	75	64	58	58	61	59	61	65	73	79	82	68	
Relative Luftfeuchtigkeit in % / 14 h	87	86	80	78	79	82	80	84	87	89	87	87	84	
Relative Luftfeuchtigkeit in % / 21 h	88	88	87	84	83	83	83	88	91	93	90	88	87	

Quelle: Deutscher Wetterdienst Stuttgart 1994

I. Natürliche Grundlagen

Tabelle 4: Das Klima in Baden-Baden, gemessen in 211 m ü. NN in °C (1951–1980)
Klimaelemente Wind, Bewölkung und Niederschlag

Klimaelement	Jan.	Feb.	März	Apr.	Mai	Juni	Juli	Aug.	Sept.	Okt.	Nov.	Dez.	Summe	Mittel
Windstärke in m/sec / 7 h	2,1	2,1	1,8	1,6	1,6	1,7	1,7	1,5	1,4	1,6	1,9	2,2		1,8
Windstärke in m/sec / 14 h	2,6	2,7	2,9	2,8	2,8	2,7	2,8	2,5	2,7	2,4	2,6	2,5		2,7
Windstärke in m/sec / 21 h	2,1	2,0	1,8	1,5	1,4	1,2	1,4	1,2	1,4	1,3	1,9	2,2		1,6
Mittlere Windstärke in Bft	1,7	1,7	1,7	1,6	1,6	1,5	1,6	1,4	1,4	1,4	1,6	1,6		1,6
Windstärke 6	5,5	4,3	3,7	3,1	2,9	3,6	3,5	2,5	3,4	3,5	4,7	5,2	45,8	
Windstärke 8	2,1	0,9	0,8	0,2	0,1	0,2	0,4	0,5	0,5	0,7	1,1	1,5	9,1	
Zahl der heiteren Tage	1,5	2,6	4,7	4,3	3,8	3,1	3,9	3,8	5,6	4,4	1,2	1,8	40,6	
Zahl der trüben Tage	18,4	15,9	12,7	11,5	10,2	9,2	8,7	9,0	8,5	13,1	18,4	19,2	154,8	
Mittlere Bewölkung in %	79	74	64	62	62	63	60	60	56	64	79	78		67
Bewölkung in % / 7 h	82	79	68	63	62	60	60	63	60	72	84	81		70
Bewölkung in % / 14 h	78	73	67	67	66	67	63	63	58	62	78	77		68
Bewölkung in % / 21 h	76	69	58	56	57	61	57	55	50	58	76	77		63
Zahl der Tage mit:														
Graupel	0,3	0,6	0,4	0,4	0,1					0,1	0,5	0,5	2,8	
Hagel	0,5	0,8	0,9	0,9	0,6	0,5	0,3	0,2	0,2	0,3	0,4	0,4	6,0	
Gewitter	0,3	0,5	0,9	1,7	4,8	6,0	5,3	4,8	2,1	0,3	0,3	0,1	27,1	
Nebel	8,6	7,8	4,1	2,6	1,6	1,3	0,9	1,9	3,6	9,0	10,1	8,9	60,4	
Tau	2,0	2,4	5,9	11,2	13,6	12,3	14,6	16,7	18,9	17,8	9,7	3,7	128,9	
Reif	8,1	6,5	6,0	2,3	0,2					1,9	5,7	7,9	38,7	
Glatteis	2,4	0,6	0,4								0,3	1,5	5,2	
Neuschneedecke	6	7	3	1							4	6	27	
Niederschlag in mm/qm	84	82	73	86	100	119	102	111	83	71	99	87	1097	
Zahl der Tage mit Niederschlag von:														
<0,1 mm	18,0	16,3	15,3	15,9	16,3	15,9	14,7	15,3	12,2	14,2	17,4	16,8	188,5	
<0,3 mm	16,5	14,7	13,8	14,2	15,1	14,5	13,8	14,3	11,3	12,6	15,6	15,0	171,4	
<1,0 mm	13,5	11,3	10,9	11,6	12,4	12,3	11,4	12,2	9,9	9,7	13,0	12,1	140,3	
<2,5 mm	9,1	8,4	8,4	8,8	9,6	10,0	9,1	10,1	7,8	7,5	9,6	9,4	107,8	
<5,0 mm	6,0	5,4	5,3	5,8	6,4	7,4	6,1	7,4	5,7	5,1	6,5	6,2	73,1	
<10,0 mm	2,5	2,3	2,3	2,6	3,0	4,5	3,6	3,9	2,8	2,2	3,5	2,7	35,9	
<20,0 mm	0,5	0,6	0,3	0,7	0,8	1,3	1,2	1,1	0,8	0,6	0,9	0,6	9,4	

Quelle: Deutscher Wetterdienst Stuttgart 1994

Rheinebene	50– 70 Tage überwiegend Talnebel
Vorbergzone und unteres Oostal	30– 50 Tage überwiegend Talnebel
Region um Fremersberg, Iberst und Staufenberg bis ca. 600 m Höhe	15– 30 Tage annähernd gleicher Anteil von Hoch- und Wolkennebel sowie Talnebel
Nördlicher Schwarzwald	50–100 Tage durchweg überwiegen Hoch- und Wolkennebel, mit der Höhe zunehmend

Der *Talnebel* bildet sich bevorzugt in den Mittelgebirgen aus, seine Obergrenze verläuft dabei im allgemeinen nicht parallel zu den Höhenlinien. In den oberen Talabschnitten beträgt die Obergrenze der lokalen Kaltluft und des Talnebels wegen der geringen Kaltlufteinzugsgebiete oft nur 20 m über Grund, teilweise sogar lediglich 10 m. Talabwärts wächst sie dann durch das Entstehen von Kaltluft in den Tälern, an den Hanggebieten und den höheren Lagen sowie außerdem ggf. durch Zufließen aus anderen Einzugsgebieten beständig an, so daß sie durchaus auch mehr als 100 m über Grund erreichen kann. Der Talnebel tritt allerdings nicht nur in den Tälern selbst, sondern auch großflächig in den Räumen der relativ ebenen Beckenlandschaften, wie im Oberrheingraben, auf.

Der *Hochnebel* entsteht, indem sich zumeist geringe Wassermengen aus der Nebelluft – Nebel ist eine Form des Niederschlags – an den Vegetationsbeständen der Hanglagen und der Luvseiten der Bergflanken ablagern. Bei Lufttemperaturen von unter 0° C kommt es dann zur Ausbildung von Rauhreif, einem Phänomen der Nebelfrostablagerung, das oft weithin gut sichtbar ist und gemeinhin mit dem Herbst im November in Verbindung gebracht wird. Zwischen der Untergrenze des Hochnebels und der Obergrenze des Talnebels erstreckt sich eine relativ warme nebelarme Hangzone, die als solche jedoch nie zu erkennen ist, da Talnebel und Hochnebel nicht gleichzeitig an einem Höhenzug auftreten. Im Nordschwarzwald verläuft die Untergrenze des Hochnebels am Westrand des Gebirges in einer Höhe von etwa 500 m ü. NN, wobei diese nach S hin stetig ansteigt bis auf ca. 700 m ü. NN am südlichen Rand des Schwarzwalds (Tal des Hochrheins).

Der *Wolkennebel* entsteht im Mittelgebirge im allgemeinen etwa 50–100 m oberhalb der Untergrenze des Hochnebels, so daß der Wolkennebelbereich auch noch vom Hochnebel erfaßt wird. Dies bewirkt, daß die Nebelhäufigkeit insgesamt erheblich ansteigt und Werte erreicht, die diejenigen des Talnebels bei weitem übertreffen. So verhält es sich auch in Baden-Baden. Im gesamten Schwarzwald sind darüber hinaus laut langjähriger Beobachtungen des Deutschen Wetterdienstes größere Flächen mit Wolkennebel zu verzeichnen.

Die durchschnittliche Lage der Obergrenze des Talnebels verläuft im Stadtkreis ebenso wie die Untergrenze des Hochnebels und des Wolkennebels etwa im Bereich der 600-Meter-Höhenlinie. Dabei umfaßt die Talnebelzone das gesamte in der Rheinebene liegende Stadtgebiet sowie das Oostal einschließlich des Oberlaufs und eines Großteils der Quellbäche. Zur nebelärmeren Hangzone gehören die Areale um Fremersberg, Iberst, Battert, Merkur und Staufenberg sowie die zur Badener Höhe hin ansteigenden Hangbereiche bis zu einer Höhenlage von etwa 600 m. Oberhalb dieser Höhe, die die Untergrenze des Hochnebels markiert, erstreckt sich die Hochnebelzone. Die Badener Höhe selbst befindet sich jedoch bereits oberhalb dieser Zone, hier dominiert dann der Wolkennebel.

Sonnenscheindauer. – Die mittlere tägliche Sonnenscheindauer beträgt im Juni 7,6 bis 7,8 Stunden, im äußersten W des Stadtkreises werden 7,8 bis 8,0 Stunden und in den Berggebieten hin zur Badener Höhe 7,4 bis 7,6 Stunden erreicht. Die sonnenscheinreichen Gebiete nehmen also zur Rheinebene hin zu. Im Winter drehen sich diese Verhältnisse geradezu um: Die Gebiete mit der längsten Sonnenscheindauer liegen dann auf den Höhen. Für Baden-Baden bedeutet dies an der Badener Höhe 1,6 bis 1,8 Stunden Sonnenscheindauer, um den Fremersberg, Iberst und den Kleinen und Großen Staufenberg einschließlich des unteren Oostals vor seinem Austritt in die Rheinebene 1,4 bis 1,6 Stunden und in der Rheinebene 1,2 bis 1,4 Stunden. Eine solche Zunahme der Sonnenscheindauer mit der Höhe ist für die winterlichen Hochdruckwetterlagen durchaus typisch. Unter dem Einfluß eines Hochdruckgebietes bilden sich nämlich dann oft Nebel oder Hochnebeldecken über den Niederungen – wie hier im Rheingraben – aus, aus denen dann die Berge, z. B. die Badener Höhe, herausragen wie Inseln aus einem See.

Tabelle 5: **Niederschlag in Baden-Baden und Umgebung**
Mittlere Monatssumme des Niederschlags in mm = 1/m² 1951–1980

	Baden-Baden	Sinzheim-Leiberstung (benachbarte Rheinebene)	Bühlertal-Obertal (Grundgebirgsschwarzwald)	Forbach-Herrenwies (Buntsandsteinschwarzwald)
	218 m ü. d. M.	129 m ü. d. M.	478 m ü. d. M.	764 m ü. d. M.
Januar	84,4	66,3	94	167,8
Februar	82	66,4	91,3	159,8
März	73,4	57,2	81,5	138,4
April	85,8	63,1	91,8	139,7
Mai	100,3	87,1	118,6	157,3
Juni	117,3	98,7	144,6	170,9
Juli	101,7	83,8	117,4	156,8
August	111	92,1	128,7	163,2
September	82,3	72	94,1	123,7
Oktober	70,9	56,8	82,7	130,6
November	97,4	79	110,4	177,2
Dezember	87,2	68,1	97,2	180,7
	1093,8	890,4	1252,2	1866,2

Quelle: Deutscher Wetterdienst Stuttgart 1994

Niederschlag. – Die *mittleren monatlichen Niederschläge* nehmen im Stadtkreis während des gesamten Jahres mit der Meereshöhe zu. Dies bedeutet, daß sie in der Rheinebene jeweils am geringsten und an der Badener Höhe am höchsten sind, wobei die geringsten Niederschläge im Winter und die höchsten im Sommer fallen.

Der Januar wird durch die niederschlagspendenden Westwetterlagen geprägt; d. h. viel Niederschlag auf den Höhen, während die Täler vergleichsweise niederschlagsarm bleiben. Auch im Stkr. Baden-Baden zeigt sich dies deutlich. Die Linien gleichen Niederschlags (Isohyeten) durchschneiden das Stadtgebiet in dichter Aufeinanderfolge von 60 bis 120 mm in südwest-nordöstlicher Richtung.

Der Februar ist trockener. Im März und April nimmt die Niederschlagssumme durch die Erhöhung der Intensität der schauerartigen Niederschläge zu. Diese Tendenz bleibt auch im Mai erhalten, allerdings dabei begleitet von einem Anwachsen der Gewitterhäufigkeit, so daß alles in allem die Niederschlagssummen zunehmen.

Im Juni setzt sich dieser Prozeß fort, denn dann entsteht aus einer starken Erwärmung des europäischen Festlandes eine großräumige Zirkulation, die von NW her den Zustrom feuchter Meeresluft ermöglicht. Die Gewitterneigung nimmt weiter zu und bewirkt gleichzeitig die Erhöhung der mittleren monatlichen Niederschlagssummen.

Im Sommer wird in Baden-Baden das Niederschlagsmaximum erreicht. Im Nordschwarzwald werden dann die höchsten Niederschlagssummen Westdeutschlands mit Werten von über 180 mm im Juni und über 200 mm im Juli in den Höhenlagen um die Hornisgrinde erreicht. Der im südöstlichen Stadtkreis liegende Grund- und Deckgebirgsschwarzwald weist Werte von mehr als 120 mm im Juni bzw. 140 mm im Juli auf. Baden-Baden im Oostal dagegen läßt Werte von 100 bzw. 120 mm erkennen. In den höheren Hanglagen treten Werte von unter 120 bzw. 140 mm auf, das westliche Stadtgebiet allerdings zeigt im Juni nur 90 bis 100 mm bzw. 100 bis 120 mm im Juli.

4. Klima

Im August schließlich wird das sommerliche Maximum überwunden. Die Gewittertätigkeit – sie beträgt in Baden-Baden 25 bis 30 Tage – nimmt kontinuierlich ab ebenso wie das Einströmen der kühlen und feuchten Meeresluft aus nordwestlicher Richtung. Die mittlere Strömung dreht wieder auf Westrichtung. Im Schwarzwald um die Hornisgrinde werden aber weiterhin hohe Niederschlagswerte von 120 bis 180 mm erreicht, die natürlich auch die besagten Anteile des Grund- und Deckgebirgsschwarzwaldes im Stadtkreis betreffen. Im stadtinneren Oostal treten 100 bis 120 mm, in der Rheinebene 90 bis 100 mm auf.

Im September beginnt bereits der Übergang zum Herbst; zum Monatsende treten oftmals Schönwetterlagen ein, die gemeinhin als »Altweibersommer« bezeichnet werden. Die Niederschlagsverhältnisse in Baden-Baden stellen sich dann ähnlich wie im August dar, allerdings auf niedrigerem Niveau.

Mit dem Oktober beginnt der Übergang zum winterlichen Niederschlag, für den typisch ist, daß Westwetterlagen mit Aufgleitregen überwiegen. Weil im Gegensatz zu den schauerartigen Niederschlägen dabei die Ergiebigkeit geringer ist – oftmals fällt der Niederschlag als Nieselregen –, gehen die Niederschlagswerte im Stadtkreis um etwa 10 % zurück. Eine südwestliche Strömung herrscht nun vor und der Nordschwarzwald liegt dann im Lee der Vogesen.

Im November verschärfen sich die Unterschiede zwischen den höher und den tiefer gelegenen Gebieten wieder. Während in den niedrigeren Lagen die Monatsmittel abnehmen, nehmen sie auf den Höhen zu. Im Nordschwarzwald werden in diesem Zeitraum die höchsten Monatsmittel im westlichen Deutschland mit 180 bis 200 mm an der Hornisgrinde gemessen, im benachbarten Sandsteinschwarzwald des Stadtkreises treten demgemäß ebenfalls hohe Werte von 100 bis 160 mm auf. Die regenbringenden Luftmassen dringen dann von W her über die Zaberner Senke direkt auf den Nordteil des Schwarzwaldes vor, so daß dort ein Stau auftritt, in dessen Einflußbereich auch Baden-Baden liegt. Die Höhen des Schwarzwaldes erreichen im Dezember ihre höchsten mittleren monatlichen Niederschlagssummen mit 100 bis 250 mm. Der Stadtkreis ist davon natürlich auch betroffen mit Werten von über 140 mm im Einflußbereich der Badener Höhe sowie 100 bis 140 mm am Iberst, Fremersberg, Merkur und Staufenberg. Dagegen werden im Oostal und der Vorbergzone 90 bis 100 und in der Rheinebene 80 bis 90 mm erreicht. Im Dezember herrschen häufig Westwetterlagen vor, die dann für das sog. Weihnachtstauwetter verantwortlich zeichnen.

Von besonderer Bedeutung sind natürlich die *Niederschlagsverhältnisse während der Vegetationsperiode*, bestimmen sie doch neben der Temperatur die Entwicklung der Pflanzenwelt. Baden-Baden weist in dieser Zeit von Mai bis Juli im Vergleich zum übrigen südwestdeutschen Raum relativ hohe Werte auf mit 280 bis 300 mm in der Rheinebene, 300 bis 350 mm in der Vorbergzone und im unteren Oostal, 350 bis 400 mm um Iberst und Großen und Kleinen Staufenberg sowie über 400 mm an der Badener Höhe.

Der *mittlere Jahresniederschlag* ist ebenfalls recht hoch mit mehr als 1000 mm in der Rheinebene und im unteren Oostal, mehr als 1100 bis 1200 in der Vorbergzone und im oberen Oostal und Grobbachtal oberhalb von Lichtental, 1200 bis 1500 um Fremersberg, Iberst und Staufenberg sowie mehr als 1600 mm an der Badener Höhe. Die Niederschlagsverhältnisse in Baden-Baden werden demnach entscheidend durch den Sommerregen geprägt, obwohl ein zweites Niederschlagsmaximum im November auftritt. Es handelt sich also bezüglich des Niederschlags um einen ausgesprochenen Binnenlandtypus, bei dem Hagel und Graupel vergleichsweise selten auftreten.

Nach langjähriger Erfahrung beträgt die Anzahl der Tage mit *Schneefall* jedoch weniger als 30 (mittlere Zahl der Tage mit Schneefall von mindestens 0,1 mm Niederschlag) im Jahr. Der Anteil der Schneemenge am jährlichen Gesamtniederschlag nimmt mit steigender Höhenlage zu, und so verwundert es nicht, daß mit der Höhe auch die Anzahl der Schneetage pro Jahr größer wird. Beiderseits des Oostales treten daher am Fremersberg, um Iberst und die beiden Staufenberge bereits 30 bis 40 Tage mit Schneefall auf, mit zunehmender Höhenlage im Waldgebiet Hinterer Wald 40 bis 60 und an der Badener Höhe schließlich mehr als 60 Tage. Dies bedeutet allerdings nicht notwendigerweise, daß dann auch tatsächlich Schnee liegt. Die mittlere Zahl der Tage mit Schneedecke korrespondiert jedoch natürlich mit der Anzahl der Tage mit Schneefall. Sie beläuft sich mithin auf unter 30 in der Rheinebene und im unteren Oostal, 30 bis 40 in der Gebirgsrandscholle mit Fremersberg und Hardberg sowie am Battert, 40 bis 50 um den Iberst, Merkur und Kleinen Staufenberg. Bis zur Badener Höhe ist eine kontinuierliche Zunahme bis auf 100 Tage zu konstatieren. Natürlich kann die Anzahl der Schneetage ebenso wie die Schneehöhe von Winter zu Winter stark schwanken.

Phänologie. – Die *Schneeglöckchenblüte*, die den Anfang des Vorfrühlings und damit des Vegetationsjahres definiert, beginnt in Baden-Baden in den Teilen des Kreisgebietes, die zur Rheinebene oder zum Vorbergbereich nördlich des Oostals gehören, sehr früh: im langjährigen Beobachtungsspektrum bis zum 19. Februar. Damit gehört dieses Gebiet zusammen mit der pfälzischen Weinstraße am Fuße des Haardtgebirges, der Bergstraße, dem südlichen Oberrheingraben mit Freiburg im Breisgau sowie dem Neckarbecken zwischen Stuttgart und Heilbronn und dem Enztal um Pforzheim zu den meist begünstigten Regionen Südwestdeutschlands.

Traditionell beendet die Haferaussaat den Vorfrühling – der Beginn des eigentlichen Frühlings steht dann kurz bevor. Sie erfolgt im Stkr. Baden-Baden in der Rheinebene und im unteren Oostal zwischen dem 21. und dem 26. März, in der Vorbergzone und im oberen Oostal – falls überhaupt – in der Woche vom 26. bis 31. März.

Die *Apfelblüte* signalisiert eindrücklich, daß nun der Vollfrühling gekommen ist. Baden-Baden liegt mit dem größten Teil seines Stadtgebietes in der Zone am Westabbruch des Schwarzwaldes, die zusammen mit der pfälzischen Weinstraße am Fuße der Haardt und der Bergstraße am Odenwaldwestrand die früheste Blütezeit Südwestdeutschlands aufweist: 20.–25. April. Lediglich um den Kaiserstuhl und südwestlich von Müllheim (Baden) in den Markgräfler Vorbergen erfolgt die Apfelblüte vor dem 20. April. In der Rheinebene im W des Stkr. Baden-Badens beginnt ebenso wie in den Bereichen um Iberst, Merkur und Staufenberg die Apfelblüte erst nach dem 25. April. Der Vollfrühling endet nach allgemeiner Einschätzung mit dem Aufgehen der Spätkartoffeln, in Baden-Baden in dem Zeitraum vom 20.–25. Mai. Der bereits bekannte tiefer gelegene Teil des Stadtkreisgebietes gehört damit auch unter diesem Aspekt zu den klimabegünstigten Landschaften Südwestdeutschlands.

Mit der *Winterroggenblüte* beginnt der Frühsommer im W des Stadtkreises zum 30. Mai, in der Vorbergzone bis zum 4. Juni und im oberen Oostal und Grobbachtal sowie um Iberst und die beiden Staufenberge nach dem 4. Juni – selbstredend mit zunehmender Höhe um so später. Die Winterroggenernte erfolgt zum Ende des Hochsommers.

Der Schnitt dieses ehedem fast überall angebauten Getreides findet im größten Teil des Stadtgebietes bis zum 24. Juli statt, lediglich um Iberst und Staufenberg sowie oberhalb von Lichtental später. Die Getreideernteperiode geht am Anfang des Spätsommers zur Neige mit dem Schnitt des Hafers, der durchschnittlich zehn Tage später reif ist als der Winterroggen: im Stkr. Baden-Baden also bis zum 3. August; in den erwähnten höheren Lagen entsprechend später.

Die *Blüte der Herbstzeitlose* und die Ernte der Hauszwetschgen markieren den Frühherbst. Der Vollherbst umfaßt die Haupterntezeit der Spätkartoffeln, auf die dann bald die Bestellung des Winterroggens folgt.

Der Beginn der Winterroggenaussaat findet im westlichen Stadtkreis nach dem 17. Oktober, im östlichen zwischen dem 7. und 17. Oktober statt. Hier zeigt sich also geradezu eine Umkehrung des bislang immer wieder aufgetretenen phänologischen Bildes.

Literatur

Akademie für Raumforschung und Landesplanung: Das Bioklima der Bundesrepublik Deutschland, Hannover 1988.
Amtsblatt des Deutschen Wetterdienstes.
Deutscher Wetterdienst: Klima-Atlas von Baden-Württemberg, 75 Karten, 9 Diagramme und Erläuterungen, Bad Kissingen 1953.
Deutscher Wetterdienst: Das Klima der Bundesrepublik Deutschland, Lieferung 1: Mittlere Niederschlagshöhen für Monate und Jahr, Zeitraum 1931–1960, bearbeitet von H. Schirmer und V. Vent-Schmidt, Offenbach 1979 (Selbstverlag des Deutschen Wetterdienstes).
Deutscher Wetterdienst: Das Klima der Bundesrepublik Deutschland, Lieferung 2: Besondere Niederschlagshöhen für Monate und Jahr, Zeitraum 1931–1960, bearbeitet von M. Kalb, Offenbach 1980 (Selbstverlag des Deutschen Wetterdienstes).
Deutscher Wetterdienst: Das Klima der Bundesrepublik Deutschland, Lieferung 3: Mittlere Lufttemperatur für Monate und Jahr, Zeitraum 1931–1960, bearbeitet von A. Meyer und H. Schirmer, Offenbach 1985 (Selbstverlag des Deutschen Wetterdienstes).
Deutscher Wetterdienst: Das Klima der Bundesrepublik Deutschland, Lieferung 4: Mittlere Nebelhäufigkeit und Nebelstruktur, Zeitraum 1951–1980 und 1951–1960, bearbeitet von M. Kalb und H. Schirmer, Offenbach 1992 (Selbstverlag des Deutschen Wetterdienstes).
Flohn H.: Witterung und Klima in Mitteleuropa. In: Forschungen zur deutschen Landeskunde, Band 78, 1954.
Reichsamt für Wetterdienst: Klimakunde des Deutschen Reiches, Band II, Berlin 1939.
Schirmer, H.: Anwendungen klimatologischer Erkenntnisse und Grundlagen für die Raumordnung. In: Abhandlungen des Geographischen Instituts der Freien Universität Berlin, Band 24, Berlin 1976, S. 135–144.
Schirmer, H.: Beitrag zur Methodik der Erfassung der regionalen Nebelstruktur. In: Abhandlungen des Geographischen Instituts der Freien Universität Berlin, Band 13, Berlin 1970, S. 135–146.

5. Pflanzen- und Tierwelt

Einleitung. – Betrachtet man die Verbreitungskarten einiger in Baden-Württemberg verbreiteter Pflanzen- und Tierarten, so fällt mehrfach eine Verbreitungslücke im Bereich des Nordschwarzwaldes und der vorgelagerten mittelbadischen Rheinebene auf. Der Grund hierfür ist in zwei Faktoren zu suchen. Zum einen im zwar milden, aber im Regenstau des Schwarzwaldes doch niederschlagsreichen ozeanischen Klima, zum anderen in den sauren Gesteinen und Böden im Schwarzwald und der Rheinebene. Kalkhaltige Böden sind nur wenig verbreitet und kommen nur in der Vorbergzone, in der Rheinaue und in der kleinen Muschelkalkscholle auf Gkg Ebersteinburg vor. Häufig wurden kalkhaltige Ausgangssubstrate wie etwa die Binnendünen der Niederterrasse zudem durch die hohen Niederschläge entkalkt.

Diese beiden Ökofaktoren haben dazu geführt, daß im Baden-Badener Raum im Vergleich zu den benachbarten südbadischen oder württembergischen Landesteilen wichtige Artengruppen wie die des mediteranen oder des kontinentalen Klimabereichs weniger artenreich vertreten sind. So mag es auch verständlich sein, daß einigen Vegetationstypen wichtige Begleitarten fehlen.

Andererseits ist es bei den genannten Ökofaktoren leicht verständlich, daß Vegetationstypen, die niederschlagsreiche Klimate und saure Böden bevorzugen, auch besonders artenreich ausgeprägt sind. Zu nennen sind hier vor allem die farnreichen Waldtypen wie Schluchtwälder, aber auch die Zwergbinsenfluren auf staunassen Äckern.

Wenn wir in Baden-Baden dennoch auf eine sehr vielfältige Vegetation treffen, so liegt dies vor allem an der ausgeprägten naturräumlichen Differenzierung des Gebiets, der außerordentlich weiten Höhenspanne von der Rheinebene bis ins Gebirge und an den unterschiedlichen Ausgangsgesteinen.

Waldgesellschaften. – Wald ist die bestimmende Vegetationsdecke im Stkr. Baden-Baden. 8585 Hektar, das sind 61 % der Gesamtfläche, werden von Wald eingenommen. Trotz der vielfachen nutzungsbedingten Veränderungen durch den Menschen, kommen die Wälder von allen Vegetationstypen der Naturlandschaft am nächsten, wäre Mitteleuropa doch mit Ausnahme weniger waldfreier Standorte wie Moore, Felsen oder Kiesbänken an Flüssen ein Waldland. Die Wälder verdienen es daher, bei der Beschreibung der Vegetation den ersten Rang einzunehmen. Dabei sollen vor allem die *natürlichen Waldgesellschaften* beschrieben werden, auch wenn diese in unverfälschter Ausbildung in der Natur heute kaum mehr vorkommen. Denn ohne Kenntnis dieses von der Natur geformten Vegetationsmosaiks läßt sich auch die Eigenart der Wirtschaftswälder kaum verstehen.

Boden und Klima sind die Hauptfaktoren, die die Artenzusammensetzung der Wälder bestimmen. In der Rheinebene sind es vor allem die verschiedenen Bodenverhältnisse, die ganz unterschiedlichen Waldgesellschaften geeignete Wuchsbedingungen schaffen. Im Schwarzwald sind dagegen vor allem die Höhenstufung vom planaren bis in den montanen Bereich sowie die Exposition und der Wasserhaushalt für die ausgeprägte Differenzierung verantwortlich.

Der flächenmäßig am weitesten verbreitete Waldtyp wäre mit Abstand der *bodensaure Buchenwald*. Ganz im Gegensatz zu seiner großen Ausdehnung steht seine Artenarmut vor allem auf sauren und armen Substraten wie dem Buntsandstein, dem Granit oder Alten paläozoischen Schiefern. In der Baumschicht kann kaum eine Baumart mit der Buche erfolgreich konkurrieren, die somit fast alleine das dicht schließende Kronendach bildet. In der Krautschicht dagegen kann von einem dichten Schluß kaum mehr die Rede sein. Der größte Teil des Bodens ist mit Streu bedeckt. Die kennzeichnenden Arten dieser Wälder sind die Heidelbeere, die Drahtschmiele, der Sauerklee und die Weiße Hainsimse. Vergessen werden darf jedoch nicht eine Besonderheit der Buchenwälder im Baden-Badener Raum: Die Stechpalme. Diese extrem frostempfindliche und daher nur am Westrand Deutschlands verbreitete Strauchart wirkt mit ihrem dunkelgrün glänzenden, hartdornigen Laub wie ein Fremdling in unseren sommergrünen Wäldern.

Mit steigender Höhenstufung tritt in der natürlichen Waldgesellschaft ab etwa 400 m die Tanne hinzu und bildet mit der Buche gemeinsam die für den Schwarzwald bezeichnenden *Buchen-Tannen-Wälder*. Die Tanne, ebenfalls eine atlantisch verbreitete Art, liebt vor allem die niederschlagsreichen und wintermilden Klimate und hat hier den Schwerpunkt ihres Vorkommens. Als forstlich interessante Baumart wurde sie jedoch auch in tieferen Lagen gepflanzt und gefördert.

Auch in der Krautschicht treten mit zunehmender Höhenlage weitere Pflanzen hinzu. Vor allem der violett blühende Hasenlattich und das Fuchsgreiskraut können als typisch montane Pflanzenarten gelten. Oberhalb 700 m würde dann auch die Fichte den Naturwald bereichern – allerdings nur als Mischung zu den vorherrschenden Tannen und Buchen. Damit wäre die Vorherrschaft der Buche endgültig dahin. Vor allem auf kühlen Nordseiten würde sie völlig den Nadelbäumen Platz machen. Ein typischer Begleiter dieser montanen Wälder ist der immergrüne Rippenfarn. Nur ganz vereinzelt und kleinflächig, so auf ehemaligen Grindenflächen der Badener Höhe oder auf moorigen Standorten wie im Mittelfeldkar könnte im Naturwald ein reiner *Fichtenwald* angetroffen werden. Es sind dies die unwirtlichsten Standorte, wie auch die Vorkommen verschiedener Zwergsträucher (Preißelbeere und Moorbeere) und Torfmoose belegen.

Diese auf großen Flächen wachsenden Waldgesellschaften erfahren vor allem durch unterschiedliche Bodenverhältnisse vielfache Abwandlungen. Dabei sind es nicht nur die verschiedenen Ausgangsgesteine mit den unterschiedlichen Basen- und Mineralgehalten, die die Wälder prägen. Fast noch gewichtiger sind die Einflüsse des Reliefs und der Exposition: Durch Bodenabtrag verarmte Standorte auf steilen Hangflächen grenzen an Anreicherungszonen in Mulden an; trockene, flachgründige Felspartien gehen in schattige, blocküberlagerte, mit frischem Hangwasser versorgte Hangfüße über. Gerade im stark durch das Relief geprägten Westabfall des Schwarzwaldes findet sich der gesamte geomorphologische Formenschatz.

Mit Nährstoffen und Wasser besser versorgte Wälder zeichnen sich denn auch durch größeren Artenreichtum aus. Zeigt sich dies in den *Waldmeister-Buchenwäldern* mit dem Waldmeister, der Goldnessel und dem Hexenkraut zunächst nur in der Krautschicht, so können in dem *Bergahorn-Eschen-Schluchtwald* anspruchsvollere Baumarten die Buche verdrängen. Neben den namengebenden Bergahorn und Esche sind es vor allem Sommerlinde, Bergulme und Hainbuche. Aber auch durch die hochwüchsige, dichtgeschlossene und blattreiche Krautschicht erhält dieser Waldtyp seine besondere üppige Ursprünglichkeit. In Baden-Baden sind diese Wälder durch einige Besonderheiten ausgezeichnet: Unter den Bäumen vor allem die Eibe, so z. B. im Bereich von Iberst und Yburg, deren Namen sich von dieser Art ableiten, unter den Kräutern das Silberblatt, unter den Farnen vor allem der bundesweit seltene Borstige Schildfarn. Besonders schöne Schluchtwälder gibt es im Bereich von Leisberg, Yburg, Merkur und Battert.

Von Natur aus ebenfalls nahezu buchenfrei sind ferner die beiden folgenden Waldtypen. Entlang der Bäche wachsen als lineare Bänder auf den wasserzügigsten Standorten die *Schwarzerlen-Auwälder*. Kennzeichnende Kräuter sind vor allem die Waldsternmiere und der montane Eisenblättrige Hahnenfuß. Mehr sickerfeuchte Standorte, wie z. B. Quellmulden, werden von dem *Bacherlen-Eschen-Wald* besiedelt. Unter dem frisch-grünen, reich geschichteten Laubdach von Erlen und Eschen wächst als kennzeichnendes Sauergras die Winkelsegge. Sehr kleinflächig kann an überrieselten Stellen auch die *Silikatquellflur* mit Quellkraut, Waldschaumkraut und dem Gegenständigen Milzkraut gedeihen.

Werden die Standorte trockener und flachgründiger, ja sogar felsig, möglicherweise noch südexponiert, muß die Buche ebenfalls ihren Platz räumen. Diesmal jedoch der Traubeneiche, der sich die mediterrane Eßkastanie, die Mehlbeere, die Vogelbeere, die Birke und die Kiefer zugesellen. Wie die Schluchtwälder können diese trockenen

Hainsimsen-Traubeneichen-Wälder oft noch in ihrer natürlichen Artenzusammensetzung angetroffen werden.

Vor allem in felsigen und lichten Beständen treten viele Sträucher und Baumarten hinzu wie der Sandginster, der Tüpfelfarn und der Salbeigamander. Oft gehen die Wälder über lückige Felsengebüsche in waldfreie Felsvegetation über. Auf Porphyr und Porphyrkonglomerat kommt dann als große Besonderheit die Felsenbirne vor, in Felsspalten als Rarität an natürlichem Standort der Schwarze Streifenfarn. In südexponierten, heute jedoch brachgefallenen ehemaligen Garten- und Weinbergslagen, so z. B. am Hardberg oder oberhalb von Neuweier, wächst in derartigen Traubeneichenwäldern als Zeuge der früheren landwirtschaftlichen Nutzung auch die seltene, wärmeliebende Mispel.

Auch in der Vorbergzone würde die Buche die Naturwälder dominieren. Hier jedoch in einer Ausprägung wie sie im Schwarzwald nicht zu finden ist, nämlich als *Maiglöckchen-Buchen-Wald*. Der Unterschied zu den sauren Buchenwäldern ist augenfällig. Nicht nur, daß die Buche wie in dem Gebiet des Jagdhäuser Waldes oder um Haueneberstein enorm hohe Hallenbestände bilden kann und ihre Wüchsigkeit hier imposant vor Augen führt, auch die dichtgeschlossene Krautschicht steht in augenfälligem Kontrast zu der spärlichen Grasdecke über Buntsandstein: Geophyten mit ihren meist breiten Blättern wie der Bärlauch, die Einbeere, das Maiglöckchen oder der Aronstab lassen den Nährstoffreichtum und die Gunst des Klimas spürbar werden. Die Fruchtbarkeit des Lößbodens ist letztlich ja auch dafür verantwortlich, daß Wald in der Vorbergzone an sich die Ausnahme darstellt. Neben dem Jagdhäuser Wald gibt es hier nur noch um Haueneberstein größere Waldflächen. Eher ist er noch als schmales Relikt in Form der bachbegleitenden *Erlen-Eschen-Wälder* zu finden. Entlang des Heßbächels, des Markbachs oder des Grünbachs wachsen sehr schöne Beispiele dieser artenreichen Auewälder, in denen sich nährstoffliebende Arten wie Scharbockskraut und Goldnessel, sowie wärmeliebende Arten wie Hopfen, Pfaffenhütchen und Wasserschneeball zusammenfinden. Eine Besonderheit der Vorbergzone sind allerdings auch die häufig auf ehemaligen Grünlandstandorten stockenden, daher noch sehr jungen, oftmals mit Pappeln aufgeforsteten *Feuchtwälder* auf anmoorigen Böden, so zum Beispiel am Markbach oder im Ried. Diese sind durch floristische Besonderheiten wie zum Beispiel den Sumpflappenfarn, den Goldhahnenfuß und die Walzensegge ausgezeichnet.

Eine weitere Rarität für den nördlichen Schwarzwald ist schließlich der *Seggen-Buchenwald*, der aufgrund der geologischen Bedingungen nur kleinflächig vorkommt. In Baden-Baden ist er auf den Muschelkalk in Ebersteinburg beschränkt. Wiederum sind es weniger die Baumschicht als vielmehr Strauch- und Krautschicht, die Besonderheiten aufweisen: Die Kriechende Rose, der Liguster und die Feldulme als Baum- und Straucharten, das Bleiche Waldvöglein und der Breitblättrige Sumpfstendel sind deutliche Zeiger für den kalkhaltigen Standort.

In der Rheinebene spiegeln die Waldgesellschaften die naturräumliche Dreiteilung wider. In der Kinzig-Murg-Rinne dominieren auf grundwassernahen Standorten *Sumpfwälder*, die zwar als Pappelforste auf ehemaligem Grünland angelegt wurden, in denen sich nach und nach jedoch die Arten des *Traubenkirschen-Erlen-Eschenwaldes* eingestellt haben. Für die trockenen Niederterrassensande und Dünen wäre wiederum ein Buchenwald kennzeichnend, würden heute nicht Kiefer, Douglasie und Roteichen großflächige Bestände bilden. Mit den in der Altaue der Geggenau heimischen *Sternmieren-Stieleichen-Hainbuchen-Wäldern* auf tonigem, grundwassernahem Standort findet die Beschreibung der Waldgesellschaften einen würdigen Abschluß, handelt es sich hier doch um die wüchsigsten Standorte. Eine artenreiche Strauch- und Krautschicht, vor allem aber die Lianengesellschaften mit Hopfen, Waldrebe und der Schmerwurz, einer weiteren submediterranen Besonderheit der Baden-Badener Pflanzenwelt, geben den Wäldern stellenweise eine auffallende Üppigkeit.

Eine über 1000jährige Nutzung der Naturwälder durch den Menschen haben im Ergebnis zu der heutigen Bewaldung des Stadtkreises Baden-Baden geführt. Der Eingriff des Menschen in die natürlichen Waldgesellschaften war vielfältig: Ungeordnete Nutzung zu Beginn, Jagd, Raubbau, später Rodung und Waldweide, Wiederaufforstung, intensive Streunutzung der siedlungsnahen Bereiche, Bevorzugung der Nadelbaumarten, Wellen der Neu- und Wiederaufforstung nach Großkalamitäten und Kriegsereignissen, überhöhte Hege von Schalenwildbeständen und schließlich die heutige Mehrzweckforstwirtschaft, die die Bedürfnisse des Menschen nach Erholung, Rohstofferzeugung und die Erfordernisse eines ökologischen Ausgleichsraumes miteinander verbinden will. (Über die Funktionen des Stadtwaldes heute vgl. Kapitel IV 2: Funktionen des Stadtwaldes). Die Waldlandschaft Baden-Badens ist daher heute nicht mehr Naturwald, sondern Teil der Kulturlandschaft. Gegenüber der natürlichen Vegetation spielt die Fichte mit 31 % eine wesentlich bedeutendere Rolle, vor allem die Buche, aber auch Eiche und Tanne haben Anteile eingebüßt. Zu den natürlich vorkommenden Baumarten sind andere europäische und außereuropäische Baumarten hinzugekommen wie Douglasie, Roteiche, Pappel und Lärche sowie kleinere Anbauten von Mammutbaum und Nobeltanne.

Heutige Aufgabe der Forstwirtschaft ist es, historisch bedingt, einförmige Waldgesellschaften wie Fichten- oder Pappelreinbestände in naturnahe Waldaufbauformen umzuwandeln.

Zurückgedrängt auf geringe Flächenanteile sind in der forstlich genutzten Waldlandschaft heute auch die *Bacherlen-Eschen-Wälder* sowie die *Schluchtwälder*. Die in ihnen heimischen Baumarten Bergahorn, Linde und Esche haben jedoch vielfach als Edellaubholzwälder in der Vorbergzone und in der Rheinaue eine zweite Heimat gefunden. Der Bergahorn hat durch eine Regulierung des Schalenwildbestandes in den Gebirgswäldern wieder erheblich an Fläche gewonnen.

Feldgehölze, Hecken und Gebüsche. – Den Wäldern als natürlicher Vegetationsdecke am nächsten kommen in der landwirtschaftlich genutzten Flur die Feldgehölze, Feldhecken und Gebüsche. Meist handelt es sich in Baden-Baden um noch recht junge Bestände, die sich an ihren Standort erst nach Nutzungsaufgabe etablieren konnten. In den Feuchtgebieten der Rheinebene herrschen dabei Gehölzzüge mit Arten des Traubenkirschen-Erlen-Eschen-Waldes vor. Typische Standorte sind funktionslos gewordene Wassergräben. Auf seit langer Zeit brachliegenden Feuchtwiesen sind flächige *Grauweidengebüsche* die ersten Sukzessionsstadien auf dem Weg zur Wiederbewaldung. Auf dem z. T. kalkhaltigen Löß der Vorbergzone sind die Hecken am artenreichsten: Eingriffliger Weißdorn, Schlehe, Roter Hartriegel, Schwarzer Holunder, Liguster, Pfaffenhütchen und noch einige Strauch- und Baumarten mehr sind für die Vogel- und Insektenwelt über das ganze Jahr hinweg wie reichgedeckte Tische. Besonders in den Hohlwegen von Oos und Haueneberstein finden sich derartige *Schlehen-Ligusterhecken* in sehr schöner Ausprägung. Artenreicher sind nur noch die Hecken in dem kleinen Muschelkalkgebiet bei Ebersteinburg, bei denen noch kalkliebende Arten hinzukommen.

Auf den sauren Böden des Schwarzwaldes verliert sich dieser Artenreichtum wieder. Hier sind es vor allem die *Brombeer-Schlehenhecken*, z. T. mit Hasel und Schwarzem

Holunder, die das Landschaftsbild bereichern und in landschaftstypischer Weise gliedern. Eine für das atlantische Klima kennzeichnende Art ist auch das Waldgeißblatt. Vielfach wachsen solche Haselhecken auf Trockenmauern oder Lesesteinwällen aus den charakteristischen großen und runden Granitblöcken.

Zu den Gehölzen gehören auch die *Besenginstergebüsche*. Auch sie zählen zu den für den Nordschwarzwald bezeichnenden Vegetationstypen. Der Besenginster kommt hervorragend mit dem Klima und den Bodenbedingungen zurecht. Zudem wurde er durch frühe Landnutzungsformen gefördert. Bezeichnenderweise gehen viele geographische Bezeichnungen auf den Ginster, den Pfrimmen, zurück: Pfrimmersbach und der Fremersberg sind nur zwei Beispiele von vielen.

Hecken und Gehölze werden meist von schmalen *Säumen* umgeben. Auf den gut nährstoff- und wasserversorgten Böden der Rheinebene dominieren dabei meist hochwüchsige Stauden wie der Große Baldrian oder Wiesenbärenklau. Dagegen ist in der Vorbergzone vor allem auf trockenwarmem und sonnigem Standort der kalk- und wärmeliebende *Odermennigsaum* mit dem Dost, dem Echten Labkraut, der Pfirsichblättrigen Glockenblume, der Zypressenwolfsmilch und der Rapunzelglockenblume nicht selten. Derartige bunte Saumgesellschaften gibt es jedoch nicht nur entlang der Hecken, sondern häufig auch auf südexponierten Lößböschungen, die in der Vorbergzone zwischen Haueneberstein und Oos zu den besonders prägenden Landschaftselementen gehören. Als Charakterpflanze der *schattigen Säume* in der Vorbergzone ist der Heckenkälberkopf zu nennen.

Im Schwarzwald treffen wir dann die *Saumgesellschaft des Zick-Zack-Klees* in seiner säureliebenden Ausprägung mit Salbeigamander und Hainflockenblume als purpurrotes Blütenmeer an. Oft mit wärmeliebenden Rosen-, Schlehen-, Besenginstergebüschen zu einem Biotopkomplex eng verzahnt, sind derartige flächige Säume auf brachgefallenen, früher rebgenutzten Standorten äußerst insekten- und vogelreiche Lebensräume.

Allen Säumen ist gemeinsam, daß sie ihren größten Blütenreichtum im Hochsommer erreichen, eine Eigenschaft, die sie zu ungemein wichtigen, linearen Strukturen in der landwirtschaftlich genutzten Flur macht.

Wiesengesellschaften. – Der flächenmäßig bedeutendste Biotoptyp in der landwirtschaftlichen Flur sind jedoch die Wiesen. Auch heute noch werden große Teile der Landschaft als Grünland bewirtschaftet. Der hohe Flächenanteil darf jedoch nicht darüber hinwegtäuschen, daß auch hier viel von der früheren Vielfalt verlorengegangen ist. Zu stark sind die nivellierenden Auswirkungen von Trockenlegung, Düngung, Schnittvorverlegung, Schafbeweidung und Nutzungsaufgabe, als daß das Vegetationsmosaik dies hätte überstehen können.

So sind z. B. die *Stromtalwiesen der Rheinaue* und die *Pfeifengraswiesen der Kinzig-Murg-Rinne* im Stadtkreis verschwunden. Die Standorte wurden umgebrochen oder die Nutzung aufgegeben. Am weitesten verbreitet ist natürlich die *Glatthaferwiese*, die Wiesengesellschaft der mittleren Standorte, die in jedem der Naturräume Baden-Badens verbreitet ist. Daneben hat natürlich jeder seine Besonderheiten: In der Kinzig-Murg-Rinne sind es die noch großflächig vorkommenden *Wiesenknopf-Wiesensilgen-Wiesen*, die vor allem nach dem ersten Schnitt eine augenfällige Blütenfülle aufweisen. Zwar haben auch hier Entwässerung, Düngung und Umbruch deutliche Spuren hinterlassen, doch kann auch heute noch der kleinräumige, standortbedingte Wechsel dieses Feuchtwiesentyps mit anderen, wie den *seggenreichen Naßwiesen* und *Sumpfdotterblumenwiesen* angetroffen werden. Als typische Pflanzenarten sind die Wiesensilge und der Wiesenknopf als Namensgeber, aber auch die Sumpfdotterblume, die Fuchssegge und das Wassergreiskraut zu nennen. In einem schmalen Streifen entlang der Vorbergzone treten auch die Kohldistel und der Goldhahnenfuß hinzu. Überall in der Kinzig-Murg-Rinne haben sich aus solchen feuchten Naßwiesen nach Nutzungsaufgabe *Großseggenriede* vor allem mit Schlanksegge und Sumpfsegge entwickelt; besonders artenreich im Naturschutzgebiet Bruchgraben, wo wir auch die Gelbe Wiesenraute finden können. Nur stellenweise, meist in Form linienartiger Strukturen entlang von Gräben oder auf lange Zeit überstauten Flächen, z. B. Rückhaltebecken, konnten sich Röhrichte ausbilden, je nach Standortbedingungen meist in Form von *Schilf- oder Rohrglanzgras-Röhricht*.

In der Vorbergzone und im Schwarzwald treten Feuchtgebiete dann in ihrem Flächenanteil gegenüber trockenen und mageren Biotopen zurück. In der Vorbergzone sind es dann auch die mageren *Salbei-Glatthafer-Wiesen*, die vor allem auf leicht kalkhaltigen Standorten einen enormen Blütenreichtum aufweisen. Nur sehr vereinzelt, vor allem wieder im Gebiet des Muschelkalks und in der Vorbergzone bei Oos, kommen im Stkr. Baden-Baden noch Arten der *Halbtrockenrasen* wie die Aufrechte Trespe, der Wiesensalbei, der Wundklee oder die Skabiosenflockenblume vor. Hier hinterläßt eben das niederschlagsreiche Klima seine Spuren, da es die Entwicklung von echten Halbtrockenrasen nicht zuläßt.

Trockene Magerrasen treten denn auch eher um Geroldsau und Oberbeuern auf südexponierten Steilhängen auf, da hier die flachgründige, grusige Bodendecke auf Gesteinen des Rotliegenden und des Karbons eine Speicherung von Feuchtigkeit kaum zuläßt. Einige dieser trockenen und azidophytischen Wiesen können an Artenvielfalt und Blütenreichtum kaum überboten werden. Orchideen wie das Kleine und das Stattliche Knabenkraut, kleine, lichtliebende Kräuter wie das Kreuzblümchen, der Knollige Hahnenfuß, niedrige Zwergsträucher wie der Echte Ehrenpreis oder der Arzneithymian sowie Untergräser wie das grazile Zittergras und der Dreizahn fügen sich mit Halb- und Vollparasiten wie dem Kleinen Klappertopf oder der Thymiannesselseide zu einer einmaligen Wiesengesellschaft zusammen. Manchmal treten dann noch Arten der montanen *Borstgrasrasen* und der *Flügelginsterweiden* hinzu, so daß die Magerrasen bereits Anklänge an diese montanen Wiesen und Weiden zeigen. Die typischen Feucht- und Naßwiesen des Schwarzwaldes sind die *Waldsimsen-* und *Waldbinsenwiesen*. Während die ersten vor allem an staunassen, nährstoffreicheren Standorten vorkommen, lieben die Binsenfluren die quelligen Hangstandorte, die durch kaltes, nährstoffarmes Wasser beeinflußt sind. Große Seltenheiten und nur noch kleinflächig vorhanden sind die Niedermoore. Auf basenarmem Standort sind dies *Braunseggensümpfe* mit dem Schmalblättrigen Wollgras, dem Waldläusekraut und dem Sumpfveilchen.

Zu den besonderen Raritäten nicht nur im Stadtkreis, sondern auch im landesweiten Maßstab gehören natürlich die *Sandrasen* bei Sandweier auf den vor allem wegen anthropogener Nutzungen offengehaltenen Sandflächen. Hier im atlantischen Klimabereich sind dies vor allem die an einjährigen Pflanzen außerordentlich reichen Silbergrasfluren, die sich durch zahlreiche botanische Seltenheiten auszeichnen: Nelkenschmielenhafer, Früher Schmielenhafer, Mäusewicke und Blaue Sandrapunzel. Andere, durch anthropogene Nutzungen offen gehaltene Lebensräume sind die kurzzeitig wassergefüllten tonigen Rinnen auf staunassen Äckern der Kinzig-Murg-Rinne. Auch hier sind es vor allem Therophyten, die den Rohboden schnell besiedeln. Aus dieser Pflanzengesellschaft der *Zwergbinsenfluren* sind einige Seltenheiten herauszuheben: Der Sumpfquendel, der Ysopblättrige Blutweiderich, das Mäuseschwänzchen und der Pillenfarn.

Schließlich muß auch die kleinfarnreiche *Mauerfugengesellschaft* erwähnt werden, die im wintermilden Klima des Oberrheingrabens einige Besonderheiten aufweist.

Neben den verbreiteten Arten Mauerraute und Brauner Streifenfarn sind es der Schwarze Streifenfarn, der Nordische Streifenfarn und der Milzfarn, die die Porphyr-, Buntsandstein- und Granit-Trockenmauern zu besonders wichtigen Landschaftselementen machen.

Parks und Gärten. – Liegt das Schwergewicht der Schilderung zurecht auf der heimischen Pflanzenwelt, so müssen doch auch die in Baden-Badener Parks und Gärten wie auch im Wald zum Teil prägend in Erscheinung tretenden Bäume und Sträucher fremdländischer Herkunft Erwähnung finden. Vor allem wegen des frostarmen, wintermilden und sommerheißen Klimas finden hier zahllose Gehölze aus dem mediterranen, dem asiatischen und dem amerikanischen Raum eine neue Heimat. Nach Erhebungen des Gartenamtes lassen sich in den grünen Lungen der Stadt über 300 Baum- und Straucharten finden. Am auffälligsten treten natürlich die über 100jährigen, riesigen *Mammutbäume* in Erscheinung, die durch ihre Höhe weithin das Stadt- und Landschaftsbild prägen. Einige dieser Baumriesen weisen einen Stammdurchmesser von über 2,50 m auf. Doch auch der *Lebensbaum* und die unterschiedlichen Varianten der *Scheinzypresse* mit ihrem kegelförmigen Wuchs sind Blickfänger in der Stadtlandschaft. Aus Nordamerika stammt auch die Mangrovenart der *Sumpfzypresse*. Seltenheiten mit mediterraner Herkunft sind die *Zerreiche*, die *Pyrenäeneiche* und der *Judasblattbaum*, aus dem asiatischen Raum kommen der *Ginkgo*, die *Japanische Zeder* und der *Urweltmammutbaum*.

Tierwelt. – Die Vielfalt der Baden-Badener Landschaft an unterschiedlichen Biotopen und Strukturen bietet natürlich auch einer artenreichen Tierwelt Lebensraum. Dabei sind vor allem die Tiergruppen häufig vertreten, die in ihrem Vorkommen auf bestimmte Strukturtypen angewiesen sind wie etwa die Vögel; weniger die Tiergruppen, die Spezialisierungen an Pflanzenvorkommen zeigen wie etwa die Tagfalter.

Zeigt auch die Säugetierfauna mit den jagdbaren Wildarten und zahlreichen Kleinsäugern einen gewissen Reichtum auf, so muß sie dennoch hinter der *Avifauna* mit ihren zahlreichen Besonderheiten zurückstehen. Ähnlich wie die Vegetation spiegelt nämlich auch die Vogelfauna die besonderen Eigenarten der unterschiedlichen Landschaften Baden-Badens wider. Typische Vogelarten der Rheinebene sind vor allem die Bewohner der Feuchtbiotope. So sind der Große Brachvogel, die Bekassine und das Braunkehlchen auf Feuchtwiesen, der Pirol und die Nachtigall auf Feuchtgehölze, der Feldschwirl, die Rohrammer, Teich- und Sumpfrohrsänger schließlich auf Feuchtbrachen und Röhrichte angewiesen. Ein Teil dieser Arten kann man allerdings auch in der Vorbergzone finden. Aber auch die Sandlandschaft Sandweiers hat mit der Heidelerche und dem Steinschmätzer zumindest als Gastart ihre Raritäten. Dagegen werden die trockenen Obstwiesen um Oos und Lichtental mehr vom Gartenrotschwanz, vom Neuntöter und der Dorngrasmücke besiedelt. Von der artenreichen Vogelwelt der Wälder dürfen schließlich Schwarzspecht, Mittelspecht und Hohltaube als seltene Altholzbewohner, die Waldschnepfe als Bodenvogel nicht unerwähnt bleiben. Die montane Region schließlich ist durch das Vorkommen von Tannenhäher und das Auerwild gekennzeichnet. Ein Charakteristikum der Waldlandschaft mit ihren schnellfließenden Bächen ist auch die Wasseramsel, die hier häufig beobachtet werden kann. Zum Teil, so an der Oos und am Steinbach, dringt sie sogar bis in die Siedlungen vor.

Unter den *Reptilien* müssen als Seltenheiten die mediterrane Mauereidechse, die vor allem auf den Porphyrfelsen häufig beobachtet werden kann, und die Schlingnatter, die den gleichen Lebensraum bewohnt, erwähnt werden. Letztere wird immer noch mit der

Kreuzotter verwechselt, die – wenn überhaupt – in Baden-Baden allenfalls noch im Bereich der Schwarzwaldhochstraße vorkommt. Auch die *Amphibien* sind artenreich. Mit den kühlen Gewässern des Schwarzwaldes kommen am besten Feuersalamander und Grasfrosch zurecht, dagegen sind die Fischweiher im Rebland oft von der Erdkröte besiedelt. In der Vorbergzone und in der Rheinebene kommen auch die selteneren Pionierarten unter den Amphibien vor: Die Wechselkröte, die Gelbbauchunke und die Kreuzkröte benötigen stark besonnte, zum Teil auch nur temporär wasserführende Kleingewässer, die sie auf den staunassen Böden und in Abgrabungsflächen finden.

Aus der Vielfalt der *Insekten* seien abschließend nur die charakteristischen Arten aufgeführt. Aus den Naßwiesen der Rheinebene z. B. die Ameisenbläulinge sowie der Große Feuerfalter, für die offenen Schwarzwaldtäler sind Trauermantel, Großer Schillerfalter und Braunfleckiger Perlmuttfalter charakteristisch. Aufgrund der vielen Eichenbestände kann auch der Hirschkäfer immer wieder in Baden-Baden beobachtet werden.

Liste der im Text aufgeführten Pflanzen
(Reihenfolge nach der Nennung im Text)

Rotbuche	Fagus sylvatica
Heidelbeere	Vaccinium myrtillus
Drahtschmiele	Deschampsia flexuosa
Sauerklee	Oxalis acetosella
Weiße Hainsimse	Luzula luzuloides
Stechpalme	Ilex aquifolium
Weißtanne	Abies alba
Hasenlattich	Prenanthes purpurea
Fuchsgreiskraut	Senecio fuchsii
Fichte	Picea abies
Rippenfarn	Blechnum spicant
Preißelbeere	Vaccinium vitis idaea
Moorbeere	Vaccinium uliginosum
Waldmeister	Galium odoratum
Goldnessel	Lamium galeobdolon
Hexenkraut	Circaea lutea
Bergahorn	Acer pseudoplatanus
Esche	Fraxinus excelsior
Sommerlinde	Tilia platyphyllos
Bergulme	Ulmus glabra
Hainbuche	Carpinus betulus
Eibe	Taxus baccata
Silberblatt	Lunaria rediviva
Borstiger Schildfarn	Polystichum setiferum
Waldsternmiere	Stellaria nemorum
Eisenhutbl. Hahnenfuß	Ranunculus aconitifolius
Schwarzerle	Alnus glutinosa
Winkelsegge	Carex remota
Quellkraut	Montia fontana
Waldschaumkraut	Cardamine flexuosa
Gegenständiges Milzkraut	Chrysosplenium oppositifolium
Traubeneiche	Quercus petraea
Eßkastanie	Castanea sativa
Mehlbeere	Sorbus aria
Eberesche	Sorbus aucuparia

Birke	Betula pendula
Kiefer	Pinus sylvestris
Sandginster	Genista pilosa
Tüpfelfarn	Polypodium vulgare
Salbeigamander	Teucrium scorodonia
Felsenbirne	Amelanchier ovalis
Schwarzer Streifenfarn	Asplenium adiantum-nigrum
Mispel	Mespilus germanica
Bärlauch	Allium ursinum
Einbeere	Paris quadrifolia
Maiglöckchen	Convallaria majalis
Aronstab	Arum maculatum
Scharbockskraut	Ficaria verna
Hopfen	Humulus lupulus
Pfaffenhütchen	Euonymus europaeus
Wasserschneeball	Viburnum opulus
Sumpflappenfarn	Thelypteris palustris
Goldhahnenfuß	Ranunculus auricomus
Walzensegge	Carex elongata
Kriechende Rose	Rosa arvensis
Liguster	Ligustrum vulgare
Feldulme	Ulmus minor
Weißes Waldvöglein	Cephalanthera damasonium
Breitblättrige Stendelwurz	Epipactis helleborine
Traubenkirsche	Prunus padus
Waldrebe	Clematis vitalba
Schmerwurz	Tamus communis
Grauweide	Salix cinerea
Eingriffliger Weißdorn	Crataegus monogyna
Schlehe	Prunus spinosa
Roter Hartriegel	Cornus sanguinea
Schwarzer Holunder	Sambucus nigra
Hasel	Corylus avellana
Besenginster	Sarothamnus scoparius
Echter Baldrian	Valeriana officinalis
Bärenklau	Heracleum sphondyleum
Odermennig	Agrimonia eupatoria
Wilder Dost	Origanum vulgare
Echtes Labkraut	Galium verum
Pfirsichblättrige Glockenblume	Campanula persicifolia
Zypressenwolfsmilch	Euphorbia cuparissias
Rapunzelglockenblume	Campanula rapunculus
Heckenkälberkropf	Chaerophyllum temulum
Zickzackklee	Trifolium medium
Hainflockenblume	Centaurea nemorosa
Wiesensilge	Silaum silaus
Großer Wiesenknopf	Sanguisorba officinalis
Sumpfdotterblume	Caltha palustris
Fuchssegge	Carex vulpina
Wassergreiskraut	Senecio aquaticus
Kohldistel	Cirsium oleraceum
Schlanksegge	Carex gracilis
Sumpfsegge	Carex acutiformis
Gelbe Wiesenraute	Thalictrum flavum

5. Pflanzen- und Tierwelt

Schilf	Phragmites communis
Rohrglanzgras	Phalaris arundinacea
Aufrechte Trespe	Bromus erectus
Wiesensalbei	Salvia pratensis
Wundklee	Anthyllis vulneraria
Skabiosenflockenblume	Centaurea scabiosa
Kleines Knabenkraut	Orchis morio
Stattliches Knabenkraut	Orchis mascula
Kreuzblümchen	Polygala vulgaris
Knolliger Hahnenfuß	Ranunculus bulbosus
Echter Ehrenpreis	Veronica officinalis
Arzneithymian	Thymus pulegioides
Zittergras	Briza media
Dreizahn	Danthonia decumbens
Kleiner Klappertopf	Rhinanthus minor
Thymiannesselseide	Cuscuta epithymum
Borstgras	Nardus stricta
Flügelginster	Genista sagittalis
Waldsimse	Scirpus silvaticus
Waldbinse	Juncus acutiflorus
Braune Segge	Carex fusca
Schmalblättriges Wollgras	Eriophorum angustifolium
Waldläusekraut	Pedicularis sylvatica
Sumpfveilchen	Viola palustris
Silbergras	Corynephorus canescens
Nelkenschmielenhafer	Aira caryophyllea
Früher Schmielenhafer	Aira praecox
Mäusewicke	Ornithopus perpusillus
Sandglöckchen	Jasione montana
Sumpfquendel	Peplis portula
Ysopblättriger Blutweiderich	Lythrum hyssopifolia
Mäuseschwänzchen	Myosurus minimus
Pillenfarn	Pilularia globulifera
Mauerraute	Asplenium ruta-muraria
Brauner Streifenfarn	Asplenium trichomanes
Nordischer Streifenfarn	Asplenium septentrionale
Milzfarn	Ceterach officinarum
Mammutbaum	Sequoia gigantea
Lebensbaum	Thuja plicata
Scheinzypresse	Chamaecyparis lawsoniana
Sumpfzypresse	Taxodium distichum
Zerreiche	Quercus cerris
Pyrenäeneiche	Quercus turneri
Judasblattbaum	Cercis siliquastrum
Ginkgo	Ginkgo biloba
Japanzeder	Cryptomeria japonica
Urweltmammutbaum	Metasequoia glyptostroboides

Liste der im Text aufgeführten Tierarten

Großer Brachvogel	Numenius arquata
Bekassine	Gallinago gallinago
Braunkehlchen	Saxicola rubetra
Pirol	Oriolus oriolus

Nachtigall	Luscinia megarhynchos
Feldschwirl	Locustella naevia
Rohrammer	Emberiza schoeniclus
Teichrohrsänger	Acrocephalus scirpaceus
Sumpfrohrsänger	Acrocephalus palustris
Heidelerche	Lullula arborea
Steinschmätzer	Oenanthe oenanthe
Gartenrotschwanz	Phoenicurus phoenicurus
Neuntöter	Lanius collurio
Dorngrasmücke	Sylvia communis
Schwarzspecht	Dryocopus martius
Mittelspecht	Dendrocopus medius
Hohltaube	Columba oenas
Waldschnepfe	Scolopax rusticola
Tannenhäher	Nucifraga caryocatactes
Auerhuhn	Tetrao urogallus
Wasseramsel	Cinclus cinclus
Mauereidechse	Lacerta muralis
Schlingnatter	Coronilla austriaca
Kreuzotter	Vipera berus
Feuersalamander	Salamandra salamandra
Grasfrosch	Rana temporaria
Erdkröte	Bufo bufo
Wechselkröte	Bufo viridis
Gelbbauchunke	Bombina variegata
Kreuzkröte	Bufo calamita
Heller Wiesenkopf-Ameisenbläuling	Maculinea teleius
Dunkl. Wiesenkopf-Ameisenbläuling	Maculinea nausithous
Großer Feuerfalter	Lycaena dispar
Trauermantel	Nymphalis antiopa
Großer Schillerfalter	Apatura iris
Braunfleckiger Perlmuttfalter	Clossiana selene
Hirschkäfer	Lucanus cervus

Literatur- und Quellenangaben

Murmann-Kristen, Luise (1988): Das Vegetationsmosaik im Nordschwarzwälder Waldgebiet. In: Diss. Botanicae Bd. 104, Berlin–Stuttgart.

Oberdorfer, E. (1992): Süddeutsche Pflanzengesellschaften, Bd. 1–4, Jena.

Schwabe-Braun, A. (1983): Die Heustadelwiesen im Nordbadischen Murgtal. Veröffentlichungen für Naturschutz und Landschaftspflege in Baden-Württemberg, Bd. 55/56 Landesanstalt für Umweltschutz, Karlsruhe.

Sebald, Seybold, Philippi (1990): Die Farn- und Blütenpflanzen Baden-Württembergs, Bd. 1–4.

6. Naturschutz und Landschaftspflege

Zielsetzungen. – Die Aufgabe des Naturschutzes und der Landschaftspflege ist es, den Naturhaushalt und die Nutzungsfähigkeit der Naturgüter, die Landschaft sowie die Pflanzen- und Tierwelt in ihrer Vielfalt, Eigenart und Schönheit zu erhalten. Dies muß in einer Landschaft erreicht werden, die nahezu auf der gesamten Fläche durch den Menschen genutzt, umgestaltet und unter ökonomischen Gesichtspunkten bewirtschaftet wurde und wird. Trotz des Vorkommens von noch ausgedehnten Waldungen handelt es sich auch im Stkr. Baden-Baden nicht um eine Naturlandschaft, sondern um eine vom Menschen gestaltete Kulturlandschaft. Triebfeder bei der Ausbildung der Kulturlandschaft und ihrer Biotope war vor allem das Nutzungsinteresse des Menschen. Soweit es die gesellschaftlichen und wirtschaftlichen Rahmenbedingungen durch den technischen Fortschritt oder den Wohlstand zuließen, hatte er in der Vergangenheit aufgrund einer sehr extensiven Bewirtschaftung reichhaltige und artenreiche Lebensräume geschaffen. Heute geht man davon aus, daß diese traditionell bewirtschaftete Landschaft einem Maximum an Tier- und Pflanzenarten einen Lebensraum bieten konnte.

In dem Maße, in dem sich das Nutzungsinteresse änderte, hatte dies sehr schnell und zwangsläufig Auswirkungen auf die Landschaft. Das gilt auch für den Einsatz moderner Techniken durch Maschinen und chemische Pflanzenschutzmittel. Bei den unterschiedlichen naturräumlichen Voraussetzungen im Baden-Badener Stadtgebiet lassen sich gegensätzliche Nutzungsinteressen feststellen. So wurde in der Rheinebene mit ihren guten Bewirtschaftungsvoraussetzungen und im Rebland mit seinen fruchtbaren Böden die landwirtschaftliche Nutzung verstärkt. Vielerorts gefördert durch Flurbereinigung, findet sich dort eine in Teilen ausgeräumte Landschaft vor. Dagegen ging das Interesse an der Bewirtschaftung des Landes vor allem in den Tallagen des Schwarzwaldes, zum Teil aber auch in der Vorbergzone sehr stark zurück. Dort greift dann der an sich natürliche Prozeß der Wiederbewaldung in die landschaftliche Vielfalt ein. Beginnend auf den entfernt gelegenen Waldwiesen, hat diese Entwicklung inzwischen auch die stadtnäheren Obstwiesen erreicht.

Glücklicherweise ist im Stadtgebiet der aus der Sicht des Naturschutzes »Goldene Mittelweg«, mit einer nur extensiv genutzten, reichhaltigen Landschaft noch anzutreffen. Gerade ihre wertvollen Landschaftselemente wie Streuobstwiesen, Hecken, Gebüsche, Trockenmauern, Hohlwege, Feuchtwiesen und Halbtrockenrasen beherbergen heute nicht nur die größte Artenvielfalt, sondern sind durch ihre besondere Eigenart und Schönheit auch von besonderem Reiz für den Erholung suchenden Menschen. Derart ausgestattete Landschaftsräume ziehen daher viele Leute an, die nicht nur als Spaziergänger und Wanderer kommen. In diesen ökologisch hochwertigen Bereichen, wie z. B. um Oos oder bei Ebersteinburg, ist daher eine zunehmende Zersiedelung der Landschaft mit Gartenhütten und Einzäunungen festzustellen. Auch diese Veränderungen können letztendlich als eine Form sowohl der Nutzungsintensivierung als auch des Nutzungswandels von der landwirtschaftlich genutzten Landschaft in eine Erholungs- und Freizeitlandschaft gewertet werden. Dies ist ein Prozeß, der seine Ursachen im Wachstum und der baulichen Verdichtung der Stadt und der Verstädterung der dörflichen Stadtteile hat.

Angesichts dieser vielfältigen Herausforderungen und Entwicklungen versucht der Naturschutz heute mit verschiedenen Methoden und Instrumenten seinen Zielen und Aufgaben gerecht zu werden. Dabei ist in einer Region, in der dem Siedlungswachstum und dem weiteren Ausbau der Infrastruktur hohe Prioritäten zukommen, die *Flächensicherung für den Arten- und Biotopschutz* die vordringlichste Aufgabe. Angesichts der angesprochenen Probleme außerhalb der Schutzgebiete geht der Naturschutz heute auch in die Fläche und versucht mit situationsangepaßten Konzepten wie den Landschaftspflegeplänen und der Biotopvernetzung in der landwirtschaftlich genutzten oder der brachfallenden Flur Natur und Landschaft zu erhalten oder aufzuwerten.

Schutzgebiete im Stadtkreis. – *Naturschutzgebiete* und flächenhafte *Naturdenkmale* sind die wertvollsten, mit dem strengsten Schutz belegten Flächen. Bei den Naturschutzgebieten handelt es sich meist um größere Flächen, dagegen dürfen Naturdenkmale aufgrund der Bestimmungen des Naturschutzgesetzes eine Fläche von 5 ha nicht überschreiten. Im Stkr. Baden-Baden gibt es derzeit drei Naturschutzgebiete und sechs flächenhafte Naturdenkmale mit einer Fläche von zusammen 260 ha. Das entspricht einem Flächenanteil von etwa 1,9 %. Derzeit sind drei weitere Naturschutzgebiete und zwei weitere flächenhafte Naturdenkmale mit einer Gesamtfläche von etwa 180 ha im Verfahren. Dadurch würde sich der Anteil der unter besonders strengem Schutz stehenden Flächen auf 3,15 % erhöhen.

Von den bestehenden Schutzgebieten ist das westlich von Oos gelegene Naturschutzgebiet *Bruchgraben* das größte. Dabei handelt es sich um ein großflächiges Feuchtgebiet, das in der Kinzig-Murg-Rinne liegt. Charakteristisch für dieses Gebiet sind großflächige Vernässungen, die durch nur schwer wasserdurchlässige Böden bei gleichzeitig hohen Niederschlägen verursacht werden. Schon immer nur unter besonders erschwerten Bedingungen bewirtschaftbar, ist das Gebiet heute zum größten Teil brachgefallen. Die Entwässerungsgräben sind verlandet, so daß weitere Vernässungen die Folge sind. Bewirtschaftete Feucht- und Naßwiesen sind heute im Gebiet selten. Der größte Teil der Flächen wird von Brachestadien wie Großseggenrieden, Schilfröhricht und Grauweidengebüschen eingenommen. Leider gelangte auch die Späte Goldrute zu solcher Dominanz, daß aufwendige Pflegemaßnahmen notwendig sind, um einer Artenverarmung entgegenzuwirken. Im Naturschutzgebiet Bruchgraben werden heute von der Naturschutzbehörde große Summen zur Wiederherstellung der früheren Feuchtwiesenlandschaft aufgewendet. Die Zusammensetzung der Vegetation bietet einer großen Zahl von Tieren, besonders von Vögeln, einen Lebensraum. Dabei hat der Bruchgraben nicht nur als Brutlebensraum, sondern auch als Rastplatz für Durchzügler und Wintergäste große Bedeutung. Zum Naturschutzgebiet Bruchgraben gehört auch der als Baggersee stillgelegte Leissee.

Im Gegensatz zum Bruchgraben stellt das kleinere Naturschutzgebiet *Korbmatten* bei Steinbach einen kleinen Ausschnitt aus einer noch weitgehend bewirtschafteten Wiesenlandschaft dar, die gleichfalls durch das Vorkommen seltener Wiesenvögel ausgezeichnet ist. Neben den Wiesen mit ihrer jahreszeitlich wechselnden Blütenvielfalt prägen hier vor allem die großen, einzeln stehenden Silberweiden das Landschaftsbild und geben der Wiesenlandschaft ihren besonderen Charakter.

In eine ganz andere Landschaft führt ein Besuch des dritten Naturschutzgebietes. Es ist das weithin bekannte Gebiet der *Battertfelsen* bei Ebersteinburg. Diese Felsenlandschaft aus stark verkieselten Sedimenten des Rotliegenden stellt nicht nur eine beeindruckende geomorphologische und geologische Besonderheit dar, auch für den Naturschutz sind die Felsen und Blockhalden mit ihren typischen Vegetationsformen äußerst bedeutsam. Die Felsen sind Standorte von seltenen Felsspaltenbewohnern wie z. B. verschiedenen Streifenfarnarten. Billot's-Streifenfarn hat hier sein einziges Vorkommen in Baden-Württemberg. Eine weitere floristische Besonderheit ist das Vorkommen der im Schwarzwald ansonsten nicht häufigen Felsenbirne. Im Bereich des Naturschutzgebietes Battert haben sich auch forstlich seit langer Zeit nur extensiv bewirtschaftete Schluchtwälder mit ihrem weitgehend ursprünglichen Charakter bewahrt.

Auch die Beschreibung der Naturdenkmale beginnt im Felsengebiet um Ebersteinburg. Hier sind weitere Felsformationen unter Schutz gestellt: der *Kapffelsen* und die *Wolfsschlucht*. Ein ganz anderes Bild wie die kantigen Felsen des Rotliegenden bieten die Felsen des Granits. Hier hat die Wollsackverwitterung zu weichen und runden Felsformen geführt. Ein sehr gutes Beispiel hierfür ist der ebenfalls als Naturdenkmal geschützte aussichtsreiche *Kreuzfelsen (Bernickelfels)* in der Nähe des Scherrhofs. Direkt unterhalb des Kreuzfelsens befindet sich ein weiteres, nicht minder eindrucksvolles Naturdenkmal: der *Geroldsauer Wasserfall*, dessen Entstehung wie beim Kreuzfelsen in einer stark verkieselten Schwelle des Bühlertalgranits begründet ist. Neben dem Wasserfall selbst verdienen der Grobbach als natürlicher Bach und auch der baum- und artenreiche Schluchtwald besondere Aufmerksamkeit. Mit etwas Glück können hier Wasseramsel und Gebirgsstelze beobachtet werden. Durch die Unterschutzstellung des *Steinbruchs am Hardberg* bei Balg nutzte man die Chance, einen Gesteinsaufschluß als Fenster für einen Blick in die Erdgeschichte zu sichern. Dort anstehend ist der Mittlere Buntsandstein, der im Bereich des Hardbergs in einer Randscholle der Schwarzwaldvorberge erhalten blieb. Das Naturdenkmal *Sanddüne* im Niederwald bei Sandweier ist das erdgeschichtlich jüngste Naturdenkmal aus der Nacheiszeit und belegt ein weiteres Mal die große Vielfalt im Landschaftsbau und Oberflächenbild des Stadtkreises. Eindrucksvoll sind hier vor allem die unregelmäßigen Reliefformen der heute mit Wald bestockten Dünenlandschaft.

Vorgesehene Naturschutzgebiete und Naturdenkmäler. – Unter dem Gesichtspunkt, daß die besonders geschützten Flächen auch die gesamte landschaftliche Vielfalt repräsentieren sollen, werden die derzeit im Verfahren befindlichen Naturschutzgebiete und Naturdenkmale eine sinnvolle Ergänzung der bisherigen Schutzgebiete darstellen. Mit dem Naturschutzgebiet *Rastatter Ried* soll z. B. ein großer Teil der Baden-Badener Rheinauenlandschaft unter Schutz gestellt werden, darin vor allem Feuchtwälder mit ihrem augenfälligen Geophytenreichtum.

Das Naturschutzgebiet *Markbach und Jagdhäuser Wald* soll einen Teil der Lößvorhügel umfassen. Mit diesem Schutzgebiet würden zum ersten Mal auch noch bewirtschaftete Reblagen unter Schutz gestellt, um eine historisch gewachsene Reblandschaft mit ihrem typischen Kleinrelief und ihrer charakteristischen Parzellierung zu erhalten. Besonderer Schutzzweck ist dabei auch die Erhaltung des Markbachs als eines der wenigen naturnahen Bäche der Vorbergzone in einem von intensiver Landnutzung stark betroffenen Landschaftsraum. Das nördlich von Ebersteinburg gelegene geplante Naturschutzgebiet *Krebsbachtal* schließlich stellt eines der geologisch reichhaltigsten Schwarzwaldtäler unter Schutz. Schützenswert sind hier vor allem die Feucht- und Naßwiesen, deren Brachestadien und die naturnahen Erlen-Eschen-Wälder entlang natürlicher Mittelgebirgsbäche.

Das geplante Naturdenkmal *Kreuzacker* will der Erhaltung einer oberflächlich stark vernäßten Senke innerhalb einer sonst intensiv genutzten Ackerlandschaft dienen. Die temporären Kleingewässer sind vor allem durch das Vorkommen artenreicher Zwergbinsenfluren ausgezeichnet. Das geplante Naturdenkmal *Magerrasen Sauersboschtal* schließlich stellt ein knapp 5 ha großes Wiesengebiet mit einer im Nordschwarzwald seltenen Artenzusammensetzung unter Schutz.

Landschaftsschutzgebiete. – Bei der Beschreibung der Schutzgebiete dürfen auch die großen Landschaftsschutzgebiete nicht unerwähnt bleiben. Besonders hervorzuheben ist hier vor allem das 8500 ha große *Landschaftsschutzgebiet »Baden-Baden«*, das fast die gesamte land- und forstwirtschaftliche Flur um die Kernstadt und Lichtental umfaßt. Darüberhinaus gibt es noch die älteren Landschaftsschutzgebiete *Geggenau* und *Yberg* sowie die mit Naturschutzgebieten kombinierten Landschaftsschutzgebiete *Korbmatten* und *Bruchgraben*.

Baumschutz. – Die 1980 in Kraft getretene Baumschutzverordnung stellt darüber hinaus alle Bäume ab 20 cm Stammdurchmesser unter Schutz. Obwohl sie auch in der landwirtschaftlichen Flur ihre Gültigkeit hat, besteht ihr Hauptzweck in der Sicherung des innerstädtischen Baumbestands mit seinen unverzichtbaren ökologischen Funktionen.

Biotopvernetzung. – Flächen, die günstige Voraussetzungen für eine landwirtschaftliche Nutzung boten wie etwa die Weinberglagen im Rebland und die Ackergebiete westlich von Steinbach und Haueneberstein, wurden seit jeher intensiv genutzt. Vor allem mit den Flurbereinigungen der 60er und 70er Jahre wurde hier die Landschaft vornehmlich nach ökonomischen Maßstäben völlig neu gestaltet. Hauptziel waren neben der Zusammenlegung die Erschließung der Grundstücke und die Verbesserung der Bewirtschaftungsbedingungen. Erheblich vergrößerte Bewirtschaftungseinheiten, klar umrissene, geometrische Grundstücksformen sowie die Durchführungen weiterer Bodenmeliorationen wie Entwässerung und Drainage schafften optimale Bewirtschaftungsmöglichkeiten für die Landwirtschaft. Für den Naturschutz blieb dabei kaum Raum. Bäche und Gräben wurden begradigt und ihnen wurden nur die technisch unbedingt notwendigen Mindestflächen zugestanden. Trockenmauern, Wegränder, Säume und Uferstreifen verschwanden. Hecken, Gehölze und Obstbaumreihen verliefen plötzlich als störende Riegel mitten durch die neu geordnete Flur oder wurden einfach überflüssig. Auch sie wurden beseitigt. Und schließlich stieg mit der verbesserten Erschließung auch wieder das Bewirtschaftungsinteresse und so wurde die Nutzung weiter intensiviert. Aus Streuobstwiesen wurden Obstplantagen, aus Feuchtwiesen Maisäcker.

Wie sehr die Landschaften sich verändert haben, mögen folgende Zahlen verdeutlichen: Auf den Gkgen Steinbach, Varnhalt und Neuweier verschwanden von ursprünglich 365 ha Wiese westlich der B 3 (Stand 1865) bis heute 222 ha. 126 ha davon werden als Acker genutzt, 37 ha wurden aufgeforstet oder sind verbuscht, 59 ha sind bebaut und versiegelt. So schwierig sich die Situation für den Naturschutz hier auch darstellt, ganz hoffnungslos ist sie nicht. Manche Bewohner von Feuchtwiesen finden heute ein verstecktes Dasein entlang schmaler Gräben, so wie etwa der Wiesenknopf-Ameisenbläuling. Seltene Wiesenvögel haben auf zwar isolierten, aber noch intakten Feuchtwiesen überlebt. Und nicht zuletzt hat sich auch der Markt für landwirtschaftliche Produkte geändert und den Intensivierungsdruck genommen, so daß heute dem Naturschutz vermehrt Flächen bereitgestellt werden können. Dies bietet die Chance, aus den verbliebenen Inselbiotopen durch *Biotopneuanlage und -vergrößerung* einen Verbund, ein Netz von Lebensräumen aufzubauen. Das Instrument hierfür ist die Biotopvernetzungskonzeption.

Eine der ersten Planungen dieser Art wird seit 1992 in der *Uchtweid auf der Flur Geggenau* in die Tat umgesetzt. Hat auch diese Altauenlandschaft noch in den vergangenen Jahrzehnten den Kahlschlag der landwirtschaftlichen Intensivierung erleiden müssen, so werden heute die alten Strukturen wieder neu aufgebaut. Aus 30 ha Acker werden wieder Wiesen. Davon sollen etwa 5–7 ha vernäßt werden: Röhrichte und Naßwiesen sollen dort entstehen. Entwässerungsgräben werden wieder verschlossen, über 2000 Laufmeter Hecken und Nußbaumalleen typischer Rheinauenlandschaft werden neu angepflanzt. Und nicht zuletzt sollen auf 18 ha ehemaliger Ackerfläche wieder naturnahe Stieleichen- und Erlen-Eschen-Wälder entstehen.

Nicht nur auf dem Papier ist diese erste Bilanz positiv. Auch auf der Fläche zeigen sich Erfolge. So hat sich das Schilf schon im ersten Jahr nach der Extensivierung weit in die bisherigen Ackerflächen ausgedehnt. Stromtalpflanzen wie der Wiesenaland sind nach 5 Jahren wieder in den Wiesen aufgetaucht. In nassen Senken wurde auch schon die Gelbbauchunke beobachtet.

Landschaft: Ein Pflegefall. – Eine ganz andere Aufgabe hat der Naturschutz in den Schwarzwälder Wiesentälern, aber auch in den Streuobstwiesen um Lichtental, Oos und Haueneberstein zu erfüllen. Hier ist die *Landwirtschaft als Landschaftspfleger* weitgehend auf dem Rückzug. Die Gründe hierfür sind vielfältig und in den ungünstigen landschaftlichen Bewirtschaftungsbedingungen, den vorhandenen Landwirtschaftsstrukturen, aber auch in gesellschaftlichen Veränderungen zu suchen. Die landschaftlichen Veränderungen, die sich aus dieser Nutzungsaufgabe ergeben, sind enorm: Nach und nach verschwindet die typische Wiesenvegetation, das standorttypische Mosaik unterschiedlicher Pflanzengesellschaften wird oftmals von uniformen Brachestadien verschluckt. Häufig dringen auch ausbreitungsfreudige Pflanzen wie der Adlerfarn oder die Brennessel in die Wiesen ein und bilden dann artenarme Dominanzbestände. Vielerorts werden auch sog. Neophyten, also Pflanzen, die erst in den letzten Jahrzehnten in unsere Flora eingeschleppt wurden, zum Problemfall. In den Bachtälern des Schwarzwalds etwa das Indische Springkraut und der Japanische Staudenknöterich, in den Obstwiesen der Vorbergzone die Späte Goldrute. Einen besonders starken Eingriff in das Landschaftsgefüge stellt natürlich die Wiederbewaldung von Tälern und Obstwiesen dar. Aus Offenland wird auf dem Wege der Sukzession oder durch Aufforstung wieder Wald – angesichts der wichtigen Klima-, Erholungs- und Biotopfunktionen der Wiesen in dem ansonsten geschlossenen Waldgebiet eine äußerst nachteilige Entwicklung. Besonders dramatisch stellt sich die Situation beispielsweise in Ebersteinburg dar. So sind auf der ursprünglich 117 ha umfassenden landwirtschaftlichen Flur auf Gkg Ebersteinburg heute bereits 46 ha durch Aufforstung oder Sukzession bewaldet. Weitere 13 ha Grünland sind bereits brachgefallen und haben damit den ersten Schritt in Richtung Wald schon getan. Nur 58 ha werden noch bewirtschaftet. Die Waldfläche Ebersteinburgs, die früher 350 ha umfaßte, hat sich damit auf 400 ha ausgedehnt und nimmt bereits 80 % der Gemarkung ein. Auch die Streuobstwiesen geben Anlaß zur Sorge. Eine stichprobenweise Erhebung im Jahr 1991 hat ergeben, daß ¼ der Obstbäume, aber ⅓ der Streuobstbestände nicht mehr gepflegt werden und aus diesem Grund gefährdet sind. Da diese Entwicklung ihren Endpunkt noch nicht erreicht hat, ist zu befürchten, daß das vertraute Landschaftselement »Streuobstwiese« langsam aus der Landschaft verschwinden wird.

In Baden-Baden wurde die *Bedeutung der Landschaft für den Kur- und Erholungsbetrieb* schon früh erkannt und Konzepte zur Pflege der Landschaft nicht nur entwickelt, sondern auch in die Tat umgesetzt. So wurde bereits 1975 ein Landschaftspflegevertrag mit einem Schäfereibetrieb abgeschlossen, dem die Landschaftspflege der Wiesen um Lichtental, Oos und die Kernstadt übertragen wurde. An den

Schäfer wurden nicht nur die städtischen Grundstücke verpachtet, auch zahlreiche private Flächen werden von seinen Schafen beweidet.

In den Wiesentälern des Schwarzwaldes führte das Städtische Forstamt bereits in den 50er Jahren die Rinderweide ein, unterstützt durch eine offensive Grunderwerbspolitik.

Wie der Vergleich mit Gemarkungsteilen ohne derartige Pflegekonzepte heute zeigt, und die Wiesentäler des Reblands und Ebersteinburg können hierfür als gute Beispiele dienen, stellen *Schafweide* und *Rinderweide* eine erfolgreiche Strategie zur Offenhaltung der Landschaft dar. Heute muß jedoch auch festgestellt werden, daß die Beweidung eine Nivellierung der Vegetation zur Folge hat, daß die Artenvielfalt und der Schutz besonders bedrohter Tier- und Pflanzenarten nicht immer in ausreichendem Maße durch sie gewährleistet sind. Die bisherige Pflegekonzeption mußte daher auf Flächen mit hoher Priorität für den Natur-, Biotop- und Artenschutz überdacht werden. So wurden besonders wertvolle Flächen wieder aus den Weideplänen herausgenommen. Vielfach sind auch spezielle Pflegemaßnahmen erforderlich, die sich dann an den Ansprüchen der vorkommenden Lebensgemeinschaften orientieren. Auch die Weideflächen selbst werden durch ein differenziertes Weidemanagement, vor allem durch Einführung unterschiedlicher Pflegeintensitäten, strukturell aufgewertet.

Hauptziel der Landschaftspflege wird es in jedem Fall sein, die Landschaft auch weiterhin zu bewirtschaften und sie dadurch zu pflegen. An diesem Ziel ist auch die finanzielle *Förderung des Streuobstbaues* orientiert, die finanzielle Anreize schaffen soll, damit dieser ökologisch wichtige Nutzungstyp erhalten bleibt.

Schließlich werden auch weiterhin einige Flächen der Sukzession überlassen werden. Solche Sukzessionsflächen erfüllen als nutzungsfreie Ruhe- und Tabuzonen wichtige Aufgaben, wobei ihre Ausdehnung und ihre Lage sich dann nicht am Zufall orientiert, sondern an ökologischen Leitzielen und Vorgaben.

Literatur- und Quellenangaben

Schröter, H. (1979): Landschaftsplan zum Flächennutzungsplan der Stadt Baden-Baden. Teil A: Forstlicher Rahmenplan

Schneider, H. (1982): Landschaftsplan zum Flächennutzungsplan der Stadt Baden-Baden, Teil B: Unbewaldete Flächen, innerstädtischer Bereich

Hug, M. (1993): Biotopvernetzungsplan Ebersteinburg, vorläufige Planfassung (unveröffentlicht).

Jäckle, G. (1991): Streuobst in Baden-Baden: Bestand, Funktionen, Gefährdung (unveröffentlicht).

Leupolz, W. (1992): Schafbeweidung nach ökologischen Kriterien in Baden-Baden (unveröffentlicht).

II. GESCHICHTE DER STADT UND DER STADTTEILE BIS 1806

1. Vor- und Frühgeschichte

Einleitung. – Drei in ihrer Topographie sehr unterschiedliche naturräumliche Vorgaben umfaßt das Gebiet des Stkr. Baden-Baden. Der größte Teil erstreckt sich über das Gebirgsmassiv des rheinseitigen Nordschwarzwaldes, dessen Bergeshöhen durch die Täler der Oos und des Steinbaches erschlossen werden. Der Gebirgsrand wird im W durch die Vorbergzone markiert, die sich in gefälligem Relief zwischen Haueneberstein über Baden-Oos, Sinzheim und Steinbach erstreckt, nördlich von Baden-Baden Streuobstwiesen und Ackerflächen, südlich davon Rebhänge aufweisend. Den dritten Landschaftsteil stellt die Rheinebene dar, deren unmittelbar an die Vorbergzone anschließender Bereich von der nacheiszeitlichen Kinzig-Murg-Rinne gebildet wird. Sie verengt sich unmittelbar westlich des Taleinschnittes der Oos zwischen dem gleichnamigen Baden-Badener Stadtteil und Sandweier auf weniger als 1000 m. Dadurch besteht hier die natürliche Vorgabe eines Übergangsweges durch die Niederungen und Altflußauen, der in der Vorgeschichte wohl schon benutzt und seit römischer Zeit vermutlich als regelrechter Straßenzug im Gelände ausgebaut wurde. Für die Entwicklung der römischen Siedlung war die im Bereich der Einmündungsstelle des Rotenbachs in die Oos unterhalb des heutigen Schloßberges im Stadtkern vorhandene Talerweiterung maßgebend.

Mesolithische Fundstellen. – Es nimmt nicht wunder, wenn ein Teil der Fundstellen mit dem bisher ältesten auf dem Baden-Badener Stadtgebiet aufgelesenen Material aus dem Bereich der verengten Kinzig-Murg-Rinne vorliegt. Hier sind besonders die leicht über die Umgebung hinausragenden eiszeitlichen Kiesrücken, die *Hurste*, zu nennen, die den Jägern und Sammlern des Mesolithikums als Aufenthaltsort gedient haben. Die Geländeerhebungen von meist nur wenigen Metern über umgebendem Niveau boten sich als trockene Standorte mit einiger Übersichtsmöglichkeit vor allem bei der Jagd an, da von ihnen aus das umliegende Gelände gut übersehen und die Tierwelt der Rheinebene und der Vorbergzone beobachtet werden konnte. Zugleich ließen es die Lagerplätze zu, über das Oostal und dessen Seitentäler auch *Jagd- und Sammelgründe im Bergland* in der Umgebung der heutigen Stadtteile Lichtental, Oberbeuern und Geroldsau zu begehen. Im wesentlichen handelt es sich dabei um jene, bereits seit längerem bekannten Fundplätze, deren Material schon einmal zur Definition des »Mittelbadischen Mesolithikums« herangezogen wurde.[1] Dabei ließ sich feststellen, daß die Fundplätze »Eichtung II« und »Hüfenau« auf Ooser Gemarkung durch ihr Material »das Bild einer feingerätigen Klingenkultur (bieten), deren Werkzeugformen eine saubere Technik und gute Typengliederung unschwer erkennen lassen«.[2] Als charakteristisches Gerät wurde seinerzeit die Stilspitze beschrieben. Neben den Steinwerkzeugen dieser Ausprägung liegen aus den mittelsteinzeitlichen Fundbeständen Baden-Badens besonders Rechteckklingen, Federmesserchen, sogenannte Zonhovenspitzen, ungleich- und gleichseitig dreieckige Mikrolithen, diverse Kratzer- und Schaberformen sowie Kernsteine vor.[3] Das Ausgangsmaterial weist eine gewisse Vielfalt auf, wobei der Muschelkalkhornstein bevorzugt verwendet worden ist. Schon die früher

II. Geschichte der Stadt und der Stadtteile bis 1806

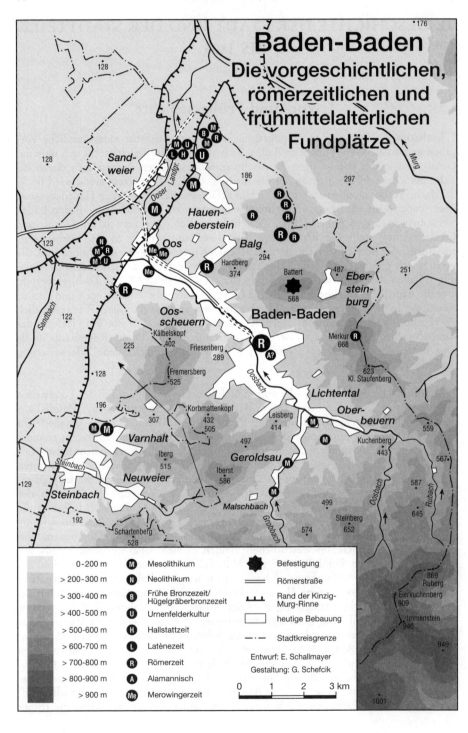

1. Vor- und Frühgeschichte

behandelten Funde stammen zum überwiegenden Teil aus der Privatsammlung des kürzlich verstorbenen Heimatforschers Paul Braun aus Baden-Baden, dem auch die seitherigen Neufunde in aller Regel zu verdanken sind.

Die jeweils an den einzelnen Fundplätzen beobachtete Funddichte legt es nahe, hier die Zeugnisse mesolithischer Freilandstationen anzunehmen, wie sie sich am Beispiel eines erst jüngst durch systematische Grabungen erschlossenen Aufenthaltsplatzes in der nördlichen Altstadt von Ettlingen in der Nähe zu erkennen gegeben haben.[4] Dort »legten wenige mesolithische Wildbeuter eine Feuerstelle auf den Schwemmfächerablagerungen der Alb an, an der sie sich vergleichsweise kurz aufhielten, mitgebrachte Hornsteinknollen und -gerölle zerlegten, die dabei anfallenden Grundformen verwendeten oder modifizierten, organische Materialien bearbeiteten und Geräte herstellten«.[5]

Die Baden-Badener Fundstellen liegen vor der Gebirgskante und der Vorbergzone aufgereiht. Es handelt sich jeweils um ausgedehnte Siedlungsbereiche, die allein schon daher eine längere und mehrfache Aufenthaltsdauer mesolithischer Menschen anzeigen. So erstreckt sich das schon genannte *Fundgelände »Eichtung«* über zahlreiche Flurparzellen und umfaßt die Einzelfundareale *»Eichtung I–III«*.[6] Südöstlich liegt durch eine leichte Niederung getrennt das *Flurgewann »Im Heizenacker«*.[7] Das nach W gerichtete *Flurgewann »Bruch/Auf der Eichtung«* läßt sich wohl noch der Fundstelle »Eichtung II« zuweisen.[8] Insgesamt dürften die Fundstellen in den genannten Flurgewannen einen großen, über mehrere Aufenthaltsperioden auf dem leicht höheren Kies-Sand-Rücken entstandenen Fundkomplex angehören. Wenig mehr als einen Kilometer nördlich davon erstreckt sich ein zweites großes Fundareal des Mesolithikums im *Flurgewann »In der Hüfenau«*,[9] das zusammen mit dem sich unmittelbar nordwestlich anschließenden *Areal »Auf der Hurst«* zu sehen ist.[10]

Die Gkg Haueneberstein weist westlich des Ortsetters mesolithische Fundstellen in den *Flurgewannen »Haarweg«*,[11] *»Burnie«*,[12] *»Oberes Murgerstal/Großfeld«*[13] und *»Unterer Sang«*[14] auf. Während die Fundstelle »Burnie« als Hurstgelände noch im Bereich der Kinzig-Murg-Rinne gelegen ist, befinden sich die übrigen begangenen Plätze in deren Randbereich bereits auf besseren Bodenflächen. Möglicherweise gehören einzelne Steinartefakte von diesen Fundstellen daher schon dem Neolithikum an.

Weiter ab im S liegt erneut ein mesolithischer Fundplatz nördlich des Ortes Steinbach, hier schon an den heute rebenbestandenen Hängen. Das *Fundareal »Geroldshalde«* bezeichnet den Südhang des »Tuchpertsbergs«. Die hier gegebene Einbuchtung eines erweiterten Talgeländes zwischen den heutigen Orten Varnhalt und Steinbach weist den Aufenthaltsplatz mesolithischer Menschen als einen günstigen Standort für Tierbeobachtungen und Jagd aus.[15] Neben den Hängen liegen auch von der Kuppe des Berges, der nach N durch das Grünbachtälchen begrenzt wird, mesolithische Artefakte vor, so daß in den *Flurgewannen »Tuchpertsberg«*, *»Berg«*, *»Plaulwasen«*, *»Kunzenbosch«* und *»Sonnenberg«* ebenfalls eine zeitlich länger und mehrfach aufgesuchte Freilandstation bestanden haben dürfte.[16]

Lagen die bisher genannten mesolithischen Fundplätze zur Rheinebene hin gewandt oder im Falle des letztgenannten bei Steinbach in einer zur Rheinebene geöffneten Talerweiterung, so befinden sich die mesolithischen Fundgewanne bei Lichtental, Oberbeuern und Geroldsau in Bachtälern, die bereits in das Innere des Nordschwarzwaldes führen und beidseits von steilen Berghängen begrenzt werden. Die *Fundstelle »Oberacker«* bei Lichtental wird gekennzeichnet durch ihre Westhanglage oberhalb des Zusammentreffens von Übels- und Hainbach.[17] Den Hang weiter nach O ansteigend befindet sich das *Flurgewann »Seelach/Pflaster«* mit einer weiteren Fundstelle mesolithischer Artefakte.[18] Von beiden Plätzen konnten die kleinen Bachtäler eingesehen und begangen werden. Weiter südlich im Grobbachtal befinden sich beim Ort Geroldsau die mittelsteinzeitlichen Fundareale *»Laisenberg«*[19] und *»Im Augel«*[20]. Beide Fundstellen lieferten jeweils mehrere hundert Silices, so daß auch hier eine mesolithische Freilandstation – jetzt allerdings in einem Gebirgstal gelegen – anzunehmen ist.

Vermutlich handelt es sich bei den letztgenannten Freilandstationen um Plätze, die vor allem zu Sommerzeiten von den Mesolithikern begangen wurden, ähnlich wie dies auch bei einer anderen spätpaläolithisch-mesolithischen Siedlungsstelle tiefer im Schwarzwald im Nagoldtal bei Altensteig der Fall gewesen sein dürfte.[21] Das dort bei Flurbegehungen aufgelesene und in einer sich anschließenden Grabung in situ angetroffene Artefaktsspektrum – Rückenspitzen, Stichel an Endretusche, Mehrschlagsstichel, Doppelstichel, Kratzer usw. – stellt den Fundkomplex »an das Ende der letzten Kaltzeit vor etwa 12000 bis 10000 Jahren«.[22] Eine detaillierte Analyse des Gesamtbefundes der Grabung, die den Zweck hatte, die Fundstelle in ihrem Charakter besser zu qualifizieren und damit einer weiteren wissenschaftlichen Betrachtung zugänglich zu machen, ergab, daß die »Funde in einem oberflächennahen, rötlichen Feinsand mit Buntsandsteingeröllen ohne Fremdmaterial« lagen, wobei »die wenigen Zusammenpassungen und das Auftreten zahlreicher kleinster Funde ... mit einiger Wahrscheinlichkeit annehmen (lassen), daß es sich um Reste einer archäologischen Fundstelle und nicht um rezent eingetragene Bestandteile handelt«.[23] Ähnliche Charakterisierungen dürften sich auch bei systematischen Grabungen an den mesolithischen Fundplätzen Baden-Badens erzielen lassen.

Neolithikum. – Jungsteinzeitliche Funde beschränken sich im Untersuchungsraum bisher auf Steingeräte und Steinartefakte, die an den Plätzen auftraten, die auch schon mittelsteinzeitliches Material hervorgebracht haben. Regelrechte Strukturen von neolithischen Siedlungen, etwa Grundrisse jener charakteristischen bandkeramischen Häuser oder Grabenwerke, wie sie im Mittelneolithikum in der Michelsberger Kultur auftreten, konnten bisher noch nicht nachgewiesen werden.[24] Im Grunde muß das Gebiet zwischen Karlsruhe und Kaiserstuhl nach dem gegenwärtigen Forschungsstand als siedlungsleer bezeichnet werden, denn die gebietsweise recht intensiv durchgeführten Geländebegehungen, bei denen gerade im Umland von Baden-Baden mesolithische Oberflächenfunde aufgelesen werden konnten, haben noch keinerlei bandkeramisches,[25] Rössener[26] oder Michelsberger[27] Keramikmaterial zutage gefördert. So wird es deshalb fraglich, ob die zuweilen als neolithisch angesprochenen Steinwerkzeuge und -artefakte unter dem Material der mittelsteinzeitlichen Fundstellen tatsächlich als solche bezeichnet werden können. Offenbar trifft eher auch für das Gebiet um Baden-Baden zu, »daß dort, wo Mesolithikum und Bandkeramik im selben groß gefaßten geographischen Raum auftreten, dieselben sich, kleinräumig betrachtet, ausschließen«.[28]

Daß aber offenbar doch vereinzelte Begehungen älterer Aufenthaltsorte von Menschen der Jungsteinzeit erfolgten, könnte etwa »eine flächig retuschierte neolithische Silexpfeilspitze mit Dorn«[29] aus der Fundstelle »Eichtung II« westlich von Oos nachweisen. Möglicherweise ergeben sich bei genauerer Analyse des zahlenmäßig in die Tausende gehenden Steinmaterials weitere Hinweise auf neolithische Gerätschaften. Ein »grünlich-schwarzes, zungenförmiges geschliffenes Steinbeil« fand sich im Juli 1909 im Trockenmauerwerk des Abschlußwalles auf dem Battert. Es dürfte in sekundärer Lagerung angetroffen worden sein.[30]

Bronzezeit. – Auch aus der Bronzezeit (1800–1200 v. Chr.) liegen aus dem Gebiet des Stkr. Baden-Baden nur wenige Fundstücke vor. Lediglich die schon mit mesolithischen und möglicherweise neolithischen Steingeräten und -artefakten in Erscheinung tretenden *Flurgewanne »Oberes Murgerstal/Großfeld«* nördlich der Ortslage von Haueneberstein, die sich dort auf dem östlichen Uferrand der ehemaligen Kinzig-Murg-Rinne erstrecken, lieferten drei Bronzefragmente, die möglicherweise zu einem hügelgräberbronzezeitlichen Schmuckensemble gehört haben. Im einzelnen handelt es sich »um einen tordierten Bronzedraht, (...) einen dickeren rundstabigen, etwas verbogenen Bronzedraht mit fein eingeritzter Fischgrätverzierung und eine Bronzespirale, die etwa Teil eines Brillenanhängers, einer Fußberge oder aber eines Antennenschwerts sein kann«.[31] Ob sich hinter diesen Funden die Reste eines Hügelgrabes verstecken oder ob gar – wenn auch weniger wahrscheinlich – ein Siedlungsniederschlag vorliegt, kann gegenwärtig nicht gesagt werden.[32] Vielleicht gehören die vom gleichen Fundplatz stammenden atypischen Keramikfunde dazu. Für Wanderhirten – wie sie für die Hügelgräberbronzezeit öfters angenommen werden – könnten Saumpfade entlang der Vorbergzone und die gerade bei Haueneberstein ebenen Flächen von Interesse gewesen sein. Öfters beobachtet wurde, daß sich Grabhügelgruppen dieser Epochen auf höher gelegenen Landschaftsbereichen und Dünen sowie beidseits von Höhenfernwegen befinden.

Urnenfelderkultur. – Die Urnenfelderkultur (1200–800 v. Chr.) weist im Oberrheingebiet eine größere Funddichte auf, die aus einem vermutlich engmaschigen Netz von Siedlungen resultiert. Dennoch liegen die meisten Funde dieser Epoche auch hier aus den diese Kulturstufe bezeichnenden Urnengräberfeldern vor.[33] Auch das Gebiet der Stadt Baden-Baden weist nun einige Fundplätze der Urnenfelderzeit auf, in einem Fall gehört das geborgene Fundmaterial zu einem jener charakteristischen Urnengräber. Auch dieser Fund stellt sich auf dem schon Materialien der vorausgehenden prähistorischen Epochen liefernden Hurstgelände westlich von Oos ein. Beim Pflügen eines Ackers im dortigen *Flurgewann »Im Haitzenacker«* stieß man 1955 auf Gefäßscherben. Es stellte sich beim weiteren Nachsuchen heraus, daß sie zu einem Grab gehörten, welches sich dicht unter der Geländeoberfläche befand.[34] Der Pflug hatte den oberen Bereich der Urne abgerissen, der größere Teil des Gefäßes steckte noch im Boden. In seinem Innern befand sich der Leichenbrand, auf den einige Beigabengefäße gestellt waren. Als Abdeckung der Urne diente wohl eine große Knickwandschale. Das Grab gehört nach Ausweis der Gefäßformen und -verzierungen in die Ältere Urnenfelderzeit (Ha A). Neben der Zylinderhalsurne mit Tonleistenverzierung auf der Schulterzone, der Deckschale mit Ritzliniendekor innen und dem Unterteil eines weiteren großen Urnengefäßes – wohl als zusätzliche Abdeckung dienend – gehörten zwei Schulterbecher und zwei kleine Knickwandschalen zum Inventar des Grabes. Vermutlich befinden sich in der Umgebung der Fundstelle noch weitere Gräber im Boden, zu denen vielleicht von dort aufgelesene »stark verwitterte, kleine Wandscherben« gehören dürften.[35]
Auch das Vorberggelände nordwestlich von Haueneberstein am Rande der Kinzig-Murg-Rinne sowie der Hurstrücken unmittelbar davor weisen urnenfelderzeitliches Fundmaterial auf. Zum einen handelt es sich um Scherben eines großen Gefäßes »mit einer umlaufenden, wulstartig verdickten und mit schwachen Eindrücken verzierten Leiste«, zu denen sich Randscherben weiterer Gefäße gesellen, die bei einer Begehung im *Flurgewann »Oberer Sand«* aufgelesen werden konnten. Zum anderen fand sich im *Flurgewann »Burnie«* wiederum bei Flurbegehungen die

Randscherbe wohl einer Knickwandschale.³⁶ Diese Fundstücke dürften für die benannten Gemarkungsteile eher urnenfelderzeitliche Gräber als Siedlungen nachweisen.

Bereits 1889 sollen innerhalb der *Ruine Hohenbaden* zwei bronzene Lappenbeile gefunden worden sein, über deren Verbleib aber schon Ernst Wagner keine Angaben mehr machen konnte.³⁷

Hallstattzeit. – Aus der frühen Keltenzeit, der Hallstattkultur (800–450 v. Chr.) stammen innerhalb des Stkr. Baden-Baden lediglich Keramikscherben einer Fundstelle. Im *Flurgewann »Burnie«*, westlich von Haueneberstein, wurden neben den schon beschriebenen Funden anderer Zeitstellung auch Keramikbruchstücke der Hallstattzeit gefunden. Allerdings lassen sich keine weiteren Aussagen zu diesen Stücken machen.³⁸ Ob sich darin ein hallstattzeitlicher Siedlungsniederschlag oder etwa ein zerstörtes Grab zu erkennen gibt, läßt sich nicht mehr beurteilen.

Latènezeit. – Wenige Keramikscherben der jüngeren Keltenzeit, der Latènekultur (450–50 v. Chr.) liegen ebenfalls vom *Flurgewann »Burnie«* vor, die im Zusammenhang mit den übrigen Funden aus demselben Areal zum Vorschein gekommen sind. Da es sich nur um eine geringe Fundmenge handelt, läßt sich über Aussehen und Charakter des Fundplatzes nichts Näheres sagen.³⁹

Erstmals tauchen mit einigen wenigen latènezeitlichen Keramikscherben aber auch vorgeschichtliche Funde im engeren *Bebauungsgebiet von Baden-Baden* auf. Beim Ausgraben eines Kellers fand sich 1932 auf dem Grundstück Gernsbacher Straße 50 in einer Tiefe von 3 m zum umgebenden Straßenniveau zwischen römischem Keramikmaterial ein vorrömischer Scherben, der vorerst nicht näher angesprochen wurde.⁴⁰ Sechs Jahre später konnte beim Ausheben eines Kanalgrabens vor der altkatholischen Kirche, Gernsbacher Straße 37, »nur durch Strassenbreite getrennt« von der letztgenannten Fundstelle ein weiterer vorrömischer Scherben geborgen werden, der dort in einer Tiefe von 0,70 m zutage kam. Schon vorher waren offenbar »Beobachtungen gleicher Art« durch Prof. Gropengiesser, Mannheim, an dieser Stelle gemacht worden.⁴¹ Auch 1944 wurde eine vorgeschichtliche Scherbe mit Fundeintrag »vor der altkatholischen Kirche« aufgenommen.⁴² Als schließlich der Rotenbachkanal seit dem Frühjahr 1960 verlegt wurde und dabei in der Baggergrube im Bereich des Kurmittelhauses ein weiteres Keramikfragment auftrat, wurde die Zeitstellung mit »Spätlatène« angegeben. Der Fund stammt offenbar aus einer größeren Tiefe.⁴³ Weitere Latènescherben stellten sich dann auf dem Baugelände um das Kurmittelhaus 1963/64 ein. Sie entstammten offenbar einer »moorartigen schwarzen Schicht« in etwa 3 m Tiefe, die auch sehr viele Holzreste aufwies. Nach Autopsie der Funde im Städtischen Museum Baden-Baden dürfte es sich um mittellatènezeitliches Material handeln, darunter das Randstück einer Flasche mit ausbiegendem Rand.⁴⁴ Alles in allem mögen die – wenn auch wenigen – Fundstücke eine kleine mittellatènezeitliche Siedlungsstelle im Bereich der heutigen Altstadt Baden-Badens nachweisen, die sich vielleicht bereits zu den in der Nähe austretenden heißen Quellen orientierte. Allerdings bedürfte es neuerer gut beobachteter Aufschlüsse von dort, um weitergehende Aussagen treffen zu können.

Auch die Reste einer *Befestigungsanlage auf dem Battert*, die erstmals der Baden-Badener Architekt Anton Klein 1906 untersuchte, wurde verschiedentlich der Latènezeit zugewiesen. Klein berichtete, daß »der Ringwall bzw. das Mauerwerk und zum größten Teil die aus Felsanlagen gebildete Umfassung ... eine Fläche von ca. 800 m Länge bei ca. 200 m mittlerer Breite« umschlössen und seine Grabungen die »vermutete Völkerburg« nachgewiesen hätten.⁴⁵ Angeblich sollen die Zugänge zur Befestigung

»von Balg und von Ebersteinburg her« erfolgt sein.[46] In den 20er Jahren widmete sich der Heidelberger Urgeschichtsprofessor Ernst Wahle der Anlage auf dem Baden-Badener Hausberg. Bei Ausgrabungen stieß er im Wall auf »die Reste einer Trockenmauer (...), welcher durch aus senkrechten Hölzern gebildete Versteifung größere Festigkeit verliehen worden ist«.[47] Der östliche vom Wall umgebene Bereich wird durch einen Querwall im Innern der Gesamtanlage noch einmal abgetrennt. Wahle unternahm die Aushebung eines Suchgrabens »mitten durch den östlichen Teil des von dem Wall umschlossenen Raumes«, doch war das Ergebnis enttäuschend: »In seinem ganzen Verlaufe ergab sich unter einer nur dünnen Schicht humosen Bodens überall ein hell-gelbbrauner, sandiger Lehm, der Verwitterungsrückstand des höheren Teils des den Berg bildenden Gesteins. Sowohl nach Pfostenlöchern von etwa dort einst vorhandenen oberirdischen Bauten, wie auch nach Anzeichen von Grubenwohnungen und endlich auch nach Kulturresten in Gestalt namentlich von Topfscherben wurde vergeblich gesucht«.[48]

Im Vergleich zu den keltischen Oppida an anderen Orten nimmt sich die Befestigung auf dem Battert mit nur 10 ha Innenfläche vergleichsweise unbedeutend aus. Auch Wahle war dies bereits aufgefallen.[49] Dennoch hat er die Anlage der Vorgeschichte zugewiesen: »Wenn wir geneigt sind, sie der Latèneperiode zuzuweisen, so geschieht das deswegen, weil zahlreiche Befestigungen auf süddeutschem Boden ihr mit Sicherheit angehören; auch wegen gewisser Uebereinstimmungen in der Bauweise liegt ein Analogieschluß nahe«. Gleichzeitig hat er diese Aussage aber eingeschränkt, denn wegen des Mangels an Funden »empfiehlt es Zurückhaltung in der Beurteilung ihrer Zeitstellung«.[50] So bleibt – da bis heute keine erneuten Untersuchungen auf dem Berg stattgefunden haben – die Deutung des »Battert« als vorgeschichtliche Befestigung unsicher.

Neben ihrer Funktion als Umwallung eines latènezeitlichen Oppidums wurde in der Anlage auch schon einmal der Rest eines Fürstensitzes der Hallstattkultur vermutet,[51] zu dem dann möglicherweise der reich ausgestattete Fürstengrabhügel »Heiligenbuck« bei Hügelsheim in der Rheinebene gehört haben könnte.[52] Bei dem bisherigen Kenntnisstand ist aber auch nicht auszuschließen, daß der Battert eine früh- bis hochmittelalterliche Fliehburg beherbergte, wie sie am mittleren Oberrhein etwa im Elsaß und in der Pfalz bekannt sind.[53] Sollte es sich auch, sowohl im Falle der Wallanlage auf dem Battert als auch im Falle des Scherbenmaterials in der Gernsbacher Straße 37/50, um mittel- bis spätlatènezeitliche Befunde handeln, so ist damit doch nicht eine kontinuierliche Besiedlung des Baden-Badener Gebietes von spätkeltischer zu frührömischer Zeit hin gegeben. Die frühesten römischen Funde aus dem Stadtgebiet ließen immerhin ein Siedlungsintervall von mindestens 100 Jahren seit der letzten vorgeschichtlichen Kulturepoche, der Spätlatènezeit, annehmen.[54]

Aquae – das römische Baden-Baden. – Die römische Vergangenheit Baden-Badens hat schon sehr früh die Aufmerksamkeit interessierter Kreise auf sich gezogen. Bereits zu Beginn des 19. Jh. ließ Kurfürst Karl Friedrich von Baden »zum Schutz der in der Stadt und der Umgebung gefundenen römischen Altertümer« das Museum Palaeotechnicum errichten. Architekt der in Form eines dorischen Tempels aufgeführten Ausstellungshalle war der Karlsruher Architekt Friedrich Weinbrenner.[55] Das Museum gab wichtige Impulse zur Erforschung der Römerzeit am Ort. Als es im Jahre 1846 abgerissen wurde, kamen die ersten größeren Teile der römischen Thermenanlagen zum Vorschein. Die daraufhin unternommenen Ausgrabungen wurden vor allem von dem schon 1843 gegründeten Altertumsverein für das Großherzogtum Baden unterstützt und ihre Ergebnisse von dem Konservator August von Bayer mitgeteilt.[56] Im gleichen Jahr führten Untersuchungen im Zuge von Bodeneingriffen zur Aufdeckung römischer Gebäudeteile vor dem Eingang des Frauenklosters »Zum Heiligen Grab«, die später beim Bau des neuen Friedrichsbades 1869–1877 und des Augustabades 1890–1893 sowie bei Kanalisierungsarbeiten im Jahr 1900 in ihrem Grundriß vervollständigt werden konnten.[57] Damit waren bis zur Jahrhundertwende die bedeutendsten Bauwerke der *antiken Bäderstadt* gefunden, bei denen es sich jeweils um ausgedehnte Thermenanlagen handelte, die zum einen unterhalb des Neuen Schlosses auf dem oberen Markt unmittelbar nördlich der Stiftskirche, zum anderen eine Geländeterrasse tiefer zwischen Friedrichsbad und dem Kloster »Zum Heiligen Grab« gelegen waren. Sie erhielten alsbald wegen ihrer baulichen Ausrüstung aber auch durch Inschriftenfunde, die in ihrem Bereich gemacht wurden, die Bezeichnung »Kaiserbäder« und »Soldatenbäder«.

Beim Bau des Friedrichsbades stieß man darüber hinaus noch auf weitere, zwischen den genannten Bäderkomplexen gelegene Gebäudereste, so daß sich in diesem Areal der Baden-Badener Altstadt ein *Kernbereich der römischen Siedlung* abzeichnete.[58] Weitere Fundbeobachtungen im Stadtgebiet machten aber deutlich, daß sich die antike Siedlung des weiteren vor allem beidseits der Gernsbacher und der Langen Straße ausdehnte. Trotz dieser Erkenntnis ist es in der Folgezeit zu keinen nennenswerten systematischen Ausgrabungen mehr gekommen. Ja man könnte den Eindruck gewinnen, daß das frühe Popularwerden der römischen Forschung in Baden-Baden dazu geführt hat, daß man nach den Freilegungen der römischen Bäder die Erforschung auch des antiken Siedlungsbereiches für mehr oder weniger abgeschlossen betrachtete. Die Fundbeobachtungen erstreckten sich noch bis nach dem Zweiten Weltkrieg lediglich auf das Registrieren von Bodeneingriffen und das Zusammenlesen der dabei zutage gekommenen Fundstücke – zumeist Keramik.

Erst seit den 50er Jahren unseres Jahrhunderts ist es hin und wieder zu archäologischen Untersuchungen gekommen, die aber allesamt den Charakter von Notbergungen annahmen. So konnten im Zuge der Neubaumaßnahmen von Kindergarten und Mädchenschule auf dem »*Rettig*« 1951 und 1957 auf dem Plateau dieses südlich der Altstadt gelegenen Siedlungshügels zusammenhängende Gebäudestrukturen freigelegt und dokumentiert sowie wichtiges Fundmaterial geborgen werden.[59]

Neue Inschriftenfunde stellten sich 1966 bei Ausschachtungsarbeiten östlich der Eingangstreppe zum Friedrichsbad ein. Sie kamen damit in einem Bereich zum Vorschein, der schon früher durch zahlreiche Inschriftenfunde in Erscheinung getreten war.[60]

Eine nach dem Zufallsfund einer Säulentrommel 1973 am *Florentinerberg* durchgeführte Ausgrabung konnte die Reste eines Steingebäudes erfassen, das mindestens eine Umbauphase aufwies und zu einem besonderen, wohl kultischen Zweck verwendet worden war.[61]

Fundbeobachtungen und Grabungen Ende der 70er und in den 80er Jahren erfolgten vor allem im Zuge von Stadtsanierungsmaßnahmen entlang der *Gernsbacher Straße*. Nachdem bereits 1977 auf dem Grundstück Gernsbacher Straße 11 teilweise mit Fußbodenheizung (Hypokaustum) versehene römische Gebäudereste beobachtet worden waren[62] und sich 1978 in der Gernsbacher Straße 27 Reste von Holzpfosten und Teile der leicht zur heutigen Straße versetzt verlaufenden Römerstraße freilegen ließen,[63] führten die Untersuchungen der Jahre 1984/85 am Ende der Gernsbacher Straße (Nr. 36 und 44) zum Nachweis, daß an dieser Stelle in römischer Zeit der Rotenbach verlief,[64] während eine Untersuchung im Bereich des Rotenbachgäßchens

1988 mehrere bearbeitete Steinblöcke, darunter auch Altarformen, aus dem mit Ablagerungen angefüllten alten Flußbett des Rotenbachs zum Vorschein brachte.[65]

Nur ein Jahr später fanden dann großflächigere Ausgrabungen auf den Grundstücken Gernsbacher Straße 13 (ehemaliges Hotel »Schwarzwaldhof«) und Gernsbacher Straße 30 statt. Während sich an der erstgenannten Grabungsstelle zusammenhängende Steingebäude über älteren Holzbaustrukturen dokumentieren ließen,[66] konnten an der zweiten zahlreiche sehr gut erhaltene Holzkonstruktionen erfaßt werden, die eine exakte zeitliche Einordnung unter Anwendung der Dendrochronologie ermöglichten.[67] Gerade die beiden letztgenannten Grabungen sowie die groß angelegten Untersuchungen auf dem Rettigareal, die seit 1991 im Vorfeld einer Neubaumaßnahme der Volksbank durchgeführt wurden und Ende 1994 ihren Abschluß fanden, wobei in ihrem Verlauf wichtige militärische Holzbauten und Teile von offiziösen Steingebäuden mit repräsentativem Charakter freigelegt worden sind, haben zu einer Klärung vieler chronologischer und funktionaler Fragen zum römischen Baden-Baden geführt. Man kann sagen, daß der archäologische Fundort Baden-Baden durch die neuen Erkenntnisse entmythologisiert wurde, indem die immer wieder mehr oder weniger begründet vorgetragenen diversen Forschungsansichten nun klargestellt, berichtigt oder bestätigt werden konnten. Das Bild des römischen Aquae hat also erheblich an Konturen gewonnen (vgl. Kartenbeilage 2).

Die ältesten römischen Funde aus Baden-Baden lassen sich der *spättiberisch-claudischen Zeit* (ca. 20–68 n. Chr.) zuweisen. Es handelt sich um einige wenige Terra Sigillata-Scherben, die in der Gernsbacher Straße 33 sowie im Bereich der Langen Straße 8 zutage kamen. Die zeitliche Einordnung der Stücke an sich gelingt durch die Verzierungsmuster auf den Gefäßen, die sich einzelnen Töpfern aus den jeweiligen Terra Sigillata-Manufakturen zuweisen lassen. Bei den vorliegenden Scherben handelt es sich um Waren der Töpfer SCOTTIVS (BILLICATVS) und INGENVVS aus dem südgallischen La Graufesenque.[68] Sie dienten zuweilen dazu, den Beginn der römischen Siedlung Baden-Badens in claudische Zeit zu datieren.[69] Ein Keramikfund mit stark an germanische Vorbilder erinnernden Ritzmustern im Bereich des Hauses Lange Straße 14[70] wie auch ein handgemachtes Gefäß mit Tonhenkel und darin locker eingehängtem Tonring aus der Gernsbacher Straße 2[71] schienen auch den Hintergrund der frühen römischen Fundvorkommen am Ort erklären zu können, lag doch der Verdacht nahe, daß sie den zwischen spättiberischer und frühvespasianischer Zeit entlang des rechten Rheinufers siedelnden Oberrheinsweben zuzuweisen sind.[72] Das Fundvorkommen in Baden-Baden ist aber doch so gering, daß eine gesicherte Aussage zur Zeit schwer geäußert werden kann. Auch in diesem Zusammenhang angesprochene Keramik mit Ritz- und Kammstrichverzierung, die aus dem gesamten Stadtbereich vorliegt, kann vorläufig nicht herangezogen werden, da sie noch in Fundzusammenhängen des 2. und der 1. H. 3. Jh. auftritt. Bei dieser zum Teil handgemachten Grobkeramik handelt es sich offenbar um eine auf keltoidem Formen- und Verzierungsspektrum beruhende Ware, die mit der Besiedlung des rechtsrheinischen Gebietes durch Zuwanderer aus Gallien – nach dem schon seit beinahe einem Jahrhundert vorher hier erfolgten Abzug spätkeltischer Bevölkerung – quasi wieder reimportiert worden ist. Regelrechte Siedlungsstrukturen etwaiger oberrheinswebischer Siedler ließen sich bisher in Baden-Baden auch noch nicht beobachten. So muß also hinter die Aussage, daß sich die »frühen« Keramikfunde aus der Stadt an der Oos in das Umfeld einer Bevölkerungsgruppe setzen lassen, die eine Mischkomponente aufweist, welche sowohl in den germanischen als auch in den keltischen Bereich deutet und vor die römische Besetzung Baden-Badens in flavischer Zeit zu datieren ist, ein Fragezeichen gesetzt werden.[73]

Vor allem die *neuen Grabungen auf dem »Rettig«* haben gezeigt, daß die römische Besetzung des Platzes durch Militäreinheiten erfolgte, die im Zuge der Eroberung des rechtsrheinischen Germanien durch den Legaten des Kaisers Vespasian, Gnaeius Pinarius Cornelius Clemens, um die Mitte der 70er Jahre des 1. Jh. n. Chr. auch in das Oostal kamen und ein Lager auf dem sich in der heutigen Altstadt erhebenden Hügel errichteten.[74] Die archäologischen Ausgrabungen, die dort seit 1991 unternommen werden, haben zur Aufdeckung umfangreicher Holzstrukturen geführt, die eindeutig militärischen Charakter besitzen. Insgesamt fanden sich die Reste von etwa sechs Mannschaftsbaracken, wie sie sonst nur innerhalb römischer Kastellbauten anzutreffen sind. Ihre charakteristischen Baudetails bestehen in dem sogenannten Kopfbau, der Wohnung des Centurio, und den nebeneinandergelegenen zweiräumigen Contubernien, den Unterkunftsräumen der Mannschaften.[75] Die nach dem üblichen Schema angelegten Truppenunterkünfte auf dem »Rettig« lassen vermuten, daß auch die übrigen Teile eines regelrechten Kastells an dieser Stelle der Baden-Badener Altstadt standen. Vermutlich wurden die Reste der zentralen Kastellgebäude, wie die der Principia (Stabsgebäude) oder die des Praetoriums (Kommandantenwohnung), beim Bau der Realschule und des Kindergartens in den 50er Jahren unerkannt zerstört. Nach Ausweis der überkommenen Dokumentationsunterlagen wurde seinerzeit die sich über den gesamten Rettighügel erstreckende Brandschicht angetroffen, die in römischer Zeit, nach dem offenbar systematischen Niederlegen der Holzbauten, über den bewußt eingeäscherten Resten ausplaniert worden war.[76] Das sich durch die heutigen Geländeverhältnisse abzeichnende Rettigplateau läßt es zu, hier die Anlage eines Militärpostens in der Größe mindestens eines Numeruskastells (in der Regel 0,6 ha, ca. 160 Mann Besatzung)[77] oder gar eines Kohortenkastells (in der Regel zwischen 1,8 und 3,2 ha, ca. 500 Mann Besatzung)[78] zu rekonstruieren. Letzteres paßt sehr gut zu dem Vorkommen zahlreicher gestempelter Ziegelbruchstücke der Cohors XXVI voluntariorum Civium Romanorum vom Rettighügel. Da aus Baden-Baden noch weitere inschriftliche Zeugnisse dieser Truppe vorliegen, dürfte es sich wohl bei ihr um die Kastellbesatzung gehandelt haben.[79]

Das *Kastell Baden-Baden* gehört in die Reihe der unter Kaiser Vespasian entlang der rechtsseitigen Rheintalstraße angelegten Militärposten von Mainz nach Straßburg, wie etwa Groß-Gerau, Gernsheim, Ladenburg, Heidelberg-Neuenheim, das Wagbachkastell und weiter südlich Zunsweier. Die Fortifikationen sollten diese Straße sichern, die ebenso wie die von Straßburg an den oberen Neckar führende Kinzigtalstraße Teil eines ausgedehnten Infrastrukturprogramms Kaiser Vespasians war. Die zeitliche Einordnung der Straßenbaumaßnahmen läßt sich aufgrund der Inschrift des berühmten Offenburger Meilensteins in das Jahr 74/75 n. Chr. datieren.[80]

Nahezu zeitgleich mit dem Kastellbau auf dem »Rettig« erfolgte auch die Errichtung von Holzgebäuden unterhalb des Hügels im Rotenbachtal. Die Untersuchung auf dem Grundstück Gernsbacher Straße 30 im Vorfeld einer Neubaumaßnahme führte zur Freilegung sehr gut erhaltener Holzreste, die zu mehreren Holzbauhorizonten gehörten. In 1,40 m Tiefe fanden sich zahlreiche in den Boden eingesteckte kleine Pfosten aus roh behauenen Holzstämmchen neben einem hölzernen Abwasserkanal. Ein Planum tiefer lagen zahllose Holzabschläge und Holzstücke sowie ein regelrecht aus Holzbalken und Holzbrettern zusammengelegter Boden. Diese Hölzer, zwischen denen stellenweise Tannenreisig eingefüttert war, scheinen zur Trockenlegung des ehemals feuchten Untergrundes ausgebreitet worden zu sein. Über allem lag ein Holzfußboden, der innerhalb eines auf Holzschwellbalken ruhenden Gebäudes ausgelegt war. Die Holzkonstruktionen selbst wiesen Verzapfungen auf und besaßen Nutrillen für senkrecht einzustellende Wandbretter. Es handelt sich hier um den ältesten römischen Befund an dieser Stelle der Altstadt Baden-Badens. Aufgrund der dendrochronologischen Untersuchung ließen sich die hier sowohl zur Trockenlegung des Untergrundes als auch für Wände und Fußboden des Gebäudes verwendeten Hölzer in die Jahre 74/75 n. Chr. datieren. Damit korrespondiert dieser Befund in bemerkenswerter Weise mit den Kastellstrukturen auf dem »Rettig«. Vermutlich verbergen sich demnach hinter den Resten dieser vespasianischen Holzbauten die ersten Gebäude des unterhalb des Militärlagers sich entwickelnden Vicus.

Auch die frühen Holzbauten in der Gernsbacher Straße 30 fielen einem Brand zum Opfer, denn unmittelbar über ihnen ließ sich eine ausgedehnte Brandschicht feststellen. Auf dieser errichteten die römischen Siedler erneut Holzbauten, die wiederum rechtwinklig aufeinander bezogene Schwellbalken erkennen ließen. Hier konnten die dendrochronologischen Untersuchungen ein Fällungsdatum der Hölzer von 85/86 n. Chr. ermitteln.

Dasselbe Datum ergab sich auch bei Auszählung der Baumringe von Holzbalken, die sich auf dem Gelände des ehemaligen Hotels »Schwarzwaldhof« antreffen ließen.[81] Es handelt sich um Teile des Schwellbalkenrahmens eines Holzgebäudes. Auch diese Balken wiesen noch die Konturen rechteckiger Zapflöcher und Nutrillen auf, verrieten also eine gleiche Zimmermannstechnik wie die Befunde des Anwesens Gernsbacher Straße 30. Im Umfeld ergaben sich weitere Holzpfosten, die vielleicht zu einer Gründungskonstruktion gehörten.[82] Offenbar gaben die ersten Holzbauten an dieser Stelle bereits die Ausrichtung der später über ihnen errichteten Steinbauten vor. Das zur Holzbauphase unter dem »Schwarzwaldhof« gehörende Fundmaterial datiert in flavisch-trajanische Zeit und gibt zu erkennen, daß die Gebäude noch bis in die 1. H. 2. Jh. an dieser Stelle der antiken Siedlung in Holz errichtet waren.[83]

Die *Holzbauten aus der Mitte der 80er Jahre* scheinen im Zusammenhang mit den groß angelegten Militäraktivitäten des Kaisers Domitian entstanden zu sein, die ihre Auswirkungen somit auch auf die Siedlung an der Oos hatten. Die Chattenkriege 83–85 n. Chr. haben dazu geführt, daß an vielen Orten in den seit etwa einem Jahrzehnt eroberten rechtsrheinischen Gebieten umfangreiche Baumaßnahmen stattfanden. Auf Domitian gehen ja auch die ersten Anlagen des Limes im Taunus zurück[84] und unter seiner Regierungszeit erhielt der bisherige Heeresbezirk Obergermanien den Status einer römischen Provinz Germania superior.[85]

Schon im Jahr 84 n. Chr. wurde auf dem »Rettig« ein Steingebäude errichtet. Eine aus dem Hügelbereich bisher in drei Bruchstücken vorliegende Inschrift, die Domitian gewidmet ist, belegt die Baumaßnahme. In dem epigraphischen Zeugnis werden mindestens drei Militäreinheiten genannt, die offenkundig als Teile eines Baudetachements an der Errichtung beteiligt waren: die bis 101 n. Chr. in Vindonissa (Windisch/ Schweiz) stehende legio XI Claudia, die bis 86 n. Chr. in Mainz stationierte legio I Adiutrix sowie die cohors VII Raetorum equitata, die vorher in Mainz-Weisenau vermutet wird.[86] Möglicherweise war auch noch eine weitere Einheit in der Inschrift aufgeführt, in Betracht käme die legio XIIII Gemina.[87] Eher unwahrscheinlich ist die Nennung der cohors XXVI voluntariorum Civium Romanorum.[88]

Die ausdrückliche Nennung der Truppen läßt erkennen, daß das errichtete Gebäude noch unter militärischer Observanz stand. Somit wird deutlich, daß das *Rettigareal* zu dieser Zeit noch Fiskalbesitz gewesen ist und der Bau einem öffentlichen Zweck gedient haben dürfte. Bei den jüngsten Grabungen ließ sich der bereits in den 50er Jahren angetroffene Gebäudegrundriß weiter vervollständigen. Teile der ausgedehnten Anlagen waren noch so gut erhalten, daß sich in einigen Räumen die ehemalige Nutzung erschließen ließ. Insgesamt handelte es sich um ein Bauwerk, dessen rückwärtiger Mittelteil von einem ehemals hypokaustierten und mit Apsis versehenen Raum gebildet wurde, dem sich beidseits weitere Räumlichkeiten anschlossen. Die Gebäudefront lag nach N zur Stadtseite hin. Zum O schloß ein weiterer Trakt an, der vielleicht durch eine Wandelhalle (porticus) verbunden war. Insgesamt weisen die Abmessungen des Gebäudes wie auch die durch die Reste nachvollziehbare Innenausstattung auf eine repräsentative Anlage hin, die vom Rettighügel herab das antike Siedlungsbild dominierte. Der Apsidenraum besaß nach Ausweis von Bruchstücken eine eingewölbte Stuckdecke in Muschelform (conche). Es handelte sich um das Speisezimmer der Anlage, das triclinium. Die sich südwestlich anschließenden Räume beherbergten den Küchentrakt, denn in dem dortigen Eckraum fand sich noch eine sehr gut erhaltene Herdstelle, die aus Ziegelbruchstücken aufgemauert war.[89] Der Bau gehörte wohl zu einer zunächst in Händen des römischen Militärs liegenden Verwaltungseinrichtung. Geht man nämlich davon aus, daß bereits beim Beginn der römischen Siedlungsaktivität in Baden-Baden die Nutzung der heißen Quellen im Vordergrund stand, so wird – abgesehen von den umfangreichen Baumaßnahmen, die im »Bäderbezirk« durchzuführen waren – auch ein regelrechtes Verwaltungsareal in der neu entstandenen Siedlung errichtet worden sein. Aus topographischen Gründen ließ sich eine den gesamten Bäderbetrieb mit seinen ausgedehnten Thermenanlagen steuernde Verwaltung in den Bädern nur schwerlich unterbringen, und unterhalb von ihnen war das Oostal bereits durch die Bebauung des *Vicus* ausgefüllt. So mußte man zur Anlage der *römischen Bäder- und Kurverwaltung* einen anderen Platz suchen, für den sich das Plateau des »Rettig« anbot. Etwa auf gleichem Niveau gegenüber den Badeanlagen gelegen, beherrschte der »Verwaltungshügel« die zu seinen Füßen sich erstreckende Siedlung. Vermutlich waren bereits die im Kastell auf dem Rettig untergebrachten Soldaten mit dem Bau und der Verwaltung der ersten Badeanlagen am Ort betraut. Vielleicht war dies auch der einzige Grund, warum an dieser aus überregionaler strategischer Sicht recht ungünstigen Stelle eine militärische Fortifikation errichtet worden war. Das Aufführen des ersten steinernen Verwaltungsbaus muß dann im Jahre 84 n. Chr. erfolgt sein, dem Datum der unter Domitian an dem Bau angebrachten ersten Inschriftenfassung.

Bei dem so beschriebenen Bauwerk auf dem »Rettig« handelt es sich um einen Grundrißtyp, wie er auch an anderen Stellen belegt ist. Die Anordnung der einzelnen Räume erinnert zum einen an die Raumfluchten der Stabsgebäude in den Kastellen (principia),[90] zum anderen an große Peristylvillen auf dem Land. Als Beispiel für die letztgenannten Anlagen sei auf die Villa »Haselburg« bei Hummetroth im nördlichen Odenwald verwiesen.[91] Beiden Bautypen ist eine besondere funktionale Zweckmäßigkeit eigen, die es möglich machte, in ihnen auch andere Funktionen zu erfüllen. In dem Baden-Badener Bauwerk war offenbar der Funktionsbereich der Repräsentation mit dem der Verwaltung unter einem Dach vereint.

Die für diesen Sitz der antiken Bäder- und Kurverwaltung am Ort reklamierte Bauinschrift wurde im Jahr 99 n. Chr. nochmals umgeschrieben. Der Name des inzwischen der damnatio memoriae, also der Tilgung seines Andenkens, verfallenen Kaisers Domitian wurde ausradiert und an dessen Stelle die Titulatur des Kaisers Trajan eingemeißelt, woraus sich auch die genaue Zeitangabe ermitteln läßt.[92] Die Neuformulierung der Inschrift begründet den Verdacht, daß auch Umbaumaßnahmen an dem bereits bestehenden Bau zur gleichen Zeit vorgenommen worden sind. Vielleicht stehen diese im Zusammenhang mit einer Veränderung in der Verwaltungsstruktur. Zu denken wäre daran, daß zu diesem Zeitpunkt die Zuständigkeit für den Bäderbetrieb aus

1. Vor- und Frühgeschichte

militärischen in zivile Hände übergegangen sein könnte. Wenn dem so wäre, ließe sich die Einrichtung der zivil verwalteten Gebietskörperschaft am mittleren Oberrhein, der *civitas Aquensis*, mit Hauptort Aquae – Baden-Baden, vielleicht zum gleichen Zeitpunkt annehmen. Dies würde bedeuten, daß nur kurze Zeit nach Abberufung des bis 98 n. Chr. die Geschichte der Provinz Obergermanien lenkenden Statthalters Marcus Ulpius Traianus als neuem Kaiser nach Rom noch die in seiner Amtszeit gefaßten Beschlüsse bezüglich der Übergabe des Landes in die Hände der Zivilverwaltung auch im Falle Baden-Badens in die Tat umgesetzt wurden.[93]

Die Beobachtung, daß an einer Stelle die Hauptquelle des Thermalwassers in Baden-Baden hervortritt, müssen die Römer vor über 1800 Jahren schon gemacht haben. Bei der Ausgrabung der *Badeanlage auf dem oberen Markt* konnte man 1847 zunächst die östlichen beiden großen Badebecken freilegen. Dabei stellte sich heraus, daß unmittelbar vor der Nordostecke des ersten runden Beckens eine natürliche Felsrinne auf die Austrittsstelle des heißen Wassers zuführte. Die Felsrinne ist offensichtlich zu unterschiedlichen Zeiten erweitert worden, ein Steinmetzzeichen »II S« deutet wohl auf eine erste systematische Erweiterung in römischer Zeit. Das heiße Quellwasser floß in der Nordostecke des ersten Wasserbeckens in einen halbrunden, nischenartig angebrachten Wasserauffang. Eine weitere Quelle trat an einer Stelle der zum Hang hin gestellten Stützmauer in einem davorgesetzten Bronzerohr hervor. Insgesamt besteht der Komplex der sogenannten »Kaiserbäder« aus je zwei runden und viereckigen Becken. Die beiden östlichen Becken sind nach Ansicht des Ausgräbers, von Bayer, wegen ihrer höheren Lage und ihrer einfachen Ausstattung nur Behälter zur Abkühlung des bekanntlich sehr heißen Thermalwassers gewesen.[94] Dies wird unterstrichen durch ihre unmittelbare Lage vor dem Austritt des Quellwassers aus dem Fels. Die beiden Becken im W bildeten mit ihren doppelten Sitzstufen wohl die eigentlichen Badebecken. Der Badekomplex besaß eine außerordentlich aufwendige Ausstattung. Böden und Wände waren im Ostteil mit weißen Marmorplatten verkleidet; der Marmor soll aus Auerbach im Odenwald stammen. Den Westteil stattete man einst mit grünlichen Granitplatten aus, deren Äderung im Stein über die Plattenfugen hinweg durchlief. Zu dem nur unvollständig bekannten Badehaus gehörte zur Stiftskirche hin noch ein runder Raum, wahrscheinlich wegen der dort gefundenen Hypokaustanlage, ein Heißluft- oder Schwitzraum (laconicum oder sudatorium). Weitere Ausgrabungen in der Marienkapelle der Stiftskirche führten zur Vervollständigung dieses Raumes. Dabei stellte sich heraus, daß in der Südost- und in der Südwestecke noch eine kleine halbrunde Nische eingebracht war. Weitere Mauerzüge gingen von diesem Bauteil nach S und W hin ab. Sicherlich wird man hier einen Teil der Heizungsversorgung anzunehmen haben, die zu einer wohltemperierten Luftzirkulation im Innenbereich der Baderäume notwendig gewesen sein dürfte. Nördlich der von O nach W hintereinander gelegenen Baderäume ergab sich eine an den Hang gebaute Stützmauer, die eine Art vorgelagerte Wandelhalle oder einen für den technischen Betrieb der Bäder notwendigen Gang anzeigen könnte. Sie läßt jedenfalls deutlich erkennen, daß der Berghang vor Errichtung des Badegebäudes stufig abgearbeitet worden ist. Ein oberhalb des größten Raumes gelegenes, nach O hin offenes Mauerquartier diente möglicherweise als weitere Quellfassung. Unterhalb des Badegebäudes ließen sich Kanäle feststellen, die zur Ableitung des heißen Thermalwassers außerhalb des Badebetriebes dienten. Aufgrund der Rundform des rekonstruierten Sudatoriums, das für einen recht frühen Badetypus im Limesgebiet steht, wurde angenommen, daß die Baden-Badener Therme in flavisch-trajanischer Zeit erbaut worden ist. Beweisbar ist dies aus dem archäologischen Befund, wie er sich dokumentiert, alleine zwar noch nicht, doch sprechen allgemeinhistorische Anhaltspunkte zum römischen Aquae und die bereits oben besprochenen frühen archäologischen Befunde im übrigen Stadtgebiet für eine solche Vermutung.

Nur wenig östlich der »Kaiserbäder« wurde 1974 eine kleine Untersuchung an *römischen Bauresten am »Florentinerberg«* durchgeführt.[95] Dabei kamen die Teile eines größeren Gebäudes zum Vorschein, bei dem es sich vielleicht um ein Quellheiligtum handelt. Angeschnitten wurden die Reste eines Portikus sowie einer davorgelagerten Abwasserrinne und einige weitere Mauerzüge, die im rechten Winkel zueinander standen. In unmittelbarer Umgebung des Thermalquellenaustritts ließe sich die Existenz eines Quellheiligtums ohne weiteres denken. Allerdings ist der ergrabene Ausschnitt zu gering, um hier mit endgültiger Sicherheit Aussagen treffen zu können. Bei den Ausgrabungen konnte man aber feststellen, daß der Fels auch an dieser Stelle des Berghanges ausgearbeitet worden war, um diesen Bau unterbringen zu können. Auch das Gebäude am »Florentinerberg« war mit Marmorplatten verkleidet, darüber hinaus zeigten sich Bauteile, die in zweiter Verwendung wieder vermauert waren.

In dem Gang an der Nordwestseite der Kaiserbäder wurde bei den Ausgrabungen im 19. Jh. eine aus zwei Plattenbruchstücken aus weißem Marmor bestehende Inschrift gefunden.[96] Die Inschrift lautet in der Übersetzung: Der Imperator Caesar Marcus Aurelius Antoninus, der Fromme und Glückliche, der unbesiegte Herrscher, der größte parthische, britannische, germanische Sieger, Oberpriester, im 17. Jahr seiner tribunizischen Gewalt, im 4. Konsulat, Prokonsul, Vater des Vaterlandes, hat gemäß seiner Freigiebigkeit nach Entfernung der Felsen (?) das Badegebäude ausgebaut, die Warmbäder wieder hergestellt und mit Marmorplatten ausgeschmückt. Die Inschrift stammt aus den Jahren 213–217 n. Chr. Sie zeigt, daß zu diesem Zeitpunkt aufwendige Restaurierungsarbeiten in den Thermalanlagen durchgeführt worden sind. Sie erklärt auch einige bereits genannte Beobachtungen bei den archäologischen Ausgrabungen im Bereich des »Florentinerberges« (Beseitigung der Felsen). Die Nennung der kompletten Kaisertitulatur Caracallas im Nominativ der Inschrift macht deutlich, daß offenbar auf ausdrücklichen kaiserlichen Befehl hin die Wiederherrichtung des Bäderkomplexes erfolgt ist. So muß man annehmen, daß Caracalla ein besonderes Interesse bzw. einen besonderen Anlaß besaß, die ihn veranlaßten, die Maßnahme durchführen zu lassen. Auch der Inhalt einer zweiten Inschrift aus Baden-Baden, die bis 1804 im Glockenturm der Stiftskirche eingemauert war, weist auf die besondere Beziehung Caracallas zu dem antiken Aquae hin.[97] Sie lautet in der Übersetzung: Dem Prinzen Marcus Aurelius Antoninus, dem Thronfolger, dem Sohn des regierenden Kaisers Lucius Septimius Severus von der Bezirksgemeinde von Baden (geweiht).

Der Stein datiert in das Jahr 197 n. Chr. und ist dem erst 10- bis 11jährigen Caracalla gestiftet. Dieses, besonders aber das bei den »Kaiserbädern« aufgefundene epigraphische Zeugnis haben zu der Annahme geführt, daß Kaiser Caracalla dem Badeort Aquae besonders zugetan gewesen sei. Gemäß der literarischen Überlieferung, soll Caracalla im Anschluß an seinen Feldzug gegen die Alamannen, den er am 11. August des Jahres 213 von Rätien aus unternahm, in einem Badeort Heilung von seinem Gichtleiden gesucht haben. Es ist zwar nur bekannt, daß es sich um ein Bad nördlich der Alpen handelte, das dem Apollo Grannus geweiht war. Die jüngst erfolgte Rekonstruktion des Vormarschweges bei dem Germanenfeldzug Caracallas macht es wahrscheinlich, daß der Kaiser mit seinem Heer im Bereich des römischen Kastells Osterburken aus dem freien Germanien wieder in das Limesgebiet eingetreten ist. Der weitere Rückweg des kaiserlichen Trosses nach Rom, der unmittelbar nach dem Feldzug anstand, läßt es nicht ausgeschlossen erscheinen, daß der Kaiser auf seinem Weg nach S auch die Heilquellen von Baden-Baden aufgesucht hat. Mit letzter Sicherheit ist diese Frage aber noch nicht zu klären.[98] Ein weiterer Hinweis auf die enge Verbindung Caracallas zur antiken Siedlung an der Oos ergibt sich aus dem kaiserlichen Ehrennamen »Aurelia«, den die Civitas Aquensis seit der Regierungszeit dieses Kaisers führt. Die genannten Inschriften und auch weitere Meilensteinfunde aus Sinzheim[99] können alleine den Aufenthalt des Kaisers am Ort aber nicht belegen. Hier ist auch an Dankadressen von Seiten der Bewohner der Siedlung Aquae für die bei der Wiederherrichtung der Thermen gewährte kaiserliche Unterstützung bzw. um Loyalitätsbekundungen der Civitas Aurelia Aquensis für die durch die kaiserliche Tätigkeit in unserer Region gegebene friedliche Entfaltung und wirtschaftliche Prosperität zu denken. Auch die von dem vermeintlichen Patron des collegium fabrum tignariorum – der Zimmermannsgilde und gleichzeitig Feuerwehr – aus eigenen Mitteln in der Regierungszeit des Kaisers Caracalla gestiftete Wandelhalle mit allem Schmuck,[100] verweist zunächst auf die wirtschaftliche Blüte in Aquae in dieser Zeit. Diese an der gesamten Rheingrenze zu beobachtende Erscheinung hat die Bezeichnung »severische Blüte« erhalten.

Die »Kaiserbäder« scheinen durch einen Brand zu einem nicht mehr bestimmbaren Zeitpunkt in Mitleidenschaft gezogen worden zu sein. Dafür spricht ein bei den Ausgrabungen beobachtetes »seltsames Konglomerat von Brandresten, worin Stecknadeln, Haften und kleine Schmuckgegenstände eingebracht waren«. Möglicherweise steht die in der bereits beschriebenen Inschrift genannte Wiederherstellung des Bades in Zusammenhang mit einem vorausgegangenen Schadenfeuer.

Unterhalb der »Kaiserbäder«, auf einer tiefergelegenen Terrasse, stieß man ebenfalls im Jahre 1846 westlich vom alten »Frauenkloster zum Heiligen Grab« auf ein weiteres Gebäude, dessen guter Erhaltungszustand Anlaß zu seiner Konservierung gab. Die Baulichkeiten sind noch heute der Öffentlichkeit unter dem modernen Friedrichsbad zugänglich.[101] Es handelt sich um die Ruine der sogenannten »*Soldatenbäder*«, die nach 1846 bis 1900 in mehreren Etappen ausgegraben wurden. Der heutige Zugang zu dem Bad liegt etwa 1 m tiefer als das römische Gehniveau und erlaubt besonders gute Einblicke in die Konstruktion einer Unterboden- und Wandheizung. Ein alter Eingang führte vermutlich nicht aus dem Freien, sondern aus anderen, tieferliegenden Räumen des Badehauses über eine Treppe in das Bad. Neben einem kleinen Raum liegt – durch einen modernen Mauerdurchlaß erreichbar – der Heizraum (praefurnium); das heute noch vorhandene antike Tonnengewölbe gibt einen selten vollständigen Raumeindruck. Von hier aus waren die weiteren Räume des Bades begehbar. In einem konnte man das heiße Bad nehmen (caldarium). Auf seiner nördlichen Längsseite stieg man über eine 0,80 m hohe Mauer in ein Becken mit einer Sitzstufe, wobei dieses eine halbe Stufe niedriger gestellt ist, hinein. Ein weiteres Becken gleicher Bauart ist wieder eine halbe Stufe heruntergestellt. Es befindet sich in der halbrunden Apsis des genannten Raumes. Den südlich anschließenden Raum bezeichnet man wegen der größeren Entfernung von der Heizstelle als lauwarmen Baderaum (tepidarium). Der unmittelbar vor der Heizstelle gelegene Raum dürfte trotz seiner Größe als trockenheißes Schwitzbad (sudatorium) gedient haben. Die Hypokaustpfeiler dieses Raumes sind im Gegensatz zu denen der anderen beheizten Räume aus runden Ziegeln aufgesetzt. Neben dieser anderen Bauweise fällt ein aus Bruchstein gemauerter Abwasserkanal auf, der unter dem nördlich vorgelagerten kleinen Raum mit der Treppe im Boden verläuft. Er besteht aus sorgfältig bearbeiteten Sandsteinplatten, die die im Querschnitt rechteckige Wasserrinne allseitig einfassen. Er ist Bestandteil eines offenbar aufwendigen Abwasserkanalsystems, das sich unter der gesamten antiken Siedlung erstreckte. Der aus dem »Soldatenbad« nach SW abziehende Kanal verläuft quer unter dem heutigen Römerplatz und leicht nach S zur Gernsbacher Straße, wo er zu diesem Straßenzug leicht versetzt in westliche Richtung weiterführte. Teile dieser wohl öffentlichen Einrichtung fanden sich noch in Höhe des Jesuitenplatzes. Es ist anzunehmen, daß der Kanal etwa ab der Einmündung der heutigen Bäderstraße in die Gernsbacher Straße, in unmittelbarer Nähe des Römerplatzes, auch die Wasser des hier einmündenden Rotenbaches aufgenommen und durch die antike Siedlung zur Oos hin abgeführt hat.[102] Das alte Bachbett konnte ja nur wenig östlich dieser Stelle bei Ausgrabungen 1984 gefunden werden.

Die »Soldatenbäder« bleiben wegen der Unvollständigkeit ihres Grundrisses in der Deutung der Raumteile problematisch; durch ihre unregelmäßige Bauweise bringt auch der Vergleich mit besser bekannten Thermen nicht weiter. Wie originale Ausgrabungsskizzen zeigen, waren die angetroffenen Mauern teilweise noch übermannshoch erhalten. Zahlreiche Details, wie etwa Wandverputz, Wandtubulierung, d. h. in die Wand verlegte Hohlziegel, durch die die Wärme abgeleitet wurde, Treppenstufen und besonders gut erhaltene Suspensura, die auf den Hypokaustpfeilern liegende Plattenabdeckung, ließen sich beobachten. Eine nur oberflächliche Betrachtung des noch erhaltenen Mauerwerks läßt erkennen, daß in dem Gebäude mehrere Bauphasen versteckt sind. Zum einen zeigen sich an mehreren Stellen bis zu zwei übereinander geordnete verschiedene Bodenhöhen aus Ziegel-Estrich. Zum anderen erkennt man zwischen Raum 3 und der Ansatzstelle der Apsis im W eine deutliche Mauerfuge, die es wahrscheinlich macht, daß es sich bei der hier befindlichen Apsis um einen später angefügten Raumteil handelt. Eine gezielte bauhistorische Bearbeitung der gesamten Baderuine steht noch aus, sie dürfte wichtige neue Erkenntnisse zur Baugeschichte und Raumgliederung der »Soldatenbäder« erbringen.

Die Thermenanlage ist – wie weiterführende Mauerstümpfe zeigen – noch nicht vollständig ausgegraben und erst jüngst bei Baumaßnahmen am Römerplatz aufgefundene Mauerteile zeigen, daß hier eine noch tiefer im Boden steckende Nachbarbebauung vorhanden ist. Dort ließ sich allerdings im Moment noch nicht klären, ob diese zu dem Badegebäude gehörte. Immerhin konnte auf der Parzelle Römerplatz 4, die sich unmittelbar dem »Friedrichsbad« und damit den »Soldatenbädern« gegenüber befindet, im Fundamentbereich der Torso einer Vulkanstatue gefunden werden, was wiederum zeigt, daß wir im Vorfeld der Thermenbauten mit weiteren Einrichtungen der antiken Siedlung zu rechnen haben.[103]

Sicherlich trugen auch *Gymnastik- und Massageräume*, *Einzelbäder* und *Ruheräume* sowie sonstige *Sport- und Erholungsanlagen* zum angenehmen Bade- und Kuraufenthalt in Aquae bei. In diesem Zusammenhang sind jene Gebäude zu sehen, die durch mehrere Mauerzüge angedeutet werden, welche sich unterhalb des heutigen Friedrichsbades zwischen den »Kaiserbädern« und »Soldatenbädern« befinden und sich noch bis unter die Stiftskirche erstrecken. Es handelt sich dabei um Gebäude, die in ihren Abmessungen größere Dimensionen erreichen und zusammen mit den Baudetails an den bereits freigelegten Thermenanlagen auf außerordentlich aufwendige Bauausführung und Bauausstattung hinweisen.

Vermutlich wird mit dem Bau der ersten Thermenanlagen auf dem Gelände des heutigen Marktplatzes und unterhalb des Friedrichsbades schon unmittelbar nach der Besetzung des Platzes durch die Römer begonnen worden sein. Es waren ja wohl gerade die Thermalquellen, die die Römer dazu veranlaßten, den engen Oostaleinschnitt als Siedlungsplatz zu wählen. In diesem Zusammenhang ist sicherlich auch die frühe Kastellanlage auf dem Rettig zu sehen und die Anwesenheit der cohors XXVI voluntariorum Civium Romanorum, die sich im 1. Jh. als regelrechte Bautruppe ausweist.[104] Sie dürfte verantwortlich gewesen sein für den Aufbau der ersten Badeanlagen in Aquae.

1. Vor- und Frühgeschichte

Frühe Bauinschriften zu den Badeanlagen fehlen bisher, doch vermögen die Ziegelstempel gerade der 26. Freiwilligenkohorte aber auch der 8. Legion, die sich in den »Kaiserbädern« gefunden haben, anzuzeigen, daß eine erste Anlage bereits Ende des 1. Jh. bestand, die dann zu Beginn des 3. Jh. unter Caracalla noch einmal grundlegend renoviert wurde. Diese Daten dürften auch auf Bau- und Umbau der »Soldatenbäder« anzuwenden sein. Dazwischen liegen sicherlich weitere kleinere Ausbesserungs- und Umbaumaßnahmen, die sich zeitlich noch nicht einordnen lassen. Es ist aber damit zu rechnen, daß bereits in den späten Regierungsjahren Vespasians, sicherlich aber zu Beginn der 80er Jahre unter Kaiser Domitian die großen Römerbäder von Baden-Baden erbaut wurden.

Die Genesung von ihrer Krankheit und Erholung suchenden Badegäste wollten in unmittelbarer Nähe der Heilwässer unter dem besonderen Wirken der Gottheiten ihre Gebrechen kurieren. So wird man auch in Baden-Baden an mehreren Stellen innerhalb des Bäderbezirks mit Tempelanlagen, Nymphäen und kultischen Einrichtungen zu rechnen haben, die sich auch tatsächlich durch eine Vielzahl an Götterweihungen, Götterbildern und Altarsteinen zu erkennen geben. Badewesen und religiöse Einrichtungen bildeten in römischen Heilbädern einen engen Zusammenhang. Unmittelbar unterhalb der Thermenbauten befindet sich im Bereich des heutigen Römerplatzes, etwa vom Beginn der Steinstraße im W bis zur Einmündung der Sophien- in die Gernsbacher Straße im O der *Weihebezirk* von Aquae. Hier stifteten die von ihren Krankheiten geheilten Kurgäste den Göttern zum Dank Weihesteine und Götterbilder. Einige Steindenkmäler und Inschriften kamen schon beim Bau des Friedrichsbades und des heute nicht mehr vorhandenen Augustabades Ende des 19. Jh. zum Vorschein. Zu dem Weihebezirk gehörten sicherlich auch die verschiedenen Tempelanlagen, in denen die Standbilder der jeweiligen Götter verehrt wurden. Interessant ist, daß aus Baden-Baden zahlreiche Altarsteine ohne Inschriften vorliegen, unter denen einige gewaltige Dimensionen besitzen. Man kann deshalb nur annehmen, daß die vorhandenen Götterbauten entsprechend aufwendig dimensioniert und repräsentativ ausgestattet waren.

Im Weihebezirk unterhalb der Thermenanlagen[105] haben unterschiedliche Personen Weihungen an verschiedene Götter gestiftet. Eine einfache Inschrift ist Jupiter Optimus Maximus gewidmet. Der Sklave des Präfekten der 7. Räterkohorte, Lucius Lollius Certus, mit Namen Nympheros, weiht sowohl einen Stein an Minerva als auch an Mars in diesem Weihebezirk. Die Vorsteherin eines Kultes für die weibliche Göttin DUM(---) mit Namen Januaria stiftet die figürliche Darstellung der Gottheit in Form einer sitzenden weiblichen Gewandfigur. Weitere Weihungen gehen an Obeia oder Diana, Minerva und Visuna. Ein Soldat der 14. Legion, Gaius Valerius Romulus, setzt einen Altar an Minerva. Die Weiheinschrift gehört in die 70er und 80er Jahre des 1. Jh. n. Chr. Der Centurio der 26. Kohorte, Gaius Sempronius Saturninus, richtet seine Weihung an die Mater Deum und läßt dafür das Bildwerk der thronenden Göttin schaffen. Offenbar handelt es sich bei dieser Gottheit um eine Muttergottheit, so daß innerhalb des Weihebezirks auch ein eigenes, den Muttergottheiten vorgesehenes Weiheareal abgegrenzt war. Von regelrechten Tempelbauten stammen Säulenbasis und Säulentrommel, die sich westlich der Eingangstreppe zum Friedrichsbad fanden. Dabei lagen Inschriftenfunde an Minerva, Merkur und Apollo.[106] Die Weihung an Minerva stiftet der architectus cohortis Valerius Perimus und der Steinmetz Vittalis zusammen mit seinen Steinmetzkollegen. Vermutlich handelt es sich bei Valerius Perimus um einen Angehörigen der 7. Räter- oder 26. Freiwilligenkohorte, die gegen Ende des 1. Jh. in Baden-Baden bei Baumaßnahmen beteiligt waren. Die Weihung an Merkur stiftet Lucius Cassius Manius, dieser war Soldat der legio I adiutrix und stammte aus der

Centurie des Aemilius Seranus. Etwas abseits des Weiheareals aber wohl noch mit diesem in Verbindung zu sehen, ist die Weihung des Signalbläsers (bucinator) Valerius Aprilis an Jupiter. Aprilis gehörte der 26. Kohorte an, woraus sich ergibt, daß dieser Stein in das späte 1. Jh. n. Chr. zu datieren ist.

Aus den verschiedenen Weihungen, die sich im besprochenen Weihebezirk gefunden haben, geht hervor, daß sich die Weihenden aus gegebenem Anlaß offensichtlich an ihre besonderen Gottheiten gewandt haben. Die unmittelbare Lage des Weihebezirks unterhalb des Bäderbereichs zeigt, daß es sich um Danksagungen von Kur- und Badegästen für wiedererlangte Gesundheit handelt. Dem entspricht auch das mehrfache Vorkommen von Weihungen an Apollo, Diana und Einobeia (in der man auch als Diana Abnoba die Göttin des Schwarzwaldes sieht). Daß daneben auch eine starke militärische Komponente aufscheint, zeigen die zahlreichen Weihungen an Jupiter, an Mars und Minerva. Insgesamt erkennt man den in römischer Zeit äußerst individuell geübten Brauch, sich bei den Göttern für erwiesene Wohltat zu bedanken, bzw. sich der Götter für gutes Gelingen zu versichern.

Möglicherweise diente auch der das Oostal bei Baden-Baden beherrschende Hausberg, der *Merkur*, in römischer Zeit als Heiligtum. Dort wurde schon sehr früh das Götterbild des Merkur in einer recht groben Ausführung zusammen mit dem oberen Teil eines mit Inschrift versehenen Weihealtars gefunden. Das Merkurbild hat offenbar dem Berg den Namen gegeben. Wenn auch immer wieder Zweifel daran geäußert wurden, ob das Bildwerk ursprünglich auf dem Berg aufgestellt gewesen ist, legen Vergleiche mit der Situation im Bereich des Hauptortes der Civitas Ulpia Sueborum Nicrensium, Lopodunum – Ladenburg, und der dazugehörigen Industriesiedlung von Heidelberg-Neuenheim mit dem darüber gelegenen Heiligenberg, der in römischer Zeit ebenfalls ein Höhenheiligtum darstellte, die Vermutung nahe, daß auch in Baden-Baden der Merkur ein in römischer Zeit genutzter heiliger Berg gewesen ist.[107] Im linksrheinischen, elsässischen Gebiet, wäre als Vergleich etwa der Donon zu nennen.[108]

Die Annahme eines Heiligtums in Form einer Höhle unterhalb des Baden-Badener Rathauses ist nach jüngst angestellten Untersuchungen zu verwerfen. Das unterirdische Gelaß, in dem angeblich römische Funde aufgetreten sein sollen, entstand im Mittelalter und in der frühen Neuzeit. Hier haben die Baden-Badener aus einer Felsformation offensichtlich Mahlsteine gewonnen.[109]

Das *römische Straßennetz von Baden-Baden* ist nur unzureichend erforscht. Sicher ist, daß eine Stichstraße von den Magistralen der Rheinebene in das Oostal abzweigt. Ihre Spuren haben sich in der Rheinstraße bei Grabungen zu Beginn des Jahrhunderts in Form regelrechter Pflasterlagen nachweisen lassen.[110] Die Straße lag in einer Tiefe von 1,80 m und wurde offensichtlich noch in mittelalterlicher Zeit weiter benutzt. Ihre Breite ließ sich mit 5,50 m ermitteln. Interessant ist, daß sogar noch die Geleisspuren für die Wagenräder festgestellt werden konnten. Auch im Bereich der Gernsbacher Straße ließ sich der Straßenkörper in einem aufgeschlossenen Erdprofil beobachten. Er bestand aus einer etwa 30 cm starken Steinstückung aus faustgroßen Flußgeröllen sowie an weiteren Stellen aus einem regelrechten Holzbohlenweg. Es zeigt sich, daß die heutige Gernsbacher und Lange Straße sich weitestgehend mit dem römischen Straßenzug decken. Westlich von Baden-Baden ergaben sich in der Rheinebene Hinweise auf die Römerstraßen aufgrund von Meilensteinen. In der Kirche zu Bühl ist der sogenannte »Immenstein« 1883 als römischer Meilenstein erkannt worden. Seine Inschrift läßt Reste der Kaisertitulatur Trajans erkennen, wodurch der Stein in das Jahr 100 n. Chr. datiert werden kann. Seine Entfernungsangabe ist von Mainz –

a Mog(ontiaco) – berechnet. Offensichtlich hatte sich also nur ein Jahr nach der angenommenen Gründung der Civitas Aquensis der später geübte Brauch, die Entfernungen vom und zum jeweiligen Civitas-Hauptort zu berechnen, noch nicht durchgesetzt. Dagegen werden die Entfernungsangaben auf den insgesamt vier Meilensteinen, die sich zwischen Sinzheim und Steinbach aber noch auf Sinzheimer Gemarkung an der römischen Rheintalstraße fanden, von Aquae, dem Civitas-Hauptort, aus gemessen. Bei den Inschriften handelt es sich um Weihungen an die Kaiser Caracalla, Elagabal, Severus Alexander und Gordian. Die Entfernung zu dem antiken Baden-Baden beträgt 4 Leugen, also etwa 8,8 km.

Unmittelbar am Austritt der im Stadtgebiet und weiter westlich im Oostal aufgedeckten römischen Stichstraße aus der Rheinebene nach Aquae aus dem römischen Siedlungsbereich lag um den heutigen Hindenburgplatz und das Hotel »Badischer Hof« herum ein ausgedehntes *römisches Gräberfeld*, das durch zahlreiche Grabsteine sicher lokalisiert werden kann. Demnach befanden sich die Grabstätten zu beiden Seiten der Straße, sowohl südlich des Hindenburgplatzes, d. h. östlich der Oos, als auch auf der gegenüberliegenden Seite des Flusses.[111] Hier kamen immer wieder Grabsteine von Angehörigen verschiedener Truppen zum Vorschein. Schon 1626 fand sich beim Bau des Kapuzinerklosters der Grabstein des Lucius Aemilius Crescens, der Soldat der 14. Legion aus der Centurie des Valerius Bassus gewesen ist. Er gibt als Herkunftsort Ara, d. h. Köln, an. Der Grabstein wurde von seinen Brüdern und Erben gestiftet. Analog der Stationierungszeitspanne der 14. Legion in Obergermanien im Legionslager Mainz zwischen 75 und 92 n. Chr. ist das Steindenkmal zu datieren. Ein weiterer Grabstein wurde dem Soldaten der 26. Kohorte, Lucius Reburrinius Candidus, gestiftet. Auch er stammte aus Köln. Der Grabstein eines weiteren Soldaten der 26. Kohorte, Gaius Veturius Dexter, wurde 1908 auf dem Grundstück Lange Straße 44 gefunden. Der im Alter von 40 Jahren verstorbene Soldat stammte aus Piacenza in Oberitalien und hatte bis zu seinem Tod 16 Jahre lang gedient. Noch 1980 fanden sich drei Grabsteine unmittelbar neben dem »Badischen Hof«. Neben dem Stein eines Treverers kamen Grabinschriften eines aktiven Soldaten und eines Veteranen der 8. Legion aus Straßburg zum Vorschein.

Neben den Angehörigen von Militäreinheiten wurden aber auf dem Gräberfeld auch Zivilpersonen bestattet. Im Umfeld des »Badischen Hofs« war schon 1869 im Oosbett der Grabstein des Valerius Castus und dessen Sohn Valerius Augustalis gefunden worden, der von dem zweiten Sohn Quintus Valerius Pruso und der »vorzüglichen Frau Domestica« dem Vater aufgestellt wurde. Valerius Pruso erscheint noch einmal namentlich genannt auf dem Altar beim Merkurstandbild auf dem Großen Staufenberg, dem heutigen Merkur.

Regelrechte Grabinventare konnten in neueren Grabungen nicht mehr beobachtet werden, allerdings gibt es ältere Notizen, wonach im Bereich des Gräberfeldes um den heutigen Hindenburgplatz neben den Grabsteinen auch Gräber im Boden angetroffen worden waren, denn dort wird von »Aschenkrügen, Urnen, Tränenfläschchen« berichtet, ein untrügliches Zeichen, für im Boden angefundene noch intakte Beigabenensembles der römischen Brandgräber.

Vor allem die Grabsteine mit Angaben der militärischen Zugehörigkeit sowie der Herkunftsorte lassen erkennen, daß nach Baden-Baden Leute aus einem weiten Einzugsbereich gekommen sind. Dies hängt sicherlich zusammen mit dem am Ort aufrechterhaltenen Bäder- und Kurbetrieb; und so dürfen wir zum Teil in den in den Inschriften genannten Personen »Kurgäste« sehen, die in Baden-Baden Heilung gesucht haben, sie dort aber nicht gefunden haben. Sie sind vielmehr am Ort verstorben und wurden in dem Gräberfeld am heutigen Hindenburgplatz beigesetzt. Vielleicht wird der eine oder andere auch in dem günstigen Klima des Oostales einen festen Wohnsitz besessen haben, nachweisbar ist dies allerdings nicht. Im Hinblick auf die Militärpersonen der 14. Legion und der 26. Kohorte ließe sich auch daran denken, daß diese Personen während ihrer Stationierung zum Zwecke der Baumaßnahmen Ende des 1. Jh. n. Chr. in Baden-Baden verstorben sind und am Ort beigesetzt wurden.

Die römische Siedlung Aquae bestand nach Ausweis des gesamten Fundmaterials bis zum Ende der römischen Besetzung rechts des Rheins, um das Jahr 260 n. Chr., dem Datum des Limesfalles. Sowohl die Kartierung der Terra Sigillata-Scherben als auch die der Münzfunde zeigen an, daß die Siedlung bis um das Jahr 260 n. Chr. existierte. Die jüngsten Münzen in diesem Zusammenhang sind Prägungen des Kaisers Volusian aus dem Jahre 251/253 n. Chr.

Sicherlich haben sich in Baden-Baden in der 1. H. 3. Jh. die Gefährdungen, die von zunehmenden Alamanneneinfällen in das Limesgebiet ausgingen, auch abgezeichnet. So fand sich schon 1824 auf dem »Quettig«, einer Bergkuppe südwestlich der Stadt, ein Münzschatz aus der 1. H. 3. Jh., der dort offenbar in Gefahrenzeiten vergraben worden war und von seinem Besitzer nicht mehr gehoben werden konnte. Der aus 562 Stücken – mit Ausnahme einer Goldmünze (Aureus) des Kaisers Galba – aus Silbergeld bestehende Schatzfund weist ganz die Zusammensetzung auf, wie sie bei Münzschätzen andernorts vorhanden ist, die in Zeiten der Alamannengefahr vergraben wurden. Vor allem Münzschätze mit der Schlußmünze, d. h. der jüngsten Münze, 233 n. Chr. markieren dabei einen ersten verheerenden Alamanneneinfall in das obergermanische Limesgebiet.[112] Die Meilensteininschriften zeigen, daß die Civitas-Organisation noch bis in die 40er Jahre des 3. Jh. n. Chr. intakt gewesen ist. Alles in allem ergeben sich daraus Belege dafür, daß mit dem Ende der römischen Siedlung in Baden-Baden im Zusammenhang mit der Aufgabe des Limes und der Rücknahme der verbliebenen römischen Truppen auf die Rheingrenze im Jahr 259/260 n. Chr. zu rechnen ist.[113]

Aus der Zeit nach dem Fall des obergermanischen Limes sind aus Baden-Baden nur wenige Fundstücke bekannt. Neben einigen spätrömischen Münzen, darunter Silberstücken (folles) der Kaiser Constantin und Magnentius, kann lediglich ein weiteres Fundstück für eine Siedlungstätigkeit in frühalamannischer Zeit im Bereich der ehemaligen römischen Siedlung Aquae herangezogen werden. Es handelt sich um das Bruchstück einer bronzenen Armbrustfibel, die bei den Ausgrabungen der 50er Jahre auf dem »Rettig« zum Vorschein kam. Dieser Typ der Gewandhafte kommt vor allem im 4. Jh. vor, ob das Stück aus Baden-Baden allerdings in Verbindung zu bringen ist mit einer ausgedehnteren spätrömischen oder frühalamannischen Siedlungstätigkeit an dieser sicherlich verkehrstopographisch und strategisch günstigen Stelle im Stadtgebiet, muß dahingestellt bleiben. Schon Ende des vorigen Jahrhunderts kam auf dem Grundstück Lange Straße 6 ein kleiner Reitsporn aus Bronze mit vergoldeter Spitze zum Vorschein, der nach Vergleichsfunden in die Reihengräberzeit des 5.–7. Jh. zu datieren ist. Er dürfte nicht mehr mit den landnehmenden germanischen Alamannen in Verbindung zu bringen sein.

Die Aufsiedlung des frühen Mittelalters scheint dann einige Zeit später wiederum auf dem Gelände der Thermalquellen einzusetzen. Hier weisen bescheidene urkundliche Überlieferungen und einige, allerdings recht dürftige archäologische Reste, die mit Vorbehalt für die Merowingerzeit in Anspruch genommen werden können, auf eine fränkische Siedlungsphase unterhalb des Schloßberges auf dem heutigen Marktplatz hin.

Der unmittelbare »Einzugsbereich« des antiken Baden-Baden erstreckte sich über die Vorbergzone und die Rheinebene westlich der Siedlung. Hier bestanden *zahlreiche ländliche Anwesen* in der Art von Bauernhöfen aber auch kleineren Landsitzen, die in beinahe regelmäßigem Abstand von 1 bis 3 km die Vorbergzone entlang der Bergstraße säumten. Einzelfunde wie auch beobachtete Mauerreste und Gebäudestrukturen lassen die Siedlungsdichte erkennen. In Balg, wenige Kilometer nördlich des Oostalaustrittes aus dem Nordschwarzwald, fand sich ein römischer Inschriftenstein beim Schulhausneubau neben der Kirche im Jahre 1811. In der Inschrift weiht der römische Bürger Quintus Caecilius Sollemnis dem göttlichen Kaiserhaus sowie dem Gott Merkur. Der Stein könnte auf ein Anwesen dieses Mannes in der näheren Umgebung der Fundstelle hinweisen.[114]

Bei Haueneberstein wurde im Waldgewann »Ziegelwegschlag« 1892 eine Merkurstatue aus Sandstein gefunden. Als man 1903 nur 100 m nördlich der Fundstelle weitere Untersuchungen anstellte, stieß man auf Mauerzüge, die »ein unregelmäßiges Fünfeck mit zwei 60 m und 98 m langen Parallelen zeigten« erschlossen. Ziegelfunde sowie weitere Mauerzüge im Innern der Anlage machen deutlich, daß es sich hier wohl um eine ausgedehnte Villa rustica handelte. Darüber hinaus sind in der Gkg Haueneberstein weitere Reste von römischen Siedlungsstellen in den Flurgewannen »Schafscheuer«, »Wetterbrünnele« und »Klösterle« bekannt.[115] In unmittelbarer Nähe befinden sich noch weitere römerzeitliche Fundstellen, die sich teilweise auch durch Bodenwellen und offenliegendes Mauerwerk zu erkennen geben. Noch 1993 wurde bei Sondierungen des Landesdenkmalamtes der Rest eines römischen Gutshofes des 2. und 3. Jh. n. Chr. im Staatswald Wolfahrtsberg II angetroffen.[116] Nur ein Jahr zuvor haben im Flurgewann »Münchwegschlag« unmittelbar daneben neue Grabungen im Bereich einer bereits seit 1911 bekannten römischen Fundstelle stattgefunden, die Mauerreste aufdecken konnten.[117] Insgesamt zeigt sich, daß in diesem Bereich der Hauenebersteiner Gemarkung zahlreiche römische Fundplätze vorhanden sind, die möglicherweise zu einem regelrechten *Villa rustica-Verband* gehörten. Ihre wirtschaftliche Grundlage ist vorläufig noch nicht auszumachen. Weiter südwestlich am Ortsrand des Stadtteiles Balg kamen schon 1935 Mauerreste eines römischen Gebäudes zum Vorschein, auch hier darf davon ausgegangen werden, daß eine römische Siedlungsstelle des 2. und 3. Jh. n. Chr. angetroffen wurde.[118] Auch im Stadtteil Oos, heute unmittelbar unter dem Verteilerkreuz des Autobahnzubringers gelegen, ergaben sich 1929 Baustrukturen eines römischen Gebäudes, das ebenfalls dem 2. und 3. Jh. angehören dürfte.[119] Aus Oos stammt ja schon seit 1794 vom dortigen Kirchhof ein Votivstein, der der Jagdgöttin Diana geweiht ist. Es ist anzunehmen, daß das Inschriftenbruchstück als Architraph zu einem Tempelbau gehörte. Vielleicht läßt sich die fragmentarisch erhaltene Inschrift der Göttin des Schwarzwaldes, Diana Abnoba, zuweisen.[120] Ebenfalls aus Oos stammt ein römischer Grabstein, der in einer flachen Nische eine männliche Gestalt mit langem Gewand zeigt. Der Dargestellte hält in der Linken eine Schreibtafel, in der Rechten wohl den Griffel. Dazu gehört noch die fragmentarisch erhaltene Darstellung einer Frau, die einen Früchtekorb in Händen hält.[121]

In Sandweier, nordwestlich des Oostalaustritts, fand sich im »Niederwald« im Jahr 1894 das Bruchstück einer römischen Amphore. An der Kirche war bereits 1811 ein Weihestein gefunden worden, der den Vierwegegöttern gewidmet ist[122]. Ein Beleg dafür, daß in oder bei Sandweier eine kleinere Siedlung, der Vicus Bibiensium (der an zwei Wegen, also einer Straßenkreuzung gelegene Vicus), existiert hat. Maßgebend für seine Entwicklung war wohl die Straßenkreuzung, die auch in der Inschrift genannt wird. Weitere Römerspuren, die teilweise nur aus Einzelfunden bestehen, lassen sich im weiteren Umfeld von Baden-Baden finden. Insgesamt könnte sich aus dieser Übersicht der Fundstellen ein dichtes Siedlungsbild ergeben, das allerdings – bedingt durch den gegenwärtigen Forschungsstand und die Erhaltung im Gelände – in vielen Fällen nur recht undeutliche Konturen aufweist. Bevorzugt aufgesucht wurde die Vorbergzone. Auffallend ist eine Verdichtung der römischen Siedlungsstellen westlich von Haueneberstein.

Merowingerzeit. – Eine Konzentration merowingerzeitlicher Funde ergibt sich im Bereich des Stadtteiles Oos. Im *Gewann »Auf der Haul«*, heute im Bereich des Römerwegs, fanden sich in den 30er Jahren Gräber eines Reihengräberfriedhofes der frühen fränkischen Zeit des 5.–7. Jh.[123] Vermutlich zum gleichen Gräberfeld gehören die Funde aus dem letzten Jahrhundert und aus den 30er Jahren auf dem Grundstück Ortenaustraße 16.[124] Hier waren schon 1876 beim Abgraben eines Ackers in ca. 1,20 m Tiefe Beigaben eines Körpergrabes mit reicher Eisenbewaffnung freigelegt worden.[125] Das bedeutendste Fundstück ist zweifellos eine 90 cm lange Spatha mit einem mit gerändertem Goldblech umwickelten Griff. »Die Scheide besaß ein silbernes, schwach vergoldetes, mit eingedrückten Linienbändern verziertes Mundstück und ein ebenfalls silbernes Ortband, dessen unterste Wölbung von einem querlaufenden verzierten, silbernen, zum Teil niellierten und vergoldeten Bügel mit drei eingesetzten quadratischen, roten Almandinplättchen umfaßt wird.« Ferner konnten ein Schildbuckel, ein Wurfbeil (Franziska), eine Speerspitze, eine Pfeilspitze sowie weitere Teile festgestellt werden. Von einem zweiten Skelett, das zehn Jahre später in unmittelbarer Umgebung gefunden wurde, waren nur noch geringe Spuren erhalten. Vermutlich zum gleichen Gräberfeld gehört auch die Fundstelle in der Ooser Kirchstraße 5, wo aus einem Grabfund ein weißgelblicher Tonkrug, ein Knickwandgefäß mit Stempelmuster sowie Speerspitze, Sax und Messer geborgen wurden.[126] Der kostbare Grabfund aus Baden-Oos macht deutlich, daß hier die alamannisch-fränkische Oberschicht ihre Angehörigen mit reichem Beigabeninventar bestattete.[127] Bei dem Gräberfeld dürfte es sich um das Ortsgräberfeld einer frühfränkischen Siedlung im heutigen Ortskern des Stadtteiles Oos im Umgebungsbereich der alten Kirche handeln.

Anmerkungen

1. E. *Gersbach*: Das mittelbadische Mesolithikum. Badische Fundberichte 19, 1951, S. 15 ff.
2. Ebda. S. 17.
3. Ebda. S. 33 ff.
4. E. *Schallmayer*: Eine mesolithische Freilandstation in Ettlingen, Kreis Karlsruhe. Arch. Ausgr. Baden-Württemberg 1990 (1991), S. 22 ff.
5. C. *Pasta*: Altensteig und Ettlingen; mesolithische Fundplätze am Rand des Nordschwarzwaldes. Fundber. Baden-Württemberg 19, 1995, S. 173.
6. Badische Fundber. 19, 1951, S. 9; 20, 1956, S. 196, 173; 22, 1962, 227 f. – Fundber. Baden-Württemberg 17/2, 1992, S. 3, 7.
7. Badische Fundber. 19, 1951, S. 109; 21, 1958, S. 241 ff.; 22, 1962, S. 228.
8. Badische Fundber. 19, 1951, S. 33, 109; Fundber. Baden-Württemberg 17/2, 1993, S. 3.
9. Badische Fundber. 19, 1951, S. 34, 109; 22, 1962, S. 228; – Fundber. Baden-Württemberg 17/2, 1992, S. 3.
10. Badische Fundber. 19, 1951, S. 109.
11. Badische Fundber. 19, 1951, S. 43; Fundber. Baden-Württemberg 17/2, 1992, S. 191.
12. Badische Fundber. 19, 1951, S. 109, 112; Fundber. Baden-Württemberg 17/2, 1992, S. 44.
13. Fundber. Baden-Württemberg 17/2, 1992, S. 98 f.

14. Badische Fundber. 15, 1939, S. 8; 19, 1951, S. 43, 112; Fundber. Baden-Württemberg 17/2, 1992, S. 98.
15. Badische Fundber. 19, 1951, S. 117.
16. Badische Fundber. 18, 1940–50, S. 205; 19, 1951, S. 42, 118.
17. Badische Fundber. 23, 1967, S. 231 ff.
18. Badische Fundber. 23, 1967, S. 231 f.
19. Badische Fundber. 23, 1967, S. 230.
20. Badische Fundber. 23, 1967, S. 229.
21. E. *Schallmayer*: Die endpaläolithisch-mesolithische Fundstelle »Nonnenwiese« bei Altensteig, Kreis Freudenstadt. Arch. Ausgr. Baden-Württemberg 1991 (1992) S. 40.
22. C. *Pasta*: Altensteig und Ettlingen (wie Anm. 5) S. 109.
23. Ebda S. 131.
24. H. *Müller-Karpe*: Jungsteinzeit. Handbuch der Vorgeschichte Band 2 (1968) S. 115 ff. – E. *Keefer*: Die Jungsteinzeit – alt- und mittelneolithische Kulturen. In: D. *Planck* (Hrsg.): Archäologie in Württemberg (1988) S. 71 ff. – E. *Sangmeister*: Die ersten Bauern. In: H. *Müller-Beck* (Hrsg.): Urgeschichte in Baden-Württemberg (1983) S. 221 ff.
25. G. *Gallay*: Die Besiedlung der südlichen Oberrheinebene in Neolithikum und Frühbronzezeit. Badische Fundber. Sonderheft 12 (1970) S. 27.
26. Ebda. S. 38.
27. Ebda. S. 58.
28. Ebda. S. 27.
29. Fundber. Baden-Württemberg 17/2, 1982, S. 3.
30. E. *Wagner*: Fundstätten und Funde im Großherzogtum Baden. Zweiter Teil. Das badische Unterland (1911) S. 6.
31. Fundber. Baden-Württemberg 17/2, 1992, S. 98 f.
32. Allgemein: H. *Müller-Karpe*: Bronzezeit. Handbuch der Vorgeschichte IV/1 (1980) S. 219 ff. – H. *Köster*: Die mittlere Bronzezeit im nördlichen Rheintalgraben (1968) S. 10 ff. – E. *Wagner*: Hügelgräber und Urnen-Friedhöfe in Baden (1885) S. 33 ff.
33. W. *Kimmig*: Die Urnenfelderkultur in Baden, untersucht aufgrund der Gräberfunde. Römisch-Germanische Forschungen 14 (1940).
34. Badische Fundber. 21, 1958, S. 241 f.
35. Badische Fundber. 22, 1962, S. 228.
36. Fundber. Baden-Württemberg 17/2, 1992, S. 44.
37. *Wagner*, Fundstätten (wie Anm. 30) S. 6.
38. *Gersbach*, Mesolithikum (wie Anm. 1) S. 43.
39. Ebda.
40. Badische Fundber. 19, 1951, S. 238.
41. Ebda. Bericht in Ortsakten des LDA Karlsruhe.
42. Städtisches Museum Baden-Baden Inv.-Nr. Ba 50/28.
43. Ortsakten des LDA Karlsruhe.
44. Ebda.
45. A. *Klein*: Die Grabungen bei Baden-Baden. In: Die Ortenau 3 (1912) S. 115.
46. *Wagner*, Fundstätten (wie Anm. 30) S. 6.
47. E. *Wahle*: Die Befestigung auf dem Battert bei Baden-Baden. Badische Fundber. 4, 1926, S. 111.
48. Ebda. S. 113.
49. Ebda. S. 118.
50. Ders.: Battert – Aquae – Baden-Baden. In: Bad. Fundber. 5, 1926, S. 141.
51. R. H. *Behrends*: Frühe Eisenzeit (Hallstattzeit). In: Karlsruhe und der Oberrheingraben zwischen Baden-Baden und Philippsburg. Führer zu archäol. Denkmälern in Deutschland 16 (1988) S. 46.
52. S. *Schiek*: Der »Heiligenbuck« bei Hügelsheim. Ein Fürstengrab der jüngeren Hallstattkultur. In: Fundber. Baden-Württemberg 6 (1981) S. 273 ff.
53. H. W. *Böhme*: Burgen der Salierzeit. Teil 2: In den südlichen Landschaften des Reiches. Monographien des Römisch-Germanischen Zentralmuseums 26 (1991). – R. *von Uslar*: Burg. In: Reallexikon der germanischen Altertumskunde (1981) S. 179 ff.

54. Zum Stand der Forschung vgl. Fr. *Klein*: Die frühe und mittlere Latènezeit in Württemberg. In: *Planck*, Württemberg (wie Anm. 24) S. 215 ff. – F. *Fischer*: Südwestdeutschland im letzten Jahrhundert vor Christi Geburt. Ebda. S. 235 ff.
55. *Wagner*, Fundstätten (wie Anm. 30) S. 11 f. – K. *Eckerle*: Forschungsgeschichte. In: Führer Karlsruhe (wie Anm. 51) S. 31 ff. – A. *Dauber*: Zur Geschichte der Archäologischen Denkmalpflege in Baden. In: Denkmalpflege in Baden-Württemberg 12, 1983, S. 47 ff. – E. *Schallmayer*: Aquae – Das römische Baden-Baden. Führer zu Archäol. Denkmalen in Baden-Württemberg 11, 1989, S. 1 ff.
56. A. *von Bayer*: Erklärung der dem gegenwärtigen Hefte beigegebenen Bildertafeln. Römerwerke zu Baden. Schriften des Vereins für Geschichte und Naturgeschichte der Baar II 1849, S. 218 ff.
57. *Wagner*, Fundstätten (wie Anm. 30) S. 11 f.
58. Ebda. 12 vgl. auch ebda. fig. 5.
59. P. *Schaudig*: Römische Funde aus Baden-Baden aus den Grabungen 1956–1961. Römische Gebäudereste auf dem Rettig in Baden-Baden. Badische Fundber. 23, 1967, S. 83 ff., 95 ff.
60. H. *Nesselhauf*, Drei römische Altäre aus Baden-Baden. In: Fundber. Baden-Württemberg 3, 1978, S. 328 ff. – E. *Krüger*, Das römische Quellheiligtum bei Baden-Baden. Germania 2, 1918, S. 77 ff.
61. R. H. *Behrends*: Ein römisches Gebäude am Florentinerberg in Baden-Baden. In: Fundber. Baden-Württemberg 4, 1979, S. 143 ff.
62. Archäol. Nachr. aus Baden 20, 1978, S. 29 ff. – E. *Schallmayer*: Römermauern unter alten Bauten. Neue Einblicke in das römische Baden-Baden. In: Denkmalpflege in Baden-Württemberg 18, 1989, 122.
63. Ders., Aquae (wie Anm. 55) S. 87 f.
64. P. *Knierriem*, E. *Löhnig*, E. *Schallmayer*: Aquae – Baden-Baden. Die antike Bäderstadt im Lichte neuer Ausgrabungen und Forschungen. In: Denkmalpflege in Baden-Württemberg 23, 1994, S. 140. – Fundber. Baden-Württemberg 12, 1987, S. 549.
65. Badisches Tagblatt v. 16. 04. 1988.
66. E. *Schallmayer*, Römermauern (wie Anm. 62) S. 121 ff. – Ders.: Grabungen in der Altstadt von Baden-Baden. In: Arch. Ausgrab. Baden-Württemberg 1989, S. 143 ff.
67. *Knierriem, Löhnig, Schallmayer*, Aquae (wie Anm. 64) S. 140 f.
68. M. *Riedel*: Das römische Baden-Baden. Diss. Freiburg (1975), Fundstelle 21 (Gernsbacher Straße 33, Fangohaus) und 2 (Lange Straße 8).
69. O. *Fritsch*: Die Terra Sigillata-Funde der Städtischen historischen Sammlungen in Baden-Baden (1910) S. 101.
70. *Schallmayer*, Aquae (wie Anm. 55) S. 20 Abb. 7.
71. Ebda. S. 21 Abb. 9.
72. Zu den Oberrheinsweben vgl. R. *Nierhaus*: Das swebische Gräberfeld von Diersheim. Röm.-Germ. Forsch. 28 (1966). – G. *Lenz-Bernhard* u. H. *Bernhard*, Das Oberrheingebiet zwischen Caesars gallischem Krieg und der flavischen Okkupation (58 v. – 73 n. Chr.). Eine siedlungsgeschichtliche Studie. Mitt. Hist. Verein Pfalz 89 (1991).
73. *Schallmayer*, Aquae (wie Anm. 55) S. 23. – Ders., Die Römerzeit. In: Führer Karlsruhe (wie Anm. 51) S. 49.
74. Ders. Römische Baureste auf dem »Rettig« in Baden-Baden. Arch. Ausgr. Baden-Württemberg 1991, S. 141 f. – E. *Löhnig*, E. *Schallmayer*, Zum Fortgang der Ausgrabungen auf dem »Rettig« in Baden-Baden. Arch. Ausgr. Baden-Württemberg 1992, S. 142. – *Knierriem, Löhnig, Schallmayer*, Aquae (wie Anm. 64) S. 130 f.
75. Zu den Mannschaftsbaracken vgl. A. *Johnson*: Römische Kastelle des 1. und 2. Jahrhunderts n. Chr. in Britannien und in den germanischen Provinzen des Römerreichs (1987), S. 188 ff.
76. *Schaudig*, Gebäudereste (wie Anm. 59) S. 95 ff. – Badische Fundber. 19, 1951, S. 181 ff. – Germania 30, 1952, S. 207.
77. Vgl. D. *Baatz*: Kastell Hesselbach und andere Forschungen am Odenwaldlimes. Limesforsch. 12 (1973) S. 1 ff.
78. Ders.: Der römische Limes. Archäologische Ausflüge zwischen Rhein und Donau (wie Anm. 3) 1993, S. 30 f.

79. E. *Löhnig*, Die Geschichte der cohors XXVI voluntariorum Civium Romanorum und die Ziegelstempel vom »Rettig« in Baden-Baden. Ungedruckte Magisterarbeit Freiburg (1994).
80. Zur Besetzungsgeschichte vgl. E. *Schallmayer*, Die Römerzeit. In: Führer Karlsruhe (wie Anm. 51), S. 49 ff.
81. Ders.: Grabungen in der Altstadt von Baden-Baden. Archäol. Ausgrab. Baden-Württemberg 1989, S. 145 f.
82. Ders., Römermauern (wie Anm. 62) S. 125 f.
83. Ders., Grabungen (wie Anm. 81) S. 146.
84. H. *Schönberger*: Die römischen Truppenlager der frühen und mittleren Kaiserzeit zwischen Nordsee und Inn. Berichte Röm.-Germ. Kommission 66, 1985, S. 365 ff. – K. *Strobel*: Der Chattenkrieg Domitians: Historische und politische Aspekte. Germania 65, 1987, S. 430.
85. Ebda. S. 449
86. F. *Drexel*: Die rheinischen Steininschriften. 1. Bauinschrift aus Baden-Baden. Germania 13, 1929, S. 173 ff. – E. *Ritterling*: Zu den Inschriften aus Baden-Baden. Röm.- Germ. Korrespondenzbl. der Westdt. Zeitschr. 8, 1915, S. S. 27 ff. – E. *Stein*: Die kaiserlichen Beamten und Truppenkörper im römischen Deutschland unter dem Principat (1932) 208 f., 230 f. – M. *Hartmann* u. M. A. *Speidel*: Die Hilfstruppen des Windischer Heeresverbandes. Zur Besetzungsgeschichte von Vindonissa im 1. Jahrhundert n. Chr. Jahresber. Gesellschaft pro Vindonissa (1991) 3 ff. bes. S. 15 ff.
87. *Stein*, Truppenkörper (wie Anm. 86) S. 99, 102 f., 289.
88. *Löhnig*, Geschichte (wie Anm. 79) S. 12 ff. – *Hartmann* u. *Speidel*, Hilfstruppen (wie Anm. 86) S. 17 ff.
89. *Knierriem*, *Löhnig*, *Schallmayer*, Aquae (wie Anm. 64) S. 141 ff.
90. Vgl. R. *Fellmann*: Principia – Stabsgebäude. Kleine Schriften zur Kenntnis der römischen Besetzungsgeschichte Südwestdeutschlands 31, 1984, S. 58 Abb. 33.
91. F.-R. *Herrmann*: Die Villa rustica »Haselburg« bei Hummetroth. Archäol. Denkmäler in Hessen 55 (1985).
92. *Drexel*, Steininschriften (wie Anm. 86) S. 174.
93. Vgl. C. S. *Sommer*: Die römischen Zivilsiedlungen in Südwestdeutschland. Ergebnisse und Probleme der Forschung. In: *Planck*, Württemberg (wie Anm. 24) S. 281 ff.
94. *Von Bayer*, Erklärung (wie Anm. 56) S. 218 ff. – *Wagner*, Fundstätten (wie Anm. 30) S. 8 ff. – W. H. *Heinz*: Römische Bäder in Baden-Württemberg. Typologische Untersuchungen (1979) S. 75 ff.
95. *Behrends*, Gebäude (wie Anm. 61) S. 143 ff.
96. CIL XIII 6301 u. 6312. – *Wagner*, Fundstätten (wie Anm. 30) S. 14 f.
97. CIL XIII 6300. – *Wagner*, Fundstätten (wie Anm. 30) S. 16.
98. Zum Germanenfeldzug vgl. A. *Hensen*: Zu Caracallas Germania expeditio. In Fundber. Baden-Württemberg 19, 1995, S. 219 ff.
99. *Wagner*, Fundstätten (wie Anm. 30) S. 46 ff.
100. Ebda. S. 21 f.
101. E. *Schallmayer*: Baden-Baden, Thermen und Zivilsiedlung. In: Ph. *Filtzinger*, D. *Planck*, B. *Cämmerer* (Hrsg.): Die Römer in Baden-Württemberg (wie Anm. 3) 1986, S. 230 ff.
102. Vgl. Plan *Wagner*, Fundstätten (wie Anm. 30) S. 7 fig. 4.
103. *Löhnig*, *Knierriem*, *Schallmayer*, Aquae (wie Anm. 64) S. 145 f.
104. *Löhnig*, Geschichte (wie Anm. 79) S. 12 ff.
105. *Krüger*, Quellheiligtum (wie Anm. 60) S. 77 ff. – *Schallmayer*, Aquae (wie Anm. 55) S. 68 ff. – S. *Kah*: Die römischen Stein- und Baudenkmale der städtischen historischen Sammlungen in Baden-Baden. Heft 2 (1908). – *Wagner*, Fundstätten (wie Anm. 30) S. 18 ff.
106. *Nesselhauf*, Altäre (wie Anm. 60) S. 328 ff.
107. P. *Marzolff*, Die neuen Grabungen in St. Michael auf dem Heiligenberg. Forsch. u. Ber. d. Archäologie des Mittelalters in Baden-Württemberg 8, 1983, S. 70.
108. E. *Linckenheld*, Le sanctuaire du Donon, son importance pour l'étude des cultes et des rites celtiques. Cahiers d'archéologie et d'histoire d'Alsace 131, 1951, S. 67 ff.

109. P. *Knierriem*, E. *Löhnig*: Neue Erkenntnisse zur Bedeutung der Baden-Badener Rathaushöhle, Archäol. Ausgrab. Baden-Württemberg 1991, S. 330 ff.
110. *Schallmayer*, Aquae (wie Anm. 55) S. 87 ff.
111. Ebda. S. 93 ff.
112. *Schönberger*, Truppenlager (wie Anm. 84) S. 414 ff.
113. Ebda. S. 422 ff. – H. U. *Nuber*: Das Ende des obergermanisch-raetischen Limes. In: Archäologie und Geschichte des ersten Jahrhunderts in Südwestdeutschland (1990) S. 51 ff.
114. *Wagner*, Fundstätten (wie Anm. 30) S. 43.
115. Ebda. S. 43 f. – Fundber. Baden-Württemberg 17/2, 1992, S. 97 f. – Die Ortenau 3, 1912, S. 116.
116. Archäol. Nachrichten aus Baden 49, 1993, S. 32.
117. Fundber. Baden-Württemberg 18/2 (in Vorbereitung).
118. Badische Fundber. 3, 1933–35, S. 379; 18, 1948–50, S. 266.
119. Badische Fundber. 2, 1930, S. 165; 18, 1948–50, S. 267.
120. *Wagner*, Fundstätten (wie Anm. 30) S. 44.
121. Ebda.; *Schallmayer*, Aquae (wie Anm. 55) S. 101 ff.
122. *Wagner*, Fundstätten (wie Anm. 30) S. 46.
123. Badische Fundber. 15, 1939, S. 8. – Fr. *Garscha*: Die Alamannen in Südbaden 1970, S. 5.
124. *Wagner*, Fundstätten (wie Anm. 30) S. 44 f. – Mannus 33, 1941, S. 120 ff. – *Garscha*, Alamannen (wie Anm. 123) S. 4 f. – Germania 67, 1989, S. 12.
125. *Wagner*, Fundstätten (wie Anm. 30) S. 45; Mannus 33, 1941, S. 120 ff. – *Garscha*, Alamannen (wie Anm. 123) S. 5.
126. *Wagner*, Fundstätten (wie Anm. 30) S. 45.
127. U. *Koch*: Frühes Mittelalter. In: Führer Karlsruhe (wie Anm. 51) S. 75.

2. Geschichte der Stadt Baden-Baden bis 1806

Siedlung und Gemarkung. – So reich die Römerzeit in Baden-Baden durch archäologische Funde dokumentiert ist, so spärlich sind die Zeugnisse für die Besiedlung im Bereich der Stadt und ihres Umlandes während der folgenden Periode. Das Stadtgebiet selbst ist hinsichtlich des frühen Mittelalters nahezu fundleer. Nur am Talausgang, im Bereich des Ortsteils Oos, konnten bislang in nennenswertem Umfang Zeugnisse menschlichen Lebens und Wirkens aus nachrömischer Zeit entdeckt werden. Im Kern der Stadt, unterhalb des Neuen Schlosses gibt es nur einige dürftige archäologische Spuren, die auf ein merowingerzeitliches Anwesen hindeuten könnten. Ob die ausgedehnte Befestigungsanlage auf der Hochfläche des Battert 350 m über der Stadt aus keltischer Zeit oder eventuell doch aus dem frühen Mittelalter datiert, harrt noch der abschließenden Klärung. Gleichwohl darf man davon ausgehen, daß die heißen Quellen zu Füßen des nachmaligen Schloßbergs für die Menschen der Umgebung auch nach dem Abzug der Römer von Interesse blieben und für die weitere Entwicklung der Siedlung von maßgeblicher Bedeutung waren. Dem entspricht es, wenn die erste urkundliche Erwähnung des Orts im Jahre 712[1] sich unmittelbar auf die heißen Bäder – *balneas illas trans rhenum, in pago Auciacensi sitas* – bezieht; im genannten Jahr schenkte der Merowingerkönig Dagobert III. diese Bäder an das Kl. Weißenburg im Elsaß. Ob es um die Quellen, bei denen sich Reste der römischen Bauten und allerlei Inschriften gewiß noch auf längere Zeit sichtbar erhalten haben, eine Kontinuität der Besiedlung von der Spätantike ins frühe Mittelalter gegeben hat, erscheint mangels einschlägiger Zeugnisse gleichwohl fraglich, umfaßt doch die in Rede stehende Zeitspanne rund ein halbes Jahrtausend. Als Grenzort zwischen dem fränkischen und dem jenseits des Oosbachs beginnenden alemannischen Stammesgebiet konnte der Platz jedoch hernach eine neue Bedeutung erlangen.

Wie die archäologischen Befunde so ist auch die schriftliche Überlieferung zur Geschichte Badens – der Name Baden-Baden, der an die Benennung der 1535 bis 1771 hier residierenden Linie der markgräflichen Dynastie anknüpft, wurde erst 1931 amtlich eingeführt[2] – bis ins späte Mittelalter überaus spärlich. Nach der bereits erwähnten Bäderschenkung an das Kl. Weißenburg im Jahre 712 schweigen die urkundlichen Quellen nahezu anderthalb Jahrhunderte bis zur Bestätigung desselben Privilegs durch König Ludwig den Deutschen 856 (*calidis aquis que dicuntur Balnei in pago Vfgowe*), und bis zur nächsten Erwähnung des Orts *Badon nuncupato in pago Ufgouue* (987) vergehen noch einmal mehr als vier Generationen. Aber auch aus der Schenkung von Gütern *in villa Baden* durch Kaiser Heinrich III. an die Bischofskirche von Speyer im Jahr 1046 ist über die Ausdehnung und den Charakter der hiesigen Siedlung nicht viel zu erfahren. Immerhin darf man den zitierten heißen Quellen, aber auch allein der Fortdauer des antiken, hernach bloß übersetzten Namens – *Aquae, balneas/Balnei, Badon, Baden* – entnehmen, daß das warme Wasser auch während des frühen Mittelalters ein das hiesige Leben prägendes Element darstellte.

Ebenso wie das römische Aquae beschränkte sich das mittelalterliche und frühneuzeitliche Baden in seiner Ausdehnung zunächst ganz auf das rechte Ufer der Oos. Zwar bestanden auch links des Bachs teilweise schon früh separate Wohnplätze. Auf dem Fremersberg (*Freimersberch*) gab es bereits 1260[3] ein wohl schon im 14. Jh. wieder abgegangenes Dorf, an dessen Stelle im 15. Jh. zunächst eine Einsiedelei und dann ein Franziskanerkloster getreten ist, und links der Oos lagen auch ein Teil von Scheuern (1278 *Schure*),[4] der indes später zum Dorf Oos geschlagen wurde, sowie die Höfe in der Gunzenbach (um 1400;[5] 1683 11 Familien), über dem Quettig, auf dem Sauersberg, im Tiergarten (1550) und im Seelich (1597). Im näheren Umfeld der Stadt wurde jedoch erst mit der Anlage eines Stechplans und Rennplatzes vor dem Beuerner Tor (2. H. 15. Jh., erweitert 1583), mit dem Bau des Kapuzinerklosters (1631/41) und mit der Errichtung eines Schießhauses in die jenseitige Talaue ausgegriffen. Rechts der Oos lagen vor der Stadtmauer, sowohl talein- wie talauswärts, mehrere Mühlen und Ökonomiegebäude, das Gutleut- oder Feldsiechenhaus (vor dem Ooser Tor), das Spital (vor dem Gernsbacher Tor) sowie ein Beginen- und ein Frauenhaus; 1597 zählte die südliche Vorstadt 19 Anwesen, die nördliche dagegen nur 5. Die Stadt selbst, bestehend aus Neuem Schloß, Oberstadt (Vorburg) und Unterstadt, erstreckte sich i.w. zwischen der Sophien-, Luisen-, Wilhelm- und Schloßstraße sowie dem Römerplatz. Zugänglich war sie durch das Ooser Tor im NW, das Beuerner oder Lichtentaler Tor im SW, das Spital- oder Gernsbacher Tor im O und das Obertor im N. Der Wehrhaftigkeit der Stadt diente darüber hinaus eine ganze Reihe größerer und kleinerer Mauertürme, unter denen der Gemmingerturm (Ecke Wilhelm- und Luisenstraße) und der Hexenturm (am östlichen Mauerknick zwischen Beuerner und Spitaltor) die bekanntesten sind. Den Stadtgraben bewässerte der vom Staufenberg heruntergekommende Rotenbach, der kurz vor seiner Einmündung in die Oos an der westlichen Ecke der Stadtmauer auch noch die innere Stadtmühle antrieb. Die Nachricht des Jakob Twinger von Königshofen, die Ummauerung der *nider stat, do die beder inne sint*, sei erst 1360 erfolgt,[6] ist wohl dahingehend zu verstehen, daß eine schon davor begonnene Befestigung seinerzeit vervollständigt oder abgeschlossen wurde, datiert doch die früheste Erwähnung als Stadt (*stat*), von 1288.[7] Nachdem Baden bereits 1479 zur Residenz erklärt worden war, erwies sich die durch Markgraf Christoph 1507 erlassene Stadtordnung für die weitere städtische Entwicklung als besonders wichtig. Durch Zugeständnis vermehrter Freiheiten gab sie dem davor *me zu ab- dann uffgangk* neigenden Gemeinwesen neuen Auftrieb, jedoch wuchs die Stadt auch hernach nicht über ihren bisherigen Umfang hinaus.

Den Mittelpunkt der älteren Unterstadt bildete von jeher die Pfarr- und Stiftskirche mit dem nördlich und westlich davor gelegenen Platz für den bereits 1046 bezeugten Markt. Schräg gegenüber der Kirche lag während des späten Mittelalters der herrschaftliche Freithof mit der alten Kanzlei, dem Münz- und dem Zeughaus sowie der fürstlichen Badstube (später Jesuitenkolleg, seit der 2. H. 19. Jh. Rathaus); im 16. Jh. verlegte man die Kanzlei in die Schloßstraße unmittelbar gegenüber dem Zugang zur Oberstadt, gemünzt wurde im 17. Jh. in einem Haus zwischen der Schwanzgasse (heute Höllengasse) und der unteren Schloßgartenterrasse bzw. in der Stampfmühle vor dem Beuerner Tor. Im O der Stadt, unmittelbar an der Mauer, an der Stelle des einstigen Badhauses zum Ungemach, entstand im späten 17. Jh. das Frauenkloster zum Hl. Grab. Zwischen diesem und dem Chor der Stiftskirche entspringen am Florentinerberg die heißen Quellen. In der südöstlichen Ecke des mittelalterlichen Stadtareals, beim einstigen Hexenturm zwischen Gernsbacher Straße und Sophienstraße, vermutet man den Platz des Badner »Königshofs«, der 994 Kaiser Otto III. und vielleicht auch anderen Herrschern als Aufenthalt gedient haben soll; möglicherweise handelt es sich dabei um den alten Hof des Kl. Weißenburg. Die Lokalisierung dieses Anwesens ist zwar keineswegs so sicher, wie die Straßennamen »Im Königshof« und »Königshofgasse« den Eindruck erwecken, jedoch wird sie nicht zuletzt durch die exponierte Lage an der Stadtmauer und namentlich durch die Nähe zu den warmen Quellen gestützt. In der entgegengesetzten westlichen Ecke der Unterstadt, zwischen Gemmingerturm und Mühlgasse, lag – typisch für ein adliges Anwesen in einer landesherrlichen Stadt – der Hof der Ministerialen von Selbach (hernach von Gemmingen). Die Oberstadt ist zweifellos erst gegen E. 14. Jh. im Zusammenhang mit dem um 1384/99 gegründeten, später als Residenz dienenden Neuen Schloß als dessen Vorburg entstanden. Das ummauerte Areal der Stadt umfaßte rd. 1,2 ha, dazu kamen das Neue Schloß und die davor gelegene Oberstadt. Der gänzlich gewundene Verlauf der schmalen Straßen und engen, teilweise auch steilen Gassen und Staffeln in der nierenförmig zu Füßen und am Hang des Schloßbergs gelegenen Unterstadt gibt deutlich zu erkennen, daß es sich dabei um eine am alten Platz nach und nach gewachsene Siedlung handelt, wohingegen die Oberstadt gewiß nicht allein infolge ihrer geringen Fläche die Regelhaftigkeit einer jüngeren, planmäßigen Anlage zu erkennen gibt.

Dank seiner Thermalquellen und als markgräfliche Residenz während der Jahre 1479 bis 1689 übertraf Baden die Städte der unmittelbaren Umgebung stets an Bedeutung und konnte sich mit seinen Zentralfunktionen jahrhundertelang behaupten, obgleich es bis in die Neuzeit nur von der Rheinebene her sowie über eine beschwerliche Nebenstraße von Gernsbach aus zu erreichen war; eine Straße vom Tal der Oos über den Schwarzwald gab es in älterer Zeit nicht.

Den 30j. Krieg hat Baden trotz mehrfacher Heimsuchungen – 1632/34 Besetzung durch die Schweden und den Markgrafen von Baden-Durlach, 1642 und namentlich 1643 *haubtplünderung* durch die französisch-weimarische Armee – glimpflich überstanden. Gleichwohl war die positive Entwicklung, welche die Stadt im 15. und 16. Jh. genommen hatte, gebrochen. Wenn die Badner 1658 anläßlich einer Steuerforderung ihres Landesherrn sich über die kümmerlichen Verhältnisse beklagten, in denen viele ihrer Mitbürger lebten, so wird man diese Aussage gewiß relativieren müssen; jedoch zeichnet auch eine kirchliche Visitation aus dem Jahr 1683 ein nicht eben günstiges Bild, indem sie von offenen Dunghaufen und sonstigem Unrat berichtet, die in den Straßen umherlagen. Wenige Jahre später brachte dann der Orléans'sche Krieg die völlige Zerstörung Badens durch französische Truppen unter dem Kommando des Generals Duras. Am 22. August 1689 wurden zunächst die Befestigungen geschleift, und zwei Tage später die ganze, größtenteils aus Fachwerkhäusern bestehende Stadt samt dem Neuen Schloß niedergebrannt; das zunächst verschonte Kapuzinerkloster erlitt im Oktober desselben Jahres das gleiche Schicksal. Nur 46 Häuser blieben hernach einigermaßen bewohnbar. Um die gänzliche Entvölkerung seiner Residenz zu verhindern, ließ Markgraf Ludwig Wilhelm im März 1690 von Wien aus an die Badener Bürger die Aufforderung ergehen, in ihre zerstörte Stadt zurückzukehren und diese wieder bewohnbar zu machen. Der Badner Amtmann Johann Weiß verfaßte im Spätjahr 1691 in Rottenburg eine Denkschrift über die Möglichkeiten eines Wiederaufbaus der ruinierten Stadt;[8] darin sah er eine ganz neue Anlage vor mit breiten und geraden Straßen, offenen Plätzen sowie Modellhäusern in einheitlicher Bauweise mit dahinter gelegenen Höfen für die Ökonomie, dazu die Entstehung neuer Stadtviertel vor dem alten Mauerring. Infolge andauernder Kriegswirren war an eine Realisierung solcher Pläne zunächst freilich nicht zu denken, und schließlich entschied sich der Markgraf für die Verlegung seiner Residenz nach Rastatt, wo seit 1699 eine dem Zeitgeschmack entsprechende, großzügige Schloß- und Stadtanlage entstand. Baden wurde zwar wiederbesiedelt und aufgebaut, auch weiterhin als *fürstliche residentz- und haubtstatt* bezeichnet (1715), benötigte aber noch viele Jahrzehnte, um seine alte Bedeutung zurückzuerlangen und schließlich noch zu übertreffen. Zwar spielten die heißen Quellen auch während des 18. Jh. noch eine Rolle im Leben der Stadt, indes kam der Badebetrieb nur langsam wieder in Gang; die Einwohner der einstigen Residenz ernährten sich überwiegend von der Landwirtschaft sowie von den Erträgen ihres Waldes und eines bescheidenen Gewerbes. Seit der M. 18. Jh. begann endlich wieder ein langsamer Aufschwung; 1765/66 entstand jenseits der Oos ein neues Promenadenhaus, und seit der Wende zum 19. Jh. entwickelte sich die Stadt zum bevorzugten Kurort der europäischen Gesellschaft.

Über die älteste Ausdehnung des Gebiets, aus dem sich hernach die Badner Gemarkung entwickelte, besteht weithin Unklarheit, jedoch darf man annehmen, daß es sich bis ins späte Mittelalter auf das ganze Oostal und im hohen Mittelalter vielleicht sogar darüber hinaus erstreckt hat. In der Schenkungsurkunde für das Kl. Weißenburg aus dem Jahre 712 heißt es, die Badner Mark reiche auf zwei Seiten bis an die Murg (N und O), nach W dehne sie sich eine Meile weit aus *(marcha [...] quae venit de duobus lateribus usque ad fluvium Murga et de una fronte ad partem occidentem talem rasta una)*; nach S bleibt die Grenze unbestimmt, jedoch dürfte sie schon damals mit dem Oosbach nicht identisch gewesen sein. Noch 1597 heißt es in einem herrschaftlichen Urbar, die Orte Oos und Balg hätten *für sich selbs von alters her keine eigen* Gemarkung, sondern seien *in der statt Baden marckhung gelegen*; nach wiederholten Differenzen ist die Abtrennung beider Gemarkungen wohl erst im 18. Jh. erfolgt. Von Grenzbegehungen und -verlochungen nach N, O und S, am Staufenberg, gegen Gernsbach, Obertsrot und Weisenbach, gegen Bermersbach, Bühl und Steinbach (1600 Berichtigung), gegen die Grafschaft Eberstein und am Hohberg, berichten die Quellen von der M. 16. bis ins 17. Jh. Die Gemarkung des nachmaligen Lichtental ist erst im späten Mittelalter mit dem dortigen Niedergerichtsbezirk des Zisterzienserinnenklosters entstanden. Von jeher war die Gemarkung der Stadt Baden ganz überwiegend mit Wald bedeckt. Abgesehen natürlich von der unmittelbaren Umgebung der heißen Quellen, dürfte ihre Besiedlung erst während des hohen Mittelalters erfolgt sein.

108   II. Geschichte der Stadt und der Stadtteile bis 1806

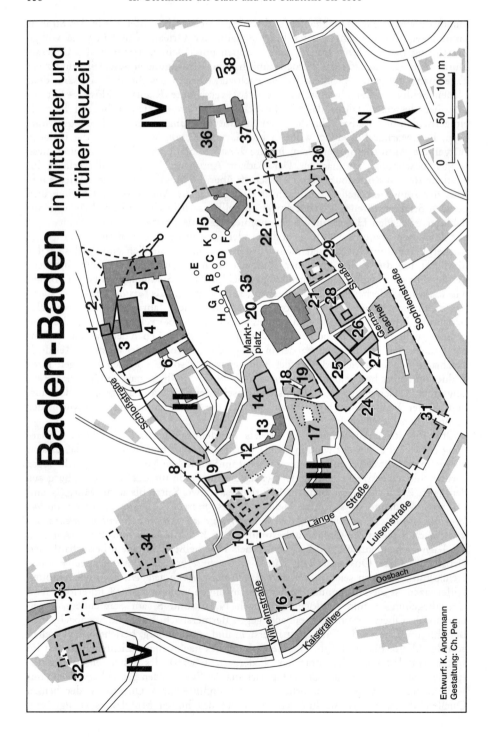

Zusätzliche Rodungen wurden bis in die frühe Neuzeit vorgenommen; namentlich im 18. Jh. kam es noch einmal zu einer regelrechten »Rodungswelle«, allerdings handelte es sich bei dem damals neu gewonnenen Land fast durchweg um kleinere Flächen, die der Anlage von Wiesen dienten. Auf dem Sauersberg und über dem Quettig wurde im späten 16. Jh. auch für Äcker und Weinberge gerodet.

Der im W der Stadt, zu beiden Seiten der Oos gelegene Ortsteil Scheuern bildete ursprünglich eine Einheit und wurde offenbar erst nach der M. 18. Jh. aufgeteilt, südlich des Bachs zum Dorf Oos, nördlich zur Stadt Baden. Bezüglich Orts- und Landesherrschaft war Scheuern stets markgräflich und zählte zum Amt Baden. Als Grundherren treten im 13. Jh. badische Ministerialen und als deren Nachfolger das Kl. Lichtenthal (1803 5 M Äcker, 19 Tw Wiesen), im 17. und 18. Jh. auch die Badner Jesuiten in Erscheinung. Die Zahl der Einwohner belief sich 1748 auf 85.

Herrschaft und Staat. – Die Entwicklung der Herrschaftsverhältnisse in Baden ist für das frühe und hohe Mittelalter nur mit einigen wenigen und hinsichtlich ihrer Echtheit obendrein zu wesentlichen Teilen umstrittenen Quellenzeugnissen belegt. Sie

◁ Legende zur Karte „Baden-Baden in Mittelalter und früher Neuzeit"

I Neues Schloß
1 Archiv- oder Kanzleiturm
2 Küchenbau
3 Marstall
4 Kavalierbau
5 Hauptbau (Wohnbau)
6 Torbau
7 Remise

II Oberstadt (Vorburg)

III Unterstadt
8 Obertor (abgerissen 1834)
9 Neue Kanzlei
10 Ooser Tor (abgerissen 1815)
11 Bad- und Gasthaus Zum Hirschen
12 Altes Rathaus I (um 1408/10)
13 Stiftspropstei (später kath. Pfarrhaus)
14 Altes Rathaus II (seit Mitte 18. Jh.)
15 Kloster zum Heiligen Grab (an dieser Stelle ehem. das Badhaus Zum Ungemach)
16 Gemmingerturm (abgerissen Anfang 19. Jh.)
17 Bad- und Gasthaus Zum Baldreit
18 Altes Schlachthaus
19 Metzig (darunter die ehem. Büttenquelle)
20 Stiftskirche ULF (Pfarrkirche St. Peter und Paul)
21 Stiftsherrenhäuser
22 Bad- und Gasthaus Zum Salmen
23 Spital- oder Gernsbacher Tor (abgerissen 1821)
24 Jesuitenkirche

25 Jesuitenkolleg (seit 2. Hälfte 19. Jh. Rathaus)
26 Aula des Jesuitenkollegs
27 Seminarium des Jesuitenkollegs
28 Bad- und Gasthaus Zur Sonne
29 Bad- und Gasthaus Zum Drachen
30 Hexenturm
31 Beuerner- oder Lichtenthaler Tor (abgerissen 1822)

IV Bereich außerhalb der mittelalterlichen Stadt
32 Kapuzinerkloster
33 Johannesbrücke
34 Bad- und Gasthaus Zähringer Hof
35 Armen- oder Freibad
36 Spital
37 Spitalkirche
38 Gottesackerkapelle Mariä Gnaden-Bronn

Quellen
A Ursprung
B Brühquelle
C Judenquelle
D Ungemach
E Höllenquelle
F Fett- und Murquelle
G Kühler Brunnen
H Laue Quelle
I Büttenquelle (versiegt)
K Klosterquelle

hat die landesgeschichtliche Forschung lange Zeit beschäftigt, ohne daß dabei allseits befriedigende Ergebnisse erzielt worden wären; inzwischen jedoch ist es gelungen, die großen Linien einigermaßen deutlich und plausibel herauszuarbeiten.[9] Demnach war der Ort mit seinen heißen Quellen, den eine Vielzahl antiker Denkmäler wohl noch viele Generationen später als ehemaligen römischen Staatsbesitz ausgewiesen haben, auch in fränkischer Zeit Fiskalgut, sei es in Fortführung früherer Rechtsverhältnisse, sei es infolge Eroberung und Konfiskation aus alemannischem Besitz.

Mit der Abschichtung des fränkischen gegen das alemannische Stammesgebiet entlang der Oos wurde Baden Grenzort auf der Seite der Franken. Deren König Dagobert III. überließ die dortigen Bäder im Jahre 712 unter ausdrücklicher, wenngleich in solchem Kontext eher ungewöhnlicher Berufung auf die römischen Imperatoren, die sie einst hatten anlegen lassen, samt allen ihren Zugehörungen (*cum omnibus et cum ipsa marcha ad ipsas balneas pertinente*) dem Kl. Weißenburg im Elsaß. 856 wurde diese Schenkung – die entsprechenden Güter waren zwischenzeitlich von königlichen Vasallen genutzt worden – dem Kloster durch König Ludwig den Deutschen neuerlich bestätigt; indes wird die Echtheit auch der hiervon zeugenden, allein in einer Abschrift des 17. Jh. überlieferten Urkunde in Zweifel gezogen. Die Schenkung eines *praedium in loco Badon* samt Leuten, Kirche, Grundbesitz und sonstigen Rechten durch König Otto III. an den Grafen Manegold von Nellenburg im Jahre 987, die wohl im Zusammenhang mit der Gründung des Kl. Selz durch Kaiserin Adelheid zu sehen ist, unterliegt derartigen Zweifeln nicht, hatte aber offenkundig keinen Bestand. Vielmehr darf man annehmen, daß Baden erst von Kaiser Konrad II. auf Dauer aus der Weißenburger Grundherrschaft ausgegliedert und dem salischen Königsgut zugeschlagen wurde. So ließe sich erklären, daß Heinrich III. 1046 ein Gut zu Baden samt Markt und Münze (*quoddam predium in villa Baden [...] cum mercatis et theloniis*), wie sein Vater dieses erworben und an ihn vererbt hatte, an die Speyrer Kirche schenken konnte. Obgleich eine *ecclesia* zwar in der Schenkung von 987, nicht aber in jener von 1046 Erwähnung findet, ist davon auszugehen, daß es sich 1046 um dieselben Güter wie 987 gehandelt hat, war doch das Patronatsrecht über die Kirche in Baden später zur Hälfte in Speyrer Besitz.

Infolge der Auseinandersetzungen während des Investiturstreits gelangte die von den Saliern abhängige Grafschaft im Ufgau (*comitatus* Forchheim), in der Baden ausweislich der Urkunden von 987 und 1046 lag und die seit 1086 vorübergehend ebenfalls dem Stift Speyer gehört hatte, um 1100 an den aus dem Hause der Herzöge von Zähringen stammenden Markgrafen Hermann (II.), der zu jener Zeit noch als *marchio de Linthburch* (Limburg, abgeg. Burg bei Weilheim an der Teck) bezeichnet wurde. Im Jahre 1112, nachdem er am Battert, hoch über dem Oostal und der Rheinebene eine Burg gegründet hatte, führte Hermann erstmals den Namen Markgraf von Baden (*marchio de Badůn*); sein vom Vater und vom Großvater übernommener Markgrafen-Titel bezog sich auf die norditalienische Mark Verona und bildete hernach die Grundlage für die Zugehörigkeit des Hauses Baden zum Reichsfürstenstand. Da aber die alten Ufgau-Grafen aus der Familie der Grafen von Malsch noch vor 1115 wieder in ihrer früheren Funktion restituiert wurden, konnte die Ufgau-Grafschaft im folgenden nicht zur Grundlage einer markgräflichen Territorienbildung in diesem Raum werden. Indem allerdings die Markgrafen ihre Rechte an Baden selbst, an der Burg und zweifellos auch an dem darunter gelegenen Ort, behielten, gediehen hier langfristig doch sie und nicht die noch vor der M. 12. Jh. im Mannesstamm ausgestorbenen Grafen von Malsch zum herrschaftlich prägenden Faktor; in Anlehnung an ihre Burg hoch über den heißen Quellen und im Ergebnis der durch mehr als acht Jahrhunderte von ihrer Dynastie getragenen Herrschaftsbildung wurden das hernach entstehende Territorium und schließlich das ganze Land rechts des südlichen und mittleren Oberrheins als Baden bezeichnet.

Indes war die namengebende Burg über Baden im 12. Jh. nicht der einzige und noch lange nicht der bevorzugte Sitz der Markgrafen, deren Interessen sich damals vorderhand auf den Breisgau und namentlich auf das mittlere Neckarland konzentrierten. Erst die Verlegung ihrer Grablege (1248) von der Stiftskirche St. Pankratius zu Backnang in das von Markgräfin Irmgard kurz zuvor gestiftete Zisterzienserinnenkloster Lichtenthal an der Oos signalisiert die für die Zukunft maßgebliche Neuorientierung hin zum mittleren Oberrhein; vorangegangen waren einerseits bedeutende Gebietszuwächse im Kraich-, Pfinz- und Ufgau sowie andererseits territoriale Einbußen am Neckar. Durch sein geschicktes Taktieren zwischen den Staufern und ihren Gegnern konnte Markgraf Rudolf I. († 1288) schließlich fast das ganze staufische Erbe im Uf- und Pfinzgau übernehmen und gegen die Ansprüche König Rudolfs behaupten.

Aber auch jetzt und in der Folgezeit haben die Markgrafen sich in Baden zunächst wohl noch nicht viel öfter aufgehalten als in Mühlburg und in Grötzingen bzw. Durlach oder in Pforzheim. Erst seit der M. 14. Jh. übertrifft die Häufigkeit, mit der in Baden markgräfliche Urkunden ausgestellt wurden, die anderer fester Plätze in der Markgrafschaft erkennbar; unter den Markgrafen Bernhard I. († 1431) und Jakob I. († 1453) war dann die Burg am Battert der mit weitem Abstand bevorzugte Aufenthalt des Landesherrn. Zwar läßt Markgraf Karl († 1475) noch einmal eine gewisse Vorliebe für Pforzheim erkennen, aber Markgraf Christoph († 1527) wählte im Jahre 1479 das Neue Schloß unmittelbar über der Stadt Baden zu seiner ständigen Residenz. Folgerichtig bezeichnet er in seiner 1507 erlassenen Stadtordnung Baden als *die forderst und furnemst* unter den Städten der Markgrafschaft, als Ort *unsers gewonlichen hofhaltens*. Neben dem markgräflichen Hof und seiner Verwaltung entwickelte sich hier alsbald auch eine landesherrliche Zentralverwaltung, die ihren Sitz zunächst in der Kanzlei auf dem herrschaftlichen Freithof und hernach in der »Neuen Kanzlei« gegenüber dem Eingang zur Oberstadt hatte. Zu dieser zentralen Landesverwaltung, an deren Spitze der Hofmeister bzw. Landhofmeister und der Kanzler standen, gehörten auch der Landschreiber (oberster Finanzverwalter), der Münzmeister, der landesherrliche Rat sowie eine Reihe weiterer Bediensteter. Das Archiv der Markgrafen, das zunächst wohl auf Burg Alteberstein lag, wurde E. 14. Jh. nach Hohenbaden und dann in den Archivturm des Neuen Schlosses verbracht. Seine Funktion als markgräfliche Hauptstadt erfüllte Baden bis zur Zerstörung im Jahre 1689 bzw. bis zur Verlegung der Residenz nach Rastatt durch Markgraf Ludwig Wilhelm († 1707); Regierung und Räte hatten die ruinierte Stadt jedoch bereits während der Jahre 1689/95 verlassen, um zunächst in Forbach, dann in Gernsbach und schließlich im vorderösterreichischen Rottenburg am Neckar Zuflucht zu suchen.

Waren die früheren Erbteilungen im Hause Baden (1288/1361, 1384/91, 1453/58, 1482/88) meist nur von kürzerer Dauer, so währte die von 1535 nahezu zweihundertfünfzig Jahre. Baden war in jener Zeit Sitz der älteren oder bernhardinischen Linie des markgräflichen Hauses, die hinfort kurzerhand als Baden-Baden bezeichnet wurde und mit Markgraf August Georg Simpert († 1771) wieder erloschen ist. Unterbrochen wurde die Regierung der Baden-Badner Linie nur in den Jahren 1594 bis 1622 im Zuge der sog. Oberbadischen Okkupation, als die Markgrafen von Baden-Durlach Land und Residenz ihrer hochverschuldeten Vettern besetzten, um Schaden vom Gesamthaus Baden abzuwenden; die Okkupation fand ihr Ende, nachdem Markgraf Georg Friedrich von Durlach 1622 in der Schlacht bei Wimpfen auf seiten der Union unterlegen war.

Nach dem Aussterben der Badner Linie wurde deren Landesteil aufgrund eines 1765 geschlossenen Erbvertrags 1771 dauerhaft mit der Markgrafschaft Baden-Durlach vereinigt.

Als Landesherren waren die Markgrafen in der Stadt Baden Inhaber sämtlicher Herrschaftsrechte. 1545 werden ihre diesbezüglichen Befugnisse in einem Urbar noch ganz nach der Art des späten Mittelalters aufgezählt: *Die herrschaft Baden hat zu Baden alle oberkeit, gericht, staab, gepot, verpott, fell, frevel, unrecht und strafen, soweit die Gemarkung reicht und soweit die Privilegien der Stadt dem nicht entgegenstehen.*[10] Gelegentlich einer neuen, rund ein halbes Jahrhundert später vorgenommenen Aufzeichnung werden dieselben Kompetenzen bereits in moderneren Kategorien gefaßt und präzisiert als *alle und jede landtsfürstliche regalien, hoheiten, glaitliche und forstliche oberherrlich- und gerechtigkheiten, auch der stab und executiones, so den peinlichen malefitz sträflichen und nidergerichtlichen bürgerlichen sachen anhengig.*[11] Demnach umfaßten die Rechte der Markgrafen in der Stadt und ihrer Gemarkung alle Bereiche der Orts- und der Landesherrschaft, vom Gebot und Verbot im täglichen Leben über die zivile und verschiedene Formen der Strafgerichtsbarkeit bis hin zur Forst-, Geleits- und Wehrhoheit; an das einstige, 1796 von den Franzosen zerstörte Hochgericht erinnert der Flurname »Galgenmatte« im O von Scheuern. Hinzu kamen vielfältige Zinse – für den Gebrauch des warmen Wassers, von den örtlichen Mühlen und sonstigen Gewerben, von Liegenschaften etc. – sowie Nutzungsrechte, vor allem aber das Steuerrecht, das es dem Fürsten erlaubte, direkte (Bede, Schatzung, Vogtsgulden, Leibbede etc.) und indirekte Steuern (Ungeld etc.) sowohl in Geld wie in Naturalien zu erheben. Auf die hiesige Bede, eine Grundsteuer, die im Mai und im Herbst eines jeden Jahres fällig war, hatten die Markgrafen um die Wende vom 14. zum 15. Jh. mehrere Burglehen ihrer adligen Burgmannen angewiesen. 1597 waren von der Bedpflicht all jene Bürger und Einwohner befreit, die innerhalb der *statt bezirckh und freyheit gesessen*, jedoch galt diese Steuerfreiheit nur, sofern die Eigentümer ihre Häuser und Güter in der Stadt selbst bewohnten oder bewirtschafteten; im Falle der Verpachtung waren hingegen von je 100 fl Wert 10 ß d an Bede zu entrichten. Die Schatzung war eine Vermögenssteuer, die ebenfalls zweimal pro Jahr – im Februar und im August – eingezogen wurde; der dabei geltende Steuersatz belief sich 1788 pro Termin auf 40 xr je 100 fl Vermögen. Die Verbrauchsabgabe des Ungelds wurde auf Getreide, Fleisch, Wein und Bier erhoben; soweit es die Getränke betraf, fiel sie zu drei Vierteln an die Herrschaft und zu einem Viertel an die Gemeinde.

Seit der M. 13. Jh. begegnen in den Urkunden Vögte und Amtleute zu Baden, die ihren Sitz auf der Burg hatten, und deren Zuständigkeit man sich zunächst zweifellos noch sehr allgemein vorstellen muß. Eine das ganze Territorium gliedernde Ämterverfassung, und damit auch ein Amt Baden, an dessen Spitze der Vogt oder Amtmann stand, bildete sich während des späten Mittelalters nur sehr langsam heraus; ihren Abschluß fand diese Entwicklung wohl erst um 1500. Vom 16. bis ins späte 18. Jh. bestand das Amt Baden neben der Stadt selbst nur aus den Orten Balg, Oos und Ebersteinburg, dazu – allerdings nur hinsichtlich der Landesherrschaft bzw. Landeshoheit – aus dem Niedergerichtsbezirk des Kl. Lichtenthal im Beuerner Tal. 1791 wurden dem nunmehrigen Oberamt Baden noch die Orte Haueneberstein und Sandweier sowie der ganze Stab Sinzheim hinzugefügt. In dieser Gestalt bestand das Oberamt Baden bis 1803, als ihm im 6. Organisationsedikt des Markgrafen Karl Friedrich noch der bisher ins Oberamt Yburg gehörige Stab Steinbach zugewiesen wurde.

Ausgangspunkt und Kern der Herrschaftsentwicklung auf Badner Gemarkung war seit dem hohen Mittelalter die in jüngerer Zeit so genannte Burg Hohenbaden.

Schriftquellen und Baubefunde lassen darauf schließen, daß diese Burg um 1100 von den Markgrafen gegründet wurde; ihre erste Erwähnung geschieht 1112 (*marchio de Badůn*) bzw. 1122 (*in castro Badin*). Bau- und Kunsthistoriker unterscheiden daran mehrere Entstehungsperioden. Die ältesten erhaltenen Teile der durch einen künstlich angelegten Halsgraben sowie durch Turm und Schildmauer gegen den Berg nach NO hin gesicherten Oberburg datieren aus dem 12. Jh. und werden daher traditionell als »Hermannsbau« bezeichnet. Die nächste, sog. Rudolfinische Bauphase fällt ins späte 13. und frühe 14. Jh.; auch sie betrifft noch die Oberburg und deren Zwinger. Ihre bedeutendste Erweiterung erfuhr die Anlage rund hundert Jahre später unter Markgraf Bernhard I.; damals entstanden im SW der Burg der mächtige und repräsentative »Bernhardsbau«, der bis zur Verlegung der Residenz ins Neue Schloß über der Stadt als markgräfliche Residenz diente, dazu eine neue, größere Schloßkapelle, ein neuer Torbau nach S, ein erweiterter Zwinger nach W sowie eine Reihe sonstiger Gebäude. Eine Burgkapelle mit eigener Kaplaneipfründe wird zuerst 1373 erwähnt, zum Jahr 1445 erfahren wir, daß es sich dabei um eine Ulrichs-Kapelle handelte; 1391 stiftete Markgraf Bernhard auf dem dortigen Katharinen-Altar eine weitere Pfründe (1488 auch erwähnt als Marien-Altar) und 1401/02 obendrein Altar und Pfründe zu Ehren der hll. Jacobus, Jodocus, Eucharius und Barbara (1537 auch als Jakobs- und Dreikönigs-Altar). Die letzten größeren Bau- und Ausbaumaßnahmen fallen in die Zeit des Markgrafen Jakob; vor allem handelt es sich dabei um ein zwischen Bernhardsbau und Oberburg errichtetes Wohngebäude (»Jakobsbau«) samt Turm, dem sog. Kapellenturm. Nach der M. 15. Jh. wurden auf der Burg keine größeren baulichen Veränderungen mehr vorgenommen. Markgraf Jakob ist 1453 hier gestorben, und auch der kranke Markgraf Christoph hat von 1518 bis zu seinem Tod im Jahre 1527 auf Hohenbaden gelebt; im übrigen diente das alte Schloß nach 1479 vornehmlich als Witwensitz. Noch 1584 ist ein Burgvogt bezeugt, aber bald darauf wurde die Anlage durch Brand zerstört. 1597 berichten die Quellen vom dem *burgstadel des alt abgeenden schlosses ober der stadt*, und dreißig Jahre später wird *das alt abgegangene schloß* erwähnt. Seither ist die Burg Ruine und hat, nachdem sie zeitweise als Steinbruch diente, erst seit der Romantik wieder Interesse und Zuwendung erfahren; heute ist sie ein beliebtes Ausflugsziel.

Das unmittelbar über der Stadt gelegene Neue Schloß wurde offenbar erst im späteren 14. Jh. gegründet, möglicherweise zwischen 1388, als in einem markgräflichen Teilungsvertrag noch allein eine Burg erwähnt wird, und 1399, als im Testament des Markgrafen Bernhard ausdrücklich von der oberen Burg die Rede ist und demzufolge auch eine untere bestanden haben muß. Zunächst diente das untere Schloß als Witwensitz. Zwar hat auch Markgraf Jakob hier gebaut, aber erst sein Enkel, Markgraf Christoph, verlegte 1479 die Residenz vom oberen Schloß hierher; damals entstanden der westlich vorgeschobene Torturm, ein großes, dreistöckiges Wohngebäude, von dem heute nur noch der sog. Kavalierbau übrig ist, und eine 1514 geweihte Kapelle (hl. Dreifaltigkeit, Muttergottes, Vierzehn Nothelfer, Michael und alle Engel, Jakob d. Ä., Apostel Philipp, Sebastian, Florian, Elftausend Märtyrer, Rochus, Anna, Elisabeth).[12] Im späteren 16. Jh. wurde das Neue Schloß unter Markgraf Philipp II. († 1588) erweitert und im Stil der Renaissance prächtig ausgebaut; aus jener Zeit stammen die stattlichen Hauptgebäude im O und die Wagenremise im S der Anlage. Danach fanden auf dem Schloß bis zur Zerstörung im Jahre 1689 keine größeren Baumaßnahmen mehr statt. Seit 1691 wurde es notdürftig wiederhergestellt, aber als Residenz diente seit 1707 das neu erbaute Schloß in Rastatt. Im späteren 18. Jh. hatte das Badner Neue Schloß wieder die Funktion eines Witwensitzes. 1843/47 und in der 2. H. 19. Jh. wurden durchgreifende Renovierungsarbeiten vorgenommen, seither nur noch Erhaltungsmaßnahmen. Auch nach der 1919 erfolgten Vermögensauseinandersetzung zwischen dem badischen Staat und der abgedankten Dynastie blieb das Schloß im Besitz des Hauses Baden.

Grundherrschaft und Grundbesitz. – Auch wenn in den Schenkungen an Weißenburg 712 und 856 die heißen Bäder im Vordergrund stehen und von deren sonstigen Zugehörungen nur ganz allgemein die Rede ist, darf man vermuten, daß das Kloster aufgrund des ihm solcherart übertragenen Fiskalguts während des frühen Mittelalters die bedeutendste Grundherrschaft auf hiesiger Gemarkung war. Die Aufzählung von Hörigen, Hofstätten, einer Kirche, Gebäuden, bebautem und unbebautem Land, Äckern, Wiesen, Feldern, Weiden, Wäldern, Jagden, Gewässern, Fischereien, Mühlen und anderem mehr in der Urkunde für Graf Manegold läßt zum Jahr 987 zwar eine komplette Grundherrschaft vor unseren Augen erstehen, ist aber in ihrer Aussage doch nur scheinbar präziser als die vorangegangenen Quellen, denn auch hier handelt es sich bloß um eine der seinerzeit allenthalben gebräuchlichen Pertinenzformeln, die sehr begrenzte Schlüsse auf die tatsächlichen Verhältnisse am Ort zulassen. Immerhin konnte inzwischen der Nachweis erbracht werden, daß das Gut (*praedium*) von 987 identisch ist mit jenem, das Kaiser Heinrich III. 1046 der Domkirche zu Speyer geschenkt hat.[13] Später ist es der Speyrer Kirche offensichtlich gelungen, hier ein weiteres Gut, das König Heinrich IV. 1074 von dem Ritter Boto eingetauscht hatte, hinzu zu erwerben. 1102 und 1140 wurden die Speyrer Besitzungen seitens Heinrichs IV. und Konrads III. neuerlich bestätigt, seit der Trennung zwischen Bischofs- und Kapitelsgut im 12. Jh. waren sie in Händen des Domkapitels. Daß dieser Besitz in den folgenden Jahrhunderten der Erosion durch konkurrierende Kräfte unterworfen war, ist kaum zu bezweifeln, jedoch läßt sich deren ganzes Ausmaß nurmehr vage abschätzen. Jüngere Quellen erweisen die domkapitelischen Güter als Zubehör der Badner Pfarrei, deren Patronatsrecht infolge der Schenkung von 1046 dem Domstift in Speyer zur Hälfte zustand; die entsprechenden Gerechtsame, allerlei Zinse und Einkünfte, namentlich aber Zehnten, auf hiesiger Gemarkung und in den Orten der Umgebung bestanden bis zur Säkularisation am A. 19. Jahrhundert.

Mit der anderen Hälfte des Patronatsrechts an der Pfarrei Baden, die 1245 zum Stiftungsgut ihres Klosters zählte, und mit der Allmendberechtigung in Wald und Weide (1256) erwarben auch die Lichtenthaler Zisterzienserinnen erste Einkünfte und Nutzungen zu Baden. Im Laufe der Jahrhunderte wurde dieser Besitz durch Stiftungen, Erbschaften und Ankäufe von Grund-, Haus- und Rentenbesitz immer wieder vermehrt, so beispielsweise um das Haus gen. Münze (1631) oder um den Quettighof (1669); gelegentlich wurden Güter und Rechte auch wieder verkauft oder vertauscht. 1803 besaß das Kloster in der Stadt und auf deren Gemarkung ein verpachtetes zweistöckiges Haus samt Küchengarten, zwei Gärten an der Straße zwischen Baden und Beuern, rd. 80 M Äcker, knapp 40 Tw Wiesen, 129 M Wald und Büsche sowie den um 150 fl jährlichen Bestandszins verliehenen Quettighof links der Oos mit einem zweistöckigen, hölzernen Hofhaus, 20 J Äckern und 1 Tw Wiesen.[14] Auch das 1453 an der Pfarrkirche gegründete Chorherrenstift verfügte über Hausbesitz in der Stadt sowie über Matten vor dem Beuerner Tor, die zu Erblehen verliehen waren; besonders zahlreich waren die Zinse und Gülten, die dem Stift auf Häusern und anderen Liegenschaften zu Baden verhypothekiert waren. Den Jesuiten gehörte aufgrund des ihnen von Markgraf Wilhelm gewährten Stiftungsbriefs (1642) der ehem. markgräfliche Freithof gegenüber der Stiftskirche samt dem dazugehörigen Badhaus, ein Haus für die Schule sowie sieben eigens gekaufte Häuser und Hausplätze, dazu wiederum diverse

Zinse, Gülten und verschiedentlich erworbene Grundstücke. Das Hl. Grab-Kloster besaß aus einer Stiftung der Markgräfin Maria Franziska (1688) einen Rebhof in der Falkenhalde, und auch das Spital verfügte über Grund- und Rentenbesitz in der Stadt und ihrer Gemarkung.

Neben ihren orts- und landesherrlichen Gerechtsamen hatten die Markgrafen in der Stadt Baden selbstverständlich von alters her auch eine Vielzahl von Berechtigungen, Bodenzinsen, Pachteinkünften und Liegenschaften, die durch die Jahrhunderte bei verschiedenen Gelegenheiten immer wieder arrondiert wurden, und natürlich wurde auch immer wieder einmal ein Objekt veräußert, sei es als fromme Stiftung, als Vergeltung geleisteter Dienste oder einfach durch Verkauf. 1582 erwarb Markgraf Philipp II. um 3000 fl das hinter dem Neuen Schloß gelegene Gut gen. Gettelbach, das vermutlich in dem später sog. Herrengut aufgegangen ist. Einer Nachricht von 1788 zufolge bezog die Herrschaft Zinse und Renten aus mehreren Häusern und Grundstücken in der Stadt, aus dem bereits erwähnten Herrengut, dem Ochsenscheuer-Gut (rd. 27 M), dem Hahn-Rebhof (rd. 9 M) und dem Karls-Rebhof (rd. 12 M), aus diversen Wiesen sowie aus Parzellen bei der Ruine Hohenbaden und beim Neuen Schloß.[15] Hinzu kamen umfangreiche herrschaftliche Waldungen am Battert und anderwärts.

Unter den adligen Anwesen in der Stadt war eigentlich nur der Hof der Ministerialen von Selbach einigermaßen bedeutend; er lag in der südwestlichen Ecke der Stadt und war seit dem 14., vermutlich sogar schon seit dem 13. Jh. in Selbacher Besitz. Durch Heirat und Erbschaft gelangte dieser Hof im 15. Jh. an die im Kraichgau beheimatete Familie von Gemmingen, nach der fortan auch der benachbarte Stadtmauerturm seinen Namen trug. Ansonsten war hiesiger Adelsbesitz offenbar nie von langer und prägender Dauer. Bürgerlicher Haus- und Grundbesitz in der Stadt ist in der schriftlichen Überlieferung ganz überwiegend im Zusammenhang mit Darlehnsgeschäften zu fassen, wobei sich freilich selten einmal die Geschichte eines Hauses über mehrere Generationen verfolgen läßt; solches ist gewöhnlich nur dort möglich, wo ein Anwesen, wie beispielsweise das des Landhofmeisters Walter von Heimenhofen (M. 15.Jh.) oder die Häuser anderer markgräflicher Bediensteter, von der Herrschaft zu Lehen rührten und daher periodisch neu verliehen und reversiert wurden.

Gemeinde. – Der Zeitpunkt, zu dem Baden Stadt wurde, ist nicht bekannt, ein Stadtrechtsprivileg nicht überliefert. Indes darf man vermuten, daß die Stadterhebung um dieselbe Zeit geschah, zu der die markgräfliche Grablege von Backnang nach Lichtenthal verlegt wurde, d. h. ums Jahr 1248. Bereits 1256 ist in einer Urkunde von den *civibus et universis villanis* der Pfarrei Baden die Rede, und 1288 wird der Ort erstmals ausdrücklich als Stadt bezeichnet. Die Gemeindebildung wird hier wie anderwärts gewiß noch vor die Stadtwerdung zurückreichen, jedoch liegen diesbezüglich keinerlei Quellenzeugnisse vor.

Freilich müssen die Rechte der Bürgergemeinde zu Baden damals und noch im Ausgang des Mittelalters vergleichsweise sehr bescheiden gewesen sein, baten doch 1498 Bürgermeister und Rat den Markgrafen, ihrer Stadt dieselben Freiheiten zu verleihen, über die Pforzheim längst verfügte, und erboten sich, dafür jährlich zur Abgeltung von Bede und Ungeld pauschal 500 fl zu bezahlen. In dem schließlich unterm 7. September 1507 gewährten Freiheitsbrief[16] stellt Markgraf Christoph selbst fest, die Stadt Baden sei *bißher nit hoher, sunder minder dann andere unsere stett* in der Markgrafschaft privilegiert gewesen. Nun aber wurden den Badner Bürgern die Freiheit von Bede, Schatzung, Steuer und Fronden eingeräumt, wenngleich mit Ausnahme der Brennholzlieferung für das herrschaftliche Badhaus und für die Kanzlei sowie mit

Ausnahme der Verpflichtung zu Kriegssteuern und -diensten und der Bürgschaftsleistung für landesherrliche Schulden; darüber hinaus wurden ihnen der Gerichtsstand in ihrer Stadt, Freizügigkeit und freie Gattenwahl sowohl innerhalb wie außerhalb der Markgrafschaft und Freiheit für Handel und Gewerbe zugestanden. Der Gemeinde im ganzen bestätigte der Markgraf ihre Allmende und ihren sonstigen Besitz, das Recht Weggeld sowie allerlei Nutzungsentgelte, Gebühren und Zinse zu erheben, gemeinsam mit dem Schultheißen Ordnungen zu erlassen und deren Einhaltung zu überwachen, dazu vielerlei polizeiliche Befugnisse. Dieser zunächst nur vorläufige Freiheitsbrief wurde 1510 durch Markgraf Christoph mit nahezu dem gleichen Wortlaut erneuert und noch im selben Jahr auch von dessen Sohn Philipp bestätigt; von den folgenden Markgrafen immer wieder erneuert, bildete er noch im 18. Jh. die Grundlage der städtischen Verfassung zu Baden. Zur Huldigung gegenüber einem neuen Fürsten war die Bürgerschaft erst verpflichtet, wenn dieser die Wahrung der städtischen Freiheiten versprochen hatte.

Alle diese Freiheiten standen jedoch unter einem umfassenden herrschaftlichen Vorbehalt und vermögen nicht darüber hinwegzutäuschen, daß der Autonomie der Badner Bürgergemeinde und ihrer Organe sehr enge Grenzen gezogen waren. Maßgeblich für alles, was in der Stadt geschah, war sowohl vor wie nach den Privilegien von 1507/10 der 1334 erstmals bezeugte Schultheiß,[17] der namentlich in späterer Zeit nicht selten auch unter den Bezeichnungen Vogt, Untervogt oder Amtmann erscheint. Als Vertreter des Markgrafen war er allein diesem verantwortlich und nahm alle dessen obrigkeitliche Rechte und Gerechtsame in der Stadt und ihrer Gemarkung sowie im zugehörigen Amt wahr; unter seine Aufgaben zählten der Vorsitz im Gericht, die Verpflichtung der Turmknechte, Wächter und Torwärter sowie die Verwahrung der Schlüssel zu den Stadttoren.

Ein Bürgermeister läßt sich in der Stadt Baden nicht vor dem Ende des 15. Jh. nachweisen;[18] anders als gemeinhin üblich, war dieses Amt hier offenbar nur einfach, nicht aber doppelt besetzt. Gewählt wurde der Bürgermeister für die Dauer eines Jahres aus dem Schöffenkollegium des jeweils neuen Gerichts durch getrennte Befragung des abgehenden Bürgermeisters sowie der einzelnen Richter und der Ratsmitglieder. Seine Zuständigkeit erstreckte sich auf die Ahndung von Verstößen gegen die Stadt- und Marktordnung, auf die Sorge für die Instandhaltung von Wegen, Stegen, Brücken, Brunnen und städtischen Gebäuden, auf die Regelung der Allmendnutzung und – im Zusammenwirken mit Schultheiß, Gericht und Rat – auf die Ausübung der Bannrechte im Gemeindewald. Größere Neubauten, namentlich neue Türme, Tore und Brücken durfte er nur im Einvernehmen mit dem Schultheißen, dem Gericht und dem Rat vornehmen; deren Weisungen waren für ihn auch ansonsten verbindlich. Seine Rechnungslegung geschah am Ende eines jeden Jahres vor Gericht und Rat.

Das durch die Jahrhunderte stets mit zwölf Schöffen besetzte Gericht findet ebenso wie der Schultheiß 1334 seine erste Erwähnung.[19] Die Richter wurden jährlich in Anwesenheit und unter Mitwirkung des herrschaftlichen Landvogts bzw. in dessen Vertretung des Schultheißen durch das alte Gericht gewählt; acht von ihnen rekrutierten sich aus dem alten Gericht und nominierten reihum auf Befragen des Schultheißen vier neue Richter, die sodann vom Landvogt in Pflicht genommen wurden. Der Badner Rat als separates Gremium tritt wie der Bürgermeister erst seit dem ausgehenden 15. Jh. in Erscheinung;[18] seine Genese bleibt unklar. Gleich dem Gericht hatte er zwölf Mitglieder, die entsprechend dem Verfahren zur Bestellung der Gerichtsschöffen gewählt wurden. Der Rat tagte in Gegenwart des Schultheißen, dem er ebenso wie dem Bürgermeister Gehorsam schuldete; alle Gemeindeangelegenheiten sollte er gemeinsam mit dem Gericht erledigen. In Gerichtssachen hatte der Rat keine Kompetenzen, jedoch konnte der Schultheiß bei Verhinderung eines Richters ersatzweise ein Ratsmitglied ins Gericht berufen.

Von einem Stadtschreiber berichten die Badner Quellen seit dem A. 16. Jh.; seine Anstellung geschah mit Konsens und Approbation seitens der Herrschaft. Auch die sonstigen Gemeindeämter, Wald- und Stadtknechte, Torwärter und Wächter, Hirten, Schützen sowie andere städtische Bedienstete, wurden durch Bürgermeister, Gericht und Rat angestellt und vom Schultheißen mit dem herrschaftlichen Stab verpflichtet. Ihre Besoldung erfolgte seitens der Stadt, jedoch erhielten die beiden Stadtknechte vom Markgrafen eine zusätzliche Vergütung; auch jenen städtischen Dienern, die mit dem Eintreiben der Polizeigefälle zu tun hatten, bezahlte der Markgraf ein Zubrot. Zu Wachdiensten waren gegebenenfalls alle Bürger und Ausmärker verpflichtet. Der in der Stadt bereits bestehenden Gesellschaft von Armbrustschützen gab Markgraf Christoph 1510 eine Ordnung,[20] die 1640 durch Markgraf Wilhelm und 1792 durch Markgraf Karl Friedrich jeweils unter Berücksichtigung des zwischenzeitlich eingetretenen waffentechnischen Wandels erneuert wurde.

Das älteste erhaltene Badner Stadtsiegel hängt an einer Urkunde von 1377.[21] Es zeigt das markgräfliche Wappen und trägt die Umschrift + S[igillum] *CIVIVM DE BADEN*; sein Typar war noch im späten 15. Jh. in Gebrauch. Ein jüngeres Typar, das den Wappenschild mit einem Dreipaß umrahmt und sich auf einem Schriftband wiederum als *Sigilvm Civivm de baden* bezeichnet, ist von 1494 bis 1787 belegt; es wurde 1720 repariert und vermutlich um die M. 18. Jh. in einem neuen Siegel nachgebildet (*SIGILLUM CIVIUM DE BAADEN*; renoviert 1792). Daneben gab es ein weiteres, zwischen 1719 und 1784 vorkommendes Siegel mit dem badischen Wappen und der Umschrift *SIGILLVM CIVIVM BADENAE*.

Ein Badner Rathaus, von dem man aufgrund einer inzwischen verlorengegangenen Bauinschrift vermutet, es sei 1408 erbaut worden, findet zuerst 1410 als *domus sculteti* Erwähnung. Die Stadtordnung von 1507 unterscheidet zwischen dem *rathuß* und einem außerdem bestehenden *kouffhuß*. Nach dem Untergang des alten Rathauses im Orléans'schen Krieg 1689 versammelte sich der Magistrat der Stadt, deren Bewohner großenteils im Beuerner Tal Zuflucht gesucht hatten, in der Bürgerstube der dortigen Gemeinde. Hernach wurde ein zu Beginn des 18. Jh. erbautes Reihenhaus am Markt, nordwestlich der Stiftskirche, am Eingang der Schloßstraße, als Rathaus adaptiert und infolge Raumnot schließlich noch das Nachbarhaus hinzuerworben; der Umzug der Stadtverwaltung ins ehem. Jesuitenkolleg erfolgte erst nach der M. 19. Jh. Auf ihrer Allmende in der Rotenbach errichtete die Gemeinde 1578 einen Schuppen, um darin ihren Feuerwagen samt zugehörigen Leitern, Haken und sonstigem Gerät zu verwahren; davor waren die Löschgeräte außerhalb der Herbstzeit im Gebäude der herrschaftlichen Kelter untergebracht.

Einer Beschreibung von 1517/28 zufolge reichte die Allmende der Stadt Baden, an der seit 1256 auch das Kl. Lichtenthal teilhatte, vom Kamm der umliegenden Berge bis herunter ins Tal (*als ferr die schneschleyff und der trauf herein in das thal felt biß mitten in die Buhel, alles zu rings umb*), jedoch mit Ausnahme des Schlettigs und des Ebersteiner Waldes, die beide herrschaftlich waren. Dazu gehörte der Oosbach unterhalb des Kl. Lichtenthal bis zur Furt unterhalb der Schweigroder Mühle samt allen Nebenwassern und Zuflüssen. Im 16. Jh. hatte die Stadt Eigentum an den sog. Hinteren Wäldern Wettersberg, Sollsberg, *Schwaneck*, *Rottenberg*, *Bertich*, *Grindt*, Ruberg, *Gumperswieß*, Heidernell, *Miesblaß*, Müllenbild und Kleiner Staufenberg sowie an den Vorderen Wäldern Fremersberg, Großer Staufenberg (soweit nicht herrschaftlich),

Steinach, Hardberg, Laisenberg, Iberst und Waldeneck.[22] Die Nutzung der städtischen Waldungen unterlag der Aufsicht eines Waldmeisters, ohne dessen Erlaubnis keinerlei Holz geschlagen und aus dem Wald herausgebracht werden durfte. Aufgrund eines 1510 mit der Gemeinde Rastatt geschlossenen Vertrags war es den Badnern erlaubt, ihre Bretter auf einem von den Rastattern angelegten Kanal durch deren Allmende zum Rhein zu flößen.

Neben den Erträgen ihrer von alters her sehr umfangreichen Waldungen verfügte die Stadt Baden spätestens seit dem frühen 16. Jh. noch über eine ganze Reihe weiterer Einkünfte, darunter je ein Viertel am Ungeld (Verbrauchssteuer), am Bürgerannahmegeld sowie an den herrschaftlichen Einnahmen aus Polizei- und Gnadenverschreibungen. Alle diese Gelder waren der Gemeinde zum Zweck des Baus und der Unterhaltung von Stadtmauern, Gräben, Zwingern, Toren, Türmen, Brücken, Wegen, Stegen und Straßen sowie zur Finanzierung der Stadtwache und der Huten zugestanden. Auch das Weggeld, das unter dem Stadttor erhoben wurde, diente dem Unterhalt der örtlichen Verkehrswege. Das gelegentlich der Märkte eingenommene Standgeld fiel allein der Stadt zu und wurde zur Entlohnung der Marktknechte und für andere einschlägige Bedürfnisse aufgewendet. 1513 verlieh Markgraf Christoph der Stadt auf drei Jahre das Salzmonopol, und von 1506 bis ins 18. Jh. ist die fürstliche Badstube beim Spitalbrunnen gegen einen jährlichen Zins in Höhe von 8 fl als Erblehen im Besitz der Stadt nachzuweisen. Vom Speyrer Domkapitel und dem Kl. Lichtenthal hatte die Gemeinde im späten 16. Jh. deren Zehntanteile auf hiesiger Gemarkung um jährlich 208 fl in Pacht.

Der Armenfürsorge in der Stadt diente spätestens seit der M. 14. Jh. ein offenbar seitens der Herrschaft gestiftetes Spital (erwähnt 1351), das vor dem Gernsbacher oder Spitaltor, unmittelbar neben dem alten Friedhof lag. Durch die drei Pfründen seiner Kirche (ULF und 14 Nothelfer), mit denen Stiftsvikariate dotiert waren, war es seit 1453 eng mit dem Kollegiatstift verbunden. Kastvogt des bereits im 14. Jh. in Niederbühl, Förch, Daxlanden und Forchheim begüterten und durch die Jahrhunderte gegenüber Einwohnern Badens und der umliegenden Orte häufig als Darlehnsgläubiger auftretenden Spitals war der Markgraf, vor dessen Räten die Pfleger und Meister jährlich Rechnung zu legen hatten. Zufolge einer Ordnung von 1559 war der Meister zuständig für die sicheren und regelmäßigen Einkünfte, die Pfleger hingegen für die unsicheren und unregelmäßigen; die tägliche Austeilung an die Bedürftigen oblag dem Spitalmeister. Zum Gewölbe, in dem die Urkunden und Rechtstitel zu den Einkünften des Spitals verwahrt wurden, hatten Pfleger und Meister nur gemeinsam Zutritt. 1689 wurde das Spital mit der übrigen Stadt zerstört. Das Pfründnerhaus über dem Rotenbach und die Schaffnerei waren wohl schon um 1700 wiederhergestellt; in einem großen Um- und Neubau entstand hernach 1763/66 der noch heute bestehende Spitalkomplex, der freilich im 19. und frühen 20. Jh. noch einige Veränderungen erfahren hat.

Auf der anderen Seite der Stadt, vor dem Ooser Tor, lag das als Haus der *armen feltsiechen* 1426 erstmals erwähnte Gutleut- oder Sondersiechenhaus.[23] Die Pfründe seiner Nikolaus-Kapelle wurde spätestens seit 1488 ebenso wie die drei Pfründen des Spitals den Vikarspfründen beim Kollegiatstift zugerechnet. Zum Jahr 1494 ist überliefert, daß die Feldsiechen neben den Brüdern auf dem Fremersberg, den Beginen und den Insassen des Spitals von der Nikolaus-Bruderschaft bei der Verteilung von »Spennbrot« zu berücksichtigen waren. Auch das Gutleuthaus, das von der Stadt verwaltet wurde, war vermögend genug, um über die Jahrhunderte hinweg immer wieder als Darlehnsgeber in Erscheinung zu treten. 1689 wurde sein Gebäude schwer beschädigt, die zugehörige Kapelle zerstört. 1701 zunächst nur einstöckig wieder hergestellt, vermochte das Gutleuthaus seine ursprüngliche Funktion bald kaum noch zu erfüllen, weil die Zahl der Leprosen, der *würklichen sonder- oder feldsiechen*, sehr abgenommen hatte. So diente das Anwesen später als Gutleut- und Krankenhaus für Dienstboten und schließlich als Altersheim. Bereits im späteren 15. Jh. war den Feldsiechen der Überlauf des warmen Wassers vom Brühbrunnen aus der Herberge Zum Schnabel bewilligt; 1591 verlieh Markgraf Eduard Fortunat dieses Wasser den Gutleuthauspflegern gegen einen jährlichen Zins.

Die Aufgaben des Badner Bettelvogts sind in einer um 1528 erlassenen Ordnung beschrieben.[24] Demnach hatte er Almosen und Spenden gerecht zu verteilen sowie wildes Betteln zu unterbinden; desgleichen oblag ihm die Aufsicht über Bettler *und andere geste, so hinder dem fryen bade yr enthaltung haben*, und war verpflichtet, Verstöße gegen die öffentliche Ordnung unverzüglich dem Bürgermeister zu rügen. Seine Besoldung erfolgte durch die Gemeinde. Ein Armenhaus zu Baden ist seit 1585 bezeugt.[25] 1766 lag das *zur Beherbergung der durchreisenden Armen errichtete Armenhauß*, das nur ein Erdgeschoß hatte und aus einer Küche und zwei Stuben bestand, gegenüber der Spitalkirche; im Jahr darauf wurde es wegen Baufälligkeit abgerissen. Der Fürsorge in der Stadt dienten darüber hinaus mehrere milde Stiftungen: Bereits im frühen 16. Jh. bestand das sog. Gemeine bzw. Stadt- oder Arme Almosen, neben dem Markgraf Philipp in den Jahren 1529/30 mit 8000 fl Kapital das sog. Hof- oder Reiche Almosen errichtete. Dieses sollte zunächst 15, später 24 hausarme Männer, die sowohl in der oberen wie in der unteren Markgrafschaft Baden seßhaft, geboren oder erzogen sein konnten, aber ehrlich leben mußten, täglich speisen; seine Verwaltung oblag allein der Stadtgemeinde, jedoch war der Markgraf zur kastvogteilichen Inspektion berechtigt. Für arme Kranke stiftete 1651 der Straßburger Ratsherr Daniel Steinbock aus Dankbarkeit für die mit Hilfe des warmen Wassers zu Baden gefundene Heilung 1000 fl Kapital. Schließlich gründeten August Georg, der letzte Markgraf aus der Linie Baden-Baden, und seine Witwe Maria Viktoria Pauline zwischen 1766 und 1793 nicht weniger als fünf mildtätige Stiftungen, den Maria Viktoria-Verlassenschaftsfonds, den Georg-Elisabethen-Fonds, den August Georg-Armen-Apothekenfonds, den Altbadischen Fonds und den Bezirksspitalfonds.

Kirche. – Von einer *ecclesia* zu Baden erfahren wir zwar erst zum Jahr 987 in der Schenkung Kaiser Otto III. für den Grafen Manegold, jedoch besteht am viel höhern Alter dieser Kirche kein Zweifel; ihr seit 1256 (1434) bezeugtes Peter- (und Pauls-) Patrozinium läßt eine Weißenburger Gründung des frühen Mittelalters vermuten. Der erwähnten Schenkung ist zu entnehmen, daß die Badner Kirche im 10. Jh. in der Verfügungsgewalt des Reiches stand, und aus den späteren Verhältnissen wird deutlich, daß sie dieses noch bis ins 11. Jh. geblieben ist. Obgleich die Übertragung eines *predium in villa Baden* an die Speyrer Domkirche 1046 das Gotteshaus nicht eigens erwähnt, hat sie dieses offensichtlich doch mitumfaßt, denn im späten 13. Jh. gehörte die Badner Pfarrkirche respektive ihr Kirchensatz zur Hälfte dem Speyrer Domkapitel; die andere Hälfte gelangte 1245 zusammen mit sonstigem Stiftungsgut aus markgräflichem Besitz an das Kl. Lichtenthal. Wie diese merkwürdige, im 13. Jh. erstmals aufscheinende und hernach noch mehrfach belegte Teilung von Kirche und Pfarrei zustandegekommen ist, hat sich bislang nicht befriedigend erklären lassen. 1248/56 und 1361 wurde die Pfarrpfründe – offensichtlich wiederum je hälftig – dem Kl. Lichtenthal bzw. der Speyrer Domfabrik inkorporiert. 1388 bestanden an der hiesigen Kirche alles in allem vier Priesterpfründen, darunter vermutlich auch die bereits 1377 erwähnte Nikolaus-

Pfründe (Frühmesse); ein St. Barbara-Altar mit eigner Pfründe begegnet 1441.[26] Anläßlich der Gründung des Kollegiatstifts zu Baden trat Lichtenthal seine Rechte an der Pfarrkirche wieder an den Markgrafen ab, der schließlich 1468 im Tausch gegen das Kollaturrecht in der Pfarrei Forchheim auch den Speyrer Anteil der Kirche erwerben konnte. Damit war der Markgraf Patronatsherr über das Stift sowie über die seit 1586/87 mit der Stiftskustodie verbundene Pfarrei[27] und über die Filialkirche im Spital. Im 18. Jh. gab es, wenngleich ohne Erfolg, Bestrebungen, Pfarrei und Kustodie wieder von einander zu trennen. Obendrein entstand zwischen dem Bischof von Speyer einerseits sowie dem Markgrafen und dem Stiftskapitel andererseits im 17. Jh. ein Streit über die Frage, ob Stift und Pfarrei der speyrischen Jurisdiktion unterlägen oder exemt seien; 1745 wurde in einem durch die Kurie anerkannten Vergleich der Bischof in seiner Funktion als Ordinarius des Stifts bestätigt.[28]

Die Stadt Baden lag im äußersten S der alten Diözese Speyer, unmittelbar an der Grenze zum Bistum Straßburg; zuständiger Archidiakon war der Stiftspropst von St. German vor Speyer. Der genaue Verlauf der Bistumsgrenze läßt sich nicht mit Sicherheit rekonstruieren. Traditionell nimmt man an, er sei dem Oosbach gefolgt, und entsprechend wird er auch in einem Speyrer Visitationsprotokoll von 1683 beschrieben.[29] Dem widerspricht indes, daß die Siedlung auf dem Fremersberg 1260 zur Pfarrei Baden gerechnet und die dortige Franziskanerniederlassung noch in einer Papsturkunde von 1459 ausdrücklich als zur Speyrer Diözese gehörig[30] bezeichnet wird. Die Oosgrenze hingegen könnte ihre Bestätigung darin finden, daß die Kapelle der Einsiedelei auf dem Fremersberg um 1425 durch den Bischof von Straßburg geweiht und das 1630/31 gegründete Kapuzinerkloster mit dem Argument, es liege links der Oos, nach längeren Auseinandersetzungen der schwäbischen Ordensprovinz zugeteilt wurde; auch die Fremersberger Franziskanerniederlassung zählte in der frühen Neuzeit zur schwäbischen Provinz ihres Ordens. Wenn man freilich sieht, daß zum Sprengel des Pfarrers von Baden noch im späten 17. Jh. außer der rechts des Bachs gelegenen Stadt und dem ganzen Beuerner Tal mit Unter- und Oberbeuern, dem Kl. Lichtenthal und Schmalbach auch die links der Oos gelegenen Weiler Malschbach, Geroldsau und Gunzenbach gehörten, dann möchte man doch annehmen, die Diözesangrenze falle eher mit der südlichen Kirchspielsgrenze, d. h. im wesentlichen mit der Badner Gemarkungsgrenze gegen Sinzheim, Steinbach und Bühl zusammen. Demnach hätte sie sich, was durchaus plausibel erscheint, im Verlauf der Besiedelung des Beuerner Tals während des hohen Mittelalters ohne präzise Linienführung allmählich herausgebildet und wäre erst in der frühen Neuzeit mit dem Lauf der Oos identifiziert worden, freilich ohne daß dabei die von alters bestehenden Pfarreiverhältnisse eine entsprechende Änderung erfahren hätten. Neben den Dörfern und Weilern des Beuerner Tals gehörten im Mittelalter zum Badner Kirchspiel auch die Orte Oos und Balg, für die 1514 eine separate Pfarrei mit Sitz in Oos konstituiert wurde. Auch Ebersteinburg, das jedoch zuvor einen eignen Pfarrer hatte, wurde offenbar seit dem 30j. Krieg von Baden aus versehen.

Die ältesten noch erhaltenen Teile der Peter- und Paulskirche, die vermutlich am Platz des schon 987 erwähnten Gotteshauses steht, datieren aus der 1. H. 13. Jh.; es handelt sich dabei um die unteren Turmgeschosse bis zur Traufhöhe des Mittelschiffs sowie um die Kämpfer des Triumphbogens und der ersten Schiffsarkaden am Chor. Diese romanische Kirche bestand aus einem Mittelschiff (ca. 7,17 x 20 m) und zwei Seitenschiffen, hatte aber kein Querhaus. Eine großzügige Erweiterung des Gotteshauses wurde im Zusammenhang mit der Erhebung zur Stiftskirche um die M. 15. Jh. in Angriff genommen und in den späten 1470er Jahren abgeschlossen. Das Langhaus, das seither den Turm auf drei Seiten umschließt, wurde damals mit vier bzw. fünf Jochen neu gebaut, dazu der Stiftschor und das Marienchörlein. In den Jahren 1660/62 entstand als Stiftung der Markgräfin Maria Magdalena an der Südseite des Chors, wiederum in den Formen der Gotik, das Johannes-Nepomuk-Chörlein. Nach der Zerstörung im Jahre 1689 wurden an der Kirche zunächst nur behelfsmäßige Sicherungsarbeiten vorgenommen; 1712/13 erhielt der Turm seine bis heute charakteristische Bekrönung. Die eigentliche Instandsetzung und Wiederherstellung erfolgte allerdings erst um die M. 18. Jh. Im Zuge einer Renovierung zwischen 1861 und 1867 wurden eine neue Sakristei angebaut sowie Veränderungen am Dach und im Inneren vorgenommen, die aber seit 1952/54 bzw. 1962/67 wieder rückgängig gemacht sind.

Die Absicht, die Badner Pfarrkirche in eine Kollegiatkirche umzuwandeln und damit der badischen Dynastie eine zeitgemäße Grablege zu schaffen, bestand bereits in den Jahren 1412/13, jedoch wurden die entsprechenden Pläne des Markgrafen Bernhard I. zunächst nicht verwirklicht. Erst ein Menschenalter später trat mit dem Entwurf einer Fundationsurkunde und eines Statutenwerks das Projekt in eine neue und schließlich erfolgreiche Phase. Nachdem das Vorhaben im April 1452 seitens des Papstes gutgeheißen worden war, setzte Markgraf Jakob im April 1453 die Gründung in die Tat um. Die Stiftung zu Ehren der Muttergottes, der zwölf Apostel und der Hll. Peter, Paul, Johannes Bapt., Jakob (eigene Pfründe seit 1453), Georg und Anna sah zwölf Kanonikate vor, darunter zwei Dignitäten (Propst und Dekan) und zwei Offizien (Kustos und Kantor) sowie zehn Vikariate; drei der Stiftsvikare waren auf Altären der Spitalkirche bepfründet. Der Dotierung der Stiftsherrenpfründen sollten die mit päpstlicher Bewilligung inkorporierten Pfarrkirchen zu Besigheim, Mönsheim, Kappel, Gochsheim, Bühl, Elchesheim, Remchingen, Söllingen und Gechingen dienen. Ein Kanonikat stiftete 1459 mit 1300 fl Kapital Agnes von Blumenberg, die Witwe Heinrich Röders von Rodeck; die elfte Kanonikerpfründe (St. Nikolaus) wurde 1478 durch Markgraf Christoph aus den Einkünften der inzwischen erledigten Pfarreien Besigheim und Mönsheim errichtet, die zwölfte (St. Thomas) im gleichen Jahr aus den Einkünften der künftig erledigten Pfarrei Remchingen, vermehrt um eine 500 fl-Stiftung seitens des ehemaligen markgräflichen Kanzlers und Landschreibers Johann Hochberg. Dem Markgrafen oblagen Vogtei und Visitationsrecht über das Stift. Erster Propst wurde Bernhard († 1475), ein natürlicher Sohn des Markgrafen Bernhard I. Ihre Funktion als Grablege des Hauses Baden erfüllte die Stiftskirche bis zum Aussterben der Linie Baden-Baden im Jahre 1771. Zahlreiche Grabmäler des 16. bis 19. Jh. zeugen im Chor der Kirche noch heute vom reichsfürstlichen Selbstbewußtsein der markgräflichen Familie.

Neben den bereits erwähnten, inkorporierten Pfarreien gehörten zur Gründungsausstattung des Stifts noch Zinseinkünfte zu Straßburg, Zehnten zu Stein und Göbrichen, Anteile am Ungeld zu Baden und Ettlingen sowie ein Anteil an der Bede und Steuer zu Gernsbach. Um künftigem Streit vorzubeugen, vereinbarte Markgraf Karl 1461 mit Propst, Dekan und Kapitel, das Stift möge keine Güter erwerben, die der Landesherrschaft bed-, steuer- oder dienstbar sind; allerdings wurde jedem Stiftsherrn bewilligt, in der Stadt Baden über ein Anwesen zu verfügen, das, solange es in stiftischem Besitz blieb, von allen Lasten befreit sein sollte. Auch während der folgenden Jahrzehnte und Generationen konnte das Stift seine Güter und Gerechtsame mit Hilfe von Schenkungen und Stiftungen seitens des markgräflichen Hauses und seitens Badner Bürger immer wieder vermehren. Der vergleichsweise dichte Kern seines Besitzes lag unmittelbar südwestlich von Baden-Baden, zwischen Sandweier und Ottersweier, jedoch ist daneben, großenteils noch von der Gründungsausstattung her, eine weite Streuung von

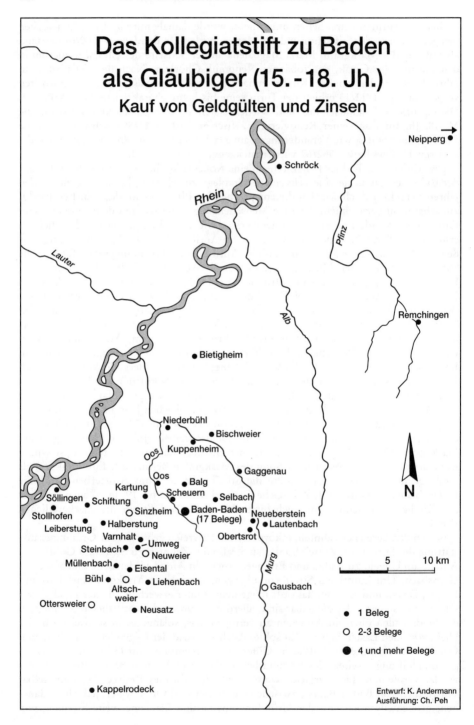

Straßburg, Sulz und Mahlberg im S über Söllingen, Elchesheim, Ettlingen, Remchingen und Gochsheim im Kraichgau bis an den mittleren Neckar sowie ins Schönbuch und ins Obere Gäu zu beobachten.[31] Dieser Besitz bestand zum einen aus allerlei Einkünften und verpachteten Liegenschaften, zum anderen aber auch aus einer großen Zahl von Zehntberechtigungen. Während der ganzen Dauer seines Bestehens tritt das Badner Stift mit seinem Kapitalvermögen immer wieder als Darlehnsgläubiger gegenüber zahlreichen Schuldnern von Bietigheim bis Kappelrodeck und von Stollhofen bis Gausbach hervor.

In der Zeit der Refomation, die durch die Markgrafen Bernhard III. und Philibert begünstigt wurde, nahm die Zahl der Badner Stiftsherren immer mehr ab. Bereits 1525 ordnete Markgraf Philipp I. an, es solle nur noch entsprechend dem Evangelium gepredigt werden, Psalmen waren in deutscher Sprache zu singen. An der Stiftskirche wirkte der aus Basel gebürtige ehem. Dominikaner Dr. Jakob Strauß im Sinne der neuen Lehre und als Verteidiger des lutherischen Abendmahlsverständnisses gegen das Zwinglis. Zwar nahm der Markgraf unter kaiserlichem Einfluß 1528 wieder Distanz zur Reformation, aber dennoch waren schließlich zu Beginn der 1560er Jahre weder die Dignitäten noch die Offizien des Stifts besetzt und fast alle Kanoniker waren verheiratet. Seit 1569/70, unter dem Einfluß der bayerischen Vormundschaft über Markgraf Philipp II., wurden die evangelischen Prediger entfernt und in der Stiftskirche wieder katholischer Gottesdienst gefeiert; 1585 kam es auch zu einer Teufelsaustreibung, aber infolge der 1594 eingetretenen sog. Oberbadischen Okkupation seitens des lutherischen Markgrafen von Durlach blieben die gegenreformatorischen Maßnahmen und die Reorganisation des Stifts doch wieder nur eine Episode. Zwar konnte der Durlacher Markgraf mit Rücksicht auf den Kaiser das katholische Bekenntnis nicht verdrängen, aber selbstverständlich begünstigte er die neuerliche Entfaltung des evangelischen. Erst nach dem Ende der Okkupation (1622) und der Niederlage der Schweden (1634) konnte mit Hilfe der Jesuiten, freilich auch mit allen negativen Begleiterscheinungen (Inquisition, Hexenverfolgung) eine entschiedene Gegenreformation durchgeführt und das Kollegiatstift auf Dauer wiederhergestellt werden. Um 1665 gehörten dem Stift Baden ein Propst, ein Dechant, ein Kustos, ein Kantor und vier weitere Kanoniker an, dazu vier Vikare, ein Schulmeister, ein Organist, vier Chorschüler, ein Mesner und ein Stiftsschaffner. 1652 und 1746 erhielt das Stift neue Statuten, wegen deren Bestätigung zwischen dem Bischof von Speyer als geistlichem Ordinarius und dem Markgrafen von Baden als Vogt und Landesherrn aber keine Einigkeit erzielt werden konnte; erst die 1799 erneuerten Statuten fanden wieder die Billigung beider Seiten. Am E. 18. Jh. waren die Dignitäten des Stifts (Propst und Dekan) sowie drei Offizien (Scholaster, Kustos und Kantor) besetzt; hinzu kamen vier Kanoniker und sieben Vikare. Seit Oktober 1800 waren alle Stiftsangehörigen, jedoch mit Ausnahme der Dignitäre, aufgrund einer landesherrlichen Verfügung zum Unterricht am Gymnasium verpflichtet. Schließlich wurde das Badner Chorherrenstift im Jahre 1808 ganz aufgehoben; die Seelsorge in der Stadt oblag fortan einem Pfarrer und zwei Vikaren.

Als Markgraf Wilhelm von Baden-Baden nach der Schlacht bei Wimpfen in sein Land zurückkehren konnte, brachte er Jesuiten und Kapuziner mit in die Residenz, um sich bei der Durchführung von Gegenreformation und katholischer Reform ihrer Hilfe zu bedienen. 1624 übernahmen die Kapuziner die Kanzelpredigt in der Stiftskirche, zunächst allein, seit 1640 im Wechsel mit den Jesuiten. Ihre Klostergründung verzögerte sich allerdings über der strittigen Frage, ob die neue Niederlassung der schwäbisch-helvetischen oder der rheinischen Ordensprovinz zugehören sollte. Da der vorgesehene Bauplatz links der Oos lag, entschied sich auf Betreiben der Markgräfin das Konstanzer Provinzialkapitel 1630 für die Zuordnung zur schwäbischen Ordensprovinz; die seitens des Bischofs von Speyer dagegen erhobenen Einsprüche blieben ohne Erfolg. Am 28. Mai 1631 fand die feierliche Grundsteinlegung für den Klosterbau statt, und vom gleichen Tag datiert der markgräfliche Stiftungsbrief, der den Kapuzinern neben anderen Rechten und Freiheiten auch die Teilhabe am warmen Wasser – *so viel man zu zween kasten braucht und nöthig hat* - zugestand;[32] hernach wurde die Wassernutzung sogar noch auf drei Badkästen ausgedehnt. Zehn Jahre später konnte die Konsekration des Klosters und seiner Kirche (1643 St. Brigitta) gefeiert werden, aber dazwischen (1633/35) mußten die Kapuziner vorübergehend noch einmal vor den Schweden weichen. Bei der Zerstörung der Stadt am 24. August 1689 blieb das Kapuzinerkloster zunächst verschont, wurde aber am 6. November desselben Jahres schließlich doch noch niedergebrannt; die Patres flüchteten nach Gernsbach. Bereits 1694 bis 1698 erfolgte die Wiederherstellung des Klosters. 1712/13 stiftete Markgräfin Sibylla Augusta dort eine Felix-Kapelle, deren später seitens des Konvents angestrebte Erhebung zur eigenen Pfarrkirche (1770) ließ sich jedoch nicht durchsetzen. Eine im Kloster 1750 errichtete Fidelis-Kapelle diente der Bestattung verstorbener Ordensbrüder. Die Seelsorge der Badner Kapuziner galt im 17. und 18. Jh. der Stadt und namentlich deren Umgebung bis nach Rauhmünzach im Murgtal und bis hinauf in die 1733 gegründete Waldkolonie Herrenwies; in Oos, Haueneberstein und Ebersteinburg versahen sie viele Jahre hindurch die Pfarreien. Infolge der Säkularisation wurde das Kloster aufgehoben, sein Konvent löste sich zu Beginn des Jahres 1807 auf. Die Klostergebäude wurden versteigert und haben sich bis heute, wenngleich in stark veränderter Form, im Hotel Badischer Hof erhalten. Der Hochaltar der Klosterkirche kam in die Pfarrkirche nach Ebersteinburg, die Seitenaltäre nach Daxlanden, die steinernen Statuen der Hll. Joseph und Fidelis wurden auf dem Vorplatz der Kirche zu Steinbach aufgestellt.

Bereits im Spätjahr 1622 kamen auch zwei Jesuitenpatres aus dem Kolleg in Speyer in die Stadt Baden. Seit 1623 wirkten sie im Gebäude des fürstlichen Bads und der ehem. Münze auf dem herrschaftlichen Freithof, d. h. bereits an der Stelle des späteren Kollegs. Nachdem die Zahl der Patres innerhalb weniger Jahre auf zehn bis zwölf angestiegen war, löste sich die Badner Jesuitenresidenz im Jahre 1629 aus ihrer angestammten Abhängigkeit vom Speyrer Kolleg. 1631 wurde den Patres ein Kanonikat an der Stiftskirche übertragen, auf das sie jedoch wegen ständiger Streitereien mit den anderen Stiftsherren schon 1641 wieder verzichteten. Nachdem auch die Jesuiten während der Jahre 1632 bis 1635 aus der Stadt hatten weichen müssen, übergab ihnen der Markgraf 1640 sein Freithof-Anwesen zu Eigentum sowie ein Haus gegenüber, am Markt zwecks Bau von Kirche und Gymnasium. Im gleichen Jahr erwarben die Patres überdies das Rektorat Ottersweier, das 1677/78 ihrem Badner Kolleg inkorporiert wurde. Die Stiftung des Kollegs geschah am 20. Mai 1642 wiederum durch Markgraf Wilhelm.[33] Zu seiner Ausstattung gehörten neben den zwei Jahre zuvor übereigneten Liegenschaften fünf weitere Häuser in der Stadt sowie umfangreiche Güter in der Umgebung, in Au a. Rh., Kuppenheim, Neuweier, Niederbühl, Oos, Rastatt, Scheuern, Sinzheim und Umweg. In den Jahren 1671 bis 1680 erfolgte schließlich der Neubau von Kirche (1671/73) und Kolleg (1674/79) mit Wohnungen und Unterrichtsräumen. Die in den Jahresberichten des Kollegs sehr detailliert geschilderte Tätigkeit der Badner Jesuiten erstreckte sich auf die Predigt, auf Christenlehre und immer wieder durchgeführte Prozessionen; daneben erteilten sie Schulunterricht in den Fächern Grammatik, Syntax, Arithmetik, Geometrie, Musik, Astronomie und Rhetorik. Mit der ganzen Stadt wurde im August 1689 auch die Niederlassung der Jesuiten samt Kirche und

Bibliothek zerstört. Jedoch kehrten die Patres bald zurück und nahmen bereits 1692 wieder ihren Lateinunterricht auf, 1695/97 fand ihre Lateinschule im notdürftig hergestellten Refektorium statt. Zwischen 1698 und 1703 wurde das Kolleg in seinen Gebäuden wiederhergestellt, und in den folgenden Jahren erlebte es, begünstigt durch tiefreligiöse Angehörige der Regentenfamilie eine neue Blüte. Bei Aufhebung des Jesuitenordens 1773 bestand das Badner Ordenshaus aus zwölf Priestern und sechs Fratres adjutores; das Ordensgut wurde von der Landesherrschaft an sich gezogen, die Geistlichen erhielten Pensionen und lebten z. T. noch bis 1780 im Gebäude des bisherigen Kollegs, wo sie zunächst auch den Schulbetrieb fortsetzten. Nach der Umwandlung des ehem. Jesuitenkollegs in ein Konversationshaus (1810/11) wurde 1812 das Langhaus der Kirche abgerissen. Nach vorübergehender Verwendung zu privaten Wohnzwecken dient das Anwesen seit 1862 als Rathaus.

Auch der 1670 durch den Markgrafen und die Markgräfin gefaßte Entschluß, in der Stadt Baden ein Kloster der Nonnen vom Hl. Grab (Sepulchrinerinnen) samt Schule zu gründen, ist im Zusammenhang mit Gegenreformation und katholischer Reform zu sehen. Zunächst fand der aus dem Hl. Grab-Kloster in Lüttich gekommene Gründungskonvent offenbar Unterkunft in einem Privathaus. Erst 1687/89 wurde das dem hl. Joseph geweihte Kloster (Kirchenpatrozinium: Apostel Jakob d. J.) gebaut. Nachdem es bereits 1689 wieder der Zerstörung durch die Franzosen zum Opfer gefallen war, flohen die Nonnen über Forbach nach Rottenburg, wo sie bis 1698 blieben. Nach seiner Rückkehr sah der Konvent sich in wirtschaftlicher Bedrängnis und unterhielt daher neben der schon früher betriebenen Schule mit Pensionat auch ein Heim für alte Damen und gewährte vornehmen Badegästen Unterkunft. Nach der Säkularisation wurde die Klosterschule 1811 in eine noch heute – seit 1921 wieder als Kloster – bestehende Erziehungsanstalt mit Pensionat und Internat umgewandelt.

Klöster der alten Orden hat es in der Stadt Baden nicht gegeben, jedoch ist – ganz ungewöhnlich für einen Bettelorden – außerhalb der Stadt, auf dem Fremersberg, wo schon zuvor ein Weiler bestanden hatte, im späten Mittelalter ein Franziskanerkloster entstanden. 1411 erscheint dort eine Einsiedelei, die seit um 1425 als »Klösterlein« bezeichnet wird und zu der eine Ursula-Kapelle gehörte; allerdings wurde diese klösterliche Niederlassung schon bald wieder aufgegeben. Um die M. 15. Jh. ließen sich dann Franziskaner-Observanten hier nieder, und in den folgenden Jahrzehnten entstand ein kleines Ordenshaus mit einem, wie die überlieferten Bibliothekskataloge erkennen lassen, regen geistigen Leben. In der Reformationszeit spielten die Fremersberger Franziskaner eine große Rolle bei der Verteidigung des alten Glaubens in der Stadt und in deren Umland, indem sie zeitweise die Kanzelpredigt in der Stiftskirche versahen, daneben aber auch Seelsorgeaufgaben in den Orten der Umgebung wahrnahmen. Während der Oberbadischen Okkupation wurde im ausgehenden 16. und frühen 17. Jh. die Tätigkeit der Ordensleute immer mehr eingeschränkt, 1621 mußten die beiden letzten Patres ihr Kloster verlassen, aber im weiteren Verlauf des 30j. Krieges konnte das Klösterlein schließlich doch wieder besiedelt werden. 1689 wurde das Ordenshaus auf dem Fremersberg zwar nicht zerstört, jedoch erlitt es wiederholte Plünderungen. Die vom hiesigen Konvent besorgte Gründung eines Franziskaner-Klosters in Rastatt führte im frühen 18. Jh. zu einem neuerlichen Rückgang der Fremersberger Niederlassung, die fortan nur noch den Rang einer Residenz hatte und erst 1757 wieder die Qualität eines Guardianats erlangte. 1760 erhielt das Kloster sogar einen Neubau. Die Säkularisation haben die Franziskaner auf dem Fremersberg zunächst überdauert, allerdings wurde 1826 auch ihr Konvent aufgehoben, die Klostergebäude wurden auf Abbruch versteigert. Heute erinnern an die einstige Ordensniederlassung nur noch ein Gedenkstein sowie ein Steinkreuz an der Stelle des ehem. Hochaltars.

Der Festigung des Glaubens, namentlich nach der Rückkehr zur alten Kirche, diente auch die Gründung zahlreicher Bruderschaften. Bereits im 15. Jh. bestanden in der Stadt Baden eine Krämer-Bruderschaft ULF (1468) sowie eine St. Nikolaus-Bruderschaft bei der Stiftskirche (1488); auch die seitens der Badner Schneider 1587 zu Ehren des hl. Sebastian gegründete Bruderschaft bewegt sich durchaus noch in traditionellen spätmittelalterlichen Bahnen. Hingegen sind die 1649 gegründete Rosenkranz-Bruderschaft, die 1655 gegründete Todesangst Christi-Bruderschaft (1777 Sterb-Jesu-Bruderschaft) und die Kreuz-Bruderschaft in der Jesuitenkirche (1656) typisch für die Zeit der Gegenreformation und den Aufbruch einer neuen katholischen Frömmigkeit. Hernach erfährt man noch von der Existenz einer Josefs-Bruderschaft (1672) und einer Herz-Jesu-Bruderschaft (1743), beide an der Kirche des Klosters zum Hl. Grab, sowie von einer Erzbruderschaft des allerheiligsten Sakraments (1755).

Evangelischer Gottesdienst konnte nach dem Einzug von Gegenreformation und katholischer Reform in der Stadt Baden erst wieder 1708/13 (durch den Pfarrer von Gernsbach) und nur vorübergehend im Haus des markgräflichen Leibarztes Dr. Göckel, d. h. ganz im privaten Rahmen gefeiert werden. Zur Errichtung einer evangelischen Pfarrei in der Stadt kam es erst zu Beginn der 1830er Jahre.

Den großen Zehnt von Frucht und Wein hatten auf Badner Gemarkung während des späten Mittelalters und der frühen Neuzeit als einstige Patronatsherren das Domkapitel zu Speyer und das Kl. Lichtenthal je zur Hälfte zu beanspruchen. In der frühen Neuzeit wurden freilich beide Anteile nicht von den Zehntherren selbst eingezogen, vielmehr waren sie von jeweils sechs zu sechs Jahren an die städtische Bürgergemeinde in Bestand verliehen. Sonderregelungen gab es für die Weinberge am Hardberg, aus denen das Speyrer Domstift und das Kl. Lichtenthal zusammen nur drei Viertel des Zehnten bezogen, während das restliche Viertel dem örtlichen Pfarrer zustand; die Güter am Frongraben waren ganz der Pfarrei zehntpflichtig. Auf den Novalzehnt von Neugereuten hatte wie anderwärts allein die Landesherrschaft Anspruch. Die Berechtigungen am Kleinzehnt von Erbsen, Linsen, Hanf und Flachs sowie am Blutzehnt von Kälbern, Lämmern, Geißlein und Ferkeln entsprachen jenen am Großzehnt.

Schule. – Einen geregelten Schulunterricht in der Stadt Baden gab es vermutlich erst seit der Gründung des Kollegiatstifts, wenngleich auch dann sicher zunächst nur für die kleine Zahl der Chorschüler. Gelegentlich einer frommen Stiftung werden der hiesige Schulmeister und die Schüler 1518 eigens erwähnt.[34] Einer 1541 durch Vormundschaft, Statthalter und Räte zu Baden erlassenen Schulordnung ist zu entnehmen, daß an dieser inzwischen anscheinend für weitere Kreise geöffneten Schule ein Schulmeister mit einem Kollaborator wirkte.[35] Das vierteljährliche Schulgeld, das jeder Schüler – freilich mit Ausnahme der Chorschüler und der Armen – zu entrichten hatte, belief sich auf 1½ ß d für den Schulmeister und 1 ß d für den Kollaborator. Die Schulaufsicht lag beim Stift, das auch vierteljährliche Visitationen durchzuführen hatte. In der ersten Klasse begann der Unterricht mit dem Lesen und Auswendiglernen des lateinischen Katechismus; in der zweiten Klasse wurden Grammatik und Syntax gelehrt, dazu Cato, die Fabeln des Aesop und Schriften des Erasmus gelesen sowie Übersetzungen vom Deutschen ins Lateinische vorgenommen; die dritte Klasse befaßte sich weiterhin mit Grammatik und pflegte daneben die Lektüre von Terenz und Cicero; in der vierten Klasse widmete man sich der Interpretation antiker Autoren sowohl in grammatischer wie in rhetorischer und dialektischer Hinsicht, daneben aber auch dem Griechischen.

Unterricht war jeden Werktag, mit Ausnahme des Mittwochnachmittags, sommers ab 5, winters ab 6 Uhr.

Markgraf Philipp II. errichtete 1586 nach den Vorschriften des Konzils von Trient in der Stadt ein Seminar zum besseren Nutzen der katholischen Religion.[36] An diesem Seminar, dem ein Regens sowie ein Prorektor vorstanden und dessen Aufsicht wiederum dem Stift oblag, sollten besonders befähigte junge Leute aus der Markgrafschaft studieren. Die Amtleute wurden daher aufgefordert, geeignete Knaben aus ihren Ämtern zu benennen; für die Verpflegung der Seminaristen wurde seitens der Schule gesorgt, für Kleidung und Unterkunft hatten die Eltern aufzukommen. Ob dieses Seminar, das 1588 durch den Landesherrn eine detaillierte Ordnung erhielt, in der Zeit der Oberbadischen Okkupation weiterbestanden hat, ist nicht bekannt. Zum Jahr 1597 berichten die Quellen nur von der am Stift betriebenen Lateinschule und von einer deutschen Schule, deren Unterhalt der Stadt oblag. Seit 1623/42 kam dann noch der Unterricht bzw. das Kolleg der Jesuiten hinzu. Einem kirchlichen Visitationsprotokoll zufolge bestanden 1683 in der Stadt Baden insgesamt fünf Schulen:[37] das Gymnasium der Jesuiten, an dem seinerzeit wegen allzu geringer Schülerzahl nur drei Lehrer unterrichteten; eine Sextanerschule; eine von der Stadt besorgte Lateinschule, die auch von einigen Mädchen besucht wurde; eine ebenfalls dem Rat der Stadt unterstehende Mädchenschule; und schließlich die Schule beim Hl. Grab-Kloster, wo die Angehörigen des dortigen Konvikts separat von den übrigen Schülerinnen unterrichtet wurden. Freilich scheint es, als habe der Schulbesuch damals sowohl außerhalb wie innerhalb der Stadt zu wünschen gelassen, denn die Eltern mußten aufgefordert werden, ihre Kinder zu größerem Pflichtbewußtsein anzuhalten.

Im Zuge von Wiederbesiedlung und Wiederaufbau der Stadt nach 1689 sind offenbar nur das Jesuiten-Gymnasium und die Schule beim Kloster zum Hl. Grab wiedererstanden. Zur Gründung eines neuen Gymnasiums kam es, nachdem 1773 der Jesuiten-Orden aufgehoben worden war und infolgedessen auch der Unterricht am Badner Kolleg eingestellt werden mußte. Auf Initiative des Landesherrn entstand 1775 eine aus vier Klassen bestehende Lateinschule, die im Frühjahr 1776 ihren Unterricht aufnehmen konnte. Für die erste Klasse sah der Lehrplan Unterricht in Deutsch und Latein sowie in Rechnen vor; in der zweiten Klasse wurden diese Fächer vertieft, daneben aber noch Grammatik, Dialektik, Geschichte und Geographie gelehrt. Die dritte Klasse befaßte sich mit der Syntax, mit der Interpretation lateinischer Autoren, mit Übersetzungen ins Deutsche sowie mit den Grundlagen des Griechischen, und in der vierten Klasse wurden darüber hinaus Hebräisch, Rhetorik, Poetik und Geometrie unterrichtet. In allen Klassen gab es selbstverständlich Religionsunterricht, und im Anschluß an die vier Klassen wurden Philosophie, Logik, Metaphysik, Naturkunde, Physik und orientalische Sprachen angeboten. Zweck dieser Schule war nicht zuletzt die nach Einführung der allgemeinen Schulpflicht in Baden-Baden (1770) notwendig gewordene Ausbildung von Landschullehrern, und angestrebt wurde obendrein die Errichtung eines Priesterseminars. Als Lehrkräfte an dem neuen Gymnasium fungierten bis 1780 noch einige ehemalige Jesuitenpatres, die Inspektion der Schule oblag dem Propst des Kollegiatstifts. In den beiden ersten Jahrzehnten ihres Bestehens hatte die Schule mit vielerlei, nicht zuletzt konfessionell bedingten Schwierigkeiten zu kämpfen. Erst seit ihrer Verbindung mit einer bereits 1775 geplanten vierjährigen Real- oder Bürgerschule trat nach 1795/96 eine Besserung ein. An diesem neuen Zweig der Schule fand Unterricht in Religion, deutscher Sprache, Französisch, Rechnen, Geometrie, Physik, Vernunftlehre, Geschichte, Geographie, Schreiben, Bau- und Modellzeichnen, Freihandzeichnen sowie in Klavier und Gesang statt. Im Jahre 1800 wurde die solcherart erweiterte Schule mit dem Stift vereinigt und damit die Besoldung der Lehrer mittels der Chorherrenpfründen sichergestellt. Seit 1803 führte das Institut die Bezeichnung Lyceum; fünf Jahre später wurde es mit Rücksicht auf den in der Stadt zunehmenden Badebetrieb nach Rastatt verlegt. In Baden selbst bestand hernach neben der Mädchenschule im Hl. Grab-Kloster nur noch die Schule in dem 1785 von der Stadt eigens zu diesem Zweck ausgebauten Kornhaus, das schon früher einmal eine Knabenschule beherbergt hatte.

Bevölkerung. – Über die Einwohnerzahl der Stadt Baden liegen aus älterer Zeit gar keine Nachrichten vor. Nur unter vielerlei Vorbehalten läßt sich für das ausgehende Mittelalter aufgrund der Größe der ummauerten Fläche (ca. 1,2 ha) eine Bevölkerungszahl von ungefähr 1200 annehmen. Ein kirchliches Visitationsprotokoll von 1683 beziffert die in der Bürgerstadt lebenden Familien mit etwa 300,[38] woraus man auf eine Personenzahl zwischen 1100 und 1400 schließen darf, der allerdings noch eine größere Zahl von Hofbediensteten mit ihren Familien hinzugerechnet werden muß. Über den Verlauf der Wiederbesiedlung und über die Bevölkerungsentwicklung in der Stadt nach der Zerstörung von 1689 liegen bedauerlicherweise keine statistisch verwertbaren Quellen vor. Genauere Einwohnerzahlen kennen wir erst aus dem späten 18. Jh. So wurden 1775 in der Stadt selbst rd. 1500 Menschen aller Altersgruppen, dazu 370 in Badenscheuern, 230 in Gunzenbach und 220 in den übrigen Höfen auf Badner Gemarkung gezählt. Freilich lassen gerade die aus den 1770er Jahren sehr dicht überlieferten bevölkerungsstatistischen Tabellen[39] beträchtliche Schwankungen erkennen, denn lag die Gesamteinwohnerzahl für die Stadt mit zugehörigen Weilern und Höfen 1772 und wieder 1777/78 bei rd. 2100, so war sie dazwischen – 1774/75 – vorübergehend um rund zehn Prozent auf etwa 2300 angestiegen. In den Jahren nach 1789 und namentlich seit 1791 war die Stadt an der Oos eine beliebte Zuflucht französischer Emigranten. 1805 wohnten auf Badner Gemarkung insgesamt etwa 2400 Personen jeglichen Alters.

Die rechtliche Stellung der Stadtbürger zu Baden unterschied sich bis zum Ende des Mittelalters offenbar nur wenig oder gar nicht von jener der markgräflichen Untertanen in dörflichen Gemeinden. Erst 1498 wurden die hiesigen Bürger hinsichtlich der Stadtverfassung den Bewohnern von Pforzheim gleichgestellt, und 1507 gewährte ihnen Markgraf Christoph mit dem Recht der Freizügigkeit und der freien Gattenwahl sowohl innerhalb wie außerhalb der Markgrafschaft, dazu der Freiheit von Handel und Gewerbe, die faktische Befreiung von der Leibeigenschaft. Leibeigene jedweder fremden Herrschaft durften in der Stadt hinfort nur dann zu Bürgern angenommen werden, wenn sie sich zuvor bei ihren Herren freigekauft hatten, und wollten sie wieder abziehen, mußten sie zehn Prozent dessen, was sie in der Stadt erworben hatten, zurücklassen; zu drei Vierteln fiel diese Abzugssteuer an die Herrschaft, zu einem Viertel an die Gemeinde. Die soziale Differenzierung der Bürgerschaft von Baden klingt in den überlieferten Urkunden auf vielfältige Weise an. Geprägt war die Gesellschaft dieser Stadt schon während des späten Mittelalters, d. h. noch bevor die landesherrliche Residenz ins Neue Schloß verlegt wurde, durch die Nähe zum markgräflichen Hof und zur entstehenden Zentralverwaltung der Markgrafschaft; dies kommt vor allem in der Anwesenheit entsprechender Amtsträger und hoforientierter Berufsgruppen, auch Angehöriger des am Hof verkehrenden Adels, zum Ausdruck. Prägend für die Sozialstruktur der Stadt wirkten sich aber von jeher die warmen Quellen und das von ihnen profitierende, in großer Zahl vertretene Gastgewerbe aus.

2. Geschichte der Stadt Baden-Baden bis 1806

Juden wohnten seit den Pogromen der Jahre 1348/49 bis ins spätere 17. Jh. nicht mehr in der Stadt Baden. Noch 1584 wurde für sie ein ausdrückliches Ansiedlungsverbot erlassen, aber die Bevölkerungsverluste während des 30j. Krieges und vor allem die Bemühungen um Wiederbesiedlung nach 1689 führten dazu, daß derartige Bestimmungen gelockert wurden und Juden schließlich sogar Hausbesitz in der Stadt erwerben durften. 1686 konnte der wohl schon davor hier wohnhafte Jude Löw ein Haus neben der Herberge Zum Roten Löwen käuflich erwerben. Ein neuerliches Ansiedlungsverbot wurde nach der M. 18. Jh. verfügt, als der örtliche Kurbetrieb wieder zunahm, und galt bis weit ins 19. Jh. Als Kurgäste lassen sich Juden freilich schon seit dem 16. Jh. in Baden nachweisen. Offenbar logierten sie bevorzugt in den Badherbergen Zum Trompeter und Zum Greifvogel, die man deshalb im 17. Jh. auch als »Judenbrühbronnen« oder »Judenquelle« bezeichnete; seit 1740 nahmen die Juden während ihrer Badereisen vorzugsweise in den Gasthäusern Zum Hirschen und Zum Roten Löwen Quartier.

Wirtschaft. – Von den heißen Quellen und einem Badebetrieb, wie diese dem spätantiken Aquae seine Bedeutung verliehen und hernach die frühmittelalterliche Besiedlung im Tal der Oos begünstigt haben, verlautet nach 712 in der schriftlichen Überlieferung rund sechshundert Jahre lang nichts mehr; erst zu Beginn des 14. Jh. wird darauf wieder in einer Urkunde Bezug genommen. Dabei könnte die Tatsache, daß Markgraf Rudolf die Nutzung des warmen Wassers nicht sich selbst und dem markgräflichen Hause vorbehielt, sondern Bad und Badegeld in der Stadt 1306 dem Edelknecht Heinrich von Selbach zu Erblehen überließ, darauf hindeuten, daß die Bedeutung dieser wichtigsten Badner Ressource seinerzeit noch gar nicht allzu hoch veranschlagt wurde. Die Freibäder kaufte Markgraf Bernhard zwar 1393 wieder an sich zurück, aber die Rechte an den übrigen Bädern zählten noch 1436 und 1444 unter die Pertinenzen jener Lehen, die Dietrich von Gemmingen als Erbe derer von Selbach innehatte.

Erst um die M. 15. Jh. scheinen die Markgrafen die Verfügungsgewalt über die warmen Quellen wieder vollends zurückerlangt zu haben. Im Zuge eines allgemeinen Aufschwungs im Badewesen hatte sich inzwischen die Attraktivität des Badner warmen Wassers neuerlich erwiesen und für die Stadt zu einem bedeutenden Wirtschaftsfaktor entwickelt. Namentlich aus Straßburg kamen – wie bereits während der Spätantike – viele Kurgäste, denen die Markgrafen in der fehdereichen Zeit des ausgehenden 14. Jh. wiederholt sicheres Geleit für die An- und Rückreise versprechen mußten. 1418 besuchte König Sigmund die hiesigen Bäder, desgleichen 1473 und noch einmal 1485 Kaiser Friedrich III., der Schwager des Markgrafen Karl und Oheim des Markgrafen Christoph. Auch Bischof Reinhard von Speyer (1440), der Straßburger Münsterprediger Geiler von Kaysersberg (1474), die Pfalzgräfin Amalie von Veldenz (1481) und viele andere Angehörige des gräflichen wie fürstlichen Adels weilten mitunter wiederholt in Baden, um von der Heilkraft seines warmen Wassers zu profitieren und an dem – von dem Franziskanermönch Thomas Murner 1512 als liederlich kritisierten – gesellschaftlichen Leben des Kurorts teilzuhaben. Pfalzgraf Ottheinrich, der nachmalige Kurfürst von der Pfalz, erwarb im 16. Jh. zum Zweck regelmäßiger Kuren ein eigenes Haus in der Nähe der Hauptquellen, neben der Herberge Zum Greifvogel. Alles in allem soll es zu jener Zeit in zwölf Wirtshäusern der Stadt nahezu vierhundert Badekästen gegeben haben.

Die Qualität und Heilkraft des Badner Wassers wird in der zeitgenössischen Literatur wiederholt gerühmt, so etwa von dem Kosmographen Sebastian Münster (1550) oder von den Ärzten Johann Jakob Hugell (1589), Dr. Jakob Theodor alias Tabernaemontanus aus Bergzabern (1593), Philibert Leucippaeus (1598) und Dr. Johann Küffer aus Straßburg (1625). Vom offenkundigen Erfolg hiesiger Badekuren zeugen 1000 fl, die der Straßburger Ratsherr und Falkenwirt David Steinbock 1651 aus Dankbarkeit für seine hier gefundene Heilung nach Baden gestiftet hat, um auch Bedürftigen einmal eine Kur zu ermöglichen.

Der 30j. Krieg ließ die bisherige Blüte des Badelebens verwelken. Aber auch nach 1648 stellten die früheren Verhältnisse sich nicht wieder ein, konnten die Bewohner der Stadt aus den ehedem so einträglichen heißen Quellen keinen Wohlstand mehr schöpfen. So nimmt es nicht wunder, wenn die Badner 1658 glaubten, die unter ihnen verbreitete wirtschaftliche Not beklagen zu müssen, und die Nachricht vom Unrat in den Straßen der Stadt (1683) besagt ein übriges. Der Orléans'sche Krieg und die Katastrophe von 1689 setzten dann auch den noch verbliebenen, sehr bescheidenen Resten des hiesigen Bade- und Kurbetriebs ein Ende. Im 18. Jh. dauerte es lange, bis nur die nötigste Infrastruktur wieder ganz neu geschaffen war; noch um die Mitte des Jahrhunderts, so wird berichtet, seien *viele, großenteils hochansehnliche Personen*, die hier kuren wollten, aus Baden wieder abgereist, weil es in der Stadt am Notwendigsten und an der erwarteten Bequemlichkeit fehlte.

Erst allmählich besserte sich die Situation. 1765/66 wurden durch die Stadt jenseits der Oos ein erstes Promenadenhaus errichtet, dem man 1802 – nunmehr von staatlicher Seite – einen Anbau mit Tanzsaal hinzufügte, und eine Allee angelegt; 1768 folgte eine Badeordnung, die vornehmlich das Verhältnis zwischen Wirten und Gästen regelte. In seinem Bestreben, den allgemeinen Wohlstand in den wiedervereinigten Markgrafschaften zu heben, widmete nach 1771 der neue Landesherr aus der Linie Baden-Durlach sich verstärkt auch dem darniederliegenden Badebetrieb am Stammsitz seines Hauses, und tatsächlich ist gegen Ende des Jahrhunderts ein neuer Aufschwung zu verzeichnen, der schließlich im 19. Jh. die Stadt zum Badeort von Weltruf gedeihen ließ. Die aus den Fremdenlisten ermittelte Zahl der jährlichen Gäste beläuft sich 1790 auf 554, 1791 auf 662, 1792 auf 342 und 1793 auf 555; seit 1794 (156) geht sie infolge des Ersten Koalitionskriegs gegen das revolutionäre Frankreich drastisch zurück und erreicht 1796 mit nur 52 einen Tiefpunkt. 1797 (326) und 1798 (421) konnte sich der örtliche Badebetrieb wieder etwas erholen, um 1799 nach Ausbruch des Zweiten Koalitionskriegs, einen neuerlichen herben Rückschlag zu erleiden (54), aber bereits im folgenden Jahr lag die Zahl der Badner Kurgäste wieder bei 391.

Erwartungsgemäß sind aus dem späten 14. und dem 15. Jh., der Zeit, in der sich der hiesige Badebetrieb entfaltete, auch die Namen der ältesten Wirtshäuser und Badherbergen überliefert; großenteils lagen sie am Florentinerberg, hinter dem Chor der Stiftskirche, im Bereich der warmen Quellen: Zum Engel (1393), Zum Bock (1415), Zum Spieß (1436;[40] 1570 Zum Adler), Zum Salmen (1440), Zur Sonne (1440), Zum Ungemach (1440),[41] Zur Krone (1441), Zum Baldreit (1460) und Zum Roten Löwen (1501); die Herberge Zum Schnabel ist um 1463 abgebrannt und jene Zum Trompeter wird 1529 bzw. 1545 als abgegangen bezeichnet, aber 1574 haben beide wieder bestanden. Im Laufe des 16. Jh. taucht noch einmal eine ganze Reihe neuer Namen auf, darunter die der Häuser Zum Greifvogel (1511), Zum Fulleder (1541; 1570 Zum Ochsen), Zum Neuen Brunnen (1546), Zum Hirschen (1591), Zur Kanne (1591) und Zum Kühlen Brunnen (1591), 1627 schließlich noch Zum Drachen. Im Bestand der Badherbergen ist immer wieder einmal ein Wechsel zu verzeichnen, bestehende sind abgebrannt oder wurden aufgegeben, mitunter auch wiedereröffnet oder umbenannt, andere wurden neu eingerichtet. Nach der Stadtzerstörung von 1689 erstanden zunächst nur die Häuser Zum Salmen, Zum Hirschen,

Zum Baldreit und Zum Drachen wieder; sie sowie das Gutleuthaus und die Obere Sonne waren noch 1788 die einzigen Bad- und Gastherbergen in der Stadt, bis 1812 kamen noch der Hirschen und der Badische Hof hinzu. Als Schildwirtshäuser sind daneben während des 18. Jh. bezeugt: Zum Schießhaus (1715), Zum Waldhorn (1748), Zum Goldnen Schwan (1748), Zum Lamm (1753), Zu den Drei Königen (1753), Zu den drei Mohren (1754) und Zur Fortuna (1786).

Außer den bislang erwähnten Badherbergen gab es in der Stadt noch zwei fürstliche Badstuben. Die eine – 1431 als *das badehusz* bezeichnet – lag auf dem herrschaftlichen Freihof gegenüber der Stiftskirche und diente dem Bedarf der markgräflichen Familie und ihrer Gäste; 1642 zählte sie zum Stiftungsgut des Jesuiten-Kollegs. Die andere lag beim Spitalbrunnen (1482) und war in Erbbestand verliehen. Den Kapuzinern wurde 1631 die Teilhabe am warmen Wasser für zwei Badekästen zugestanden. Die Einwohner der Stadt Baden und die Öffentlichkeit, soweit sie sich nicht in einem der Badgasthäuser einquartiert hatte, benutzten die sog. Freibäder (1393) gegenüber dem Stiftschor am Markt, das vordere (größere) Armen- oder Fremden- und das hintere (kleinere) Bürgerbad. Auch diese Bäder waren in Erbbestand verliehen und wurden nach Maßgabe landesherrlicher Ordnungen (1478, 1510, 1515) von Scherern bzw. Badern betrieben. Als normale Badezeit für einen Kranken galten dabei drei bis vier Wochen. Im 16. Jh. gaben die Besucher dieser Bäder dem Markgrafen und der Stadt pro Tag nur je einen Pfennig als Taxe, hingegen hatten Gäste, die in Badherbergen logierten, je zwei Pfennige zu bezahlen, Arme mußten einmalig einen Pfennig entrichten; für die ordnungsgemäße Bezahlung dieses Badegelds waren die Bader und Wirte verantwortlich. Bereits im ausgehenden 15. Jh. ist davon die Rede, daß in den freien Bädern *allerley unfure begangen* werde, und 1691 machte Amtmann Weiß in seiner Denkschrift zum Wiederaufbau der Stadt den Vorschlag, das *Arme- oder Bettelbad* zum Spital hinauszuverlegen, weil es an seinem herkömmlichen Platz viel Ärger verursache, *sonderheitlich wann dergleichen badgäst nackent und jedoch ohngezehlt, darzue gleichsamb wie die frösch und vil mit muetwillen in dem bad herumbschwimmen, zuemalen es auch mitten in der statt von selbsten nicht wohl stet.* Aber dieser Plan kam erst im 19. Jh. zur Ausführung. Zunächst blieb das Armen- und Freibad noch wo es war und verfiel im Laufe des 18. Jh. zunehmend; 1806 wurde es von einem aufmerksamen Beobachter als *eine beizende Satyre auf eine sein sollende öffentliche Anstalt* beschrieben.

Die Nutzungsrechte an dem begehrten warmen Wasser wurden vom Markgrafen gegen Zins verliehen; dabei konnte es sich sowohl um den unmittelbaren Zulauf aus einer der Quellen handeln als auch um den Überfluß von einem Vornutzer. Gelegentlich neu entdeckte Quellen und Wasseradern[42] mußten bei der Herrschaft alsbald angemeldet und das Nutzungsrecht erst zu Lehen empfangen werden, bevor die Verwendung zulässig war. 1597 existierten in der Stadt folgende zinspflichtige Badstuben: die Freibäder mit zwei Bädern, das Bad am Spitalbrunnen, das zu jener Zeit städtischerseits betrieben wurde, das Gutleuthaus sowie die Herbergen Zum Ochsen, Zum Spieß, Zum Roten Löwen, Zum Greifvogel, Zum Kühlen Brunnen und Zum Baldreit. Nach einem Verzeichnis von 1812 wurden die damals schüttenden Quellen wie folgt genutzt: die Ursprungsquelle von Badreit, Salmen, Sonne, Hirsch und dem ehemaligen Freibad, die Ungemachquelle von Salmen, Drachen und Badischem Hof, die Judenquelle vom Hirschen und vom Badischen Hof, der Kühle Brunnen vom Baldreit und dem Freibad, die Büttquelle vom Baldreit, die Höllenquelle vom Roten Löwen, die Fett- und Murquelle vom Salmen, dem Spital und dem Armenbad, die lauliche Quelle vom ehemaligen Freibad sowie die Klosterquelle vom Hl. Grab-Kloster. Darüber hinaus speiste die Höllenquelle den Springbrunnen der Antiquitätenhalle, und Wasserhähne bei der Ursprungs- und der Büttquelle dienten dem allgemeinen Gebrauch.

Neben dem infolge der Gunst der Natur so ausgeprägten Herbergswesen gab es in der Stadt Baden selbstverständlich wie anderwärts eine Vielzahl von Handwerken und Gewerben, die allerdings in der urkundlichen Überlieferung zunächst nur sporadisch und eher zufällig begegnen. Wenn man im 15. und 16. Jh. von einem Kürschner (1446) und einem Goldschmied (1530) hört, aber auch von Malern (1451/79), von einem Bücherschreiber (1478), von Buchdruckern (um 1500) oder einem Bildschnitzer (1545), so liegt es nahe, hier einen Zusammenhang mit dem markgräflichen Hof und seinem gehobenen Bedarf zu vermuten. Daneben kommen natürlich die typisch städtischen Gewerbe des Schusters (1574), Schneiders (1587), Gürtlers (1476) und Säcklers (1543) oder die des Kannengießers (1545), Glasers (1545), Schlossers (1545), Kupferschmieds (1570) und Apothekers (1570) vor, aber auch ein Nonnenmacher (1506), den man vielleicht eher der ländlichen Sphäre zuordnen möchte, ist hier bezeugt. Das Nahrungsmittelgewerbe war verständlicherweise besonders stark vertreten. So belief sich die Zahl der Brotbänke, an denen die Bäcker ihre Erzeugnisse feilboten, im Jahre 1511 auf zehn, 1545 auf sieben, 1574 auf elf und 1597 auf neun, und die Zahl der entsprechenden Verkaufsstände für Metzger, der sog. Metzelbänke, belief sich in den gleichen Jahren auf zehn, fünf, sechs und sieben; noch 1735 gab es in der Stadt sieben Metzger. Die am frühesten erwähnte Badner Metzig (1474) lag an der heutigen Rathausstaffel, die man damals folgerichtig als Metzelstaffel bezeichnete, oberhalb der Herberge Zum Baldreit. Die dortigen Metzelbänke wurden von der Herrschaft sowohl befristet wie erblich gegen Zins verliehen. Das baufällige Gebäude, neben dem sich auch gleich das von der Herrschaft unterhaltene Schlachthaus befand, wurde 1602 wiederhergestellt. Eine Kelter, die freilich der Herrschaft gehörte, ist 1474 erstmals bezeugt; sie lag innerhalb des Ooser Tores und wurde um 1775/87 durch einen Neubau bei der Sägmühle ersetzt. Ob die von einem Straßburger Bürger erhobene und 1398 widerufene Behauptung, die Badner Wirte schenkten einen Wein aus, den *kein biderman* trinken solle, sich auf das hier gekelterte Gewächs bezog, ist nicht überliefert. Ein herrschaftliches Branntweinhaus wurde 1699 gebaut, von einer Bierbrauerei berichten die Quellen ebenfalls im 17. Jahrhundert.

Die ganze Vielfalt der Badner Handwerke und Gewerbe wird freilich erst in der seit dem 16. Jh. für Stadt und Amt sich nach und nach herausbildenden Zunftorganisation deutlich. Eine Vorform der hier verhältnismäßig spät entstehenden Zünfte darf man in den Bruderschaften des späten Mittelalters erkennen, namentlich in der um 1468 gegründeten Krämerbruderschaft *(fraternitas mercatorum sive institutorum capelle beate Marie virginis in hospitali).*[43] Am frühesten ist die Zunft der Schneider bezeugt (1575), hernach jene der Leinenweber (1597), der Bäcker und Müller (1623) sowie der Metzger (1654), jedoch waren die verschiedenen Sparten der am Ort vertretenen Gewerbe nicht vor dem 18. Jh. zur Gänze organisiert; die Messerschmiede erhielten 1734 eine eigene Zunftordnung, die Schuster erbaten eine solche 1749 vom Landesherrn, und die bis dahin gar nicht zünftigen Kürschner schlossen sich 1754 den Weißgerbern an. Schließlich erließ Markgraf August Georg 1769 eine allgemeine Zunftordnung für die ganze Markgrafschaft Baden-Baden in zweihundert Artikeln sowie eine besondere Ordnung für die Innungen eines jeden Handwerks. 1788 und noch bis zur Einführung der Gewerbefreiheit im 19. Jh. bestandem folgende Zünfte, in denen sich nicht allein die Gewerbetreibenden der Stadt Baden sondern auch jene des dazugehörigen Amtes zusammenfanden: 1. Seiler, Schreiner, Hutmacher, Hafner, Küfer, Dreher, Maurer, Steinhauer und Zimmerleute; 2. Bild- und Leinenweber;

3. Strumpfstricker und -weber; 4. Metzger; 5. Schneider; 6. Müller und Bäcker; 7. Rotgerber; 8. Weißgerber; 9. Schmiede und Wagner; 10. Messerschmiede; 11. Schlosser und Nagelschmiede; 12. Glaser; 13. Kaufleute und Krämer; 14. Säckler; 15. Kürschner; 16. Bader; 17. Färber.

Was den in der Stadt und den von ihren Bürgern draußen betriebenen Handel angeht, so wurde zwar auch Baden zusammen mit mehreren hundert anderen Städten 1439 von der Reichsstadt Ulm zu einer dort veranstalteten Messe eingeladen, aber eine Handelsstadt mit überregionaler Geltung war es deshalb noch lange nicht. Der Badner Handel bewegte sich vorwiegend im Nahbereich, und insoweit hatte er durchaus auch eine Bedeutung, die um so weniger unterschätzt werden sollte, als der hiesige Markt bereits im hohen Mittelalter bestanden hat und 1046 gelegentlich der Schenkung Kaiser Heinrichs III. an das Speyrer Domstift zum ersten Mal Erwähnung findet (*cum mercatis*). Während des späten Mittelalters und der frühen Neuzeit gab es in der Stadt zwei Jahrmärkte, den einen am Mittwoch vor Georgi (Mitte April), den anderen am Dienstag nach Dionysii (Anfang Oktober). Infolge Verlegung der markgräflichen Residenz nach Rastatt mußte im 18. Jh. auf den Frühjahrsmarkt verzichtet werden, weil er sich in Konkurrenz zu einem gleichzeitig in Rastatt abgehaltenen Markt nicht behaupten konnte. Hingegen verzeichnete der Badner Herbstmarkt einen so starken Zulauf von fremden Krämern, daß der Marktplatz bei der Stiftskirche für die vielen Stände bald zu klein wurde. Auf Bitten der Bürgerschaft wurde daher der Frühjahrsmarkt 1796 neu belebt, nun allerdings nicht mehr im April, sondern – bezeichnend für die in der Stadt inzwischen eingetretene Entwicklung – während der besten Badesaison im Juni bzw. im Juli. Darüber hinaus gab es zwei Wochenmärkte, jeweils dienstags und samstags. Die Standgelder all dieser Märkte wurden allein von der Stadt eingenommen und für die Bezahlung der Marktknechte sowie der sonstigen Marktbedürfnisse aufgewendet; entsprechend verfuhr man auch mit den anfallenden Waag- und Meßgeldern. In Gewinne und Verluste aus dem monopolisierten Salzhandel teilten sich Herrschaft und Gemeinde. Dem täglichen Handel diente eine größere Zahl von Gaden – Läden bzw. Verkaufsbuden –, die großenteils zum Markt hin an den Chor und das Langhaus der Stiftskirche angebaut und nebeneinander aufgereiht waren, die aber zum Teil auch unterhalb der Kirche, d. h. wohl an der Steinstraße, lagen. Alle diese Gaden gingen vom Markgrafen zu Lehen und waren ihm infolgedessen zinspflichtig.

Der Versorgung der Badner Bäcker mit Mehl sowie den Bedürfnissen verschiedener ortsansässiger Handwerke und Gewerbe diente seit dem späten Mittelalter eine beachtliche Zahl von Mühlen entlang des Oosbachs. Deren mutmaßlich älteste, die sog. Mittelmühle, die möglicherweise identisch ist mit der seit 1496 bezeugten Inneren Stadtmühle, wird 1312 zum ersten Mal erwähnt; ihr Name läßt darauf schließen, daß es schon zu jener Zeit im Umkreis der Stadt wenigstens zwei weitere Mühlen gegeben hat. Wie es scheint, wurden während des 14. Jh. die meisten, vielleicht sogar alle hiesigen Mühlen unter der Herrschaft der aus der markgräflichen Ministerialität hervorgegangenen Herren von Selbach, die sie ihrerseits vom Hause Baden zu Lehen trugen, betrieben. Jedoch verkauften die Brüder Hans und Ottmann von Selbach ihre sämtlichen Rechte an den Badner Mahl-, Säg-, Stampf-, Öl- und Schleifmühlen bereits 1387 um den damals sehr stattlichen Preis von 1800 fl an Markgraf Rudolf. Fortan oblagen die Konzessionierung und Verleihung aller örtlichen Mühlen sowie die Einnahme der jährlich fälligen Mühlzinse dem Stadt- und Landesherrn; den Bewohnern der Stadt war es untersagt, auswärts mahlen zu lassen.

Eine Unterscheidung und mehr oder minder genaue Lokalisierung der einzelnen Mühlbetriebe ist freilich erst seit dem 15. Jh. möglich. Die Innere Stadtmühle lag am

Knick der heutigen Mühlengasse, unmittelbar hinter der Stadtmauer, die Äußere Stadtmühle (1500) vor dem Ooser Tor (heute Luisenstraße 36), sie wurde seit 1714 als Ölmühle betrieben. Die Schweigertmühle stand am späteren Augustaplatz, etwa dort, wo sich heute das Haus des Kurgastes befindet. Außer diesen Mahl- oder Getreidemühlen gab es eine herrschaftliche Sägemühle an der Oos (16. Jh.), unterhalb des späteren Bahnhofs, zwei städtische Sägemühlen (1507), die verpflichtet waren, auch für das Kl. Lichtenthal zu arbeiten, eine Schleifmühle vor dem Ooser Tor, eine Walkmühle, die im späten 18. Jh. als Walk- und Lohmühle genutzt wurde, vor dem Beuerner Tor (1407) sowie eine vom frühen 15. bis ins ausgehende 18. Jh. bezeugte Ölmühle, ebenfalls vor dem Beuerner Tor. Eine ebendort gelegene, herrschaftliche Pulvermühle wird 1574 erstmals erwähnt und ist bald darauf abgebrannt; 1579 wurde sie verkauft, um an der gleichen Stelle eine Lohmühle zu errichten. Überhaupt lag die Mehrzahl der Badner Mühlen von alters her *auf dem Brühl* gegen Beuern zu. Sie in jedem einzelnen Fall auseinanderzuhalten, bereitet jedoch wegen allzu ungenauer Bezeichnungen sowie wegen häufig wechselnder Betriebsformen erhebliche Schwierigkeiten und erfordert noch eigene, eingehende Studien.

Einem landesherrlichen Berain zufolge bestanden 1788 in und bei der Stadt folgende zinspflichtige Mühlen: die Innere Stadtmühle, die Äußere Mühle, die sog. Stäblersmühle, eine Ölmühle (bis 1787 als Loh- und Walkmühle betrieben), zwei Walk- und Lohmühlen, zwei Lohmühlen, eine Öl- und Schleifmühle mit Hanfpleuel, eine (herrschaftliche) Sägemühle und zwei Schleifmühlen; eine weitere Schleifmühle gegen Oosscheuern wird als bereits abgegangen bezeichnet. Zu Beginn der 1770er Jahre begegnet in den Quellen vorübergehend auch eine Papiermühle; darüber hinaus werden im 17. und 18. Jh. verschiedentlich Stampf-, Reib- und Farbenmühlen genannt.

Unter dem Einfluß des Merkantilismus kam es auch im Gebiet der Stadt Baden während der 2. H. 18. Jh. zur Gründung verschiedener, freilich nicht immer über längere Zeit hinweg erfolgreicher Manufakturen und Gewerbebetriebe. So entstand 1750, begünstigt durch das Vorkommen weißer Tonerde bei Oos, Balg, Haueneberstein und Kuppenheim, eine Porzellan- und Fayencemanufaktur im Bereich der heutigen Falkenstraße, in unmittelbarer Nachbarschaft der dort schon im 16. Jh. bestehenden Ziegelhütte. Sie wurde von dem Badner Ratsverwandten und Maurermeister Anton Wagner betrieben und produzierte unter anderem sog. englisches Steingut; die Konzession ging 1797 auf Wagners Schwiegersohn Anton Anstett über. Eine weitere Porzellan-, Fayence- und Hafnerwarenfabrik wurde 1771 noch durch den letzten Markgrafen von Baden-Baden für den Straßburger Fabrikanten Zacharias Pfaltzer privilegiert und hernach durch den neuen Landesherrn der wiedervereinigten Markgrafschaften bestätigt, obgleich die Durlacher Manufaktur aus Gründen der Konkurrenz dagegen vehement Einspruch erhoben hatte; allerdings kam dieser Betrieb sehr bald in wirtschaftliche Schwierigkeiten und mußte infolge Bankrott schon 1778/80 wieder aufgegeben werden. Den Protest der örtlichen Seifensieder erregte 1794 die Errichtung einer Lichter- und Seifenfabrik durch den französischen Hauptmann Monpinot und den Advokaten König aus Colmar. Bereits 1779 hatte der Selbacher Zollbereiter Vogt die Konzession für eine Tabakfabrik erhalten, in der alle Sorten von Rauch- und Schnupftabak verarbeitet und anschließend sowohl en gros wie en detail verkauft werden sollten. Zur Milderung der in den 1780er Jahren infolge wiederholter Schlechtwetterperioden und Mißernten eingetretenen allgemeinen Teuerung wurde 1786 angeregt, im leerstehenden Seminarienhaus des ehemaligen Jesuitenkollegs für die vielen armen Leute der Stadt eine Spinnerei einzurichten. Das 1773 von Apotheker Wolf erwogene Projekt einer Saline mußte wegen der für die Errichtung der nötigen Gradierhäuser unvorteilhaften topographischen Situation schon im Stadium der Planung wieder aufgegeben werden.

Auch um die Gewinnung von Bodenschätzen hat man sich auf der Gemarkung Badens wiederholt, wenngleich letztlich stets vergebens bemüht. Schon in der 1. H. 16. Jh. wurde versucht, am Friesenberg, unmittelbar westlich der Stadt, Mineralien und Erze zu schürfen, und 1740/41 fanden entsprechende Sondierungen auch in der *Schweybach* – beim Michelbach an der einstigen Grenze gegen Oosscheuern? – statt. Seit 1758 gruben wechselnde Unternehmer im *Mörlinsooth*, vermutlich dem heutigen Gewann Erlensood im oberen Tal des Grobbachs, und 1770 beim Sendelbrunnen (im Schweibisch-Gebiet, heutige Silbergrube?) verschiedentlich nach Kobalt bzw. nach silberhaltigen Mineralien sowie 1791 nach Schwerspat, jedoch lohnte sich wegen der schlechten Qualität der hier geförderten Erze der erforderliche Aufwand nicht. So blieben denn auch spätere Bestrebungen (1808/09), die früher hier betriebenen Bergwerke neuerlich aufzusuchen, bloß Episode.

Wesentlich einträglicher, wiewohl nicht ganz ungefährlich für den Bestand der sehr ausgedehnten Gemeindewaldungen[44] war die Beteiligung der Stadt am Holzverkauf nach Holland. Im 16. und 17. Jh. erstreckte sich dieser Handel vorwiegend auf das Holz von Eichen und Nußbäumen, seit der M. 18. Jh. auch auf Tannenlangholz. Am Ende des Mittelalters herrschte in den unteren Lagen Laubmischwald mit einem hohen Eichenanteil (ca. 50 %) vor, in mittleren Lagen wuchs vornehmlich ein Tannen- und Buchenwald, in oberen Lagen ein Tannen-Buchen-Fichten-Mischwald; während des 18. Jh. fanden Forlen und Fichten durch eine gezielte Aussaat auch in mittleren und unteren Lagen Verbreitung. Seit 1517 suchten wiederholt erlassene Forst- und Allmendordnungen den Holzverbrauch mittels Quotierung und Reglementierung zu drosseln und dem Raubbau seitens der Stadt und ihrer Bürger zu steuern sowie die Nutzung durch Beuerner Holzhandwerker zu beschränken, jedoch brauchte es namentlich infolge der Kriege des 17. Jh. noch lange, bis schließlich im Gefolge des Absolutismus auch in die hiesige Waldwirtschaft die nötige Disziplin einkehrte.

Schon im späten Mittelalter erfolgte der Holztransport aus dem südlichen Stadtwald mittels Schwallungen, und zum Zweck des weiteren Transports der Langhölzer wurde später eigens die Oos ausgebaut. Im 18. Jh. entstand in diesem Zusammenhang die Badner Bach-Compagnie, ein Unternehmen, das sich ganz dem Flößen des für den Handel bestimmten Holzes widmete. Die Müller entlang der Oos, deren Arbeit dabei behindert wurde, erhielten für jedes Durchflößen ihres Mühlteichs eine Entschädigung wegen der ausgefallenen Mahlgänge. Im Jahre 1764 wurden 920, 1768 sogar 2422 Stämme aus dem Badner Stadtwald durch die Täler von Grobbach und Oos geflößt, danach aber verlor die Langholzflößerei infolge staatlicher Eingriffe in die planlose Waldwirtschaft der Stadt immer mehr an Bedeutung.

Neben dem Holzeinschlag wurde der hiesige Wald natürlich von alters her auch zur Viehweide und zur Gewinnung von Streu genutzt; vor allem Rinder und Schweine wurden zur Weide in den Wald getrieben, wohingegen die für den Baumbestand schädliche Ziegenhaltung bereits im 16. Jh. streng reglementiert war. Das anfallende Bruchholz sollte zufolge der städtischen Forstordnung von 1587 zu Holzkohle verarbeitet werden, tatsächlich läßt sich die Arbeit eines Köhlers hier aber erst 1792 nachweisen; im Hinteren Wald, am Oberlauf des Grobbachs, erinnern daran die Waldabteilungsnamen Kohlstatten und Kohlgrube, und der aufmerksame Beobachter kann dort noch heute Spuren der einstigen Meiler erkennen. Wohl um die M. 18. Jh. gab es auf dem später so genannten Glasfeld südwestlich des Scherrhofes auch eine Glashütte, die indes nur kurze Zeit bestanden haben kann und in der schriftlichen

Überlieferung überhaupt nicht erscheint; nachgewiesen ist sie allein aufgrund des erwähnten Flurnamens sowie geschmolzener Glasklumpen, die um 1900 dort gefunden wurden. Pechsieder, die den Harz von Fichten und Forlen verarbeiteten, sind im hiesigen Wald (vgl. die Abteilungsnamen Harzbrunnen und Harzbach im SO der Gemarkung) ebenfalls nur um die M. 18. Jh. bezeugt. Schließlich waren im Badner Stadtwald während der 1. H. 18. Jh. mehrere Pottaschebrenner tätig, die, obgleich sie sich bei ihrer Arbeit ausschließlich mit der Verwendung von Schadholz begnügen sollten, nicht unwesentlich zur Beeinträchtigung auch des gesunden Baumbestandes beitrugen; ihre Produktion belief sich im Rechnungsjahr 1722/23 auf 112 Zentner Asche, 1727/28 sogar auf 230 Zentner.

Yburg. – Die auf einem steilen, 517 m hohen Porphyrkegel am äußersten südwestlichen Rand der heutigen Stadtgemarkung von Baden-Baden gelegene Burgruine Yburg ist in ihrer Geschichte ganz auf die unterhalb gelegene Stadt Steinbach bezogen. 1245 begegnet der wahrscheinlich von der Eibe abgeleitete Name der Burg erstmals in der schriftlichen Überlieferung, indem *Burcardus et Heinricus dicti Rodarii de Iberch*, Angehörige der markgräflichen Ministerialenfamilie Röder von Rodeck, in der »Stiftungsurkunde« des Kl. Lichtenthal als Zeugen auftreten.[45] Freilich wird man die Anfänge der hiesigen, bis ins 17. Jh. stets den Markgrafen selbst gehörigen Befestigung aufgrund baulicher Merkmale zum wenigsten ins spätere 12. Jh. zurückdatieren dürfen; als Gründer kommen möglicherweise die Herren von Eberstein in Frage. Zwar wechselte der Besitz während des 14. Jh. durch Verkauf oder Verpfändung zwischen einzelnen Markgrafen und ihren Landesteilen mehrfach hin und her (1307, 1328, 1333/34), jedoch tritt die strategische Bedeutung der vom Reich lehnbaren (1350, 1382), ganz am Südrand des badischen Territoriums gelegenen Burg verschiedentlich hervor, wenn ihrer neben (Hohen-) Baden sowie (Alt- und Neu-) Eberstein in markgräflichen Testamenten und Erbteilungen wiederholt an prominenter Stelle gedacht wird (1309, 1388, 1399, 1412, 1453). Wie im hohen Mittelalter durch Ministerialen, so wurde die Yburg in den folgenden Jahrhunderten durch herrschaftliche Vögte versehen; eine niederadlige Familie von Iberg, die bis ins 16. Jh. begegnet, hat hierher allerdings keinen Bezug, vielmehr führte sie ihren Namen nach dem Zinken Iberg bei Kappelrodeck. Einem Urbar aus dem Jahre 1510 zufolge gehörten zum Schloß Yburg ein in seinem Umfang nicht näher bestimmter Burgwald (vermutlich die spätere Sondergemarkung Yburgwald mit rd. 165 ha), zwei Matten (FN Burgmatten; 1654: 16 Tw), ein Garten (FN Burggärtle), ein Acker, ein Schweighof mit Trotte und Keller sowie ein weiteres Haus samt Trotte. 1502 findet eine bei der Yburg gelegene Margareten-Kapelle Erwähnung. Im Bauernkrieg 1525 zerstört, wurde die Burg offenbar erst zur Zeit der Oberbadischen Okkupation 1620/22 im Auftrag des Markgrafen Georg Friedrich von Baden-Durlach, der dort offenbar auch Kleinodien und Teile seines Archivs verwahren ließ, wiederhergestellt. 1642 ging sie zu Lehen an den in Neuweier gesessenen einstigen baden-badischen Prinzenerzieher Johann Eberhard von Eltz, fiel aber nach dessen Tod bereits 1665 wieder an die Markgrafschaft Baden-Baden heim und wurde 1689 im Orléans'schen Krieg von den Franzosen neuerlich ruiniert, ohne im folgenden noch einmal aufgebaut zu werden. Vermutlich wegen der noch nach der Zerstörung weit ins Land grüßenden Burgtürme (infolge von Blitzeinschlägen 1781/82 und 1840 steht der östliche Turm heute nur noch zur Hälfte) erhielt das in der badischen Gebietsreform 1788 für den Landesteil zwischen Söllingen am Rhein, Herrenwies auf dem Schwarzwald und Großweier bei Achern neu geschaffene Oberamt mit Sitz in Bühl den Namen Yburg. Größere Maßnahmen zur Sicherung der Ruine wurden in den Jahren 1888 bis

1913 (u. a. Bau der Gaststätte) und 1977 (Schließung der letzten großen Bresche in der Nordmauer) ergriffen. Die Anlage bildet ein langgestrecktes, unregelmäßiges Viereck (ca. 150 x 35 m), das die sattelförmige, an den Rändern steil abfallende Bergkuppe vollständig einnimmt; Raum für einen Zwinger bleibt nur im SO zur Sicherung der Toranlage, die in ihrer heutigen Gestalt wohl auf die Baumaßnahmen der Jahre 1620 bis 1622 zurückgeht. Die ältesten Bauteile sind im westlichen Burgareal und in dem dortigen, noch knapp 20 m hoch aufragenden Bergfried zu erkennen, während die den Zugang überhöhende und mit einem eigenen Turm bewehrte Ostburg vermutlich erst nachträglich hinzugefügt wurde.

Anmerkungen

1. MGH DD Merov. 44 (nach einer Edition des 18. Jh.); vgl. jetzt auch *Schwarzmaier* (1988) S. 29 f.
2. In der frühen Neuzeit begegnet zwecks besserer Unterscheidung von gleichnamigen Orten verschiedentlich auch der Name *Markgrafen-Baden* oder *Marichiobadae*.
3. ZGO 7 (1856) S. 197.
4. ZGO 7 (1856) S. 211.
5. ZGO 112 (1964) S. 357.
6. Die Chroniken der deutschen Städte 9. Leipzig 1871. S. 874.
7. RMB Nr. 576; GLA 46/13.
8. ZGO 80 (1928) S. 38–86.
9. Das folgende nach *Schwarzmaier* (1988) und *Schmid* (1992).
10. GLA 66/399.
11. GLA 66/402.
12. GLA 195/790.
13. *Schwarzmaier* (1988) und *Schmid* (1992).
14. GLA 35/73.
15. GLA 66/411.
16. ZGO 6 (1853) S. 291–306.
17. UBS 5, S. 44 f.
18. GLA 37/194.
19. UBS 5, S. 44 f.; EBA Stift Baden-Baden II/3.
20. GLA 195/1129–1133.
21. EBA Stift Baden-Baden II/3.
22. GLA 195/1762.
23. EBA Stift Baden-Baden II/8.
24. ZGO 1 (1850) S. 157–159.
25. EBA Stift Baden-Baden II/76.
26. EBA Stift Baden-Baden II/3.
27. GLA 195/762.
28. GLA 195/871–884.
29. GLA 61/11264 S. 31.
30. GLA 37/1930.
31. EBA Stift Baden-Baden II; GLA 195/866, 894, 1462, 1888–1895.
32. GLA 195/1542–1543.
33. GLA 66/406.
34. GLA 37/511–512.
35. ZGO 22 (1869) S. 386–389.
36. ZGO 24 (1872) S. 415.
37. GLA 61/11264 S. 31–39.
38. GLA 61/11264 S. 31.

39. GLA 74/9052–9062.
40. EBA Stift Baden-Baden II/10.
41. GLA 67/365 fol. 13v.
42. GLA 67/58a fol. 162f. und 163vf.; 195/996.
43. GLA 37/369.
44. Das folgende nach *Brandstetter* (1963).
45. ZGO 6 (1855) S. 443.

3. Kunstgeschichte bis ins 20. Jahrhundert

Einleitung. – Beim Brand der Stadt im Jahr 1689 ist der größere Teil ihrer Bauwerke und deren Ausstattung beschädigt oder zerstört worden. Aber schon in den Jahrhunderten davor und auch danach wurden Liegenschaften vergrößert, verkleinert, saniert, restauriert, verschönert, neuer Nutzung zugeführt oder gar abgebrochen. So ist heute der Bestand an vor 1945 errichteten Bauwerken mit einheitlichem Erscheinungsbild oder originaler Innenausstattung sehr gering. Künstler von internationalem Rang haben kaum Spuren hinterlassen. Die kontinuierlichen Veränderungen des Stadtbilds lassen es sinnvoll erscheinen, die kunsthistorische Entwicklung nicht mit Hilfe stilgeschichtlicher Epochenbegriffe darzustellen, sondern vielmehr ausgewählte *Einzelobjekte und den Wandel ihres Erscheinungsbilds* in den Vordergrund der Betrachtung zu stellen. Es ergeben sich dann drei zeitliche Abschnitte, die für den Besucher auch heute noch erkennbar sind: 1. die Zeit bis ungefähr 1810 mit Bautätigkeit vor allem innerhalb der mittelalterlichen Stadtbefestigung; 2. die Jahre bis 1945, in denen die Stadt erweitert und zum Kur- und Vergnügungsort ausgebaut wurde; 3. die Zeit nach 1945, in der sowohl mit neuen städtebaulichen Akzenten als auch durch zahlreiche Bauveränderungen – meistens zu Lasten des im Krieg nahezu unbeschädigten Stadtbilds – Modernität und Weltoffenheit vermittelt und zusätzlich Bedeutung als Kongreßstadt angestrebt wurde. In jüngster Zeit deutet sich ein rücksichtsvollerer Umgang mit der Kunst- und Bautradition an.

Ältere Bauwerke. – *Katholische Pfarrkirche St. Petrus und Paulus* (bis in das frühe 19. Jahrhundert Stiftskirche): Die unteren vier Geschosse des Westturms mit den romanischen Gliederungselementen Rundbogen und Lisene stammen aus der 1. H. des 13. Jh. Das Portalornament und der Chor sind spätgotisch; die Originale der gleichzeitigen Portalskulpturen befinden sich in den Stadtgeschichtlichen Sammlungen. Nach dem Stadtbrand bauten Johann Michael Rohrer (* 1683 † 1732) und Johann Peter Rohrer (* 1687 † 1762) die Kirche wieder auf; Johann Schütz stuckierte den Innenraum. In den 1860er Jahren folgte eine umfassende Regotisierung; bei der Gelegenheit entstand auch der pseudobasilikale Querschnitt. Einige barocke Ausstattungsstücke gingen an die »armen« Kirchengemeinden in Balg, Sasbachwalden und Badenscheuern (heute Weststadt). Zuvor schon war das auf 1512 datierte Chorgestühl des Pforzheimer Schnitzers Hans Kern in die Spitalkirche (jetzt Altkatholische Kirche) gebracht worden. Um 1900 folgte eine weitere Innenrenovation, verbunden mit neuen Wandgemälden, die in den fünfziger Jahren zusammen mit den verbliebenen neugotischen Farbglasfenstern beseitigt wurden. Die heutige farbige Verglasung der spätgotischen Maßwerkfenster stammt von dem Mannheimer Künstler Willy Oeser (* 1897 † 1960) und aus dem Jahr 1954. Im Zuge der 1967 bis 1968 durchgeführten Sanierung und Neugestaltung des Innenraums wurde das qualitätvolle, 1467 datierte Kruzifix des

Nikolaus Gerhaert von Leiden vom Alten Friedhof in den renovierten Chor versetzt; dafür mußte der neugotische Altar weichen. Zahlreiche Grabdenkmäler des 16. bis 19. Jh. sind im Chor erhalten geblieben.

Kloster Lichtenthal: Die Gesamtanlage geht heute noch auf die spätmittelalterliche Anordnung zurück. Der Chor der Abteikirche entstand um 1300, das Langhaus wurde 1470 umgebaut, die Gewölbe stammen aus dem 18. Jh., Frauenchor und Schwesternchor sind Bauveränderungen des 19. Jh. Umfangreich ist der Bestand an Grabplatten, Grabmälern und Ausstattungsstücken des 14. bis 19. Jh. Die Glasfenster im Chor wurden 1965 nach Entwürfen des Karlsruher Künstlers Emil Wachter (* 1921) angefertigt. Die Fürstenkapelle, 1288 als Grablege der markgräflichen Familie gestiftet, erhielt anläßlich der Umdeutung zum vaterländischen Denkmal 1830 bis 1832 ihre neugotische Fassade, während der Chor wohl unverändert blieb; Bauskulptur und Ausstattungsstücke stammen aus dem 13. bis 16. Jahrhundert. Konvent- und Abteigebäude wurden um 1730 von Peter Thumb (* 1681 † 1766) errichtet; der Torbau ist 50 Jahre jünger.

Altkatholische Pfarrkirche Jungfrau Maria und Vierzehn Nothelfer (ehemals Spitalkirche): Der ursprüngliche Bau wurde 1478 fertiggestellt. Um Platz bei dem Neubau des Augustabads (heute Caracalla-Therme) zu gewinnen, wurde er 1963 an seiner Westseite verkürzt. Das 1512 datierte Chorgestühl stand ursprünglich in der Stiftskirche. Zur Ausstattung gehören ferner mehrere Grabsteine und eine Holzkanzel aus dem 16. Jh. sowie Glasfenster des Heidelberger Künstlers Harry MacLean (* 1908 † 1994) aus den 1950er Jahren; er entwarf auch die in den sechziger Jahren eingebauten Türen.

Weitere Sakralbauten des 17. Jh. sind oder waren das *Kapuzinerkloster*, das *Jesuitenkolleg* und das *Frauenkloster zum Heiligen Grab*. Auch diese Gebäude waren beim Stadtbrand beschädigt worden, wurden wieder hergerichtet und sowohl im 19. als auch im 20. Jh. anläßlich ihrer Umnutzung oder aus ästhetischen Gründen verändert. Friedrich Weinbrenner (* 1766 † 1826) baute für J. G. Cotta das Kapuzinerkloster 1807 bis 1809 zum *Hotel Badischer Hof* um, wobei wesentliche Teile der Klosteranlage im Kern erhalten blieben: So entstand im Bereich des Kreuzgangs der Speisesaal, später das große Treppenhaus. Ebenfalls unter Weinbrenners Leitung wurde 1810 bis 1813 das Jesuitenkolleg samt Kirche zum ersten *Konversationshaus* umgebaut; der ehemalige Chor blieb als Gesellschafts- und Gartenraum erhalten. Fünfzig Jahre später erfolgte der Umbau zum *Rathaus*, weitere Bauveränderungen folgten. Das Frauenkloster schließlich wurde 1811 in eine Schule mit Internat umgewandelt. Die Klosterkirche erhielt 1895 eine neubarocke Giebelfassade und im Zusammenhang mit einer Innenrenovation 1938 das Gemälde Christi Auferstehung von Otto Grassl (* 1891).

Altes Schloß: Reste mittelalterlicher Bausubstanz finden sich in der seit dem Ende des 16. Jh. als Ruine überkommenen Schloß Hohenbaden. »Burgenromantik« und das öffentliche Interesse an »vaterländischen« Denkmälern zu Beginn des 19. Jh. retteten die Ruine vor dem völligen Zerfall: Sicherungsmaßnahmen, Rekonstruktionen, Errichtung von Wirtschaftsgebäuden und im Jahr 1928 die Einrichtung einer Gedenkstätte für Markgraf Bernhard II. verliehen dem gesamten Anwesen den Charakter eines Ausflugsziels.

Neues Schloß: Es entstand in mehreren Bauabschnitten seit dem Ende des 14. Jh. auf vorromanischen Substruktionen. Der Hauptbau wurde im 16. Jh. von Kaspar Weinhart († um 1597) errichtet. Die Ausstattung, wie etwa die früh schon gerühmten Malereien Tobias Stimmers (* 1539 † 1584), ging größtenteils beim Stadtbrand verloren. Erhalten blieben u. a. das reich stukkierte Prunkbad (um 1650) sowie die Stall- und Remisengebäude von 1584. Die barocken Dächer und Giebel des Hauptbaus stammen aus der Zeit des Wiederaufbaus bis 1709. In den Jahren 1843 bis 1847 gestaltete Baurat Friedrich

Theodor Fischer (* 1803 † 1867) mehrere Innenräume im Stil der Neurenaissance; sie zählen heute zu den Prachtsälen. Weitere Baumaßnahmen folgten in der Gründerzeit und nach dem Zweiten Weltkrieg. Seit den fünfziger Jahren befindet sich in einem Teil des Hauptgebäudes das Zähringer Museum mit Exponaten aus dem Besitz der markgräflichen und großherzoglichen Familie.

Jagdhaus St. Hubertus (Fremersberg): Es wurde unter der Leitung des Baumeisters Michael Ludwig Rohrer 1716 bis 1721 als Zentralbau mit dem Grundriß eines Ordenskreuzes für die Söhne der Markgräfin Sibylla Augusta errichtet. Seit 1945 diente es dem oberkommandierenden General der französischen Streitkräfte in Deutschland für Empfänge.

Die *bürgerliche Wohnbebauung* nach dem Stadtbrand weist modellhafte Züge auf. So stehen in der Altstadt auch heute noch traufständige, zwei- oder dreigeschossige Reihenhäuser mit Blindfugen an den Tür- und Fenstergewänden.

Neuere Bauwerke. – Seit Beginn des 19. Jh. sind Architektur und seit den 1840er Jahren auch die bildende Kunst aufs engste mit dem Kur- und Spielbankbetrieb verbunden. Die freie Kunst tritt weit dahinter zurück, obgleich sich überregional anerkannte Künstler mit höfischer Protektion, wie Johann Grund (seit 1831), Carl Ludwig Frommel (seit 1844), Georg Saal, Franz Xaver Winterhalter (um 1860) und Josef von Kopf (seit 1874), zeitweilig hier aufhielten oder gar niedergelassen hatten. Auch der 1863 unter dem Protektorat des Großherzogs gegründete, vom Hof und von der Stadt geförderte Kunstverein blieb im ganzen gesehen erfolglos. Erst die 1909 von dem Karlsruher Architekten Hermann Billing (* 1867 † 1946) in privatem Auftrag für die Freie Künstlervereinigung Baden errichtete heutige Staatliche Kunsthalle bot der bildenden Kunst ein den anderen kulturellen Einrichtungen vergleichbares Forum. Ihren überregionalen Ruf als Ausstellungshaus erlangte sie jedoch erst in den 1950er Jahren.

Die umfangreiche *staatliche Bautätigkeit* bedeutete für Baden-Baden zugleich Vorrang gegenüber den konkurrierenden Badeorten Langensteinbach und Badenweiler. Sie zielte auf eine Öffnung nach »Westen«, nach Frankreich, und ging Hand in Hand mit den gewerblichen Absichten der Vergnügungs- und Kurbranche. Zwischen 1815 und 1834, im Vergleich zu Karlsruhe 55 Jahre früher, wurden die Stadttore abgebrochen. Gleichzeitig begann eine bemerkenswerte *Phase privater Bautätigkeit in den Randbezirken der Kernstadt und an den neu erschlossenen Hanglagen*. Zu einem Zeitpunkt, als in der Haupt- und Residenzstadt Karlsruhe die private Bautätigkeit praktisch darniederlag, entstanden zahlreiche, von großen Garten- oder Parkanlagen umgebene *Hotels, Villen* und *Landhäuser* in klassizistischem Stil, in Anlehnung an gotische Vorbilder, im »Schweizer«-Stil mit Holzverzierungen, im Stil italienischer oder französischer Renaissance, im von Frankreich übernommenen Neubarock oder Neurokoko. So trugen sowohl private als auch unternehmerisch tätige Bauherrn wesentlich zum internationalen Charakter des Stadtbilds bei. Erstaunlich ist der hohe Anteil lokaler Baumeister, wie z. B. Johann Britsch (bis in die fünfziger Jahre), Ludwig Lang und Bernhard Belzer (beide bis etwa 1880), im Wohnhausbau für gehobene Ansprüche, während für repräsentative und denkmalhafte Einzelobjekte auswärtige Architekten und Künstler herangezogen wurden. Beispiele dieser hohen Baukultur, die bis zum Ersten Weltkrieg anhielt, finden sich in allen Stadtteilen, wobei das Viertel südlich der Evangelischen Stadtkirche heute die geringsten Veränderungen aufweist. Unter den öffentlichen Bauwerken nimmt das im Auftrag Edouard Bénazets 1860 bis 1862 errichtete *Theater*, dessen Restaurierung 1992 abgeschlossen worden ist, als Baudenkmal eine hervorragende Stellung ein. Während der Außenbau dem Vorbild französischer Renaissance folgt, sind Anordnung und Ausstattung im Innern dem Prunk der Rokokotheater des 18. Jh. nachempfunden. Charles Derchy († 1859), Charles Couteau, Charles-Antoine Cambon (* 1802 † 1875), Alexis Joseph Mazerolles (* 1826 † 1889) und Ludovic Durand (* 1832 † 1905), allesamt vertraut mit illusionistischer Theaterarchitektur, waren die federführenden Künstler, die das französische Erscheinungsbild geschickt um die Porträts der deutschen Dichter Goethe und Schiller sowie um das badische Wappen ergänzten. Nach der Schließung der Spielbank 1872 setzte sich das Kaiserreich in Szene, das Großherzogtum bot die äußeren Bedingungen dazu. Das von der Stadtverwaltung 1871 an Richard Wagner gerichtete Angebot, sein Festspielhaus in Baden-Baden zu bauen, ist bezeichnend für den kulturellen Sinneswandel nach dem Krieg gegen Frankreich. Zugleich weist dieses Angebot auch auf die Tendenz, Baden-Baden als »heimliche« Hauptstadt des Großherzogtums aufzuwerten.

Mit der Übernahme des bis dahin städtischen, westlich der Oos gelegenen *Promenadenhauses* durch den Staat im Jahr 1802 und seine Erweiterung um einen Tanzsaal begann der baukünstlerische Abschnitt des Klassizismus. Die Leitung des staatlichen Bauwesens oblag dem späteren Baudirektor Friedrich Weinbrenner (* 1766 † 1826), der mit großen Bauveränderungen und mehreren Neubauten der Stadt erstmals den sichtbaren Charakter eines Bade-, Kur- und Vergnügungsorts gab. Für die weitere Entwicklung ist es kennzeichnend, daß fast alle von ihm errichteten Gebäude bis zur Jahrhundertmitte bereits wieder abgebrochen, verändert oder durch Neubauten ersetzt worden waren. Unsere Kenntnis vom Stadtbild in der 1. H. des 19. Jh. fußt neben dem archivischen Quellenmaterial auf dem beachtlichen zeitgenössischen Interesse, das sich in Stadtbeschreibungen, Reiseberichten und Veduten niederschlug, wie zum Beispiel in einem Stadtplan von 1825 mit Randabbildungen.

Kurhaus: Das Schicksal des ehemaligen *Konversationshauses* steht beispielhaft für die Entwicklung der Stadt in Abhängigkeit vom Spielbank- und Kurbetrieb. 1821 bis 1824 um das Promenadenhaus herum errichtet, konnte das gesamte Freizeitangebot hier konzentriert werden: Lesekabinette, Speisesaal, Speisezimmer, Küche, Theater, Räume für Bälle und Privatgesellschaften bildeten das Bauprogramm. Weinbrenners Projekte und seine Ausführung sind in der für ihn typischen Art der additiv gereihten Baukörper gehalten. Ihre Ausladung erinnert zwar noch an den Schloßbau mit Corps de Logis und Seitenflügeln, doch die Einzelteile zeigen eine merkwürdige Mischung aus bürgerlichem Wohnhaus, Tempelfront und neuer Bauaufgabe (Wandelhalle). Der Außenbau ist (nahezu) achsensymmetrisch angelegt; der Grundriß jedoch ergibt sich aus den Funktionen und ist nur in Teilen symmetrisch. Bauveränderungen und neue Innenausstattungen folgten den erwarteten oder vorhandenen Moden, Geschmacksvorstellungen und Besucherzahlen. Das Interesse der Pächter stand mehrmals in Konflikt mit der staatlichen Bauverwaltung. Um 1840 wurden die Räume des Südflügels im »Stil der italienischen Renaissance« hergerichtet; die Leitung hatte der Pariser Theatermaler Pierre-Lucas-Charles Cicéri (* 1782 † 1868). Diese Ausstattung ging beim Kurhausumbau von 1912/1917 unter August Stürzenackers (* 1871 † 1951) Leitung verloren. Seine Gestaltung der Innenräume wurde nach 1945 teilweise beseitigt, in jüngster Zeit kam sie jedoch als Grundlage einer denkmalpflegerischen Renovation wieder zu Ehren. Von 1853 bis 1855 wurde der Nordflügel im Inneren völlig umgestaltet. Der französische Dekorationskünstler Charles Polycarpe Séchan (* 1803 † 1874) schuf eine »bengalische Kulissenwelt« und Stilräume, die die Zeit Louis' XIII.–XVI. wieder aufleben ließen: Der Grüne, der Rote, der Gelbe und der Weiße Saal dienen heute als Spielsäle. Die von dem damaligen Pächter Edouard Bénazet beabsichtigte Veränderung der Hauptfassade unterblieb nach Heinrich Hübschs (* 1795 † 1863) Einspruch. Hübsch, Weinbrenners Nachfolger als höchster badischer Baubeamter, vertrat nicht nur eine neue Stilvorstellung (»Rundbogenstil«), sondern bezog auch die bildende Kunst in sein konstruktiv bestimmtes und materialbezogenes Architekturkonzept ein. Von ihm stammt die 1842 fertiggestellte *Neue Trinkhalle*, deren Typus durchaus als Referenz an Weinbrenners Trinkhalle in der Altstadt verstanden werden kann, deren Inkrustation und deren Arkaden jedoch modern waren. Programm und Stil der Fresken von Jakob Götzenberger (* 1800 † 1866) und Johann Baptist Heinefetter (* 1815 † 1902) mit Themen der oberrheinischen Märchenwelt, des Giebelreliefs, das die Heilung der Kranken darstellt, von Xaver Reich (* 1815 † 1881) und Johann Christian Lotsch (* 1790 † 1873) und des Puttenfrieses (1859) über den Eingängen von Rudolf Gleichauf (* 1826 † 1896) entsprechen den zeitgleichen Werken zum Beispiel an und in der Kunsthalle in Karlsruhe: Sie stehen in der Tradition der Nazarener, erläutern allegorisch die Bestimmung des Gebäudes und tragen zur »vaterländischen« Erziehung bei. Die Dekoration der Wände im Trinksaal wurde im Jahr 1952 übertüncht.

Mit der Trinkhalle stilistisch verwandt ist das nach Hübschs Entwurf errichtete, sechs Jahre jüngere *Neue Dampfbad*, das in den 1930er Jahren als balneologische Forschungsstelle genutzt, 1981 restauriert und einige Jahre von der 1955 gegründeten Gesellschaft der Freunde junger Kunst für Ausstellungen verwendet wurde. Über die künftige Nutzung wird zur Zeit wieder einmal verhandelt. Vergleichbar mit Hübschs älteren Bauten, zum Beispiel dem heutigen Verwaltungstrakt der Universität Karlsruhe, ist das 1842 bis 1844 nach Friedrich Theodor Fischers (* 1803 † 1867) Entwürfen entstandene, später mehrfach ergänzte *Amthaus* (ehem. Polizeidirektion). Der geplante Abbruch zu Beginn der 1980er Jahre konnte verhindert werden; eine neue Nutzung steht noch aus. Nach der Reichsgründung und nach der Schließung der Spielbank verlagerte sich die staatliche Bautätigkeit wieder in die Altstadt. Der heute unbekannte Baubeamte Carl Dernfeld (* 1831 † 1879) wurde beauftragt, einen Badepalast für gehobene Ansprüche zu bauen. Typisch für die Zeit ist die Namensgebung *Friedrichsbad*, während vor der Reichsgründung funktionale Bezeichnungen üblich waren. Das 1877 eingeweihte Bad folgt in seiner monumentalen und repräsentativen Architektur der italienischen Früh- und Hochrenaissance. Der Skulpturenschmuck der Hauptfassade besteht aus einer willkürlich erscheinenden Ansammlung historischer Persönlichkeiten, die von der Kolossalbüste des Landesherrn überragt werden. In den 1950er Jahren wurde die dekorative Malerei im Innern übertüncht, anläßlich einer Restaurierung 1981 teilweise freigelegt und anschließend wieder übermalt. Der wirtschaftliche Erfolg des Friedrichsbads machte weitere Bäderbauten notwendig: zunächst von 1888 bis 1890 das *Landesbad*, ein »Armenbad« mit kaschierender Fassade in den Formen italienischer Frührenaissance und deutscher Renaissance; anschließend, als ästhetisches und städtebauliches Gegenstück zum Friedrichsbad, das *Kaiserin-Augusta-Bad* (1890–1893) mit Stilzitaten aus Renaissance und Barock. Beide Bauwerke entstanden unter der Leitung Josef Durms (* 1837 † 1919), der kurz zuvor zum Baudirektor ernannt worden war. Während das Landesbad heute zum Staatlichen Rheumakrankenhaus gehört, mußte das Kaiserin-Augusta-Bad 1963 dem siebenstöckigen Neubau des Kurmittelhauses, das 20 Jahre später zur Caracalla-Therme umgebaut wurde, weichen. Mit Durms Bauwerken erreichte die nach preußischem Vorbild entwickelte öffentliche Architektur ihren Höhepunkt als Medium für die Selbstdarstellung der Staatsgewalt und ihrer segensreichen Wirkung. So präsentierte sie sich auch mit einem von Durm angelegten Architekturbild des Kaiserin-Augusta-Bads auf der Weltausstellung in Paris (1900). Der von der Generaldirektion der Badischen Staatseisenbahnen 1892 bis 1895 nach dem Vorbild italienischer Hochrenaissance als Kuppelbau errichtete *Stadtbahnhof* mit Fürstensaal markiert den Schlußpunkt der staatlichen Prunkarchitektur. 1978 wurde der Bahnverkehr nach Oos eingestellt, die Stadt erwarb das Empfangsgebäude und stellte es für kulturelle und gewerbliche Nutzung zur Verfügung. Die originale Ausstattung, besonders der mittleren Halle, blieb erhalten.

Der früheste Sakralbau des 19. Jh., die katholische Kirche *St. Katharina*, steht im heutigen Stadtteil Sandweier. 1835 bis 1837 nach den Plänen des Bezirksbaumeisters Johann Ludwig Weinbrenner (* 1790 † 1858) als einfacher Saalbau errichtet, folgt sie klassizistischer Baukunst. Die sakrale Bautätigkeit in der Innenstadt begann 1855 mit dem Neubau der ersten evangelischen Kirche. Trotz Hübschs vehementer Abneigung war Gotik für die von Friedrich Eisenlohr (* 1805 † 1854) entworfene, mit Spenden finanzierte und 1864 eingeweihte *Evangelische Stadtkirche* vorbildlich. Heute gehört sie zu den wenigen Gebäuden des 19. Jh., deren ursprüngliche Substanz im Äußeren und im Innern im wesentlichen erhalten geblieben ist. Um die gleiche Zeit wurde die ehemalige Stiftskirche regotisiert (s. o.). Ebenfalls in den sechziger Jahren entstanden die Rumänisch-orthodoxe *Stourdza-Kapelle* mit Mausoleum, ein Spätwerk des Münchner Architekten Leo von Klenze (* 1784 † 1864) mit antikisierender Vorhalle, und die *Evangelisch-lutherische Kirche* (ehemals Anglikanische Kirche) nach dem Vorbild normannischer Frühgotik. Zu dieser Gruppe der privat finanzierten Ausländerbauten gehört schließlich die 1882 eingeweihte *Russisch-orthodoxe Kirche*, die sowohl russische Bautradition wie auch, besonders in der Wandgliederung, oberrheinische Romanik aufgreift. Weitere Kirchen entstanden nach der Mitte der sechziger Jahre in den heutigen Vororten: in Oos die 1868 geweihte katholische Kirche *St. Dionysius* nach Hübschs Plänen (Innenrenovation 1975), in Lichtental die katholische Kirche *St. Bonifatius* unter Carl Dernfelds Leitung in neuromanischem Stil (eingeweiht 1869); in Balg die katholische Kirche *St. Eucharius* des Vorstands des Erzbischöflichen Bauamts Karlsruhe, Adolf Williard (* 1832 † 1923) (eingeweiht 1880; in den 1960er Jahren purifiziert, Farbglasfenster von Herbert Kämper (* 1929); 1991 Innenrenovation, Ausmalung und Chorgestaltung ebenfalls von Herbert Kämper); in Lichtental die 1907 eingeweihte evangelische *Lutherkirche* von Martin Elsässer (* 1884 † 1957), ein eindrucksvolles Bauwerk des späten Jugendstils (der in den fünfziger Jahren purifizierte Innenraum wurde 1987 anläßlich einer denkmalpflegerischen Restaurierung wieder hergestellt); schließlich in der Weststadt Johannes Schroths (* 1859 † 1923) 1914 geweihte katholische Kirche *St. Bernhard* als polygonaler Kuppelbau, der an Romanik und italienische Frührenaissance denken läßt (1981–1983 Renovation). Damit war die Zeit der repräsentativen Kirchenarchitektur abgeschlossen. Kleinere Neubauten sind die evangelisch-freikirchliche *Christuskapelle* (1923–1925), in Oos die evangelische *Friedenskirche* mit neugotischen und expressionistischen Details (1936 von dem Architekten und Bürgermeister in Haueneberstein, Adolf Riekenberg (*1878 +1957), fertiggestellt, 1949/1952 neue Farbglasfenster, 1992 Renovation) und in Geroldsau die katholische Kirche *Heilig Geist* (1936 von Hans Scherzinger, in den achtziger Jahren Veränderung des Innenraums).

Die städtischen Bauaufgaben betrafen, wie anderswo auch, zunächst die Versorgungstechnik und Versorgungsbetriebe, den Friedhof und den sozialen Bereich sowie die öffentlichen Park- und Gartenanlagen. Das *Rathaus* ist seit 1862 in dem mehrmals umgebauten, ehemaligen Jesuitenkolleg untergebracht. Auf dem Friedhof am Annaberg stehen die *Friedhofkapelle*, 1860 bis 1862 von Heinrich Hübsch gebaut und zehn Jahre später bereits verändert, und das *Krematorium* der Architektengemeinschaft Billing und Vittali von 1909. Das auf das Jahr 1900 zurückgehende Projekt eines Villenviertels am Annaberg, an dem Richard Riemerschmid (* 1868 † 1957) und Max Laeuger (* 1864 † 1952) mitwirkten, ist die erste größere städtebauliche Maßnahme der Kommune; mit der Herstellung der *Park- und Wasserkunstanlage Paradies* 1925 war sie abgeschlossen, während sich die Bebauung einzelner Grundstücke bis 1937 hinzog. Hier entstanden kubisch-sachliche Villen, die den Forderungen des »Neuen Bauens« entsprechen. Nach Laeugers Entwürfen und unter seiner Leitung wurde 1909 die *Gönneranlage* errichtet. Beide Anlagen folgen einer geometrischen Einteilung, die Jugendstil hinter sich lassen will; heute sind sie nicht mehr im originalen Zustand. Im Zuge der Gartenstadtbewegung wurde in den zwanziger Jahren nach Paul Schmitthenners (* 1884 † 1972) Entwurf die *Siedlung Ooswinkel* angelegt, die, als einheitliches Wohndorf mit einem Hauch Biedermeier versehen, heute zu den schützenswerten Beispielen des sozialen Wohnungsbaus gehört. Als Erweiterung der städtischen Versorgungsbetriebe baute das Architekturbüro Scherzinger & Härke 1926 bis 1927 das *Lagerhaus*, fünf Jahre später wurde die heutige zentrale *Netzleitstelle* errichtet. Hier zeigt sich bis in die Details der Türen, Fenster und Traufen der Einfluß expressionistischer Architekturauffassung, verbunden mit funktionalistischer Sachlichkeit. Denkmäler, Brunnen und Freiplastiken sind als Einzelobjekte von untergeordneter Bedeutung. Das neugotische *Erwin von Steinbach-Denkmal* in Steinbach (1844) zählt zu den »vaterländischen« Objekten. Eine Kuriosität stellt das monumentale, erst 1915 von Oskar Kiefer (* 1874 † 1938) errichtete *Bismarckdenkmal* dar, dessen konzeptioneller Entwurf als Rolandsäule eine Gemeinschaftsarbeit mit dem Architekten Karl Moser (* 1860 † 1936) ist und aus dem Jahr 1900 stammt.

Nachkriegszeit. – Die Bautätigkeit der Evangelischen Kirche nach dem Krieg ist durch zwei Tendenzen gekennzeichnet: Auf dem Kirchenbautag in Rummelsburg 1951 wurde der rein sakrale und vergleichsweise kleine Raum, der assoziativ Hütte oder Zelt meinte, favorisiert. Daneben entwickelten sich ein nach außen gerichtetes Glaubensverständnis und Repräsentationsbedürfnis, die sich beide in größeren Bauwerken aus Beton und Glas niederschlugen. Ältere Kirchen wurden purifiziert und modernisiert. In den siebziger Jahren entstanden Neubauten mit multifunktionaler Nutzung, obgleich die Gemeinden in der Praxis sich damit nicht recht anfreunden konnten. Der 1982 von der Synode beschlossene Neubaustop zog eine Hinwendung zum Bestand an alten Kirchen, zum qualitätvollen Innenraum nach sich, wie es zahlreiche Restaurationen und durchdachte »moderne« Ergänzungen älterer Substanz zeigen. Dieser Stand der Kirchenbaudiskussion spiegelt sich in den Wolfenbütteler Empfehlungen von 1991 wider. Im katholischen Kirchenbau überwiegt zunächst noch das achsensymmetrische Langhaus; in den sechziger Jahren setzt sich die Tendenz, einen einheitlichen Raum zu schaffen, durch. Die Gläubigen rücken auf den Altar zu, während dieser sich von der hinteren Chorwand löst und näher zur Gemeinde rückt. Mit diesem Ziel sind zahlreiche Innenräume nach dem zweiten Vatikanischen Konzil (seit 1965) verändert worden. Beide Konfessionen leisteten bereits unmittelbar nach dem Krieg einen kaum zu überschätzenden kunstpädagogischen Beitrag: Aus der Verbindung zwischen Sakralbau und bildender Kunst entwickelte sich ein »Kirche-und-Kunst«-Konzept, das nachhaltigen Einfluß auf die positive Akzeptanz zeitgenössischer, besonders gegenstandsloser Kunst nahm.

Die katholische Kirche *St. Michael (Neuweier)* wurde 1947–1950 durch das Erzbischöfliche Bauamt Freiburg errichtet, nachdem der aus dem 18. und 19. Jahrhundert stammende Vorgängerbau im Zweiten Weltkrieg zerstört worden war; Wandbild zur »Offenbarung Johannis« 1980 von Herbert Kämper (* 1929). Die evangelische *Paulus-*

kirche (Weststadt) mit Gemeinderäumen im Untergeschoß entstand 1956–1958 nach Plänen von Baudirektor Rolf E. Weber in der Nachfolge Otto Bartnings und Egon Eiermanns; Kruzifix von E. Hobbing. Die katholische Kirche *Herz Jesu (Varnhalt)*, 1957–1958, entwarfen Albert Bosslet und Erwin van Aaken; Altarbild von L. Gastl; 1984 Renovation und Versetzung des Hochaltars nach vorne. Die katholische Kirche *St. Bartholomäus (Haueneberstein)* erfolgte 1957–1959 als Erweiterung des Altbaus von 1799 durch Gregor Schroeder; spätbarocke Altäre aus der Jesuitenkirche Ettlingen; 1985 Innenrenovation mit neuer Chorgestaltung von Hubert Bernhard (* 1920). Die katholische Kirche *St. Josef (Südstadt)* von 1959–1961 wurde nach Plänen von Hugo Becker gebaut; Ausstattungsstücke von Hayno Focken (* 1905). Die *evangelische Kirche Steinbach* mit Gemeindesaal, 1960–1961, entwarf Dieter Quast; Kruzifix von E. Homolka. Die katholische Kirche *St. Antonius (Ebersteinburg)* wurde 1967 von Franz Fuchs errichtet. Die evangelische *Michaelskapelle (Ebersteinburg)* entstand 1967–1968 nach Plänen von Horst Linde und K. S. Keppeler. Die *Autobahnkirche St. Christophorus (Sandweier)* wurde 1976–1978 nach Entwürfen Friedrich Zwingmanns errichtet; die vier exotischen Evangelistentürme und die Ausstattung stammen von Emil Wachter (* 1921).

Die staatlichen Baumaßnahmen konzentrierten sich in den frühen fünfziger Jahren auf die Herstellung einer *Siedlung (Cité) für die Angehörigen der französischen Streitkräfte*.

In den sechziger bis achtziger Jahren baute die staatliche Bäder- und Kurverwaltung das *Kurmittelhaus* (1966, Architekten Otto Linde und Rolf E. Weber) und das *Kongreßhaus* (1968, Architekt Günther Seemann). Der Nordflügel des ehemaligen Hotels Stephanie wurde zum *Haus des Kurgastes* umgebaut (1966, Architekt Günther Seemann) und das Friedrichsbad saniert (1981, Seemann). 1979 entstanden die ersten Projekte des Architekten Seemann für den Neubau der späteren *Caracalla-Therme*, die 1985 unter der Federführung des Architekturbüros Hecker fertiggestellt wurde und das Kurmittelhaus ersetzte. Der Schwerpunkt der städtischen Bautätigkeit lag in der Weststadt, wo ein *Schul- und Verwaltungszentrum* errichtet wurde. Der baukünstlerische Stellenwert dieser neuen Bauwerke in Beton und Glas und ihre Wirkung im Stadtbild sind umstritten. Als Beispiele privater Bautätigkeit, die die Tradition des Villenhauses im 19. Jh. mit modernen Mitteln gleichsam fortsetzen, mögen die *Häuser Eiermann* und *Graf Hardenberg*, beide zu Beginn der sechziger Jahre von Egon Eiermann (* 1904 † 1970) fertiggestellt sowie das *Haus Mann* des Stuttgarter Architekturbüros Kammerer & Belz von 1972 genügen.

Zusammenfassung. – Trotz umfangreicher und für die historische Struktur einschneidender Veränderungen bietet die Innenstadt auch heute noch ein Erscheinungsbild, in dem sich die über mehrere Jahrhunderte erstreckende Bau- und Kunstgeschichte, wenn auch unterschiedlich deutlich, niederschlägt. Für die Zeit vor 1850 gibt es nur noch wenige Einzelobjekte als Zeugen; aber die Viertel, auf die sich die Bautätigkeit wahlweise konzentrierte, um die die Stadt stetig erweitert wurde, bleiben, wie auch für die folgenden Jahrzehnte, erkennbar. Kennzeichnend für die Zeit von 1850 bis etwa 1930 ist die stilistische Vielfalt besonders in der privaten und unternehmerischen Bautätigkeit. Individuelle Traumvillen und attraktive Gästepaläste in allen Facetten des Historismus und des Jugendstils, nicht aber die uniformen Bauwerke und die serielle Stadtmöblierung unserer Zeit werben gemeinsam mit den Relikten des Rundbogenstils, des Klassizismus und früherer Epochen für die »Residenz des Glücks«.

4. Geschichte der Stadtteile

Balg

Siedlung und Gemarkung. – Obgleich bereits 1804 neben der Kirche zu Balg ein römischer Votivstein zu Ehren Merkurs gefunden wurde, handelt es sich bei der hiesigen Siedlung doch um einen erst während des hohen Mittelalters in der alten Badner Großgemarkung entstandenen Ausbauweiler; seine früheste Erwähnung (*du dru Balge*) geschieht in einer markgräflichen Urkunde von 1288.[1] Der Name (von ahd. pelgan, anschwellen) beschreibt die Ortslage am westlichen Hang der Hardberg-Vorscholle. Die ursprüngliche Dreigliedrigkeit der Siedlung klingt noch zu Beginn des 17. Jh. in der Lokalisierung von Gütern zu Hinterbalg an. Bis weit in die Neuzeit gehörte Balg zur Gemarkung der Stadt Baden und zum Gerichtsstab von Oos. Neugereute Balger Bauern, großenteils Rebflächen, sind für das 18. Jh. im Sefrig und im unmittelbar angrenzenden Badenscheurer Gebiet – im Ungemachten Acker sowie am Unteren und Oberen Hardberg – bezeugt.

Herrschaft und Grundbesitz. – Bereits zur Zeit seiner ersten Erwähnung im Jahre 1288 war Balg markgräflich badisch, und an dieser herrschaftlichen Zuordnung änderte sich auch während der folgenden Jahrhunderte nichts mehr. Die Markgrafen waren im Dorf und seinem Gebiet alleinige Herren mit Anspruch auf Gebot und Verbot, hohe und niedere Gerichtsbarkeit, Dienste und Fronden, Ungeld, Beden und Steuern sowie alle sonstigen Pertinenzen der Orts- und Landesherrschaft. Die Pflicht zu gemessener und ungemessener Fron konnte die Gemeinde seit 1766 durch jährliche Zahlung eines Geldbetrags ablösen. Von alters her gehörte der Ort ins Amt und schließlich ins Oberamt Baden.

Offenkundig waren die Markgrafen auch die bedeutendsten Grundherren am Ort und nahmen in dieser Eigenschaft unter anderem Boden- und Fruchtzinse ein. Einen Hof, von dem sie 1327 dem Kl. Lichtenthal eine Gült verschrieben, trugen sie vom Deutschen Orden zu Lehen; im Laufe der folgenden Jahrhunderte sind markgräfliche Güter zu Balg wiederholt als Erblehen in bäuerlicher Hand bezeugt. Um die Wende vom 18. zum 19. Jh. arrondierte die Herrschaft ihren hiesigen Waldbesitz. Als Inhaber des Patronatsrechts über die Badner Pfarrkirche verfügte auch das Speyrer Domkapitel frühzeitig über Gerechtsame zu Balg. Vom Kl. Lichtenthal, das hier freilich erst seit 1509 als Grundeigentümer bezeugt ist, rührten 5 J Äcker zu Erblehen. Darüber hinaus begegnen die Pfarreien Baden (1466), Ebersteinburg (1478), Sandweier (15./16. Jh.) und Oos (1595) mit Grundbesitz bzw. Zinsberechtigungen.

Gemeinde. – Die Gemeinde zu Balg tritt erstmals 1575 in Erscheinung als Beständer des markgräflichen, hernach auch der speyrischen und lichtenthalischen Zehntanteile. Der Ort hatte zwar einen eigenen Schultheißen, verfügte aber über kein eigenes Gericht; vielmehr partizipierte er an jenem in Oos, das unter dem Vorsitz des dortigen Stabsschultheißen zusammentrat und zu dem Balg seine Richter abordnete. Allerdings blieb es dem Markgrafen vorbehalten, auch hier ein Gericht einzusetzen. Die Gemeinde hatte Anteil an der Badner Allmende; im 18. Jh. wurde ihr wiederholt bewilligt, herrschaftliches Ödland auszustocken und im herrschaftlichen Wald Streu zu sammeln.

Kirche und Schule. – Eine der Muttergottes geweihte Filialkirche in Balg begegnet zuerst im Jahre 1426; zwanzig Jahre später firmiert sie unter dem Patrozinium des hl. Bischofs Eucharius von Trier, indes könnte der bereits 1419 am Ort vorkommende Taufname Carius darauf hindeuten, daß St. Eucharius schon zu Beginn des 15. Jh. Mitpatron der hiesigen Kapelle war. Ursprünglich gehörte Balg zum Kirchspiel der Stadt Baden, seit 1509 zur neugeschaffenen Pfarrei Oos; eine eigene Kaplanei, deren Kastenvogtei dem Markgrafen oblag, findet 1597 Erwähnung.² – Der örtliche Kirchenzehnt stand zu je vier Neunteln dem Domkapitel von Speyer und dem Kl. Lichtenthal zu. Das übrige Neuntel gehörte dem Markgrafen; spätestens seit dem 14. Jh. zu Lehen ausgetan, wurde es 1542/47 durch die markgräflichen Vormünder käuflich zurückerworben. Im ausgehenden 16. Jh. war der gesamte Groß- und Kleinzehnt für sechsjährige Perioden der Gemeinde in Bestand gegeben. – Ein Schulmeister, zu dessen Besoldung die Gemeinde 50 fl aus der Weinkaufgeldkasse beisteuerte, ist seit dem späteren 18. Jh. bezeugt; ein eigenes Schulhaus wurde erst zu Beginn des 19. Jh. errichtet.

Bevölkerung und Wirtschaft. – Die Zahl der Einwohner von Balg lag 1683 bei etwa 120 bis 140, 1748 indes bereits bei rd. 240. Zu Beginn der 1770er Jahre erreichte sie beinahe 300, pendelte sich im folgenden Jahrzehnt aber zwischen 270 und 280 ein.³ Nach ihrem rechtlichen Status waren die Bewohner von Balg sämtlich markgräfliche Eigenleute. Ihren Lebensunterhalt erwarb die hiesige Bevölkerung in der Landwirtschaft und nicht zuletzt im Rebbau, der um die Wende des 16. Jh. und in der M. 18. Jh. nachweislich ausgeweitet wurde. 1725 findet eine Ölmühle Erwähnung, 1778 wurde ein Rauch- und Schnupftabakhandel konzessioniert. Von besonderer Bedeutung war am E. 18. Jh. die hiesige Ton- oder Weißerdegrube, die seit Mitte der 1780er Jahre zur Herstellung von Porzellan in herrschaftlicher Regie ausgebeutet wurde.

Ebersteinburg

Siedlung und Gemarkung. – Das älteste urkundliche Zeugnis für Eberstein datiert aus dem Jahre 1085 (Kop. 12. Jh.) und bezieht sich auf die Edelherren bzw. Grafen, die ihren Namen nach der hiesigen, damals bereits existierenden Burg (1197 *castrum Eberstein*) führten.⁴ Eine dörfliche Siedlung bei diesem festen Platz findet indes, abgesehen von dem für 1283 bezeugten, vermutlich nordwestlich unterhalb der Burg gelegenen Weiler *Zelle* (1476 *ziegelschuwer genant Zelle by Ebersteinburg*), nicht vor 1288 Erwähnung.⁵ Ihre seit dem 15. Jh. gebräuchliche Bezeichnung als Ebersteinburg bzw. Burgeberstein (1373 *alten Eberstein*) dient der Unterscheidung von dem ursprünglich gleichnamigen, hernach Haueneberstein genannten Dorf am Austritt des Eberbachs in die Rheinebene. Die Tatsache, daß der Ort Ebersteinburg noch im 16. Jh. über kein eigenes Gericht verfügte, vielmehr zum Stadtgericht von Baden gehörte, könnte darauf hindeuten, daß die entscheidende Entwicklung vom Burgweiler zum Dorf sich erst vollzogen hat, als die Stammburg der Ebersteiner Grafen bereits in markgräflicher Hand war. So ist es auch nur folgerichtig, wenn das Dorf bis weit in die Neuzeit keine eigene Gemarkung hatte (1597) und die wohl erst um die Wende vom 18. zum 19. Jh. schließlich doch noch aus dem herrschaftlichen Waldareal herausgeschnittene Ortsgemarkung sich im wesentlichen auf Acker- und Wiesenland sowie auf einige Waldparzellen am Staufenberg und bei der Wolfsschlucht beschränkte.

Herrschaft und Staat. – Als Annex zu der offenkundig bereits im 11. Jh. gegründeten, im frühen 12. (Schildmauer) und im 13. Jh. (Bergfried) z. T. mit megalithischem Material ausgebauten Stammburg der Ebersteiner war der Ort Ebersteinburg von

Anfang an ganz deren Herrschaft unterworfen, jedoch ist es den auf der nahe gelegenen Burg Hohenbaden gesessenen Markgrafen schon frühzeitig gelungen, die angestammten Herren hier wie anderwärts zu verdrängen. Als nach der M. 13. Jh. der ältere Zweig der Grafen von Eberstein im Mannesstamm erloschen war, konnten die Markgrafen Burg (Alt-) Eberstein samt Zugehörungen 1283 je zur Hälfte als Mitgift und durch Kauf an sich bringen; der jüngere Zweig des gräflichen Hauses hatte seinen Sitz schon zuvor nach Neueberstein über Gernsbach verlegt. Seither standen Burg und Dorf Eberstein dauerhaft unter badischer Herrschaft. Nach Vollzug der Teilung von 1388 residierte hier vorübergehend Markgraf Bernhard, und auch das markgräfliche Archiv wurde E. 14. Jh. auf Alt-Eberstein verwahrt; im 15. Jh. fungierte die Burg zeitweise als Witwensitz, schließlich nur noch als Sitz von Amtsträgern. Spätestens im 16. Jh. wurde sie aufgegeben. In einem herrschaftlichen Urbar aus dem Jahr 1597 ist von dem *alt abgeent burgstadel Alteneberstein* die Rede.[6] Nachdem die Dorfbewohner die Ruine noch um 1790 als Steinbruch genutzt hatten, wurden unter dem Einfluß der Romantik im frühen 19. Jh. erste, den Bestand sichernde Maßnahmen vorgenommen.

Die Befugnisse der Orts- und Landesherrschaft erstreckten sich im 16. Jh. auf sämtliche obrigkeitlichen Rechte, auf Gebot und Verbot, hohes und niederes Gericht, Frevel, Strafen und Bußen, Ungeld, Bede und Schatzung, Forsthoheit und Wildbann sowie Geleit und sonstige einschlägige Gerechtsame. Der herrschaftliche Anspruch auf gemessene und ungemessene Frondienste wurde 1766 hier wie in den anderen Badner Amtsorten mit einem jährlich fälligen Geldbetrag abgelöst.

Der Ursprung der Herren, seit der M. 13. Jh. Grafen von Eberstein, ist wohl in der nördlichen Ortenau zu suchen, wo ihre Angehörigen mit dem Leitnamen Reinbodo (Reginbodo) die Vogtei über das Kl. Schwarzach und über anderes Speyrer Kirchengut wahrnahmen. Bereits im 11. Jh. gelang es ihnen, nach N auszugreifen und eine stattliche Herrschaft aufzubauen; über dem Ausgang des Murgtals gründeten sie die fortan namengebende Burg. In der 1. H. 12. Jh. konnten die Ebersteiner ihre Herrschaft im Ufgau expandieren, indem sie die Nachfolge der Grafen von Malsch antraten und die Vogteirechte über den weißenburgischen Besitz in der oberen Hardt erlangten, im Kraichgau (Bretten, Gochsheim) etablierten sie sich als Erben der Grafen von Lauffen. Ebersteinische Hausklöster waren Herrenalb (gegr. um 1150) und Frauenalb (gegr. um 1180), die Heiratsverbindungen der Grafen lassen ihre Zugehörigkeit zu den vornehmsten Geschlechtern Südwestdeutschlands erkennen. Indes führten innerfamiliäre Erbauseinandersetzungen und ein zunehmender Verdrängungsdruck von seiten der badischen Markgrafen seit der M. 13. Jh. in den Niedergang. Hauptort der schließlich ganz überwiegend auf das Murgtal beschränkten Grafschaft Eberstein war während des späten Mittelalters die Stadt Gernsbach. Aber auch hier verstanden es die Markgrafen, nach und nach einzudringen und in den Jahren 1387/89, 1453 und 1505 Teile der den Grafen verbliebenen Herrschaftsrechte kauf- oder pfandweise zu erwerben. Allodialerben der 1589 und 1660 im Mannesstamm erloschenen Ebersteiner waren die Grafen von Groensfeld, die Freiherren von Königsegg-Rothenfels und die Freiherren von Wolkenstein sowie die Herzöge von Württemberg(-Neuenstadt); ihre Anteile veräußerten sie nacheinander an Baden. Mit der Säkularisation des Hochstifts Speyer gelangte das Haus Baden 1803 in den Alleinbesitz der einstigen Grafschaft Eberstein.

Grundherrschaft und Grundbesitz. – Angesichts der Entstehung des Dorfes im unmittelbaren Zusammenhang mit der Burg nimmt es nicht wunder, deren Herren hier auch als die alleinigen Grundherren anzutreffen. Die sog. Schloßgüter – 10 J Äcker, 8 Tw Matten, 3 Gärten, dazu die Nuß- und Kastanienbäume an der Burghalde und die

4. Geschichte der Stadtteile

Weide vom Dorf bis zum Schloß – waren spätestem seit M. 16. Jh. in periodisch erneuerter Zeitpacht an die örtliche Gemeinde verliehen; 1788 wurde der Umfang des Schloßguts mit rd. 11½ M Äckern, 6½ M Wiesen und 2½ M Gärten beziffert. Darüber hinaus beanspruchte die Herrschaft Bodenzinse aus einer Ziegelhütte und von Äckern sowie diverse Kapaunen- und Haferzinse. Die Gülten und Zinse, die verschiedene geistliche Pfründen hier bezogen (St. Sebastian zu Kuppenheim, 1454; Pfarrei St. Anton, E. 15. Jh., und Kaplanei ULF, 1. H. 16. Jh., zu Ebersteinburg; Stadtpfarrei Baden, 1742), waren zweifellos ebenfalls auf die im übrigen der Orts- und Landesherrschaft pflichtigen Güter radiziert.

Gemeinde. – Eine Gemeinde zu Ebersteinburg begegnet zuerst 1545 in einem Urbar als Beständerin der herrschaftlichen Schloßgüter; die Dreiheit von Schultheiß, Bürgermeister und Gemeinde tritt erstmals 1573 als Empfänger eines markgräflichen Bestandsbriefs in Erscheinung. Da der Ort in die Zuständigkeit des Badner Stadtgerichts fiel und kein eigenes Gericht hatte, müssen die Vierer, die 1591 gemeinsam über die Repartierung der Bede befanden, möglicherweise als Ansatz zu einem Ratsgremium verstanden werden. Schützen und Hirten wurden jährlich durch Schultheiß und Gemeinde bestellt und anschließend mit dem herrschaftlichen Stab auf ihren Dienst verpflichtet. Dem Schultheißen zahlten die Gemeindebürger pro Jahr 10 ß d, außerdem war er bei der Mast zweier seiner Schweine vom Dehmen befreit; er hatte die Frondienste zu beaufsichtigen, war aber selbst nicht verpflichtet, sich daran zu beteiligen. Wer im Auftrag der Gemeinde das Faselvieh hielt, hatte vier Kühe und Schweine sowie den Farren und den Eber hutfrei. Am E. 18. Jh. kaufte die Gemeinde die herrschaftliche Ochsenmatte. Da die Bevölkerung ihr Bau- und Brennholz damals aus dem umliegenden Herrschaftswald beziehen durfte, ist anzunehmen, daß es hier in älterer Zeit keinen separaten Gemeindewald gegeben hat.

Kirche und Schule. – Ursprünglich zählte Ebersteinburg zum Kirchspiel der ebersteinischen Patronatspfarrei Gernsbach. Bereits die Erwähnung von Klausnerinnen in der hiesigen *sancten Dungencappel* (1413 St. Antonius abbas) spricht 1373 davon, daß diese zur Kirche in Gernsbach gehörten, und 1524 einigten sich die Dorfbewohner mit dem Pfarrer zu Gernsbach *als irem rechten pastor* über die Abgeltung von dessen pfarrlichen Rechten und über die Kompetenzen des örtlichen Kaplans, weil ihnen der Sakramentenempfang im fernen Gernsbach, aber auch dem Pfarrer die Seelsorge in der entlegenen Filiale zu beschwerlich war.[7] Noch in der frühen Neuzeit bezog der Rektor der oberen Kirche zu Gernsbach den an sich dem Speyrer Domkapitel gehörigen, bezüglich der Nutzung aber seiner Pfründe zugeschlagenen Groß- und Kleinzehnt zu Ebersteinburg. Die Erhebung der Filialkirche zur selbständigen Pfarrei erfolgte offensichtlich bald nach 1524. Freilich war deren materielle Grundlage so schmal, daß schon 1530 die Haueneberrsteiner Kaplans- bzw. Frühmeßpfründe ULF, deren Kollatur dem Markgrafen von Baden zustand, zur Aufbesserung der Pfarrpfründe nach hier übertragen werden mußte. Solchem Zustandekommen von Pfarrei und Pfründe gemäß wurde vereinbart, die Wahrnehmung des Patronatsrechts künftig zwischen dem Markgrafen und dem Grafen von Eberstein alternieren zu lassen; später jedoch war der Markgraf alleiniger Patronatsherr. Ein Pfarrhaus wird zum Jahr 1555 erwähnt. Nach dem 30j. Krieg blieb die nach wie vor allzu karg dotierte Pfarrei Ebersteinburg unbesetzt und wurde hinfort vom Pfarrer zu Baden als Filiale versehen. Eine Visitation von 1683 beschreibt den Zustand der im 15. Jh. errichteten, mit drei Altären ausgestatteten Kirche als höchst beklagenswert. M. 18. Jh., als in der hiesigen Kirche jährlich nicht mehr als zwei Messen gefeiert wurden, wußte die Gemeinde ihre vergebliche Bitte um einen eigenen Pfarrer nur noch mit der vagen Erinnerung an die einst bestehende Ortspfarrei zu begründen. Schließlich wurde die Seelsorge zu Ebersteinburg durch Patres aus dem Badner Kapuzinerkloster versehen. Erst um die Wende vom 18. zum 19. Jh. erhielt das Dorf zusammen mit einem Kirchenneubau auch wieder einen eigenen Pfarrer.

Von einer Schule zu Ebersteinburg berichten die Quellen erst seit den 1760er Jahren. Die Besoldung des Schulmeisters oblag der Gemeinde. 1789 heißt es von dem für Schulzwecke genutzten Haus, es sei in einem *elenden* Zustand, viel zu eng und sehr dunkel; da indes das Geld für einen Neubau fehlte, wurde vorgeschlagen, ein Nebengebäude zu errichten.

Bevölkerung und Wirtschaft. – Noch 1730 lag die Zahl der Einwohner von Ebersteinburg ungefähr zwischen 100 und 120 Seelen, aber schon ein Lebensalter später, während der 1770er Jahre, war sie auf rd. 200 angestiegen.[8] Die hiesige Bevölkerung war der Herrschaft von alters her durch Leibeigenschaft verpflichtet, wobei der Markgraf bereits im 16. Jh. das Territorialitätsprinzip hat durchsetzen können. Die wirtschaftliche Lage der Dorfbewohner war in älterer Zeit wohl eher bescheiden. Neben dem Ackerbau in zwei kleinen Feldmarken nördlich und südlich des Dorfes war für sie von jeher die durch die ausgedehnten Wälder der Umgebung begünstigte Viehhaltung von besonderer Wichtigkeit. Eine vom Markgrafen lehnbare Ziegelhütte gen. Zelle läßt sich vom ausgehenden Mittelalter bis ins frühe 19. Jh. nachweisen und scheint mit einem Sortiment, das ganz verschiedene Ziegeltypen umfaßte, über die Jahrhunderte hinweg floriert zu haben. Darüber hinaus bestand hier in den Jahren 1803/07 ein Kalkofen.

Haueneberstein

Siedlung und Gemarkung. – Die Lage und insbesondere der in seinem Grundwort burgentypische Name Hauenebersteins deuten auf einen engen Zusammenhang zwischen dem am Rand der Ebene gelegenen Dorf und dem hoch darüber thronenden Stammsitz der gleichnamigen Herren und Grafen. Die erste zweifelsfreie Erwähnung des Orts geschieht zum Jahr 1245, indes wird man schon die gegen E. 11. Jh. erfolgte Schenkung von Kirchengerechtsamen zu *Eberstein* (Kop. 16. Jh.)[9] an das Kl. Hirsau nicht, wie gemeinhin angenommen, auf das nachmalige Ebersteinburg, sondern hierher beziehen müssen. Demnach wäre das Dorf am Ausgang des Eberbachtals um die gleiche Zeit und von der gleichen Herrschaft gegründet worden wie die Burg, deren Name folgerichtig auf es übertragen wurde. Als Muttersiedlung ist vermutlich das wenige hundert Meter östlich, auf einem Hügel der Vorbergzone gelegene, hernach wüstgefallene Nothausen (1355 *Nathusen*)[10] anzusprechen, in dessen Umkreis wiederum vielfältige Spuren römischer Besiedlung (Merkurstatue, Fundamente) nachgewiesen werden konnten. Die Ursache für die Gründung einer neuen Siedlung in unmittelbarer Nachbarschaft von Nothausen darf man wohl in der günstigeren Topographie des neuen Platzes suchen. Zur Unterscheidung von dem inzwischen auf dem Berg entstandenen Burgweiler Eberstein(burg) wurde für den in der Ebene gelegenen Ort wohl seit dem 14. Jh. der Name Haueneberstein (1431 *Hafeneberstein*) gebräuchlich,[11] der auf das Töpfereigewerbe seiner Bewohner Bezug nimmt. Haueneberstein und das ältere Nothausen, dessen Ursprung wohl im frühen Mittelalter zu suchen ist, hatten eine gemeinsame Gemarkung. In den landesherrlichen Urbaren des 16. Jh. werden beide

4. Geschichte der Stadtteile

Orte stets als Einheit behandelt, aber noch im frühen 15. Jh. hat es in Nothausen einen eigenen Schultheißen gegeben; die gänzliche Aufgabe der Siedlung erfolgte möglicherweise während des 30j. Krieges, findet doch 1586 letztmals ein Bewohner derselben Erwähnung. Neurodungen auf Haueneberstiner Gemarkung sind um die M. 18. Jh. im Umfang von rd. 156 M (29 M Äcker, 127 M Wiesen) bezeugt.

Herrschaft und Staat. – Als Zubehör der Burg Alteberstein dürfte das Dorf Haueneberstein samt Nothausen spätestens 1283 aus gräflich eberstinischem Besitz an die Markgrafen von Baden gelangt sein, und in deren Territorium gehörte es seither ohne Unterbrechung. Gewechselt hat im Laufe der Jahrhunderte allein die Amtszugehörigkeit; im 16. Jh. war der Ort Teil des Amtes Kuppenheim, im 17. Jh. vorübergehend des Amtes Stollhofen, hernach des Amtes Kuppenheim und Rastatt bzw. des Oberamtes Rastatt und schließlich seit 1791 des Oberamtes Baden(-Baden). Die Gerechtsame des Orts- und Landesherrn erstreckten sich auf alle hohe und niedere Obrigkeit, auf das Gericht, Gebot und Verbot, Forst- und Wildbann, Bede, Schatzung und Zoll, Dienst und Fron sowie auf vielerlei sonstige Einkünfte und Befugnisse.

Grundherrschaft und Grundbesitz. – Die bedeutendsten Grundherren zu Haueneberstein waren während des hohen Mittelalters zweifellos die Herren von Eberstein, deren diesbezügliche Berechtigungen jedoch schon früh an die Markgrafen von Baden übergegangen sein müssen. Der älteste hier urkundlich bezeugte Grundbesitz ist ein Hof, den Markgräfin Irmengard 1245 dem Kl. Lichtenthal schenkte. Dabei handelte es sich um den erbbestandsweise verliehenen, später so genannten Großen Kloster- oder Beurer Hof bei der Kirche, dessen Umfang im 15. und 16. Jh. mit 98 J Äckern und 7 Tw Matten angegeben wird; bei der Säkularisation 1803 bestanden die auf 15 Inhaber verteilten Hofgüter noch aus rd. 88 J Äckern und 13 Tw Matten. Daneben hatten die Lichtenthaler Nonnen den vor der Kirche gelegenen Haueneberstiner (Pfarr-) Wittumhof zu verleihen, dessen Teile 1781 entsprechend der damit verknüpften Pflicht zur Faselhaltung als Stierhof (3 Inhaber) und Eberhof (4 Inhaber) bezeichnet wurden. 1803 gehörten zu dem damals auf sechs Erbbeständer verteilten Wittumhof rd. 46 J Äcker und 7 Tw Matten. Schließlich rührte von Lichtenthal der sog. Hinterbalger Hof zu Erblehen, dessen Güter teils auf Haueneberstiner Gemarkung, teils im Hinterweiler bzw. in Hinterbalg lagen.

Die Markgrafen von Baden hatten am Ort zwei große Höfe, den Enselshof (1510: 98 J Äcker, 9¼ Mm Matten; 1755: 120¾ M Äcker, 11 M Wiesen) und den Hatzenhof (1510: 74 J Äcker, 3 M Matten; 1755: 88¼ M Äcker, 6½ M Wiesen), sowie einen kleinen Hof, den Dürrhansenhof (17. Jh.: 5¾ J Äcker, ⅜ Tw Matten; 1755: 4¾ M Äcker, ½ M Wiesen), erblehnsweise zu verleihen. Die Güter des Enselshofs verteilten sich 1510 auf drei Inhaber, 1755 auf 13, die des Hatzenhofs 1510 auf zwei und 1755 auf elf. Darüber hinaus findet 1651 ein ehem. markgräflicher Rebhof Erwähnung, dessen Bezeichnung als Gemminger Hof auf seine Herkunft von den ebersteinischen Ministerialen von Selbach bzw. von deren Erben aus der Kraichgauer Adelsfamilie von Gemmingen hindeutet. An geistlichen Institutionen waren außer dem Kl. Lichtenthal in Haueneberstein begütert: der örtliche Heiligenfonds (1630: 32 J Äcker, 8 Tw Wiesen), die Wallfahrtskirche ULF zu Bickesheim (1581), die Jesuiten zu Baden (-Baden) (1660/65), die Kirchen zu Sandweier (16. Jh.) und Eberstinburg (16. Jh.) sowie die Nikolaus- und Katharinen-Bruderschaft zu Kuppenheim (1433).

Gemeinde. – Die Gemeinde der Untertanen zu Haueneberstein läßt sich erst am E. 15. Jh. anläßlich Beschwerden gegen überhöhte Jagdfronen urkundlich fassen; im

16. und 17. Jh. lag sie wegen Weidgangsangelegenheiten sowie wegen des Einzugs von Schützengeldern und Steuern wiederholt im Streit mit den Nachbargemeinden Iffezheim und Sandweier. Von einem sehr fortgeschrittenen Stadium der kommunalen Verfassung zeugt es, wenn das Hauenebersteiner Ortsgericht bereits 1506 ein eigenes Siegel führte; dessen aus dem Jahre 1636 überlieferter Abdruck zeigt im Schild einen Eber und bezeichnet sich selbst als * S[iegel] * DIS * [Gerichts zu] HABENEBERSTEIN *. Zu Beginn des 18. Jh. ließ man ein neues Siegel schneiden; wiederum zeigt es einen laufenden Eber, darüber die Jahreszahl 1706, und trägt die Umschrift HAVENEBERSTEIN.[12] Im Gericht saßen 1510 zwölf Schöffen. Ein eigenes Rathaus gab es hier bereits im 16. Jh.; 1689 zerstört, wurde es 1716 wiederaufgebaut. Außerdem verfügte die Gemeinde über eine Zehntscheune und ein sog. Spitalhaus (um 1800), das dazu diente, arme Kranke aus dem Dorf oder fremde Durchreisende zu beherbergen. Der Umfang des Hauenebersteiner Gemeindewalds ist aus älterer Zeit nicht überliefert; Frevel in diesem Wald durfte die Gemeinde von alters her selbst ahnden, jedoch wurde der Vorsitz im zuständigen Rüggericht seit 1773 von einem landesherrlichen Beamten wahrgenommen.

Kirche und Schule. – Eine Kirche zu (Hauen-) Eberstein ist bereits um 1100 bezeugt, als sie durch Berthold (von Eberstein) zu einem Viertel dem Kl. Hirsau übergeben wurde; sie gehörte zur Diözese Speyer und zu deren Dekanat Ettlingen. Ein hiesiger Pfarrer begegnet erstmals 1256. Das Patronatsrecht über die Pfarrei gelangte 1348 durch markgräfliche Schenkung an das Kl. Lichtenthal, 1350 folgte die Inkorporation in das Klostervermögen. Das Bartholomäus-Patrozinium der Kirche ist seit dem 16. Jh. belegt, bei der bereits 1387 erwähnten Pfründe auf dem Marienaltar handelt es sich um die 1530 nach Ebersteinburg transferierte Frühmesse.

Für die 2. H. 16. Jh. ist aus der hiesigen Pfarrei ein Vorgang überliefert, der für die Zeit der Konfessionalisierung in vielerlei Hinsicht bezeichnend erscheint: Nach dem Tod des Ortspfarrers verlangte 1568 die Landesherrschaft von der Lichtenthaler Äbtissin die Präsentation eines Geistlichen Augsburgischer Konfession und Befolgung der Brandenburgischen Kirchenordnung; mit der Seelsorge in Haueneberstein wurde interimistisch und gegen den Willen der Patronatsherrin der evangelische, verheiratete Kaplan von Kuppenheim betraut. Die Äbtissin widersetzte sich und versuchte, Haueneberstein durch den altgläubigen Pfarrer von Iffezheim mitversehen zu lassen, erregte damit aber sowohl den Unwillen der Herrschaft wie den der Untertanen. Nach einem heftigem Schriftwechsel mußte sie sich dann doch fügen und fürs erste einen evangelischen Pfarrer akzeptieren, freilich kehrte Haueneberstein spätestens 1622 wieder zum katholischen Glauben zurück.

Im späten 17. Jh. hatte die Kirche vier Altäre, jedoch war nur der Hochaltar konsekriert und dotiert. Zu Beginn des 18. Jh. war das Gotteshaus einsturzgefährdet und mußte mehrfach repariert werden; 1799 wurde es endlich durch einen Neubau ersetzt.

Der große und kleine Zehnt auf der Gemarkung von Haueneberstein und Nothausen stand während des späten Mittelalters und der frühen Neuzeit allein dem Kl. Lichtenthal zu; ein Sechstel, das denen von Selbach gehört hatte, wurde 1350 käuflich erworben. Ein Teil des Klein- und Blutzehnten war dem örtlichen Pfarrer als Teil seiner Pfründbezüge überlassen. Die Tatsache, daß die Gemeinde E. 18. Jh. über eine eigene Zehntscheune verfügte, läßt darauf schließen, daß die Lichtenthaler Zehntrechte zumindest zeitweise wie auch anderwärts in der Umgebung an die Gemeinde verpachtet waren.

Bezüglich der Schule heißt es 1683, die Kinder würden nur selten zum Unterricht geschickt, und 1739 gab es Anlaß, die mangelnde Qualität des Lehrers zu beklagen. Der seitens der Gemeinde 1787/88 geplante Bau eines dringend benötigten Schulhauses zerschlug sich zunächst aus Kostengründen, und der zuvor in einem Privathaus erteilte Unterricht fand vorübergehend im Rathaus statt. Schließlich gelang es 1791/92 aber doch noch, ein Haus beim Kirchhof zu erwerben, das man für Schulzwecke herrichten konnte.

Bevölkerung und Wirtschaft. – 1683 lebten in Haueneberstein 40 Familien, d. h. etwa 170 bis 200 Personen. Hundert Jahre später hatte sich die Einwohnerzahl mehr als verdoppelt; zwischen 1770 und 1780 lag sie bei rd. 460.[13] Dem besonderen Erwerbszweig der hiesigen Bevölkerung, der von den Weißerdevorkommen der Umgebung profitierenden Töpferei, verdankt »Hafen-Eberstein« seinen Namen. Dessen ungeachtet dominierte aber natürlich auch hier der Landbau. 1755 lag die durchschnittlich bewirtschaftete Fläche bei ca. 5½ J, die größeren Betriebe verfügten über maximal 25 J. Vom relativen Wohlstand der Hauenebersteiner Bauern und Fuhrleute zeugt der Pferdebestand am Ort, gab es doch 1755 nicht weniger als 25 Höfe mit 2 Pferden, 21 Höfe mit 3 Pferden und immerhin noch 2 Höfe mit 4 Pferden. Bereits 1588 zählte das Dorf mit seinem Schatzungsaufkommen zur Spitzengruppe in der Region. Eine von der Herrschaft lehnbare Mahlmühle ist seit 1433 bezeugt; 1579 wird sie als oberschlächtig mit einem Gang beschrieben, und noch 1790 hatte sie nur ein Rad. Die Konzession für eine Ölmühle wurde 1740 erteilt, ihr Antrieb geschah 1779 mit einem Pferd. Von einer ehedem hier bestehenden herrschaftlichen Kelter heißt es 1709, sie sei eingefallen, ihr Platz stehe zum Verkauf. Zur Kirchweih am Bartholomäustag gab es im 16. Jh. in Haueneberstein jährlich einen Krämermarkt, von dem man 1790 zwar noch wußte, der aber zu jener Zeit längst nicht mehr stattfand.

Lichtental

Siedlung und Gemarkung. – Der heutige Baden-Badener Stadtteil Lichtental (seit 1909) umfaßt – einmal abgesehen von dem Weiler Müllenbach – die einst der Herrschaft des gleichnamigen Klosters unterworfen gewesenen Gemarkungen des Beuerner Tals und des Grobbachtals mit Geroldsau. Die Besiedlung dieses Gebiets, für das archäologische Befunde aus älterer Zeit nicht vorliegen, geschah allem Anschein nach erst im Zuge des hochmittelalterlichen Landesausbaus. Beuern selbst – gemeint ist hier das nachmalige Unterbeuern, wo sich seit der M. 13. Jh. das Kloster entwickelt hat – darf schon mit Blick auf den mutmaßlich nach und nach ins Tal voranschreitenden Gang der Besiedlung als der älteste dieser Talorte gelten und findet auch als erster unter ihnen urkundliche Erwähnung (1245 *vila Búren*),[14] der weiter östlich gelegene Teilort Oberbeuern erscheint mit dieser differenzierenden Bezeichnung nicht vor 1559 (*Obernbeürn, Obernbeüwrn*);[15] den Namen Beuern hat man im Sinne von »bei den kleinen Häusern« zu deuten. Bei Gaisbach (*Geisenbach*, von mhd. *geiz*, Ziege) und Geroldsau (*Gerhartisowe*, von PN), deren früheste Erwähnung ebenfalls in die M. 13. Jh. fällt (beide 1253),[16] handelt es sich vielleicht um Gründungen markgräflicher Ministerialen, während Müllenbach (*Mulenbach*, 1320)[17] offensichtlich ebersteinischen Ursprungs ist und mithin vom Murgtal her besiedelt worden sein dürfte. Die tief in den Talgründen von Grobbach und Rubach gelegenen Weiler Malschbach (*Machtelspach*, 1395, Kop. 17. Jh., von PN)[18] und Schmalbach (*Smalnbach*, um 1400, von mhd. *smal*, eng, klein)[19] sind möglicherweise erst Gründungen des späten Mittelalters und können wohl auf kolonisatorische Leistungen der Lichtenthaler Zisterzienserinnen zurückgeführt werden. Ob der 1361 dem Lichtenthaler Gerichtsstab zugehörige Hof *uff der Eckh* (heute Eckhöfe) mit der bereits 1177 bezeugten herrenalbischen Grangie *Egge*[20] gleichgesetzt werden darf, bleibt zweifelhaft. Kirchlich zählte das Tal von alters her zur Pfarrei Baden, jedoch bestand schon 1597 in Beuern ein eigener Friedhof. Ein Schulmeister wird nicht vor 1744 erwähnt.

Die erst nach Gründung des Klosters aus der Badner Urmark herausgeschnittene Gemarkung Lichtentals bzw. des Beuerner Tals läßt noch heute ihre Genese aus der Grundherrschaft der hiesigen Zisterze deutlich erkennen, beschränkt sie sich doch fast ausschließlich auf das Acker- und Wiesenland am Talboden der Oos, des Grobbachs, des Rubachs und der übrigen kleinen Quellstränge; größere Walddistrikte umfaßt sie nur in der Schmalbach und südlich von Malschbach. Der Verlauf ihrer Grenze ist infolgedessen höchst unregelmäßig und erweckt auf weite Strecken beinahe den Eindruck, als orientiere er sich an den Höhenlinien. Wie und wann dieser Grenzverlauf seine Konturen im einzelnen gewonnen hat, ob dabei auch noch Rodungen des späten Mittelalters und der frühen Neuzeit eine Rolle spielten, muß dahingestellt bleiben. Für die M. 18. Jh. sind nur kleinere Neugereute am Heuberg, an *Scherers Ecke* und in Geroldsau bezeugt, die aber auf die Gestalt der Gemarkung sicher keinen Einfluß mehr hatten.

Herrschaft und Grundherrschaft. – Als eigener Herrschaftsbezirk wurde das Beuerner Tal erst 1245 mit der Fundierung des Kl. Lichtenthal konstituiert. Neben anderen Gütern übergaben die Markgrafen von Baden dem Konvent damals das Dorf Beuern samt allen seinen Zugehörungen. 1288 wurde diese Schenkung neuerlich bekräftigt und um das Dorf Geroldsau vermehrt; Gaisbach war bereits 1253 im Wege eines Tauschs an Lichtenthal gelangt. Der Urkunde von 1288, aber auch jüngeren Aufzeichnungen zufolge umfaßten die klösterlichen Rechte sowohl Leute wie Güter, Vogteien, Steuern, Beden, Fälle, Hühnerzinse, Rauchhühner, Frondienste, Wald, Wasser (u. a. Fischrecht in der Oos bis zur Einmündung des Falkenbachs), Weide, Wege, Stege und Unwege, d. h. die ganze Vielfalt der Gerechtsame, aus denen sich die Orts- bzw. Niedergerichtsherrschaft gemeinhin zusammensetzt. Hingegen blieben alle Rechte, mit denen der Anspruch auf Landesherrschaft und Landeshoheit verbunden war, so namentlich das militärische Aufgebot, die hohe Gerichtsbarkeit sowie *wund- und wurffrevel*, dem Markgrafen als Erbkastenvogt des Klosters vorbehalten; zog der Markgraf in den Krieg, mußte ihm das Tal einen gerüsteten Wagen stellen. So gehörte das Beuerner Tal während der ganzen frühen Neuzeit zum markgräflichen Amt Baden, bildete darin jedoch zusammen mit dem gleichfalls lichtenthalischen Winden einen eigenen sog. Klosterstab. Als bedeutendste Grundherrschaft im Tal ist es dem Konvent offenbar frühzeitig gelungen, Konkurrenten zu verdrängen, zumindest lassen sich fremde Berechtigungen in nennenswertem Umfang seit dem späteren 13. Jh. hier nicht mehr nachweisen. Zur Zeit der Säkularisation belief sich die Zahl der dem Kloster zins- und fallpflichtigen Bauernlehen im Beuerner Tal auf 72. Allein in Müllenbach, das ebersteinischer Orts- und badischer Landesherrschaft unterstand, waren die Grafen von Eberstein und hernach als deren Erben die Herzöge von Württemberg-Neuenstadt auch Grundherren, wodurch es mit dem Kl. Lichtenthal und seinen Untertanen verschiedentlich zu Konflikten kam; 1567 umfaßten die von Eberstein zu Erblehen rührenden Höfe in Müllenbach neben nicht näher bezifferten Behausungen, Scheuern, Stallungen, Äckern, Gärten, Matten und Büschen insgesamt rd. 20 Mm Wiesen. Der Übergang dieser Rechte an Baden geschah vermutlich 1753, als Herzog Karl Eugen von

Württemberg zugunsten der Markgrafen auf seine Ansprüche an die halbe Grafschaft Eberstein samt zugehörigen Gerechtsamen verzichtete.

Gemeinde. – Die Richter des Gerichts zu Beuern treten erstmals 1449 gelegentlich eines Grundstücksgeschäfts in Erscheinung, Bürgermeister, Gericht und Gemeinde des Beuerner Tals 1538 mit einer an den Markgrafen adressierten Beschwerde gegen die Stadt Baden. Ein eigenes Siegel führte das Ortsgericht seit dem späten 16. Jh.;[21] es zeigt in einem Schild, aus dessen Flanken Dreiberge wachsen, die Krümme eines Abtsstabs, trägt die Jahreszahl 1572 und bezeichnet sich selbst als SIGILVM · IVDICII · IN · BEUREN. Stabhalter (Schultheiß) und Gericht wie auch die Inhaber aller Gemeindeämter wurden von der Äbtissin bestellt. Die Bürgergemeinde des Tals gewinnt in den überlieferten Quellen nur wenig Profil; von Untertanenkonflikten, wie sie anderwärts verbreitet waren, ist nichts bekannt. In ihren wiederholten Allmend- und Waldnutzungsstreitigkeiten mit der Stadt Baden sowie in gelegentlichen Differenzen mit den ebersteinischen Hofsassen zu Müllenbach wurde die Gemeinde gewöhnlich durch das Kloster vertreten. In Kriegszeiten waren die Klosterleute und die Untertanen zu Beuern berechtigt, in der Stadt Zuflucht zu suchen, mußten dafür aber stets auf eigene Kosten zwei Wächter stellen. Von Beuerner kommunalem Besitz ist aus den Quellen nichts zu erfahren, abgesehen vom Groß-, Klein- und Weinzehnt durch das ganze Tal, den die Gemeinde im späten 16. Jh. vom Kloster und vom Speyrer Domstift je zur Hälfte bestandsweise innehatte.

Bevölkerung und Wirtschaft. – Die Bewohner des Beuerner Tals (wiederum mit Ausnahme des ebersteinischen Müllenbach) waren Leibeigene entweder des Klosters oder der Markgrafen; als solchen war es ihnen jederzeit erlaubt, ungehindert in markgräfliche Städte zu ziehen. Die Zahl der hier wohnhaften Familien belief sich 1683 auf insgesamt 53 (Ober- und Unterbeuern 30, Malschbach 3, Geroldsau 15, Schmalbach 5).[22] Wirtschaftlich war die hiesige Bevölkerung praktisch ganz vom Kloster und seiner Infrastruktur abhängig (z. B. Grundherrschaft, Mühlen); beim Besuch von Märkten und Messen in der Markgrafschaft war sie den markgräflichen Untertanen gleichgestellt. Ihren Lebensunterhalt bestritt sie, wie es im 16. Jh. heißt, *allein uß dem vich und dem wald merertheils*. Als Teilhaber an der Badner Allmende weideten die von Beuern und Geroldsau sowie die Bewohner der anderen Weiler im Tal ihr Vieh im städtischen Wald, aus dem sie auch das Holz bezogen, das sie zu Schindeln, Zargen, Schaufeln, Sieben und anderem verarbeiteten. So nimmt es nicht wunder, wenn die Konflikte mit der Stadt Baden kein Ende fanden. Dort warf man den Klosteruntertanen periodisch vor, sie würden ihre Landwirtschaft vernachlässigen und den Wald durch Raubbau verwüsten. Infolgedessen waren die Städter immer wieder bestrebt, die Ausfuhr der Beuerner Holzgewerbeprodukte nach Straßburg, Hagenau, Speyer und anderwärts durch Steigerung des erhobenen Weggeldes und durch allerlei Schikanen, etwa bei Mitbenutzung der städtischen Sägemühle, zu behindern. Ob und mit welchem Erfolg ein 1758 bei Geroldsau entdecktes Kobalt- und Silbervorkommen ausgebeutet wurde, entzieht sich unserer Kenntnis.

Kloster Lichtenthal. – Ein Frauenkonvent zu Beuern bzw. Lichtenthal (*devotas virgines in Lucida Valle*) findet erstmals 1243 im Zusammenhang mit einer Anniversarstiftung für Markgraf Hermann V. Erwähnung.[23] Allerdings wird die eigentliche Klostergründung traditionell mit der Bestätigung der von Markgräfin Irmengard gestifteten ersten Güterausstattung ins Jahr 1245 datiert; der zuständige Speyrer Diözesanbischof erteilte der Gründung 1246 seinen Konsens, nachdem der Papst den Konvent bereits im Jahr der Stiftung privilegiert hatte. Mutterkloster war die Frauenzisterze Wald bei Sigmaringen, von wo auch die erste Äbtissin kam. Die förmliche Inkorporation in den Orden von Cîteaux erfolgte 1247/48 unter der Paterinität des Abtes von Neuburg im Elsaß (seit M. 15. Jh. Maulbronn, um 1490 Herrenalb, nach 1534 Neuburg, 1622/25 Salem, 1625 Lützel, 1668 Tennenbach), die Weihe der noch unvollendeten Klosterkirche nahm am 3. November 1248 der Bischof von Straßburg in Vertretung jenes von Speyer vor.[24] Am Tag der Kirchweihe wurde der von Backnang nach Lichtenthal überführte Leichnam Markgraf Hermanns V. († 1243) vor dem Hochaltar beigesetzt, und 1260 fand dort auch die Stifterin des Klosters, Markgräfin Irmengard, ihre letzte Ruhe. Fortan blieb Lichtenthal, wo nach 1288 zu diesem Zweck neben der Abteikirche eigens eine Grabkapelle, die sog. Fürstenkapelle (Altarweihe 1312), errichtet wurde, bis 1424 die Grablege und das Hauskloster der badischen Markgrafen.

Aus der markgräflichen Dynastie gingen nicht weniger als vier Äbtissinnen hervor, dazu eine ganze Reihe weiterer aus deren Verwandtschaftskreis (Lichtenberg, Zollern etc.); Töchter aus der Stifterfamilie hatten stets den Anspruch, bevorzugt aufgenommen zu werden. Während der ersten anderthalb Jahrhunderte seines Bestehens war der Konvent geprägt von Nonnen aus dem dynastischen Adel der näheren und weiteren Umgebung, aus dem markgräflichen Ministerialen- und Lehnsadel sowie aus den Oberschichten benachbarter Territorial- und Reichsstädte. Die Äbtissinnen waren bis ins 15. Jh. ausnahmslos adliger Herkunft. Nach einem Höhepunkt seiner Entwicklung im späten 13. und früheren 14. Jh. erlebte das Kloster an der Wende zum 15. Jh. infolge Überbesetzung – die Zahl der Konventualinnen war 1256 auf vierzig begrenzt worden, belief sich jedoch bereits 1345 auf etwa achtzig – und Niedergangs der monastischen Disziplin eine tiefe Krise, die seit 1426 mit Hilfe einer von den Äbten der Klöster Maulbronn, Herrenalb und Lützel geleiteten Reform überwunden wurde; seither überwogen im Konvent die Klosterfrauen und Äbtissinnen nichtadliger Abkunft. Vielerlei Anzeichen deuten darauf hin, daß das geistliche Leben wie auch die allgemeinen Verhältnisse in Lichtenthal sich fortan wieder positiv entwickelten.

Die wiederholten Anläufe der Markgrafen, in ihrem Land die Reformation einzuführen, konnten die Belange des Klosters nur vorübergehend beeinträchtigen. 1570 wurde von hiesigen Zisterzienserinnen das Ordenshaus Friedenweiler auf der Baar neu besiedelt, wenige Jahre später, wenngleich nur mittelbar, auch Maria Hof in Neudingen bei Donaueschingen und Wonnental im Breisgau; die während des 30j. Krieges unter Beteiligung Lichtenthals versuchten Neubesiedlungen der einstigen Frauenzisterzen in Rechentshofen und Zimmern im Zabergäu sowie in Kreuznach waren dagegen nicht von Dauer. Bei der Zerstörung der Stadt Baden im August 1689 blieb das Kloster verschont. Im 17. und 18. Jh. haben mehrere Angehörige der katholischen Markgrafen Baden-Badener Linie die längst aufgegebene Tradition der hiesigen Grablege neu belebt, indem sie Lichtenthal zu ihrer Herzsepultur bestimmten.

Von einem regen geistigen Leben im hiesigen Konvent zeugt der gemessen an der eher bescheidenen Größe des Klosters sowohl quantitativ wie qualitativ beachtliche, aber leider nur zum Teil auf uns gekommene Lichtenthaler Bibliotheksbestand; er umfaßte zu Beginn des 19. Jh. mehr als zweihundert Handschriften teils fremder, teils eigener Provenienz, zu denen bis zum E. 16. Jh. wohl noch gut hundert Inkunabeln und Frühdrucke hinzugekommen sind. Im Zuge der Säkularisation mußte das Kloster 1803 zwar alle seine Besitz- und Herrschaftsrechte an den badischen Staat abtreten, jedoch durfte der Konvent, der zum Nachweis seiner Gemeinnützigkeit 1815 eine Mädchenschule eröffnete, weiterhin in den bisherigen Gebäuden wohnen und schließlich auch

4. Geschichte der Stadtteile

wieder Novizen aufnehmen. Die Verbindung zum Zisterzienserorden wurde 1854 neuerlich geknüpft, jedoch erfolgte die förmliche Wiederaufnahme in den Orden erst 1925 (Mehrerauer Kongregation); dazwischen liegt die kritische Zeit des Kulturkampfs, in der Lichtenthal 1882/87 das inzwischen längst selbständige Filialkloster Mariengarten in St. Pauls-Eppan (Südtirol) gründete, um sich für den schlimmsten Fall eine Zuflucht zu schaffen. Heute betreibt das nach wie vor florierende Kloster die Mädchenschule Lichtental, eine öffentliche Grund- und Hauptschule, sowie eigene Werkstätten für sakrales Kunstgewerbe.

Der vielfältige Besitz Lichtenthals erstreckte sich im 13. Jh. von Ottersweier bei Bühl im S bis nach Speyer im N und vom elsässischen Weißenburg im W bis ins Zabergäu im O. Der eigentliche, dauerhafte und zunehmend arrondierte Kern der klösterlichen Güter und Gerechtsame lag freilich im Lichtenthaler Nahbereich, zwischen Rastatt und Bühl, in der schmalen Vorbergzone des Schwarzwalds, im Tal der Oos und vereinzelt im Murgtal bis hinauf nach Forbach; auch nördlich der Murg, bis nach Durlach und Grötzingen sowie um Pforzheim läßt sich noch eine gewisse Besitzverdichtung beobachten, hingegen handelt es sich im übrigen um bloßen Streubesitz, der zumeist nicht von langer Dauer war; die auffallend scharfe Besitzgrenze nach S deckt sich mit der Grenze des badischen Territoriums gegen die Landvogtei in der Ortenau. Bis ins späte 14. Jh. geschah der klösterliche Gütererwerb ganz überwiegend durch allerlei Stiftungen und Schenkungen sowie in Gestalt von Mitgiften und hernach dem Kloster verfallenen Leibrenten für einzelne Nonnen. Seit der Krise um 1400 jedoch ging die Zahl wohltätiger Stiftungen deutlich zurück, und vom 15. Jh. bis zur Säkularisation dominiert der gelegentliche, aus eigenen Mitteln bestrittene und erkennbar um Arrondierung bemühte Ankauf von Liegenschaften und Gerechtsamen. Anders als sein Mutterkloster Wald, dem der Aufbau eines zwar kleinen, aber geschlossenen Niedergerichtsterritoriums gelang, verfügte Lichtenthal über ortsherrliche Rechte dauerhaft nur im Beuerner Tal (1245/88) sowie in Winden (1245), besonders stattlich hingegen war sein Besitz an Zehntrechten und namentlich an inkorporierten Kirchen. Die Eigenwirtschaft des Klosters beschränkte sich wohl von allem Anfang an auf dessen unmittelbaren Umkreis, der übrige Grundbesitz war in verschiedenen Rechtsformen, großenteils zu Erblehen verliehen. Die Vermarktung erwirtschafteter Überschüsse wurde durch kaiserliche und pfalzgräfliche Zollprivilegien für den Transport von Wein und anderen Handelsgütern auf dem Rhein begünstigt (1332ff.). An der Spitze der Lichtenthaler Güterverwaltung stand ursprünglich wie anderwärts ein Laienbruder, später ein Amtmann bzw. Vogt (1388/89), der seit dem 15. Jh. als Schaffner und schließlich als Oberschaffner bezeichnet wurde; in Steinbach, Ettlingen und Pforzheim, wo grundherrschaftliche Unterzentren bestanden, gab es klösterliche Unterschaffner. Verantwortlich waren alle Amtleute und das Gesinde des Klosters nicht in erster Linie der Äbtissin, sondern dem Markgrafen von Baden, der als erblicher Schirm- und Kastenvogt allgemeine Dienstordnungen für das Personal erließ (1509), die Jahresrechnungen der Schaffner prüfte und jegliche Transaktionen mit Klostervermögen überwachte.

Äbtissinnen:[25] Trudlinde (von Liebenstein?) 1247–1249, Mechtild von Liebenstein 1249–1252, Adelheid von Krautheim 1252–1257, Mathilde (von Wildenstein?) 1257–1258, Metza von Lichtenberg 1258–1263, Adelheid von Baden 1263–1295, NN 1295–1300, Adelheid von Beuchlingen 1300–1312, Elisabeth von Lichtenberg 1312–1320, Agnes von Lichtenberg 1320–1335, Agnes von Baden 1335–1361, Adelheid von Tübingen-Herrenberg 1361–1367, Kunigunde von Zollern 1367–1380?, Adelheid von Lichtenberg 1384?–1399, Johanna von Leiningen 1399–1411, Mechtild von Lichtenberg 1413–1416?, Johanna von Leiningen (*die alt eptissin*) 1420/22, Sedisvakanz

1422–?, Agnes von Lichtenberg 1428–1436, Mechtild von Lichtenberg 1442, Elisabeth Wiest 1444–1459, Anna Strauler 1459–1474, Margarethe von Baden 1474–1496, Maria von Baden 1496–1519, Rosula Röder von Hohenrod 1519–1544, Anna von Mörsberg 1544–1551, Barbara Veus 1551–1597, Margarethe Stülzer 1597–1625, Margarethe Göll 1625–1640, Rosina Herzog 1641–1642, Eva Regina Springauf 1642–1658, Margarethe Loys 1658–1686, Thekla Schütz 1686–1687, Euphrosine Lorenz 1687–1720, Agnes Polentar 1720–1726, Euphrosine Wunsch 1727–1738, Benedikte Grasmeier 1738–1775, Thekla Trück 1775–1808, Cäcilie Lauf 1808–1834, Amalie Trenkle 1834–1857, Sophia Schell 1858–1875, Aloysia Schreiber 1876–1880, Magdalene Kollefrath 1880–1909, Gertrud Molz 1909–1928, Bernarda Geiler 1929–1947, Adelgundis Lohrmann 1947–1974, Lucia Reiss 1974–1989, Adelgundis Selle seit 1989.

Neuweier

Siedlung und Gemarkung. – Das zum alten Kirchspielsverband und zur einstigen Großgemarkung von Sinzheim-Steinbach gehörige Neuweier ist urkundlich zuerst 1297 (*Negenwilre*) bezeugt.[26] Der Wandel seines Namens von *Neg(en)wilre* über *Newilre* zu Neuweier geschah während des späten Mittelalters und setzte sich schließlich um die Wende vom 15. zum 16. Jh. durch; die Deutung des Namens (von PN?) bleibt unklar. Vermutlich handelt es sich um einen Ausbauort aus fränkischer Zeit, jedoch liegen archäologische Befunde, die eine solche Vermutung stützen könnten, nicht vor. Die Neuweirer Gemarkung war seit alters mehr als zur Hälfte mit Wald bestanden. Ausstockungen größeren Umfangs gab es namentlich in der 1. H. 18. Jh. zwecks Erweiterung der schon davor sehr ausgedehnten Rebflächen. Der auf hiesiger Gemarkung, unmittelbar südlich des Dorfes gelegene Weiler Schneckenbach wird bereits zum Jahr 1253 erwähnt (*Sneckenbach*, Kop. 17. Jh.),[27] dürfte indes hinsichtlich seiner Entstehung jünger sein als Neuweier selbst.

Herrschaft und Staat. – Herrschaftlich war das Tal von Neuweier und Schneckenbach im hohen Mittelalter offenbar der Yburg zugeordnet; mit dieser muß es an die Markgrafen von Baden gelangt sein. Bei dem schon im 13. Jh. hier ansässigen Ministerialenadel aus den Familien Röder (auch unter dem Namen Bube), von Kindweiler und von Bach handelte es sich wohl ursprünglich um Yburger Burgleute, die in diesem Tal begütert waren. Im Zuge der Territorialisierung bemühten sich die Markgrafen zunehmend, die vogteilichen Kompetenzen des auf den hiesigen Schlössern gesessenen Adels einzuschränken und im Dorf wie in der Gemarkung eine einheitliche badische Orts- und Landesherrschaft zu etablieren. Zwar gelang es den Markgrafen mit mehreren Verträgen und Vergleichen, vor allem in den Jahren 1453, 1505, 1555 und 1587, ihren alleinigen Anspruch auf die hohe Gerichtsbarkeit sowie auf Reiß, Folge und Steuer in Kriegszeiten durchzusetzen – Neuweier und Schneckenbach gehörten insoweit zum Amt Steinbach, schließlich zum Oberamt Yburg –, jedoch konnte der örtliche Adel sich mit Unterstützung der Ortenauer Ritterschaft auch weiterhin im Besitz seiner güterbezogenen Niedergerichts- und Vogteirechte in Neuweier behaupten. Konflikte entzündeten sich vom 16. bis ins 18. Jh. immer wieder an Fragen der badischerseits sehr extensiv ausgelegten Leibherrschaft, der Huldigungseinnahme und der Frondienste, am Jagdrecht, an Zoll-, Steuer- und Schatzungsforderungen von seiten Badens sowie an dem markgräflicherseits beanspruchten Salzmonopol und Trauergeläut. Bei der Übernahme der Markgrafschaft Baden-Baden durch Baden-Durlach glaubten Beamte des neuen Landesherrn, 1771 auch von den Schlössern und den adligen Gütern in Neuweier

Besitz ergreifen zu müssen. Ein daraufhin vor dem Reichshofrat in Wien geführter Prozeß endete 1782 mit einem Urteil zugunsten des Freiherrn Knebel von Katzenelnbogen, dem inzwischen beide Neuweirer Schlösser allein gehörten: Die Reichsunmittelbarkeit beider Schlösser samt zugehörigen Häusern, Höfen und Gütern wurde bestätigt, dem Markgrafen von Baden sollten allein die seit dem 15./16. Jh. hergebrachten Rechte der Hochgerichtsbarkeit sowie des militärischen Aufgebots zustehen. Da ein 1784 geplanter Verkauf der Knebel'schen Gerechtsame an Baden nicht zustande kam, dauerten die Konflikte zwischen Schloß- und Landesherrschaft bis zu der mit dem Ende des Alten Reiches vollzogenen Mediatisierung der Herrschaft Neuweier fort.

Zentren der adligen Herrschaft zu Neuweier waren die beiden Schlösser im bzw. beim Dorf. Das Obere Schloß, eine von einem Graben umgebene Tiefburg, lag in der Ortsmitte, an der Stelle der heutigen Pfarrkirche, und wurde wegen Baufälligkeit bereits in den 1780er Jahren abgetragen. Ursprünglich war es Sitz der Röder und ist gegen E. 15. Jh. durch Erbschaft an die von Stein vom Reichenstein gelangt. Von 1521 bis 1575/1632 an Konrad Knebler von Kamer zu Sunthausen bzw. an den kurpfälzischen Pfennig- und Küchenmeister Ägidius Kastner verpfändet, wurde das 1690 von den Franzosen zerstörte Obere Schloß samt zugehörigen Gütern 1727 an die im Unteren Schloß gesessenen Knebel von Katzenelnbogen verkauft.

Dieses Untere Schloß gehörte spätestens seit dem 14. Jh. denen von Bach und wurde von ihnen über die von Cronberg und die Kämmerer von Worms gen. von Dalberg an die von Eltz und schließlich an die Knebel von Katzenelnbogen vererbt; nach dem Aussterben der Knebel gelangte es 1816 an die Grafen von Kesselstatt und 1838 durch Kauf in bürgerliche Hand. Auch das Untere Schloß war von einem nassen Graben umgeben. 1721 als baufällig beschrieben, wurde sein Zustand im späten 18. Jh. wieder als solide gelobt. Heute präsentiert es sich als vierstöckige, einen kleinen Innenhof umschließende Anlage mit z. T. bemerkenswerten Elementen von Renaissancearchitektur.

Grundherrschaft und Grundbesitz. – In Anbetracht dessen, daß noch in der frühen Neuzeit eine ganze Reihe Neuweirer Anwesen von der Markgrafschaft Baden zu Lehen rührte (Röder 14.–16. Jh., von Ow 15.–18. Jh., Nix von Hoheneck gen. von Enzberg 15./16. Jh., Heuwel von Tiefenau 17./18. Jh.) und es sich zumindest bei einem Teil des alten Röder'schen und Bach'schen Besitzes vermutlich um ehedem ministerialisches Dienstgut handelte, darf man wohl annehmen, daß im hohen Mittelalter hier eine größere ebersteinische, hernach markgräfliche Grundherrschaft bestanden hat, aus der heraus sich sodann die über Jahrhunderte hinweg den Ort prägende niederadlige Herrschaftsbildung vollzog. In späterer Zeit (15.–17. Jh.) beschränkte sich der markgräfliche Grundbesitz zu Neuweier auf einen erblehnsweise verliehenen Rebhof samt Zugehörungen sowie auf diverse Geld- und Naturalzinse. Zum Bach'schen und schließlich Knebel'schen Unterschloß gehörten fünf Rebhöfe und zahlreiche weitere Liegenschaften auf hiesiger Gemarkung sowie allerlei Güter und Gerechtsame in der weiteren Umgebung. Die Herrschaft des Oberen Schlosses verfügte zu Beginn des 18. Jh. über zwei Rebhöfe, 61¼ Sth Reben, 12 Tw Matten und 400 J Wald, dazu über vielfältige Rechte und Einkünfte in der Nachbarschaft. Um 1700 gab es in Neuweier darüber hinaus adlige Höfe der Freiherren Schenk von Stauffenberg (20 Sth Reben, 6⅛ Tw Matten) und von Ow (15 Sth Reben, 8 Tw Matten) sowie des Kammerrats Weiß (Rebhof Berenbach) und des Reichshofrats von Heuwel (17¼ Sth Reben, 4 Tw Matten); wenigstens z. T. handelte es sich dabei um Güter, die aus dem Erbe der seit alters hier ansässigen Adelsfamilien stammten. Das Rebgelände, das 1448 die von Gemmingen zu Erblehen vergaben, rührte zweifellos aus Selbacher Besitz; auf welchem Weg die von Botzheim (17./18. Jh.) ihre Güter zu Neuweier erlangten, ist nicht bekannt.

Auch verschiedene geistliche Institutionen waren mit allerlei Gerechtsamen in Neuweier vertreten. Kl. Lichtenthal erwarb hier 1395 und 1490 durch Stiftung bzw. Mitgift Natural- und Geldeinkünfte; 1752 kaufte es obendrein den davor von Heuwel'schen Rebhof. Besitz, den sie in Schneckenbach hatten, vertauschten die Nonnen bereits 1253 mit Reinhard gen. Chieme gegen solchen in Gaisbach. Das Stift Baden war in Neuweier im 16. Jh. begütert, das Badner Jesuitenkolleg im 17./18. Jh. Wenigstens ein Teil der Jesuitengerechtsame gelangte später an das Kl. Schwarzach, das seit M. 18. Jh. auch Inhaber des Hofes Berenbach war. Als Besitznachfolger der von Ow hatte im 18. Jh. auch das Stift Muri im schweizerischen Aargau hier einen Rebhof (26 Sth Reben, 7 Tw Matten), den es allerdings 1798 wieder verkaufte. Schließlich waren die örtliche Kaplanei (1329; Rebhof mit 8 Sth Reben und 2 Tw Matten), die Kapelle zu Weitenung (1384) und die Pfarrkirche zu Kappel (1703) in Neuweier begütert.

Gemeinde. – Die Gemeinde der Bürger zu Neuweier ist in den überkommenen Quellen kaum zu fassen. Der Grund hierfür mag darin liegen, daß der Ort zum Verband des Steinbacher Kirchspiels mit seiner großen Allmende gehörte und die üblichen Weidgangsdifferenzen sich infolgedessen im Rahmen dieser größeren Einheit abspielten. Freilich ist 1654 in einem Urbar vom zusammengehörigen Heimbürgentum (*heimberthumb*) Neuweier und Schneckenbach die Rede, woraus sich ergibt, daß auch hier zumindest Ansätze zu einer eigenen genossenschaftlichen Organisation bestanden haben.

Kirche und Schule. – Bis ins 19. Jh. verfügte das nach Steinbach gepfarrte Neuweier über keine eigene Kirche, allerdings gab es am Ort eine Kapelle. Die zugehörige Kaplaneipfründe zu Ehren der Hll. Johannes Bapt. und Georg wurde 1329 von den im Tal ansässigen Edelleuten aus den Familien Röder und von Bach gestiftet; 1383 kam, wiederum durch die Röder, eine weitere, den Hll. Georg, Antonius und Katharina gewidmete Pfründe hinzu.[28] Die Vereinigung der beiden allzu karg dotierten Pfründen erfolgte 1476, und das Patronatsrecht der solcherart verbesserten Kaplanei stand den Herren des Unteren Schlosses zu. 1422 findet ein Nikolaus-Altar Erwähnung. 1502 wurde einer Marien-Kapelle (!) zu Neuweier ein Ablaß verliehen; ob diese identisch ist mit der 1598 bezeugten, im 18. Jh. den Hll. Lothar und Walburga geweihten Kapelle im Unteren Schloß erscheint sehr zweifelhaft. Vom Knebel'schen Verwalter im Unteren Schloß und von der Herrschaft im Oberen Schloß hieß es 1718, sie seien dem Pietismus zugetan.

Die verschiedenen Berechtigungen am Zehnt zu Neuweier sind nur schwer zu überschauen. Ein Viertel des Weinzehnten war bereits im 14. Jh. als markgräfliches Lehen in Röder'schem Besitz; darüber hinaus müssen die Röder einen weiteren lehnbaren Anteil besessen haben, der hernach über die von Neuhausen an die von Eltz gelangte und 1665 an Baden heimfiel. Auch die Knebel von Katzenelnbogen waren im 18. Jh. am Weinzehnt und mit einem Dreißigstel am Fruchtzehnt beteiligt. Kl. Lichtenthal bezog bis 1802 den Zehnt aus einem besonderen Distrikt. Den Neurottzehnt beanspruchte in der frühen Neuzeit der Markgraf von Baden.

Eine Schule zu Neuweier ist seit 1760 bezeugt, ein eigenes Schulhaus wurde 1801 gebaut.

Bevölkerung und Wirtschaft. – Entsprechend der herrschaftlichen Struktur von Neuweier waren die Einwohner der Ortschaft je nach den Rechtsverhältnissen der

Güter, auf denen sie saßen, Leibeigene bzw. Untertanen der verschiedenen hier vertretenen Herrschaften und der Markgrafen von Baden. Ihre Zahl lag in den 1770er Jahren durchschnittlich bei etwa 480; hinzu kamen ungefähr 150 bis 160 Einwohner von Schneckenbach.[29]

Wirtschaftlich war Neuweier von alters her ganz vom Weinbau geprägt, Getreideanbau und andere Sparten der Landwirtschaft spielten im Vergleich zum Wein kaum eine Rolle. Die bis heute gebräuchliche Abfüllung des hiesigen Gewächses in den an sich für Franken typischen Bocksbeutel geht auf den aus dem Neuweirer Unterschloß stammenden Eichstätter Bischof Johann Anton Knebel von Katzenelnbogen († 1725) zurück, der diese besondere Flasche hier heimisch machte. Die Viehhaltung im Dorf beschränkte sich um 1800 im wesentlichen auf Rinder und Schweine, Pferde gab es nur in sehr geringer Zahl. Von den ursprünglich offenbar drei Neuweirer Mahlmühlen war die obere bereits 1510 abgegangen. Die Mittelmühle (1502) rührte vom Markgrafen zu Erblehen und gehörte seit 1640/42 dem Badner Jesuitenkolleg. Die dritte Mühle wurde vom Unteren Schloß verliehen (17./18. Jh.). Eine Erblehnmühle (Obermühle?) des Oberen Schlosses findet 1717/33 Erwähnung. Im Laufe des 18. Jh. berichten die Akten von mehren Mühlenprojekten (Ölmühle, 1716; Schleifmühle, 1740; Hanfpleuel, 1779/83), die aber vermutlich nur zum Teil realisiert oder erst gar nicht genehmigt (Sägemühle, 1788/89) wurden. Ein zur Herrschaft des Unteren Schlosses gehöriger Ziegler wird 1786 erwähnt. 1762/65 versuchten die Freiherren Knebel von Katzenelnbogen auf Neuweirer Gebiet Bleierz abzubauen, stellten den zunächst verheißungsvollen Betrieb aber schon 1766 wieder ein, weil er sich nicht lohnte; auch Sondierungen, die um 1777/82 seitens der markgräflichen Berginspektion unternommen wurden, blieben schließlich ohne Erfolg. Ein letzter Versuch, am Eltzenberg, unmittelbar beim Ortseingang, Blei- und Silbererz abzubauen (1827/29), mußte wiederum wegen technischer Probleme und mangelnder Rentabilität aufgegeben werden.

Oos

Siedlung und Gemarkung. – Eine Siedlung des Namens Oos erscheint urkundlich erstmals 1245 (*due curie in Ose*)[30] in der Stiftungsurkunde des Kl. Lichtenthal, jedoch ist über die Zeit ihrer Entstehung nichts bekannt. Die Lage am Talausgang des gleichnamigen Bachs (»helleuchtendes Wasser«) und an der Straße zu den heißen Quellen von Baden läßt immerhin vermuten, daß an diesem Platz schon früh eine Ansiedlung entstanden ist. Tatsächlich konnte sowohl im Umkreis des Dorfes selbst wie in Scheuern bei der Schweigroder Mühle eine ganze Reihe archäologischer Funde gemacht werden, so namentlich ein römischer Brunnenstein und einige Architekturspolien sowie mehrere sehr beachtliche Grabfunde aus merowingischer Zeit (5./6. Jh.). Auch wenn alle diese Befunde kaum als Zeichen einer bis in die Spätantike zurückreichenden, ungebrochenen Siedlungskontinuität interpretiert werden können, machen sie doch deutlich, daß es sich hier um einen alten, von der Topographie begünstigten Wohnplatz handelt. Das Dionysius-Patrozinium (1469) der örtlichen Kirche könnte auf deren Gründung bereits im frühen Mittelalter hinweisen.

Eine eigene Gemarkung wurde Oos freilich erst zu Beginn des 19. Jh. zugemessen. Ursprünglich lag der Ort in der alten Großgemarkung der Stadt Baden, zu deren Kirchspiel er bis zum Ende des Mittelalters gehörte. Kleinere Neurodungen sind für das 16. bis 18. Jh. vor allem östlich des Dorfes bezeugt; um das westlich, im Bruch gelegene Wiesenland nutzbar zu machen und zu erhalten, mußten dort von alters her in gemeinsamer Anstrengung mit den Nachbargemeinden Gräben und Teiche angelegt und gepflegt werden.

Zu der im 19. Jh. separierten Gemarkung von Oos gehörten die Schweigroder Mühle, der kleinere Teil von Scheuern (links des Bachs) und das unfern davon gelegene sog. Jesuitenschlößchen sowie das sog. Jagdhaus. Bei der 1440 erstmals erwähnten, vom Markgrafen erblehnbaren Schweigroder Mühle handelt es sich um den Überrest einer bis heute durch mehrere Flurnamen dokumentierten Siedlung. Die Anfänge des Jesuitenschlößchens (heute Waldschloß) sind in dem Anwesen »Wachenhofen« zu suchen, das 1628 von der badischen Kanzlerwitwe Salome Aschmann samt Kapelle (ULF Heimsuchung und St. Ignatius), Wirtschaftsgebäuden, Gärten, Äckern, Reben, Wiesen und Waldungen den Badner Jesuiten geschenkt und von diesen 1644 als Sommersitz bezogen wurde. Nach Aufhebung des Jesuitenordens 1773 ging das Schlößchen in staatlichen bzw. kirchlichen und schließlich in privaten Besitz über. Beim Jagdschlößchen (Jagdhaus Fremersberg, auch St. Huberti-Haus) handelt es sich um einen 1716/20 auf Veranlassung der Markgräfin Sybilla Augusta errichteten einstöckigen Zentralbau in Gestalt eines Ordenskreuzes samt zugehörigen Nebengebäuden, die jedoch nur noch zum Teil erhalten sind.

Herrschaft und Staat. – Abgesehen von einer vorübergehenden Verpfändung an das Kl. Lichtenthal während der 1. H. 14. Jh. (Wiederlösung 1341) gehörte Oos stets zur Herrschaft der Markgrafen von Baden. Zunächst Allodialgut, wurde es 1346 ersatzweise für die verkaufte Ortsherrschaft zu Unteröwisheim dem Hochstift Basel zu Lehen aufgetragen und noch 1456 durch Markgraf Karl als solches empfangen. Die Gerechtsame der Markgrafen umfaßten die gesamte Obrigkeit mit hohem und niederem Gericht, Gebot und Verbot, Steuern und Beden, Dienst und Fron, Zoll und Geleit sowie allen anderen Zugehörungen. Die Ooser Landzollstätte hat Markgraf Philipp II. in der 2. H. 16. Jh. nach Steinbach verlegt, die Pflicht der Einwohnerschaft zu gemessenen und ungemessenen Frondiensten wurde seit 1766 durch jährliche Geldzahlungen abgegolten. Von jeher zählte das Dorf ins markgräfliche Amt, schließlich Oberamt Baden. Zwischen der M. 13. und M. 14. Jh. treten verschiedentlich markgräfliche Ministerialen bzw. Niederadlige in Erscheinung, die sich von Oos nannten (Anselm, Walter, Gottfried, Konrad, Bertold, Peter), über deren genealogische Zuordnung aber nichts näheres bekannt ist.

Grundherrschaft und Grundbesitz. – Als Ortsherr war der Markgraf von Baden zugleich größter Grundherr in Oos. Neben verschiedenen kleineren Parzellen, die von ihm zu Lehen rührten, sind es vor allem drei große Erblehnhöfe, deren Geschichte sich vom späten Mittelalter bis ins 19. Jh. verfolgen läßt: Der Gappen- oder Abtshof taucht unter diesem Namen 1391 erstmals auf, im späteren 16. Jh. umfaßte er rd. 86 J Äcker und 12 Tw Matten; auf ihm war bis zur Reformation der Katharinen-Altar in der Kapelle der Burg Hohenbaden fundiert. 1638 schenkte Markgraf Wilhelm diesen Hof den Badner Jesuiten. Der Stumpfhof, bezeugt seit 1467, bestand im 16. Jh. aus 49 J Äckern und 7 Tw Matten; M. 18. Jh. wird seine Größe mit 67 M Äckern und 10 M Wiesen beziffert. Den sog. Großen Schweigroder Hof kaufte Markgraf Jakob 1440 von denen von Bosenstein; sein Umfang wird im 16. Jh. mit rd. 32 J Äckern und 10 Tw Matten angegeben, im späten 18. Jh. mit rd. 56 M.

Zwei weitere markgräfliche Höfe zu Oos gelangten bereits 1245 mit den von der Stifterin übergebenen Gütern an das Kl. Lichtenthal und wurden 1252/57 seitens der Markgrafen von allen Steuern und Lasten befreit; 1263 verzichtete auch Ritter Albrecht

Vogt von Welnhausen auf Rechte, die er an diesen Höfen noch hatte. Die nachmittelalterliche Geschichte beider Höfe bleibt unklar, denn statt ihrer erscheint seit dem 16. Jh. nur noch der Ooser Pfarrwittumhof als klösterliches Erblehen. 1803 bestand dieser auf 13 Besitzer verteilte sog. Gült- und Wittumhof des Klosters neben Haus, Hof und Scheune aus nicht weniger als 155 J Äckern und Hecken sowie 16 Tw Matten. Durch seine althergebrachten Rechte an der Pfarrei Baden war bis zur Säkularisation auch das Speyrer Domkapitel in Oos begütert und am dortigen Wittumgut berechtigt (1473). Zinse von hiesigem Grundbesitz bezogen darüber hinaus die Kirche zu Ebersteinburg und die Pfarrei Sandweier. Einen eigenen Hof zu Oos, den sog. Bleichenhof, besaß 1344/62 die niederadlige Familie Bleiche aus Niederbühl, und schließlich deutet ein 1356 erwähnter Dürrmenzer Hof darauf hin, daß auch markgräfliche Vasallen aus dem Kraichgau hier begütert waren. Der Wald auf Ooser Gebiet war 1791 zu etwa einem Drittel in bäuerlichem Besitz, zu rund einem Viertel gehörte er der Herrschaft, zu einem Fünftel dem Kl. Lichtenthal und nur zu einem Zehntel der örtlichen Gemeinde; weitere Anteile waren in verschiedenen Händen, unter anderem auch der Badner Jesuiten.

Gemeinde. – Schultheiß, Bürgermeister, Gericht und Gemeinde von Oos sind 1539 im Streit mit der Stadt Baden um die Beteiligung am Wegebau erstmals urkundlich zu fassen. Das Gericht des Dorfes wurde gemeinschaftlich mit Balg besetzt und war für beide Orte zuständig, jedoch führte darin stets der Ooser Schultheiß den Stab. Bannwarte und Hirten wurden ebenso wie der Mesner und Schulmeister durch die Gemeinde bestellt und besoldet, aber durch den Schultheißen bzw. Amtmann eidlich in Pflicht genommen. Zum Besitz der Gemeinde zählten am E. 18. Jh. rd. 29 M Wald; 7 M Wiesen zwischen dem Landgraben und der Badner Allmende hatte die Gemeinde bereits vor 1646 an das Stift Baden verloren, indem sie die Zinsverpflichtung aus einem Darlehnsgeschäft nicht hatte erfüllen können. Den Zehnt in ihrem Bereich hatte die Gemeinde von den zuständigen Dezimatoren gegen einen jährlichen Geldbetrag in sechsjährigem Bestand. Mit dem Bau eines Rathauses wurde 1764 begonnen.

Kirche und Schule. – Die seit 1257 bezeugte Kirche zu Oos war eine Filiale der Pfarrei Baden; freilich ist ihr 1469 erwähntes Dionysius-Patrozinium[31] geeignet, auf ein sehr viel höheres Alter hinzudeuten. Als Altar- bzw. Konpatrone begegnen die Muttergottes (1465) und St. Katharina (1521), dazu später auch die Apostel Petrus und Andreas; 1683 gab es in der Kirche drei Altäre. Eine Frühmesse (ULF) wurde hier 1467 durch Markgraf Karl gestiftet, im 15. und 16. Jh. konnte die Kapelle mehrere Ablässe erlangen. Die Erhebung zur eigenständigen Pfarrei mit den Annexen Balg, Scheuern und den Schweigroder Höfen (später auch Jesuitenschlößchen) erfolgte 1509/14, jedoch hatte die Gemeinde bereits ein Dreivierteljahrhundert später keinen eigenen Pfarrer mehr und wurde von jenem zu Haueneberstein versehen. Das Bemühen um Wiederbesetzung der Pfarrstelle, um deren Kollatur der Markgraf, die Äbtissin von Lichtenthal und das Domstift zu Speyer – die beiden letzteren waren je zur Hälfte Inhaber des großen und kleinen Zehnten – konkurrierten, blieb rund anderthalb Jahrhunderte ohne Erfolg. Erst um 1755 konnte in Oos wieder ein eigener Pfarrer aufziehen, dessen Besoldung infolge langwieriger Auseinandersetzungen um die Pfarrkompetenz freilich nur schleppend in Gang kam. Die spätgotische Kirche wurde 1863 abgerissen und 1864/68 durch einen Neubau nach Plänen von Heinrich Hübsch ersetzt.

Von Schulunterricht in Oos berichtet erstmals eine kirchliche Visitation von 1683. Demnach war man mit den Leistungen des Lehrers, der vom Pfarrer und der Gemeinde eingesetzt wurde und zugleich Mesnerdienste versah, damals zufrieden, allerdings wurde beanstandet, daß die Kinder von ihren Eltern allzu selten, nicht einmal an Dreikönig und an Ostern, zum Unterricht geschickt wurden.[32] Fünfzig Jahre später gab der Lehrer Anlaß zu Klagen, da er nicht studiert war, nur deutsch lesen und schreiben und daher seine Aufgaben im Gottesdienst nur zur Not wahrnehmen konnte.

Bevölkerung und Wirtschaft. – 1683 lebten in Oos 30 Familien und der Ort hatte mithin zwischen 120 und 140 Einwohner. 1748 lag die Seelenzahl zusammen mit Scheuern außergewöhnlich hoch bei rd. 500. In den Gemarkungsgrenzen des 19. Jh. bewegte sich die Einwohnerzahl von Oos während der Jahre 1772 bis 1778 zwischen 350 und 370.[33] Seit dem ausgehenden Mittelalter handelte es sich bei der hiesigen Bevölkerung durchweg um markgräfliche Eigenleute.

Durch seine Lage am Ausgang des Tals von Baden und Beuern sowie an der in N-S-Richtung passierenden Bergstraße von Durlach und Ettlingen nach Offenburg und über den Schwarzwald hatte Oos wohl schon früh eine Bedeutung als Vekehrsknoten. Verschiedentlich kommt in den Quellen die Flößerei auf dem gleichnamigen Bach zur Sprache, und auch das Vorhandensein einer markgräflichen Zollstelle läßt auf eine höhere Verkehrsdichte schließen. Ihren Ackerbau trieben die Bewohner von Oos in den drei Zelgen gegen (Hauen-) Eberstein, gegen Baden und im Blutfeld gegen Sinzheim (1520); indes nimmt der bereits 1459 nachweisbare Flurname Im Blutfeld[34] entgegen landläufiger Auffassung nicht Bezug auf eine im 30j. Krieg hier geführte Schlacht. Der Weinbau am Ort scheint noch im späten 16. Jh. weniger bedeutend gewesen zu sein, gab es doch keine herrschaftliche Kelter, *sonder leyhet je ein underthon dem andern sein trotten.*

Bereits im späten Mittelalter bestanden hier zwei Mühlen, eine im Dorf und eine zu Schweigrod; beide waren im 16. Jh. sowohl Mahl- wie Pleuelmühlen mit je drei Gängen und rührten vom Markgrafen zu Erblehen. In der Zeit des Merkantilismus baute man in Oos wie in Balg Tonerde zur Produktion von Porzellan und Fayencen ab (1749/64); desgleichen gab es Versuche, Eisenerz zu gewinnen. Ende der 1770er Jahre wurde der Versuch unternommen, hier und in den Nachbarorten eine Salpetersiederei unter landesherrlicher Regie zu etablieren. Jedoch zeigten sich bei währendem Frieden bald Absatzprobleme und die Betriebskosten waren höher als die erzielten Einnahmen; infolgedessen wurde die Siederei auf markgräflichen Befehl bereits nach wenigen Jahren wieder eingestellt.

Sandweier

Siedlung und Gemarkung. – Obwohl Sandweier vermutlich im Bereich des auf einem Votivstein und durch Streufunde bezeugten römischen *vicus Bibiensis* liegt, ist das heutige Dorf natürlich nicht spätantiken, sondern allenfalls frühmittelalterlichen Ursprungs. Eine ehedem hier vermutete Römerstraße mußte aufgrund der Ergebnisse jüngerer Forschungen in Frage gestellt werden. Die Pfarreiverhältnisse des späten Mittelalters geben Sandweier als Ausbausiedlung von Iffezheim zu erkennen; darüber hinaus läßt sich die einstige Zusammengehörigkeit mit dem westlichen Nachbarort aus dem umständlichen Verlauf der wohl erst spät festgelegten Gemarkungsgrenze sowie aus mancherlei Verknüpfungen im herrschaftlichen Kontext erschließen. Die früheste Erwähnung Sandweiers (*Wilre*) geschieht nicht vor 1308, in der Form *Santwilr* sogar erst 1431;[35] die jüngere Namensform, die in frühneuzeitlichen Quellen selten und durchaus irrtümlich auch als *St. Wilre* erscheint, bezieht sich auf die Lage der Siedlung in sandigem Terrain.

4. Geschichte der Stadtteile

Herrschaft und Staat. – Wie der Mutterort Iffezheim war auch Sandweier zweifellos bereits im 13. Jh. markgräflich badisch, jedoch ist diese Herrschaft erst im Teilungsvertrag der Markgrafen Bernhard und Rudolf aus dem Jahre 1388 urkundlich zu fassen. Daß der 1263 erwähnte Ministeriale Wolfram *de Wira* seinen Namen dem hiesigen Dorf entlehnt hätte, ist eine nicht bewiesene Vermutung.[36] Seit dem 16. Jh. findet man den Umfang der orts- und landesherrlichen Gerechtsame im Dorf und seiner Gemarkung in mehreren Urbaren detailliert überliefert. Darunter zählte der Anspruch auf die von Sandweier und Iffezheim gemeinschaftlich entrichtete Bede, auf Ungeld, Schatzung, Neurottzehnt, Frondienste und vielerlei andere Abgaben sowie auf alle übrigen landesfürstlichen Hoheitsrechte wie hohe und niedere Gerichtsbarkeit, Wild- und Forstbann etc. Das für Verstöße gegen die hiesige Dorfordnung zuständige Vogtgericht tagte jährlich zwischen Weihnachten und Lichtmeß (2. Februar), hatte aber noch um 1700 seinen Sitz nicht hier sondern im benachbarten Iffezheim. Von alters her gehörte Sandweier zum markgräflichen Amt Stollhofen, erst die Verwaltungsreform von 1790 schlug es dem vergrößerten Oberamt Baden(-Baden) zu. Bei dem mitunter auch als markgräfliches Jagdhaus angesprochenen Gebäude in der Sandweirer Römerstraße handelt es sich um eine 1602 errichtete Forstei, den Amtssitz des für die Wahrnehmung landesherrlicher Rechte in den umliegenden Waldungen zuständigen Bediensteten.

Grundherrschaft und Grundbesitz. – Die bedeutendsten Grundherren im Sandweier des späten Mittelalters und der frühen Neuzeit waren die Markgrafen von Baden und das Zisterzienserinnenkloster Lichtenthal, das indes seinerseits hier wie anderwärts nicht zuletzt von Schenkungen und Stiftungen aus markgräflichem Besitz profitierte. So übertrug 1311 die Witwe Rudolfs II. den Nonnen einen großen Erbbestandshof, den später so genannten Schickenhof, mit 116¼ J Äckern und 7½ Tw Matten; zur Zeit der Säkularisation war dieser Hof unter insgesamt neun Beständern verteilt. Als Patronatsherrschaft der inkorporierten Pfarrei hatte Lichtenthal darüber hinaus seit dem frühen 16. Jh. das Verfügungsrecht über den örtlichen Wittumhof. Bereits 1324 hatte das Kloster Einkünfte von einem weiteren Hof zu Sandweier erworben, und spätestens seit dem 15. Jh. war es Teilhaber am herrschaftlichen Schafhof und Eigentümer einer Matte gen. Hummelstöcklein (im O des Dorfes?).

Wie der hiesige Besitz Lichtenthals, so war auch jener der Markgrafen erbbestandsweise verliehen, darunter 180 Tw Matten an die Gemeinden Iffezheim und Sandweier (1464). Offensichtlich waren diese Matten ursprünglich Bestandteil eines großen herrschaftlichen Hofguts, auf dem die Untertanen des ganzen Amts Stollhofen fronpflichtig waren und zu dem nicht zuletzt eine Schäferei mit Weiderechten in der Nachbarschaft gehörte. Im späten 17. Jh. umfaßten die unter acht Beständern aufgeteilten herrschaftlichen Meiereigüter zu Sandweier alles in allem 114½ J Äcker und 8¼ Tw Matten, 1780/90 werden dieselben Güter mit rd. 144 M Äckern, Wiesen und Gärten beziffert; hinzu kamen weitere rd. 17 M Wiesen.

Das Heiligengut der örtlichen Kirche bestand um 1700 aus 35½ J Äckern und 7¾ Tw Matten. Auch das Gemeine Almosen beim Stift zu Baden hatte in Sandweier ein Erblehen (21 M Äcker, ½ Tw Wiesen) zu vergeben, das sich 1779 auf insgesamt 11 Beständer verteilte. Schließlich waren im 18. Jh. die Inhaber des Unteren Schlosses zu Neuweier als Kollatoren der Kaplanei auf dem dortigen Antonius-Altar Lehnsherren einiger Grundstücke auf Sandweierer Gemarkung; es handelte sich dabei um die Güter eines sog. Kornhofs, die von der Neuweirer Kaplanei bereits 1463 in Temporalbestand verliehen wurden, und auf deren Eigentum um 1738 die Landesherrschaft Anspruch erheben wollte.

Gemeinde. – Die Gemeinschaft der markgräflichen Untertanen zu Sandweier, zusammen mit jener von Iffezheim, begegnet erstmals 1464 als Beständer herrschaftlicher Matten. Das Ortsgericht unter dem Vorsitz des Schultheißen war 1510 mit sechs Schöffen besetzt. Um 1700 gab es hier wie in den anderen Dörfern des Amts Stollhofen zwei Bürgermeister, die jährlich wechselten; einer von ihnen wurde aus dem Gericht genommen, der andere aus der Gemeinde. Alle Gemeindebediensteten durften nur mit Wissen und Willen der Herrschaft angestellt werden. Ein Rathaus bestand vor 1800 offenbar nicht.

Kirche und Schule. – Die Kirche des in Straßburger Diözese gelegenen Dorfs Sandweier war ursprünglich eine Filiale der Pfarrei Iffezheim, der sie 1308 förmlich inkorporiert wurde. Ihr Patrozinium wird 1490 mit St. Walpurgis angegeben, später mit St. Anna (1509) bzw. St. Anna und Katharina (16./17. Jh.); im 18. Jh. dominierte wieder das Walpurgis-Patrozinium. 1699 gab es in der Kirche drei Altäre (Anna, Katharina, Walpurgis). Zur Verbesserung der Seelsorge im Dorf wurde 1509 die Kaplanei- bzw. Frühmeßpfründe ULF aus der Kirche von Iffezheim nach Sandweier übertragen und im gleichen Jahr durch eine Zustiftung von seiten des Markgrafen Christoph vermehrt. Damit war der 1514 tatsächlich vorgenommenen Umwandlung der Filialkirche in eine eigene Pfarrei der Weg bereitet; das Patronatsrecht stand aufgrund markgräflicher Verfügung dem Kl. Lichtenthal zu.

Infolge der sich wenig später ausbreitenden Reformation existierte die Pfarrei Sandweier aber offensichtlich nur kurze Zeit. 1530 klagte der verheiratete Pfarrer über den für den Unterhalt seiner Familie zu geringen Ertrag der Pfründe sowie über Bauschäden am Pfarrhaus; im 17. Jh. war Sandweier neuerlich Filiale der Pfarrei Iffezheim, selbständige Pfarrei wurde es erst wieder 1769. Die einstige Walpurgisverehrung in der hiesigen Kirche erlebte seit um 1670 eine neue Blüte und zog Wallfahrer in so großer Zahl an, daß, weil der Iffezheimer Pfarrer hier nur jeden zweiten Sonntag zur Messe erschien, an den dazwischen liegenden Sonntagen ein Kapuziner den Gottesdienst feiern mußte. Wallfahrten zur hl. Walpurgis von Sandweier sind noch 1752 bezeugt, die Echtheit der dabei verehrten Reliquien wurde 1784 eigens bestätigt. Die alte, im 17. und 18. Jh. wiederholt reparierte Kirche mußte 1835 einem Neubau nach Plänen Friedrich Weinbrenners weichen.

Der große und der kleine Zehnt auf Sandweirer Gemarkung standen seit M. 13. Jh. ganz dem Kl. Lichtenthal zu, jedoch waren ein Drittel des Kleinzehnten und ein nicht näher bezeichneter Anteil am Großzehnt dem Ortspfarrer zur Verbesserung seiner Pfründeinkünfte überlassen. Den Lichtenthaler Zehntanteil hatten zeitweise Gemeindebürger aus Sandweier in Bestand.

Schulbetrieb und ein Schulhaus lassen sich für Sandweier erst seit dem späteren 18. Jh. nachweisen.

Bevölkerung und Wirtschaft. – Bereits am Ende des Mittelalters war es den Markgrafen von Baden gelungen, hier wie in der Umgebung einen homogenen, allein ihnen leibeigenen Untertanenverband zu schaffen. Die Einwohnerzahl des Dorfes belief sich im Jahre 1753 auf 368, darunter 67 Männer, 73 Frauen, 38 erwachsene Söhne, 51 erwachsene Töchter, 84 Kinder, 35 Knechte, 20 Mägde, während der 1770er Jahre schwankte sie zwischen etwa 350 und 440;[37] für jene Zeit ist eine Reihe von Auswanderungen nach Ungarn zu verzeichnen.

Der Landbau auf Sandweirer Gemarkung geschah in den namentlich seit um 1700 bezeugten, aber zweifellos schon sehr viel früher unterschiedenen Fluren Ober-,

Mittel- und Niederfeld. Bis ins 19. Jh. gab es am Ort eine allem Anschein nach recht bedeutende herrschaftliche Erbbestandsschäferei. Die hiesige Getreidemühle am Oosbach war ebenso wie jene zu Iffezheim Bannmühle für die fünf Dörfer im Ried und rührte vom Markgrafen zu Lehen; 1790 hatte sie zwei Mahl- und einen Gerbgang. Außerdem bestand E. 18. Jh. eine Pleuelmühle und eine pferdebetriebene Ölmühle. Der erfinderische Sandweirer Dreher Wilhelm Brenneisen errichtete seit 1791 mit herrschaftlicher Erlaubnis auf freiem Feld zwischen Sandweier und Iffezheim eine Sägemühle *nach holländischer Art*. Sechs Jahre später wurde die bereits betriebsfertige Windmühle von den Franzosen zerstört und ihr Konstrukteur bat für den Wiederaufbau um landesherrliche Unterstützung, die ihm jedoch aufgrund eingeholter Gutachten von J.G. Tulla und C. Vierordt versagt wurde. 1803 gab Brenneisen auf und engagierte sich in der Ludwigsburger Woll- und Baumwollfabrik seines Bruders.[38] Die Salpetersiederei zu Oos hatte 1777 eine Dependance in Sandweier. 1753 suchte ein Schneider um Erlaubnis nach, hier sein Handwerk betreiben zu dürfen, aus den 1780er Jahren liegen Gesuche um Branntwein-Konzessionen vor.

Steinbach

Siedlung und Gemarkung. – Zwar bildete Steinbach seit dem hohen Mittelalter den Mittelpunkt einer ausgedehnten Mark (Kirchspiel), aber gleichwohl muß nicht in diesem Ort, sondern im wenige Kilometer nördlich gelegenen Sinzheim das ältere Zentrum gesucht werden. Von dort her ist das um 1070/90 (Kop. 16. Jh.) erstmals erwähnte Steinbach[39] vermutlich im frühen Mittelalter als Ausbausiedlung entstanden; der Ortsname ist dem Bach entlehnt, auf dessen Schwemmfächer die Siedlung angelegt wurde. Archäologische Befunde, die auf eine römische Straßenstation schließen lassen, gibt es nordöstlich von Steinbach, jedoch bereits auf Sinzheimer Gemarkung.

Die im späten Mittelalter ummauerte Stadt Steinbach beschränkte sich auf den engen Raum zwischen den heutigen Straßen An der Stadtmauer, Yburgstraße und Grabenstraße und hatte nur eine Fläche von etwa 0,5 ha (einschließlich nördlicher Erweiterung). Zunächst verfügte sie über zwei Tore, das Untere oder Bühler Tor im SW sowie das Obere bzw. Hintere (später auch: Mittlere) oder Badner Tor im NO; ein drittes Tor kam hinzu, als die Stadt im 14. Jh.[40] nach N erweitert wurde. Darüber hinaus finden an Mauertürmen 1743 der Diebsturm und der Bürgerturm Erwähnung. In den Jahren nach 1810 wurde die Steinbacher Stadtbefestigung abgebrochen. Zerstörungen erlebte der Ort 1333 im Zuge einer Fehde zwischen dem Bischof von Straßburg und den Grafen von Öttingen, im Bauernkrieg 1525 durch den Schwarzacher Haufen, 1643 durch französisch-weimarische Truppen sowie 1689 und 1696 in den Franzosenkriegen; namentlich nach 1643 kam die Wiederbesiedlung der ummauerten Stadt nur schleppend wieder in Gang. 1805 gab es innerhalb der Mauer 37 Wohngebäude, außerhalb 138.

Einem Urbar von 1510 zufolge umfaßte der Steinbacher Gerichtsbann neben der Stadt selbst und ihrem Gebiet auch die Weiler und Höfe Umweg (erstmals erwähnt 1329, Kop. 16. Jh.[41]), Schneckenbach, Gallenbach, Varnhalt, Müllenbach, Affental, Eisental, Weitenung und Nägelsförst. Ins hochmittelalterliche Steinbacher Kirchspiel, das als Waldgenossenschaft bis zur Aufteilung der Allmende (5774 M Wald, 3878 M Weide) in den Jahren 1776/77 bzw. bis zu seiner gänzlichen Auflösung 1808/14 fortbestand, haben außerdem noch Iffezheim, Stollhofen, Sinzheim, Schwarzach, Bühl, Vimbuch und Neuweier gehört. In dem Umfang, wie er bis zur Eingemeindung nach Baden-Baden bestanden und Umweg einbezogen hat, wurde die Steinbacher

Gemarkung erst um 1800 konstituiert. Im Bereich dieser Gemarkung fanden bis ins spätere 18. Jh. wiederholt Ausstockungen zwecks Anlage von Weingärten statt.

Herrschaft und Staat. – Die ältere Herrschaftsgeschichte Steinbachs liegt nahezu völlig im dunkeln. Allerdings darf man aus der Zuordnung zur Yburg, wenn diese ebersteinischen Ursprungs ist, schließen, daß auch der darunter liegende Ort während des 11./12. Jh. zum Gebiet der Herren von Eberstein gehörte. Sein Übergang an die Markgrafen von Baden ist wohl für das spätere 12. oder frühere 13. Jh. anzunehmen. In dem damals entstehenden markgräflichen Territorium war Steinbach offensichtlich eine Vorortfunktion an dessen Südflanke zugedacht; dieser Aufgabe dienten sowohl das 1258 bei König Richard von Cornwall erwirkte Stadtrechtsprivileg und die Befestigung wie auch die Ansiedlung von Ministerialen, deren Anwesen hernach noch über Jahrhunderte hinweg bezeugt sind. Abgesehen von einer nur kurze Zeit dauernden Verpfändung an die Grafen von Öttingen (um 1333) gehörte Steinbach seit dem hohen Mittelalter ununterbrochen zum Territorium der Markgrafen von Baden. Im 17. Jh. erstreckten sich die landesherrlichen Rechte der Markgrafen von Baden-Baden auf das hohe und niedere Gericht, auf Gebot und Verbot, Dienst und Fron, Beden, Ungeld, Steuern und Schatzungen sowie Wildbann, Zoll und sonstige Gerechtsame, dazu auf die Leibherrschaft über die Einwohner zu Steinbach, soweit diese in der Vorstadt ansässig waren;[42] allerdings war auch die Leibfreiheit der innerhalb des Mauerrings gesessenen Bevölkerung im 17. und 18. Jh. nicht unumstritten.

Seit dem 15. Jh. war Steinbach Sitz eines Amtmanns, dessen Zuständigkeit sich i. w. auf das Gebiet des alten Kirchspiels mit Ausnahme von dessen südlichen, westlichen und nördlichen Teilen erstreckte. Im 18. Jh. umfaßte das Amt die Stadt Steinbach sowie die Dörfer und Weiler Umweg, Varnhalt, Gallenbach, Neuweier, Schneckenbach, Eisental, Affental, Müllenbach, Weitenung, Ottenhofen, Leiberstung, Sinzheim, Kartung, Buchting, Duttenhurst, Halberstung, Müllhofen und Schiftung. 1788 wurde der Sitz des fortan beträchtlich erweiterten und nach der Yburg benannten Amtes in den benachbarten Flecken Bühl verlegt.

Grundherrschaft und Grundbesitz. – Für das frühere Mittelalter nimmt man im Sinzheim-Steinbacher Raum Besitzrechte des Kl. Honau an, ohne sie jedoch im einzelnen nachweisen zu können. Die Güter zu Steinbach, die Graf Berthold von Staufenberg ausgangs des 11. Jh. dem Kl. Hirsau schenkte, vertauschte dieses 1167 mit Werner von Ortenberg. Ebersteiner Rechte bescheidenen Umfangs, vielleicht der letzte Überrest einer einst größeren Grundherrschaft, sind hier allein im 15. Jh. bezeugt. Während des späten Mittelalters und der frühen Neuzeit waren die Markgrafen von Baden und der aus ihrer bzw. aus der Ebersteiner Ministerialität hervorgegangene Adel die bedeutendsten Grundherren am Ort; bereits 1197 findet ein markgräflicher Schenk Albert von Steinbach Erwähnung.

Von den Markgrafen rührte der größte Teil der Steinbacher Höfe zu Lehen oder in Erbbestand (1654: Röderer Hof, Sachsenheimer Hof, Steinlerin Hof, Ortenberger Hof, Roßgarts Hof, Grafenhof). In Umweg waren des weiteren das sog. Stichdenbubengut (rd. 23 Sth Reben) sowie der Große (rd. 63 Sth Reben) und der Kleine Schweighof (rd. 30 Sth Reben, 5 Tw Matten) herrschaftliche Erbbestandsgüter. Als markgräfliche Vasallen begegnen die von Bach (später Kämmerer von Worms, von Eltz, Knebel von Katzenelnbogen), Röder (von Diersburg), von Kindweiler, von Ow, Nix von Hoheneck, von Gemmingen (als Erben der von Selbach), Landschad von Steinach, vom Stein zum Reichenstein und andere; im 17./18. Jh. waren auch die Familien von Spitzenbe-

4. Geschichte der Stadtteile

amten wie die Aschmann, Harrant, Heuwel oder Brombach Besitzer Steinbacher und Umweger Höfe.

Unter den geistlichen Grundbesitzern zu Steinbach hatte seit dem späten Mittelalter Kl. Lichtenthal mit zeitweise drei Anwesen das größte Gewicht. Den sog. Rustenhof (ehem. von Michelbach, seit 1426 von Rust), einen Erbbestandshof mit rd. 30 J Äckern und 6 Tw Matten, erwarb es 1446/48 als Erbteil einer Nonne; den Pfarrwittumhof (13 J Äcker, 10 Tw Matten) hatte die Äbtissin als Kirchenherrin zu verleihen; den sog. Krimbachhof (24 J Äcker, 7 Tw Matten, 8 Sth Reben) vertauschte das Kloster 1616 an die vom Stein. Darüber hinaus erwarben die Nonnen 1739 in der Stadt ein Haus mit Keller und Wirtschaftsgebäuden.

Ein Hof, der einst dem Stift Selz gehört haben muß, findet 1654 Erwähnung, Einkünfte des Stifts St. Peter zu Straßburg 1375 und des Kl. Allerheiligen um 1800. Gerechtsame in Steinbach und Umweg zählten 1642 auch zum Stiftungsgut des Badner Jesuitenkollegs. Kl. Schwarzach kaufte 1749 den sog. Schurmännischen Hof zu Umweg (ehem. von Hinderer, dann von Harrant). Schließlich waren in Steinbach und Umweg begütert: die örtliche Pfarrkirche und ihre Pfründen, die Johannes- und Georgs-Pfründe zu Neuweier (1329), die Pfründe zum Hl. Kreuz und zu den Zehntausend Märtyrern in Kappel (1338), die Pfarrei und die Frühmesse zu Sinzheim (1347, 1495), die Kapelle zu Weitenung (1384) und die Hl. Kreuz-Pfründe zu Bühl (1454).

Gemeinde. – Zwar wurde Steinbach gelegentlich seiner Erhebung zur Stadt im Jahre 1258 Freiburger Recht verliehen, jedoch erlaubten die allzu bescheidenen Verhältnisse am Ort es nicht, die solcherart eröffneten Möglichkeiten auch nur annähernd auszuschöpfen. Nicht zuletzt krankte die Entwicklung der Bürgergemeinde an der uneinheitlichen Rechtsstellung der Bevölkerung innerhalb und außerhalb der Mauern sowie an dem vergleichsweise hohen Anteil adliger Mitbürger. Im 16. Jh. waren die privilegierten Stadtbewohner so zahlreich, daß der Markgraf verbieten mußte, weitere Häuser an den Adel oder an Klöster zu verkaufen.

Immerhin führte die Stadt bereits 1313 ein eigenes Siegel; selbstbewußt zeigt es eine zinnenbekrönte Mauer, flankiert von zwei Türmen und trägt die Umschrift + S[igillum] · OPPIDI · DE · STEINBACH · APUT · IBERC. Auf verschiedenen jüngeren Fassungen des städtischen Siegels (14.–18. Jh.) ist zwar nur noch ein Mühlstein als redendes Wappen zu sehen, jedoch werden als Siegelführer nunmehr die Bürger der Stadt genannt (S[IGILLUM] · CIVIUM · IN · STEINBACH). Das örtliche Gericht (1313) war stets mit zwölf für die Dauer ihres Lebens kooptierten Schöffen besetzt. Ein Rat ist daneben erst 1576 bezeugt, 1651 bestand er aus sechs Bürgern, die auf Lebenszeit gewählt wurden und verpflichtet waren, der Abhör der Bürgermeister-, Rebmeister und Almosenrechnung beizuwohnen. Als Vertreter der Herrschaft fungierte der Schultheiß, der im 16. Jh. die Bezeichnung Amtmann (Vogt) führte und in Quellen des 17. Jh. auch einfach als Stabhalter begegnet. Von den beiden jährlich wechselnden Bürgermeistern (1539), denen die Sorge für Stege, Wege, Brücken und sonstigen gemeinen Nutzen oblag, bestellte man den einen aus dem Gericht, den anderen aus dem Rat. Der Stadtschreiber (1510) war zugleich Amtsschreiber (1651), außerdem gab es zufolge der Stadtordnung von 1654 einen Büttel und einen Zöllner. Außer einem Rathaus (1534) werden als kommunale Gebäude ein Gutleuthaus (1553), ein Spital (1656) und ein Gefängnis (1580) erwähnt.

Kirche und Schule. – Die im späten 11. Jh. erstmals bezeugte, vielleicht durch das Schottenkloster Honau gegründete Pfarrkirche (1321 St. Jakob d. Ä.) zu Steinbach ist die Mutterkirche der nördlichsten Ortenau. Ihr Sprengel erstreckte sich einst auf das ganze Gebiet zwischen Bühlot und Oos; Iffezheim und Stollhofen wurden bereits vor dem Jahr 1000 mit jeweils eigenen Kirchspielen abgetrennt, die Dismembration von Sinzheim erfolgte vor 1154, jene von Schwarzach, Vimbuch und Bühl um 1218/59 bzw. 1311. Das Patronatsrecht gelangte durch Schenkung seitens Bertholds von Staufenberg um 1070/90 an das Kl. Hirsau und später an die Markgrafen von Baden, die es 1341 den Lichtenthaler Zisterzienserinnen überließen. Im Jahr darauf erfolgte die Inkorporation nach Lichtenthal, die bis zur Säkularisation Bestand hatte.

Während des späten Mittelalters existierten an der hiesigen Kirche mehrere Kaplaneipfründen:[43] die Frühmesse ULF (1320), St. Barbara (gestiftet 1422 durch die Barbara-Bruderschaft auf dem Altar der Hll. Johannes Bapt., Johannes Ev., Maria Magdalena und Barbara; 1559 vereinigt mit ULF), St. Katharina (1402; Stiftung der von Bach, um 1539 säkularisiert) und Dreifaltigkeit (1504; Stiftung der von Bach, 1545 abgelöst); 1500/04 bzw. 1510/48 sind darüber hinaus ein Peter- und Paul- sowie ein Sebastian-Altar bezeugt, um 1730 ein Johannes Nepomuk-Altar.

Die Reformation kam in Steinbach wie in der ganzen Markgrafschaft Baden-Baden nur ansatzweise zum Zuge und stieß seitens Lichtenthals von Anfang an auf entschiedenen Widerstand. 1709 wurde hier eine Rosenkranzbruderschaft für Brüder und Schwestern gegründet. Die ältesten noch erhaltenen Teile der Pfarrkirche stecken wohl im Turm und im Chor (1463). Nach wiederholten Zerstörungen (1643, 1689) und Neubauten stammt das Bauwerk in seiner heutigen Gestalt von 1906/07.

In die verschiedenen Zehnten zu Steinbach teilten sich am Beginn der Neuzeit mehrere Berechtigte. Der Groß- oder Fruchtzehnt stand allein dem Kl. Lichtenthal zu; am Kleinzehnt waren die Herrschaft Baden und Lichtenthal zu je einem Viertel, der Ortspfarrer zur Hälfte beteiligt; vom sog. oberen Weinzehnt hatten Baden und die Röder von Rodeck je ein Viertel, Lichtenthal die Hälfte, der untere Weinzehnt ging zur Hälfte an Lichtenthal, zu drei Achteln an das Stift Baden und zu einem Achtel an die von Ow; außerdem gab es diverse Sonderzehntdistrikte. Der Lichtenthaler Zehntanteil geht auf eine Stiftung seitens der Markgrafen von Baden zurück (1288), der Röder'sche war markgräfliches Lehen.

Schulunterricht hat es, wie aus einem für das 16. Jh. überlieferten Schulmeister- und Mesnereid hervorgeht, in Steinbach offenbar seit der Reformationszeit gegeben. Ob man aus der Immatrikulation mehrerer Steinbacher Studenten an der Universität Erfurt in den Jahren nach 1462 auf eine bereits im 15. Jh. hier vorhandene Schule schließen darf, sei dahingestellt. Ein Schulmeister ist erstmals zum Jahr 1595 bezeugt. Auch eine Polizeiordnung von 1673[44] berücksichtigt den Schulbetrieb, der damals mitunter schon im Sommer stattfand. Regelmäßiger Sommer- und Winterunterricht wurde seit 1760 auf dem Rathaus gehalten.

Bevölkerung und Wirtschaft. – Die sozialen und rechtlichen Verhältnisse der Einwohnerschaft Steinbachs waren namentlich im späten Mittelalter, aber auch noch in der frühen Neuzeit sehr uneinheitlich. Zum einen zählten unter die Bürger der kleinen Stadt zeitweise gleich mehrere Adlige; zum anderen gab es den über viele Generationen hinweg als störend empfundenen Unterschied zwischen den leibfreien Bewohnern der inneren, ummauerten Stadt und den sehr viel zahlreicheren leibeigenen »Außenbürgern« vor der Mauer, denen erst 1768 gegen Zahlung von insgesamt 6585 fl die Freizügigkeit zugestanden wurde.[45] Während der 1770er Jahre lag die Einwohnerzahl von Steinbach alles in allem bei etwa 1000, die von Umweg zwischen 120 und 130.[46] Juden sind vom 16. bis ins 18. Jh. nachgewiesen.

Das günstige Klima und die vorteilhafte Beschaffenheit der Böden ermöglichten in Steinbach von alters her eine vielseitige Landwirtschaft. Für das 17. Jh. ist der Anbau von Weizen, Roggen, Gerste, Dinkel, Hafer, Leinsamen und Welschkorn bezeugt, im 18. Jh. auch der von Kartoffeln. Weinbau dürfte es hier schon im früheren Mittelalter gegeben haben. Am Ende des 15. Jh. verteilte sich die landwirtschaftlich genutzte Fläche etwa zur Hälfte auf Reben, zu rd. 30 Prozent auf Ackerfeld und zu knapp 20 Prozent auf Wiesen und Matten. Um 1800 gab es in Steinbach und Umweg eine vergleichsweise bedeutende Viehhaltung. Das im Zuge der frühneuzeitlichen Ausstockungen im Wald anfallende Holz wurde vorzugsweise nach Holland verkauft.

Die örtlichen Handwerke und Gewerbe orientierten sich großenteils an den Bedürfnissen von Landwirtschaft und Weinbau. Dem entsprechend gab es am Ort vor allem Küfer, Wagner und Schmiede, jedoch nur wenige Schlosser und Weber. Eine Mühle, die sog. Untere oder Vogelmühle begegnet in der Überlieferung seit 1510; Konzessionen zur Tabakverarbeitung wurden 1773 und 1777 erteilt. Zünfte, die allerdings von jenen in Bühl abhängig waren, finden in Steinbach erstmals 1703 Erwähnung (Krämer 1720, Bäcker 1773). Ein Wirtshaus Zur Linde wird 1698 genannt.

Zusammen mit den Stadtrechten erlangte Steinbach im Jahre 1258 auch das Recht zu einem Wochenmarkt, der mittwochs gehalten wurde.[47] Jedoch kam dieser Markt mangels eines geeigneten Hinterlandes nie so recht in Gang und sank schließlich zur Bedeutungslosigkeit herab, nachdem das benachbarte Bühl 1403 ebenfalls einen Wochenmarkt erhalten hatte; das 17. Jh. mit seinen wiederholten Katastrophen brachte den völligen Niedergang und das Erlöschen des Steinbacher Marktes. Mehrere Versuche, ihn im 18. Jh. neu zu beleben, sind zunächst am Einspruch Bühls, schließlich aber an der mangelnden Attraktivität des Marktorts Steinbach gescheitert. Der 1773 neuerlich bewilligte Wochenmarkt, der einmal im Monat mit einem Viehmarkt verbunden wurde, fand ebenso wie der jährliche Katharinenmarkt nur wenig Resonanz; seit 1806 gab es daher pro Jahr nur noch vier Märkte. Als Relikt einstiger wirtschaftlicher Zentralfunktionen und als Zeichen eines bedeutenden Weinbaus überdauerte der sog. Herrenschlag, die seit dem Mittelalter jährlich zu Martini in Steinbach amtlich vorgenommene Festsetzung eines mittleren Weinpreises, bis ins 19. Jahrhundert.

Hoffnungsvoll ließ sich zunächst die Ausbeutung der um 1749 im Fernich oberhalb von Umweg entdeckten Steinkohlevorkommen an.[48] 1763 arbeiteten dort unter herrschaftlicher Regie und nach der sponheimischen Bergordnung etwa zehn Bergleute aus Moschellandsberg im Herzogtum Pfalz-Zweibrücken und aus Schneeberg in Obersachsen, jedoch fand das geförderte Material in der Umgebung nicht den erhofften Absatz, die Betriebsausgaben lagen um ein Vielfaches höher als die Einnahmen aus dem Verkauf. So wurde die Grube 1766 in private Regie und schließlich 1778 als Erblehen vergeben. Das Projekt einer Glashütte, das 1780/81 im Interesse der Rentabilität der Kohlengrube erwogen wurde, kam nicht zustande.[49] In den Jahren zwischen 1794 und 1801 lag die jährliche Fördermenge durchschnittlich bei etwa 2000 Zentnern; verkauft wurde die Kohle im Nahbereich und bis in den Karlsruher Raum. 1801/02 kaufte der badische Staat das Bergwerk von seinem Erbbeständer zurück und beutete es über vier Stollen (Jesuiten-, Demut-, Rettigloch-, Kar-)[50] weiter aus bis zur endgültigen Einstellung des allzu unrentablen Betriebs im Jahre 1820.

Varnhalt

Siedlung und Gemarkung. – Der Weiler Varnhalt, der um 1800 mit eigener Gemarkung von Steinbach separiert wurde, ist offenbar erst seit dem späten Mittelalter entstanden, beschreiben doch die frühesten Erwähnungen des Namens – 1320 *in dem Vernehe*, 1329 *in dem Varnach*, 1422 *in der Varnhalden, an der Farnhalden*[51] – allein die Lage von Rebgärten und lassen noch nicht auf eine Wohnbebauung schließen. Desgleichen handelt es sich bei dem auf Varnhalter Gemarkung gelegenen Weiler Gallenbach (1329 *Gallenbach*, 1488 *Galmbach*)[52] und bei dem Hof Nägelsförst (1510 *Meyersfürst, Meygersfürst*, 1547 *Meygelsfürst*, 1581 *uff der Negelfürst*)[53] um jüngere Streusiedlungen, die wie Varnhalt selbst aus Rebhöfen entstanden sind; der ebenfalls hierher gehörige, zwischen 1510 und 1581 erwähnte Hof *Clopffen*[54] ist nicht mehr lokalisierbar. Die Namen all dieser Siedlungen sind aus der Topographie abgeleitet.

Um 1770/80 lag die Einwohnerzahl Varnhalts im Durchschnitt bei 320, die Gallenbachs bei etwa 150 und die von Nägelsförst bei 12 bis 15 Personen.[55] Die wichtigste Erwerbsquelle der hiesigen Bevölkerung war der Weinbau; noch im 18. Jh. wurden im Bereich von Varnhalt zu diesem Zweck umfangreiche Ausstockungen vorgenommen, 1777 war der hiesige, ausschließlich mit Reben angelegte Novalzehntdistrikt doppelt so groß wie jener von Steinbach.

Herrschaft, Grundbesitz und Gemeinde. – Bis zum E. 18. Jh. gehörte Varnhalt zum Amt und Gerichtsstab von Steinbach und erlebte insoweit die gleiche Entwicklung wie das benachbarte Städtchen. Innerhalb dieses herrschaftlichen Rahmens bildete es zusammen mit Gallenbach ein eigenes Heimbürgertum. Über Grundbesitz und Einkünfte verfügten hier die Kapelle zu Weitenung (1384), die Markgrafen von Baden (1510), die Inhaber des Unteren Schlosses zu Neuweier (1547), das Kl. Schwarzach (1574), die von Ow bzw. als deren Nachfolger die Heuwel von Tiefenau (1681) sowie das Kl. Lichtenthal mit Gütern des Steinbacher Rustenhofs. Aus der Tatsache, daß der Hof Nägelsförst 1755 bei der Ortenauer Reichsritterschaft immatrikuliert war, darf man auf älteren, wenigstens ins 16. Jh. zurückreichenden adligen Besitz schließen; 1751/53 gelangte die eine Hälfte des Anwesens an das Kl. Schwarzach, die andere 1791/94 als Kammergut an Markgraf Karl Friedrich von Baden.

Kirche und Schule. – Varnhalt mit Gallenbach und Nägelsförst gehörte von jeher zum Kirchspiel Steinbach. Eine eigene Kirche oder Kapelle gab es hier in älterer Zeit nicht. Erst mit der Errichtung einer Kuratie und dann einer Pfarrei wurde der inzwischen längst selbständige Ort 1909 bzw. 1959 aus dem Steinbacher Pfarrverband gelöst. Eine Schule bestand hier freilich bereits M. 18. Jh. 1773 wurde der Unterricht von 57 Kindern besucht, ohne daß es ein Haus gab, in dem mehr als 35 Schüler hätten Platz finden können.

Anmerkungen

1. GLA 46/13.
2. GLA 66/402 fol. 494.
3. GLA 74/9052–9057.
4. WUB 2, S. 393 (1085); ZGO 6 (1855) S. 424 (1197).
5. GLA 46/11–12 (1283); GLA 46/13 (1288).
6. GLA 66/402 fol. 197 ff.

7. GLA 37/1459.
8. GLA 74/9052–9057.
9. Codex Hirsaugiensis S. 26; ZGO 6 (1855) S. 442 (1245).
10. ZGO 8 (1857) S. 203.
11. GLA 36/326.
12. GLA 229/39629 (1506), 229/39607 (1636), 66/6663 fol. 32 (1706).
13. GLA 74/9052–9057.
14. ZGO 6 (1855) S. 442.
15. GLA 66/397 fol. 74.
16. ZGO 6 (1855) S. 458.
17. ZGO 7 (1856) S. 369.
18. ZGO 9 (1858) S. 124.
19. ZGO 112 (1964) S. 321.
20. WUB 2 S. 181.
21. GLA 35/149.
22. GLA 61/11264 S. 31.
23. WUB 6 S. 462f.
24. Einer Nachricht von 1332 zufolge (GLA 67/712 fol. 7vf.) hatten die Altäre im Bereich des Klosters folgende Patrozinien: In der Klosterkirche der Hochaltar ULF und Hl. Dreikönige; rechts Bernhard, Benedikt und Johannes Bapt.; links alle Apostel, v. a. Johannes Ap. u. Ev. In der Fürstenkapelle 1. Nikolaus, Erhard, Silvester und Martin; 2. Augustinus, Andreas, Michael und Hl. Dreikönige; 3. Oswald, Zehntausend Märtyrer und Hl. Kreuz. In der Friedhofs- bzw. Totenhauskapelle Hl. Dreieinigkeit, Ägidius und Alleheiligen.
25. Die Reihe der Äbtissinnen wurde erstellt mit Hilfe von Sr. M. Pia Schindele, Abtei Lichtenthal.
26. ZGO 2 (1851) S. 460f.
27. ZGO 6 (1855) S. 458.
28. GLA 229/74448–74449.
29. GLA 74/9053–9057, 9062.
30. ZGO 6 (1855) S. 442.
31. GLA 37/3281.
32. GLA 61/11264 S. 21–23.
33. GLA 74/9052–9057.
34. RMB 3 Nr. 8317.
35. ZGO 7 (1856) S. 227 (1308); GLA 35/324 (1431).
36. ZGO 7 (1856) S. 199f.
37. GLA 74/9053–9057.
38. GLA 229/91688–689.
39. Codex Hirsaugiensis S. 26.
40. EBA Stift Baden II,1 (1347).
41. GLA 37/3053.
42. GLA 66/8279.
43. *Reinfried* (1913) S. 98, 109ff.
44. GLA 67/1377 S. 93–137.
45. GLA 229/100734.
46. GLA 74/9053–9057, 9062.
47. GLA 229/100736–100739.
48. GLA 229/100567–100576.
49. GLA 229/100635–100636.
50. GLA H Steinbach/Bühl Nr. 3.
51. ZGO 7 (1856) S. 367 (1320), GLA 37/3053 (1329, Kop. 16. Jh.), 35/381 (1422).
52. GLA 37/3053 (1329), 35/361 (1488).
53. GLA 66/4878 fol. 126v (1510), 66/5881 fol. 23v (1547, Kop. 1698), ZGO 121 (1973) S. 249.
54. GLA 66/4878 fol. 77r (1510).
55. GLA 74/9053, 9055–57, 9062.

Quellen und Literatur zu den Kapiteln 2–4

Batzer, Ernst, und *Städele*, Alfons (Hrsg.): Burgen und Schlösser in und um Baden. Ortenau 21. Bühl 1934.
Bleibrunner, Hans: Fremersberg. Franziskaner-Observantenkloster. In: Alemania Franciscana antiqua 1. Ulm 1956. S. 7–33.
Bolle, Michael, und *Föhl*, Axel: Baden-Baden. In: *Bothe*, Rolf (Hrsg.): Kurstädte in Deutschland. Berlin 1984. S. 185–232.
Brandstetter, Lothar: Forstgeschichtliche Untersuchungen über den Stadtwald von Baden-Baden. Beiträge zur Geschichte der Stadt und des Kurorts Baden 6. Baden-Baden 1963.
Brombacher, Kuno, und *Staerk*, Franz: Baden-Baden, Stadtkreis. In: *Keyser*, Erich (Hrsg.): Deutsches Städtebuch 4,2: Baden. Stuttgart 1959. S. 186–189.
Busse, Hermann Eris (Hrsg.), Der Ufgau. Oos- und Murgtal. Badische Heimat 24. Freiburg i. Br. 1937.
Codex Hirsaugiensis. Hrsg. von Eugen *Schneider*. Württembergische Geschichtsquellen 1. Stuttgart 1887.
Dehio, Georg: Handbuch der deutschen Kunstdenkmäler. Baden-Württemberg 1: Die Regierungsbezirke Stuttgart und Karlsruhe. Bearb. von Dagmar *Zimdars* und anderen. München 1993.
Deiseroth, Wolf: Stadt Baden-Baden, Stadtkreis Baden-Baden. Ortskernatlas Baden-Württemberg 2,2. Stuttgart 1993.
Faszination eines Klosters. 750 Jahre Zisterzienserinnen-Abtei Lichtenthal. Ausstellungskatalog des Badischen Landesmuseums. Sigmaringen 1995.
Frühe, Franz Xaver: Die höhere Schule in der Stadt Baden. Ein Beitrag zur Geschichte der Erziehung und des Unterrichts. Beilage zum Programm des Gymnasiums in Baden 1870/71. Baden-Baden 1871.
Fuss, Margot: Baden-Baden damals. Konstanz 1978.
Gartner, Suso: Kloster Schwarzach (Rheinmünster). Zu Geschichte und Sprachgeschichte der nördlichen Ortenau. Diss. phil. Freiburg i. Br. 1979.
Gierke, Otto: Badische Stadtrechte und Reformpläne des 15. Jahrhunderts. In: ZGO 42 (1888) S. 129–172.
Göller, Emil: Zur Geschichte der Kollegiatkirche in Baden-Baden. In: FDA 50 (1922) S. 147–149.
Haebler, Rolf Gustav: Geschichte der Stadt und des Kurortes Baden-Baden. 2 Bde. Baden-Baden ²1969.
Haebler, Rolf Gustav: Fraternitas mercatorum sive institorum. Zur Geschichte der Bruderschaften der Stadt Baden vom 15. bis 18. Jahrhundert. In: Ortenau 38 (1958) S. 176–190.
Hahn, Joachim: Erinnerungen und Zeugnisse jüdischer Geschichte in Baden-Württemberg. Stuttgart 1988.
Hansen, Ad[olf] Magnus: Die Einführung der Reformation in der Stadt Baden und deren Umgebung (vom Jahr 1520–1636). In: Evang. Kirchenkalender der Stadtdiöcese Karlsruhe für das Jahr 1872. S. 29–49.
Haueneberstein. Aus der Geschichte des Dorfs am Eberbach. Bearb. von Kurt *Hochstuhl* und Erwin *Senft*. Baden-Baden [1994].
Heinzer, Felix: Lichtenthaler Bibliotheksgeschichte als Spiegel der Klostergeschichte. In: ZGO 136 (1988) S. 35–62.
Kast, Augustin: Mittelbadische Chronik für die Jahre 1622–1770. Bühl 1934.
Kastner, Adolf: Die Wüstungen im Kreis Baden. In: Ortenau 9 (1922) S. 50–80, 11 (1924) S. 43–65, 15 (1928) S. 32–48, 19 (1932) S. 183–194.
Kattermann, Gerhard: Die Kirchenpolitik Markgraf Philipps I. von Baden (1515–1533). Veröffentlichungen des Vereins für Kirchengeschichte in der evangelischen Landeskirche Badens 11. Lahr 1936.
Kauß, Dieter: Die mittelalterliche Pfarrorganisation in der Ortenau. Veröffentlichungen des Alemannischen Instituts 29. Bühl 1970.
Kratz, Gerhard: Studien zur Rechts-, Wirtschafts- und Kirchengeschichte der Stadt Steinbach (masch. Examensarbeit), Freiburg i.Br. 1955.

4. Geschichte der Stadtteile

Krieg von Hochfelden, Georg Heinrich: Geschichte der Grafen von Eberstein in Schwaben. Karlsruhe 1836.
Krieger, Albert: Topographisches Wörterbuch des Großherzogtums Baden. 2 Bde. Heidelberg ²1904–1905.
Die Kunstdenkmäler der Stadt Baden-Baden. Die Kunstdenkmäler Badens XI,1. Bearb. von Emil *Lacroix*, Peter *Hirschfeld* und Heinrich *Niester* unter Mitarbeit von Otto *Linde*, mit Beiträgen von Joseph *Alfs*. Karlsruhe 1942.
Die Kunstdenkmäler des Landkreises Rastatt. Die Kunstdenkmäler Badens XII,1. Bearb. von Peter *Hirschfeld* unter Mitarbeit von Emil *Lacroix* und Heinrich *Niester*, mit Beiträgen von Albrecht *Dauber* und Otto *Linde*, überarbeitet und ergänzt von Hans *Huth*. Karlsruhe 1963.
Lederle, Karl Friedrich: Zur Geschichte der Reformation und Gegenreformation in der Markgrafschaft Baden-Baden (1569–1635). In: FDA 47 (1919) S. 1–45.
Lenz, Franz Xaver: Das Kapuzinerkloster in Baden-Baden. In: Ortenau 18 (1931) S. 114–127, 26 (1939) S. 40–50, 27 (1940) S. 188–190.
Loeser, Johann: Geschichte der Stadt Baden von den ältesten Zeiten bis auf die Gegenwart. (Baden-)Baden 1891.
Maurer, Helmut: Baden-Baden. In: Die deutschen Königspfalzen 3. 1. Lfg. Göttingen 1988. S. 8–17.
Müller, Wolfgang: Die Ortenau als Chorturmlandschaft. Veröffentlichungen des Alemannischen Instituts 18. Bühl 1965.
Müller, Wolfgang (Hrsg.): Die Klöster der Ortenau. Ortenau 58. [Offenburg] 1978.
Niemann, Leni: Landhäuser und Villen in Baden-Baden von 1800 bis 1870. Diss. Ing. masch. Karlsruhe 1953.
Oser, Hermann: Zur Stadtgeschichte von Steinbach. Beiträge zur Geschichte der Stadt und des Kurorts Baden 16. Baden-Baden 1978.
Pleißner, Elisabeth: Chronik des Klosters vom Heiligen Grab in Baden-Baden. In: 1670–1970. Kloster zum Hl. Grab in Baden-Baden. Baden-Baden 1970.
Regesten der Bischöfe von Straßburg. Bearb. von Hermann *Bloch*, Paul *Wentzcke*, Paul *Hessel* und Manfred *Krebs*. 2 Bde. Innsbruck 1908–1928.
Regesten der Markgrafen von Baden und Hachberg. Bearb. von Richard *Fester*, Heinrich *Witte* und Albert *Krieger*. 4 Bde. Innsbruck 1892–1915.
Reinfried, Karl: Kirchliche Urkunden aus dem Landkapitel Otterswier, die Pfarreien Stollhofen, Ulm bei Renchen, Gamshurst, Kappel-Rodeck, Steinbach, Kappel-Windeck und Sandweier betreffend. In: FDA 25 (1896) S. 195–223.
Reinfried, Karl: Das ehemalige Kapuziner-Kloster zu Baden-Baden. In: FDA 28 (1900) S. 307–318.
Reinfried, Karl: Die windeckischen Inschriften, Wappen und Glasmalereien in den früheren Kirchen zu Otterswier, Bühl, Kappel-Windeck und Steinbach. In: FDA 30 (1902) S. 268–282.
Reinfried, Karl: Die Pfarrei Steinbach. In: FDA 41 (1913) S. 82–133.
Reiß, Lucia: Studien zur Wirtschafts- und Verfassungsgeschichte des Zisterzienserinnen-Klosters Lichtenthal (1245–1803). In: ZGO 96 (1948) S. 230–306.
Rösener, Werner: Ministerialität, Vasallität und niederadelige Ritterschaft im Herrschaftsbereich der Markgrafen von Baden vom 11. bis zum 14. Jahrhundert. In: *Fleckenstein*, Josef (Hrsg.): Herrschaft und Stand. Untersuchungen zur Sozialgeschichte im 13. Jahrhundert. Veröffentlichungen des Max Planck-Instituts für Geschichte 51. Göttingen 1977. S. 40–91.
Rott, Hans: Baden-Baden im 16. und 17. Jahrhundert und ein Aufbauprojekt nach dem großen Brand von 1689. In: ZGO 80 (1928) S. 38–86.
Ruf, Franz: Die Bauarbeiten an der Yburg in den Jahren 1620 bis 1622. In: Ortenau 69 (1989) S. 146–154.
Rumpf, Michael: Itinerar und Aufenthaltshäufigkeit der Markgrafen von Baden (Verona) 1050–1453. Studien zu ihrer Residenzbildung. Masch. Staatsexamensarbeit im Fach Geschichte. Heidelberg 1988.
Schäfer, Alfons: Staufische Reichslandpolitik und hochadlige Herrschaftsbildung im Uf- und Pfinzgau und im Nordwestschwarzwald vom 11.–13. Jahrhundert. In: ZGO 117 (1969) S. 179–244.

Scheuerbrandt, Arnold: Südwestdeutsche Stadttypen und Städtegruppen bis zum frühen 19. Jahrhundert. Heidelberger Geographische Arbeiten 32. Heidelberg 1972.

Schindele, Pia: Die Abtei Lichtenthal. Ihr Verhältnis zum Cistercienserorden, zu Päpsten und Bischöfen und zum badischen Landesherrn im Laufe der Jahrhunderte. In: FDA 104 (1984) S. 19–166 und 105 (1985) S. 67–248.

Schmid, Karl: Vom Werdegang des badischen Markgrafengeschlechts. In: ZGO 139 (1991) S. 45–77.

Schmid, Karl: Baden-Baden und die Anfänge der Markgrafen von Baden. In: ZGO 140 (1992) S. 1–37.

Schneider, Hugo (Hrsg.): Burgen und Schlösser in Mittelbaden. Ortenau 64. [Offenburg] 1984.

Schwarzmaier, Hansmartin: Baden-Baden im frühen Mittelalter. Die älteste schriftliche Überlieferung aus den Klöstern Weißenburg und Selz. Baden-Baden 1988.

Schwarzmaier, Hansmartin, *Krimm*, Konrad, *Stievermann*, Dieter, *Kaller*, Gerhard, und *Stratmann-Döhler*, Rosemarie: Geschichte Badens in Bildern 1100–1918. Stuttgart u. a. 1993.

Seiler, Alois: Studien zu den Anfängen der Pfarrei- und Landdekanatsorganisation in den rechtsrheinischen Archidiakonaten des Bistums Speyer. Veröffentlichungen der Kommission für geschichtliche Landeskunde in Baden-Württemberg B 10. Stuttgart 1959.

Sophienstraße Baden-Baden. Forschung, Planung, Resultate. Kunsthistorisches Seminar der Staatlichen Akademie der bildenden Künste Karlsruhe. München 1982.

Staab, Franz: Episkopat und Kloster. Kirchliche Raumerschließung in den Diözesen Trier, Mainz, Worms, Speyer, Metz, Straßburg und Konstanz im 7. Jahrhundert durch die Abtei Weißenburg. In: Archiv für mittelrheinische Kirchengeschichte 42 (1990) S. 13–56.

Steinhauser, Monika: Das europäische Modebad des 19. Jahrhunderts. Baden-Baden – eine Residenz des Glücks. In: *Grote*, Ludwig (Hrsg.): Die deutsche Stadt im 19. Jahrhundert. Studien zur Kunst des 19. Jahrhunderts 24. München 1974. S. 95–128.

Stenzel, Rüdiger: Die Städte der Markgrafen von Baden. In: *Treffeisen*, Jürgen, und *Andermann*, Kurt (Hrsg.): Landesherrliche Städte in Südwestdeutschland. Oberrheinische Studien 12. Sigmaringen 1994. S. 89–130.

Stoesser, Valentin: Grabstätten und Grabschriften der Badischen Regenten. Heidelberg 1903.

Theil, Bernhard: Das älteste Lehenbuch der Markgrafen von Baden (1381). Edition und Untersuchungen. Veröffentlichungen der Kommission für geschichtliche Landeskunde in Baden-Württemberg A 25. Stuttgart 1974.

Trenkle, Johann Baptist: Geschichte der Pfarrei und des Collegiatstifts zu Baden-Baden. In: FDA 20 (1889) S. 63–78.

Urkundenbuch der Stadt Straßburg. Bearb. von Wilhelm *Wiegand*, Aloys *Schulte*, Heinrich *Witte*, Georg *Wolfram* und Johannes *Fritz*. 7 Bde. Straßburg 1879–1900.

Wagner, Ernst, und *Haug*, Friedrich: Fundstätten und Funde aus vorgeschichtlicher, römischer und alamannisch-fränkischer Zeit im Großherzogtum Baden 2: Das badische Unterland. Tübingen 1911.

von Weech, Friedrich: Siegel der badischen Städte 2. Heidelberg 1903.

Wirtembergisches Urkundenbuch. Hrsg. von dem Kgl. Haus- und Staatsarchiv Stuttgart. 11 Bde. Stuttgart 1849–1913.

Wolters, Maria Agnes: Das Abtissinnenverzeichnis der Zisterzienserinnenabtei Lichtenthal in den zwei ersten Jahrhunderten seit der Klostergründung. In: FDA 77 (1957) S. 286–301.

Es gelten folgende Siglen: EBA = Erzbischöfliches Archiv Freiburg; FDA = Freiburger Diözesan-Archiv; GLA = Generallandesarchiv Karlsruhe; MGH = Monumenta Germaniae Historica; RMB = Regesten der Markgrafen von Baden; UBS = Urkundenbuch der Stadt Straßburg; WUB = Wirtembergisches Urkundenbuch; ZGO = Zeitschrift für die Geschichte des Oberrheins.

16 Die mittelalterliche Stadt nach der Mitte des 17. Jahrhunderts

17 Stadtansicht vom Kurhaus nach der Mitte des vorigen Jahrhunderts

◁ 18 *Die Altstadt von Südosten*

19 *Die Altstadt vom Friesenberg*

20 *Schloß Hohenbaden (Altes Schloß) von der Ritterplatte aus*

21 *Altes Schloß, Palasbau der Unterburg von außen*

22 Schloß Hohenbaden
von der Bergseite

23 Neues Schloß, Innenhof ▷

24 Neues Schloß,
Innenhof mit Hauptbau
und Küchenbau

25 *Neues Schloß, darunter das Kloster zum Hl. Grab und die ehemalige Spitalkirche*

26 *Stiftskirche und Friedrichsbad von Südosten*

27 *Stiftskirche vom Florentinerberg*

28 *Schloß- und obere Hirschstraße*

29 *Schloßstraße und Stiftskirche*

III. ENTWICKLUNG IM 19. UND 20. JAHRHUNDERT BIS ZUR KREIS- UND GEMEINDEREFORM

1. Bevölkerung

Bevölkerungsentwicklung. – Zu Beginn des 19. Jh. lebten im heutigen Stadtgebiet weniger als 10000 Menschen (1809: 9945 E.), davon ein knappes Drittel in Baden-Baden (3019 E.). Bis zur Volkszählung von 1970 hat sich die Einwohnerzahl verfünffacht und zu drei Vierteln auf die Stadt konzentriert.

In diesem Kapitel wird zuerst die Bevölkerungsentwicklung für die Stadt Baden-Baden bis zum 2. Weltkrieg geschildert, dann die der Vororte Lichtental, Oos und Balg bis zur Eingemeindung, danach die Entwicklung im damaligen Stadtgebiet von der Nachkriegszeit bis zur Gemeindereform. Anschließend wird die Bevölkerungsentwicklung der nach 1970 eingemeindeten Stadtteile dargestellt.

Die *Stadt Baden* lebte nach einem hundertjährigen Dornröschenschlaf Anfang des 19. Jh. als Badestadt wieder auf und zog zahlreiche Zuwanderer an, die hier ihr Glück suchten. Allein zwischen 1805 und 1834 nahm die Einwohnerschaft von 2404 auf 4619 Personen zu, im Jahresmittel um 3,2 %. Bis 1845 stieg die Einwohnerzahl mit dem hohen mittleren jährlichen Zuwachs von 4 % weiter auf 6639. Die wirtschaftlichen Krisen Ende des 4. Jahrzehnts des 19. Jh. verminderten zwar das Bevölkerungswachstum, führten aber nicht wie in den umgebenden Dörfern zum Rückgang. In der 2. H. 19. Jh. nahm die Stadtbevölkerung, wenn auch mit geringeren Steigerungsraten, weiterhin zu. 1871 überschritt sie die Grenze von 10000 E., im Jahr 1900 die von 15000 Einwohnern.

Im Gegensatz zum ländlichen Raum und der Gesamtentwicklung im Großherzogtum beruhte das Bevölkerungswachstum in Baden-Baden eindeutig auf Zuwanderung. Der Geborenenüberschuß lag von 1830 bis 1856 nur bei 219, der Einwohnerzuwachs allein von 1831 bis Ende 1855 bei 2805 Personen, der Wanderungsgewinn demnach bei mehr als 2500 Personen.[1] Die Volkszählungen von 1880, 1900 und 1905 gliedern die Bevölkerung nach der Herkunft und vermitteln damit einen Eindruck von der Zuwanderung. Schon 1880 lag der Anteil der nicht hier Geborenen in Baden-Baden weit über dem in den übrigen Orten und stieg bis 1900 noch weiter an. Der Großteil der Zuwanderer stammte zwar aus dem Großherzogtum, aber der Anteil der aus anderen deutschen Ländern Zugewanderten vergrößerte sich zwischen 1880 und 1905. Leicht rückläufig war der Prozentsatz der im Ausland geborenen Einwohner der Stadt.

Schon vor dem 1. Weltkrieg endete die Hochblüte des Weltbades, und die wirtschaftlichen Schwierigkeiten, die die Zwischenkriegszeit bestimmen sollten, begannen sich abzuzeichnen. Noch ließ 1909 die Eingemeindung Lichtentals die Einwohnerzahl auf über 20000 hochschnellen, die Zeit des tatsächlichen raschen Bevölkerungwachstums war aber vorbei. Der 1. Weltkrieg wirkte sich wegen der Gefallenen, stärker aber wegen des Rückgangs von Geburten und Zuwanderung aus. Schon nach 1900 war der mittlere jährliche Zuwachs auf 1 % gefallen, zwischen 1925 und 1939 lag er bei nur 0,5 %. Zwar brachten die Eingemeindungen von Oos (1928) und Balg (1939) einen Einwohnergewinn, trugen aber zum weiteren Wachstum nicht viel bei.

In *Lichtental*, das sich frühzeitig wirtschaftlich an Baden-Baden angeschlossen hatte, stiegen seit Mitte der 1830er Jahre gleichfalls die Einwohnerzahlen. Hier brachten aber

Tabelle 1 **Bevölkerungsentwicklung**

Zähl-datum	Die Einwohnerzahlen der heutigen Stadtteile und des Stadtgebiets									
	Baden-Baden	Lichtental	Oos	Balg	Ebersteinburg	Haueneberstein	Sandweier	Steinbach	Neuweier	Varnhalt	Stadtgebiet
1809	3019	1229	507	375	276	528	642	1717	918	734	9945
1828	4179	1891	795	545	373	904	750	2108	1176	812	13533
1834	4619	1913	829	545	398	966	788	2117	1217	836	14228
1845	6639	2574	1013	590	480	1241	1074	2195	1334	945	18085
Dez. 1852	6714	2540	1014	586	481	1044	1106	2166	1373	929	17953
Dez. 1855	7018	2415	1001	547	455	1042	1108	2031	1277	874	17768
Dez. 1858	7212	2558	1141	559	468	1068	1127	2028	1157	874	18192
Dez. 1861	7733	2641	1205	589	484	1112	1181	2054	1295	886	19180
Dez. 1864	8856	2849	1238	627	503	1151	1251	2120	1356	983	20934
3.12.1867	9406	2947	1251	644	520	1138	1256	2007	1365	980	21514
1.12.1871	10080	3156	1341	658	518	1106	1255	2028	1344	965	22451
1.12.1875	10958	3293	1388	650	519	1116	1297	2025	1418	967	23631
1.12.1880	11923	3500	1549	682	517	1145	1320	2004	1428	956	25024
1.12.1885	12779	3621	1670	686	500	1197	1336	2055	1414	931	26189
1.12.1890	13884	3699	1967	743	489	1230	1400	1973	1356	931	27672
2.12.1895	14862	3896	2021	837	535	1273	1420	1989	1320	996	29149
1.12.1900	15718	4261	2692	877	556	1309	1480	2037	1359	1055	31344
1.12.1905	16237	4695	3475	968	582	1384	1598	2069	1372	1101	33481
1.12.1910	22066	bei BB	4029	1046	661	1487	1709	2150	1436	1112	35696
8.10.1919	23359		4204	1012	730	1542	1826	2067	1434	1092	37266
16. 6.1925	25692		4361	1068	780	1606	1968	2062	1511	1151	40199
16. 6.1933	30262		bei BB	1031	703	1630	1937	2092	1537	1106	40298
17. 5.1939	33166			bei BB	694	1699	1943	2112	1539	1117	42270
29.10.1946	32434				689	1708	1824	2157	1530	1114	41456
13. 9.1950	36582				814	1939	2066	2386	1665	1219	46671
1. 1.1952	38039				857	1972	2089	2420	1709	1202	48288
1. 1.1953	39019				853	2001	2127	2434	1718	1193	49345
1. 1.1954	40410				864	2055	2166	2491	1718	1190	50894
1. 1.1955	40025				888	2096	2180	2532	1733	1173	50627
1. 1.1956	40806				901	2093	2211	2589	1709	1189	51498
1. 1.1957	39764				881	2089	2209	2588	1710	1190	50431
31.12.1958	40436				930	2166	2242	2710	1741	1220	51445
31.12.1959	39984				935	2214	2274	2748	1762	1244	51161
31.12.1960	39980				970	2271	2355	2791	1806	1244	51417
6. 6.1961	40029				950	2305	2368	2857	1805	1230	51544
31.12.1962	39726				991	2337	2548	2960	1839	1305	51706
31.12.1963	39772				1008	2376	2649	3037	1844	1347	52033
31.12.1964	39514				1016	2409	2698	3071	1890	1409	52007
31.12.1965	39367				1030	2491	2824	3057	1895	1484	52148
31.12.1966	39392				1047	2578	2901	3070	1970	1493	52451
31.12.1967	38917				1073	2655	2921	3058	2009	1566	52199
31.12.1969	38852				1099	2798	3022	3261	2105	1629	52766
27. 5.1970	37537				1078	2814	2992	3273	2121	1730	51545
31.12.1970	37185				1098	2859	3049	3295	2153	1692	51331

Quellen s. Verzeichnis der Bevölkerungsstatistik

1. Bevölkerung

Tabelle 2 Verteilung der Bevölkerung auf die Stadtteile

Stadtteil	% Anteil an der Bevölkerung des heutigen Stadtgebiets				
	1809	1870	1900	1939	1970
Baden-Baden	30,4	44,9	50,1	78,5	72,8
Lichtental	12,4	14,1	13,6		
Oos	5,1	6,0	8,6		
Balg	3,8	2,9	2,8		
Ebersteinburg	2,8	2,3	1,8	1,6	2,1
Haueneberstein	5,3	4,9	4,2	4,0	5,5
Sandweier	6,5	5,6	4,7	4,6	5,8
Steinbach	17,3	9,0	6,5	5,0	6,3
Neuweier	9,2	6,0	4,3	3,6	4,1
Varnhalt	7,4	4,3	3,4	2,6	3,4

Quellen s. Verzeichnis der Bevölkerungsstatistik

die Jahre nach 1845 Verluste, die erst nach 1855 wieder ausgeglichen wurden. Allein für die Zeit zwischen 1835 und 1854 sind 270 Auswanderer aktenkundig. Fast alle mußten aus der Gemeinde- oder Staatskasse unterstützt werden. Danach blieb das Wachstum bis zur Eingemeindung etwas hinter dem der Stadt Baden-Baden zurück. Die Einwohnerschaft von Lichtental war 1880 und auch 1905 noch weit bodenständiger als die Baden-Badens. 1880 waren fast ¾ der Bewohner aus dem Ort gebürtig, 1905 immerhin noch knapp zwei Drittel. Lichtental brachte im Jahr 1909 der Stadt Baden-Baden mehr als 4600 Einwohner ein.

In *Oos* war die Einwohnerzahl bis 1845 verhältnismäßig rasch gewachsen. Die Not in den folgenden Jahren schwächte den Zuwachs ab und führte zu einem kurzfristigen Rückgang. Die Zahl der zwischen 1835 und 1854 bekannten Auswanderer, die im übrigen ihre Reise alle selbst bezahlen konnten, ist mit 80 Personen spürbar kleiner als in Lichtental. Nach den Notjahren stieg die Einwohnerzahl wieder an, und zwar geradezu stürmisch und überwiegend aus Zuwanderung gespeist, als Ende des 19. Jh. in Oos Gewerbe- und Industriebetriebe entstanden. 1880 war von der Einwohnerschaft fast ⅓ nicht am Ort geboren, 1905 bereits mehr als die Hälfte. Aber auch für Oos brachte der 1. Weltkrieg einen Einbruch. War bis zur Volkszählung von 1910 die Einwohnerzahl im Jahresmittel um 5 % gestiegen, lag das mittlere Wachstum zwischen 1910 und 1925 nur noch bei 0,5 % pro Jahr. Dennoch hatte das Dorf 1925 bei der letzten Volkszählung vor der Eingemeindung mit etwa 4361 E. rund fünfmal soviele Bewohner wie kurz nach 1800.

Balg hingegen war von der Stadt Baden-Baden weniger beeinflußt. Die Bevölkerungsentwicklung entspricht der der benachbarten Dörfer. Eine mäßige Zunahme während des 19. Jh. war zwischen 1845 und 1855 durch einen leichten Rückgang unterbrochen. Zwischen 1835 und 1854 waren dem Bezirksamt 42 Auswanderer gemeldet, von denen 16 Unterstützung für die Reise erhielten. Nach 1880 machte sich leichte Zuwanderung bemerkbar, vermutlich von Arbeitskräften der Ooser Betriebe. Bei der Eingemeindung im Jahr 1939 brachte Balg, das 1805 etwa 350 E. gezählt hatte, der Stadt knapp über 1000 Bewohner ein.

In dem *Stadtgebiet von 1939*, Baden-Baden, Lichtental, Oos und Balg umfassend, hatte die Bevölkerung in den gerade für die Bäderstadt wirtschaftlich schwierigen

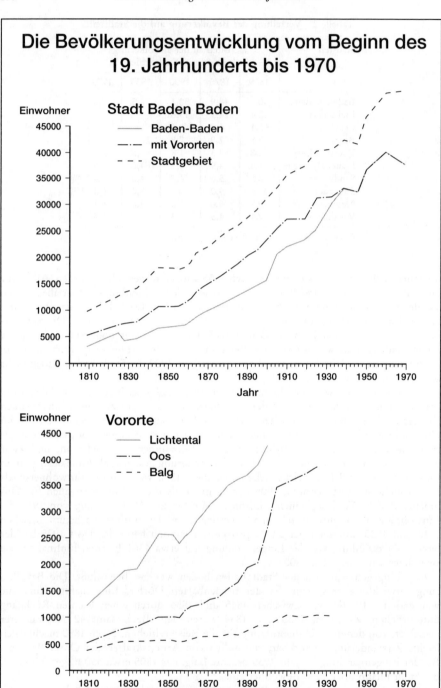

Die Bevölkerungsentwicklung vom Beginn des 19. Jahrhunderts bis 1970

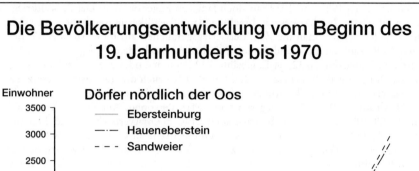

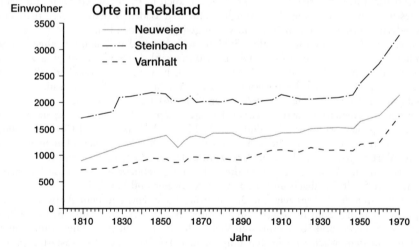

Jahren zwischen 1925 und 1939 nur noch langsam zugenommen. Der 2. Weltkrieg und die unmittelbare Nachkriegszeit brachten dann Bevölkerungseinbußen mit sich. In Baden-Baden schätzt man die Zahl der Kriegsgefallenen auf mindestens 2000. Bei der ersten Volkszählung im Land Baden (Südbaden) nach dem Krieg, am 29.10.1946, wurden in Baden-Baden 32434 E. gezählt, 732 Personen oder 2,2 % weniger als bei der Volkszählung von 1939. Danach, besonders als 1949 auch die französisch besetzte Zone Heimatvertriebene und Flüchtlinge aufnahm, stieg die Einwohnerzahl rasch wieder an und überholte 1950 den Vorkriegsstand um 3416 Personen. Am Tag der Volkszählung vom 13.09.1950 wohnten in Baden-Baden 2136 Heimatvertriebene und Flüchtlinge, 6 % der Wohnbevölkerung. Der Ortsteil Obere Breite in Oos wurde als Flüchtlingssiedlung gebaut. Weit folgenschwerer als diese Zwangszuwanderung wirkte sich der in den Volkszählungsdaten nicht berücksichtigte Einwohnerzuwachs durch die französische Besatzung aus. Frankreich hatte in alter Verbundenheit Baden-Baden zum Verwaltungszentrum seiner Besatzungszone bestimmt. Damit strömte Militär- und Verwaltungspersonal meist mit den Familien hierher und trug erheblich zur Verschlechterung der Wohn- und Versorgungssituation der Stadt bei, bis in der Weststadt ein neuer französischer Stadtteil gebaut war.

Auch im nächsten Jahrzehnt bis zur Volkszählung vom 6.6.1961 hielt das Bevölkerungswachstum an, allmählich wieder unter Friedensbedingungen und bei wirtschaftlicher Erholung. Die Stadt erreichte 1961 mit 40029 E. ihre höchste Einwohnerzahl bis zur Gemeindereform. 3283 Heimatvertriebene und Flüchtlinge wohnten hier, außerdem 2621 Flüchtlinge aus der sowjetischen Besatzungszone. Die Neubürger machten zusammen 15 % der (nichtfranzösischen) Wohnbevölkerung aus. Arbeitsplätze standen jetzt nicht nur im Fremdenverkehr, sondern auch in Industriebetrieben und beim Südwestfunk zur Verfügung. Die Annehmlichkeiten Baden-Badens trugen auch zur Zuwanderung insbesondere älterer und vermögender Personen bei.

Seit etwa 1960 zog es wie aus allen Städten auch aus Baden-Baden vor allem junge Familien in die umliegenden Orte. Die Einwohnerzahl der Stadt selbst ging zurück, während die Gemeinden, die nach 1970 das Stadtgebiet vergrößern sollten, alle einen mehr oder minder starken Bevölkerungszuwachs erlebten, so daß die Gesamteinwohnerzahl des heutigen Stadtgebiets 1970 gegenüber 1961 unverändert blieb.

Die bei der Gemeindereform nach 1971 *eingegliederten Orte* lassen sich nach ihrer Bevölkerungsentwicklung im 19. und 20. Jh. bis zur Volkszählung 1970 in 2 Typen gliedern. Zum 1. Typ gehören die Dörfer nördlich der Oos: Sandweier, Haueneberstein und mit Vorbehalten auch Ebersteinburg, zum 2. Typ die Orte im Rebland südlich von Baden-Baden, im W der Stadt durch die selbständig gebliebene Gemeinde Sinzheim getrennt: die Stadt Steinbach und die Dörfer Neuweier und Varnhalt.

Bei den *Orten des 1. Typs* zeigt die Bevölkerungskurve eine deutliche Aufwärtsbewegung. Die allerdings zum Teil fragwürdigen Einwohnerzahlen lassen auf einen Bevölkerungszuwachs von rund 50 % im ersten Viertel des 19. Jh. schließen. Dies stimmt auch ungefähr mit dem Wachstum in den umgebenden Dörfern des Lkr. Rastatt überein. Zwischen 1825 und 1845 flachte der Anstieg etwas ab, war aber mit einem mittleren jährlichen Zuwachs von insgesamt 2,1 % größer als im Rebland. Das Wachstum beruhte ausschließlich auf Geborenenüberschüssen.

Nach 1845 gingen in Ebersteinburg und sehr stark in Haueneberstein die Einwohnerzahlen zurück, jedoch nicht in Sandweier. Nach den Ortsbereisungsakten sind zwischen 1835 und 1854 aus Haueneberstein 158 (nach einer späteren Angabe 215 Personen zwischen 1840 und 1853), aus Sandweier 37 und aus Ebersteinburg 33 Personen ausgewandert. Tatsächlich muß mit einer größeren Anzahl gerechnet werden, weil viele

Die Zusammensetzung der Bevölkerung 1880 nach ihrem Geburtsort

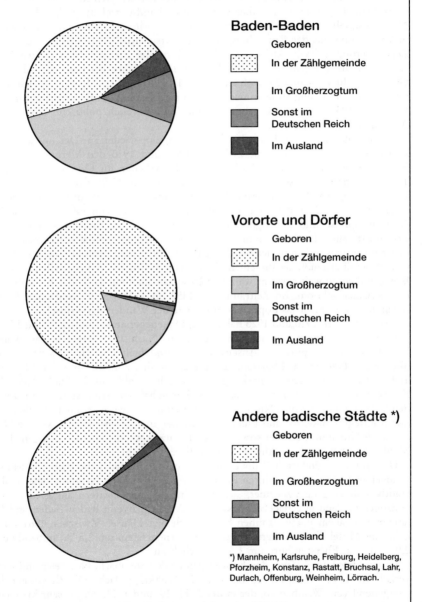

Quelle: Die Volkszählung im Großherzogthum Baden ... vom 1. Dezember 1880. 1. T.
Beiträge zur Statistik ... des Großherzogthums Baden. 42. H. 1882.

Entwurf: G. Schultz

Auswanderer, vor allem militärpflichtige junge Männer die Heimat illegal verließen. Während ein Drittel der legalen Auswanderer aus Haueneberstein und Sandweier auf Gemeindeunterstützung angewiesen war, reisten alle Auswanderer aus Ebersteinburg mit eigenen Mitteln.[2]

Zur Auswanderung zwangen im gesamten hier betrachteten Raum fast ausschließlich wirtschaftliche Gründe. Zu dieser Zeit war Landwirtschaft praktisch die einzige Nahrungsquelle. Die Bevölkerungszunahme der vorhergehenden Jahrzehnte hatte aber in Verbindung mit der Realteilung des landwirtschaftlichen Grundbesitzes zu dessen Zersplitterung auf sehr kleine Betriebe geführt. Bei ausreichenden Ernten blieb das erträglich, die Mißernten der ausgehenden 1840er Jahre machten aber das gestörte Gleichgewicht zwischen Einwohnerzahl und Nahrungsbasis deutlich. Auch der Staat sah die Auswanderung als legitimes Mittel zur Entlastung des Bevölkerungsdruckes an. Erst nach 1848 kamen – hier nur in Einzelfällen – auch politische Gründe für die Auswanderung in Betracht.

Nach 1855 stiegen die Einwohnerzahlen langsam wieder an. Der mittlere jährliche Zuwachs überschritt aber erst zwischen 1900 und 1910 den Wert von 1 %. Nach Haueneberstein zogen gegen Ende des 19. Jh. Arbeiter aus Oos mit ihren Familien. Trotzdem machten 1905 noch die Zugezogenen nur 13 % der Einwohner aus. In Ebersteinburg, wo 1905 immerhin 18 % der Einwohner nicht am Ort geboren waren, wurde der Zuwachs mit Familiengründungen und Zuzug von außen aufgrund billiger Wohnungspreise und günstiger Arbeitsmöglichkeiten in Baden-Baden erklärt. Um 1910 dürfte auch das Sanatorium Rumpf neue Einwohner gebracht haben. Der Bevölkerungszuwachs in Sandweier beruhte laut Ortsbereisungsprotokoll ausschließlich auf Geborenenüberschuß, da für einen Zuzug von außen die Arbeitsstellen in Oos und Baden-Baden zu weit entfernt waren. 1905 waren auch nur 11 % der Einwohner nicht in Sandweier geboren. Im Zeitraum von 1852 bis 1925 war in Sandweier der Geborenenüberschuß mehr als doppelt so hoch wie der Wanderungsverlust[3].

Auch zwischen 1910 und 1925 nahmen in Haueneberstein, Sandweier und Ebersteinburg die Einwohnerzahlen langsam weiter zu. Nach 1925 setzte in Sandweier und Ebersteinburg ein spürbarer Abschwung ein und hielt über den Zweiten Weltkrieg hinweg bis 1946 an. In Ebersteinburg erklärt er sich zum Teil mit der Abgabe eines Teils der abgesonderten Gemarkung um das Alte Schloß an die Stadt Baden-Baden. Einzig in Haueneberstein nahm die Einwohnerschaft weiterhin spürbar zu. Zwischen den Volkszählungen von 1946 und 1950 stiegen die Einwohnerzahlen in allen 3 Orten durch Kriegsheimkehrer und Flüchtlinge wieder an. Bis 1961 kamen weitere Neubürger, auch Flüchtlinge aus der sowjetischen Besatzungszone, hinzu. Sie zogen aber nach Möglichkeit bald von den kleineren in größere Orte um.

Um und nach 1960 ist die Einwohnerentwicklung in Haueneberstein und Sandweier, weniger in Ebersteinburg, durch die bereits angesprochene Neigung vieler bisheriger Stadtbewohner gekennzeichnet, sich in nahegelegenen Dörfern anzusiedeln, wo sie günstiges Bauland in erreichbarer Nähe der Arbeitsplätze in Baden-Baden und Rastatt fanden. Vor allem junge Familien bauten sich hier Häuser. Zwischen 1961 und 1970 nahm im Mittel die Bevölkerungszahl in Haueneberstein um 2,5 %, in Sandweier um 2,9 % und in Ebersteinburg um 1,5 % jährlich zu.

In den *Orten des 2. Typs*, den Reblandgemeinden Steinbach, Neuweier und Varnhalt, verlief die Bevölkerungskurve bis zum 2. Weltkrieg flach. Die Bewohner hingen weitgehend vom Weinbau ab, der in der 2. H. 19. und 1. H. 20. Jh. sehr krisenanfällig war. Hier war die Realteilung noch extremer als in den Dörfern der Rheinebene. Selbst viele Wegziehenden behielten doch ihre Rebparzellen.

Für das erste Viertel des 19. Jh. kann die Entwicklung nur geschätzt werden, da die Einwohnerzahl für 1805 nur für den gesamten Stab Steinbach vorliegt, der auch Eisental und Weitenung (heute Stadt Bühl) umfaßte. Zwischen 1805 und 1825 wuchs die Bevölkerung im Stab Steinbach um 34 % bzw. im Mittel um knapp 2 % jährlich an. Zwischen 1825 und 1845 lag das mittlere jährliche Wachstum in Steinbach, Neuweier und Varnhalt um 1 %, also deutlich unter dem der Orte des 1. Typs. Soweit sich erschließen läßt, war die Auswanderung hier auch stärker und länger andauernd. Noch zwischen 1880 und 1900 wurden zahlreiche Auswanderungsanträge gestellt. In Steinbach übertrafen zeitweise die Wanderungsverluste selbst die Geburtenüberschüsse[4], so daß das Städtchen 1925 nur 34 Einwohner mehr zählte als im Jahr 1858. Etwas günstiger war die Entwicklung in Varnhalt und Neuweier, wo die Geborenenüberschüsse zwischen 1852 und 1925 den Wanderungsverlust überstiegen[5].

Die mittleren jährlichen Zuwachsraten erholten sich in allen drei Gemeinden erst zwischen 1900 und 1910 auf 0,5 %. Während jedoch in Varnhalt und Neuweier 1905 nur 9 % der Einwohner nicht am Ort geboren waren, hatte Steinbach trotz des negativen Wanderungssaldos den hohen Anteil von 24 % zugezogener Einwohner, dort hat also ein lebhafter Bevölkerungsaustausch stattgefunden. Zwischen 1910 und 1919 ging die Einwohnerzahl in allen Reblandgemeinden wieder zurück, und bis 1939 nahm sie zwar in Neuweier im Mittel um 0,4 % jährlich zu, in Steinbach und Varnhalt aber nur um 0,1 %. Nach dem 2. Weltkrieg glich sich die Entwicklung mehr derjenigen der Orte des 1. Typs an, zunächst infolge der Flüchtlingseinweisungen. 1961 machten die Neubürger insgesamt in Steinbach 13,5 %, in Neuweier 5 % und in Varnhalt 4,7 % der Wohnbevölkerung aus. Nach 1961 setzte dann auch hier die Wohnortbildung ein, und zwar in Varnhalt mit einem mittleren jährlichen Zuwachs von 4,5 % bis 1970 in weit stärkerem Ausmaß als im sonstigen heutigen Stadtgebiet.

Geschlechterproportion. – Schon 1852 hatte die Stadt Baden-Baden mit 55,1 % weiblichen Einwohnern einen größeren *Frauenanteil* als das Großherzogtum (51,3 %). Er nahm mit geringen Schwankungen noch bis auf 57,7 % bei der Volkszählung von 1900 zu und ging dann nur durch die Eingemeindungen von Lichtental, Oos und Balg rechnerisch etwas zurück. 1939 betrug er noch 56,1 %. Er erklärt sich mit den zahlreichen Frauenarbeitsplätzen in der Kurstadt. 1855 z. B. gab es 700 männliche, aber 900 weibliche Dienstboten. Einen besonders hohen Frauenüberschuß zeigten folglich die jüngeren erwerbsfähigen Jahrgänge. So waren 1885 allein bei den 20- bis 30jährigen 62,6 % und 1900 bei den 14- bis unter 25jährigen 61,9 % Frauen.

Daß der Frauenüberschuß im wesentlichen die arbeitende Bevölkerung betraf, stimmt auch mit dem großen Anteil an unverheirateten Frauen überein. 1885 waren z. B. in Baden-Baden 41 % der weiblichen, aber nur 32 % der männlichen Einwohner Ledige über 15 Jahre. Bis zur Volkszählung von 1900 hatte sich deren Anteil bei den Frauen auf 43 % und bei den Männern auf 33 % erhöht. Viele junge Mädchen vom Land arbeiteten bis zu ihrer Verheiratung in Baden-Baden im Haushalt, im Gastgewerbe oder in der Zigarettenfabrik.

Einen deutlich geringeren Frauenüberschuß hatten bis zum 2. Weltkrieg die übrigen Orte des Stadtgebiets. In Sandweier lag der Frauenanteil bis 1910 sogar unter 50 % der Einwohner und stieg auch danach nur wenig an. In Haueneberstein sank er um die Jahrhundertwende ab. Bei den Volkszählungen von 1933 und 1939 hatte hier die männliche Bevölkerung ein leichtes Übergewicht. Ebersteinburg dagegen gewann durch die Gründung des Sanatoriums mehr weibliche Einwohner: während das Dorf bis 1900 den normalen Frauenanteil zwischen 51 und 54 % aufwies, hielt es seit 1910

Tabelle 3 Weiblicher Bevölkerungsanteil im Jahr 1900 nach Altersklassen

Stadtteil/ Stadtgebiet	Einwohnerzahl	Die weibliche Bevölkerung in % der					
		Gesamt-Bevölkerung	Bevölkerung im Alter von … Jahren				
			<14	14–<25	25–<50	50–<70	ab 70
Baden-Baden	15 718	57,7	51,5	61,9	57,6	59,3	58,5
Lichtental	4 261	52,9	48,2	55,6	53,8	56,0	61,7
Oos	2 692	47,7	49,8	44,5	45,9	50,3	63,2
Balg	877	52,1	51,9	50,3	51,8	55,5	54,2
Ebersteinburg	556	50,4	42,5	48,1	52,3	66,7	16,7
Haueneberstein	1 309	49,9	49,4	49,6	50,4	49,3	55,0
Sandweier	1 480	49,1	47,1	50,5	48,7	50,7	63,3
Steinbach	2 037	51,5	47,8	50,5	51,9	55,3	66,7
Neuweier	1 359	52,5	50,7	51,9	53,7	52,3	63,3
Varnhalt	1 055	51,0	47,8	58,7	51,0	49,6	51,3
Stadtgebiet	31 344	54,3	49,7	57,3	54,5	56,6	59,4
Zum Vergleich: Großherzogtum Baden	1 867 944	50,4	50,0	49,1	50,1	53,0	55,1

Quellen s. Verzeichnis der Bevölkerungsstatistik

mit Anteilen um 55 % immer die Spitze nach Baden-Baden. 1910 war bezeichnenderweise der weibliche Bevölkerungsanteil in der erwerbsfähigen Altersklasse von 25 bis unter 70 Jahre mit 61 % besonders hoch.

Der 2. Weltkrieg und die Nachkriegszeit, als auch die überlebenden Männer größenteils im Felde standen oder in Gefangenschaft waren, wirkte sich noch 1946 in einem Frauenanteil von 54–61 % im heutigen Stadtgebiet aus. Bis 1950 war diese Extremsituation zwar überwunden, aber im heutigen Stadtgebiet blieb der Anteil der weiblichen Bevölkerung (1970: 55,7 %) höher als im Lkr. Rastatt und im Land. Ausschlaggebend waren dabei die Kernstadt und Ebersteinburg, während die übrigen Stadtteile den normalen weiblichen Anteil um 51 % zeigten. In Ebersteinburg erhöhte sich der Frauenüberschuß auch durch das Altersheim für Ordensschwestern.

Altersaufbau. – Über die Altersgliederung der Bevölkerung in den Gemeinden gibt die veröffentlichte Statistik bis über den 2. Weltkrieg hinaus nur unvollkommen Auskunft. Am besten läßt sich noch der Anteil der Kinder unter 14 bzw. 15 Jahren an der Bevölkerung verfolgen. Die höchste Altersklasse, ohnehin vor 1885 nicht ausgewiesen, entzieht sich infolge wechselnder Klassenbildung genauerer Beobachtung.

Der Anteil der Kinder unter 14 Jahren an der Bevölkerung sank im 20. Jh. infolge des Geburtenrückgangs, der sich im ganzen Land beobachten ließ, fast gleichmäßig ab. Parallel dazu nahm der Anteil der älteren Jahrgänge u. a. durch die Verbesserung der medizinischen Versorgung allmählich zu. Im Jahr 1885 waren im Stadtgebiet 8 % und in der Kernstadt 9 % der Einwohner 60 und mehr Jahre alt, im Jahr 1970 war der Anteil allein der Einwohner ab 65 Jahre im Stadtgebiet auf 17 % und in der Kernstadt auf 20 % angestiegen.

Auch in der Altersgliederung zeigte die Stadt Baden-Baden besondere Merkmale: Der Anteil der Kinder unter 14 bzw. 15 Jahren war seit der Mitte des 19. Jh. immer

1. Bevölkerung

Tabelle 4   Der Anteil der Unter-14-jährigen an der Bevölkerung

Stadtteil / Stadtgebiet	Jahr			
	1855	1900	1939*	1961
Baden-Baden	23,9	20,8	18,1	16,4
Lichtental	33,8	31,6	**	**
Oos	36,3	32,5	**	**
Balg	34,4	39,1	**	**
Ebersteinburg	29,0	33,5	24,2	20,8
Haueneberstein	38,7	32,6	27,7	25,5
Sandweier	38,4	36,6	27,2	22,8
Steinbach	34,5	30,9	28,7	25,5
Neuweier	36,6	32,8	30,8	26,8
Varnhalt	34,7	37,9	28,3	24,6
Stadtgebiet	30,8	27,0	20,3	18,3
Zum Vergleich: Baden (1961: Baden-Württemberg)	31,4	30,8	23,2	21,4

* Ständige Bevölkerung   ** bei Baden-Baden
Quellen s. Verzeichnis der Bevölkerungsstatistik

geringer als in anderen badischen Städten, der Anteil der Bevölkerung im erwerbsfähigen Alter dafür höher. Gerade die Altersklassen, die in Baden-Baden einen besonders großen Frauenüberschuß aufwiesen, waren überdurchschnittlich stark besetzt. Allerdings nahm zwischen 1939 und 1961 und verstärkt bis 1970 der Bevölkerungsanteil im erwerbsfähigen Alter von 14 bis unter 65 Jahren etwas ab. Bei den 50- bis unter 70jährigen war der Abstand zur Normalverteilung immer geringer, dagegen zeigte Baden-Baden, soweit nachweisbar, immer einen relativ großen Anteil an Alten ab 65 bzw. 70 Jahren. Nach 1950 stieg dieser Anteil überproportional an, so daß 1970 in Baden-Württemberg 17 %, in Baden-Baden aber 20 % der Einwohner 65 und mehr Jahre alt waren. Der Überalterungsindex[6] als Maß für das Zahlenverhältnis der alten zur nachwachsenden jungen Bevölkerung[7], stieg in Baden-Baden zwischen 1950 und 1970 von 0,59 auf 1,18 und zeigt eine zunehmende *Überalterung der Einwohnerschaft* der Stadt an. Zwischen 1939 und 1961 und verstärkt bis 1970 nahm auch der Bevölkerungsanteil im erwerbsfähigen Alter von 14 bis unter 65 Jahren ab.

Die ländlichen Orte des heutigen Stadtgebiets verhielten sich im Altersaufbau bis zum 1. Weltkrieg fast komplementär zur Kernstadt. Bei der Volkszählung von 1900 waren überall 30 %, in Sandweier sogar 37 % und in Balg 39 % der Einwohner jünger als 14 Jahre (Land: 31 %). Aber mit Ende der Schulpflicht scheinen nicht wenige junge Leute aus dem Heimatort abgewandert zu sein, wie der gegenüber dem Landeswert deutlich niedrigere Anteil der Altersklasse der 14- bis unter 25jährigen beweist. Und was lag näher als in Baden-Baden einen Dienst zu suchen? Selbstverständlich gab es Unterschiede zwischen den Dörfern. War in Ebersteinburg und Balg die genannte Altersklasse besonders schwach besetzt, so mußte in Oos dank ausreichender Arbeitsplätze wenigstens die männliche Bevölkerung nicht abwandern. Also waren hier diese Jahrgänge bei den Männern normal und bei den Frauen fast normal vertreten. In Lichtental, um 1900 wirtschaftlich weitgehend in die Kurstadt integriert, lag ähnlich wie dort der Anteil der jungen Frauen zwischen 14 und 25 Jahren über demjenigen der jungen Männer.

Tabelle 5   Altersgliederung der Bevölkerung im erwerbsfähigen Alter

Stadtteil / Stadtgebiet	Von 100 der Bevölkerung waren im Alter von					
	14–<21 Jahren	15–<21 Jahren		21–<65 Jahren		
	1939	1961	1961	1970	1939	1961	1970
Baden-Baden	10,6	9,8	8,6	8,3	61,1	59,2	55,7
Ländl. Stadtteile	11,6	8,6	7,4	8,6	52,7	57,2	54,3
Ebersteinburg	11,5	8,0	6,9	8,7	55,8	56,8	54,0
Haueneberstein	11,2	9,0	7,5	8,6	54,4	57,3	55,0
Neuweier	12,0	10,7	9,0	8,5	50,2	54,1	51,2
Sandweier	12,8	7,9	6,9	8,6	54,3	59,9	56,7
Steinbach	10,3	7,9	7,1	8,9	51,7	56,6	52,8
Varnhalt	12,0	8,0	6,5	8,1	50,4	58,0	55,9
Stadtgebiet	10,8	9,5	8,3	8,3	59,2	58,7	55,3
Zum Vergleich: Baden	11,4				57,8		
Baden-Württemberg		9,7	8,4	8,2		58,7	55,9

Quellen s. Verzeichnis der Bevölkerungsstatistik

Im Lauf des 20. Jh. verschob sich die Altersstruktur auch in den dörflichen Stadtteilen. Der Anteil der Kinder und Jugendlichen unter 14 Jahren sank schon bis 1939 auf 25–30 % ab. 1970 waren nur noch 26 % der Einwohner jünger als 15 Jahre. Den höchsten Kinderanteil wies mit 30 % Neuweier auf, den niedrigsten mit 17 % Ebersteinburg, wo die Alten ab 65 Jahren mit 20 % dominierten. Allgemein erreichten und überschritten immer mehr Menschen das Rentenalter, so daß in den heutigen dörflichen Stadtteilen zusammen die Ab-65jährigen 11,3 % der Einwohner ausmachten. Außer in Ebersteinburg lag trotzdem der Überalterungsindex noch unter 0,5 %. Von einer Überalterung konnte also 1970 hier noch nicht die Rede sein. Im Gegensatz zur Kernstadt verminderte sich der Anteil der Bevölkerung im erwerbsfähigen Alter nicht, sondern stieg zwischen 1939 und 1961 sogar an. Erst als nach 1961 die vom 2. Weltkrieg dezimierten Jahrgänge in die Altersklasse der 45- bis unter 65jährigen eintraten, ging deren Anteil an der Gesamtbevölkerung zurück.

Konfessionelle Gliederung. – Die starke Zuwanderung nach Baden-Baden veränderte im 19. Jh. die Religionszusammensetzung der Stadtbevölkerung. Noch 1825 unterschieden sich Stadt und Umland mit 98–100 % *Katholiken* kaum, da hier wie dort auch ein halbes Jahrhundert nach der Vereinigung der beiden Markgrafschaften die Tradition der katholischen Markgrafschaft Baden-Baden nachwirkte. Die für 1825 überlieferten 111 *evangelischen* Einwohner Baden-Badens (einschließlich Lichtentals) dürften sich hauptsächlich aus der Beamtenschaft rekrutiert haben. Schon 1839 werden aber in Baden-Baden 533 Protestanten und 13 Juden genannt[8], 1855 dann 972 Protestanten und 4 Israeliten[9]. Nur neun Jahre später, in die aber die Hochblüte des Weltbades fiel, spiegelte sich die Internationalität der Stadt auch in der Mischung der Konfessionen. Im Dezember 1864 lebten hier neben 1431 Evangelischen und 15 Baptisten auch 49 Angehörige der *griechisch- bzw. russisch-orthodoxen Kirche* und 18 Israeliten. Die Katholiken, zu denen auch die Franzosen zählten, machten 1864 trotzdem noch 83 % der anwesenden Bevölkerung aus. In den folgenden Jahrzehnten ging ihr

Anteil stetig zurück, bis er 1925 bei 69 % lag. Während die Eingemeindung von Lichtental nur wenig an der Konfessionsstruktur verändert hatte – im Jahr 1900 waren hier immerhin 10 % der Einwohner evangelisch – ließ die Eingemeindung von Oos den katholischen Bevölkerungsanteil wieder ansteigen und den evangelischen, der sich bis 1925 auf 28 % gesteigert hatte, bis 1933 auf 24 % sinken. Im gleichen Jahr traten in Baden-Baden 87 Altkatholiken in Erscheinung.

Die zunächst geringe Anzahl der *Israeliten* erklärt sich daraus, daß die Stadt bis 1862 Juden die Niederlassung verweigerte und erst im letzten Viertel des 19. Jh. viele Juden hierherzogen. 1925 zählte man in Baden-Baden 435 und in Oos 10 Israeliten. Im Juni 1933 allerdings betrug ihre Zahl in Baden-Baden mit Lichtental und Oos nur noch 260; darunter waren Ärzte, Fabrikanten, Kaufleute und Künstler. Bis 1937 blieben in der Kurstadt jüdische Einwohner und Kurgäste von Übergriffen verschont, aber 1938 begann auch hier die Verfolgung. 1940 wurden 106 Juden nach Gurs deportiert, 1941 noch weitere verschleppt. Nur sehr wenige konnten zurückkehren.

Nach dem 2. Weltkrieg nahm zwischen 1950 und 1961 die evangelische Bevölkerung durch Zuwanderung prozentual viel stärker zu als die katholische (um 23 % gegenüber 2 %), aber zwischen 1961 und 1970 u. a. infolge von Kirchenaustritten auch etwas stärker ab. Den Anteil der Angehörigen der beiden christlichen Konfessionen an der Einwohnerschaft drückten außerdem nichtchristliche, insbesondere moslemische Zuwanderer herab. 1970 gehörten in Baden-Baden 6,6 % der Einwohner keiner der beiden großen christlichen Konfessionen an.

In den ländlichen heutigen Stadtteilen blieb die fast rein katholische Prägung während des ganzen 19. und der 1. H. 20. Jh. erhalten. Nur ganz wenige Evangelische, keine Juden oder Anhänger sonstiger Bekenntnisse bzw. Konfessionslose störten die Einheitlichkeit. Die in Steinbach gelegentlich der Ortsbereisung 1875 erwähnten »vielen Altkatholiken«, zu denen meist »die besseren bürgerlichen Einwohner« zählten, finden sich in der Volkszählung des gleichen Jahres nicht. Erst 1925 können sie unter den 10 »Sonstigen« Religionsanhängern vermutet werden. 1933 lebten in Steinbach 9 Altkatholiken. Auch nach dem 2. Weltkrieg änderte die Einweisung der überwiegend katholischen Flüchtlinge und Vertriebenen kaum etwas an der Konfessionsgliederung. Erst der Zuzug in die Neubaugebiete brachte auch Nichtkatholiken in die Dörfer. Mit 25 % Protestanten hielt 1970 Ebersteinburg die Spitze, in den anderen Orten machten die Evangelischen 12–15 %, in Neuweier nur 7 %, der Einwohner aus. Zwischen 1961 und 1970 hat sich auch der Bevölkerungsteil außerhalb der beiden großen christlichen Konfessionen auf 5,7 % der Einwohner verstärkt.

Nationalität. – Der Aufstieg Baden-Badens zum Weltbad ist nicht denkbar ohne Ausländer, von denen sich viele auf Dauer in der Stadt niederließen. An erster Stelle standen bis 1870 nach Zahl und Einfluß die Franzosen. Sie waren zuerst 1789 als Emigranten und bald auch als Badegäste gekommen. Während sie aber in Baden-Baden Geld ausgaben, wanderten andere zu, um hier Geld zu verdienen. Die Spielbank war von Anfang an in französischer Hand, und der Einfluß ihrer Pächter Jean Jacques und Edouard Bénazet auf die Umgestaltung der Badestadt zum sommerlichen Gegenstück von Paris kann nicht hoch genug geschätzt werden. Die Croupiers waren ausschließlich französischer Nationalität, Franzosen arbeiteten auch als Kellner und sonstiges Personal. Von den Wirten, die Gasthäuser und Hotels betrieben, stammten einige aus dem nahen Elsaß.

Unter den Dauergästen bildeten auch die Russen und Engländer förmliche Kolonien. Bei der Volkszählung vom 3. 12. 1867, also weit außerhalb der Saison, gaben von der insgesamt 9406 Personen zählenden anwesenden Bevölkerung (darunter nur 6 Gäste!) als Heimat an:

Frankreich	227
Rußland und Polen	143
Großbritannien und Irland	65
österreichische Kaiserstaaten	63
Schweiz	55
Belgien und Niederlande	26
Fremde Weltteile	26
Italien	23
Luxemburg	9
Dänemark, Schweden, Norwegen	8
Griechenland, Türkei, Serbien und Wallachei	6
Spanien und Portugal	2

Die Jahre 1870/71 markieren auch hier eine Wende. Der deutsch-französische Krieg verscheuchte nicht nur die ausländischen Gäste, auch seßhaft gewordene Fremde zogen fort, verdächtig erscheinende Franzosen wurden ausgewiesen. Im Sommer 1870 führt eine Liste der noch hier lebenden Franzosen nur 26 Personen und 34 Angestellte des Konversationshauses auf. Ihnen wurde der weitere Aufenthalt erlaubt.[10] Baden-Baden büßte spürbar und dauerhaft an Internationalität ein. Bei der Volkszählung vom 1. 12. 1871 machten die 607 Ausländer 6 % der Einwohnerschaft aus, 1880 lebten hier noch 552 außerhalb der damaligen Reichsgrenzen geborene Personen (4,6 %). Auch wenn bis zum 1. Weltkrieg die Zahl der Ausländer in Baden-Baden wieder etwas zunahm, erreichten sie doch nicht mehr den Anteil an der Einwohnerschaft oder gar die Bedeutung für das Leben in der Kurstadt. Im Jahr 1906 werden 647 (4 %) ständig anwesende Ausländer genannt. Unter ihnen dominierten nicht mehr die Franzosen und Russen, sondern 126 Österreicher/Ungarn und 107 Schweizer, danach 88 Italiener und erst dann 81 Russen[11]. Auch in den Vororten Lichtental und Oos wohnten 1867 einige Ausländer. Um 1900 lebten in Lichtental und in Oos italienische und vorübergehend auch einige polnische Arbeiter.

Für die Zeit vom 1. bis nach dem 2. Weltkrieg gibt die amtliche Statistik keine Auskunft über die Nationalität der Bevölkerung. Bei der Volkszählung vom 27. 5. 1970, als längst ausländische Arbeitskräfte ins Land gekommen waren, zählte man in Baden-Baden 2109 Ausländer, knapp 6 % der Einwohner. In Steinbach machten die 126 gezählten Ausländer fast 4 % der Einwohner aus, in Varnhalt lebten 82 Ausländer (knapp 5 %), in den übrigen Stadtteilen lag ihr Anteil unter 3 %. Die seit 1945 in der Hauptstadt der französischen Besatzungszone lebenden Franzosen, die in der Einwohnerstatistik der Stadt nicht auftauchen, wurden auf 30–50000 geschätzt.

Sozialstruktur. – Schon in der 1. H. 19. Jh. veränderte das rasche Wachstum in *Baden-Baden* die soziale und berufliche Gliederung der Bevölkerung. Die für die Stadt schon zu Beginn des 19. Jh. typische Berufsgruppe der Badwirte und ihrer Bediensteten vergrößerte und differenzierte sich in den folgenden Jahrzehnten, aus kleinen Handwerkern und Gastwirten wurden vermögende Hoteliers, fast jeder Bürger konnte sein Einkommen durch Mieteinnahmen steigern. Mancher Grundbesitzer erzielte bei den ständig steigenden Bodenpreisen hohe Spekulationsgewinne, andere verspekulierten sich und verloren ihr Vermögen. Insgesamt bildete sich eine größere soziale Vielfalt heraus, die bald auch in Baubild und Wohndichte der einzelnen Stadtviertel erkennbar wurde.

Die Berufsbevölkerung 1895
Erwerbstätige, ihre Angehörigen und häuslichen Dienstboten nach Wirtschaftsgruppen

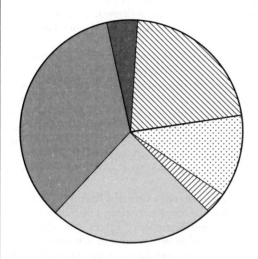

Baden-Baden
Von 100 Personen gehören zu:
- Land- und Forstwirtschaft etc.
- Industrie und Handwerk
- Handels- und Verkehrsgewerbe
- Häusliche Dienste, Lohnarbeit wechselnder Art
- Öffentlicher Dienst und Freie Berufe
- Personen ohne Beruf und Berufsangabe

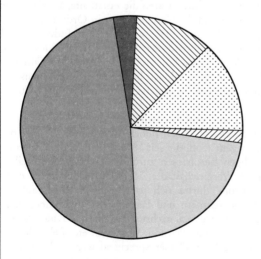

Andere badische Städte *)
Von 100 Personen gehören zu:
- Land- und Forstwirtschaft etc.
- Industrie und Handwerk
- Handels- und Verkehrsgewerbe
- Häusliche Dienste, Lohnarbeit wechselnder Art
- Öffentlicher Dienst und Freie Berufe
- Personen ohne Beruf und Berufsangabe

*) Mannheim, Karlsruhe, Freiburg, Heidelberg, Pforzheim, Konstanz, Rastatt, Bruchsal, Lahr, Offenburg, Weinheim, Durlach, Lörrach.

Quelle: Die Berufszählung im Großherzogthum Baden vom 14. Juni 1895. Beiträge zur Statistik ... NF 9=55. o.J. S. 246-257.

Entwurf: G. Schultz

Statistisch einigermaßen genau läßt sich die besondere Berufsstruktur Baden-Badens erst mit der Berufszählung von 1895 erfassen und auch mit derjenigen der 14 damals größten Städte des Großherzogtums vergleichen. Die Gruppe der Personen ohne Beruf und ohne Berufsangabe wies in Baden-Baden einen doppelt so hohen Anteil auf wie im Durchschnitt der Vergleichsstädte, war aber in sich äußerst uneinheitlich. Zu ihr gehörten auf der einen Seite die Besitzenden, die von Kapitalzinsen und anderen Einkünften lebten, auf der anderen Seite die Armen, die von Gemeinde und wohltätigen Einrichtungen Unterstützung bezogen. Unter die Armen fielen in Baden-Baden vielleicht mehr alte und kranke Dienstboten als anderswo, trotzdem dürften hier eher die Vermögenden zu dem besonders großen Anteil Berufsloser beigetragen haben.

Fast ¼ der Bevölkerung war von Handel und Verkehr unmittelbar abhängig, und zwar besonders vom Gastgewerbe, in dem 15 % der Erwerbstätigen ihr Brot verdienten. Auf 100 Erwerbstätige im Gastgewerbe kamen nur 28 »Angehörige und häusliche Dienstboten«, da viele Arbeitskräfte ohne Familienanhang und nur während der Saison in der Stadt lebten. Saisonarbeit, nicht nur im Gastgewerbe, erklärt auch, weshalb die im Juni 1895 gezählte Berufsbevölkerung größer war als die im Dezember gezählte Einwohnerschaft. Eine prägende Sozialgruppe bildeten die großen Hoteliers. Sie nahmen aufgrund ihrer wirtschaftlichen Macht und ihrer verwandtschaftlichen Beziehungen großen Einfluß auf die Stadtpolitik, da ihr Wohlergehen aufs engste mit dem des Gemeinwesens verknüpft war.

Von der Arbeit im Produzierenden und Verarbeitenden Gewerbe lebte 1895 in Baden-Baden ein ungewöhnlich kleiner Teil der Bevölkerung, nur wenig mehr als ⅓. Relativ mehr Menschen als in den anderen Städten ernährten sich dagegen von »häuslichen Diensten und Lohnarbeit wechselnder Art«. Auch sie bildeten eine in sich uneinheitliche, nur statistisch zusammengefaßte Gruppe, zu der sowohl das nicht im Haushalt lebende Personal herrschaftlicher Häuser als auch die Tagelöhner zählten. In der für eine Stadt großen Zahl der von Landbewirtschaftung Lebenden waren die Forstleute, Waldarbeiter und Gärtner einbegriffen, die den Stadtwald und die Gartenanlagen in Ordnung hielten.

Auch bei den späteren Erhebungen, 1939 und 1950, waren die in Industrie und Handwerk Tätigen relativ gering vertreten, während der Dienstleistungssektor einen erheblich größeren Bevölkerungsteil ernährte. Eine Unterscheidung zwischen Öffentlichem Dienst und den in Baden-Baden besonders zahlreich besetzten privaten Dienstleistungsberufen, denen seit 1950 auch das Gastgewerbe zugerechnet wird, läßt die Statistik nicht mehr zu.

Der Anteil der Berufszugehörigen zur Land- und Forstwirtschaft lag 1939 bei 6 % und sank bis 1950 auf den für eine Stadt gleichwohl noch hohen Wert von 4 %. Auf das Schwinden der besitzenden Oberschicht geht wohl die seit 1895 abnehmende Besetzung der heterogenen Gruppe der selbständigen Berufslosen zurück. 1939 lag ihr Anteil in Baden-Baden zwar noch über dem der Vergleichsstädte, lag 1950 jedoch trotz einer leichten Zunahme darunter. Diese Gruppe dürfte sich jetzt, wie ein Blick auf die Altersstruktur nahelegt, überwiegend aus Rentnern und Pensionären zusammengesetzt haben. Soweit statistisch vergleichbar, nahm sie in den nächsten 20 Jahren in Baden-Baden wieder besonders stark zu, so daß die von Rente, Pension, Vermögen etc. Lebenden im Jahr 1970 hier 29 % der Einwohner ausmachten. Dementsprechend war die Bedeutung der Erwerbstätigkeit als Unterhaltsquelle insgesamt gesunken. Nur der Dienstleistungsbereich ernährte auch 1970 noch mehr als ⅓ der Baden-Badener Bevölkerung.

Unter den *heutigen Stadtteilen* schlagen Lichtental und Oos auch in der Berufsstruktur der Bevölkerung die Brücke zwischen der Kernstadt und den Dörfern. Die Land-

und Forstwirtschaft ernährte 1895 in *Lichtental* noch 24 % der Einwohner, Industrie und Gewerbe 46 %. Alle anderen Wirtschaftsgruppen spielten eine geringere Rolle als in der Stadt, aber eine deutlich größere als in den Dörfern. Die Lichtentaler arbeiteten in den meist kleinen Betrieben am Ort, außerdem in Baden-Baden und in den Ooser Fabriken. Die Zahl der von der Gemeinde unterstützten Armen wechselte. Im Jahr 1903 bezogen trotz Besserung der wirtschaftlichen Lage 68 Personen regelmäßige Unterstützung.

In *Oos* mußten selbst um die Mitte des 19. Jh., als die Landwirtschaft noch Haupterwerbsquelle war, nur wenige Arme von der Gemeinde versorgt werden. Seit den 1880er Jahren trat die Landwirtschaft hinter Gewerbe und Industrie zurück. 1887 z. B. standen 414 gewerblichen nur 87 landwirtschaftliche Arbeiter gegenüber. Im Unterschied zum kleingewerblichen Lichtental entwickelte sich Oos zum Fabrikvorort mit Arbeiterbevölkerung. Landwirtschaft wurde schon vor dem 1. Weltkrieg nur als Nebenerwerb betrieben.

In *Balg*, neben Ebersteinburg lange der ärmste Ort im Amtsbezirk Baden, ernährten die kleinen landwirtschaftlichen Betriebe die Familien nur mangelhaft. So gut wie immer mußten Bedürftige unterstützt werden. Um 1850 arbeiteten Balger Einwohner als Taglöhner im Wald, in Baden-Baden und an der Eisenbahn. 1895 lebte die Hälfte der Einwohner schon von gewerblicher Arbeit, meist im Steinbruch und auf dem Bau. 1903 kam eine einzige bäuerliche Familie ohne Nebenerwerb aus. Mit dem wachsenden Angebot an gewerblichen Arbeitsplätzen in der Umgebung ging die Landwirtschaft zurück, und die Vermögensverhältnisse der Bewohner besserten sich. Schon 1910 bezeichnete der Amtmann Balg als Arbeitervorort von Baden[12].

Auch die Gde *Ebersteinburg* mußte bis in die 1880er Jahre Arme im Armenhaus unterbringen und unterstützen, obwohl 1855 der Bevölkerung bescheinigt wurde, sie sei fleißig und arbeitsam, weshalb es keine Bettler im Ort gebe. Das gleiche Zeugnis erhielt sie auch 1888. Damals brachte schon der Fremdenverkehr zusätzlichen Verdienst. 1895 hatte Ebersteinburg mit 56 Erwerbstätigen auf 100 E. die höchste Erwerbsquote im Stadtgebiet. Schon 44 % der Bevölkerung lebten von Industrie und Gewerbe, vor allem als Steinbrucharbeiter, aber auch als Maurer und Zimmerer in Baden-Baden. Handel und Verkehr sowie der Bereich Öffentlicher Dienst/Freie Berufe ernährten hier relativ viele Einwohner. Nach 1900 verschlechterte sich die Lage. Die Steinbrucharbeit ging an die Nachbargemeinden Selbach und Staufenberg über, die Ebersteinburger arbeiteten in Baden-Baden, dann auch im Murgtal. Frauen, Kinder und alte Leute besorgten die Kleinlandwirtschaft. Um 1907 steckten die meisten Einwohner tief in Schulden. Noch nach dem 1. Weltkrieg und in den 1930er Jahren gab es außer durch Waldarbeit wenig Verdienst. 1939 lebte nur noch gut ein ⅓ der Einwohner von Arbeit in der Land- und Forstwirtschaft, allerdings war durch das Sanatorium der Anteil der Berufszugehörigen im Dienstleistungsbereich mit 13 % insgesamt und 17 % bei den Frauen außergewöhnlich hoch. Auch nach dem 2. Weltkrieg lebte ein großer Teil der Einwohner vom Dienstleistungsbereich. 1970 bezogen 32 % der Einwohner den Lebensunterhalt aus Arbeit in den Sonstigen Wirtschaftsbereichen, die im wesentlichen mit dem Dienstleistungsbereich identisch waren.

In *Sandweier* hatte in den 1840er Jahren Bauarbeiten an der Festung Rastatt und an der Eisenbahn für mehrere Jahre außergewöhnlichen Verdienst gebracht, aber damit war es um 1850 schon vorbei. Einige Jahrzehnte reichte die Landwirtschaft als Haupterwerbszweig aus und beschäftigte auch zahlreiche Taglöhner. Zusätzlichen Verdienst brachten Sand- und Kiesfuhren aus den örtlichen Sandgruben. Um die Jahrhundertwende allerdings waren viele landwirtschaftliche Betriebe so klein, daß sie ihre Besitzer nicht mehr ernährten. Schon 1903 arbeiteten 50–60 Männer in Baden-Baden. Immer wieder wurde von Armut berichtet, zeitweise auch von Bettel und fast durchgehend von Trunksucht und wenig erfreulichen sittlichen Zuständen. Die Gemeinde unterhielt zwei Armenhäuser und belegte sie oft mit mehr als 30 Personen. Anderweitige Unterstützung erhielten nur wenige Arme. Nach dem 1. Weltkrieg besserte sich die Lage spürbar. Selbst 1922 mußte die Gemeinde keine Erwerbslosenunterstützung zahlen. In den 1930er Jahren war der Wandel zum Arbeiterwohnort praktisch vollzogen. 1936 fuhren 300–400 meist gelernte Arbeiter, darunter viele Bauhandwerker, täglich nach Baden-Baden und ins Murgtal zur Arbeit. Im Winter gab es auch Verdienst beim Holzhauen. Die Volkszählung von 1939 ermittelte noch 30 % Berufszugehörige in der Land- und Forstwirtschaft. Allerdings war dieser Anteil bei den Männern mit 14 % niedrig, bei den Frauen mit 45 % dagegen hoch. Umgekehrt zählten sich 58 % der männlichen und nur 30 % der weiblichen Berufszugehörigen zu Industrie und Gewerbe, die nichtberufstätigen Angehörigen jeweils mitgerechnet. Handel und Verkehr hatten wegen der Arbeitsplätze bei der Eisenbahn und den traditionellen Fuhrarbeiten in Sandweier ein besonderes Gewicht und ernährten 16 % der Bevölkerung. Nach 1950 verlor die Land- und Forstwirtschaft als Lebensgrundlage völlig an Bedeutung, so daß sie 1970 nicht mehr 1 % der Einwohner ernährte. Industrie und Handwerk zogen zunächst noch mehr Berufszugehörige an, fielen aber nach 1961 als Unterhaltsquelle leicht hinter den Tertiären Sektor zurück. Sandweier wurde zum Wohnort von Arbeitern, bevorzugt aber auch von Angestellten und Beamten.

Haueneberstein zählte 1871 zu den größeren und wohlhabenderen Gemeinden des Badener Amtsbezirks. Die Mehrzahl der Bewohner konnte von der Landwirtschaft leben. Zwanzig Jahre später gingen immer mehr Tagelöhner und gewerbliche Arbeiter nach Baden-Baden, Oos, Niederbühl und nach Rastatt zur Arbeit. Trotzdem bildete die bäuerliche Bevölkerung 1895 noch die Mehrheit. Wieder gut 40 Jahre später, 1939, hatte Haueneberstein den größten Anteil an gewerblichen Berufszugehörigen im heutigen Stadtgebiet: 68 % bei den Männern und 31 % bei den Frauen. Zur Land- und Forstwirtschaft, die als Nebenerwerb noch Bedeutung hatte, gehörten nur noch 14 % der Männer, aber 49 % der Frauen. Auch hier wurde sie nach 1950 fast vollständig verdrängt, und zwar stärker als in Sandweier vom Produzierenden Gewerbe. 1970 lebte gut die Hälfte der Einwohnerschaft von Einkünften aus Arbeit im Produzierenden Gewerbe, und mehr als die Hälfte der Erwerbstätigen waren Arbeiter.

In den Reblandgemeinden *Steinbach*, *Neuweier* und *Varnhalt* trieb man bis nach dem 2. Weltkrieg noch überwiegend Landwirtschaft, insbesondere Weinbau. Dabei waren die Betriebe dermaßen zersplittert und die Einkünfte aus dem Weinbau oft so gering, daß in Neuweier schon in den 1880er Jahren ⅓ der Einwohner, in Varnhalt fast alle Haushaltungen auf Nebenerwerb durch Taglohnarbeit angewiesen waren. Arbeit in den Steinbrüchen und im Straßenbau hatte hier allerdings eine alte Tradition. 1895 machten die land- und forstwirtschaftlichen Berufszugehörigen in Neuweier 81 %, in Varnhalt 85 % der Einwohner aus. Bis 1939 war dieser Anteil zugunsten gewerblicher Berufszweige zwar zurückgegangen, lag aber noch weit höher als in den übrigen Stadtteilen. Über Wohl und Wehe der Bewohner entschieden in erster Linie die Erträge im Weinbau. Auch in der Stadt Steinbach waren Landwirtschaft und Weinbau 1895 Haupterwerbsquelle, aber hier war nur ¼ der Haushaltungen auf zusätzlichen Verdienst durch Taglohn angewiesen. Auch der Anteil der gewerblichen Berufszugehörigen war mit 21 % größer als in Neuweier und Varnhalt, wenn auch geringer als in allen anderen Orten des Stadtgebiets. Die 8 % Berufszugehörigen zu Handel und Verkehr deuten noch einen Rest städtischer Struktur an, desgleichen die 8 % Angehörigen des

1. Bevölkerung

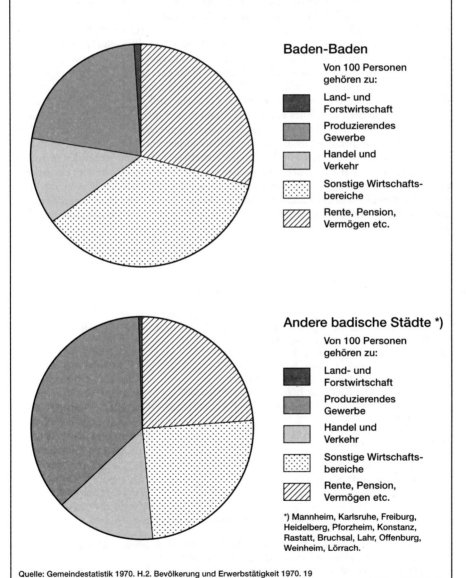

Die Wohnbevölkerung 1970
Ernährer und Ernährte
nach überwiegendem Lebensunterhalt
des Ernährers

Baden-Baden

Von 100 Personen gehören zu:
- Land- und Forstwirtschaft
- Produzierendes Gewerbe
- Handel und Verkehr
- Sonstige Wirtschaftsbereiche
- Rente, Pension, Vermögen etc.

Andere badische Städte *)

Von 100 Personen gehören zu:
- Land- und Forstwirtschaft
- Produzierendes Gewerbe
- Handel und Verkehr
- Sonstige Wirtschaftsbereiche
- Rente, Pension, Vermögen etc.

*) Mannheim, Karlsruhe, Freiburg, Heidelberg, Pforzheim, Konstanz, Rastatt, Bruchsal, Lahr, Offenburg, Weinheim, Lörrach.

Quelle: Gemeindestatistik 1970. H.2. Bevölkerung und Erwerbstätigkeit 1970. 19 Statistik von Baden-Württemberg. Bd 161.

Entwurf: G. Schultz

öffentlichen und privaten Dienstleistungsbereichs. 1939 war die berufliche Gliederung der Einwohner an die der benachbarten Dörfer fast angeglichen. Die in den anderen Dörfern schon seit Jahrzehnten ablaufende Abkehr von bäuerlichen Lebensformen setzte in den Rebgemeinden erst nach dem 2. Weltkrieg richtig ein, und zwar zuerst in Steinbach. 1950 waren gegenüber 1939 die landwirtschaftlichen Berufszugehörigen in allen drei Orten weniger geworden, ihr Anteil lag aber immer noch weit über dem in den Dörfern nördlich der Oos. Varnhalt machte den großen Schritt weg von der Landwirtschaft zwischen 1950 und 1961, Neuweier erst nach 1961. Zwischen 1961 und 1970 sank in Neuweier der Anteil der Einwohner, die noch von Land- und Forstwirtschaft lebten, von 35 auf 11 % ab, war aber damit nach wie vor der höchste im Stadtgebiet.

Bestimmte Grundzüge der Nachkriegsentwicklung haben alle nach 1970 eingemeindeten Orte gemeinsam, zumal ihre alteingesessene Bevölkerung durch Zugezogene überlagert wurde, deren Strukturmerkmale sich immer mehr dem ganzen Ort aufprägten. Die Land- und Forstwirtschaft verlor ihre Rolle als Ernährungsbasis, bald ging auch die Bedeutung der Tätigkeit im Produzierenden Gewerbe und in Handel/Verkehr für den Lebensunterhalt der Einwohner zurück, während immer mehr Menschen von Arbeit im privaten und öffentlichen Dienstleistungsbereich lebten. Damit veränderte sich auch die Stellung der Erwerbstätigen im Beruf. Die Selbständigen und Mithelfenden Familienangehörigen wurden weniger, die in abhängigen Arbeitsverhältnissen Stehenden mehr, und unter diesen nahm der Anteil der Angestellten und Beamten gegenüber dem der Arbeiter zu. Die Erwerbsquote ging insgesamt zurück, besonders aber bei den Frauen, die bisher noch hauptberuflich in der Landwirtschaft gearbeitet hatten. Sehr stark vergrößerte sich die Gruppe der selbständigen Berufslosen (meist Rentner und Pensionäre) mit ihren Angehörigen.

Anmerkungen

1. Daten aus: *Schreiber*, H. 1840. S. 42 und *Schreiber*, H. 1857. S. 26/27.
2. Für die zum Amt Bühl gehörigen Orte Neuweier, Steinbach und Varnhalt liegen aus den Ortsbereisungsakten keine Angaben vor.
3. Die badische Landwirtschaft. Bd 1. 1932. S. 253
4. Die badische Landwirtschaft. Bd 1. 1932. S. 253
5. Die badische Landwirtschaft. Bd 1. 1932. S. 307
6. *Schindler* in: Der Landkreis Lörrach. Bd 1. 1993. S. 270.
7. Anteil der 65jährigen und Älteren an der Bevölkerung geteilt durch den Anteil der Unter-15jährigen.
8. *Schreiber*, H. 1840. S. 41.
9. *Schreiber*, H. 1857. S. 26.
10. GLA 339/917.
11. *Wagner* [um 1906]. S. 23.
12. GLA 371/Zug.1932 Nr. 37/154.

Quellen zu den Bevölkerungsdaten

1800, 1836, 1839: H. *Schreiber*: Baden-Baden die Stadt, ihre Heilquellen und Umgebung ... 1840.
1805: Kur-Badischer Hof- und StaatsCalender für das Jahr 1805.
1809: Das Großherzogthum Baden nach seinen zehen Kreisen und Amtsbezirken topographisch skizziert. 1810.

1. Bevölkerung

1810, 1820, 1829, 1835, 1842, 1845, 1849, 1852: *Schreiber,* H.: Baden seine Heilquellen, seine Saison und seine Umgebung. 1857.
1825: Die Religionszugehörigkeit in Baden in den letzten 100 Jahren auf Grund amtlichen Materials. 1928.
1828: *Mall* J.: Handbuch für alle großherzoglich Badischen Staatsbehörden. 1831.
1834: Hof- und Staats-Handbuch des Großherzogthums Baden 1834.
1845: Die politischen, Kirchen- und SchulGemeinden des Großherzogthums Baden mit der Seelen- und Bürgerzahl vom Jahr 1845. 1847.
1852: Die Gemeinden des Großherzogthums Baden, deren Bestandtheile und Bevölkerung. Beiträge zur Statistik des Großherzogthums Baden. Nr. 1. 1855.
1855: Die Volkszählung im Großherzogthum Baden vom Dez. 1855. Beiträge zur Statistik des Großherzogthums Baden. Nr. 4. 1856.
1858: Die Volkszählung vom Dez. 1858. Beiträge zur Statistik des Großherzogthums Baden. Nr. 10. 1859.
1860/61: Die Gemeinden des Großherzogthums Baden, deren Vermögensverhältnisse, Einnahmen und Ausgaben. Nach dem Stande von 1860 bzw. 1. Jan. 1861. Beiträge zur Statistik des Großherzogthums Baden. Nr. 14. 1863.
1861: Die Volkszählung vom Dez. 1861. Beiträge zur Statistik des Großherzogthums Baden. Nr. 13. 1862.
1864: Die Volkszählung vom Dez. 1864. T.1.2. Beiträge zur Statistik des Großherzogthums Baden. Nr. 20. 1865 und 24. 1867.
1867: Die Volkszählung vom Dez. 1867. T.1.2. Beiträge zur Statistik des Großherzogthums Baden. Nr. 28. 1868 und 32. 1871.
1871: Die Volkszählung vom Dez. 1871. T.1.2. Beiträge zur Statistik des Großherzogthums Baden. Nr. 35. 1874 und 36. 1876.
1875: Verzeichniß der Gemeinden, Gemarkungen und Wohnorte des Großherzogthums Baden ... vom 1. Dez. 1875. Beiträge zur Statistik des Großherzogthums Baden. Nr. 39. 1878.
1880: Die Volkszählung im Großherzogthum Baden vom 1. Dez. 1880. T.1.2. Beiträge zur Statistik des Großherzogthums Baden. Nr. 42. 1882 und 43. 1884.
1885: Die Volkszählung im Großherzogthum Baden vom 1. Dez. 1885. T.1.2.3. Beiträge zur Statistik des Großherzogthums Baden. Nr. 47. NF 1. 1888; 48. NF 2. 1889; 49. NF 3. 1890.
1890: Die Volkszählung im Großherzogthum Baden vom 1. Dez. 1890. T.2. Beiträge zur Statistik des Großherzogthums Baden. Nr. 53. NF 7. [1907].
1890: Die Volkszählung im Großherzogthum Baden vom 1. Dez. 1890. T.1. Beiträge zur Statistik des Großherzogthums Baden. Nr. 52. NF 6. 1893.
1895: Die Volkszählung im Großherzogthum Baden vom 2. Dez. 1895. Beiträge zur Statistik des Großherzogthums Baden. Nr. 58. NF 12. [1911].
1900: Die Volkszählung im Großherzogthum Baden vom 1. Dez. 1900. T.2. Beiträge zur Statistik des Großherzogthums Baden. Nr. 60. NF 14. 1905.
1905: Die Volkszählung im Großherzogtum Baden vom 1. Dez. 1905. Beiträge zur Statistik des Großherzogthums Baden. Nr. 65. NF 19. [1921].
1905: Ortsverzeichnis für das Großherzogthum Baden auf Grund der Volkszählung vom 1. Dez. 1905. Beiträge zur Statistik des Großherzogthums Baden. Nr. 63. NF 17. 1911.
1910: Die Volkszählung im Großherzogtum Baden vom 1. Dez. 1910. Beiträge zur Statistik des Großherzogthums Baden. Nr. 66. NF 20. [1921].
1925: Die endgültigen Ergebnisse der Volkszählung vom 16. Juni 1925.
1933: Die Wohnbevölkerung in Baden und ihre Religionszugehörigkeit nach der Volkszählung vom 16. Juni 1933. 1934.
1933: Die endgültigen Ergebnisse der Volkszählung vom 16. Juni 1933 in Baden. 1933.
1933: Die Wohnbevölkerung in Baden und ihre Religionszugehörigkeit nach der Volkszählung vom 16. Juni 1933. 1934.
1939: Endgültige Ergebnisse der Volks-, Berufs- und Betriebszählung vom 17. Mai 1939 in Baden. 1941.

1939: Badische GemeindeStatistik mit den wichtigsten statistischen Angaben für die Gemeinden des Landes Baden. 1943.
1946: Endgültige Ergebnisse der Volks- und Berufszählung in Baden vom 29. Oktober 1946. Fortsetzung. Stand der Bevölkerung am 30. Juni 1948 (Kreisweise Ergebnisse der Fortschreibung). 1948.
1946, 1948: Endgültige Ergebnisse der Volkszählung in Baden vom 29. Oktober 1946. Die Gemarkungsflächen nach dem Stand vom 1. Januar 1948. Die Veränderungen in der inneren Verwaltung in der Zeit vom 1. April 1938–31. März 1948.
1950: Gemeinde- und Kreisstatistik Baden-Württemberg 1950. Statistik von Baden-Württemberg. Stuttgart. Nr. 3. NF T.3. 1953.
1961: Gemeindestatistik Baden-Württemberg 1960/61. Statistik von Baden-Württemberg. Stuttgart. Nr. 90. NF T.1. 1964.
1970: Gemeindestatistik 1970. Ergebnisse der Großzählungen 1968 bis 1971. Statistik von Baden-Württemberg. Nr. 161. H. 2. 1973.

2. Politisches Leben

Vormärz und badische Revolution. – In der 1. H. 19. Jh. war man in Baden-Baden mehr mit dem Ausbau zum Weltbad beschäftigt als mit politischen Fragen. Die große Politik hatte mit dem Rastatter Kongreß 1797–1799 Einfluß auf die Stadtentwicklung genommen, da er die Wiederbelebung der alten Bäderstadt auslöste. Die andernorts drängenden Fragen in der Zeit des Vormärz fanden hier wenig Widerhall. Das Bezirksamt legte alle um politische Zusammenkünfte besorgten Regierungserlasse mit dem Vermerk zu den Akten, derartige Vorfälle seien nicht bekannt. Als bedenklich galt schon, daß 1845 ein Rastatter Gesangverein auch politische Lieder vortrug, da dies dazu führen könne, »auch in unserem bisher so friedlichen Thale die Gemüther aufzuregen.«[1]

Selbst die Revolution von 1848 ging an Stadt und Amt Baden wenn nicht spurlos, doch ohne größere Anteilnahme vorüber. Noch kurz nach der Offenburger Volksversammlung vom 19. März 1848 war aus der Sicht der Behörden die Stimmung im Amtsbezirk Baden »fortwährend erwünscht«, zumal die Bürger der Stadt »ihr eifriges Bestreben, Ruhe, Ordnung und Gesetzlichkeit aufrecht zu erhalten« handgreiflich unter Beweis stellten, als einige Aufrührer in das Haus des geflüchteten Bühler Amtsvorstandes eindringen wollten.[2] Das bürgerliche Militärcorps, die Schützengesellschaft und der Turnverein hatten sich schon vorher den Behörden zur »Sicherung vor auswärtigem Gesindel« zur Verfügung gestellt.[3] Im Mai war die Angst vor bewaffneten Volkshaufen trotzdem so groß, daß Bürgermeister und Bürgerwehr mehrfach um die Bereitstellung von Militär aus der Bundesfestung Rastatt baten.

Wie die Mannheimer und Pforzheimer sprachen sich auch die Badener Bürger im April 1848 in einer öffentlichen Erklärung gegen die Radikalen aus. Im Badblatt rief im April der Gemeinderat »im Interesse der Nahrungsquellen der Stadt« zur Ruhe und Ordnung auf. Zur konstituierenden deutschen Nationalversammlung wählten die Wahlmänner des 12. Wahlkreises (Ämter Baden, Rastatt und Gernsbach) am 15. Mai 1848 in dem Heidelberger Professor Karl Joseph Mittermaier einen Vertreter der gemäßigten Richtung. Er war gegen den Mannheimer Hofgerichtsrat Adam von Itzstein von den Radikalen angetreten. Im 11. Wahlkreis, zu dem aus dem heutigen Stadtgebiet Steinbach, Neuweier und Varnhalt gehörten, erhielt von Itzstein dagegen alle Stimmen, nahm jedoch die Wahl hier nicht an. Das Wahlmännergremium der Stadt Baden hatte sich aus dem Bürgermeister Joseph Jörger, 2 Gemeinderäten, 3 Kaufleuten,

5 Wirten, dem Schriftsteller Hippolyt Schreiber und dem Rechtsanwalt Christoph Wolff zusammengesetzt. Wahlmänner in den Landorten waren Bürgermeister, Altbürgermeister, Gemeinderäte, Ratschreiber, Wirte und Müller, aber keine Bauern.

Unruhiger verlief das Jahr 1849. Im März wurden ein revolutionärer *Demokratischer Volksverein* mit dem Vorsitzenden Wolff und ein gemäßigt liberaler *Vaterländischer Verein* als Nachfolger des alten Bürgervereins unter Bürgermeister Jörger gegründet. Zur Volksversammlung in Offenburg am 22. Mai – am 13. Mai hatte Friedrich Hecker dort die Republik ausgerufen – zog ein großes unbewaffnetes Aufgebot aus Mitgliedern des Volksvereins, der Turn- und Arbeitervereine, aber auch des Vaterländischen Vereins. Am Bahnhof von Oos sammelten sich später auch die bewaffneten Demokraten Mittelbadens zur Abfahrt an die Front am Neckar. In den Hotels der Stadt wohnten führende Politiker der verschiedenen Parteien. Am 3. Juni wählte Baden-Baden mit großer Mehrheit den Demokraten Wolff, jetzt republikanischer Zivilkommissar, zum Abgeordneten für die Verfassunggebende Versammlung, kurz darauf auch zum Bürgermeister. Von den Radikalen unter Lorenz Brentano und Friedrich Hecker distanzierte sich Wolff.

Am 30. Juni zogen bereits die vom Großherzog zu Hilfe gerufenen Truppen in Baden-Baden ein. Im Großherzogtum wurde die alte Ordnung weitgehend wiederhergestellt. Wenige Tage später berichtete der nur kurzfristig aus seinem Amt entfernte Vorstand des Bezirksamts an die zurückgekehrte Regierung, in den Landgemeinden seines Bezirks sei immer der konservative Sinn vorherrschend gewesen, nur in Beuern habe sich der Einfluß des Baden-Badener Volksvereins bemerkbar gemacht, aber auch dort werde sich der »gesunde Sinn dieser Thalbewohner bald wieder herstellen« lassen. In Baden-Baden selbst gäbe es jedoch eine bedeutende Anzahl »Verehrer der rothen Republik, die begreiflicherweise nicht mit einemmal ihre langgenährten Lieblingsideen aufgeben werden, vielmehr da und dort es versuchen werden wieder aufzutauchen«[4]. Es seien aber bereits 29 Verhaftungsbefehle vollzogen worden.

Im August wurden alle Vereine mit politischen Zielen aufgelöst. Weitere Maßnahmen schränkten die persönliche Freiheit der Einwohner empfindlich ein, ganz abgesehen von der Belastung durch die einquartierten Truppen. Auch die Badegäste waren zumindest durch die von dem preussischen Befehlshaber gegen die Bitte des Bezirksamts herabgesetzte Polizeistunde betroffen. Im übrigen war der Badebetrieb während der Revolution kaum gestört worden, nur die Spielbank war vorübergehend geschlossen.

Nach Niederschlagung der Revolution überwachten die Behörden auf Anweisung der konservativen Regierung alles, was politische Opposition befürchten ließ. Dazu gehörten nicht nur die Revolutionsteilnehmer, sondern auch die in Verbrüderungen organisierten Arbeiter und insbesondere die wandernden Handwerksburschen, die sozialistisches und kommunistisches Gedankengut einschleppen könnten. Obgleich 1851 in Amt und Stadt Baden keine Arbeitervereine bestanden, vermutete das Bezirksamt Verbindungen zwischen dem kommunistischen Bund und den ehemaligen Revolutionären.[5]

Kirchenstreit und Kulturkampf. – Zunächst aber kam die Opposition von anderer Seite. In der katholischen Kirche Badens hatte sich seit den 1840er Jahren unter dem Erzbischof Hermann von Vicari die ultramontane, d.h. auf Rom bezogene und staatliche Aufsicht ablehnende Richtung gegenüber der staatskirchlichen Orientierung durchgesetzt. Vicari setzte auf Konfrontation, obwohl die Regierung 1852 einige Forderungen erfüllte. Als er die ausschließliche Verwaltung der örtlichen Kirchenvermögen durch die kirchlichen Institutionen beanspruchte, brach der Konflikt offen aus.

Er wirkte sich auch im Amt Baden aus: Im Landkapitel Ottersweier, zu dem Sinzheim und Sandweier gehörten, setzte das erzbischöfliche Ordinariat 1853 ohne Zustimmung des landesherrlichen Spezialkommissärs einen Dekan ein, und das Bezirksamt verbot den Pfarrern seine Anerkennung unter Strafandrohung. Am stärksten entzündeten sich die Gemüter an der Frage des Kirchen- und Stiftungsvermögens, als das Ministerium des Innern 1854 die Überführung der Unterlagen in die Bürgermeisterämter verlangte und die Rechnungsführung der Aufsicht des Bezirksamtes unterstellte. Die Geistlichen sperrten sich dagegen, die weltlichen Stiftungsvorstände erklärten sich jedoch bereit, die Rechnungen in gewohnter Weise weiterzuführen, da sie der Regierung Gehorsam in den Staatsgesetzen schulden, dem Erzbischof nur in Glaubens- und Seelsorgedingen treu bleiben wollen[6]. Von den Geistlichen, die sich in Gegensatz zur Regierung stellten, wurden einige in Strafe genommen. Erst die liberale Regierung Roggenbach/Lamey beendete den Streit 1861 mit der Verordnung über die Verwaltung des katholischen Kirchenvermögens. Auf die Landbevölkerung machten diese Fragen offenbar noch wenig Eindruck. 1854 berichtete der Amtsvorstand aus allen Dörfern, die Einwohner kümmerten sich nicht um Politik, auch der Kirchenkonflikt habe sie nicht berührt.

Das änderte sich, als in Baden der Kulturkampf ausbrach. Im Oktober 1860 wurde das nach langen Verhandlungen erst 1859 mit der Kurie abgeschlossene Konkordat formell aufgehoben.

Die neuen Regelungen billigten zwar den Kirchen größere Selbständigkeit bei ihren inneren Angelegenheiten zu, gingen aber von der unbedingten Staatshoheit in allen Dingen aus, die in bürgerliche und staatsbürgerliche Verhältnisse eingriffen.[7] Diese Auffassung der neuen liberalen Regierung mit dem Minister des Innern August Lamey betraf unmittelbar die Schulreform von 1862/64, die die Schule von der geistlichen in staatliche Aufsicht nahm und damit den Weg von der Konfessions- zur Simultanschule beschritt. Schon während der Vorbereitung der Schulgesetze hatte es starke Opposition von den Geistlichen beider Konfessionen gegeben, nach ihrem Erlaß führte die katholische Seite den Kampf weiter. Auch die Pfarrer im Bezirksamt Baden machten Front gegen die Durchführung der Schulgesetze und versuchten, ihre Pfarrkinder von der Wahl der neuzubildenden Ortsschulräte abzuhalten.

Parteien und Reichstagswahlen. – Die Auseinandersetzungen um das Konkordat trugen im April 1860 entscheidend zum Sturz der konservativen und zur Einsetzung einer liberalen Regierung bei. Die (National-)Liberalen stellten fortan bis zum Ende des Großherzogtums die Regierung. Als Organisation geht die *Nationalliberale Partei* erst auf eine 1863 nach Offenburg einberufene Landesversammlung zurück, in der das Ziel, die Liberalen der verschiedenen Richtungen zu vereinen, nur unvollkommen erreicht wurde. Ihre Anhänger hatte die Partei vor allem in der Beamtenschaft und dem besitzenden Bürgertum. Sie konnte daher in Baden-Baden mit einem sicheren Wählerpotential rechnen.

Im Kulturkampf nahmen der Einfluß der Geistlichen auf die Bevölkerung in politischen Fragen und die Politisierung auch der Landbevölkerung zu. Aus dem Machtkampf zwischen Staat und katholischer Kirche erwuchs der politische Katholizismus bis hin zur organisierten *Zentrumspartei*, die in Baden die erste und lange Zeit die stärkste oppositionelle Gruppierung wurde. Organisatorisch stützte sich das Zentrum auf die Geistlichen. Das Bezirksamt wurde daher von der Regierung mehrfach veranlaßt, Berichte über die politische Haltung der Pfarrer des Bezirks abzustatten.

Der Einfluß der Geistlichkeit zeigte sich schon bei der *Wahl zum Zollvereinsparlament* 1868, der ersten allgemeinen, gleichen, geheimen und direkten Wahl. Die gültigen

Die Ergebnisse der Reichstagswahlen 1871, 1890 und 1912

Prozentanteile an den gültigen Stimmen

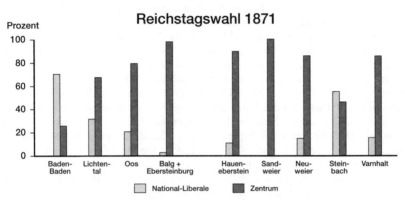

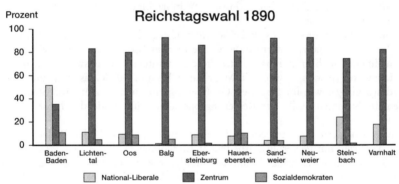

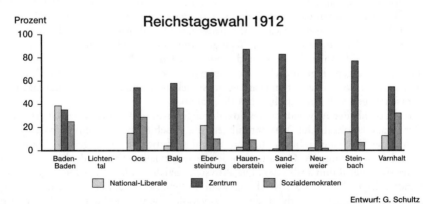

Entwurf: G. Schultz

Stimmen der Wähler aller Dörfer im heutigen Stadtgebiet erhielt wie in den meisten ländlichen Orten des Wahlkreises zu 80 bis 100 % der Kandidat des politischen Katholizismus, der Heidelberger Kaufmann Jakob Lindau, Organisator der »wandernden Casinos«. Die Stadt Baden-Baden dagegen wählte mit fast 60 % der gültigen Stimmen August Lamey.

Stand die Wahl von 1868 noch unter dem Eindruck des Kulturkampfes, so spiegelte sich im Ergebnis der *Wahl zum ersten Reichstag* des Kaiserreichs am 3. März 1871 die nationale Begeisterung wider. In allen heute zum Stadtgebiet gehörenden Orten außer Balg und Sandweier erhielt die Regierungspartei mehr Stimmen als 1868. Dennoch sandte der 8. badische Reichstagswahlkreis Bühl-Rastatt (mit dem Amt Baden) 1871 und bei allen folgenden Reichstagswahlen bis zum 1. Weltkrieg den Kandidaten der Katholischen Volkspartei bzw. des Zentrums nach Berlin. 1871 wurde zunächst Lindau gewählt, durch die Ersatzwahl aber der Sasbacher Dekan Franz Xaver Lender bestimmt. Er hatte den Sitz bis 1912 inne. Die Stimmenanteile von Zentrum und Nationalliberaler Partei bei den Reichstagswahlen blieben in den einzelnen Gemeinden ziemlich stabil. Zu ungewöhnlichen Ergebnissen führten nur besondere Wahlkampfthemen wie 1887 die Frage des Septennats, d. h. der Bewilligung des Militäretats auf sieben Jahre. Kriegsfurcht und Nationalismus ließen damals die Stimmen für die Nationalliberalen, die das Septennat befürworteten, deutlich ansteigen, obgleich auch Dekan Lender sich entgegen der offiziellen Zentrumshaltung für das Septennat ausgesprochen hatte. Als 1898 die Nationalliberalen im 8. Wahlkreis keinen Kandidaten aufstellten, gingen dafür – bei geringerer Wahlbeteiligung – die Stimmenanteile des Zentrums in die Höhe.

Grundsätzlich unterschied sich das *Wählerverhalten* in der Stadt und in den Landorten. Bis etwa zur Jahrhundertwende wählte man in Baden-Baden zu mehr als 50 % nationalliberal, auch in Steinbach hatte diese Partei noch nennenswerte Ergebnisse, in den Landorten jedoch wurde mit Mehrheiten bis um 90 % das Zentrum gewählt. Allerdings gingen wie im gesamten Großherzogtum auch in Amt und Stadt Baden-Baden die Stimmenanteile der Regierungspartei bis zum Ende des Kaiserreichs zurück.

Davon profitierte nicht unbedingt das Zentrum, sondern in Baden-Baden selbst und in den Vororten mit gewerblich arbeitender Einwohnerschaft die *Sozialdemokratie*.

Im 8. badischen Reichstagswahlkreis kandidierte erstmals zur Reichstagswahl 1878 ein Sozialdemokrat, der Mannheimer Redakteur August Dreesbach. Er erhielt nur in Baden-Baden selbst 2,7 % der gültigen Stimmen, in Oos und Lichtental weniger als 1 %. In Baden-Baden gab es 1878 drei sozialdemokratische Vereine: den 1873 gegründeten Arbeiter-Verein mit etwa 30 Mitgliedern, die Schuhmacher-Gewerkschaft mit 20 und die Partei-Genossenschaft mit 70 eingeschriebenen Mitgliedern. In den Landorten war von sozialdemokratischer Agitation nichts bekannt.[8] Nach Erlaß des Reichsgesetzes gegen die gemeingefährlichen Bestrebungen der Sozialdemokratie am 21.10.1878 löste sich der Sozialistenverein (Parteigenossenschaft) formell auf, die Schuhmachergewerkschaft gab sich ein unpolitisches Programm.

Trotz peinlicher Anwendung des Sozialistengesetzes und polizeilicher Überwachung aller sozialdemokratischer Versammlungen, die ohnehin nur zur unmittelbaren Vorbereitung der Wahlen erlaubt waren, trotz Beschlagnahme von Zeitungen etc. konnte sich dank der überregionalen Organisation der Partei sozialistisches Gedankengut auch im Baden-Badener Raum ausbreiten. Die aktivsten Sozialdemokraten waren zugewanderte Handwerksgesellen. Bei der Reichstagswahl im Februar 1890, noch unter der Wirkung des Sozialistengesetzes, erhielt der sozialdemokratische Kandidat, der Offenburger

Die Wahlbeteiligung an den Reichstagswahlen von 1871 bis März 1933 und an den Landtagswahlen von 1905 bis 1929

Anteil der Wähler an je 100 Wahlberechtigten

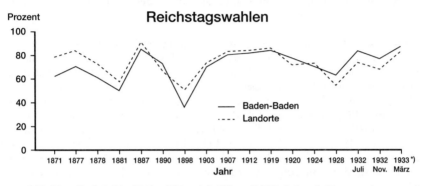

*) Die Werte für die beiden Wahlen 1932 und die Märzwahl 1933 sind zu niedrig angegeben, da die Zahlen der ungültigen Stimmen nicht vorliegen.

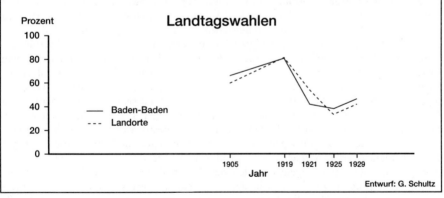

Entwurf: G. Schultz

Verleger Adolf Geck, in Baden-Baden 11,5 % und in Oos und Haueneberstein um 10 % der gültigen Stimmen.

Nach Aufhebung dieses Gesetzes im Oktober 1890 änderte sich allmählich das Verhältnis zwischen Obrigkeit und Sozialdemokraten. Noch immer wurden die Versammlungen überwacht, aber die polizeilichen Berichte wurden moderater im Ton und lassen erkennen, daß die Redner zu sachlichen Ausführungen anstelle agitatorischer Parolen übergingen. Im April 1897 wies ein Verzeichnis des Ministeriums des Innern 20 offizielle Parteimitglieder im Amtsbezirk Baden nach[9], im Mai 1905 vermerkte das Bezirksamt, daß »im übrigen die Sozialdemokratie im Bezirk keine große Rolle spielt«[10]. Tatsächlich aber nahm die Wählerzahl in der Stadt und den Vororten, bald auch in den Pendlerorten Ebersteinburg, Haueneberstein und Sandweier, seit 1898 auch in Varnhalt, langsam zu. Bei der letzten Reichstagswahl im Kaiserreich am 12. Januar 1912 erhielt Adolf Geck im heutigen Stadtgebiet 22,6 % der gültigen Stimmen.

Auf die drei Kräfte Nationalliberalismus, Zentrum und Sozialdemokratie beschränkte sich das *Parteienspektrum* im heutigen Stadtkreis bis zum Ende des Großherzogtums. Zwar gab es um 1895 in Baden-Baden einen Freisinnigen Verein, aber als die Freisinnigen 1903 einen Kandidaten zur Reichstagswahl aufstellten, erhielt er keine Stimme. In der gleichen Wahl wurden nur wenige Stimmen für die Deutsche Volkspartei abgegeben; Demokraten, Antisemiten, Konservative und Bund der Landwirte blieben bei den Reichstagswahlen erfolglos.

Landtagswahlen. – Im Gegensatz zu den Reichstagswahlen waren die Wahlen zur II. Kammer des badischen Landtags bis zur Wahl von 1905 indirekte Wahlen. Die Wahlberechtigten wählten die Wahlmänner und diese die Abgeordneten. Baden-Baden bildete einen eigenen Wahlkreis. Dessen Wahlmännergremium vergrößerte sich von 48 im Jahr 1871 auf 78 bei der Wahl von 1903. Die gewählten Abgeordneten waren hohe Staatsbeamte, Bürgermeister und Oberbürgermeister der Stadt, auch Gewerbetreibende, darunter Hoteliers. Nach ihrer politischen Richtung gehörten sie, soweit feststellbar, seit der Mitte des 19. Jh. überwiegend den Liberalen bzw. Nationalliberalen an. In den Wahlkreisen, zu denen die Landorte der heutigen Stadt Baden-Baden gehörten, war seit ihrer Herausbildung die badische katholische Volkspartei bzw. das Zentrum erfolgreich.

Zeit der Weimarer Republik. – Im November 1918 trat wie in vielen badischen Städten in Baden-Baden ein *Arbeiter- und Soldatenrat* zusammen, hier mit Vertretern der zahlreichen Lazarette und aus den Betrieben. Er sah seine Aufgabe in der Aufrechterhaltung der Ordnung. Für das gemäßigte Klima in der Stadt spricht, daß der Oberbürgermeister dem letzten Reichskanzler, Prinz Max von Baden, im Einvernehmen mit dem Arbeiter- und Soldatenrat das Wohnrecht in Baden-Baden zugestand. Die folgenden Jahre wurden, vor allem aufgrund der wirtschaftlichen Schwierigkeiten, unruhig. Im September und Dezember 1919 erschienen in der Stadt antisemitische Flugblätter und Artikel, die sich auch auf die jüdischen Kurgäste bezogen. Dagegen beschwerten sich das Verkehrsamt und der Verein Baden-Badener Hotelbesitzer bei Stadtrat und Bezirksamt und forderten dazu auf, »geeignete Maßnahmen gegen die Fortsetzung derartiger das Fremdengewerbe wirtschaftlich schädigender Pressenotizen zu ergreifen. Es sollte gewissen Kreisen nahegelegt werden, dass Baden-Baden nicht der Platz ist zur Entfaltung einer Judenhetze«[11]. Auch in der Folgezeit bemühte sich die Stadt, im Interesse des Fremdenverkehrs die Politik wenigstens während der Saison von der Straße fernzuhalten, um für die Gäste »eine Oase des religiösen und politischen Friedens« zu sein[12].

Im März 1920 schlossen sich als Antwort auf den Kapp-Putsch die Kommunisten, die Mehrheitssozialdemokraten und die Unabhängigen Sozialdemokraten mit dem Gewerkschaftskartell zu einem Aktionsausschuß zusammen.[13] Im August 1921 demonstrierten nach der Ermordung Matthias Erzbergers die Linksparteien und das Gewerkschaftskartell auch in Baden-Baden und drangen in das Kurhaus und den Kurgarten ein. Bei dieser und anderen Demonstrationen wurde dem Bezirksamt, der Polizei und der Stadtverwaltung monarchischer Geist vorgeworfen[14], wohl nicht ganz zu Unrecht, da die Verwaltung personell weitgehend noch die gleiche war wie vor dem Umsturz. Im November 1923 herrschte Aufregung in der Stadt über eine Demonstration von Erwerbslosen,

2. Politisches Leben

Tabelle 1   Landtagsabgeordnete des Wahlbezirks Baden-Baden 1819–1918

Zeit	Abgeordneter	Beruf	Partei
1819–20	Schneider, Georg	Oberbürgermeister in Baden	
1822–23	Hammer, Philipp	Sternenwirt in Baden	
1825	Hammer, Philipp	Sternenwirt in Baden	
1828	Hammer, Philipp	Sternenwirt in Baden	
1831	Herr, Franz Josef	Geistlicher Rat in Kuppenheim	
1833	Herr, Franz Josef	Geistlicher Rat in Kuppenheim	
1835	Herr, Franz Josef	Geistlicher Rat in Kuppenheim	
1837	Jörger, Joseph	Bürgermeister in Baden	
1839–40	Jörger, Joseph	Bürgermeister in Baden	
1841–42	Jörger, Joseph	Bürgermeister in Baden	
1843–45	Jörger, Joseph	Bürgermeister in Baden	
1845–46	Jörger, Joseph	Bürgermeister in Baden	
1847–1849	1. Weizel, Gideon	Domänenrat, Ministerialrat in Karlsruhe	
1847–1849	2. Wolff, Johann Christoph	Advokat in Baden	Demokrat
1850–1851	Küßwieder, Franz Anton	Ministerialrat in Karlsruhe	
1851–1852	Küßwieder, Franz Anton	Ministerialrat in Karlsruhe	
1854	Küßwieder, Franz Anton	Ministerialrat in Karlsruhe	
1855–1856	Küßwieder, Franz Anton	Ministerialrat in Karlsruhe	
1857–1858	Küßwieder, Franz Anton	Ministerialrat in Karlsruhe	
1859–1860	Küßwieder, Franz Anton	Ministerialrat in Karlsruhe	
1861–1863	Grosholz, Franz	Gastwirt in Baden (Hotel Viktoria)	
1863–1865	Kuntz, Konrad	Stadtdirektor in Baden	
1865–1866	Kuntz, Konrad	Stadtdirektor in Baden	
1867–1868	Kuntz, Konrad	Stadtdirektor in Baden	
1869–1870	Gulat, Eduard von	Staatsanwalt in Baden	
1871–1873	Busch, Karl	Rechtsanwalt in Karlsruhe	Nationalliberal
1873–1875	Seefels, Hermann	Gastwirt in Baden	Nationalliberal
1875–1879	Seefels, Hermann	Gastwirt und Bürgermeister in Baden	Nationalliberal
1879–1882	Baumstark, Reinhold	Kreisgerichtsrat a.D. in Freiburg	Zentrum
1882–1883	Jörger, Carl Franz	Bankier in Baden	Zentrum
1883–1887	Dr. Gönner, Albert	Oberbürgermeister in Baden	Nationalliberal
1887–1891	Dr. Gönner, Albert	Oberbürgermeister in Baden	Nationalliberal
1891–1895	Dr. Gönner, Albert	Oberbürgermeister in Baden	Nationalliberal
1895–1899	Dr. Gönner, Albert	Oberbürgermeister in Baden	Nationalliberal
1899–1903	Dr. Gönner, Albert	Oberbürgermeister in Baden	Nationalliberal
1903–1905	Dr. Gönner, Albert	Oberbürgermeister in Baden	Nationalliberal
1905–1909	Dr. Gönner, Albert	Oberbürgermeister in Baden	Nationalliberal
1909–1913	H. Kölblin, Baden	Buchdruckereibesitzer	Nationalliberal
1913–1918	H. Kölblin, Baden	Hofbuchdruckereibesitzer	Nationalliberal

Quellen: GLA 231/1117, 2718; *Roth* und *Thorbecke* 1907. S. 276/77, 296/97, 329–354 [ergänzt nach *Loeser*, S. 305, 500, 501]; Statistische Mitteilungen 22. 1905; NF Bd 2. 1909; NF Bd 7. 1914.

die am 24. November vom Bahnhof (es waren viele Auswärtige darunter) zum Leopoldsplatz zogen und von der Polizei auseinandergetrieben wurden.[15] Die Arbeitslosigkeit war zu einem politischen Problem geworden.

Die ersten *Wahlen* in der im November 1918 ausgerufenen Freien Volksrepublik Baden fanden am 5. Januar 1919 statt, gleichzeitig für die badische und die deutsche verfassunggebende Nationalversammlung. Gegenüber den Wahlen im Großherzogtum

Tabelle 2 **Landtagswahlen 1871–1903**

Wahlbezirk Nr. Gebiet	Wahlmänner		Stimmen für den Hauptkandidaten		Zersplitterte Stimmen	Abgeordnet			
Jahr Bemerkung	Zahl	Gült. Stimmen	Nationalliberale	Zentrum		Partei	Name	Wohnort	Beruf
30 LandBez Baden, Teil AB Bühl[1] Teil AB Rastatt									
1871	129	129	31	97	1	Zentrum	M. Reichert	Baden	Kaufmann
1873	128	127	21	106	0	Zentrum	M. Reichert	Baden	Kaufmann
1877	133	132	25	106	1	Zentrum	M. Reichert	Baden	Kaufmann
1881	135	133	9	123	1	Zentrum	M. Reichert	Baden	Kaufmann
1885	135	135	30	105	0	Zentrum	M. Reichert	Baden	Kaufmann
1889	138	137	0	124	13	Zentrum	M. Reichert	Baden	Kaufmann
1893	139	138	0	138	0	Zentrum	M. Reichert	Baden	Kaufmann
1897	140	139	0	137	2	Zentrum	M. Reichert	Baden	Kaufmann
1900 Ersatzwahl	126	116	0	104	12	Zentrum	R. Schmid	Baden	Gastwirt
1901	140	139	24	115	0	Zentrum	F. Eckert	Baden	Rechtsanwalt
1903 Ersatzwahl	140	126	0	123	3	Zentrum	E. Schmidt	Karlsruhe	Landgerichtsrat
31 Stadt Baden									
1871 abgelehnt	48	48	48		0	NatLib	A. Lamey	Mannheim	Staatsrat
1871 2. Wahl	48	48	47		1	NatLib	K. Busch	Karlsruhe	Rechtsanwalt
1873	48	46	35		11	NatLib	H. Seefels	Baden	Gastwirt
1875	50	45	42		3	NatLib	H. Seefels	Baden	Gastwirt, Bürgerm.
1879	54	52	20	32	0	Zentrum	R. Baumstark	Freiburg	Kreisgerichtsrat a. D.
1882 BefördWahl	47	45	0	43	2	Zentrum	C. F. Jörger	Baden	Bankier
1883	59	53	52		1	NatLib	A. Gönner	Baden	Oberbürgermeister
1887	63	63	63		0	NatLib	A. Gönner	Baden	Oberbürgermeister
1891	63	62	59		3	NatLib	A. Gönner	Baden	Oberbürgermeister
1895	70	67	67		0	NatLib	A. Gönner	Baden	Oberbürgermeister
1899	74	73	64		0	NatLib	A. Gönner	Baden	Oberbürgermeister
1903	78	74	63	11	0	NatLib	A. Gönner	Baden	Oberbürgermeister

1 mit Neuweier, Steinbach, Varnhalt
Quelle: Statistik der Abgeordnetenwahlen 1871 bis mit 1903. GLA 231/1117

bedeuteten diese Wahlen einen Einschnitt durch die Einführung des aktiven und passiven Wahlrechts für Frauen, den Übergang zum Verhältniswahlrecht und die Ablösung des Zweikammersystems, verbunden mit einer Wahlkreisänderung. Für Baden-Baden hieß das Verzicht auf einen eigenen Abgeordneten und Einbindung in einen größeren Wahlkreis.

Die Beteiligung an den Wahlen, 1919 mit mehr als 80 % der Wahlberechtigten bei der Wahl zur deutschen und um 90 % bei der Wahl zur badischen Nationalversammlung sehr hoch, ließ im Verlauf der 1920er Jahre deutlich nach. Je mehr Parteien auf den Plan traten, umso sichtbarer schwand die Bereitschaft der Bürger zur Teilnahme am politischen Leben. Das betraf in der Stadt Baden-Baden insbesondere die Landtagswahlen, an denen die Städter weniger teilnahmen als die Landbevölkerung. Bei den Reichstagswahlen unterschied sich die Beteiligung in der Stadt nicht sehr von der in den

2. Politisches Leben

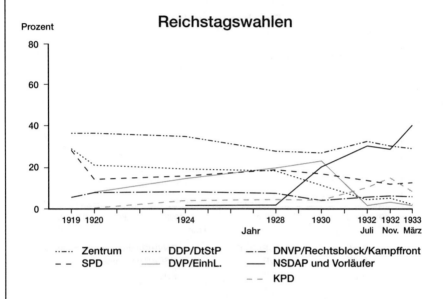

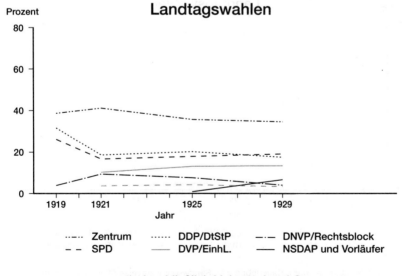

III. Entwicklung im 19. und 20. Jahrhundert

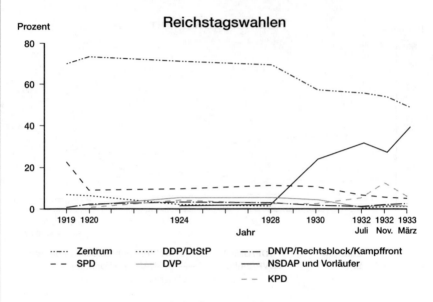

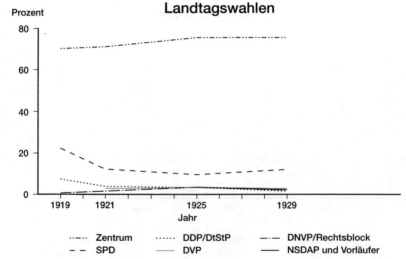

Landgemeinden und erreichte so im heutigen Stadtkreis etwa den Landeswert. Unter den Landgemeinden fielen zwischen 1921 und 1929 sowohl bei den Reichstags- als auch bei den Landtagswahlen Ebersteinburg und Varnhalt durch eine besonders geringe Beteiligung auf. In Ebersteinburg veränderte sich das Wählerverhalten vermutlich je nach der personellen Besetzung des Sanatoriums häufig. Hier hatten auch die extremen Rechts- und Linksparteien oft größeren Zulauf als in den übrigen Orten. In Baden-Baden beeinflußten seit der Reichstagswahl von 1920 auch die Kurgäste durch Wahl mit Stimmscheinen die Ergebnisse.

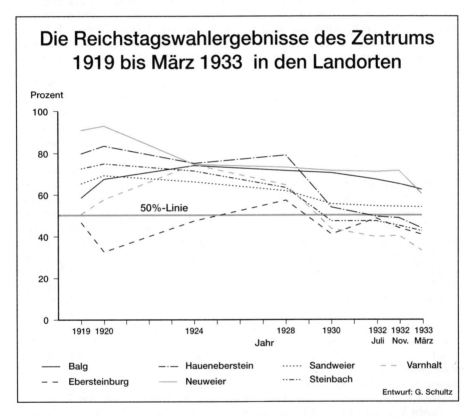

Das *Wählerverhalten* von Stadt und Dörfern unterschied sich auch zwischen 1918 und 1933. Aber selbst in Baden-Baden war in der Vielfalt der Parteien und Interessengruppen, die zu einer gefährlichen Zersplitterung der Stimmen führte, das *Zentrum* noch die stabilste Kraft. Bei allen Landtagswahlen erhielt es zwischen 30 und 40 % der gültigen Stimmen, bei den Reichstagswahlen etwas weniger. Die Bevölkerung der Landgemeinden wählte auch jetzt für den Landtag zu ⅔ bis ¾ Zentrum. Bei den Reichstagswahlen war das Wählerverhalten differenzierter, die Mehrheit weniger ausgeprägt. Dennoch erreichte das Zentrum häufig mehr als die Hälfte der Stimmen.

Die Nationalliberale Partei hatte als einstige Regierungspartei mit der Monarchie ihr Ende gefunden. Der größere Teil ihrer Mitglieder schloß sich in Baden an die *Deutsche Demokratische Partei (DDP)* an, die Nachfolgerin der Fortschrittlichen Volkspartei.

Die stärker rechtsorientierten ehemaligen Nationalliberalen gründeten 1919 die *Deutsche Volkspartei (DVP)*, die in Preußen und im Reich die Nachfolge der Nationalliberalen antrat. Zahlreiche Versuche, die DDP und die DVP zu vereinigen, scheiterten. In Baden-Baden wurde schon 1919 eine Ortsgruppe der DVP gegründet.

Auch in Baden-Baden verloren die liberalen Parteien in den 1920er Jahren immer mehr Wähler. Die DDP erhielt 1919 bei beiden Wahlen noch zwischen 30 und 40 % der gültigen Wählerstimmen, sank aber bis zur letzten Landtagswahl 1929 auf knapp 17 % ab. Noch drastischer war die Entwicklung bei den Reichstagswahlen. 1928 stimmten noch 2602 Wähler (18 %) für die DDP, im November 1932 konnte ihre Nachfolgerin, die *Deutsche Staatspartei*, ganze 743 Stimmen (4,5 %) in der Stadt verzeichnen. Ähnlich erging es der DVP. Auch die kurzfristige Verbindung beider Parteien 1930 zur *Einheitsliste* änderte an dem Abdriften der Wähler nichts. In den Landgemeinden konnten beide Parteien ohnehin nur vereinzelt mehr als 5 % der gültigen Stimmen auf sich vereinen.

Die auf dem äußeren rechten Flügel stehende *Deutschnationale Volkspartei (DNVP)*, die den Bund der Landwirte, die Deutsche Reichspartei und die Konservativen aufgenommen hatte, kam in Baden-Baden nie über 10 % der Wählerstimmen hinaus, trug aber wie die zahlreichen wechselnden wirtschaftlich geprägten Parteien und Interessengruppen zur weiteren Zersplitterung bei. In den Landorten konnte sie, abgesehen von Ebersteinburg, nicht Fuß fassen.

Unter den linksorientierten Parteien besaß in Baden-Baden nur die *Sozialdemokratische Partei* Gewicht. 1919 sprach sie unter dem Eindruck des verlorenen Krieges viele Wähler an und zeigte sich als drittstärkste Partei in der Stadt. Bei der nächsten Landtagswahl verlor sie viele Stimmen, obgleich oder weil sie zur Regierungskoalition in Baden gehörte, und gewann danach nur einen Teil zurück. Ihre Stimmenverluste kamen nicht den konkurrierenden Linksparteien zugute. Diese erreichten bei den Landtagswahlen nie auch nur 5 % der gültigen Stimmen. Bei den Reichstagswahlen zeigte sich der Verlust an Vertrauen zur SPD noch deutlicher. Der Einbruch bei der Reichstagswahl 1920 war gewaltig und wurde in keiner Gemeinde des heutigen Stadtkreises wieder aufgeholt. Die besten Ergebnisse hatte die SPD in Oos, Balg, Sandweier und zeitweise in Haueneberstein. Aber selbst hier kam sie nur vereinzelt und nur vor 1930 auf mehr als 20 % der gültigen Wählerstimmen. Seit der Wahl von 1930 verlor sie weitere Stimmen, jetzt aber eindeutig an die KPD. In der letzten freien Reichstagswahl im November 1932 wurde die SPD in der Stadt und im heutigen Stkr. Baden-Baden von der KPD überflügelt. Damit hatte erstmals eine Linkspartei in Baden-Baden höhere Stimmenanteile als im Land erreicht.

Diese Hinwendung zur extremen Linken war die Reaktion auf den Erfolg der extremen Rechten. Vor 1929 hatten die *Nationalsozialistische Deutsche Arbeiterpartei (NSDAP)* und ihre Vorgängerorganisationen im heutigen Stkr. Baden-Baden kaum Anhänger. Auch bei der Landtagswahl 1929 blieb ihr Stimmenanteil unter 10 %. Aber bei der Reichstagswahl im September 1930 wählten 20,5 % der gültig Abstimmenden im Stadtkreis nationalsozialistisch, im Juli 1932 wurde dieses Ergebnis noch übertroffen. Die NSDAP saugte viele Wähler der gemäßigteren Rechtsparteien auf und erreichte in der Stadt, wo die Stimmenzersplitterung noch stärker als auf dem Land war, nahezu die Stimmenzahl des Zentrums. Zu ihren Anhängern gehörten anscheinend viele Geschäftsleute.[16] In Varnhalt und Steinbach hatten die Nationalsozialisten 1930 fast 40 % der Wähler für sich gewonnen und diese Anhängerschaft bis Juli 1932 noch vergrößert. In den übrigen Landorten wählten im Juli 1932 zwischen 20 und 25 % und im November 1932 nur noch zwischen 15 und 20 % der gültig Abstimmenden die

Kandidaten der NSDAP für den Reichstag. Die Hinwendung zu den radikalen Parteien begründet Haebler[17] mit der unglaublich hohen Zahl von 6000 Arbeitslosen.

Jahre des Nationalsozialismus. – Nach der Machtergreifung durch die Nationalsozialisten fanden 1933 noch zwei Reichstagswahlen statt, von denen die zweite am 12.11. nur dem Namen nach eine Wahl war. Zur Wahl vom 5.3.1933 hatten trotz massiver Behinderung im Wahlkampf noch alle Parteien Wahlvorschläge eingereicht. Die Wahlbeteiligung war mit 85 % im heutigen Stadtkreis hoch. Die NSDAP ging in Varnhalt, Steinbach und Baden-Baden als stärkste Partei hervor, sonst führte das Zentrum.

Die *Machtübernahme* spielte sich in Baden-Baden verhältnismäßig ruhig ab, schon mit Rücksicht auf das internationale Badepublikum. Breite Zustimmung fand das Regime unter der Bürgerschaft, als die Neuordnung der Bäder- und Kurverwaltung gelang und im Oktober 1933 die Spielbank wiedereröffnet wurde. Jüdische Einwohner und Badegäste blieben im Interesse des Fremdenverkehrs noch einige Jahre unbehelligt. Im Oktober 1938 war es damit vorbei. Auch hier brannte jetzt die Synagoge, wurden die Juden aus dem Wirtschaftsleben ausgeschaltet und zur Auswanderung gezwungen, zuletzt deportiert. Jedes eigenständige politische Leben erstickte unter der Hakenkreuzfahne. Gewerkschaften und Parteien wurden schon 1933 verboten, alle anderen Organisationen und Vereine lösten sich entweder auf oder wurden in NS-Organisationen eingebunden.

Neubeginn seit 1945. – Bei Kriegsende übernahm die französische Besatzungsmacht die öffentliche Gewalt. Baden-Baden wurde Sitz des Oberkommandierenden der französischen Streitkräfte in Deutschland. Dem Oberbürgermeister stellte die *Militärregierung* einen Bürgerrat aus Mitgliedern der ehemaligen nichtfaschistischen Parteien zur Seite. Politisches Leben regte sich zunächst nur zaghaft. Inoffiziell fanden sich in Baden-Baden wie auch sonst in der französischen Zone ehemalige Sozialdemokraten, Kommunisten und Gewerkschafter, aber auch Vertreter der Kirchen, zusammen und bildeten unter Führung von Rolf Gustav Haebler die *Antifaschistische Vereinigung für Demokratischen Aufbau (Antifa)*, die im September 1945 von den Franzosen genehmigt wurde. Die Neugründung politischer Parteien wurde erst am 13.12.1945, später als in den übrigen Besatzungszonen und unter erheblichen Einschränkungen, gestattet. Besonders in Baden-Baden war der Druck spürbar, den die Militärregierung auf Parteien und Regierung ausübte.

Schon im Laufe des Jahres 1945 bereitete sich wie fast überall in Südbaden der Aufbau einer christlich-demokratischen Partei als Nachfolgerin des alten Zentrums vor. Im Februar 1946 wurde die Ortsgruppe Baden-Baden der im Dezember 1945 in Freiburg gegründeten *Badischen Christlich-sozialen Volkspartei (BCSV)* genehmigt. Zu den Gründern gehörten der Gymnasiallehrer und Geistliche Rat Dr. Albert Maichle, der Ministerialdirektor a. D. Dr. Hermann Fecht, vor 1933 Gesandter der badischen Regierung in Berlin, der als Polizeidirektor der letzten Kriegsmonate Baden-Baden den Franzosen kampflos übergeben hatte, außerdem der spätere Oberbürgermeister Dr. Ernst Schlapper und der Buchhändler und spätere Bundestagsabgeordnete Ludwig Kroll. Die BCSV, die auch die evangelischen Christen ansprach, gewann in Baden-Baden rasch zahlreiche Mitglieder. Im November 1947 änderte sie ihren Namen in *Christlich-Demokratische Union (CDU)*. Erst auf dem Parteitag in Baden-Baden am 15.1.1971 schlossen sich die vier CDU-Landesverbände Baden-Württembergs zu einem einzigen Landesverband zusammen.

Größere Schwierigkeiten bei der Aktivierung von Mitarbeitern hatte der relativ spät, erst im September 1946 gegründete Ortsverein Baden-Baden der *Sozialdemokratischen Partei Südbadens,* obwohl die Partei als unveränderte Nachfolgerin der alten SPD auf ihre alte Organisation zurückgreifen konnte. Erster Vorsitzender in Baden-Baden wurde Kurt Krausbeck.

Im Januar 1946 wurde eine neue demokratische Partei Südbadens, die *Demokratische Partei in Süd- und Mittelbaden,* als Nachfolgerin von DDP und DVP gegründet, aber erst Ende Mai von der Militärregierung genehmigt. Auf der Gründungsversammlung in Freiburg wurde Rechtsanwalt Dr. Paul Bauer aus Baden-Baden zu einem der drei Vertreter des Parteivorsitzenden gewählt. Der Baden-Badener Ortsverband wurde am 19. 5. 1946 genehmigt. 1948 schlossen sich die liberalen Parteien der drei westlichen Besatzungszonen unter dem Namen *Freie Demokratische Partei (FDP)* zusammen.

Am 18. 5. 1947 fand die Wahl zur Verfassung und zum ersten Landtag im neuen Land Baden, dem französisch besetzten Teil des ehemaligen Landes, statt. In Baden-Baden wählten nur 65 % der Wahlberechtigten, davon 10 % ungültig. Von den gültigen Stimmen wurden 53,8 % der BCSV gegeben, 22,7 % der SP, 18,5 % der DP und 5 % der KP. Die beiden BCSV-Kandidaten aus Baden-Baden, Dr. Fecht und Dr. Schlapper, zogen in den Landtag ein, Fecht wurde badischer Justizminister.

Bundestags- und Landtagswahlen. – An der *Wahl zum ersten deutschen Bundestag* am 14. 8. 1949 beteiligten sich im heutigen Stkr. Baden-Baden gut 70 % der Wahlberechtigten, kaum weniger als im Land. Die Wahlbeteiligung war in den Landorten, abgesehen von Varnhalt, etwas reger als in der Stadt. Dies sollte sich auch bei den späteren *Bundestagswahlen* nicht ändern, bei denen die Wahlbeteiligung insgesamt zunahm, aber immer unter der des Landes blieb. Bei allen Bundestagswahlen bis zur Gemeindereform erhielt in den Landorten die CDU absolute Mehrheiten, bis 1957 mit mehr als 70 %, danach zwischen 60 und 70 % der gültigen Zweitstimmen. In Baden-Baden schwankten ihre Ergebnisse zwischen 40 und etwas über 60 %, lagen also weit über denen des einstigen Zentrums. Andererseits konnten die Sozialdemokraten in Baden-Baden neue Wähler gewinnen und steigerten ihren Anteil an den gültigen Zweitstimmen von 23,7 % (1949) auf 36,6 % (1969). Auch in den Landorten gewann die SPD an Boden. Nach wie vor hatte sie ihre traditionellen Wähler in Hauenberstein, Sandweier und Ebersteinburg, baute aber auch im Rebland ihre Wählerschaft aus. Die FDP/DVP, die 1949 immerhin 27 % der gültigen Zweitstimmen erhalten hatte, machte etwa die gleiche Entwicklung wie im Land und im Bund durch. In der Stadt fielen ihre Wähleranteile von 1949 bis 1957 auf die Hälfte, in den Landorten hatte sie ohnehin weniger Wähler. Nach einer kurzfristigen Erholung 1961 verlor sie weiterhin und ging aus der Bundestagswahl von 1969 mit nur 7,7 % der gültigen Zweitstimmen in Baden-Baden und zusammen 5,7 % in den Landorten hervor. Die Wähler waren in den Landorten zum größten Teil zur SPD übergegangen, in der Stadt offenbar auch zur CDU. Im Gegensatz zu den Reichstagswahlen der Weimarer Zeit hatten die kleineren Parteien im gesamten betrachteten Zeitraum wenig Chancen. Die Kommunisten erhielten zwar 1949 in der Stadt 5 % der Zweitstimmen, verschwanden hier aber noch vor dem Parteiverbot aus dem politischen Leben. Am anderen Ende des Spektrums blieb auch die *Nationaldemokratische Partei Deutschlands (NPD)* 1969 hier unter ihrem Landesergebnis. Bei allen Bundestagswahlen von 1949 bis 1969 wählten mehr als 90 % der Wähler, seit 1961 mehr als 95 %, eine der drei großen Parteien.

Etwas anders zeichnet sich das Bild bei den baden-württembergischen *Landtagswahlen.* Nach der von der SPD und der FDP befürworteten Gründung des neuen

Die Wahlergebnisse der drei größeren Parteien in der Stadt Baden-Baden zwischen 1949 und 1970

Prozentanteile an den gültigen Stimmen

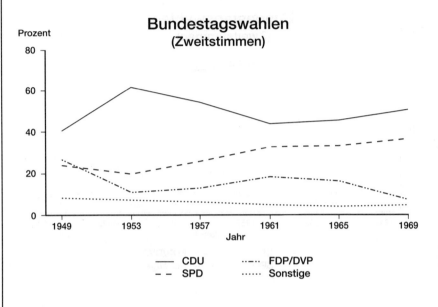

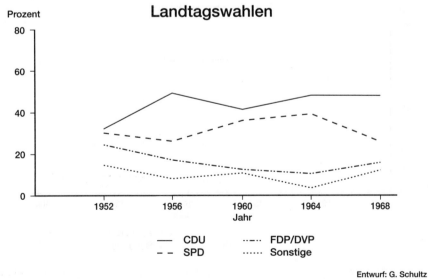

Entwurf: G. Schultz

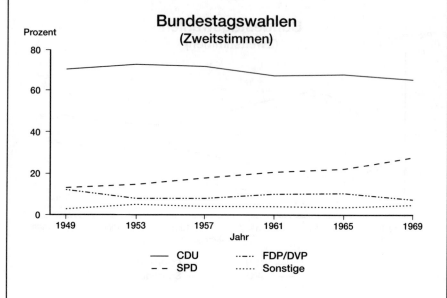
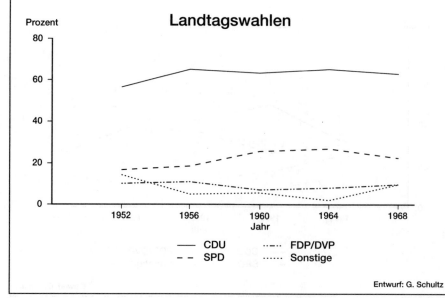

Die Wahlbeteiligung an den Bundestagswahlen von 1949 bis 1969 und den Landtagswahlen von 1952 bis 1968
Anteil der Wähler an je 100 Wahlberechtigten

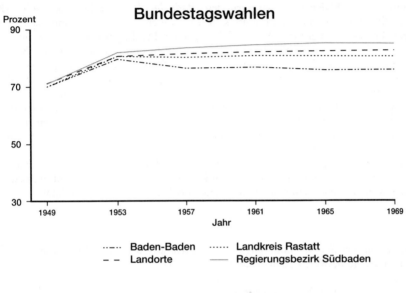

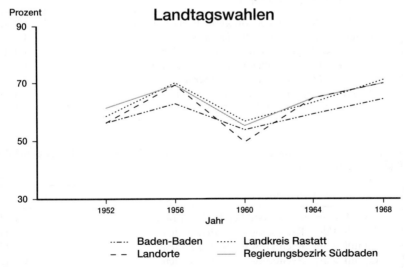

Entwurf: G. Schultz

Bundeslandes Baden-Württemberg fand am 9.3.1952 die Wahl zur Verfassunggebenden Landesversammlung statt, im heutigen Stkr. Baden-Baden mit einer Wahlbeteiligung von nur 56,4 %. Bei den folgenden Landtagswahlen bis 1968 gingen, von dem landesweiten Einbruch bei der Wahl von 1960 abgesehen, zwischen 60 und 70 % der Wahlberechtigten zur Urne. Die Landespolitik stieß noch deutlicher als sonst im Land auf geringeres Interesse als die Bundespolitik.

Bei der Wahl zur Verfassunggebenden Landesversammlung erzielten die Christdemokraten ein schlechtes Ergebnis. Dafür erhielt das aus Protest gegen ihre zwiespältige Haltung in der Badenfrage neugegründete *Badische Zentrum* im Stadtgebiet 1261 potentielle CDU-Stimmen. Es konnte sich jedoch nicht durchsetzen und verschwand vor der Bundestagswahl 1953. Auch bei den späteren Landtagswahlen schnitt die CDU trotz besserer Ergebnisse als 1952 durchgehend schlechter ab als bei den Bundestagswahlen, die SPD dagegen besser. Nur bei der Wahl zum 5. Landtag 1968, als im Land eine Große Koalition aus CDU und SPD regierte, verlor die SPD im Stadtgebiet 1000 Wählerstimmen und sank von 36 % auf 24 % ab. Zugute kamen diese Stimmen sowohl der FDP als auch der NPD, die im Stadtgebiet trotzdem unter ihrem Landesergebnis blieb. Die übrigen kleinen rechts- und linksgerichteten Parteien konnten bei den Landtagswahlen nie mehr als 1–2 % der gültigen Wählerstimmen erringen.

Eine Liste der direkt gewählten Bundestags- und Landtagsabgeordneten aus den jeweils Baden-Baden einschließenden Wahlkreisen zeigt die bei aller Unterschiedlichkeit der Wahlergebnisse im ganzen doch ungebrochene Dominanz der CDU.

Die *direkt gewählten Bundestagsabgeordneten* aus dem Wahlkreis Rastatt (Lkr. Rastatt, Lkr. Bühl, Stkr. Baden-Baden)

Wahl	Gewählter Abgeordneter	
1949	Wendelin Morgenthaler, Bürgermeister, Achern	CDU
1953	Wendelin Morgenthaler, Bürgermeister, Achern	CDU
1957	Ludwig Kroll, Buchhändler, Baden-Baden	CDU
1961	Dr. Hugo Hauser, Oberamtsrichter, Sasbach	CDU
1965	Dr. Hugo Hauser, Oberamtsrichter a. D., Sasbach	CDU
1969	Dr. Hugo Hauser, Oberamtsrichter a. D., Sasbach	CDU

Die *direkt gewählten Landtagsabgeordneten* aus dem Wahlkreis Baden-Baden-Bühl (Stkr. Baden-Baden, Lkr. Bühl)

Wahl	Gewählter Abgeordneter	
1952	Josef Harbrecht, Oberstudiendirektor, Bühl	CDU
1956	Camill Wurz, Rechtsanwalt, Baden-Baden	CDU
1960	Camill Wurz, Rechtsanwalt, Baden-Baden	CDU
1964	Camill Wurz, Rechtsanwalt, Baden-Baden	CDU
1968	Camill Wurz, Rechtsanwalt, Baden-Baden	CDU

2. Politisches Leben

Anmerkungen

1. GLA 339/1287.
2. GLA 339/943.
3. GLA 339/943.
4. GLA 339/942.
5. GLA 339/945. Bl. 36–42.
6. GLA 339/930.
7. *Becker* 1973. S. 68f.
8. GLA 339/1201.
9. GLA 339/1198.
10. GLA 339/1198.
11. GLA 339/1343
12. Badische Volkszeitung Nr. 103 vom 5. 5. 1931.
13. GLA 339/1342
14. GLA 339/1352
15. GLA 339/1191
16. Badische Volkszeitung Nr. 103 vom 5. 5. 1931.
17. *Haebler* Bd 2. 1969. S. 184.

Wahlstatistik

Ungedruckt

GLA 236/4252–4254 (Wahl zur Konstituierenden Deutschen Nationalversammlung 1848, 11. u. 12. Wahlbezirk)
GLA 236/14906 (Zollparlamentswahl 1868)
GLA 236/14906 (Reichstag 1871)
GLA 236/14862 (Reichstag 1877)
GLA 236/14863 (Reichstag 1878)
GLA 236/14864 (Reichstag 1881)
GLA 236/14865 (Reichstag 1884)
GLA 236/14866 (Reichstag 1887)
GLA 236/14885–14898 (Reichstag 1890)
GLA 236/14904 (Reichstag 1893)
GLA 236/14930–14943 (Reichstag 1898)
GLA 231/1117 (Landtag 1871, 1873, 1875, 1877, 1879, 1881, 1883, 1885, 1887, 1889, 1891, 1893, 1895, 1897, 1899, 1900, 1901, 1903)

Gedruckt

Reihen:
Statistische Mitteilungen über das Großherzogtum Baden. Karlsruhe.
    Bd 20. 1903. (Reichstag 1903)
    Bd 22. 1905. (Landtag 1905)
    Bd 24. 1907. (Reichstag 1907)
    NF Bd 2. 1909. (Landtag 1909)
    NF Bd 5. 1912. (Reichstag 1912)
    NF Bd 7. 1914. (Landtag 1913)
Statistische Mitteilungen über das Land Baden.
    Bd 11. 1922. 1. Sondernr. Die Wahlen zum Badischen Landtag am 30. Oktober 1921.
Statistik von Baden-Württemberg.
    Bd 8. o. J. (Verfassunggebende Landesversammlung 1952)
    Bd 10. 1953. (1. Bundestag 1949)
    Bd 11. 1953. (2. Bundestag 1953)
    Bd 24. 1956. (Landtag 1956)

Bd 43. 1958. (3. Bundestag 1957)
Bd 71. 1960. (Landtag 1960)
Bd 80. 1962. (4. Bundestag 1961)
Bd 102. 1964. (Landtag 1964)
Bd 121. 1966. (5. Bundestag 1965)
Bd 149. 1969. (Landtag 1968)
Bd 166. 1970. (6. Bundestag 1969)

Einzelveröffentlichungen:
Die Wahlen in Baden zur verfassunggebenden badischen und deutschen Nationalversammlung im Jahr 1919. Karlsruhe o. J.
Die Reichstagswahl am 7. Dezember 1924 in Baden. Karlsruhe 1925.
Badische Landtagswahl am 25. Oktober 1925. Karlsruhe 1925.
Die Reichstagswahl am 20. Mai 1928 in Baden. Karlsruhe 1928.
Badische Landtagswahl am 27. Oktober 1929. Karlsruhe 1930.
Die Reichstagswahl am 14. September 1930 in Baden auf Grund amtlichen Materials. Karlsruhe 1930.
Die Reichstagswahl am 31. Juli 1932 in Baden. Karlsruhe 1932.
Die Reichstagswahl am 6. November 1932 in Baden. Karlsruhe 1932.
Die Reichstagswahl am 5. März 1933. Karlsruhe 1933. Reichstagswahl und Volksabstimmung am 12. November 1933 in Baden. Karlsruhe 1933.

Archivalische Quellen

GLA 236/28621; 339/773, 929, 930, 939, 940, 942, 943, 944, 945, 946, 947, 948, 949, 1188, 1189, 1190, 1191, 1195, 1196, 1197, 1198, 1199, 1200, 1201, 1202, 1203, 1204, 1205, 1206, 1207, 1208, 1209, 1210, 1211, 1212, 1228, 1273, 1287, 1288, 1342, 1343, 1352, 1353, 135, 1455
GLA 346/Zug. 1926 Nr. 44/519, Nr. 44/936, 44/1227; 371 Zug. 1928 Nr. 4/397, Nr. 4/319, Nr. 4/347, 4/451; 371/Zug. 1932 Nr. 37/132, Nr. 37/134, Nr. 37/152, Nr. 37/315; 371/Zug. 1940 Nr. 29/180; 371/Zug. 1981 Nr. 42/1299, Nr. 42/2811

3. Wirtschaft und Verkehr

Wirtschaftsstruktur. – Mit dem Aufblühen des Bades bildete sich in Baden-Baden im Laufe des 19. Jh. eine auf die Bedürfnisse der Fremden ausgerichtete Wirtschaftsstruktur heraus. Bereits 1811 galten in Baden, wo »zwar wenig Wohlhabenheit, aber auch Dürftigkeit selten«[1] war, nach Verlegung des Gymnasiums die Bäder als Hauptnahrungsquelle. Die alten Badherbergen wurden von großen Hotels abgelöst. Auch Handwerk, Handel und das übrige Dienstleistungsgewerbe stellten sich mehr und mehr auf die Gäste ein. Dabei verschwanden alte Gewerbe wie die Gerberei aus der Stadt und machten Platz für Hotels. Der Wohlstand der Bevölkerung stieg auch durch das Vermieten von Räumen und Wohnungen. Belebend wirkte sich 1862 die Gewerbefreiheit aus, die den Unternehmergeist vom Zunftzwang löste.

Nach der Gewerbezählung von 1895 gehörten in Baden-Baden je etwa 30 % der Hauptbetriebe zu Handel/Versicherung/Verkehr und zum Bekleidungs- und Reinigungsgewerbe, dagegen nur 10 % zum Beherbergungs- und Erquickungsgewerbe. Dieses beschäftigte aber 25 % aller in den Hauptbetrieben Baden-Badens arbeitenden Personen, die beiden ersteren Gruppen nur je 18 %. Das Gastgewerbe (und außer ihm nur das Baugewerbe) zeichnete sich durch personalintensive Betriebe aus. Produzierendes und Verarbeitendes Gewerbe waren schwach besetzt, Landwirtschaft fast bedeutungslos.

3. Wirtschaft und Verkehr

Tabelle 1   Die Gewerbestruktur 1895 im Vergleich mit den fünf größten badischen Städten*
und dem Großherzogtum

Anteil der Gewerbegruppen in Prozent	Hauptbetriebe			Beschäftigte Personen			Mittlere Betriebsgröße		
	Baden-Baden	fünf Städte	Großherzogtum	Baden-Baden	fünf Städte	Großherzogtum	Baden-Baden	fünf Städte	Großherzogtum
Industrie der Steine und Erden	0,9	0,8	2,0	1,4	2,7	4,5	6,0	17,7	7,7
Metallverarbeitung	3,5	6,1	5,2	3,9	18,0	8,7	4,0	15,2	5,7
Industrie der Maschinen, Instrumente und Apparate	1,9	2,2	3,7	2,2	8,6	6,7	4,1	19,7	6,2
Textilindustrie	0,5	1,1	2,8	0,4	1,5	8,2	2,9	6,6	9,8
Industrie der Holz- und Schnitzstoffe	5,5	4,3	7,8	4,2	4,0	5,9	2,7	4,7	2,6
Industrie der Nahrungs- und Genußmittel	4,9	6,5	9,6	6,4	9,1	15,7	4,8	7,2	5,5
Bekleidungs- und Reinigungsgewerbe	29,8	30,0	27,0	17,9	11,6	12,4	2,2	2,0	1,6
Baugewerbe	5,2	5,2	8,5	13,4	11,5	10,1	9,2	11,4	4,0
Handels-, Versicherungs- und Verkehrsgewerbe	30,9	29,8	20,7	17,6	17,7	12,6	2,0	10,3	2,1
Beherbergungs- und Erquickungsgewerbe	9,9	7,4	8,2	25,1	5,8	6,7	9,1	4,0	2,8
Insgesamt	1 645	21 994	105 387	5 925	112 803	356 683	3,6	5,1	3,4

* Freiburg, Karlsruhe, Pforzheim, Mannheim, Heidelberg
Quelle: Beiträge zur Statistik des Großherzogthums Baden. NF H. 11. 1911.

In *Lichtental* und *Oos* hatte 1895 schon die gewerbliche Entwicklung eingesetzt. In Lichtental war bei den Betrieben das Bekleidungs- und Reinigungsgewerbe, bei den Beschäftigten das Baugewerbe am stärksten vertreten. Zum Gastgewerbe zählten 25 Betriebe mit 127 Personen. Die Verflechtung mit Baden-Baden war eng. 1854 waren neben Landwirtschaft und Waldarbeit schon Taglohn in Baden-Baden und das Wohnungsvermieten Haupterwerbsquellen. Von den kleinen landwirtschaftlichen Betrieben wurde 1895 nur noch ein Drittel hauptberuflich bewirtschaftet. In Oos hatten Handel/Versicherung/Verkehr die meisten Hauptbetriebe und die Gewerbegruppe Steine/Erden mit der Ofenfabrik Roth die meisten Beschäftigten. Nicht mehr die Hälfte der Landwirtschaftsbetriebe waren Hauptbetriebe.

Die Stadt *Steinbach*, die im Laufe des 19. Jh. wirtschaftliche und zentrale Funktionen an Bühl (heute Lkr. Rastatt) abgegeben hatte, rangierte gewerblich hinter Lichtental und Oos. In den übrigen Dörfern des heutigen Stadtgebiets arbeitete das Handwerk ausschließlich für den örtlichen Bedarf, ohne ihn völlig zu decken. Diese Dörfer begannen sich zum Arbeitskräftereservoir u. a. für Baden-Baden und Oos zu entwikkeln.

Bis zum Ersten Weltkrieg war die wirtschaftliche Lage im Amtsbezirk Baden allgemein besser und Arbeitslosigkeit geringer als sonst im Großherzogtum. Heimarbeit war unnötig. In Oos hatten sich mehrere Fabriken angesiedelt, in Baden-Baden machte die Zigarettenfabrik Batschari gute Geschäfte, und auch die Bauunternehmen blühten. Die meisten Arbeiter aus der Umgebung hatten einen wirtschaftlichen Rückhalt in der Nebenerwerbslandwirtschaft. Die im Gastgewerbe beschäftigten auswärtigen

Tabelle 2 **Nichtlandwirtschaftliche Arbeitsstätten und Beschäftigte 1970**

Von 100 nichtlandwirtschaftlichen Arbeitsstätten gehörten zur Wirtschaftsabteilung	Baden-Baden	Stadtteile	Heut. Stkr. B.-Baden	Heut. Lkr. Rastatt	RV Mittl. Oberrhein	Baden-Württemb.
[Gewerbliche Land- u. Forstw., Fischerei]	1,6	2,0	1,7	1,3	1,4	1,2
Energiewirtschaft, Wasserversorgung u. Bergbau	0,1	0,4	0,2	0,2	0,2	0,3
Verarbeitendes Gewerbe	16,1	23,1	17,5	21,4	20,6	23,3
Baugewerbe	5,8	13,5	7,3	8,6	8,3	8,4
Handel	30,3	25,2	29,3	29,3	29,8	27,1
Verkehr und Nachrichtenübermittlung	4,2	4,5	4,2	5,6	4,5	4,7
Kreditinstitute, Versicherungsgewerbe	2,3	3,3	2,5	3,1	3,3	3,5
Dienstleistungen v. Unternehmen u. freien Berufen	31,0	22,1	29,3	22,9	25,1	23,4
Organisationen ohne Erwerbscharakter	4,5	2,7	4,1	2,6	2,8	2,9
Gebietskörperschaften, Sozialversicherung	4,1	3,3	4,0	5,0	4,0	5,2
Nichtlandwirtschaftliche Arbeitsstätten insg.	2 083	489	2 572	6 516	31 734	352 800

Von 100 nichtlandwirtschaftlichen Beschäftigten arbeiteten in der Wirtschaftsabteilung	Baden-Baden	Stadtteile	Heut. Stkr. B.-Baden	Heut. Lkr. Rastatt	RV Mittl. Oberrhein	Baden-Württemb.
[Gewerbliche Land- u. Forstw., Fischerei]	1,0	1,1	1,0	0,7	0,5	0,5
Energiewirtschaft, Wasserversorgung u. Bergbau	1,4	1,2	1,2	0,4	1,0	0,8
Verarbeitendes Gewerbe	25,6	32,0	26,6	55,6	43,8	50,0
Baugewerbe	8,6	26,0	11,2	10,5	8,6	8,3
Handel	17,8	12,4	17,0	11,2	13,4	12,7
Verkehr und Nachrichtenübermittlung	5,3	3,3	5,0	3,3	5,8	4,7
Kreditinstitute, Versicherungsgewerbe	2,6	1,3	2,4	1,4	3,3	2,6
Dienstleistungen v. Unternehmen u. freien Berufen	23,3	14,5	22,0	8,3	9,8	8,9
Organisationen ohne Erwerbscharakter	3,4	2,6	3,2	1,1	1,8	1,9
Gebietskörperschaften, Sozialversicherung	10,9	6,5	10,2	7,4	12,0	9,7
Nichtlandwirtschaftliche Beschäftigte insg.	21 132	3 656	24 788	70 972	377 903	3 892 355
davon weiblich in %	41,7	30,6	40,0	33,8	35,7	36,4

Quelle: Statistik von Baden-Württemberg. Bd 161, 3. 1972.

Arbeitskräfte wurden nach Saisonschluß nicht arbeitslos, sondern wechselten in Winterkurorte.

Nach 1918 ging der Fremdenverkehr zurück, die Hotels kämpften ums Überleben. Daß es »in Baden-Baden keine Berufsgruppe (gab), die nicht mindestens zu einem bedeutsamen Teil ihres Wirtschaftslebens als vom Fremdenverkehr abhängig erkannt werden«[2] mußte, wirkte sich jetzt negativ aus. Auch in der Industrie wurden viele Arbeitskräfte entlassen. Den Arbeitslosen konnte mit Unterstützungen und Winterbeihilfen nur ungenügend geholfen werden.

Am 17. 5. 1939 zählte man in Baden-Baden (mit Lichtental und Oos) insgesamt 2333 nichtlandwirtschaftliche Betriebe mit 13587 Beschäftigten, also einer mittleren Betriebsgröße von 5,8 Arbeitskräften. Von den heutigen Stadtteilen zeigte Steinbach mit 138 nichtlandwirtschaftlichen Arbeitsstätten und 507 darin Beschäftigten noch am ehesten gewerbliches Profil, auch bei der mittleren Betriebsgröße von 3,7 Arbeitskräften. Zwischen 1939 und 1950 nahmen die gewerblichen Betriebe in Baden-Baden und Steinbach zwar zahlenmäßig ab, sie beschäftigten aber mehr Arbeitskräfte. In Baden-Baden gehörten 1950 64 % der Arbeitsstätten und 53 % der Beschäftigten zu Handel/Verkehr/Nachrichtenübermittlung und Dienstleistungen (RB Südbaden: 54 % und 36 %). Das Verarbeitende Gewerbe war nach wie vor relativ schwach besetzt, Bau- und Ausbaugewerbe bei den Arbeitsstätten normal, bei den Beschäftigten (20 %) gut vertreten. Mit dem Gewerbesteueraufkommen lag Baden-Baden mit 498 DM je Betrieb über dem Wert für den Regierungsbezirk (484 DM). In der Land- und Forstwirtschaft war die Betriebsfläche 1950 deutlich kleiner als die Wirtschaftsfläche von 1940, die Zahl der Betriebe dagegen seit 1939 wenig verändert.

Die Jahre zwischen 1950 und 1970, insgesamt eine Periode wirtschaftlichen Aufschwungs, brachten an strukturellen Veränderungen: Verlagerung eines Teils der gewerblichen Arbeitsstätten von der Kernstadt in die ländlichen Orte, Konzentration auf größere Betriebe im Verarbeitenden Gewerbe im gesamten Stadtgebiet und im Baugewerbe in den Stadtteilen, Zunahme des Tertiären Wirtschaftssektors (Betriebe um 22 %, Beschäftigte um 79 %), darunter besonders des Dienstleistungsbereichs, im gesamten Stadtgebiet. Auch 1970 hatte in Baden-Baden und in Ebersteinburg der Dienstleistungsbereich einen ungewöhnlich hohen Anteil an den Betrieben und noch stärker an den Beschäftigten. In den anderen heutigen Stadtteilen dagegen dominierte das Verarbeitende Gewerbe und z. T. das Baugewerbe.

Zur Gewerbeförderung hatte die Stadt 1954 ein eigenes Amt geschaffen, das sowohl vorhandene Betriebe unterstützen als auch neuen, für den Kurort geeigneten Betrieben Anreize zur Ansiedlung bieten sollte. Bis 1970 wurden 100 Baden-Badener Betriebe gefördert, 94 neu angesiedelt.

Weltbad und Kurort

Fremdenverkehr. – Ende des 18. Jh. rückten die Bäder der Stadt an der Oos wieder in das Bewußtsein der vornehmen Welt. Vorher gaben als Badegäste meist »Familienväter und Familienmütter aus den benachbarten Gegenden, bei denen es gleichsam zur erblichen Sitte geworden war, jährlich einige Wochen oder Monathe in Baden zuzubringen«[3], den Ton an. Dies änderte sich, als die französischen Réfugiés in Baden und die Teilnehmer am Rastatter Kongreß (Dezember 1797 bis April 1798) neben den Bädern die Naturschönheiten des Tales entdeckten, Interesse an den historischen Denkmälern der Umgebung fanden und die Geselligkeit belebten, zu der vor allem das Glücksspiel gehörte. Die seit 1790 erscheinenden Gästelisten wiesen die Monate Juli bis September als Hauptsaison aus. Die Besucherzahlen nahmen zu, und die Saison dehnte sich aus. Seit etwa 1810 reihte sich die Stadt in die Zahl der großen Bäder Europas ein, und schon in den 1820er Jahren galt Baden-Baden als Luxusbad, in dem vor allem der europäische Adel verkehrte. Franzosen, Engländer und Russen machten es zum internationalen Treffpunkt. Die Stadt paßte sich auch im Äußeren den Bedürfnissen der Gäste an. Neue öffentliche und private Bauten entstanden. Das Badeleben wanderte von den alten Badherbergen der Altstadt ab in das Gebiet um das Konversationshaus jenseits der Oos und in die jetzt in rascher Folge erbauten großen Hotels außerhalb der alten Stadtmauern. Lichtental wurde in die Entwicklung mit einbezogen. Viele Fremde wohnten lieber im ruhigeren Vorort, zumal 1820 dort eine Stahlquelle entdeckt und ein Stahlbad eingerichtet worden war.

Die Fremdenzahlen zeigen einerseits den ständig zunehmenden Gästestrom, andererseits auch das empfindliche Reagieren auf politische Ereignisse und Stimmungen. Vor allem in den ersten Jahren des 19. Jh. schwankten die Besucherzahlen von 391 im Jahr 1800 über 1555 im Jahr 1801 zu nur 282 ein Jahr später. Seit 1806 stiegen sie an (1814: 4094). Im Kriegsjahr 1815 kamen aber nur 2460 Fremde, 1816 schon wieder 3620. Erstmals 1828 wurden mehr als 10000 Gäste gezählt. Die Pariser Revolution von 1830 unterbrach den Anstieg, aber 1834 hatte Baden-Baden schon mehr als 15000 Gäste.

Bald wurden den Gästen die gesellschaftlichen Attraktionen wichtiger als die heilkräftigen Quellen. Der Dualismus zwischen Heilbad und mondänem Kurort sollte sich mit wechselndem Schwergewicht bis in die Gegenwart fortsetzen. Noch in der 1. H. 19. Jh. traten Heilungsbedürftige in der Badestadt zurück, Baden-Baden entwickelte sich zum Brennpunkt der eleganten Welt, zum Mekka für Zerstreuung und Vergnügen Suchende. Für beides sorgten in erster Linie die Pächter der Spielbank, schon Antoine Chabert, in weit höherem Maße dann Jean Jacques Bénazet und sein Sohn Edouard. Sie brachten nicht nur die Spielbank, sondern das gesamte gesellschaftliche und kulturelle Leben der Kurstadt auf eine ungeahnte Höhe. Eine Periode höchsten Glanzes waren die 1840er Jahre, in denen zahlreiche regierende Fürsten mit ihrem Gefolge und die Gesandten der benachbarten Höfe hier Aufenthalt nahmen. Neben dem europäischen Hochadel versammelten sich auch die berühmtesten Künstler: Musiker, Maler und Schriftsteller in Baden-Baden. In der Saison waren nahezu alle Nationalitäten und alle höheren Gesellschaftsklassen vertreten, auch Anhänger der verschiedensten Parteien, die sich sonst bekämpften. Die wichtigste Unterscheidung lag in der Dauer des Aufenthalts: »Der bleibende Kern wird gebildet meist aus der Elite der Gäste ..., um welche sich die wechselnde Hälfte bewegt«[4].

Nach 1845 führte die Eisenbahn ein größeres Publikum nach Baden-Baden, allerdings auf Kosten der Exklusivität. 1846 kamen 33440 Fremde an. Ein Rückschlag durch die Revolution von 1848 und 1849 auf weniger als die Hälfte war 1850 mit 33632 Gästen mehr als ausgeglichen. Auch in den nächsten Jahrzehnten war das Wachstum nur durch das empfindliche Reagieren auf die Zeitereignisse unterbrochen. 1859 im Vorfeld des schleswig-holsteinischen Krieges und 1866 im preußisch-österreichischen Krieg blieb etwa ein Drittel der Gäste aus. Dafür brachte das Jahr 1860 mit dem Fürstenkongreß einen neuen Höhepunkt. An dem Treffen zwischen Napoleon III. und dem preußischen Regenten, dem späteren Kaiser Wilhelm I., nahmen auch die Könige von Bayern, Württemberg, Sachsen und Hannover, die Großherzöge von Baden, Hessen und Sachsen-Weimar und zahlreiche weitere Fürsten teil.

Eine schwere und folgenreiche Einbuße verursachte 1870 der deutsch-französische Krieg. Mehr als die Hälfte der Gäste reiste ab oder blieb weg, darunter fast alle Franzosen, bisher etwa ein Drittel der Gäste, und viele andere Ausländer. Und genau zu diesem ohnehin kritischen Zeitpunkt wurde die Hauptattraktion, die Spielbank, endgültig geschlossen. Es blieben nur die Thermen, und auf sie konzentrierte sich jetzt das Interesse mit neuen Bäderbauten und der Ausdehnung der Saison auf den Winter. Tatsächlich konnte der Besuch allmählich gesteigert werden, wenn auch der Höchststand von 1869 mit mehr als 62000 Gästen erst 1889 wieder erreicht war. Die Internationalität der Zeit vor 1870 war vorbei, aber noch immer versammelten sich in Baden-Baden die Spitzen der deutschen Gesellschaft, Politik und Kunst, und noch immer kamen auch zahlreiche ausländische Gäste. Um 1900 machten sie etwa ein

Viertel, und zwar ein besonders zahlungskräftiges, der Fremden aus. Bis zum 1. Weltkrieg war die Entwicklung insgesamt positiv, wenn sich auch die Struktur der Gäste mehr zum Bürgerlichen hin gewandelt hatte.

Um die Anziehungskraft der Stadt zu erhalten, waren große Anstrengungen nötig. Die Kurverwaltung wurde reorganisiert und das Kurhaus 1910/11 umgebaut. Aber der Weltkrieg 1914–18 und seine Folgen machten alles zunichte. Sanatorien und Hotels mußten als Lazarette dienen. Nach 1918 mied das Ausland zunächst die deutschen Bäder, und das deutsche Publikum hatte wenig Geld. Dann änderten sich die Reisegewohnheiten. Hochgebirge, Meer und Seen zogen ein sportbegeistertes Publikum an, das Auto erlaubte größere Reisen. Außerdem war die Einrichtung der Bäder nicht mehr zeitgemäß, und der Staat konnte nichts investieren. So verlor Baden-Baden auch als Heilbad an Anziehungskraft. Die Stadt versuchte werbewirksame Veranstaltungen wie die Iffezheimer Rennwoche oder Automobilrennen einzusetzen, stärkte damit aber nur den jetzt eher abträglichen Ruf als Luxusbad. Die Weltwirtschaftskrise 1929 brachte den Tiefpunkt. 1930 fielen die Gästezahlen von rund 95 000 im Vorjahr auf 70 500 und 1933 auf 62 000. Vor allem die unwirtschaftlich gewordenen großen Hotels klagten über das Ausbleiben zahlungskräftiger Gäste. Die Fremden verkürzten ihren Aufenthalt, bevorzugten kleinere Hotels und gaben in den Geschäften der Stadt wenig aus, so daß die gesamte Wirtschaft der Stadt betroffen war. Der staatliche Badedirektor stellte 1930 fest, daß 63 % der Fremden weniger als 5 Tage blieben und nur etwa 5 % eine Kur von 4–6 Wochen machten.[5]

Die Gründung der Bäder- und Kurverwaltung 1933/34 und die Wiedereröffnung der Spielbank 1933 markierten einen Neubeginn. Schon das Jahr 1936 brachte ca. 123 000 Gäste mit 770 000 Übernachtungen. Aber die Aufwärtsbewegung endete mit dem Kriegsausbruch 1939. Wieder wurde Baden-Baden Lazarettstadt. Im Februar 1942 beschränkte ein Erlaß des Reichsführers SS den Aufenthalt in Kur- und Erholungsorten für ortsfremde Zivilpersonen auf 4 bzw. nur 3 Wochen im Jahr. 1945 beschlagnahmte die französische Besatzungsmacht alle größeren Hotels, Sanatorien und Villen. Als die Eigentümer sie zurückerhielten, waren sie renovierungsbedürftig. Kurhaus und Inhalatorium gingen 1949 wieder an die Bäder- und Kurverwaltung zurück.

Auch der 2. Weltkrieg und die Nachkriegszeit lösten einen Bruch mit der Tradition aus. Aber anders als nach 1918 gelang es der Stadt und der Bäder- und Kurverwaltung mit Hilfe der Spielbank, den Kurort wieder zu beleben. Nach Wiedereröffnung der Spielbank kamen im Sommer und Herbst 1950 schon 65 000 Gäste nach Baden-Baden, 1951 dann 98 000. Bald begannen die Planungen für das Kurzentrum im Rotenbachtal mit einem modernen Kurmittelhaus, dem neuen Augustabad, und für ein Kongreßhaus. Hand in Hand damit gingen verstärkte Werbemaßnahmen. Die Stadt setzte ihren Ruf ein, auch Kongresse anzuziehen. Der erste bedeutende Kongreß nach dem Kriege in der Bundesrepublik, der Kongreß der Außenminister der Montanunion am 10. 8. 1953, fand in Baden-Baden statt. 1962 beherbergte die Stadt bereits 100 Kongresse mit 20 000 Teilnehmern. Die Einführung von Pauschalaufenthalten und ab 1951 auch von Pauschalkuren erschloß neue Besucherschichten und verlängerte die Aufenthaltsdauer. Dabei veränderte sich wieder die Struktur des Fremdenverkehrs. Unterschiedliche Gästekreise standen sich gegenüber oder durchdrangen sich: einmal die Patienten der Sanatorien und der großen Kliniken, deren Aufenthalt meist von Krankenkassen und Sozialversicherungen getragen wurde, dann die Gäste der Hotels und Pensionen, die die Heilbäder privat auf ärztliche Verordnung anwandten, und außerdem die Gäste, die der Atmosphäre wegen nach Baden-Baden kamen, an Kongressen teilnahmen, die Spielbank besuchten, aber meist nur wenige Tage hier verbrachten.

Bäder- und Kurverwaltung. – Dem Dualismus zwischen Heilbad und mondänem Kurort entsprach in der Verwaltung der Dualismus zwischen Staat und Stadt mit fortwährenden Kontroversen und Reibereien. Während des ganzen 19. und der 1. H. 20. Jh. verstummten die Klagen der Stadt über die Regierungsbehörden nicht, denen sie Langsamkeit und Schwerfälligkeit, zeitweise sogar absichtliche Behinderung der kurstädtischen Wirtschaft vorwarf. Die Ursache der Mißhelligkeiten lag in den Besitzverhältnissen: Die Quellen und Bäder befanden sich, soweit sie nicht verliehen waren, in staatlichem Besitz. Auch die Spielbank war staatlich konzessioniert, und ihre Pacht ging an den Staat. Darüber hinaus war der Staat Eigentümer wichtiger Grundstücke und Gebäude. So hatte er 1803 das Promenadenhaus mit Park von der Stadt gekauft und 1812 durch die großherzogliche Badanstalten-Kommission das Gebiet jenseits der Oos erworben, das sich seit dem Bau des Konversationshauses 1823 zum neuen Kurzentrum entwickeln sollte.

Von 1763 bis 1807 verwaltete eine aus zwei Beamten bestehende *staatliche Badekommission* die Bäder, dann wurde sie durch einen Kurdirektor ersetzt. Ihn löste schon 1808 eine neue *Badanstalten-Kommission* ab, in die der Stadtdirektor, der Bezirks- und Badearzt, der Bauinspektor, Oberförster, Hofgarteninspektor und der Oberzollinspektor berufen wurden. Vorstand und ausführendes Organ war der Stadtdirektor, unterstützt vom zweiten Beamten des Bezirksamts. Der Badearzt leitete die Badeanstalten und überwachte ihr Personal. Zwei Spiel- und Polizeikommissäre hatten die Spielbank und in ihrer freien Zeit die Bäder zu beaufsichtigen. 1863 setzte das Ministerium des Innern einen Badkommissär ein, der die Heil- und Badeanstalten täglich besichtigen und als Sekretär der Badanstalten-Kommission arbeiten mußte.

Als sich um 1860 die Aufhebung der Spielbank abzeichnete und damit eine Rückbesinnung auf die Funktion des Heilbades einherging, mußten Staat und Stadt eine neue Organisationsform finden. Alle Einkünfte aus dem Badfonds, der aus Spieleinnahmen angesammelt worden war, sollten den Kurinteressen der Stadt Baden-Baden zugute kommen, abgesehen von jährlich 6000 fl. für das Staatsbad Badenweiler (heute Lkr. Breisgau-Hochschwarzwald). Aus Mitteln des Badfonds baute die Regierung das Friedrichsbad, das Augustabad und das Inhalatorium. Der Unterhalt der Gebäude und Anlagen sowie die Leitung der Kuranstalten oblagen der *Staatlichen Bäderverwaltung im Ministerium des Innern,* der auch die Bäder in Badenweiler und Dürrheim (heute Stadt Bad Dürrheim, Schwarzwald-Baar-Kreis) unterstanden. Die Leitung der örtlichen Staatlichen Bäderverwaltung in Baden-Baden war dem Polizeidirektor übertragen, die Polizeidirektion war für die Sekretariats- und Kanzleiarbeiten, das Domänenamt für die Kasse, das Bezirksbauamt für die Bauangelegenheiten zuständig.

Den Überschuß aus den Einkünften des Badfonds erhielt die Stadtgemeinde zur Förderung ihrer Kuranlagen, mußte aber aus eigenen Mitteln jährlich 70000 fl (120000 Mark) für diesen Zweck zuschießen. Dafür gestand ihr der Staat die Benutzung des Konversationshauses einschließlich des Mobiliars zu, überließ ihr den Pachtzins für das Restaurant und das Recht, für den Besuch des Konversationshauses und seiner Umgebung eine Kurtaxe genannte Gebühr zu erheben. Die Besorgung aller der Stadt überlassenen Kurangelegenheiten wurde einem Kurkomitee aus drei Mitgliedern unter Vorsitz des Oberbürgermeisters übertragen. Auch diese Regelung gab Anlaß zu erneuter Unzufriedenheit bei der Stadt.

Bis 1890 lagen die Ausgaben der Stadt für die kurörtlichen Belange um 122000–128000 Mark, die Einnahmen aus Kurtaxe und Kurhauspacht stiegen an, so daß die Stadt nur wenig zuschießen mußte. 1890–96 waren die Einnahmen und Ausgaben sogar fast ausgeglichen. Aber in den nächsten zehn Jahren schwankten die

30 Kloster zum Hl. Grab vom Florentinerberg

31 Kloster zum Hl. Grab und Neues Schloß

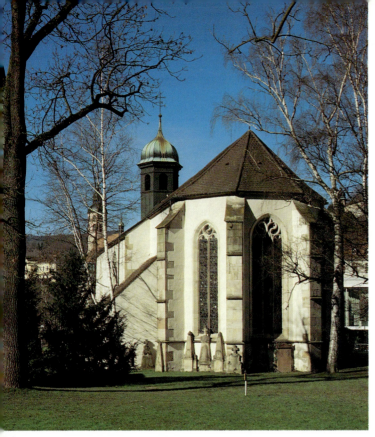

32 Chor der ehemaligen Spitalkirche

33 Ölberg auf dem einstigen Spitalfriedhof

34 Altes Dampfbad vom Florentinerberg ▷

35 Friedrichsbad vom Florentinerberg

36 Friedrichsbad

37 Mittelrisalit des Friedrichsbads

38 *Kurmittelhaus und Caracalla-Therme*

39 *Rotunde der Caracalla-Therme*

40 *Thermalbrunnen im Garten des Hotels Badischer Hof*

41 *Reiherbrunnen in der Sophienstraße*

42 Kurhaus

43 Kurhaus, Säulenhalle
Friedrich Weinbrenners

44 Kurhaus und Orchestermuschel

45 Straßenlaterne beim Kurhaus

46 Trinkhalle, Mittelrisalit
mit Marmorbüste Kaiser Wilhelms I.

Einnahmen bei steigenden Ausgaben. Seit 1906 mußte die Stadt den garantierten Zuschuß immer mehr überschreiten. Jetzt bemühte sie sich, die Regierung zur Reparatur und Modernisierung des etwa 80 Jahre alten Konversationshauses, jetzt Kurhaus, zu bewegen. Jahrelange Verhandlungen schlossen mit dem Abkommen vom 12. 9. 1910 (ergänzt am 15. 5. 1911). Es sah die völlige Trennung der sogenannten Kurverwaltung (Kurhaus und alle dem Vergnügen der Kurgäste gewidmeten Einrichtungen und Veranstaltungen) von der Badeverwaltung vor. Die Kurverwaltung wurde der Stadt überlassen, während die Verwaltung der Badeanstalten staatliche Angelegenheit blieb. Der Staat verpachtete aber weiterhin die Promenadebuden. Aus dem Rest des Badfonds von rund 700 000 Mark wurde das nunmehr völlig der Stadt zur Benützung überlassene Kurhaus umgebaut, der Staatsbeitrag zum Kurbetrieb fiel von 1910 an weg. Die Stadt durfte jetzt aber eine Kurtaxe einführen, die jeder Kurgast zu zahlen hatte. Bei einer Kündigung des Vertrags sollte das Kurhaus praktisch ohne Entschädigung an den Staat zurückfallen. Dieser Vertrag zementierte den Gegensatz zwischen staatlicher Bäder- und städtischer Kurverwaltung, der sich gerade unter den schwierigen wirtschaftlichen Bedingungen nach dem Ersten Weltkrieg verhängnisvoll auswirken sollte.

Am 20. 3. 1923 übertrug der Staat u. a. die Lichtentaler Allee, das Theater und die Kunsthalle an die Stadt und behielt nur die unmittelbaren Heilbadeinrichtungen. Die Stadt verpflichtete sich zur Instandhaltung des Überlassenen und zahlte 1 Million Mark Aufgeld für die Abtretung des Landestheaters. Das Geld sollte der Staat für einen neuen Kurhausumbau einsetzen. Obgleich die Stadt damals gern zugriff, machte sie später dem Staat den Vorwurf, daß er »nach der Schließung der Goldgrube des Glücksspiels die zuschußbedürftigen Betriebe der Stadt überließ, andererseits aber die Bäder nicht so ausrüstete, daß sie das wirtschaftliche Rückgrat der schnell wachsenden Stadt hätten werden können.«[6]

Die Organisation blieb zweigeteilt. Dem Polizeidirektor als Leiter der örtlichen Staatlichen Bäderverwaltung war der Badedirektor als technischer Berater zur Seite gestellt. Den Badearzt gab es seit etwa 1920 nicht mehr. Der Bäderverwaltung unterstanden Friedrichsbad, Augustabad, Fangohaus, die Bäder im Darmstädter Hof mit Baldreit, das Kesselhaus mit Zentralwaschanstalt, das Inhalatorium und die Trinkhalle. Sie übernahm auch die allgemeinen Verwaltungsarbeiten für das Landesbad mit dem Erholungsheim auf dem Annaberg. Die staatliche Badanstaltenkommission, in welcher seit 1920 neben 4 staatlichen Vertretern 6 Vertreter der Stadt, der Wirtschaft und der Ärzteschaft saßen, hatte nur beratende Aufgaben. Die Stadt mußte für Kurhaus, Kleines Theater, die gesamte Kurverwaltung, Werbung, Unterhalt der Kuranlagen mit Waldwegen und Straßen sorgen. Sie wies diese Aufgaben einem *Kurdirektor* zu und unterstellte ihn einer städtischen Kurkommission. Staatliche Bäderverwaltung und städtische Kurverwaltung hatten nur wenig Fühlung miteinander.[7]

Für die negative Entwicklung schoben sich Stadt und Staat gegenseitig die Verantwortung zu, bis sich um 1930 die Einsicht Bahn brach, daß wieder eine Neuorganisation zur Stärkung der Heilbadfunktion fällig wäre, von der man sich auch eine Belebung des örtlichen Gewerbes und damit eine günstigere Preisgestaltung versprach. Außerdem sollte »die bürokratisch-fiskalische Geschäftsführung« der Badedirektion »im kaufmännischen Geist ersetzt«[8] werden. Zahlreiche Gutachten und Denkschriften erörterten von 1929 an die unterschiedlichsten Formen einer künftigen Zusammenarbeit zwischen Staat und Stadt. Der von den meisten Gutachtern favorisierten Gründung einer Erwerbsgesellschaft, in die Staat und Stadt ihren Besitz einbringen sollten, oder einer Betriebsgesellschaft, die bei unveränderten Besitzverhältnissen selbständig wirtschaften solle, schob das Finanzministerium einen Riegel vor. Ende 1931 verstand es sich dazu, die staatliche Bäderverwaltung (Baden-Baden, Badenweiler und Bad Dürrheim) als »Wirtschaftlichen Staatsbetrieb« vom übrigen Staatshaushalt zu trennen und damit flexibler zu gestalten, lehnte jedoch die von der Stadt gewünschte gemeinsame Verwaltung von Badanstalten und Kurbetrieb ab. Auch der Landtag schloß sich dieser Auffassung an. Erst 1933/34 einigten sich Staat und Stadt nach unzähligen Verhandlungen auf die Gründung einer Anstalt des Öffentlichen Rechts unter dem Namen Bäder- und Kurverwaltung.

Im Dezember 1933 genehmigten Stadtrat und Bürgerausschuß die mehrfach abgeänderte Fassung des Errichtungsvertrags zwischen dem Land Baden und der Stadt Baden-Baden sowie der Satzung der Bäder- und Kurverwaltung (BKV). Nach nochmaligen kleinen Änderungen wurde der Vertrag am 6.1.1934 abgeschlossen und die BKV zur Person des öffentlichen Rechts erklärt. Als ihr Zweck wird die Pflege des Bade- und Kurlebens in Baden-Baden, insbesondere die förderliche Ausnützung der heilkräftigen Quellen und aller der Erholung und Unterhaltung der Kurgäste gewidmeten Einrichtungen genannt. In der Satzung wurde u. a. festgelegt: »Die Mitglieder stellen der Anstalt alle für den Betrieb erforderlichen, in ihrem Eigentum oder Besitz befindlichen Gebäude und Grundstücke nebst der Ausstattung als Betriebsmittel frei von öffentlichen Lasten ... unentgeltlich zur Verfügung. Die Erträgnisse fließen der Anstalt zu. Hierdurch wird an den bestehenden Eigentumsverhältnissen nichts geändert.« Ausgenommen aus dem Vertrag blieben das Landesbad mit dem Erholungsheim Annaberg, die weiterhin von der Polizeidirektion Baden-Baden verwaltet wurden, und das Kleine Theater, das zur Verfügung der Stadt blieb, aber gegen Vergütung entsprechend den Bedürfnissen der BKV geführt werden sollte. Über die Einlage von je 100000 Reichsmark hinaus verpflichteten sich beide Mitglieder im Bedarfsfall zu jährlichen Beiträgen (Staat ⅓, Stadt ⅔). Organe der Anstalt waren der Vorstand und der ehrenamtliche Verwaltungsrat. Letzteren bildete der Minister des Innern oder sein Vertreter, der Oberbürgermeister der Stadt oder sein Vertreter, 2 weitere vom Staat ernannte Mitglieder (davon eines aus Wirtschaftskreisen) und 1 von der Stadt ernanntes Mitglied. Außerdem sollten Vertreter der Ärzteschaft und des Hotelgewerbes der Stadt mit beratender Stimme zugezogen werden können. Die Staatliche Bäderverwaltung wurde aufgehoben. Zum Gedeihen der BKV trug entscheidend bei, daß bereits im Oktober die Spielbank wieder eröffnet wurde.

Zwar buchten die Nationalsozialisten sowohl die Spielbankeröffnung als auch die Gründung der BKV auf ihr Konto, ihre Ideologie sorgte aber bald für neue Unruhe. Schon im Herbst 1936 forderte das Ministerium über eine Satzungsänderung im Sinne des nationalsozialistischen Führerprinzips die ausschließliche Leitung der BKV durch den Staat und drohte, bei Nichteinigung die Entscheidung des Reichsstatthalters anzurufen. Oberbürgermeister Hans Schwedhelm wandte sich mit dem Argument dagegen, daß bei einem wirtschaftlichen Unternehmen wie der BKV dieses Prinzip nicht ausschließlich anwendbar sei, und schlug einen Kompromiß vor, nach dem die Leitung beim Land liegen und die Stadt als gleichberechtigter Partner anerkannt sein solle. Da die so geänderte Satzung vom Reichsinnenministerium genehmigt werden mußte, zog sich das Verfahren bis in die Kriegsjahre hin und blieb bis zum Ende des Dritten Reiches formal unerledigt. In der Praxis wurde die Stellung der Stadt gestärkt. Sie kündigte am 14.11.1940 den Errichtungsvertrag und forderte eine Neuregelung in ihrem Sinne. Daraufhin erkannte das Innenministerium durch Erlaß vom 16.12.1941 den Oberbürgermeister als alleinigen Vorstand, unterstützt vom Kurdirektor, an, behielt aber dem Minister den Vorsitz der BKV und die Verwaltungsaufsicht vor. Noch in den Tagen des Zusammenbruchs, am 28.5.1945, erließ der Bevollmächtigte des

Innenministers eine »Verfügung über die vorläufige Regelung der Leitung der Bäder- und Kurverwaltung«, in der der Oberbürgermeister als Leiter, der hauptamtliche Kurdirektor als Geschäftsführer auftraten. Am 20. 10. 1948 regelte ein Vertrag zwischen dem Land (Süd-)Baden und der Stadt Baden-Baden die Beziehungen. Der Oberbürgermeister blieb alleiniger Vorstand, die Stadt nahm die Kündigung des Errichtungsvertrags zurück. Abgesehen von kleineren Änderungen überdauerte der Errichtungsvertrag die Stadt Baden-Baden in ihren alten Grenzen und galt auch nach der Gebietsreform in der vergrößerten Stadt.

Kureinrichtungen. – Die Rechte am Wasser der Thermalquellen, ursprünglich markgräflicher Besitz, waren zu Beginn des 19. Jh. zum Teil seit langem als Bäderlehen vergeben. Die alten *Badherbergen* hielten für ihre Gäste Badekästen (kleine Räume mit Wannen) bereit oder ließen Wannen in den Zimmern aufstellen. Wannenbäder waren auch in den Privatquartieren möglich. 1828 standen in 8 Gasthäusern zusammen 206 Badekästen zur Verfügung, in 5 Häusern waren auch Dampfbäder vorhanden. Was die Bäder zu wünschen übrigließen, wurde in den folgenden Jahren verbessert, so daß ihre reinliche, elegante und zweckmäßige Einrichtung Lob erhielt. Ende des 19. Jh. verfügten der Darmstädter Hof, der Badische Hof, das Baldreit, der Hirsch und der Zähringer Hof zusammen über 108 Badekabinette. Die Benutzung stand jedem offen, auch wenn er nicht im Hotel wohnte. Die Bäder im Darmstädter Hof überdauerten das Hotel und gingen mit dem Gebäude in städtischen Besitz über. Noch in den 1960er Jahren gab es dort Wannenbäder. Private Badhotels bieten auch heute noch alle Thermalwasseranwendungen im Hause an.

Neben den privaten Bädern wurde 1810 auf Initiative des Karlsruher Mediziners und Balneologen Dr. W. L. Kölreuter das herrschaftliche *Dampfbad* mit drei Dampfkastenbädern an der Ursprungsquelle erbaut, aber bereits nach wenigen Jahren durch eine von Friedrich Weinbrenner erbaute größere Anstalt mit 14 Kabinetten ersetzt. Zwar gab es bald Klagen über ihren schlechten Zustand, aber erst 1846–1851 ließ die Regierung durch Heinrich Hübsch einen Neubau mit Inhalationsräumen an der Stelle der abgebrochenen Antiquitätenhalle errichten. Als auch diese Badeanstalt durch die wachsenden Ansprüche überfordert war und außerdem die Schließung der Spielbank drohte, planten Regierung und Großherzog den Bau eines großen repräsentativen Bades im Stil der römischen Thermen. 1869 begannen die Bauarbeiten, 1877 konnte das *Friedrichsbad* eingeweiht werden. Es war für die damalige Zeit vorbildlich und aufwendig mit Wannen- und »Wildbädern«, Schwimm-, Dusch-, Dampf-, Heißluft- und Kaltwasserbädern, Inhalations- und Gymnastikräumen eingerichtet. Nach dem 1. Weltkrieg wären jedoch erhebliche Modernisierungen (Einbau von Wannenbädern, technische Änderung der Thermalwasserkühlung ohne Beimischung von Süßwasser usw.) nötig gewesen, die der Staat aber aus finanziellen Gründen nicht durchführen ließ. Folglich ging der Besuch zurück, und das Bad wurde zu einem Zuschußbetrieb. Endlich baute man 1933 wenigstens eine Anlage zur Thermalwasserkühlung. Erst nach dem Krieg und der Währungsreform wurde im Zuge der Neugestaltung des Bäderwesens das Friedrichsbad grundlegend renoviert.

Das zu Ehren der gerade verstorbenen Kaiserin *Augustabad* genannte Frauenbad entstand 1890–93 auf dem Platz des bisherigen Armenbades, erweitert durch Gelände des Klosters zum Hl. Grab. Schon bald nach 1880 hatte man seinen Bau geplant, um das stark frequentierte Friedrichsbad den Männern vorzubehalten. Allerdings war der Platz des Augustabades klein und schlecht gewählt. Es wurde nach 1960 abgerissen. Ein neues vergrößertes Augustabad erstand als Kurmittelhaus mit Thermalschwimmbad und den modernsten medizinisch-technischen Einrichtungen im neuen Kurzentrum im Rotenbachtal.

Das *Armen- oder Freibad* mit einem unbedeckten Schwimmbad und einigen Badkästen befand sich zu Anfang des 19. Jh. neben der Hauptquelle und der Altertumshalle. Arme, auch fremde, Kurgäste erhielten hier kostenlose Bäder und Geldunterstützung aus Spenden der Kurgäste, Zinsen von Stiftungen und aus Glücksspielkonzessionsgeldern. Ein 1809 vor dem Gernsbacher Tor nach Plänen Weinbrenners errichtetes neues Gebäude war bald zu klein. Daher kaufte der Staat 1830 das Gasthaus zum Baldreit mit seinen Wasserrechten und richtete es als Armenbad ein. Im Jahr 1839 verpflegte es 160 Kranke. Da auch dieses Haus bald nicht mehr genügte, wurde 1850 das Gasthaus zum Salmen gekauft und zu einer Musteranstalt mit 70 Schlafstellen und 16 Badekabinetten eingerichtet, die im Jahr 1856 276 Personen aufnahm. Seit Aufhebung der Spielbank ging die Unterstützung der Armen und Kranken ausschließlich auf die Gemeinden, Kirchen, dann auch auf Krankenkassen und Versicherungen über. Als nach 1871 der Besuch weiter zunahm und auch zahlende Gäste kamen, wurde nicht nur ein Neubau, sondern auch eine neue Organisationsform nötig, die sich in der Namensgebung ausdrückte. Statt des zugunsten des Augustabades abgerissenen Armenbades erstand 1888–90 im Rotenbachtal das moderne *Landesbad*. Es nahm Angehörige des Großherzogtums auf, die sich keinen teuren Hotelaufenthalt leisten konnten, bot Verpflegung und den Gebrauch der Thermen und verfügte zunächst über 55 Zimmer und 90 Betten. Weil seit 1908 auch Beamte aller Verwaltungen zur Kur kamen, erhielt es 1912 einen Erweiterungsbau auf 120 Betten. Im Gegensatz zu den anderen Bädern der Stadt entwickelte sich das Landesbad positiv. Das Erholungsbad für Minderbemittelte wandelte sich zur Spezialanstalt für Rheumakranke. Selbst in den Krisenjahren um 1930 war das Haus voll belegt und erzielte finanzielle Überschüsse. Die beiden Ärzte waren aber überbeansprucht, der bauliche Zustand unzureichend. Bei der Neuorganisation der Bäder blieb es selbständig. Nach dem 2. Weltkrieg stand das Landesbad bei dem umfassenden Aufbauprogramm an erster Stelle. Der Bau wurde vergrößert und den neuen Anforderungen angepaßt. Und wieder drückte sich die Veränderung in einem neuen Namen aus. Das ehemalige Armen- und Freibad und spätere Landesbad ist heute das Staatliche Rheumakrankenhaus Baden-Baden.

Außer in Bädern wurden die Thermen schon immer zu *Trinkkuren* verwendet. Wieder war es der Badearzt Dr. Kölreuter, auf dessen Anregung Weinbrenner eine Trinkhalle in unmittelbarer Nähe zu den Quellen und dem Dampfbad und 1821 auch ein Quellwasser-Reservoir unter der Trinkhalle baute. Man trank das Thermalwasser rein oder mit Karlsbader Salz oder Milch vermischt. Nach der Verlagerung des Kurlebens ans andere Oosufer baute Heinrich Hübsch 1839–1843 dort auch eine neue Trinkhalle, der das Thermalwasser zugeleitet wurde. Außerdem tranken die Kurgäste hier Molke, frische Kuh- und Ziegenmilch aus der Molkenanstalt und fremdes Mineralwasser. Um 1900 war der Trinkhalle ein Gurgelkabinett angegliedert. Ende der 1920er Jahre wurde auch ein Neu- oder Umbau der Trinkhalle gefordert, da sie weit hinter den Trink- und Wandelhallen anderer Kurorte zurückstünde und ärztlich verordnete Trinkkuren hier fast nicht durchzuführen seien. Aber auch die Modernisierung und Erweiterung der Trinkhalle mußte bis nach dem 2. Weltkrieg warten und wurde Anfang der 1950er Jahre durchgeführt.

Gegen Ende des 19. Jh. wurde im Friedrichsbad die *Fangobehandlung* mit Badeschlamm eingeführt. Ein eigenes Gebäude für Fangobehandlungen ließ die Regierung 1930 erbauen. Nach dem Krieg wurde es zunächst renoviert, dann bei der Umgestaltung der Kureinrichtungen abgerissen. Auch das in der Nähe der Spitalkirche gelegene, um die Jahrhundertwende erbaute *Inhalatorium*, das nach der Beschlagnahmung 1949 von den Franzosen freigegeben worden war, mußte den Neubauten weichen.

Spielbank. – Glücksspiel war in Baden-Baden schon im 18. Jh. vom Staat konzessioniert und trug während des Rastatter Kongresses 1797/98 zum Wiederaufleben des Badeortes bei. Gespielt wurde in Gasthäusern, in dem 1765 erbauten Promenadehaus jenseits der Oos, dann einige Jahre im 1812/13 umgebauten Jesuitenkolleg und endlich im 1824 neuerbauten Konversationshaus. Hier wurde das Spiel monopolisiert und gewann größere Bedeutung unter Antoine Chabert, der zum 24.3.1824 Spielbank, Konversationshaus und Restaurant pachtete und das Publikum auch mit Konzerten und anderen gesellschaftlichen Veranstaltungen unterhalten ließ. 1830 führte er das sog. Kleine Spiel mit niedrigen Einsätzen ein. Er zahlte jährlich 29000 fl Pacht. Die wirklich große Zeit des Spiels in Baden begann jedoch mit seinem Nachfolger Jean Jacques Bénazet, der 1838 die Spielbank und mit ihr außerordentlich hohe finanzielle Verpflichtungen übernahm. Er mußte mit 45000 fl eine wesentlich höhere Jahrespacht zahlen als Chabert. Außerdem hatte er die 140000 fl Gesamtschulden aus dem Bau des Konversationshauses und des Dampfbads abzulösen, die Neubauten und Verschönerungen in den Kuranlagen zu bezahlen und Abgaben an die Badanstalten-Kommission zu leisten. Alle diese Ausgaben ließen sich aus der Spielbank erwirtschaften, obwohl Bénazet nur Rouge-et-noir und Roulette spielen ließ und auf Pharao verzichtete, das Kleine Spiel aufgab und die Spieler streng überwachen ließ. Die Spielbank eröffnete jedes Jahr am 20. Mai und schloß am 25. Oktober. Die Oberaufsicht führte die Badanstalten-Kommission. Bénazet und seit 1848 sein Sohn Edouard machten es sich zur Aufgabe, Baden-Baden zu einem glanzvollen gesellschaftlichen Zentrum, zur »Sommerhauptstadt Europas«, auszubauen. Bedingungen und Rahmen dazu schufen sie u.a. durch den Bau (1834) des Iffezheimer Anschlusses an die Rheindampfschiffahrt für die von Paris und Straßburg anreisenden Gäste, durch Mitfinanzierung der Stichbahn von Oos nach Baden-Baden (1845), den prachtvollen Umbau des Konversationshauses (1853) und, weil dabei das Weinbrennersche Theater abgebrochen wurde, den Neubau des Theaters, der 1862 eingeweiht wurde. Aus den Einnahmen, die der Staat über das Glücksspiel bezog, wurden die staatlichen Bauten in Baden-Baden finanziert, aber auch Einrichtungen im Staatsbad Badenweiler und in den Renchtalbädern, außerdem zahlreiche Straßenbauten und -instandhaltungen.

Unumstritten war das Glücksspiel nicht. Das schon 1843 von Frhr. Heinrich von Andlaw im badischen Landtag beantragte Verbot konnte Staatsrat Karl Friedrich Nebenius noch verhindern. 1845 aber beriet der Frankfurter Bundestag über die Spielbanken, und 1849 ordnete die Frankfurter Nationalversammlung in einem Reichsgesetz die Aufhebung aller Spielbanken an. Trotzdem blieb die Baden-Badener Spielbank bestehen, da die Verträge mit der Regierung bindend waren und sich Paris für Bénazet einsetzte. Aber das Gesetz vom 1. Juli 1868 verbot endgültig alle deutschen Spielbanken. Baden-Baden erhielt eine Gnadenfrist bis zum 1. November 1872, aber an diesem Tag mußten die Spielsäle schließen. An die Verlängerung der Spielzeit knüpfte der Staat für die Stadt Bedingungen wie den Bau des Gymnasiums, der höheren Töchterschule und einer Abwasserleitung. Seit 1859 flossen die Erträgnisse der Spielbank in einen Reservefonds zum Ausbau der Bäder. 1872 war er trotz mehrfacher Inanspruchnahme auf 1600000 fl angewachsen. Zugunsten dieses jetzt Badfonds genannten Kapitals war im letzten, 1870 mit Edouard Bénazets Neffen und Nachfolger Jacques Emile Dupressoir abgeschlossenen Pachtvertrag der Pachtzins auf 500000 fl heraufgesetzt worden. Aus dem Badfonds wurde u.a. der Bau des Friedrichs- und des Augustabades bestritten.

Mit dem Verlust der Spielbank fand man sich ab, bis sich nach 1918 die wirtschaftliche Lage drastisch verschlechterte. Im März 1930 forderte der Allgemeine Deutsche Bäderverband in Berlin die Wiederzulassung des Glücksspiels in den deutschen Bädern mit ausländischem Publikum. Auch in Baden-Baden sah man in der Wiedereinführung des Spiels ein Mittel zur Lösung der schweren wirtschaftlichen Probleme, zumal das nahe elsässische Niederbronn mit seiner 1929 eröffneten Spielbank die Kurgäste anzog. Aber die Wiedereinführung setzte ein entsprechendes Reichsgesetz voraus, und im Reichstag der Weimarer Republik war dafür keine Mehrheit zu gewinnen. Schon im Mai 1933 griffen Baden-Badener Nationalsozialisten das Thema auf, schon am 14. Juli 1933 genehmigte ein Reichsgesetz die Einrichtung von Spielbanken in Kurorten, die zwischen 1924 und 1930 jährlich mindestens 70000 Kurgäste, darunter mindestens 15 % Ausländer, nachweisen konnten oder in der Nähe einer ausländischen Spielbank lagen. Diese Bedingungen erfüllte Baden-Baden als einziger deutscher Kurort und erhielt daher am 18. 8. 1933 die Genehmigung. Da sich in Deutschland keine geeigneten Betreiber der Spielbank fanden, ging die Konzession an ein französisches Konsortium mit jüdischen Geldgebern. Auch der Direktor der Spielbank Georges Wormser und sein Berater waren Juden. Die Berliner Regierung war damit zunächst einverstanden, da sie den wirtschaftlichen Interessen vor der Ideologie noch den Vorrang gab. 1935 verfügte aber die Reichsregierung die Auflösung des Vertrags. Der neue Vertrag wurde zwischen der BKV und der Spielbank geschlossen, an der das Land, die Stadt und die BKV selbst beteiligt waren. Mit nur einem Roulette-Tisch fing man an, 1936 wurde bereits an bis zu acht Roulette- und drei Baccara-Tischen gespielt. Die Spielbank beschäftigte 108 Angestellte. Auf die Gästezahlen der Stadt wirkte sich die Eröffnung der Spielbank vom ersten Monat an aus. Auch die Einnahmen überstiegen die Voraussagen. Aus dem Ertrag erhielt die Stadt jährlich einen vertraglich vereinbarten Zuschuß von 100000 RM und außerdem erhebliche zweckgebundene Mittel für die kurörtlichen Belange. 1938 forderte Oberbürgermeister Hans Schwedhelm für die Stadt entweder 10 % der Spielbankeinnahmen als Vergnügungssteuer oder eine rechtliche Fixierung der bisher freiwillig geleisteten Beiträge aus Spielbankmitteln im Haushaltsplan der Stadt als Ausgleich für die erheblichen durch den Kurort bedingten Aufwendungen. Eine endgültige Regelung der Organisation und der Verteilung der Einnahmen unterbrach der 2. Weltkrieg. Am 20. 8. 1944 wurde die Spielbank geschlossen.

Nach dem Krieg setzten 1948 Verhandlungen über die Wiedereröffnung ein. Im Dezember 1949 wurde mit Einverständnis des Hohen Kommissars der französisch besetzten Zone die Gründung einer Spielcasino-Kommandit-Gesellschaft mit einem Kapital von 400000 bis 500000 DM beschlossen. Je 45 % des Gesellschaftskapitals wurde von der Bankgruppe Lenz in München und von einer deutsch-italienischen Finanzgruppe gestellt, 10 % brachte die BKV auf. Am 21. 1. 1950 wurde die Spielbank Baden-Baden GmbH & Co KG mit 6 Kommanditisten in das Handelsregister eingetragen. Nach Renovierung der Spielsäle öffnete die Spielbank am 1. 4. 1950 mit Roulette und Baccara an vier Spieltischen, betreut von 45 Croupiers. Schon im Oktober zählte man mehr als 100000 Besucher. Dazu kamen die Besucher des Kleinen Spiels, zu dem auch Einwohner der Stadt zugelassen sind. Die südbadische Regierung und 1952 auch das Land Baden-Württemberg überließen bis 1955 der BKV die gesamte Spielbankabgabe (1950: 2,16 und 1951: 2,36 Millionen DM) zum Ausbau des Kurortes. Auch danach erhielt die BKV den größten Teil der Einnahmen. Sie finanzierte daraus die Bäder, die Lichtentaler Allee, das Theaterensemble und das Kurorchester. 1974/75 wurde das Kurhaus erneut umgebaut. 1975 konnte man an 38 Tischen spielen, mehr als 200 Croupiers waren angestellt, und die Spielbank führte 31 Millionen an das Land Baden-Württemberg ab.

Iffezheimer Rennen. – Zu einer weiteren und dauerhaften Anziehungskraft für die Kurstadt sollten sich die Rennen in Iffezheim entwickeln, die ersten Pferderennen von internationalem Rang in Deutschland. Auch sie verdanken ihre Einführung und Förderung dem Spielbankpächter. Edouard Bénazet und der Pariser Jockey-Club organisierten 1858 das erste Rennen auf einem Iffezheimer Allmendplatz nahe beim Dorf. Protektor der Rennen war Großherzog Friedrich I., alljährlicher Gast war der König von Preußen, später Kaiser Wilhelm I. Teilnehmer und Besucher waren international, und jedes Jahr brachte mehr Zuschauer und mehr startende Pferde. Bereits um 1865 wurde eine »erfreuliche Rückwirkung auf die Pferdezucht in Baden« konstatiert.[9] Die Rennen fanden an 3 Tagen Anfang September oder Ende August statt. Bald waren sie der glanzvolle Höhepunkt der Saison in Baden-Baden. Schon in den ersten Jahren wurde der Große Preis von Baden vergeben. Nach dem deutsch-französischen Krieg und der Schließung der Spielbank gewannen die Rennen erhöhte Bedeutung für das gesellschaftliche Leben in Baden-Baden, und man unternahm alle Anstrengungen, sie weiterzuführen. Da weder Spielbankpächter noch Jockey-Club mehr für sie sorgen konnten, konstituierte sich 1872 zu Organisation und Finanzierung der Rennen der Internationale Club als Aktiengesellschaft, später als eingetragener Verein. Der Staat engagierte sich durch Überlassung der Gebäude an den Club, die Stadt durch Geldbeiträge. Eintrittsgelder und Rennwetten, Einnahmen aus dem privaten Spiel im Haus des Clubs und aus einer von der Stadt alljährlich veranstalteten Lotterie bildeten weitere finanzielle Grundlagen. Dennoch mußten Stadt, Hotels und Kurkomitee in den 1880er Jahren erhebliche Subventionen leisten. 1874 führte der Kaiser ein Armeerennen für deutsche Offiziere ein, es wurde nach seinem Tod 1888 aber wieder aufgegeben. Nach einer Phase rückläufigen Interesses stiegen Besuch und Rennmeldungen um die Jahrhundertwende wieder an, und es wurden mehr Rennen gelaufen. Die soziale Struktur der Rennbesucher veränderte sich wie die der Kurgäste in Baden-Baden. Was an Exklusivität verloren ging, wurde an Zahl gewonnen. Trotzdem war vor dem 1. Weltkrieg das Haus des Internationalen Clubs an der Lichtentaler Allee »Mittelpunkt der vornehmen Sportswelt aller Länder«[10]. Der vom Großherzog gestiftete Goldpokal wurde alljährlich vergeben. Die Preise hatten (1898) einen Wert von mehr als einer halben Million Mark. Das Programm wechselte jedes Jahr, aber der Große Preis von Baden, das Fürstenberg-Memorial-Rennen und Steeple-chases wurden alljährlich durchgeführt.

Beide Weltkriege unterbrachen die Rennen. 1945 bis 1950 war die Rennbahn beschlagnahmt. Nach ihrer Instandsetzung aus Spielbankmitteln fanden seit 1951 wieder Internationale Iffezheimer Rennen statt. Schon vorher war der Rennclub Baden-Baden gegründet worden. In den ersten Jahren nahmen nur Franzosen und Deutsche teil, aber 1963 waren schon Pferde aus 10 Nationen gemeldet. Seit 1963 verband man auch Versteigerungen von jungen Vollblütern mit den Rennen.

Gastgewerbe

Einige der später berühmten Gasthäuser konnten ihre Wirtschaftsgerechtigkeit auf manchmal recht verschlungenen Wegen bis in die Zeit vor dem Stadtbrand von 1689 zurückleiten. Der große Aufschwung des Gastgewerbes fand jedoch im 19. Jh. statt.

III. Entwicklung im 19. und 20. Jahrhundert

Im Jahr 1805 standen den Kurgästen nur die alten Badherbergen zur Verfügung:

Zum Baldreit	mit 36 Badkästen und 24 Zimmern
Zum Drachen	mit 33 Badkästen und 35 Zimmern
Zum Hirsch	mit 47 Badkästen und 43 Zimmern
Zum Salmen	mit 42 Badkästen und 33 Zimmern
Zur Sonne	mit 24 Badkästen und 36 Zimmern

Wer hier keinen Platz fand, kam in privaten Wohnungen unter. Bald hatte während der Saison fast jedes Haus der Stadt vermietete Räume. Mit dem wachsenden Zustrom von Badegästen wandten sich Handwerker, Händler und Angehörige sonstiger Berufe dem Gastgewerbe zu. Bisher vernachlässigte Wirtschaftsrechte lebten wieder auf, wechselten oft auch Besitzer, Standort und Namen und wurden zur Grundlage zeitgemäßer Hotels, die sich gegenseitig an Pracht zu überbieten suchten. Kehrseite des Aufschwungs waren lebhafte Spekulation und ein enormes Ansteigen der Grundstückspreise. Auch ehemals öffentliche und kirchliche Gebäude verwandelten sich in Gastbetriebe. Der Eigentümer der Sonne vergrößerte das Gasthaus durch das Seminar und das Gymnasiumsgebäude. Das Kapuzinerkloster ging 1807 mit den zugehörigen Wasserrechten an den Verleger Johann Friedrich von Cotta über, der es zum Badhotel Badischer Hof umbauen ließ. Der Darmstädter Hof erstand an der Stelle der 1808 abgetragenen Jesuitenkirche.

In den folgenden Jahrzehnten wuchsen außerhalb der Altstadt an den neuangelegten breiten Straßen luxuriöse Hotels. Ihre Wirtschaftsrechte nahmen sie zum großen Teil von alten Gasthäusern. So übertrug Alois Burkard Rechte und Namen des Gasthauses Zur Stadt Baden, früher Zum Wolf, 1806 von der Altstadt auf ein neues Haus vor dem Beuerner Tor, 1836 Ignaz Stadelhofer die Rechte des Rössel auf das an der Brücke zum Konversationshaus neuerbaute Hotel Englischer Hof. Die Brüder Philipp und Franz Grosholz bauten anstelle der 1851 und 1853 aufgekauften Gasthäuser Fuchs und Blume das Hotel Victoria an der Sofienstraße. Die Wirtschaftsgerechtigkeit der Blume ging 1856 auf ein Haus an der Langen Straße über, das spätere Hotel Müller.

Andere Gasthäuser versuchten sich am angestammten Platz zu behaupten und zu vergrößern. Das Badgasthaus Hirsch erstand nach Abriß 1831 als zeitgemäßes Hotel wieder und erfuhr später mehrere Erweiterungen. Auch das Badgasthaus Drachen blieb, ausgebaut und vergrößert, als Stadt Paris (1831) zunächst am alten Platz, florierte jedoch nicht. 1860 wurden die Rechte verkauft und auf ein Haus an der Sofienstraße verlegt. Das seit 1733 vor dem Beuerner Tor bestehende Gasthaus Zum Lamm nützte um 1840 seine nunmehr zentrale Lage und vergrößerte sich zum Holländischen Hof. Auch in Lichtental erkannte man die Zeichen der Zeit. Die Gasthäuser wurden erneuert, Privatwohnungen an ruhesuchende Gäste vermietet, und der Lindenwirt baute seine Gaststätte 1821, als er im Keller auf eine Stahlquelle gestoßen war, zum Hotel Ludwigsbad um. Außerdem gab es die drei alten Gasthöfe Zum Löwen, Zum Kreuz, Zum Bären und die als Ausflugsziel gutbesuchte Brauerei von Graf.

Für Baden-Baden nennt Schreiber[11] 1840 an Gasthäusern ersten Ranges: Badischer Hof, Englischer Hof, Hirsch, Holländischer Hof, Russischer Hof, Salm, Sonne, Zähringer Hof. Fast alle waren zugleich Badehäuser. Von den Gasthäusern zweiten Ranges führte er an: Darmstädter Hof (zugleich Badehaus), Kreuz, Lamm und die in den 1830er Jahren neukonzessionierte Stadt Straßburg. Eine Gründung dieser Jahre ist auch die als Gästehaus für Dauergäste 1834 neben dem Konversationshaus erbaute Maison Messmer, in der Kaiser Wilhelm I. und Kaiserin Augusta schon als Prinzen von Preußen seit 1851 jedes Jahr Wohnung nahmen.

3. Wirtschaft und Verkehr

Noch 1850 reichten nach Ansicht des Amtsvorstandes die Wirtschaften und Gasthöfe während des Sommers nicht aus, zumal selbst in einem der größten Gasthöfe die Speicherkammern mit 3–4 Betten belegt und zu 1 fl je Bett vermietet wurden. Da der Gemeinderat, meist aus Wirten und deren Verwandten bestehend, diese Ansicht nicht teilte, entschied sich die Kreisregierung gegen Neukonzessionierungen[12]. Unter den im Stadtführer von 1857[13] neugenannten großen Gasthöfen sind nur der Europäische Hof, der Französische Hof und der Rheinische Hof seit den 1830er Jahren neugegründet. Unter den 15 »übrigen Gasthäusern« finden sich alte Häuser wie Baldreit, Geist, Fortuna, Stadt Paris (ehemals Zum Drachen), die den Anschluß nicht geschafft hatten. Aufgegeben hatte auch der Salmen, einst das größte und nach 1820 noch ausgebaute Haus. Der Staat kaufte es 1850 als neues Armenbad, die Bad- und Wirtschaftsrechte 1865 gingen auf einen neuen Salmen an der Gernsbacher Straße über.

Auch die neuen Hotels standen unter dem Zwang, sich den wachsenden Ansprüchen anzupassen. Während des ganzen 19. Jh. wurden sie immer wieder vergrößert und erneuert. Eine Neugründung der 1860er Jahre war das Hotel Stephanienbad, das 1873 von Anton Brenner erworben und unter dem Namen Stephanie von ihm und seinem Sohn Camill zu dem zeitweilig größten Baden-Badener Hotel ausgebaut wurde. Brenner baute 1896 ein eigenes Elektrizitätswerk und kaufte 1909 das Hofgut Tiefenau bei Sinzheim zur Versorgung des Hotels und seiner inzwischen hinzugekommenen Dépendancen. Bald danach kaufte er das Hotel Minerva und baute es zu dem modernen Hotelsanatorium um, das unter dem Namen »Brenners Parkhotel« noch heute besteht.

Der Übergang zwischen Hotel und Sanatorium im Sinne des wiederbelebten Kurgedankens kennzeichnet die Neubauten des ausgehenden 19. Jh. Da die meisten großen Hotels, zwar ursprünglich am Stadtrand erbaut, längst vom Verkehr eingeholt waren, baute man diese neuen sog. Luftkurorte wie die Hotels Kaiserin Elisabeth, Grethel, Schirmhof und Korbmattfelsenhof an den Hängen um die Stadt. Auch in Ebersteinburg firmierte die Krone als Luftkurhotel. Vermehrt entstanden jetzt auch Restaurants, Cafés und Konditoreien, deren geringe Anzahl man noch 1878 im Vergleich mit anderen Kurorten bedauert hatte.

Um das Jahr 1906 nannte ein Reiseführer[14] 14 Hotels für die höchsten Ansprüche in der Stadt, 9 weiter von der Stadt entfernte, 19 Hotels zu nicht ganz so hohen Preisen und 13 bescheidene Häuser, 21 Pensionen in der Innenstadt, 11 vom Mittelpunkt der Stadt entfernte, mit Namen. Darüberhinaus gab es Restaurants in einem Teil der Hotels und an allen Ausflugspunkten sowie eine große Anzahl auch einfacherer Gaststätten. Cafés wurden in der Innenstadt 3 genannt (Dilzer, Rumpelmayer und Zabler), etwas entfernt weitere 8, darunter 2 in Hotels. Für Lichtental wurden 4 Hotels, 23 Restaurants, 1 Pension, 1 Erholungsheim, viele Privatzimmer mit und ohne Pension angegeben.

Schon um die Wende zum 20. Jh. zeigten sich Schwierigkeiten, die großen Hotels in Betrieb zu halten und zu modernisieren. Das Hotel Viktoria wurde schon 1912 nach einem Brand nicht mehr eröffnet, und das Hotel Friedrichsbad wurde abgebrochen. Der 1. Weltkrieg und die Inflationszeit verstärkten die wirtschaftlichen Schwierigkeiten. Die meisten Hotels, im Krieg als Lazarette verwendet, waren danach nur schwer in der Lage, sich in zeitgemäße Hotels zurückzuverwandeln, zumal die ohnehin in geringerer Zahl und für kürzere Aufenthalte anreisenden Kurgäste jetzt kleinere Häuser bevorzugten. Mehrere Hotels gaben auf, darunter der Englische Hof und die Stadt Baden. Vom Englischen Hof wurde ein Teil als Hotel Atlantic weitergeführt, das Hauptgebäude in ein Bankhaus umgebaut. Das Hotel Stadt Baden wurde zum Bürohaus, dann zum Arbeitsamt. Auch das Hotel Messmer, noch kurz vor dem Krieg vergrößert, wurde 1919 verkauft und 1936 geschlossen (1958 dann abgerissen). Nicht von ungefähr engagierten sich die Vertreter der Hotellerie in den Verhandlungen um eine Neuordnung der Bäder und der Kurverwaltung. Der Erholung nach der Gründung der BKV und der Wiedereröffnung der Spielbank setzte der 2. Weltkrieg ein Ende. Von den im Adreßbuch 1900 genannten 50 Gasthöfen und Hotels bestanden im Jahr 1942 nicht mehr die Hälfte, und nur 17 neue Betriebe waren in der Zwischenzeit gegründet worden. Andererseits hatte sich die Zahl der Pensionen und Fremdenheime verdoppelt. Im Krieg waren die Hotels wieder Lazarette, und nach Kriegsende beschlagnahmte die Besatzungsmacht alle größeren Gebäude und gab sie erst nach Jahren wieder frei. Als 1950 offiziell der Kurbetrieb wieder aufgenommen wurde, standen 1600 Fremdenbetten zur Verfügung.

Wie für die Bäder- und Kurverwaltung und die Stadtverwaltung, so waren die Jahre nach 1950 auch für das Gastgewerbe eine Zeit erneuter Umstrukturierung und Modernisierung. Nicht alle traditionsreichen Hotels konnten mithalten. Berühmte Hotelbauten wie das Haus Messmer oder das Stephanie fielen als unmodern und verkehrsbehindernd der Spitzhacke zum Opfer oder wurden zu neuen Zwecken umgebaut, andere wie das Hotel Kaiserin Elisabeth, das der Südwestfunk übernahm, erhielten zunächst neue Aufgaben und wichen dann gleichfalls Neubauten. Aber zwischen 1950 und 1970 eröffneten mehr Hotels neu als geschlossen wurden. Von den zahlreichen Pensionen und Fremdenheimen, die aufgrund ihres geringeren Kapitaleinsatzes flexibler sind als die kapitalintensiven Hotels, überlebten nur wenige. Einige vergrößerten sich zu Hotels, andere gaben auf. Auch die Zahl der Gaststätten und Restaurants ging leicht zurück, dafür nahmen die Cafés und insbesondere die Eiscafés zu. Neben den Veränderungen in der Zahl und Struktur der gastgewerblichen Betriebe zeigt sich auch eine fortschreitende Differenzierung der Aufgaben. Im Jahr 1900 hatten noch ⅔ der Gasthöfe/Hotels ein Restaurant geführt, 1970 nur noch 8 von 51.

Nach der Handels- und Gaststättenzählung vom 31.8.1968 arbeitete im damaligen Stkr. Baden-Baden etwa ein Zehntel aller Beschäftigten (bezogen auf die Zahl von 1970) im Gastgewerbe. Ein Vergleich mit den anderen badischen Stadtkreisen zeigt in Baden-Baden die Dominanz der Hotels gegenüber anderen gastgewerblichen Betrieben nach Anzahl, Beschäftigten und Umsatz.

Wie erwähnt suchte sich das Gastgewerbe in *Lichtental* schon früh an das von Baden-Baden anzugleichen. 1899 wurden im Ortsbereisungsprotokoll 24 Wirtschaften angegeben, 1903 dann 3 Hotels, 1 Pension, 10 Gaststätten, 10 Wirtschaften und 1 Kaffeehaus-Konditorei. In *Oos* blieb das Gastgewerbe dagegen mehr auf die örtlichen Bedürfnisse zugeschnitten. Zu Beginn des 19. Jh. bestanden Engel und Rössel, aber 1831 wurden die Fremden nur auf 1 gutes Gasthaus verwiesen. Der Engel wird heute noch betrieben, das Rössel muß im 19. Jh. bereits aufgegeben haben. 1854 gab das Ortsbereisungsprotokoll 3 Gastwirtschaften an. Außer dem Engel dürfte es sich nach Namen und Lage um den Goldenen Stern und die Sonne gehandelt haben. 1897 wurden schon 8 Wirtschaften in Oos und 3 in Oosscheuern und 1901 insgesamt 17 Wirtschaften genannt. *Balg* hatte 1835 nur eine Wirtschaft, 1854 die beiden Gasthäuser Zum Hirsch und Zur Blume. 1893 wurden 3 Wirtschaften angegeben. In *Haueneberstein* gab es 1854 4 Wirte und 2 Bierwirte und 1898 bereits 8 Wirtschaften. 1867 wurde das Gasthaus Zum Weinberg konzessioniert. *Sandweier* kam 1852 mit 3 Wirten und 1 Bierwirt aus, verzeichnete aber 1892 bereits 6 Wirtschaften. In Eberhsteinburg und den Reblandorten profitierte das Gastgewerbe früh vom Ausflugsverkehr aus Baden-Baden. In *Ebersteinburg* lebten die 8–9 Wirtschaften, die um die Jahrhundertwende dort bestanden und von denen Krone und Hirsch sowie das Restaurant in der

Tabelle 3 **Vergleich der gastronomischen Betriebe 1900–1970**

Art der Betriebe	1900	1942	1950	1970
Gasthöfe, Hotels und Hotel-Restaurants				
Gesamtzahl	50	42	40	51
davon mit Restaurant/Café	29	16	3	8
Restaurant neu		3	1	2
Restaurant aufgegeben		5	11	1
unverändert*		17	25	25
neugenannte Betriebe		11	0	15
neu, bisher aus Restaurant/Café o. Pension		6	3	8
zu Restaurant verkleinert		−6	−1	−2
Betrieb nicht mehr genannt		−19	−4	−10
Fremdenheime und Pensionen mit und ohne Restaurant/Café				
Gesamtzahl	19	38	37	11
davon mit Restaurant/Café	5	2	2	1
Restaurant aufgegeben		1		
unverändert*		4	28	6
neugenannte Betriebe		32	7	4
neu, bisher aus Restaurant/Café		1	2	1
in Hotel umgewandelt			−2	−6
Betrieb nicht mehr genannt		−14	−8	−25
Gaststätten und Restaurants, auch mit Café				
Gesamtzahl	81	96	94	83
unverändert*		44	82	67
neugenannte Betriebe		46	11	13
neu, bisher Pension o. Hotel(-Restaurant)		5	1	2
neu, bisher Café		1		
zu Hotel o. Pension ausgebaut		−6	−3	−3
zu Café verkleinert			−1	
Betrieb nicht mehr genannt		−31	−10	−24
Cafés und Eiscafés				
Gesamtzahl	7	13	17	23
unverändert*		1	10	9
neugenannte Betriebe		12	6	14
neu, bisher Restaurant			1	
zu Pension/(Café) ausgebaut		−1		
zu Restaurant vergrößert		−1		−1
zu Konditorei verkleinert		−1		
Betrieb nicht mehr genannt		−3	−3	−7
Gastronomische Betriebe insgesamt	157	189	188	168

* auch unter neuem Namen
Quellen: Adreßbuch (1942: Einwohnerbuch) Baden-Baden 1900, 1942, 1950, 1970.

Ruine Alteberstein besonders bekannt waren, zweifellos hauptsächlich von Kurgästen, zumal das Luftkurhotel Zur Krone selbst Gäste aufnahm. Noch 1936 hatte der kleine Ort 5 Gast- und 2 Schankwirtschaften und 1 Pension. In *Steinbach*, wo 1883 10 Wirtschaften gezählt wurden, war das Gasthaus Zum Stern genau so bekannt wie die Gasthäuser Zum Lamm und Zum Rebstock unter (1883) 6 Wirtschaften in *Neuweier*.

Tabelle 4 **Das Gastgewerbe 1968**

Gastgewerbe mit Beherbergung	Anzahl	in % Baden-Baden	in % 5 Stkre*
Arbeitsstätten	169		
darunter:			
Hotels	42	24,9	7,1
Gasthäuser u. ä. (mit Beherbergung)	23	13,6	5,4
Fremdenheime und Pensionen	14	8,3	**
Gast- und Speisewirtschaften	50	29,6	56,9
Cafés	18	10,7	6,8
Beschäftigte	2 137		
darunter in:			
Hotels	1 144	53,5	18,5
Gasthäuser u. ä. (mit Beherbergung)	108	5,1	6,9
Fremdenheime und Pensionen	75	3,5	**
Gast- und Speisewirtschaften	457	21,4	44,5
Cafés	190	8,9	8,6
Umsatz 1967 in 1000 DM	49 377		
darunter in:			
Hotels	24 535	49,7	17,3
Gasthäuser u. ä. (mit Beherbergung)	2 747	5,6	7,0
Fremdenheime und Pensionen	1 109	2,2	**
Gast- und Speisewirtschaften	11 469	23,2	46,5
Cafés	4 415	8,9	8,3
Fremdenzimmer	2 207		
darunter in:			
Hotels	1 693	76,7	69,6
Gasthäuser u. ä. (mit Beherbergung)	188	8,5	18,5
Fremdenheime und Pensionen	215	9,7	**
Gast- und Speisewirtschaften	31	1,4	2,9
Cafés	9	0,4	0,3
Fremdenbetten	3 344		
darunter in:			
Hotels	2 540	76,0	64,6
Gasthäuser u. ä. (mit Beherbergung)	309	9,2	18,6
Fremdenheime und Pensionen	320	9,6	**
Gast- und Speisewirtschaften	47	1,4	3,0
Cafés	15	0,4	0,2

* Gesamtwert für die übrigen badischen Stadtkreise: Karlsruhe, Heidelberg, Mannheim, Pforzheim, Freiburg (Gebietsstand 1968).
** Aus Datenschutzgründen keine Angabe
Quelle: Statistische Berichte G/Handels- und Gaststättenzählung 1968–4. 20/11/72.

1958 warben in Steinbach um Gäste: die Meister-Erwin-Halle mit Gaststuben und Weinterrasse, die Gasthäuser Zum Adler, Erwin, Zum Hirsch, Zum Landprinzen, Zur Linde, Zur Sonne, Zum Sternen, Zum Weinberg und ein Café. Das Restaurant im Schloß Neuweier entwickelte sich zum vielbesuchten Ausflugsziel. Mit zunehmendem Autoverkehr dehnte sich das Einzugsgebiet der Gastronomie des ganzen Reblandes bis Karlsruhe aus.

Handel und Dienstleistungen

Handel. – Die traditionellen *Märkte* in Baden-Baden, 2 Krämer- und 2 Viehmärkte, die einzigen im Amtsbezirk Baden, fanden noch Ende des 19. Jh. statt. Für den wöchentlichen Fruchtmarkt wurde 1841 eine neue Ordnung erlassen. Da der Frucht- und Haferhandel unbedeutend war, konnte 1871 die Fruchthalle in das bisherige Feuerhaus verlegt werden, um das Kornhaus dem Staat als Hauptsteueramt zu überlassen. Gut besucht waren die Wochenmärkte, auf denen die Marktfrauen aus den Dörfern der Rheinebene und des Reblandes ihre Erzeugnisse feilboten. Im alten Marktort Steinbach fanden Ende des 19. Jh. nicht mehr je 4, sondern nur noch 1 Krämer- und 1 Viehmarkt statt.

Der *Einzelhandel* hatte sich schon früh im 19. Jh. auf die Bedürfnisse der Gäste eingestellt. Mode- und Galanteriewarenläden, Delikatessengeschäfte, Weinhandlungen, die nicht nur einheimische Weine führten, Buchhandlungen und Leihbibliotheken auch mit französischer und englischer Literatur wären ohne die Kurgäste undenkbar gewesen. Im Sommer wimmelte es außerdem von fremden Kaufleuten, die ihr Angebot zum Leidwesen der angesessenen Händler nicht nur auf Luxuswaren beschränkten. Die teuersten Waren hielten die Kaufleute in den vom Staat verpachteten Promenadenbuden, den Vorläufern der heutigen Kolonnaden vor dem Kurhaus, bereit. Fast alle guten Geschäfte der Stadt hatten dort eine Zweigstelle, in der Waren der unterschiedlichsten Branchen, wie Manufaktur-, Kurz- und Kolonialwaren, Glas-, Porzellan- und Tabakwaren, Spielwaren, Reiseartikel und Gold- und Silberwaren angeboten wurden. Die der Versorgung der einheimischen Bevölkerung dienenden Geschäfte waren bis weit ins 20. Jh. hinein dagegen eher bescheiden.

Nach der Gewerbestatistik gab es 1895 in Baden-Baden 508 Hauptbetriebe im Handels-, Versicherungs- und Verkehrsgewerbe mit zusammen 1041 Beschäftigten. Das waren fast ein Drittel aller Hauptbetriebe, aber nur ein knappes Fünftel der Beschäftigten. Anders als im Gastgewerbe kamen hier die Betriebe mit weniger Personal aus als in den übrigen badischen Städten (im Mittel 2 gegen 10 Beschäftigte je Betrieb).

So sehr der Handel in den goldenen Jahren der Kurstadt blühte, so schwer mußte er unter dem Ausbleiben der Gäste nach 1918 leiden. Am 11.11.1932 forderte die Ortsgruppe Baden-Baden der Landeszentrale des badischen Einzelhandels das Finanzministerium zu einer »wirklichen Unterstützung des Mittelstandes« auf. Der Baden-Badener Einzelhandel setzte sich für eine Änderung der Kurpolitik und insbesondere eine Senkung der Kurtaxe ein, da nur so eine Steigerung des Besuchs erreicht werden könne und man »den Ruin der Hotelindustrie und der ihr nahestehenden Wirtschaftskreise, insbesondere auch des Handels und des Gewerbes, mit den katastrophalen Auswirkungen, die sonst mit Sicherheit zu erwarten sind, vermeiden zu können annimmt.«[15] Auch für den Handel war die Erholungsphase nach Wiedereinführung der Spielbank nur kurz und zudem durch die sog. »Arisierung« alteingesessener jüdischer Geschäfte gestört. Die Folgen der Kriegs- und Nachkriegswirtschaft wurden erst nach der Währungsreform allmählich überwunden.

1961 unterschied sich die mittlere Betriebsgröße im Einzelhandel mit 5–6 Beschäftigten je Arbeitsstätte in Baden-Baden kaum mehr von derjenigen in den übrigen 5 badischen Stadtkreisen. Aber während dort in den nächsten Jahren schon deutlich eine Konzentration auf größere Betriebe einsetzte, war davon in Baden-Baden wenig zu spüren. Die Handels- und Gaststättenzählung von 1968 zeigt für den Einzelhandel, obgleich nur Betriebe ab einem Jahresumsatz von 12000 DM berücksichtigt sind, daß in

Tabelle 5a Branchenstruktur des Einzelhandels 1968 (Betriebe mit einem Jahresumsatz ab 12000 DM) Baden-Baden im Vergleich mit den übrigen badischen Stadtkreisen*

Einzelhandelsbranchen	Arbeitsstätten				Beschäftigte				Umsatz 1967			
	Anzahl		in %		Anzahl		in %		1000 DM		in %	
	Baden-Baden			5 Stkr	Baden-Baden			5 Stkr	Baden-Baden			5 Stkr
Waren verschiedener Art	3		0,7	1,2	28		1,1	28,2	1130		0,7	27,2
Nahrungs- und Genußmittel	142		30,9	41,0	624		25,3	18,3	46495		30,8	21,2
Bekleidung, Wäsche, Ausstattungs- u. Sportartikel, Schuhe	101		22,0	16,3	496		20,1	18,6	26491		17,5	17,3
Eisen- und Metallwaren, Hausrat und Wohnbedarf aus Kunststoffen, Glas, Feinkeramik, Holz	46		10,0	6,8	178		7,2	5,4	8574		5,7	5,4
Elektrotechn., feinmechan. u. opt. Erzeugnisse, Schmuck-, Leder-, Galanterie- und Spielwaren, Musikinstrumente	61		13,3	8,7	318		12,9	7,2	16409		10,9	5,5
Papierwaren und Druckerzeugnisse	25		5,4	6,2	90		3,6	3,2	4548		3,0	2,4
Pharmazeutische, orthopädische, medizinische und kosmetische Artikel, Putz- u. Reinigungsmittel	33		7,2	8,1	181		7,3	5,3	10131		6,7	4,6
Kohle, sonstige feste Brennstoffe und Mineralölerzeugnisse	12		2,6	2,6	53		2,1	1,5	3231		2,1	2,3
Fahrzeuge, Maschinen und Büroeinrichtungen	24		5,2	4,8	455		18,4	10,3	32358		21,4	12,9
Sonstige Waren	12		2,6	4,2	47		1,9	1,9	1660		1,1	1,2
Einzelhandel insgesamt 1968	459		100,0	100,0	2470		100,0	100,0	151027		100,0	100,0
Einzelhandel insgesamt 1960	475				2545				100024			

* Gesamtwerte für die übrigen badischen Stadtkreise: Karlsruhe, Heidelberg, Mannheim, Pforzheim, Freiburg (Gebietsstand 1968).
Quelle: Statistische Berichte G/Handels- und Gaststättenzählung 1968–1. 12/9/72.

Baden-Baden die Geschäfte kleiner und, wie die Branchenstruktur nahelegt, auch exklusiver waren. Der Umsatz je Betrieb und in geringerem Maß der Umsatz je Beschäftigtem blieb allerdings in beiden Jahren in Baden-Baden in allen Einzelhandelsbranchen unter dem in den Vergleichsstädten, und beim Umsatz je Betrieb hatte sich die Kluft 1968 deutlich vergrößert.

Ein Versuch, den Einzelhandel nach den Einträgen in den Adreßbüchern von 1873, 1900, 1950 und 1970 darzustellen, läßt, obgleich die Branchenmischung vieler Läden und die Verquickung mit Handwerk und Dienstleistungsbetrieben zu manchen Unstimmigkeiten führt, doch einige Grundzüge erkennen: Die Branche »Waren verschiedener Art« spielte nie eine Rolle. 1950 gab es zwar 3 kleine Kaufhäuser, 1970 nur noch eines. Die meisten Geschäfte verzeichnete in allen vier Stichjahren der Nahrungs- und Genußmittelhandel, danach die Bekleidungs- und Textilbranche. Im Nahrungs- und Genußmittelbereich nahm die Zahl der Läden zwischen 1873 und 1900 besonders stark zu, aber nicht auf Kosten des einschlägigen Handwerks, das sich sogar gleichfalls

3. Wirtschaft und Verkehr

Tabelle 5b Betriebsgrößen und Umsatz im Einzelhandel 1968 (Betriebe mit einem Jahresumsatz ab 12000 DM) Baden-Baden im Vergleich mit den übrigen badischen Stadtkreisen*

Einzelhandelsbranchen	Beschäft./Betr.		Umsatz/Betrieb 1967: in 1000 DM		Umsatz/Beschäft. 1967: in 1000 DM	
	Baden-Baden	5 Stkr.	Baden-Baden	5 Stkr.	Baden-Baden	5 Stkr.
Waren verschiedener Art	9,3	205,2	376,67	13791,47	40,36	67,21
Nahrungs- und Genußmittel	4,4	3,7	327,43	302,65	74,51	80,72
Bekleidung, Wäsche, Ausstattungs- und Sportartikel, Schuhe	4,9	9,5	262,29	618,85	53,41	64,87
Eisen- und Metallwaren, Hausrat und Wohnbedarf aus Kunststoffen, Glas, Feinkeramik, Holz	3,9	6,7	186,39	463,16	48,17	69,34
Elektrotechn., feinmechan. u. optische Erzeugnisse, Schmuck-, Leder-, Galanterie- und Spielwaren, Musikinstrumente	5,2	6,9	269,00	369,26	51,60	53,16
Papierwaren und Druckerzeugnisse	3,6	4,3	181,92	228,11	50,53	53,13
Pharmazeutische, orthopädische, medizinische und kosmetische Artikel, Putz- u. Reinigungsmittel	5,5	5,4	307,00	327,21	55,97	60,42
Kohle, sonstige feste Brennstoffe u. Mineralölerzeugnisse	4,4	4,8	269,25	500,38	60,96	103,32
Fahrzeuge, Maschinen und Büroeinrichtungen	19,0	17,9	1348,25	1560,35	71,12	86,97
Sonstige Waren	3,9	3,9	138,33	172,30	35,32	44,35
Einzelhandel insgesamt 1968	5,4	8,4	329,03	584,01	61,14	69,68
Einzelhandel insgesamt 1960	5,4	5,7	210,58	248,90	39,30	43,94

* Gesamtwerte für die übrigen badischen Stadtkreise: Karlsruhe, Heidelberg, Mannheim, Pforzheim, Freiburg (Gebietsstand 1968).
Quelle: Statistische Berichte G/Handels- und Gaststättenzählung 1968–1. 12/9/72.

ausdehnte. Allenfalls mag die Konzentration im Braugewerbe die Entstehung der zahlreichen Flaschenbierhandlungen begünstigt haben. Die für die Größe der Stadt hohe Zahl der Delikatessen- und Weinhandlungen, letztere noch 1900 traditionell meist bei den Gastwirtschaften und Hotels, deckte vor allem den Bedarf der Gastronomie und der Gäste. Von den Spezialgeschäften wurde das 1852 von Eduard Messmer aus dem Hotel Messmer gegründete Tee- und Delikatessengeschäft 1885 zur Firma Messmer-Tee erweitert, die sich zu einem in ganz Deutschland verbreiteten Filialunternehmen mit Hauptsitz in Frankfurt am Main entwickelte. Trotz der Berücksichtigung der nunmehr eingemeindeten Orte Lichtental, Oos und Balg war 1950 die Zahl der Läden im Nahrungs- und Genußmittelhandel nur wenig größer als 1900, dagegen erscheint die Spezialisierung höher. Mit einigen Filialbetrieben bahnte sich der Weg zur stärkeren Konzentration an, die bis 1970 zu einem Rückgang der Läden geführt hat. Auch im Textil- und Bekleidungsbereich war die Zunahme der Handelsgeschäfte bis 1900 begleitet von einer Zunahme im einschlägigen Handwerk. Erst nach 1950 verdrängte hier der Handel mit konfektionierter Kleidung das Schneider- und Kleidermacherhandwerk. Für Baden-Baden typisch waren und sind auch in dieser Branche kleine exklusive Geschäfte.

Für *Großhandel* und *Handelsvertretung* wurde Baden-Baden spätestens nach dem 2. Weltkrieg als »gute Adresse« interessant. Schon 1950 verzeichnet das Adreßbuch ca. 130 Firmen, darunter viele in den Bereichen Nahrungs- und Genußmittel, Textil und Mode und natürlich Hotelbedarf. Zwischen 1960 und 1968 ging zwar die Zahl der Arbeitsstätten leicht zurück, die Zahl der Beschäftigten und vor allem der Umsatz stiegen aber weit stärker an als in den anderen Stadtkreisen Badens.

III. Entwicklung im 19. und 20. Jahrhundert

Tabelle 6 Die Einzelhandelsbranchen im Zeitvergleich

Einzelhandelsbranchen	1873	1900	1950	1970
Waren verschiedener Art	–	–	8	5
darunter Kaufhäuser			3	1
Nahrungs- und Genußmittel	51	171	186	120
Bekleidung, Wäsche, Ausstattungs- und Sportartikel, Schuhe	41	66	126	101
darunter Bekleidung, Wäsche		24	32	54
Eisen- und Metallwaren, Hausrat und Wohnbedarf aus Kunststoffen, Glas, Feinkeramik, Holz	25	49	89	110
darunter Kunstgewerbe, Kunst und Antiquitäten		14	23	27
Elektrotechn., feinmechan. u. optische Erzeugnisse, Schmuck-, Leder-, Galanterie- und Spielwaren, Musikinstrumente	36	55	70	62
darunter Schmuckwaren		9	24	26
Papierwaren und Druckerzeugnisse	12	15	43	33
Pharmazeutische, orthopädische, medizinische und kosmetische Artikel, Putz- u. Reinigungsmittel	4	4	35	55
darunter pharmaz. Artikel, Kosmetik, Parfümerie		4	24	25
Kohle, sonstige feste Brennstoffe und Mineralölerzeugnisse	5	8	37	42
Fahrzeuge, Maschinen und Büroeinrichtungen	2	11	38	48
Sonstige Waren	11	33	53	59

Quellen: Adreßbuch Baden-Baden 1873, 1900, 1950, 1970.

Tabelle 7 Einzel- und Großhandel 1960 und 1968 im Vergleich mit den übrigen badischen Stadtkreisen *

Merkmal Gebiet (Stand 1968)	Einzelhandel			Großhandel		
	1960	1968	Zu-/Abn. in %	1960	1968	Zu-/Abn. in %
Arbeitsstätten						
Baden-Baden	475	459	– 3,4	137	111	–19,0
Übr. Stadtkreise	8363	7033	–15,9	3236	2839	–12,3
Beschäftigte						
Baden-Baden	2545	2470	– 2,9	1065	1201	12,8
Übr. Stadtkreise	47375	58944	24,4	34047	36193	6,3
Umsatz im Vorjahr						
Baden-Baden	100024	151027	51,0	90564	182629	101,7
Übr. Stadtkreise	2081548	4107340	97,3	5813738	7998768	37,6

* Gesamtwerte für die übrigen badischen Stadtkreise: Karlsruhe, Heidelberg, Mannheim, Pforzheim, Freiburg (Gebietsstand 1968).
Quellen: Statistische Berichte G/Handels- und Gaststättenzählung 1968-1 und 1968-3.

In den *ländlichen Stadtteilen* diente der Handel dem Absatz der land- und viehwirtschaftlichen Produktion und der Versorgung mit Krämerwaren. Obst und Wein fanden hauptsächlich in Baden-Baden und Rastatt Abnehmer. Den Viehhandel, soweit er sich nicht auf dem Viehmarkt abspielte, beherrschten im 19. Jh. weitgehend Bühler und Kuppenheimer Juden. Der Hanfhandel in Steinbach ging mit dem Hanfanbau um die Mitte des 19. Jh. ein. Feste Ladengeschäfte lösten erst gegen Ende des 19. Jh. den ambulanten Handel ab. 1883 gab es in Neuweier schon 8, in Steinbach 15 Kauf- oder

Krämerläden. Sie dürften jedoch zum Teil nebenberuflich geführt worden sein, denn 1895 wurden für Neuweier nur 4, für Steinbach 17 hauptberufliche Betriebe der Sparte Handel/Versicherung/Verkehr mit zusammen 6 bzw. 33 Beschäftigten angegeben. 1895 waren in allen heutigen Stadtteilen Betriebe dieses Wirtschaftszweigs vorhanden, aber nur Ein- oder Zweipersonenbetriebe. Auch 1925 wies die Statistik in allen diesen Orten mehrere selbständige Kaufleute nach. Auch nach dem 2. Weltkrieg blieben die Handelsbetriebe durchweg klein. 1961 lag die mittlere Betriebsgröße in den ländlichen Stadtteilen bei 2,4 Personen, 1970 bei 3,7 Personen. In den Reblandorten waren die Betriebe weniger geworden, in Neuweier auch die Beschäftigten. Nur im Kleinzentrum Steinbach gab es um 1960 mehrere Geschäfte, die in gemischtem Sortiment auch Waren des mittel- und langfristigen Bedarfs anboten wie Möbel, Kraftfahrzeuge, Textilien und Aussteuerwaren, Schuhe, Bekleidung, Glas/Porzellan/Hausrat. Zwischen 1961 und 1970 nahm hier die Zahl der Beschäftigten im Handel um 58 % zu.

Dienstleistungsgewerbe. – Das Dienstleistungsgewerbe ist statistisch bis in die neuere Zeit schwer zu fassen. Die Auswertung der Adreßbücher von 1873, 1900, 1950 und 1970 zeigt aber auch hier, insbesondere für 1873 und 1900, die kurstädtische Prägung mit vielen Wäschereien und Büglereien, Gesindevermittlungen, Wagenvermietern (Droschkenkutscher) und Privatlehrern (Sprachen). Selbst der Berufsstand der Badträger, die Thermalwasser zu den Badegästen schleppten, hatte noch überlebt. Ähnlich wie im Handel war auch im Dienstleistungsgewerbe Funktionsvielfalt die Regel. Gewöhnlich übernahm ein »Agent« mehrere Aufgaben und Kommissionsgeschäfte mancherlei Art.

Nach 1945 schwächte sich der unmittelbare Bezug zur Kurstadt ab, aber aufgrund ihres Prestiges wählten sie anspruchsvolle Dienstleistungsbranchen wie z.B. die Anlage- und Unternehmensberatung oder die Werbung zum Standort. Bei der Werbung wirkte auch der Südwestfunk als Magnet. Das *Verlagswesen* begann in Baden-Baden 1822, als dem Buchhändler Daniel Raphael Marx, der seit 1815 im Promenadehaus ein Leseinstitut unterhielt, die Genehmigung erteilt wurde, hier eine Buchdruckerei für den Druck des Badblattes zu eröffnen. 1851 erschien das Bad- und Wochenblatt bei der Witwe Emilie Scotzniovsky und das Badener Tagblatt im Verlag von Franz Xaver Weiß. Noch 1900 nannte das Adreßbuch nur zwei Verlage. Die noch heute bestehende Hofbuchdruckerei von Ernst Kölblin gab damals das Badblatt heraus. Erst nach dem 2. Weltkrieg siedelten sich mehr Verlage in Baden-Baden an. 1970 waren 28 Verlage im Adreßbuch eingetragen.

Die Zählung der nichtlandwirtschaftlichen Arbeitsstätten von 1970, die erstmals den Dienstleistungsbereich von Handel/Verkehr trennt und in sich aufgliedert, zeigt die Bedeutung, die er inzwischen für das Wirtschaftsleben der Stadt und den Arbeitsmarkt erlangt hatte und welche Bedeutung ihm auch innerhalb des Tertiären Wirtschaftssektors zukam.

Kreditgewerbe und Versicherungen. – Sowohl für die Gäste in Baden-Baden als auch für die Einwohner, die ihre Geldeinkünfte abhängig vom Saisonbetrieb unregelmäßig bezogen, bestand schon früh Bedarf an Spar- und *Kreditinstituten*. In der 1. H. 19. Jh. übernahmen die größeren Handelsbetriebe auch Geld- und Wechselgeschäfte. Auch die kirchlichen Stiftungen betrieben Kreditgeschäfte. Seit 1816 wurden im Großherzogtum Sparkassen gegründet. Sie waren zunächst dazu gedacht, »den ärmeren, arbeitenden und dienenden Klassen eine Spargelegenheit zu öffnen«, dehnten aber bald den Aufgabenkreis daraufhin aus, »das Sparen in weitestem Umfange zu vermitteln

Tabelle 8 Das Dienstleistungsgewerbe im Zeitvergleich

Dienstleistungsbranche	1873	1900	1950	1970
Verkehr				
Omnibusbetriebe			3	2
Wagenvermietungen (Droschkenkutscher)	70	99	22	
Autovermietungen und Taxi			25	27
Fahrschulen			3	11
Eselvermieter	2			
Krankenwagenvermieter	1			
Spedition, Verkehrsvermittlung				
Spedition und Transporte	2	5	33	17
Auswanderungsagenturen	3	2		
Reisebüros		2	3	2
Versicherungsgewerbe				
Versicherungsagenturen und -geschäftsstellen	18	52	25	17
Versicherungssachverständige				6
Wäscherei, Körperpflege, persönl. Dienstleistungen				
Färberei und Reinigung (1873: z. T. Fleckenputzer)	4	6	4	7
Wäschereien und Büglereien, Mietwaschküchen	53	62	20	10
Chirurgen, Barbiere und Wundarzneidiener	5	5		
Friseure	9	21	50	44
Kosmetik und Fußpflege		4	11	17
Badträger	2	1		
Tierpflege				5
Gebäudereinigung, hygienische Einrichtungen				
Gebäudereinigung (Glas-, Parkett-)			2	2
Kaminfeger	1	2	4	
Schädlingsbekämpfung			2	1
Bildung, Wissenschaft, Kultur, Sport, Unterhaltung				
Privatunterricht	23	43		
Lichtspieltheater			4	6
Leihbüchereien (z. T. bei Buchhandlung)	2	6	5	
Fremdenführer, Exkursionen			2	
Filmverleih			2	
Tanzlehrer (Tanzschulen)	1	3		2
Reitschule, Reitpferdevermietung			1	1

(Fortsetzung S. 243)

und von Jedermann ohne Unterschied der Person Einlagen anzunehmen«[16]. Garantie der Einlagen und Zinsen sowie die Verwaltung übernahmen meist die Gemeinden. Die *Sparkasse* in Baden-Baden wurde unter städtischer Garantie 1837 als 12. im Großherzogtum gegründet. Sie sollte vor allem den Dienstboten nützen, auch der Dienerschaft der Fremden, die sich nur einige Monate in der Stadt aufhielten. Schon im ersten Jahr erreichte sie 22000 fl Einlagen. Ihre Statuten erhielt die Sparkasse im Jahr 1854. Genau 100 Jahre später (1954) zog sie von der Bäderstraße in das ehemalige Palais Hamilton um, das die Stadt schon im Jahr 1900 erworben hatte. 1970 hatte sie Filialen in Oos, in der Weststadt, am Bertholdsplatz, in Lichtental, Oberbeuern und Balg. Nach der Gemeindereform ging sie auch in die neuen Stadtteile. So übernahm sie 1977 die 1961 von der Bezirkssparkasse Kuppenheim gegründete Geschäftsstelle Haueneberstein.

3. Wirtschaft und Verkehr

Tabelle 8 Das Dienstleistungsgewerbe im Zeitvergleich

Dienstleistungsbranche	1873	1900	1950	1970
Verlagsgewerbe				
Verlagsanstalten	1	2	10	28
Rechts-, Steuer-, Wirtschaftsberatung, Planung, Werbung				
Rechtsanwälte, Notare, Patentanwälte u. -agenturen	10	12	6	30
Steuerberater und Steuerbevollmächtigte			22	21
Treuhandbüros, Anlage- und Unternehmensberatung			10	20
Kreditvermittlung				1
Sachverständige für Bauwesen, Kfz und Technik u. a.			1	24
Architekten (1900 z.T. auch Bau- oder Zimmermeister)	4	15	25	27
Ingenieurbüros			10	15
Werbung (Ateliers, Agenturen, Organisationen)			9	11
Presse-, Nachrichten-, Anzeigenagenturen	2	1	5	3
Ausstellungen und Messen			1	
Sonstige Dienstleistungen				
Ehevermittlung			2	
Charakterkunde			2	
Auskunfteien			4	
Künstleragenturen			1	
Kommissionsbüros, Wettbüros	3	13	5	1
Gesindevermittlungen	3	14		
Dienstmannsinstitute	2			
Wohnungsnachweis und Zimmervermietung		4	6	
Auktionäre, Auktionsanstalten	5	6		
Übersetzungen	2		4	3
Schreibbüros (1873 auch Notenkopist)	1		7	1
Wach- und Schließinstitute			1	

Quellen: Adreßbuch 1873, 1900, 1950, 1970.

Als genossenschaftliches Kreditinstitut mit unbeschränkter Haftpflicht wurde 1869 der *Vorschußverein* mit 131 Mitgliedern, vor allem Handwerkern, Gastwirten und Kaufleuten, gegründet. Schon Ende 1869 hatte er 173 Mitglieder mit zusammen 17 403 fl Stammanteilen. 1894 zählte der Verein 788 Mitglieder und 355 142 Mark Stammanteile bei einem Reservefonds von 132 537 Mark. Im Jahr 1918 wurde die Haftpflicht beschränkt und der Name in Vereinsbank Baden-Baden eGmbH geändert. 1923 schloß sich der 1912 in Oos gegründete Ländliche Kredit- und Sparverein an. 1924 war die Mitgliederzahl auf 1880 angewachsen, dazu kamen 981 Mitglieder in Lichtental. 1942 wurde die Vereinsbank in *Volksbank Baden-Baden* umbenannt. Nachdem das 1892 bezogene eigene Haus an der Gernsbacher Straße zu klein geworden war, erwarb die Volksbank 1956/57 das Holland-Hotel und richtete sich in einem Teil des Gebäudes ein. Beim 100jährigen Jubiläum 1968 hatte die Volksbank neben dem Hauptgeschäft und der Filiale Oos Zahlstellen in der Weststadt (seit 1959), Sinzheim (1960), Lichtental und Balg (1963) und Sandweier (1964). Ende 1968 gehörten ihr 4227 Mitglieder mit 6875 Geschäftsanteilen zu je DM 500 an.

Ähnliche Aufgaben wie Sparkasse und Vereins- bzw. Volksbank erfüllten in den ländlichen Stadtteilen die in den letzten Jahrzehnten des 19. Jh. gegründeten Darlehenskassen des Landwirtschaftlichen Vereins, die Pfennigsparkassen und die vier vor dem 1. Weltkrieg im Amtsbezirk Baden bestehenden ländlichen Kreditgenossenschaften.

1880 gründeten mehrere Bürger in *Haueneberstein* einen Darlehenskassen-Verein. Er machte schon im ersten Jahr 15 000 Mark Umsatz. 1889 schloß er sich dem Badischen Genossenschaftsverband an. Nach mehrmaligem Namenswechsel nahm er 1963 den Namen Raiffeisenbank Haueneberstein eGmbH an. 1884 entstand die Spar- und Kreditbank eGmbH *Steinbach* und 1888 die Ländliche Darlehenskasse in *Lichtental*. In *Varnhalt* wurde 1928 eine Spar- und Darlehenskasse mit 67 Mitgliedern ins Leben gerufen. 1972 erwarb sie unter dem neuen Namen Spar- und Kreditbank eG. Varnhalt das alte Schulhaus als Bankgebäude.

Als erste *Geschäftsbank* machte sich 1853 das Rastatter Handels- und Bankhaus von Franz Simon Meyer, das bereits eine Filiale im Hotel Badischer Hof hatte, in einem eigenen Haus in Baden-Baden ansässig, vier Jahre später gab es schon drei Bankhäuser. Noch in den 1870er Jahren waren die Banken in Baden-Baden rein örtliche Unternehmen: die Firmen C.F. Joerger, F. S. Meyer, Meyer & Diss (noch 1873 verbunden mit einer Tafelgerätefabrik), G. Müller & Co., Ed. Strohmeyer und Gebr. Wolff. Um die Jahrhundertwende und danach wurden sie zum Teil von überregionalen Instituten übernommen, oder sie wichen der Konkurrenz. Das Adreßbuch für 1900 nennt von den alten Banken nur noch C. F. Joerger und Meyer & Diss. Hinzugekommen war die 1891 gegründete Privatbank Karl Theodor Herrmann & Co. Sie konnte sich bis in die 1930er Jahre halten. Außerdem hatten die Oberrheinische Bank Mannheim und die Rheinische Creditbank Filialen eingerichtet. Bald darauf übernahm die Mitteldeutsche Creditbank (später Commerzbank) das Bankhaus Meyer & Diss. Die Rheinische Creditbank ließ nach dem 1. Weltkrieg den Hauptbau des ehemaligen Hotels Englischer Hof für ihre Zwecke umbauen. Sie wurde 1929 von der Deutschen Bank übernommen. 1909 richtete die Reichsbankhauptstelle Karlsruhe in Baden-Baden eine Nebenstelle ein, die heutige Landeszentralbank. In den 1920er Jahren unterhielt auch die Einzelhandelsbank Baden AG, Karlsruhe, eine Zahlstelle in Baden-Baden. Nach dem 2. Weltkrieg gab es in Baden-Baden keine Privatbanken mehr.

Für das *Versicherungsgewerbe* muß Baden-Baden ein günstiger Standort gewesen sein. Bereits 1873 weist das Adreßbuch 18 Versicherungsagenturen nach, die für 25 Gesellschaften arbeiteten. Lebens- und Feuerversicherungen wurden von je 11 Gesellschaften angeboten, Hagel-, Spiegelglas- und Transportversicherungen verkauften je 2 Gesellschaften. Die Gewerbezählung von 1895 gab dann für den kleinen Amtsbezirk Baden 6 Haupt- und 24 Nebenbetriebe im Versicherungsgewerbe an. Das waren deutlich mehr Betriebe als in den erheblich größeren benachbarten Amtsbezirken Bühl und Rastatt. Allerdings waren selbst die Hauptbetriebe nur Alleinbetriebe. Eine noch höhere Zahl von Versicherungsagenturen ergibt sich aus dem Adreßbuch von 1900, nämlich 52 Agenturen, die Verträge mit 76 Gesellschaften, darunter 8 ausländischen, vermittelten. Zu den bisherigen Versicherungssparten kamen Unfall-, Einbruch-, Aussteuer-, Haftpflicht- und Militärdienstversicherungen hinzu. In der 1. H. 20. Jh. konzentrierte sich auch das Versicherungsgewerbe auf wenige, aber immer größer werdende Gesellschaften. Obgleich jetzt auch private Krankenversicherungen angeboten wurden, nahm die Zahl der in Baden-Baden vertretenen Versicherungsgesellschaften bis 1950 auf 20, bis 1970 auf 17 ab. Dazu kamen 1950 6 und 1970 4 Agenturen, die nicht fest mit einer Gesellschaft verbunden waren.

Trotzdem war die Sparte Kreditinstitute und Versicherungsgewerbe innerhalb des Tertiären Sektors nach der Zahl der Arbeitsstätten und der Beschäftigten laut Arbeitsstättenzählung vom 27. 5. 1970 die kleinste. Die Betriebe in der Kernstadt beschäftigten deutlich mehr Personen (im Mittel 11,6) als die in den Stadtteilen (2,9).

Genossenschaften. – Im Raum Baden-Baden entwickelte sich der genossenschaftliche Gedanke wenig, abgesehen von den Vorschuß- und Kreditvereinen und den landwirtschaftlichen *Konsumvereinen*. Die von den Sozialdemokraten gegründeten Konsumvereine hatten ihre Blütezeit nach der Jahrhundertwende, waren aber in den Dörfern meist kurzlebig, während die Konsumgenossenschaft in Baden-Baden als Glied der Karlsruher Genossenschaft noch 1970 einige Filialen in der Stadt unterhielt. Als Genossenschaften können auch die Viehversicherungsvereine in den ländlichen Orten betrachtet werden. Der älteste, in Steinbach schon 1875 bestehende Verein ging infolge Mißbrauchs schon 1885 wieder ein. *Ortsviehversicherungsvereine* bestanden außerdem in Baden-Baden und Badenscheuern, Oos, Neuweier (gegr. 1875), Varnhalt, Haueneberstein, Ebersteinburg, Sandweier (gegr. 1903). Eine Zwischenstellung zwischen Genossenschaft und Verein hatte etwa bis zum 1. Weltkrieg der *Landwirtschaftliche Verein*, der wie später die Zentralgenossenschaft Saatgut und Zuchtvieh besorgte. In Varnhalt gründeten 59 Männer 1919 eine bäuerliche Bezugs- und Absatzgenossenschaft, die in den 1930er Jahren auch die zentrale Milch- und Obsterfassung übernahm. 1975 schloß sich die Genossenschaft mit den Genossenschaften in Neuweier und Steinbach zur Raiffeisen Warengenossenschaft Yburg eG Baden-Baden zusammen. Die Milchsammelstelle war 1970 geschlossen worden.

Zweckgebundene Vereine mit genossenschaftlichem Charakter bestanden um 1900 auch in der Stadt wie u. a. der Baugesellen-Unterstützungs-Verein, der Gewerkverein der Schneider, die Metzgergenossenschaft oder der Unterstützungsverein kranker Kutscher.

Auch nach dem 2. Weltkrieg besorgten Genossenschaften den gemeinsamen Einkauf in einigen Branchen, so die Baustoff-Bezugsgenossenschaft, die Einkaufsgenossenschaft der Bäckerinnung eGmbH, das Einkaufskontor des Großhandels, die Mimeg (Mittelbadische Metzgerei-Genossenschaft GmbH) und die Schuhmacher-Einkaufsgenossenschaft. Den Milchabsatz organisierte die Milchgenossenschaft Baden. Insbesondere nach den Kriegen gewannen die *Bausparkassen* und Baugenossenschaften an Bedeutung. Die Gemeinnützige Baugenossenschaft Baden-Baden eGmbH und die Bausparkasse Deutsche Baugemeinschaft AG entstanden in der Zwischenkriegszeit. Zur genossenschaftlichen Selbsthilfe in der Zeit nach dem 2. Weltkrieg wurde von katholischer Seite 1950 die Baugenossenschaft Neue Heimat, heute Familienheim Baden-Baden, ins Leben gerufen. Bis 1990 schuf sie im Stadtkreis 853 Wohnungen und 60 Heimplätze. 1970 hatten 2 auswärtige Bausparkassen Vertretungen in Baden-Baden.

Die Gebietsreform der 1970er Jahre brachte dem Stkr. Baden-Baden auch die Winzergenossenschaften der Reblandgemeinden Neuweier, Steinbach und Varnhalt ein. Deren älteste, die Winzergenossenschaft Neuweier, wurde von 58 Winzern schon im Jahr 1922 gegründet, um den wirtschaftlichen Schwierigkeiten im Weinbau und in der Vermarktung gemeinsam zu begegnen. Als sie schon mehr als 100 (1932: 134) Mitglieder hatte, gründeten 1933 in Varnhalt 27 Winzer und 1934 in Umweg 32 Winzer ihre Genossenschaften. 52 Winzer in Steinbach folgten 1937 dem Beispiel. Die Neuweierer Genossenschaft verband sich 1970 mit der Winzergenossenschaft Bühlertal, 1988 kam noch die Winzergenossenschaft Sinzheim (Lkr. Rastatt) dazu. Damit erhöhte sich die Mitgliederzahl auf 800, die bewirtschaftete Rebfläche auf 200 ha. Seit 1976 sind auch die Genossenschaften von Steinbach und Umweg zusammengeschlossen.

Tabelle 9 Der Tertiäre Wirtschaftssektor 1970

Ort / Gebiet	Arbeitsstätten im Tert. Sektor insgesamt	davon in % bei den Wirtschaftsunterabteilungen					
		Handel	Verkehr Nachr.-Überm.	Kreditinst. Versich.	Dienstl. v. Unternehmen	Organis. ohne Erw. Char.	Gebietskörperschaften
a) Arbeitsstätten							
Baden-Baden	1 590	39,7	5,5	3,0	40,6	5,8	5,4
Haueneberstein	56	42,9	7,1	3,6	41,1	1,8	3,6
Sandweier	63	46,0	7,9	6,3	31,7	3,2	4,8
Ebersteinburg	43	32,6	2,3	2,3	51,2	4,7	7,0
Steinbach	79	44,3	8,9	6,3	30,4	5,1	5,1
Neuweier	35	37,1	8,6	8,6	34,3	5,7	5,7
Varnhalt	22	36,4	9,1	4,5	31,8	9,1	9,1
Ländl. Stadtteile	298	41,3	7,4	5,4	36,2	4,4	5,4
Stkr. BADEN-BADEN	1 888	39,9	5,8	3,4	39,9	5,6	5,4
Zum Vergleich:							
Lkr. Rastatt	4 461	42,7	8,1	4,6	33,4	3,8	7,3
RV Mittlerer Oberrhein	22 060	42,9	6,5	4,7	36,1	4,0	5,8
RB Karlsruhe	62 929	42,1	7,1	4,6	35,9	4,0	6,2
Baden-Württemberg	235 690	40,6	7,0	5,2	35,0	4,3	7,8
b) Beschäftigte							
Baden-Baden	13 383	28,2	8,4	4,2	36,8	5,3	17,1
Haueneberstein	217	37,3	14,3	3,7	33,6	0,5	10,6
Sandweier	419	32,7	11,0	3,6	31,5	1,4	19,8
Ebersteinburg	177	15,8	1,7	0,6	39,0	33,9	9,0
Steinbach	407	36,1	8,1	3,7	29,5	4,7	17,9
Neuweier	148	20,3	2,0	4,7	54,7	3,4	14,9
Varnhalt	115	25,2	3,5	0,9	48,7	4,3	17,4
Ländl. Stadtteile	1 483	30,5	8,1	3,2	35,8	6,5	16,0
Stkr. BADEN-BADEN	14 866	28,4	8,3	4,1	36,7	5,4	17,0
Zum Vergleich:							
Lkr. Rastatt	23 247	34,2	10,1	4,3	25,4	3,2	22,7
RV Mittlerer Oberrhein	174 463	29,0	12,6	7,2	21,2	4,0	26,1
RB Karlsruhe	450 929	31,4	12,2	6,1	22,1	4,2	23,9
Baden-Württemberg	1 574 506	31,5	11,7	6,3	22,0	4,6	23,9

Quelle: Statistik von Baden-Württemberg. Bd 161. 3. 1972.

Produzierendes und Baugewerbe

Natürliche Voraussetzungen. – Die örtlichen abbaubaren Rohstoffe beschränken sich auf Stein, Sand und Ton. Versuche, Steinkohle zu fördern, scheiterten wie der Erzabbau bei Neuweier Mitte des 19. Jh. endgültig. Die Porphyre vom Leisberg und die feinen Sandsteine dagegen, die am Großen Staufenberg anstehen, die Kalksteine aus den Brüchen bei Haueneberstein und Ebersteinburg, der Sand aus den Gruben bei Sandweier und insbesondere die bei Balg vorkommenden Töpfertone und Quarzsande wurden bis in die Gegenwart genutzt. Die Töpfererde verarbeiteten die Badener Hafner und auch die Steingutfabrik in Zell am Harmersbach (heute Ortenaukreis). In Varnhalt bildeten die Steinbrüche bis weit ins 19. Jh. hinein die wichtigste Erwerbsquelle. Die vor den Korrektionen des 19. Jh. gefällreiche Oos trieb in- und außerhalb der Stadt Mahl-, Säg-, Walk-, Loh-, Öl- und Schleifmühlen und lieferte das Wasser für die zahlreichen Gerbereien. Die Gerberrinde kam aus den nahen Wäldern wie das Holz für Bau und Schreinereien. Der intensive Hanfanbau im Bühler und Acherner Raum war die Grundlage für das zu Beginn des 19. Jh. noch blühende Seilerhandwerk, das seine Erzeugnisse bis nach Holland lieferte.

Handwerk. – Im Jahr 1805 war Baden-Baden noch eine kleine fleißige Gewerbestadt. Unter den Handwerkern arbeiteten die 21 Gerber (18 Rot- und 3 Weißgerber), 10 Küfer, 25 Schmiede (13 Grob-, 4 Messer-, 11 Nagelschmiede), die 6 Hafner, 25 Seiler, 38 Schuster, 10 Stricker und die beiden Sesselmacher auch für auswärtige Märkte. Aber bald verdrängte das Gastgewerbe sowohl räumlich als auch durch Arbeitskräftekonkurrenz viele Handwerksbetriebe.

Die im 19. Jh. in ganz Mitteleuropa ablaufende Umstrukturierung des Produzierenden Gewerbes durch industrielle Fertigungsmethoden wurde in Baden-Baden durch Bauspekulation und das lukrativere Geschäft mit dem Gast überlagert. Dem Fremdenverkehr abträgliche Handwerkszweige wie die geruchsbelästigende Gerberei verschwanden, während die Fein- und Pastetenbäcker, die Schneider, Schuhmacher, Hutmacher, Putzmacherinnen, Drechsler, Silber- und Goldarbeiter gute Geschäfte machten. Gewerbezweige, die in anderen Städten vergleichbarer Größe kaum hätten bestehen können, siedelten sich an. 1822 gründete der Buchhändler Daniel Raphael Marx die erste Buchdruckerei, in den 1850er Jahren betrieben Franz Xaver Weiß und Johann Hohmann (Firma Scotzniovsky) Buchdruckereien. Schon 1842 arbeiteten 2 Porträt-Fotografen in der Stadt, das erste Fotoatelier wurde 1855 gegründet, 1878 gab es 5 Fotografen. Der Büchsenmacher Georg Nagel und später sein Sohn spezialisierten sich auf Jagdwaffen. Die Firma Nagel & Menz mit ihrer Filiale in Straßburg, die um 1900 außer Jagdwaffen und Pistolen auch Fahrräder verkaufte, bestand bis in den 1. Weltkrieg.

Das Baugewerbe profitierte bis in die ersten Jahrzehnte des 20. Jh., dann wieder nach dem 2. Weltkrieg, von den immer neuen Hoch- und Tiefbauprojekten, die Baden-Baden auch äußerlich zum Weltbad formten. Noch 1912 wurden Schreiner, Schlosser und Glaser gesucht. Einige Betriebe entwickelten sich zu größeren Unternehmen. Günstig auf den Arbeitsmarkt wirkte sich aus, daß die größeren Bauvorhaben mit Rücksicht auf die Fremden möglichst im Winter durchgeführt wurden.

Der Fremdenverkehr brachte eine gewisse Weltoffenheit des Handwerks mit sich, die zu qualitativ guter Produktion führte und Aufträge auch von auswärts einbrachte. Zur Förderung der handwerklichen *Ausbildung* wurde 1838 die Gewerbeschule gegründet. Schon vorher sollten die Lehrlinge in Berufen, die Formgefühl erforderten, eine Sonntagszeichenschule besuchen.

Gerade in den gut beschäftigten Branchen (Steinbruchbetriebe, Maurer, Maler, Schneider) versuchten die Arbeiter schon um die Jahrhundertwende, Forderungen nach mehr Lohn und Arbeitszeitverkürzung in einzelnen *Streiks* durchzusetzen. Da auch das Handwerk den allgemeinen Geschäftsrückgang der 1920er Jahre spürte, vermehrten sich die Arbeitsniederlegungen in diesen Jahren auch in den Handwerksbetrieben.

Im Jahr 1925 wurden im gesamten heutigen Stadtgebiet 602 selbständige Handwerksmeister gezählt. 1939 war die Zahl der statistisch erfaßten Handwerksbetriebe auf 1119 angewachsen, 1950 wieder auf 974 geschrumpft. Bis zur Handwerkszählung von 1968 nahm die Zahl der Betriebe im Stadtgebiet auf 709 ab, die der Beschäftigten auf 5849 zu, d. h. die Betriebe waren größer geworden.

III. Entwicklung im 19. und 20. Jahrhundert

Tabelle 10 Gewerbebetriebe in Baden-Baden im Jahr 1855

Branche	Betriebe	Branche	Betriebe
Metallgewerbe		Nahrungsmittelgewerbe:	
Schmiede		Bäcker	20
Hufschmiede	7	Konditoren	7
Zeugschmied	1	Pastetenbäcker	2
Messerschmiede	2	Metzger	19
Nagelschmiede	3	Wurstler	1
Kupferschmiede	2	Müller	5
Schlosser	10	Ölmüller	1
Dreher	6	Bierbrauer	10
Blechner	7	Küfer	6
Ofenfabrikanten	3	**Gewerbe für Gesundheits- und**	
Gürtler	2	**Körperpflege sowie chemische**	
Büchsenmacher	1	**und Reinigungsgewerbe:**	
Uhrmacher	5	Friseure	4
Goldarbeiter	2	Färber	2
Holzgewerbe:		Seifensieder	3
Sägmüller	2	**Glas-, Papier-, keramische und**	
Wagner	5	**sonstige Gewerbe:**	
Schreiner	20	Glaser	4
Sesselmacher	2	Hafner	4
Kübler	4	Ziegler	2
Bürstenmacher	1	Buchdrucker	2
Schirmfabrikanten	2	Steindrucker	2
Bekleidungs-, Textil- und Ledergewerbe:		Vergolder	3
Schneider	29	Instrumentenmacher	2
Damenschneider	2	Kammacher	1
Hutmacher	2	**Bau- und Ausbaugewerbe:**	
Putzmacherinnen	11	Maurermeister	4
Seiler	15	Zimmermeister	3
Rotgerber	1	Lackierer	3
Sattler	6	Zimmermaler	7
Schuhmacher	56	Tapezierer	10
Säckler	8	Bildhauer	3
Posamentierer	3	Steinhauer	2

Quelle: Schreiber, H. 1857. S. 47f.

In *Oos* und *Lichtental* hatte Ende des 19. Jh. eine Entwicklung eingesetzt, die mit der in Baden-Baden mindestens Schritt hielt. Für Lichtental liegt eine Aufstellung der im Jahr 1903 bestehenden Gewerbebetriebe vor. Unter den 262 selbständigen Gewerbebetrieben waren nach der Branchenstruktur viele auf die Bedürfnisse der Kurgäste ausgerichtet. Es dürfte sich dabei hauptsächlich um Familienbetriebe gehandelt haben. Große Betriebe bestanden im Baugewerbe und der Steinbearbeitung. Das Baugeschäft Klein & Klein z. B. beschäftigte 1903 etwa 200 Arbeiter.

In der *Organisation des Handwerks* gehörten bis zur Einführung der Gewerbefreiheit 1864 die Handwerker der Stadt und der Landgemeinden des Amtes Baden zu den gleichen Zünften. Nach deren Auflösung übernahmen die Innungen und die Handwerkskammer die Interessenvertretung. Die Innungen wurden durch die 1. Handwerksverordnung 1934 zu Körperschaften des Öffentlichen Rechts und schlossen sich

3. Wirtschaft und Verkehr

Tabelle 11 Gewerbebetriebe in Lichtental im Jahr 1903

Branche	Betriebe	Branche	Betriebe
Metallgewerbe:		Metzger	8
Blechnereien	3	Milchkuranstalt	1
Dreherei	1	Müller	1
Installationsgeschäft	1	Mineralwasserfabrik	1
Nagelschmied	1	Ölmühle	1
Schlossereien	4	**Gewerbe für Gesundheits- und**	
Schmiede	4	**Körperpflege sowie chemische**	
Uhrmacher	1	**und Reinigungsgewerbe:**	
Verzinner	1	Friseure	3
Holzgewerbe:		Färbereien und chem. Waschanstalten	2
Küferei	1	Wäschereien und Bügeleien	16
Sesselmacher	1	Zahntechniker	1
Wagnereien	2	**Glas-, Papier-, keramische**	
Bekleidungs-, Textil- und Ledergewerbe:		**und sonstige Gewerbe:**	
Kleidermacherinnen und Weißnäherinnen	7	Buchbinder	1
Leinenweber	1	Glasereien	4
Schneider	9	**Bau- und Ausbaugewerbe:**	
Schuhmacher	16	Baugeschäfte	5
Sattler und Tapezierer	2	Brunnenmacher	1
Nahrungsmittelgewerbe:		Erdarbeiten-Unternehmer	2
Bäckereien	9	Gipserei	1
Branntweinbrennereien	3	Maler und Tapezierer	6
Konditorei	1	Zimmergeschäfte	5

Quelle: GLA 371/Zug.1940 Nr. 29/180.

Tabelle 12 Handwerksbetriebe bzw. Betriebe mit Schwerpunkt im Handwerk

Ort	1925	1939	1950	
			Betriebe	Beschäftigte
Baden-Baden mit Lichtental	457	897	771	4077
Oos	53			
Balg	3			
Haueneberstein	16	40	39	103
Sandweier	15	41	42	87
Ebersteinburg	5	12	12	20
Steinbach	37	75	58	236
Neuweier	11	33	37	96
Varnhalt	5	21	15	29
Stadtgebiet	602	1119	974	4648

Quellen: Badische Gemeindestatistik 1927; 1943.
Statistik von Baden-Württemberg. Bd 3, T.3. 1953.

in den Kreishandwerkerschaften zusammen. 1945 löste die französische Besatzungsmacht die Kreishandwerkerschaften Rastatt/Baden-Baden und Bühl auf und unterstellte die Handwerkerschaft in Baden-Baden, im Lkr. Rastatt und im Lkr. Bühl der von der Handwerkskammer Freiburg gegründeten Außenstelle Baden-Baden. Am 1.4.1954 wurde die Außenstelle durch die neue Handwerksverordnung der Handwerkskammer Karlsruhe zugeordnet und gleichzeitig die Kreishandwerkerschaft als Zusammenschluß der Innungen und als Interessenvertretung des Handwerks wieder ins Leben gerufen. Aufgabe der Handwerkskammer und ihrer Außenstelle blieben die Oberaufsicht im Kassen- und im Prüfungswesen und die Handwerkspolitik. Seit 1974 betreut die Außenstelle Baden-Baden der Handwerkskammer Karlsruhe den Stkr. Baden-Baden und den Lkr. Rastatt.[17] 1950 waren folgende Innungen in Baden-Baden vertreten: Bäcker; Baugewerke; Blechner, Installateure und Heizungsbauer; Damenschneider; Elektrohandwerk; Fleischer; Friseure; Glaser; Herrenschneider; Konditoren; Korbmacher; Küfer; Kraftfahrzeuge; Maler; Putzmacherinnen; Schlosser; Schreiner; Schuhmacher; Stukkateure und Gipser; Tapezierer; Weber, Wirker und Stricker; Zimmerer. Bis 1970 hatten sich die meisten Innungen z. T. unter Namensänderung mit denen in Rastatt und/oder Bühl zusammengeschlossen. Die Innung der Weber, Wirker und Stricker bestand nicht mehr.

Industrie. – Mehrere Versuche, die Balger Weißerdevorkommen in Steingut- und Porzellanfabriken industriell zu nutzen, schlugen in Baden-Baden fehl, obwohl den Waren gute Qualität zugesprochen wurde. Auch eine Lichter- und Seifenfabrik, die zu Anfang des 19. Jh. bestand, war nicht von langer Dauer. Im weiteren Verlauf des 19. Jh. waren alle Energien auf den Fremdenverkehr gerichtet, für Fabriken blieben weder Kapital noch Arbeitskräfte übrig.

Der einzige große Industriebetrieb Baden-Badens war Ende des 19. Jh. die Zigarettenfabrik von August Batschari. Batscharis Schwiegervater Heinrich Rheinboldt aus Rastatt hatte in den 1830er Jahren eine Tabakhandlung an der Promenade eröffnet und ließ seit 1834 auch eigene Zigarren herstellen. Anregungen aus der russischen Kolonie folgend schloß er 1860 eine kleine Zigarettenmanufaktur an. 1880 übernahm August Batschari die Firma und baute 1899 eine neue Fabrik, in der die billigeren Sorten maschinell hergestellt wurden. 1907 errichtete er einen neuen Fabrikbau in der Balzenbergstraße, Erweiterungen folgten. Die Krise durch die Tabaksteuererhöhung von 1910 überstand die Firma ohne Entlassungen. Vor dem Krieg beschäftigte Batschari ca. 1000 meist weibliche Arbeitskräfte, produzierte täglich 1,5 Millionen Zigaretten und belieferte die ganze zivilisierte Welt. In den 1920er Jahren galt die Firma, seit 1923 Aktiengesellschaft, mit ca. 700 Arbeitskräften (1925) als größte Zigarettenfabrik Südwestdeutschlands. Eine geübte Arbeiterin stellte täglich 3000, eine Maschine 100000 Zigaretten am Tag her. In der Wirtschaftskrise der 1930er Jahre wurde das von den Söhnen Batscharis geleitete Unternehmen an die Hamburger Firma Reemtsma verkauft. Sie unterhielt 1950 noch ein Lager in der Balzenbergstraße.

Kleinere industrielle Unternehmen erwuchsen aus dem Bausektor: 1869 wurde die Firma Thiergärtner GmbH gegründet, die zunächst sanitäre Installationen, dann auch elektrische und heiztechnische Anlagen herstellte. Ihre Spezialgebiete waren die Einrichtung von Kurbädern und Bädern in Hotels etc. und die Fassung von Thermal- und Mineralquellen. 1921 besaß sie mehrere Filialen und beschäftigte etwa 500 Arbeitskräfte. 1882 gründete der Blechner Hermann Klehe eine auf eigenem Patent beruhende Metalldachplattenfabrik. Die Blechziegelfabrik arbeitete noch 1900, später verlegte sich die noch heute bestehende Firma auf Sanitär-, Elektro- und Heizungsinstallation.

3. Wirtschaft und Verkehr

Tabelle 13 Verarbeitendes Gewerbe und Baugewerbe im Zeitvergleich

Wirtschaftsgruppe	1873	1900	1950	1970
Steine und Erden, Feinkeramik	2	10	11	9
Steinhauermeister und Steinbruchbesitzer		5	3	1
Kunststein (Marmor)-, Beton- und keramische Werke, Kamine	1	5	7	7
Ziegelei			1	1
Hafner	1			
Metallerzeugung und -verarbeitung	35	132	47	22
Metallwarenfabriken, Gießereien		88	5	2
Schlosser und Aufzugbau	10	21	21	14
Schmiede	9	11	7	
Messer- und Nagelschmiede	4	3	2	1
Kupferschmiede	4	1	2	2
Mechaniker	4	5	8	
Dreher	4	2		
Schleiferei				1
Feilenproduktion				1
Emaillierwerk			1	1
Verzinker		1		
Galvanische Anstalten		1		
Stahl-, Maschinen- u. Fahrzeugbau etc.	0	0	40	24
Dampfkraftanlagen			1	
Maschinenfabriken			2	4
Kfz-Handwerk			28	19
Karosseriebau			3	1
Fahrrad-Reparatur			3	
Schreibmaschinenreparatur			3	
Elektrotechnik, Feinmechanik, Optik etc.	10	23	61	60
Elektro-, Radio- und Fernsehinstallateure		7	28	16
Elektro- und Funktechnik und Maschinenbau			5	11
Feinmechanik, Apparatebau			3	1
Telefonbau				4
Leuchtreklame				1
Spielbankeinrichtung			1	1
Zahntechniker			3	3
Orthopädische Werkstätten, Kunstgliederbau und Korsette			5	6
Hörgeräteakustiker				1
Optiker	1	5	5	6
Uhrmacher	9	11	11	10
Eisen-, Blech- und Metallwaren	7	12	2	1
Kassenschrankfabriken und -lager		3		
Büchsenmacher	2	1	1	
Siebmacher	1			
Tafelgeräte, chem. vergoldet u. versilbert	1			
Graveure	3	7	1	1
Silberpolierer		1		
Herst. von Musikinstrumenten, Spielwaren, Schmuck etc.; Foto- und Filmlabors	9	16	22	19
Geigenbauer			1	
Pianofortemacher	1			
Puppenkliniken			2	

III. Entwicklung im 19. und 20. Jahrhundert

Tabelle 13 **Verarbeitendes Gewerbe und Baugewerbe im Zeitvergleich**

Wirtschaftsgruppe	1873	1900	1950	1970
Goldschmiede und Juweliere	4	9	6	12
Füllhalter-Reparatur			1	
Fotografen	4	7	12	7
Filmproduktion			5	
Chemiegewerbe u. ä.	2	2	7	5
Seifensieder	1	2		
Farben-, Firniß-, Lackfabrik	1		1	
Pharmazie und Kosmetik			3	4
Chemische und technische Produkte				3
Vulkanisieranstalten			3	2
Holz-, Papier- und Druckgewerbe	68	97	77	48
Holzverarbeitungsbetriebe			3	2
Sägmühlen		4	4	1
Brennholzsäger			3	
Schreiner, Innenausbau, Möbel	31	41	47	30
Büromöbel- und -einrichtung			2	1
Sesselmacher	6	4		
Wagner	5	7	7	
Kübler	4	4	5	
Küfer	6	6		1
Bürstenmacher	1	2	1	
Korbmacher	1	4		
Modellbau			1	
Schindelmacher			1	
Buchbinder, Restaurator, Vergolder	10	24	4	3
Verpackungsmaterial			1	1
Druckereien	2	3	5	11
Lichtpauserei				1
Lithographische Anstalten	2	2		
Leder- und Textilgewerbe	136	174	119	14
Sattler	12	14	8	
Bandagisten und Säckler	5	5	2	
Kürschner und Ausstopfer	2	5	5	2
Gürtler	1			
Schuhmacher	84	111	69	1
Weber	6			
Seiler	1	1	1	
Posamentiere	2	1		
Tapezierer, Polsterer, Dekorateure	12	21	22	6
Wolleverarbeitung			2	
Strumpfstrickereien		4		
Stopferei und Strickerei			5	
Korsettmacherinnen	2	6		
Steppdecken- und Matratzenfabriken	1		3	2
Teppichstopferei			1	1
Plissee- und Hohlsaum-Herstellung			1	1
Weißstickerin	1			
Maschinenstickerei				1
Blumenfabrikation	4	4		
Schirmmacher	3	2		

3. Wirtschaft und Verkehr

Tabelle 13 Verarbeitendes Gewerbe und Baugewerbe im Zeitvergleich

Wirtschaftsgruppe	1873	1900	1950	1970
Bekleidungsgewerbe				
Schneider	50	76	67	19
Kleidermacherinnen, Damenschneiderinnen und Weißnäherinnen	52	105	111	1
Modistinnen, Putzmacherinnen, Damenhüte	8	13	17	
Hut- und Kappenmacher	5	5		1
Schürzenfabrik			1	
Ernährungsgewerbe, Tabakverarbeitung	70	89	101	70
Mühlen	3		1	
Nährmittelfabrik			1	
Bäcker	26	37	55	26
Konditoren	5	4	8	20
Metzger und Wurstler	24	34	26	23
Bierbrauer	8	1		
Obstkelterei, Brennerei, Likörherstellung	1	6	5	
Mineralwasser- und Champagnerherstellung	2	5	2	
Essigfabrik	1			
Eisfabrik			1	1
Konservenfabrik		1		
Zigarettenfabrik		1	2	
Baugewerbe	72	149	194	147
Bauunternehmer, Maurer	8	8	28	25
Gerüstbau				2
Dachdecker (Schieferdecker)	2	3	3	2
Pflästerer und Straßenbau	3	3	2	
Brunnenmacher	3	4		
Zimmermeister, Holz- und Fertighausbau	6	9	10	6
Glaser, Fenster- und Türenbau	4	12	10	10
Gipser und Stukkateure	1	4	7	10
Fußbodenbau				6
Plattenleger		1		5
Blechner und Installateure	11	21	27	19
Heizungs- und sanitäre Anlagen			16	17
Ofensetzer und Herdfabrikanten	3	19	8	4
Rolladenmacher			3	2
Maler, Lackierer und Dekoration	15	34	48	28

Quellen: Adreßbuch 1873, 1900, 1950, 1970.

Während in Lichtental das Produzierende Gewerbe handwerklich strukturiert blieb, entwickelte sich in Oos in den 1880er Jahren in Bahnhofsnähe ein kleines Fabrikviertel. 1891 arbeiteten dort etwa 400 männliche und 38 weibliche Arbeitskräfte, davon schon 195 auswärtige. Zu den Industrieansiedlungen zählten eine Zementfabrik, die um 1875 gegründete Teerfabrik Rheinboldt, die 1882 gebaute Ofenfabrik von Carl Roth, die schon 1880 genannte Lackfabrik Daniel, die Anfang der 1870er Jahre gegründete Blechnerei von Ludwig Schneider, ferner die 1884 eröffnete Marmorschleiferei Arnold, ein Sägewerk, eine Kofferfabrik und 4 Ziegeleien. 1904 wurden 12 Fabriken mit mehr als 10 Arbeitern genannt, darunter die Firma Stolzenberg mit 352, die Ofenfabrik Roth mit 149 und die Blechnerei Schneider mit 35 Arbeitern. Die Büromöbelfabrik Stolzenberg war 1896/97 gegründet worden und beschäftigte schon 1899 mehr als 100 Arbeiter.

1925 hatte »die älteste und größte deutsche Spezialfabrik für vollständige Registratur- und Büroeinrichtungen«[18] Lager und Vertretungen in allen größeren deutschen Städten. In den 1970er Jahren stellte sie den Betrieb ein. Die Roth'sche Fabrik produzierte um 1900 transportable Öfen, Herde aller Größen und verschiedene Tonwaren. 1925 war sie im Besitz von Emil Löw. Unter der Firma Emil Löw GmbH & Co KG stellt sie heute Kachelöfen und Elektroheizungen her. Auch die Blechnerei Schneider, der eine Verzinnerei und Emailliererei angeschlossen wurde, ist noch unter dem Namen Emaillierwerk Oos W. Schneider GmbH & Co KG in Betrieb.

Unter der Baustoffproduktion hat die Ziegelei in Oos wie in Baden-Baden Tradition. Um die Jahrhundertwende wurde sie auf industrielle Basis gestellt. 1910 beschäftigte die Ooser Dampfziegelei auch ausländische Arbeiter. Als weiterer Betrieb der grobkeramischen Industrie siedelte sich vor dem 1. Weltkrieg die noch heute bestehende Deutsche Hourdis-Fabrik GmbH in Oos an. Ihr Herstellungsprogramm umfaßte 1925 Hourdis (hohle Gewölbesteine), Hohltonplatten, Speicherbodenplatten usw. 1925 wurden in Oos 10 Fabriken mit mehr als 10 Arbeitern gezählt. Im Ort wohnten 509 Industriearbeiter. Ein weiteres großes Dampfziegelwerk, die Ziegelwerke Hettler mit 20–30 Beschäftigten, war bis Ende der 1980er Jahren in Steinbach ansässig. Aus dem Weinbau hervorgegangen war in Steinbach die kleine Essig- und Senffabrik Fleischer, seit 1846 in Familienbesitz. Sie schloß Mitte der 1970er Jahre.

Nach dem 2. Weltkrieg stand Baden-Baden vor der Notwendigkeit, auch Industrie anzusiedeln. Im W der Stadt entstand ein neues Gewerbe- und Industriegebiet. Neben Verlagen und graphischen Betrieben siedelten sich auch Industrieunternehmen an, deren Produktion sich mit dem Kurort vertrug. Als ideale Branche erwies sich die kosmetische Industrie, die ihrerseits vom Namen der Stadt profitierte. Gleich nach Kriegsende siedelte die 1939 in Potsdam gegründete Firma Sans Soucis nach Baden-Baden um und schloß sich 1949 mit der Kosmetikfirma Rosel Heim zusammen. In den kommenden Jahren expandierte sie stark. Weitere größere Firmen dieser und anderer kurortverträglicher Branchen kamen hinzu (dazu s. S. 357 ff.).

Land- und Forstwirtschaft

Landwirtschaft. – Um 1800 wurden in den Orten des Physikats Baden – alle Orte des heutigen Stadtkreises außer Steinbach, Neuweier und Varnhalt – an Getreide hauptsächlich Spelz (Dinkel) und Korn (Roggen) angebaut, Weizen, Hafer und Gerste nur vereinzelt. Außer Getreide pflanzte man Kartoffeln und Mais an, teilweise auch Hülsenfrüchte, als einzige Handelspflanze in geringer Menge auch Hanf.

Die Landwirtschaftszählung von 1873, die erstmals vergleichbare Daten liefert, zeigt eine kleinbetriebliche Struktur. Die alten Erblehenhöfe waren schon zu Beginn des Jahrhunderts aufgeteilt. Pachtland spielte damals und später nur eine untergeordnete Rolle. Nur 5 Betriebe im heutigen Stadtgebiet besaßen 50 bis 100 Morgen (18 bis 36 ha) Land, zwei Drittel der Landwirte bewirtschafteten weniger als 5 Morgen. Nur in Sandweier und Haueneberstein waren die meisten Höfe größer als 5 Morgen. Hier war auch der Ackerlandanteil an der Landwirtschaftsfläche (70 %) am höchsten. In Neuweier und Varnhalt nahmen Grünland, Ackerland und Reben etwa gleichgroße Flächen ein, in Steinbach überwog zwar Ackerland, die Rebfläche war mit 254 M aber größer als die von Varnhalt, dem Ort mit den kleinsten Betrieben (60 % unter 3 M). In Baden und Lichtental waren Acker- und Grünland etwa gleich groß, in Oos und Balg überwog Ackerland. In Ebersteinburg zwangen Klima und Gelände zur Grünlandnutzung, auf dem Ackerland gediehen fast nur Kartoffeln.

3. Wirtschaft und Verkehr

Tabelle 14a Die landwirtschaftlichen Haushaltungen 1873
Bodennutzung und Eigentumsverhältnisse

Ort / Gebiet	Ldw. Haush. Anzahl	Bewirt Fläche d. Haush. Morgen	Von 100 Morgen waren						
			Acker	Grün- land	Reben	Eigen- besitz	Pacht- land	All- mende	Dienstld. u. Nutzn.
Baden-Baden	299	1395	43,6	48,8	7,7	81,1	17,6	0,0	1,3
Lichtental	235	1323	49,0	49,3	1,7	99,4	0,0	0,0	0,5
Oos	269	1106	56,2	38,0	5,7	80,6	16,1	0,0	3,3
Balg	138	516	63,0	29,3	7,8	77,5	14,3	0,0	8,1
Haueneberstein	239	1463	71,0	26,0	3,0	70,7	12,1	12,0	5,1
Sandweier	255	1985	73,3	25,8	0,9	69,0	15,2	8,7	7,1
Ebersteinburg	102	377	42,2	57,8	0,0	79,3	12,2	0,0	8,5
Steinbach	326	1472	46,7	36,1	17,3	90,1	8,2	0,0	1,6
Neuweier	230	908	31,1	34,9	34,0	91,3	6,3	0,0	2,4
Varnhalt	203	632	35,1	32,6	32,3	86,2	6,8	3,0	4,0
Stkr.Baden-Baden	2296	11177	54,1	36,4	9,5	81,8	11,1	3,3	3,8

Quelle: Beiträge zur Statistik. 37. H. 1878.

Tabelle 14b Die landwirtschaftlichen Haushaltungen 1873
Betriebsgrößen

Ort / Gebiet	Ldw. Haush. Anzahl	Bewirt. Fläche d. Haush. Morgen	Mittl. Betriebs- größe Morgen	Prozentanteil der Betriebe in der Größenklasse von ... Morgen						Der größte Betrieb hatte ... Morgen
				bis 1	1–3	3–5	5–10	10–20	20–100	
Baden-Baden	299	1395	4,7	23,4	32,8	13,4	19,7	6,4	4,7	61
Lichtental	235	1323	5,6	9,4	31,1	20,9	23,8	12,3	3,4	77
Oos	269	1106	4,1	21,2	33,8	23,0	16,0	4,8	1,5	94
Balg	138	516	3,7	17,4	26,8	29,0	23,9	2,9	0,0	17
Haueneberstein	239	1463	6,1	2,1	25,1	20,9	34,3	16,7	0,8	22
Sandweier	255	1985	7,8	3,5	9,8	22,0	34,9	27,8	2,0	24
Ebersteinburg	102	377	3,7	11,8	33,3	24,5	28,4	2,0	0,0	13
Steinbach	326	1472	4,5	12,3	31,9	25,5	23,3	6,1	1,2	56
Neuweier	230	908	3,9	4,8	36,1	26,5	30,9	1,7	0,0	13
Varnhalt	203	632	3,1	21,2	38,9	27,1	9,9	2,5	0,5	33
Stkr.Baden-Baden	2296	11177	4,9	12,8	29,8	22,7	24,3	9,0	1,7	94

Quelle: Beiträge zur Statistik. 37.H. 1878.

Über die Landwirtschaft liegen zwar zahlreiche Statistiken vor, aber sie wandten unterschiedliche Kriterien und Abgrenzungen an, so daß die Ergebnisse wenig vergleichbar sind und sich die Entwicklung nur in Grundzügen darstellen läßt. Die Zersplitterung der Betriebe und der Grundstücke nahm bis zum 2. Weltkrieg zu. Ursache war die Realteilung des Grundbesitzes, die vor allem im Rebland zu absurd kleinen Parzellen und in den Häusern zum Teil zu Stockwerkeigentum führte. Dann kam der gewerbliche Zu- und Haupterwerb hinzu, zuletzt in den Reblandorten. Die Landwirtschaft wurde meist zur Sicherheit beibehalten, entweder als Selbstversorgung oder zum Anbau von Sonderkulturen. So teilten sich immer mehr Betriebe in die

III. Entwicklung im 19. und 20. Jahrhundert

Tabelle 15 **Bodennutzung 1904**

Anbau	Anbaufläche in Hektar in den Orten										
	Stkr. Baden-Baden	Baden-Baden	Lichtental	Oos	Balg	Haueneberstein	Sandweier	Ebersteinburg	Steinbach	Neuweier	Varnhalt
Winterweizen	40	2	1	5	1	30	1	0	0	0	0
Sommerweizen	10	8	0	0	0	0	0	0	0	0	2
Winterspelz	49	0	1	18	3	18	0	1	2	0	6
Winterroggen	506	24	51	22	2	32	229	12	102	21	11
Sommerroggen	2	0	1	0	0	0	1	0	0	0	0
Sommergerste	34	1	3	16	3	2	2	5	1	0	1
Sommerhafer	121	9	29	24	4	42	6	1	1	3	2
Winterweizen und Roggen	10	0	0	0	0	10	0	0	0	0	0
Sonstiges Wintergetreide	167	6	0	26	29	27	0	0	64	11	4
Runkelrüben	119	4	9	31	3	51	7	1	10	1	3
Kartoffeln	685	21	116	149	14	52	220	24	51	20	18
Klee	227	16	30	42	24	55	4	1	45	5	5
Luzerne	19	3	0	10	2	4	0	0	0	0	0
Gras von Wässerwiesen	1034	120	217	180	3	90	33	50	257	84	0
Gras von anderen Wiesen	1074	190	107	184	55	105	231	17	81	10	94
Wein	363	28	4	35	15	7	0	0	99	101	74
Anbaufläche (errechnet)	4458	432	569	742	158	525	734	111	712	256	220

Quelle: Beiträge zur Statistik ... NF H. 18. 1912.

Fläche. Zwischen 1895 und 1925 nahm ihre Zahl um 721 auf 3388 zu. Größere Betriebe ab 20 ha Landwirtschaftsfläche gab es nur in Baden-Baden und zeitweise in Steinbach und Neuweier (Schloßgut). 1895 fielen fünf, 1925 dann sechs Betriebe in diese Klasse.

Nur in *Haueneberstein* und *Sandweier* interessierte man sich für fortschrittliche Landwirtschaft und kultivierte in der 2. H. 19. Jh. extensiv genutzte und öde Flächen. In Haueneberstein baute man schon in den 1850er Jahren Tabak, später auch Meerrettich an. Nach 1900 ging der Tabakanbau wegen des Preisverfalls zurück, und Felder wurden in Wiesen umgewandelt. Steigende Vieh- und Fleischpreise ließen Grünlandnutzung und Futterbau auf dem Ackerland lohnend erscheinen, mit dem Übergang zur nebenberuflichen Landwirtschaft ging aber auch die Extensivierung von Acker- zu Grünland einher. Auf dem Ackerland setzte sich der Getreide- gegenüber dem Hackfruchtanbau durch, Spelz wurde schon zu Beginn des 20. Jh. hauptsächlich durch Roggen, Hafer, auch Weizen ersetzt, später breitete sich immer mehr der Körnermais aus. 1949 machte das Ackerland in Haueneberstein nur mehr 45 %, in Sandweier 54 % der landwirtschaftlich genutzten Fläche (LF) aus – immer noch weit mehr als in den anderen Orten. Zwar lagen 1949 gut die Hälfte der statistisch erfaßten landwirtschaftlichen Betriebe ab 0,5 ha LF unter 2 ha LF, im Stadtgebiet aber zwei Drittel. In beiden Orten war je ein Betrieb mit 20 oder mehr ha LF entstanden. Nur in Baden-Baden gab es noch vier Betriebe dieser Größenklasse.

In *Steinbach* waren noch 1949 33 % der LF Ackerland (zu 39 % Getreide) und 28 % mit Sonderkulturen bestellt. Auch hier waren die Betriebe immer kleiner geworden. Nur 10 von den im Jahr 1949 erfaßten 246 Betrieben ab 0,5 ha LF hatten 5 oder mehr ha LF, keiner erreichte 20 ha. Ganz extrem waren durch häufige Teilungen die Betriebe in

Tabelle 16 **Bodennutzung 1949**

Landwirtschaftliche Betriebe / Anbau	Stkr. Baden-Baden	Baden-Baden	Haueneberstein	Sandweier	Ebersteinburg	Steinbach	Neuweier	Varnhalt
Betriebe	1791	528	272	279	63	246	231	172
Landw. genutzte Fläche in Hektar	3371	1085	540	583	109	477	351	226
davon in %								
Ackerland	33,1	24,9	45,0	53,7	19,3	32,5	17,9	22,6
Wiese und Weide	54,9	66,5	52,4	44,8	75,2	40,0	53,0	55,8
Sonderkulturen	12,0	8,7	2,6	1,5	5,5	27,5	29,1	21,7
Getreide	13,0	7,8	17,8	25,7	4,6	12,6	7,1	7,5
Hackfrucht	11,2	7,7	14,4	19,7	6,4	9,9	7,1	10,2
Feldfutter	6,3	5,7	10,7	6,3	6,4	6,7	2,8	3,1
Forsten in Hektar	9148	7144	301	482	83	671	298	169

Quelle: Statistik von Baden-Württemberg. Bd 3, T.3. 1953.

Neuweier und *Varnhalt* zersplittert, wo das kleine Ackerland fast nur zur Selbstversorgung bebaut wurde und Weinbau die Wirtschaft bestimmte. 1949 lagen hier 76 bzw. 86 % der Betriebe unter 2 ha LF. In Neuweier waren auch die beiden Betriebe, die noch 1925 mit 20–50 ha und mit 50 und mehr ha Fläche ausgewiesen waren, unter 20 ha LF gesunken. Insgesamt wies die landwirtschaftliche Betriebszählung 1949 im heutigen Stadtgebiet 1795 land- und forstwirtschaftliche Betriebe ab 0,5 ha Betriebsfläche nach, darunter 1791 Betriebe mit zusammen 3371 ha landwirtschaftlich benutzter Fläche.

Nach 1950, als der durch Krieg und Nachkriegszeit unterbrochene Strukturwandel verstärkt wieder einsetzte, wurden erstmals in größerem Umfang Betriebe und Nutzflächen aufgegeben. 1960 zählte man im heutigen Stadtgebiet noch 1399 Betriebe ab 0,5 ha LF. Am instabilsten waren die Betriebe zwischen 2 und 5 ha LF. Die wenigsten rein landwirtschaftlichen Betriebe wurden 1960 noch hauptberuflich geführt. Fast nur Frauen waren ständige Arbeitskräfte.

Im letzten Jahrzehnt vor der Gebietsreform, markiert durch die Landwirtschaftszählungen von 1960 und 1971, führten der weitergehende Wandel der Dörfer zu Pendlerwohnorten und die Reglementierung der landwirtschaftlichen Produktion durch die Europäische Wirtschaftsgemeinschaft zu den einschneidensten Veränderungen, einerseits zur Extensivierung bis zur völligen Aufgabe von Landwirtschaftsfläche, andererseits zur Spezialisierung und Intensivierung im Anbau. Auch Flurbereinigungen und Aussiedlung von Höfen veränderten die Betriebsstruktur. *Aussiedlerhöfe* als Spezialbetriebe für Sonderkulturanbau, Viehhaltung oder Saatgutvermehrung, aber meist mit weniger als 20 ha LF ausgestattet, wurden zwischen 1962 und 1972 eingerichtet: 3 in Baden-Baden, 1 in Haueneberstein, 1 in Neuweier, 3 in Steinbach und 2 in Varnhalt.

Diese Veränderungen lassen sich statistisch nur unvollkommen nachweisen, da 1971 lediglich Betriebe mit mindestens 1 ha landwirtschaftlicher Nutzfläche (LN) oder kleinere Betriebe mit festgelegten Mindesterzeugungseinheiten (z. B. mit mindestens 30 Ar bestocktem Rebland oder 50 Ar Obstanlagen) erhoben wurden und ungenutztes ehemaliges Acker- und Grünland unberücksichtigt blieben. Insgesamt lagen auf dem heutigen Stadtgebiet im Mai 1971 noch 929 solche landwirtschaftliche und Forstbetriebe. Unter den 478 rein landwirtschaftlichen Betrieben (mit 1372 ha LN) waren aufgrund ihrer Marktleistung 125 Betriebe mit weniger als 1 ha LN erfaßt (69 allein in

Neuweier). Kaum geändert hatte sich die Kleinbetriebsstruktur. ⅔ der verbliebenen landwirtschaftlichen Betriebe im Stadtgebiet hatten weniger als 2 ha LN, ¼ bewirtschaftete 2–5 ha LN. Mehr als 20 ha LN besaßen nur 3 Betriebe in Baden-Baden und je 1 in Haueneberstein und Sandweier. Sie bewirtschafteten aber zusammen 23 % der LN aller Betriebe im Stadtgebiet.

Tabelle 17 Bodennutzung 1971

Landwirtschaftliche Betriebe / Anbau	Stkr. Baden-Baden	Baden-Baden	Haueneberstein	Sandweier	Ebersteinburg	Steinbach	Neuweier	Varnhalt
Landw. Betriebe ab 1 ha LN	478	140	38	36	4	85	131	44
Von den Betrieben bewirtschaften:								
Ackerland	362	105	36	35	3	71	81	31
Dauergrünland	329	110	34	28	4	59	56	38
Von den Betrieben bauen auf dem Ackerland an:								
Hackfrucht	296	77	28	28	3	62	69	29
Futterpflanzen	95	46	13	4	0	17	7	8
Getreide	254	36	33	34	0	65	67	19
Weizen	193	23	27	26	0	54	52	11
Roggen u. Wintermenggetr.	145	18	26	27	0	40	26	8
Gerste	110	12	20	20	0	33	22	3
Hafer	49	7	11	18	0	10	3	0
Landw. Nutzfläche in Hektar	1372	489	204	183	10	233	180	73
davon in %								
Ackerland	34,8	21,9	81,9	80,3	0,0	43,3	26,7	11,0
Sonderkulturen	18,5	12,5	0,0	0,0	10,0	27,5	50,6	50,7
Dauergrünland	38,3	64,0	18,1	19,7	80,0	29,2	20,6	37,0
Wiesen	33,0	49,9	17,6	18,6	80,0	29,2	20,0	37,0
Mähweiden	1,2	3,3	0,0	0,0	0,0	0,0	0,0	0,0
Weiden	4,0	10,6	0,5	1,1	0,0	0,0	0,0	0,0
Anbau auf dem Ackerland								
Hackfrucht	4,4	2,9	2,9	5,5	0,0	7,7	5,0	5,5
Kartoffeln	2,7	2,2	1,5	1,6	0,0	4,7	3,9	2,7
Futterpflanzen	1,9	3,1	1,5	1,1	0,0	1,7	0,6	1,4
Getreide	33,2	13,1	72,1	72,7	0,0	30,5	21,1	4,1
Weizen	8,8	4,7	19,1	10,4	0,0	10,7	7,8	1,4
Roggen u. Wintermenggetr.	6,1	1,0	6,9	23,0	0,0	6,9	3,3	1,4
Gerste	5,1	1,8	14,2	8,2	0,0	4,7	3,3	0,0
Hafer	4,7	1,2	12,3	15,8	0,0	1,3	0,6	0,0
Feldgemüse	0,4	0,2	1,5	0,0	0,0	0,9	0,0	0,0
Gartengewächse	1,4	2,7	1,0	0,0	0,0	1,7	0,0	0,0

Quelle: Statistik von Baden-Württemberg. Bd 161. H. 4a. 1972.

Im Anbau hatten sich bis 1971 die Landwirte von Haueneberstein und Sandweier auf Getreide (Weizen, Roggen, Wintermenggetreide und Körnermais) spezialisiert, die vier verbliebenen Betriebe in Ebersteinburg beschränkten sich auf Grünlandnutzung und Obstbau. Bei den Steinbacher Betrieben nahmen Getreide, Wiesen und Sonderkulturen jetzt gleich große Flächen ein, die Betriebe in Neuweier und Varnhalt hatten auf der halben LN Sonderkulturen gepflanzt. Die andere Hälfte war in Neuweier mehr als

3. Wirtschaft und Verkehr 259

Getreidefläche, in Varnhalt mehr als Grünland genutzt. Grünland überwog auch bei den landwirtschaftlichen Betrieben der Stadt. 1972 wurden die landwirtschaftlichen Betriebe des heutigen Stadtgebiets statistisch klassifiziert in: 36 Marktfruchtbetriebe (Getreidebau), 84 Futterbaubetriebe (Großviehhaltung), 6 Veredlungsbetriebe (Schweinehaltung), 252 Dauerkulturbetriebe und 17 landwirtschaftliche Gemischtbetriebe. Außerdem gab es 33 Gartenbaubetriebe, 17 forstwirtschaftliche und 2 Kombinationsbetriebe.

Obst- und Gartenbau. – Baden-Baden war ein guter Absatzmarkt für Erzeugnisse des Gartenbaus. Noch Anfang des 19. Jh. wurden feinere Gemüse aus Straßburg eingeführt, aber bald stellten sich viele Landwirte in der Stadt selbst, in Lichtental und Steinbach auf Gartenbau ein. In Baden-Baden war 1939 die Landwirtschaftsfläche zu fast ⅓ intensiv mit Garten- und Obstanlagen genutzt. Obstanbau war insbesondere in der 2. H. 19. Jh. staatlich und durch den Landwirtschaftlichen Verein gefördert worden. Jedes Dorf legte Baumschulen an, gepflegt wurden sie jedoch nicht immer. Obstbau stand in Wechselbeziehung mit dem Weinbau. In den Krisenjahren des Weinbaus Ende des 19. Jh. bepflanzten viele Winzer bisherige Rebflächen mit Beeren-, insbesondere Himbeersträuchern. Auch Erdbeerpflanzungen wurden angelegt. Bei den Obstbäumen nahmen Apfel- und Birnbäume an den Straßenrändern und auf Streuobstwiesen zwar zahlenmäßig den ersten Rang ein, wirtschaftlich überholte sie das Steinobst, dessen Anbau sich aus der Bühler Gegend nach Steinbach, Neuweier und Varnhalt vorschob. 1953 wuchsen in Neuweier 9000 Zwetschgenbäume. Nach 1960 schwang im Zeichen des Qualitätsweinbaues in Neuweier und Varnhalt das Pendel wieder zurück. Den Flurbereinigungen und Wegverbesserungen fielen die meisten Bäume auf den Streuobstwiesen und an den Straßenrändern zum Opfer. Die meist vernachlässigten Hochstammbestände galten als schädlingsanfällig und schwer zu ernten. Wo der Obstbau weiterhin rentabel schien, stellte man auf geschlossene Pflanzungen von Halb- und Viertelstämmen um. Mehr und mehr gingen die Betriebe in Baden-Baden, Haueneberstein und Sandweier zu intensivem Anbau, hauptsächlich von Erdbeeren, auch auf dem Ackerland über.

Weinbau. – Mit Neuweier, Varnhalt und Umweg (Steinbach) gehören heute drei der bekanntesten mittelbadischen Weinorte zu Baden-Baden. Bis um die Wende zum 19. Jh. wuchs auch in allen anderen Orten des Stadtgebiets Wein. Zu Beginn des 19. Jh. bauten vor allem die großen Rebgüter in herrschaftlichem und kirchlichem Besitz Reben an. Mit der Säkularisierung wechselten die kirchlichen Güter den Besitzer, wurden zum Teil auch zerschlagen wie das Rebgut der Jesuiten in Umweg, das der Staat stückweise verkaufte. Im ganzen 19. Jh. und bis heute hatten die größeren Weingüter dank der besseren Qualität ihrer Weine weniger Schwierigkeiten als die Kleinwinzer. Den klösterlichen Schafhof in Lichtental kaufte Großherzog Leopold, verpachtete ihn und ließ dort edlere Rebsorten anbauen. Das Schloßgut Neuweier war schon um 1810 für seine Verbesserungen im Weinbau bekannt. Nach wie vor erhielt es Auszeichnungen für seinen Mauerwein. 1882 verlegte sich auch das ehemalige Klostergut Fremersberg, das bisher kaum Reben besaß, auf den Weinbau und stockte dafür Wald aus. Das Weingut Nägelsförst auf Gkg Varnhalt war vom Kl. Lichtenthal an den Großherzog gekommen und 1861 von der aerarischen Verwaltung verkauft worden. Die nächsten Jahrzehnte brachten häufigen Wechsel von Besitzern und Wirtschaftszielen, bis 1906 ein Karlsruher Industrieller das Gut kaufte und mit seinem Verwalter den Weinbau wieder in Schwung brachte. Zusätzliche Einnahmen sollten in den 1920er Jahren eine

Straußwirtschaft, eine Hühnerfarm, Milchwirtschaft und Gärtnerei bringen. Nach 1959 beschränkte sich der neue Besitzer des Gutes, das auch Lehrlinge und Praktikanten ausbildete, wieder auf den Weinbau und die Hühnerfarm und übernahm auch die Rebflächen des Klosterguts Fremersberg.

Vom Rückgang des Weinbaus im gesamten Großherzogtum während des 19. und der 1. H. 20. Jh. waren hier besonders die kleinen Weinbauern betroffen. Als Ursachen werden u. a. genannt: Nach der Säkularisation der Klöster und der Umstellung von Natural- auf Geldbesoldung sank der Bedarf an Wein. Da half auch der Wegfall des Weinzehnten 1833 nicht viel. Der Beitritt Badens zum Deutschen Zollverein 1835 öffnete den Markt für die billigeren pfälzischen Weine. Die gerade bei den Rebleuten übliche Realteilung zerstückelte die Betriebe bis zur Unwirtschaftlichkeit. Unwirtschaftlich war auch die Vielfalt der Rebsorten, die meist im Gemisch angebaut und gekeltert wurden. Der Weinausbau ließ bei den Kleinwinzern zu wünschen übrig, nicht selten wurde gepanscht. Den Winzern, die bei der Zerschlagung der kirchlichen Rebhöfe zu Rebland gekommen waren, fehlten oft die erforderlichen Kenntnisse. Beim Absatz waren sie dem Preisdiktat der Händler ausgeliefert. Dem Verfall des Weinbaus suchten sowohl Regierungsstellen als auch der Landwirtschaftliche Verein durch Schulung der Weinbauern und durch Vermittlung von Setzlingen entgegenzuwirken. Abhilfe schaffen sollte die Umstellung vom Massen- auf Qualitätsweinbau und die Auflassung aller weniger guten Reblagen, erzwungen schon durch das vermehrte Auftreten von Rebkrankheiten und -schädlingen seit der Mitte des 19. Jh. Kurz vor dem 1. Weltkrieg war der Tiefstand erreicht. Grundlegenden Wandel schufen erst die Winzergenossenschaften, zu denen sich die hiesigen Winzer freilich erst spät zusammenschlossen (s. S. 245). Die Genossenschaften übernahmen neben dem Absatz der Weine auch den fachmännischen Kellerausbau, übten Einfluß aus auf die Auswahl der Anbauflächen und der Rebsorten und wirkten bei den Rebflurbereinigungen mit. Ihr Programm zur Stärkung des Qualitätsweinbaus konnten sie nach dem 2. Weltkrieg richtig durchsetzen. Nach 1950 veränderten Flurbereinigungen und Rebenneuaufbau unter Beachtung der Sortenreinheit die Weinberge und ließen rationellere Anbaumethoden zu. An Rebsorten pflanzte man zwar auch Müller-Thurgau und Spätburgunder, der Nachdruck lag jedoch traditionsgemäß auf der Rieslingrebe. Sie nahm um 1970 etwa vier Fünftel der Rebfläche ein. Traditionell werden die Rieslingweine hier in Bocksbeutelflaschen abgefüllt. Nach jahrelangem Streit mit benachbarten Weinerzeugern beschränkte 1971 ein Bundesgerichtsurteil das Recht auf Bocksbeutelabfüllung in Baden-Württemberg auf Weine des badischen Frankenlands und der Gemarkungen Neuweier, Umweg und Varnhalt.

Tierhaltung. – Bis um die Wende zum 20. Jh. Futter vermehrt auch auf dem Ackerland angebaut wurde, hing der *Rindviehbestand* von den Grünfuttererträgen ab, später eher von den Marktpreisen für Vieh und Milch. Zur Verbesserung der Grünfutterbasis war eine geregelte Be- und Entwässerung der Wiesen in Zusammenhang mit den Bachregulierungen zur Eindämmung von Hochwassern vordringlich. Dabei standen sich jedoch die Interessen der Wiesen- und die der Mühlenbesitzer gegenüber, was zu zahllosen Auseinandersetzungen führte. Wässerungseinrichtungen, meist auf genossenschaftlicher Grundlage, wurden vor allem in der 2. H. 19. Jh. mit mehr oder weniger Erfolg auf allen Gemarkungen geschaffen.

Zwischen 1855 und 1887 nahm der Rindviehbestand außer in Baden-Baden, Lichtental und Eberensteinburg, zu, in Haueneberstein um mehr als das Doppelte. Im Rebland wurde Rindvieh auch wegen des Düngers für die Reben gehalten. Zur Nachzucht und

Verbesserung der Rasse holte man Stiere aus der Schweiz. Der Höchststand in der Rinderhaltung dürfte kurz vor dem 1. Weltkrieg erreicht gewesen sein. Milch fand in Baden-Baden und Rastatt guten Absatz, das Vieh wurde meist auf den benachbarten Viehmärkten, weniger über Viehhändler gehandelt. Die Viehzählung von 1925 zeigt gegenüber 1887, außer in Sandweier, einen starken Rückgang. Im Durchschnitt besaßen die landwirtschaftlichen Betriebe nur 1–2 Rinder. Bis 1949 nahm mit dem Rückgang der landwirtschaftlichen Betriebe auch der Viehbestand weiter ab. Danach wurden zwar in Baden-Baden, Haueneberstein, Sandweier und Steinbach wieder mehr Tiere angeschafft, aber bei den weitergehenden Betriebsauflösungen und der von der EG diktierten Landwirtschaftspolitik war die Zunahme nur von kurzer Dauer. 1971 standen im gesamten Stadtgebiet nur noch 592 Stück Rindvieh in den Ställen, davon 252 in den 70 Betrieben in der Stadt selbst. Nur in Sandweier überwog das Fleischvieh, sonst stellten Milchkühe die Hälfte oder mehr des Bestandes, die wenigsten Betriebe jedoch hatten mehr als 2 Milchkühe im Stall.

Zu Beginn des 19. Jh. wurden die *Schweine* noch zur Eichelmast in den Wald getrieben, später auf Schweineweiden gehalten. Schweinezucht wurde in allen Orten außer den Reblandgemeinden betrieben, in Ebersteinburg aber bereits um 1880 aufgegeben. Obwohl die Schweinehaltung rascher auf Futter- und Marktbedingungen reagieren kann, zeigt sie eine ähnliche Entwicklung wie die Rinderhaltung, nur fehlt der kurzfristige Aufschwung zwischen 1949 und 1961. 1971 hatten nur noch 55 der 478 landwirtschaftlichen Betriebe im heutigen Stadtgebiet Schweine, fast ausschließlich zur Mast. Insgesamt wurden 236 Schweine gezählt, davon 80 in Betrieben in Baden-Baden, 69 in Steinbach und 65 in Neuweier. In Sandweier und Haueneberstein, wo bis zum 2. Weltkrieg Schweinehaltung noch ein wichtiger Betriebszweig war, hatte man sie völlig aufgegeben.

Verhältnismäßig zahlreich waren während des 19. Jh. die *Pferde*, hauptsächlich Reit- und Wagenpferde in Baden-Baden und Zugpferde in Sandweier. Von den im Jahr 1887 gezählten 910 Pferden kamen allein 488 auf Baden-Baden, 154 auf Sandweier. Die Motorfahrzeuge verdrängten die Pferde hier besonders rasch, bis 1925 etwa auf die Hälfte des Bestandes von 1887. Zwischen 1939 und 1961 ging im Stadtgebiet die Zahl der Pferde von 129 auf 64 zurück. Pferdezucht hatte sich nie durchgesetzt.

Schafhaltung spielte in Sandweier lange eine große Rolle. Bis zur Ablösung durch die Gemeinden (um 1830) besaß der herrschaftliche Meierhof in Sandweier die Schafweidegerechtigkeit in allen Gemarkungen des Oberamts Baden. 1861 wurden in Sandweier noch über 500 Schafe gezählt, bald danach muß die Schafhaltung aufgegeben worden sein.

Die *Ziege* ersetzte im ärmeren Haushalt die Milchkuh. Ziegenhaltung nahm um 1900 durch den steigendem Wohlstand ab, einige Jahre später aber mit dem Anwachsen der Arbeiterbevölkerung wieder zu. In den 1920er Jahren besaß sie große Bedeutung für die Ernährung. 1925 wurden im Stadtgebiet 1533 Ziegen gezählt, mehr als doppelt so viele wie 1887. Erst nach dem 2. Weltkrieg gab man die Ziegenhaltung allmählich auf.

Geflügel hatte als Lieferant für Eier und Fleisch, die sich in Baden-Baden und Rastatt gut absetzen ließen, einige Bedeutung. Um 1900 scheint in Sandweier besonderer Wert auf Gänsehaltung gelegt worden zu sein. Massengeflügelhaltung war noch 1971 selten. Nur 4 Betriebe in Baden-Baden und 2 in Steinbach hielten 100 oder mehr Legehennen. *Bienenzucht* war im 19. Jh. in den meisten Orten des Stadtgebietes verbreitet.

Forstwirtschaft. – Unter den Waldungen auf dem heutigen Stadtgebiet nahm auch im 19. und in der 1. H. 20. Jh. der Stadtwald von Baden-Baden den ersten Rang ein (vgl.

S. 334 ff.). Aber auch die übrigen heute zu Baden-Baden gehörenden Gemeinden besaßen Wälder ebenso wie der Staat und, freilich in geringem Umfang, die Bauern. In der 1. H. 19. Jh. wurden die *Grenzen* des städtischen Waldbesitzes genau festgelegt und die sich überschneidenden Nutzungsrechte der Nachbargemeinden geregelt. Um 1818 erwarb die Stadt ca. 180 M ehemaligen Lichtenthaler Klosterwald vom Staat, um 1840 löste sie die alten Nutzungsrechte der Gemeinden Oos, Balg und Beuern durch Abtretung von Waldparzellen ab. Erst seither besaß die Gde Oos eigenen Wald. Ähnlich kam Ebersteinburg durch Ablösung von Nutzungsrechten durch das Domänenärar zu seinem Wald. Baden-Baden vergrößerte seinen Waldbesitz mehrmals auch durch Kauf von Privatwald. Die Wald-Freiland-Grenze änderte sich im 19. Jh. wenig. Einige Wiesen wurden aufgeforstet, Waldgelände in Stadtnähe zur Stadterweiterung gerodet. Auch Lichtental mußte 1875 auf Anordnung des Bezirksforstamtes mehrere neue Waldungen anlegen.

Tabelle 18 **Gemeinde- und Körperschaftswald***

Eigentümer: Gemeinde / Körperschaft	Ertragfähige Waldfläche in Hektar		
	1862	1876	1902
Baden-Baden	4172,07	4182,50	4225,31
Badfonds Baden-Baden			12,02
Lichtental	797,05	842,60	842,56
Oos	280,09	283,72	283,44
Balg	191,55	191,79	190,11
Haueneberstein	305,29	304,90	304,96
Sandweier (Hochwald)	478,81	481,02	473,30
Sandweier (Faschinenwald)			24,44
Ebersteinburg	81,00	81,01	79,22
Steinbach (Hochwald)	301,70	303,94	307,25
Steinbach (Mittelwald)	32,42		
Neuweier	217,44	217,98	218,19
Varnhalt	144,73	145,83	144,66
Stkr. Baden-Baden	7002,15	7035,29	7105,46

* Die Größe des Staatswaldes ist nur nach Forstbezirken angegeben.
Quellen: Beiträge zur Statistik. A H. 19. 1865; H. 40. 1878; NF H.16. 1905.

Die *Nutzung* der Gemeindewaldungen lag in der Versorgung der Bürger mit Holz und im Beitrag zu den Gemeindeausgaben. Unvorhergesehenen Ausgaben folgten meist im Benehmen mit der Forstbehörde außerordentliche Holzeinschläge. Der Wald lieferte Brenn-, Nutz- und Bauholz. Dünnes Holz wurde u. a. für Rebpfähle gebraucht. Das Nutzholz wurde in den beiden städtischen Sägemühlen geschnitten und von der Stadt selbst verwertet oder verkauft, Brennholz ging zum großen Teil als Gabholz an die Bürger. Die Wertschätzung von Bau- und Schnittholz und die verbesserten Transportbedingungen bewirkten eine allmähliche Verringerung der Gabholzzuteilungen. Die Brennholzgaben, die um 1800 bei 90 % des Gesamteinschlags gelegen hatten, betrugen 1901 noch knapp 18 %. Das Holz wurde lange Zeit auf der Oos geflößt. Als die große Überschwemmung 1824 die Schwallungen zerstörte, wurden sie wieder ausgebessert, nach der Überschwemmung von 1851 aber baute die Stadt Holzabfuhr-

Tabelle 19 Baumarten auf der ertragfähigen Waldfläche im Gemeinde- und Körperschaftswald 1902

Besitzer: Gemeinde / Körperschaft	Waldfläche Hektar	Hauptholzarten in % der bestockten Waldfläche											Betriebsart
		Laub	Eiche	Buche	Erle	Ulme	Weide	Tanne	Fichte	Forle	Lärche	Sonst.	
Baden-Baden Badfonds	4225,3			30				50	10	5		5	Hochwald
Baden	12,0		30					65				5	Hochwald
Lichtental	842,6			30				63	5			2	Hochwald
Oos	283,4		7	42				12	6	33			Hochwald
Balg	190,1		10	20				30	40				Hochwald
Haueneberst.	305,0		5	46				25	24				Hochwald
Sandweier	473,3	20								80			Hochwald
Sandweier	24,4				40	30	25					5	Faschinenw.
Ebersteinburg	79,2		4	47				46		3			Hochwald
Steinbach	307,3			10				50	5	35			Hochwald
Neuweier	218,2	10						60	6	20	4		Hochwald
Varnhalt	144,7			10				50		40			Hochwald

Quelle: Beiträge zur Statistik. NF H. 16. 1905.

wege und Straßen zur weiteren Walderschließung. Wegebau und -unterhaltung mußten aus dem Waldertrag bestritten werden.

Die landwirtschaftliche Nutzung des Waldes zu Waldweide, Eckerich (Bucheckern, Eicheln etc. zur Schweinemast) und Laubstreuentnahme wurde im 19. Jh. von den Forstbehörden als waldschädigend bekämpft. Nach dem Übergang zur Stallfütterung spätestens seit der Jahrhundertmitte konnte zwar auf Waldweide und Eckerichnutzung verzichtet werden, aber die Laubstreu aus dem Wald war für die Ställe bei Strohmangel unentbehrlich. Die badische Forstordnung von 1833 und spätere Streunutzungspläne regelten und begrenzten die Streunutzung zugunsten der Regenerierung des Waldbodens. Noch 1862 beklagten sich die Einwohner von Sandweier, daß ihnen zu wenig Laubstreu aus dem Wald angewiesen würde und ihr Viehbestand gefährdet sei. Erst in den 1920er Jahren ging man vom Laubrechen ganz ab. Von den im 18. Jh. waldnutzenden Gewerben hielt sich die Köhlerei bis 1865 im Stadtwald, danach wurde nur noch gelegentlich ein Meiler geschichtet.

Die *Verwaltung des Stadtwaldes* war, obgleich seine wirtschaftliche Bedeutung für den Stadthaushalt auch im frühen 19. Jh. anerkannt war, nicht einem eigenen Förster, sondern den staatlichen Förstern und den städtischen Waldmeistern (Bürgermeister oder Stadtratsmitglied) anvertraut, die oft gegensätzliche Standpunkte vertraten. Erst 1829 wurde das städtische Forstamt eingerichtet. In der badischen Forstverwaltung bildete Baden-Baden wegen der Größe des Stadtwaldes nach der Organisation von 1834 zwei Forstbezirke, einen städtischen und einen landesherrlichen, in dem auch die Wälder der benachbarten Gemeinden zusammengefaßt waren. 1856 lagen im städtischen Forstbezirk 11611 M 338 R Gemeindewald und 64 M 317 R Privatwald. Seit 1830 wurden Hiebpläne, seit 1837 Forsteinrichtungen aufgestellt, die außer der Nutzung auch den Aufbau des Waldes regelten, freilich in Anpassung an die Marktlage.

Seit der 1. H. 19. Jh. legte man bei der Auswahl der *Baumarten* zunehmend Wert auf Nutzholz. Daher wurde mit mehr Tannen, insbesondere Weißtannen, aufgeforstet. Als Bau- und Holländerholz (für den Schiffsbau) brachten sie gute Erlöse. Das Holz wurde jetzt auch mehr nach Sorten gegliedert abgegeben. Der Baumbestand setzte sich 1857 überwiegend aus Weißtannen, Buchen und Eichen, weniger aus Birken, Rottannen und Espen zusammen. Fichten und Kiefern wurden erst seit der Jahrhundertmitte in Lücken gepflanzt. In den folgenden Jahrzehnten hat die Fichte die Tanne fast verdrängt. Nach den häufigen Sturmkatastrophen wurden die Lücken vorzugsweise mit den genügsamen Fichten geschlossen. 1949 waren 54 % der unter 20 Jahre alten Bäume Fichten und nur noch 14 % Tannen[19]. In der Holzartenwahl wurden die natürlichen Standortbedingungen oft vernachlässigt. Im 20. Jh. erschwerte auch der hohe Wildbestand die Verjüngung mit Tannen.

Vorherrschende *Betriebsform* war seit Jahrhunderten großenteils der Hochwald mit etwa 100jähriger Umtriebszeit je nach Baumart. Niederwald gab es nur in kleinen Privatwaldungen, Mittelwald in den Laubholzrevieren der stadtnahen Vorderen Waldungen. 1857 wurde für das Nutzholz (Weißtanne und Fichte) eine Umtriebszeit von wenigstens 120 Jahren bestimmt. Zwischen 1927 und 1950 wurden, den jeweiligen wirtschaftlichen Vorstellungen entsprechend, die Umtriebszeiten mehrmals hinunter- und wieder hinaufgesetzt. Nach dem Ende des 2. Weltkriegs mußten große Waldflächen zu Reparationsleistungen an Frankreich kahlgeschlagen werden. 1948 konnte man an die Wiederaufforstung gehen und legte ein Forsteinrichtungswerk für die Zeit bis 1958 fest.

Jagd und Fischerei. – In der »jagdfeindlichen Zeit«[20] nach den Revolutionsjahren und den napoleonischen Kriegen war in den Wäldern des heutigen Stadtgebiets nur wenig *Wild* anzutreffen. Daher ließ Jean Jacques Bénazet, als er die Jagdrechte gepachtet hatte, 1841 Damwild aussetzen. Für seine groß inszenierten Jagdfeste besorgte er sich auch Wild aus dem großherzoglichen Wildpark. Im Domänenwald wurde die Jagd immer nach dem Grundsatz verpachtet, die Landwirtschaft von Wildschaden freizuhalten. Ab 1850 übte der großherzogliche Hof die Jagd im Badener Stadtwald aus. 1872 pachtete das Kurkomitee ein Jagdgebiet in der Ebene von der Oos bis an den Rhein. Im Gebirge übernahm eine Privat-Jagdgesellschaft die Jagdrechte und lud auch Gäste ein. Um 1875 allerdings schädigte ein überhegter Rehwildbestand und das erst jetzt wieder aufgetauchte Rotwild den Lichtentaler Gemeindewald und bald auch die oberen Partien des Badener Stadtwalds. 1938 war beim Rot- und Rehwild der Höchststand im Stadtwald erreicht und der Interessengegensatz zwischen Forstleuten und Jagdleitung offen ausgebrochen. Nach dem Krieg übte die französische Besatzungsmacht das Jagdrecht aus und verringerte den Rehwildbestand erheblich. 1951 erhielt das Forstamt der Stadt die Jagdhoheit zurück.

Für den *Angelsport* der Kurgäste ließ Bénazet amerikanische Regenbogenforellen in die Bergbäche einsetzen. Nach dem Ende der Spielbank besaßen eine Fischereigesellschaft in Baden-Baden und die Kurverwaltung das Fischereirecht für große Strecken der Oos, Murg und von Altrheinwassern. Aus der Fischzuchtanstalt Gaisbach, die im Jahr 1878 etwa 1 Million Fische verschiedener Arten besaß, wurden Brutfische in die Gewässer eingesetzt, um deren Fischreichtum zu steigern. In der unteren Oos war die Fischerei zu Ende des 19. Jh. bereits durch die eingeleiteten Fabrikabwässer fast nicht mehr möglich.

Verkehr

Eisenbahn. – Noch um 1840 kam ein Teil der Fremden auf dem Wasserweg nach Baden-Baden. In Iffezheim legten täglich die Dampfschiffe an, die von Köln und Düsseldorf nach Straßburg und zurück fuhren. In Köln und Düsseldorf bestand Anschluß an die Schiffe von Rotterdam, London, Antwerpen, Amsterdam und Hamburg, zwischen Straßburg und Basel verkehrten Schiffe der Basler Gesellschaft. Von

3. Wirtschaft und Verkehr

Baden-Baden aus fuhren Wagen der Agentur Franz Grosholz zum Anlegeplatz nach Iffezheim.

Im Jahr 1842 kündigte sich das Eisenbahnzeitalter mit der Eröffnung der Bahnstrecke Mannheim–Karlsruhe an. Von Karlsruhe aus beförderten »Badwagen« die Gäste nach Baden-Baden. Bequemer wurde es 1844, als die Eisenbahn bis Appenweier fuhr, Oos eine Bahnstation erhielt und von dort (Pferde-)Omnibusse nach Baden-Baden verkehrten. Schon 1843 beantragte die Stadt beim Innenministerium den Bau einer Stichbahn nach Baden-Baden, aber erst eine Petition an die Stände brachte die Genehmigung. Die teilweise aus Spielbankmitteln finanzierte 4,21 km lange Seitenstrecke wurde im Juli 1845 fertig. Der Gästestrom vergrößerte sich gegenüber 1843 schon 1845 um 30 %. Nach der Strecke Offenburg–Karlsruhe (1957) wurde 1958 auch die von Oos nach Baden-Baden auf elektrischen Betrieb umgestellt. Zwanzig Jahre später, 1978, stellte die Stichbahn den Betrieb ein. Seither verbinden wieder Omnibusse die Bahnstation mit der Innenstadt. Baden-Oos war als Zubringerbahnhof für Baden-Baden immer Schnellzugstation. Der Alte Bahnhof in Baden-Baden dient seither unterschiedlichen Zwecken.

Eisenbahnanschluß erhielten auch Haueneberstein und Steinbach. Haueneberstein mußte 1902/03 für die Bahn Land abtreten und einen Zuschuß zum Bau der Haltestelle leisten. Der Bahnanschluß erleichterte den Arbeitern des Ortes den Weg zur Arbeit.

Straßen. – Baden-Badens Lage im engen Oostal rückte es immer von den Hauptverkehrslinien ab. Nächste Fernstraße war die durch Oos führende Straße von Offenburg über Achern–Bühl–Steinbach nach Rastatt und Karlsruhe, ein Teil der großen Süd-Nord-Verbindung von Basel nach Frankfurt, der heutigen Bundesstraße 3. Nach der Chausseeordnung von 1810 waren sowohl diese Straße als auch die von ihr abzweigende Straße durch das Oostal nach Baden-Baden als Staatsstraße klassifiziert. Im Zusammenhang mit dem Eisenbahnbau wurden 1855 beide Straßen, die Oostalstraße, die von Oos bis Baden-Baden zu den verkehrsreicheren Straßen des Großherzogtums gehörte, auch in ihrem weiteren Verlauf bis Gernsbach zu Vizinalwegen herabgestuft, aber weiter aus Staatsmitteln unterhalten. 1868 nahm die Verwaltung beide Straßen in die Klasse der Landstraßen auf.

Die Straßen von Baden-Baden zu den umliegenden Orten wurden zum Teil erst im 19. Jh. gebaut oder befahrbar gemacht, um dem großherzoglichen Hof und den Kurgästen Ausflüge zu ermöglichen. So wurde 1804 die Straße zum Fremersberg für die Königin von Preußen und 1806 der Weg zum Alten Schloß für den Großherzog Karl Friedrich angelegt. Im Waldgebiet blieben noch lange die Geroldsauer Waldstraße und die Bernsteinstraße vom Scherrhof zum Plättig die einzigen Fahrstraßen. Neue Kunststraßen entstanden um die Jahrhundertmitte nach Ebersteinburg und 1860 über Geroldsau und Malschbach nach Neuweier mit Abzweigung ins Bühlertal.

Die Orte in der Ebene und am Vorbergrand waren gut miteinander und mit Rastatt verbunden. Von Haueneberstein kam man schon anfangs des 19. Jh. über Kuppenheim und über Niederbühl nach Rastatt, auf dem Herrenpfädel über Balg nach Baden-Baden. Nach Ebersteinburg führte von Haueneberstein aus ein Waldweg, der erst 1864 zum Vizinalweg ausgebaut wurde. Sandweier besaß auch einen direkten Weg nach Iffezheim. Durch Ebersteinburg dagegen führte noch 1854 nur die sehr steile Straße von Baden-Baden nach Gernsbach. 1886 wurde die neue Straße am Battert entlang und über das Alte Schloß nach Baden-Baden eröffnet. Steinbach mit der guten Verkehrslage an der Fernstraße Frankfurt–Basel erschloß auch Neuweier und Varnhalt. Ein 1869 erörterter Plan, die Straße von Bühl nach Müllenbach (Eisental, Stadt Bühl) bis

Steinbach zu verlängern, wurde nicht weiter verfolgt. Den Plan einer zusätzlichen Straße von Neuweier nach Baden-Baden hob die Stadt um 1883 auf. 1927/28 wurde aber eine neue Verbindung von Neuweier nach Eisental (Stadt Bühl) angelegt. Varnhalt hatte über den Fremersberg eine direkte Straße nach Baden-Baden und war mit Steinbach über den Ortsteil Gallenbach und über Umweg verbunden. Auch zur Yburg führte schon um 1850 eine Straße.

Die *Unterhaltung* der Vizinal- wie der Ortsstraßen wurde vom Bezirksamt überwacht. Sie führte oft zu Streitigkeiten zwischen den Gemeinden. Im Falle des Herrenpfädels zwischen Baden-Baden und Balg löste 1858 die Stadt ihre Unterhaltspflicht durch Zahlungen an Balg und Oos ab. Mit dem Geld wurde eine neue Straße gebaut. Die 2. H. 19. Jh. war eine Zeit intensiven Ausbaus der Orts- und Gemeindeverbindungsstraßen. Wichtigere Straßen baute die Großherzogliche Wasser- und Straßenbaudirektion, die anliegenden Gemeinden mußten sich an den Kosten beteiligen.

Den gesamten Verkehr im Schwarzwald veränderte in den 1920er Jahren der Bau der Schwarzwaldhochstraße von Lichtental über Geroldsau zu den Höhenhotels und nach Freudenstadt. Sie setzte auch die Erschließung des Stadtwalds fort.

Als sich nach dem 1. Weltkrieg das Auto als Verkehrsmittel durchsetzte, genügten die Straßen den neuen Anforderungen nicht mehr. 1926 konstituierte sich eine Gesellschaft zum Bau reiner Autostraßen. Ihre Ziele griff die nationalsozialistische Reichsregierung 1933 auf und begann mit dem Bau von Autobahnen. An der Autobahn von Frankfurt nach Basel waren die Arbeiten von Karlsruhe aus nach S bis Baden-Baden gelangt, als sie 1942 eingestellt wurden. Nach dem Krieg ging der Bau der heutigen A 5 Karlsruhe – Basel erst 1952 weiter und war 1962 abgeschlossen.

Der Autobahnbau und der weiterhin zunehmende Verkehr, der im Stadtgebiet durch die Talenge behindert war und zu Behinderungen führte, erzwangen ein neues Verkehrskonzept für Baden-Baden. Vordringlich war ein Zubringer von der Stadt zur Autobahn, seine Trassenführung war aber umstritten. Eine zuerst diskutierte Umgehungsstraße wäre zu teuer geworden. So wurde die Stadt über das Oostalviadukt mit bis zu 8 m hohen Säulen mit der Autobahn verbunden. Der Bau war 1957 beendet und kostete etwa 30 Millionen DM, die von Bund, Land und Kurverwaltung aufgebracht wurden. Von der Bundesstraße 3 abzweigend wurden mit der Rhein- und der Schwarzwaldstraße neue Verbindungen nach W und O geschaffen. Im Stadtbereich folgte in den 1950er Jahren der Bau der Bernhardusbrücke und der Ausbau der Kreuzung Sinzheimer Straße/Ooser Bahnhofstraße. Um 1960 erhielt Baden-Baden beim Stadtbahnhof eine erste Großgarage, dann eine weitere beim Augustaplatz und eine Tiefgarage vor dem Kurhaus. Zu den weiteren großen Straßenverkehrsprojekten vgl. S. 391 ff.

Innerörtlicher und Nahverkehr. – Seit den 1820er Jahren konnten die Gäste Wagen für Ausflüge in die Umgebung mieten. 1828 regelte eine Polizeiverordnung erstmals die Preise. 1857 gab es 36 Lohnkutscher in der Stadt. Um 1905 fuhren von der Promenade aus 10 Wagen täglich zweimal zu Ausflügen in die Umgebung, ein Motorwagen fuhr über Schloß Eberstein nach Gernsbach und zurück. Schon in der 2. H. 19. Jh. verkehrten Pferdeomnibusse und Gesellschaftswagen fahrplanmäßig von der Dreieichenkapelle nach Lichtental. Diese Strecke befuhr auch die erste elektrische *Straßenbahn*, die nach jahrelanger Planung am 24. 1. 1910 dem Verkehr übergeben wurde. Vor der Eingemeindung hatte sich Lichtental an den Kosten mit dem Erlös aus einem außerordentlichen Holzhieb beteiligt. Bald nach 1910 baute die Stadt eine Berglinie vom Tiergartenviertel zur Friedrichshöhe (Annaberg), auch als Zubringer zur Merkurbahn. Die Linie im Tal führte erst seit den 1920er Jahren weiter nach Oos. Nach dem

2. Weltkrieg war die Straßenbahn erneuerungsbedürftig, die Stadt stellte daher auf schienenfreien Verkehr mit *Oberleitungsbussen* um. Am neugestalteten Augustaplatz entstand der Obusbahnhof.

Eine Bahn auf den *Merkur* war schon bei Aufhebung der Spielbank als mögliche neue Attraktion bei Stadt, Regierung und Landtag im Gespräch, konnte aber erst nach der Jahrhundertwende als steilste Standseilbahn Deutschlands (23–54 % Steigung) mit elektrischem Betrieb von der Maschinenfabrik Eßlingen für mehr als 600 000 Mark gebaut und am 15. 8. 1913 eröffnet werden. Die Merkurbahn wurde nach dem 2. Weltkrieg demontiert und wieder errichtet, aber Ende 1967 außer Betrieb gesetzt. Erst zwölf Jahre später wurde sie wieder eröffnet (vgl. S. 396).

Omnibusse von Baden-Baden in die Reblandorte, die Dörfer in der Ebene und ins Murgtal fuhren bald nach der Währungsreform. Die städtische Linie über die Schwarzwaldhochstraße wurde bald wieder aufgegeben, weil die Bundespost diese Strecke bediente.

Flugverkehr. – Schon früh erkannte man in Baden-Baden die künftige Bedeutung des Luftverkehrs – zunächst mit den Zeppelinschen Luftschiffen – und suchte ihn für den Kurort nutzbar zu machen. Schon zehn Jahre nach dem ersten Aufsteigen des Luftschiffs Z1 im Jahr 1900, zu Beginn des regelmäßigen Luftschiffverkehrs, ließ die Stadt auf Betreiben des Oberbürgermeisters Reinhard Fieser eine Luftschiffhalle beim Bahnhof Oos bauen, »um den Kurort rechtzeitig zum Knotenpunkt der neuen Flugverbindungen zu machen«[21]. Unglücklicherweise verbrannte das Luftschiff Z6 am 14. 9. 1910 in dieser Halle. Von 1911 bis 1914 übernahmen von hier aus drei Luftschiffe regelmäßige Personen- und Postbeförderung. Der Versailler Vertrag verlangte die Auslieferung der Luftschiffhalle, daher wurde sie 1921 auf Abbruch versteigert. Das zugehörige Gelände, dem schon früher eine Werkstatt und ein Büro angegliedert waren, wurde Flugzeuglandeplatz. Nach dem 2. Weltkrieg beschlagnahmten ihn zwar die Franzosen, erlaubten aber auch deutschen Fliegern seine Benutzung. 1958 gründete die Stadt die Flughafengesellschaft mbH und überließ ihr den Flugplatz für die Sport- und private Verkehrsfliegerei. Er entwickelte sich zu einem der belebtesten Verkehrslandeplätze der Bundesrepublik. 1968 wurden 63 512 Flugbewegungen gezählt. Durch die Ansiedlung von Industrieunternehmen in seinem Umkreis gewann der Flugplatz zusätzliche Bedeutung für das Wirtschaftsleben der Stadt.

Post, Telegraf, Telefon. – Erst auf lange Beschwerden hin richtete die Karlsruher Oberpostdirektion zum 1. 5. 1808 in Baden-Baden eine Postexpedition ein. Vorher gab es nur den regelmäßigen Botengang nach Rastatt, wo schon seit 1686 eine Postanstalt bestand. Aufgaben des Postexpeditors waren außer der Postabfertigung die Ortsbestellung und die Unterhaltung der fahrenden Botenposten (anstelle der Fußboten) nach Rastatt, die auch wenige Reisende mitnehmen konnten. 1816 wurde eine Postanstalt für fahrende oder Extrapost unter einem Poststallmeister eingerichtet und ab 1831 unabhängig von der Postexpedition geführt. Sie übernahm 1830 einen täglichen Postwagendienst nach Straßburg. Seit 1837 verkehrten im Sommer zweimal täglich Eilwagen zwischen Rastatt und Baden-Baden, 1840 auch je ein täglicher Eilwagen nach Karlsruhe, nach Straßburg und nach Bühl mit Anschluß an die Oberländer Eilwagen.[22] Für die Extraposten und Stafetten mußten Pferde und Wagen bereitgehalten werden. Der Poststallmeister erwarb 1858 ein Haus am Leopoldsplatz für den Postbetrieb. Aus Platzgründen mußte er aber bald die Briefpost in das ehemalige Gasthaus zum Schwan am heutigen Hindenburgplatz verlegen und behielt in der Sofienstraße nur die Fuhrpost.

Die Postexpedition wurde 1836 zur Postverwaltung ausgebaut und 1841 in ein *Postamt* umgewandelt. Bei der Vereinigung des Post- und Eisenbahndienstes 1845 wurde es in Post- und Eisenbahnamt umbenannt und im Bahnhofsgebäude untergebracht. 1851 erhielt Baden-Baden eine *Telegrafenstation*, seit 1858 Vereinsstation des deutsch-österreichischen Telegrafenvereins. Nach der Reichsgründung ging die badische Postverwaltung 1872 an das Reich über und trennte sich von der Eisenbahnverwaltung. Baden-Baden bekam ein kaiserliches Postamt I. Klasse und ein kaiserliches Telegrafenamt II. Klasse. 1877 übernahm die Post auch den Telegrafendienst. Post- und Telegrafendienst im Bahnhof waren jetzt als Zweigstelle dem Hauptpostamt am Leopoldsplatz untergeordnet. 1887 kaufte die kaiserliche Postverwaltung das Gebäude der Hauptpost und ließ es mehrfach umbauen. Erst nach dem 2. Weltkrieg konnte die Post auch das Nachbargrundstück erwerben und dort einen modernen Zweckbau errichten, der seit 1959 mit dem renovierten alten Postgebäude verbunden ist.

Die erste *Fernsprecheinrichtung* erhielt Baden-Baden am 12. 4. 1887, 1891 waren mehr als 100 Teilnehmer angeschlossen. 1906 gab es 2 öffentliche Fernsprechzellen in der Stadt. In den Ortsverkehr einbezogen waren schon damals die öffentlichen Fernsprechzellen im Alten Schloß, in Lichtental und Oos, Balg, Ebersteinburg und Haueneberstein.

Anmerkungen

1. *Schreiber*, A. 1811. S. 139.
2. GLA 236/28625.
3. *Schreiber*, A. 1811. S. 141.
4. *Schreiber*, H. 1857, S. 127.
5. GLA 236/28620.
6. GLA 236/28620.
7. GLA 236/28623.
8. GLA 236/28622.
9. *Reichert* und *Kissling* o. J. [um 1865]. S. 172–76.
10. *Wagner* o. J. [um 1906]. S. 46/47.
11. *Schreiber*, H. 1840. S. 77–79.
12. GLA 339/924.
13. *Schreiber*, H. 1857. S. 90–93.
14. *Wagner*, A. [um 1906]. S. 1–4.
15. GLA 236/28623.
16. Die Sparkassen … 1867. S. VIII.
17. Mitteilung des ehemaligen Geschäftsführers der Außenstelle Baden-Baden der Handwerkskammer Karlsruhe, Herrn Eduard Merkel.
18. Die Industrie in Baden 1925. S. 236.
19. *Brandstetter* 1963. S. 126.
20. *Brandstetter* 1963. S. 305.
21. *Haehling von Lanzenauer* 1989. S. 101.
22. *Schreiber*, H. 1840. S. 251.

3. Wirtschaft und Verkehr

Anhang

Die gastgewerblichen Betriebe 1800–1970

Diese Liste ist nur nach den u. a. Quellen vollständig. Geordnet sind die Betriebe nach ihrem letzten Namen bis 1970. Die Betriebe in Lichtental, Oos und Balg sind für die Zeit vor der Eingemeindung der Orte nur in Ausnahmefällen genannt.

Adler, Ooser Hauptstraße 1
1900: –; 1942: Restaurant; 1950: –; 1970: Hotel, Gaststätte.

Allee-Saalbau, Lichtental 79
1900: Gastwirtschaft, Saalbau; 1942: –.

Alleehaus, Lichtentaler Allee 10
1900: –; 1942, 1950: Fremdenheim; 1970: Hotel.

Alleehotel Bären, Hauptstraße 36
1857: Gasthof mit abgesonderten Wohnungen; 1900: Gasthof; 1942, 1950, 1970: Hotel.

Alte Post, Lichtentaler Straße 4
Nach 1858 in der ehemaligen Poststallmeisterei eine Sommerwirtschaft »Alte Post« eingerichtet. 1900: Gastwirtschaft; 1942: –.

Altes Schloß, Stadtwald
1900: Gastwirtschaft; 1942, 1950: Restaurant; 1970: –.

Am Müllenbach, Müllenbach 90
1900: –; 1942: Gasthaus Schloß Eberstein; 1950: Restaurant; 1970: –.

Amerikanischer Hof, Sofienstraße 7
1873: Gastwirtschaft. 1900: –.

An der Mahr, Gernsbacher Straße 90
1900: Pension; 1942: –.

Anker, Rheinstraße 48
Anfang des 19. Jh. »Strauß«; 1820 Umbenennung in »Anker«; 1831 als guter Gasthof in Scheuern genannt, 1857 mit Weinhandel; 1873: Speise- und Getränkewirtschaft; 1890: »Goldener Anker«; 1900: Gastwirtschaft; 1942, 1950: Restaurant; 1970: –.

Annaberg, Staufenbergstraße 18 (1873: Hässlich-Höfe 8)
1873: Speise- und Getränkewirtschaft. 1890 Gastwirtschaft. 1900: Gastwirtschaft; 1942: –.

Arminia, Werderstraße 15
1900: –; 1942: Fremdenheim; 1950: Fremdenheim; 1970: –.

Atlantic, Sofienstraße 2a
Der Küfermeister Ignaz Stadelhofer übertrug 1835 die Schildgerechtigkeit des »Gasthauses zum Rössel«, die seit 1779 auf einem Haus an der heutigen Sofienstraße lag, auf sein neues Hotel »Englischer Hof« am Platz der ehemaligen Raumühle. Bis 1895 blieb der »Englische Hof« im Besitz der Familie Stadelhofer. 1900: Gasthof »Zum Englischen Hof«. Ende 1919 ging der Gebäudekomplex an eine Immobilienfirma über. Den Hauptbau an der Sofienstraße bezog die »Rheinische Creditbank« (1965 Abriß und Neubau für die »Deutsche Bank«). Der rückwärtige Teil wurde zum Hotel »Atlantic«. 1942, 1950, 1970: Hotel »Atlantic«.

Auerhahn, Geroldsauer Straße 160
1900: –; 1942, 1950: Restaurant; 1970: Gaststätte.

Augustabad, Sofienstraße 32
Falkenkeller (nachgewiesen seit 1728) ursprünglich schräg hinter dem heutigen Hotel. 1833 Umwandlung von Strauß- in Schildwirtschaft mit Vermietung, 1834 Umbenennung in »Stadt Nanzig (Ville de Nancy)«. Um 1865 mit Café. 1900: Gasthof »Zur Stadt Nanzig«. Bis 1908 in Familienbesitz, dann mit Besitzerwechsel auch Namenswechsel zu »Hotel Augustabad«. 1942: Hotel, Restaurant; 1950, 1970: Hotel.

Aurelia-Pfälzerhof, Lange Straße 74
1900: Restaurant »Pfälzer Hof«; 1942: Hotel; 1950: –.

Bader, Lange Straße 54
1900: –; 1942, 1950: Fremdenheim; 1970: –.

Badhotel Hirsch, Hirschstraße 1
Schon vor 1689 Badherberge »Zum Hirsch«; 1805 mit 47 Badekästen und 48 Zimmern. 1831 Abriß und Neubau, später weitere Vergrößerungen; 1857 mit russischen Dampfbädern; 1878 mit Bädern und Winterpension. 1900: Gasthof »Zum Hirsch«; 1942, 1950: »Badhotel zum Hirsch«. 1965 grundlegende Renovierung. 1970: »Badhotel zum Hirsch«. 1980 Verkleinerung: teilweise zu Wohnungen umgebaut, Hotel garni.

Badischer Hof, Lange Straße 47 und Kaiserallee
Kapuzinerkloster 1803 durch Säkularisation Staatseigentum, 1807 aufgehoben. Gebäude u. Wasserrechte an Spielbankpächter Chévilly, dann an Verleger Johann Friedrich Cotta, Umbau zum Badhotel. 1873: Gastwirtschaft. 1900: Gasthof; 1942, 1950, 1970: Hotel.

III. Entwicklung im 19. und 20. Jahrhundert

Bahnhof-Gaststätte, Lange Straße 77
1890: »Bahnhof-Hotel«. 1900: »Bahnhof-Hotel« mit Restaurant; 1942: Gastwirtschaft »Bahnhof-Gaststätte«; 1950: Gastwirtschaft »Bahnhofgaststätte«; 1970: Gaststätte.
Bahnhofhotel Bayrischer Hof, Lange Straße 90 (92)
1865 genannt (früher: »Grüner Berg«); 1900: Gasthof, Restaurant; 1942: Hotel, Restaurant; 1950, 1970: Hotel.
Bahnhofskeller, Bahnhofstraße 3 (1900: Bahnhofstraße 1)
1900: Wirtschaft »Zum Bahnhof«; 1942: Gastwirtschaft »Bahnhof«; 1950: Restaurant »Der Bahnhofskeller«; 1970: –.
Bahnhofwirtschaft Oos, Ooser Bahnhofstraße 2
1942: –; 1950: Restaurant; 1970: Gaststätte.
Baldreit, Küferstraße 7
Alte Badherberge, 1805 mit 36 Badekästen und 30 Zimmern. 1830 Armenbad, 1851 wieder Gasthaus, 1856: »Zum Löwen-Baldreit«, 1853–56 ein Teil des Gebäudes Schule, ab 1867 Synagoge bis zum Synagogenbau. 1873: Gastwirtschaft; 1900: Gastwirtschaft »Hotel Baldreit«; 1942: Restaurant, Thermalbad; 1950: Restaurant; 1970: Gaststätte. Ab 1978 Sanierung des Gasthausteils nach Ankauf durch die Stadt. Stadtmuseum, Weinstube.
Balger Hof, Balger Hauptstraße 31
1950: –; 1970: Gaststätte.
Balzenberg, Balzenbergstraße 41
1900: Gastwirtschaft; 1942: Restaurant; 1950: Restaurant; 1970: Gaststätte.
Barberina, Luisenstraße 1a
1900: –; 1942, 1950: Restaurant; 1970: Gaststätte, Bar.
Bazoche, Werderstraße 4
1900: Pension; 1942: –.
Bellevue, Lichtentaler Allee
1970: Hotel.
Bellevue, Maria-Viktoria-Straße 22–24
1848 »Grüner Winkel« (ehem. Porzellanfabrik) versteigert, 1859 Namensänderung in »Hotel Bellevue«. 1868 Neubau, 1880 Umbau. 1900: Gasthof »Grand Hotel Bellevue«. 1918 Großbrand, danach Erweiterung. 1942: Hotel. Im Krieg Lazarett, danach beschlagnahmt. 1950: Hotel; 1955 Wiedereröffnung. 1970: »Hotel Bellevue«.
Bettina, Yburgstraße 5
1942: –; 1950: Fremdenheim; 1970: –.
Bilz, Quettigstraße 5
1900: –; 1942, 1950, 1970: Fremdenheim.

Birnbräuer, Badenscheuern 7
1873: Wein- und Bierwirtschaft; 1900: –.
Bischoff, Römerplatz 2
1900: Pension; 1942: Fremdenheim; 1950: Hotel-Restaurant; 1970: Hotel, Gaststätte.
Bletzer, Lichtentaler Straße 37
1900: Gastwirtschaft »Brauerei Bletzer«; 1942: Gastwirtschaft »Bletzer«; 1950: Fremdenheim, Gastwirtschaft »Bletzer-Gaststätte«; 1970: –.
Blume, Balger Hauptstraße 68
1854: Gasthaus; 1900: –; 1942, 1950: Restaurant; 1970: Gaststätte.
Blümel, Bismarckstraße 9
1900: –; 1942, 1950: Fremdenheim; 1970: –.
Bock, Lange Straße 45
»Bock« vergrößert 1808. Um 1830 auf gleichem Grundstück »Russischer Hof« gebaut, Übertragung der Rechte. 1872 lebt »Gasthaus Bock« wieder auf; 1878: Bierwirtschaft; 1900: Gastwirtschaft; 1942: Hotel, Restaurant; 1950: Hotel; 1970: Hotel, Gaststätte.
Bratwurstglöckle, Steinstraße 7
1900: –; 1942, 1950: Restaurant; 1970: Gaststätte.
Brenner Hotel, Schillerstraße 9–15
1950: –; 1970: Hotel.
Brenner's Parkhotel, Schillerstraße 6
1880 als Hotel »Minerva« erbaut. 1900: Hotel »Minerva«. Nach 1909 von Brenner gekauft und umbenannt. 1942: Hotel »Brenner's Parkhotel Kurhof«; 1950: Hotel »Brenner's Kurhof«; 1970: Hotel »Brenner's Parkhotel«.
Brenner's Stephanie-Hotel, Lichtentaler Allee 1
In den 1860er Jahren »Stephanienbad (Stéphanie les Bains)« gebaut. 1873 von Anton Brenner erworben, 1883 an den Sohn Camill Brenner. 1874 Ausbau und Erhöhung um drei Stockwerke. 1890 Bau der »Villa Stephanie« nebenan, 1895 Bau der »Villa Imperial«, mit dem Hotel verbunden. 1899 Erwerb des Palais Stourdza und Umbau zur Dependance. 1900: Gasthof »Zum Stephaniebad«. 1900 und 1909 weitere Ausbauten. 1942, 1950: Hotel »Brenner's Stephanie-Hotel«. 1960 Erwerb durch die Bäder- und Kurverwaltung, Umbau zum Kongreßhaus und Haus des Kurgastes.
Bristol, Luisenstraße 22
1900: –; 1942: Hotel »Haus Bristol-Selighof«; 1950: Hotel »Bristol«; 1970: –.
Buhl, Steingasse
Um 1865 Restaurant; 1900: –.

Bürgerstübl, Kreuzstraße 2
1900: –; 1942, 1950: Gastwirtschaft »Bürgerstüble«; 1970: Gaststätte »Hahnengrill Bürgerstübl«.
Cäcilienberg, Geroldsauer Straße 2 (1970: Brahmsplatz)
1878: Wirtschaft; 1900: –; 1942, 1950: Restaurant; 1970: Gaststätte, Café.
Capri Eiscafé, Maximilianstraße 87
1950: –; 1970: Café.
Caprice, Rheinstraße 75
1950: –; 1970: Gaststätte.
Central-Hotel, Stefanienstraße 2
1900: Hotel, Restaurant; 1906: »Hotel Zentral«; 1942: –.
Cercle Mess Hotel la Tour d'Auvergne, Rotweg 8
1950: –; 1970: Hotel.
Cercle-Hotel des S / Officiers »Sergent Blandan«, Cité Thierache, Briegelacker 8
1950: –; 1970: Hotel.
Chez Fausto, Lange Straße 89
1950: –; 1970: Gaststätte.
Christner, Sofienstraße 6
1900: –; 1942: Fremdenheim »Mülherr«; 1950: Fremdenheim »Gröbler«; 1970: Fremdenheim »Christner«.
Club 68, Fürstenbergallee 60
1900: –; 1942, 1950: Restaurant »Fürstenberger Hof«; 1970: Gaststätte.
Club Raphael, Lange Straße 77
1950: –; 1970: Gaststätte.
Corso, Gernsbacher Straße 4
1900: »Café Schababerle«; 1942, Kaffee; 1950: Kaffee, Konditorei; 1970: Café.
Dannhäuser, Geroldsauer Straße 2
1942: –; 1950: Kaffee; 1970: –.
Darmstädter Hof, Gernsbacher Straße 5
Nach Abbruch der Jesuitenkirche 1808 entstand an ihrer Stelle das Hotel »Darmstädter Hof«. Um 1840 z. T. Neubau. 1861 Ankauf einschließlich d. Wasserrechte durch d. Stadt für das Rathaus. 1900: Gasthof, noch in Privatbesitz; 1906 Kur- und Badehaus von »Darmstädter Hof« im Besitz der Großherzoglichen Zivilliste; 1942: Thermalbäder; 1950: –.
Deutscher Hof, Lange Straße 60
1878 unter den vortrefflich eingerichteten Gasthöfen; 1900: Gasthof, Restaurant; 1906 unter den guten Gasthöfen mit billigeren Preisen; 1942: –.
Deutscher Kaiser, Hauptstraße 35
1900: –; 1942, 1950: Restaurant; 1970: Gaststätte.

Deutscher Kaiser, Merkurstraße 9 (1873: Hardstraße 7)
1873: Speise- und Getränkewirtschaft; 1900: Gastwirtschaft; 1942, 1950: Restaurant; 1970: Gaststätte.
Dienst, Burgstraße 8
1900: –; 1942: Fremdenheim »Haus Oehm«; 1950: Fremdenheim »Dienst«; 1970: –.
Dietsch, Lichtentaler Straße 74
1950: –; 1970: Café.
Dilzer, Lange Straße 21
1900: Café; 1906: eines von nur 3 Cafés in der Innenstadt.; 1942: –.
Drei Burgen, Aussichtsweg 25
1900: Gastwirtschaft; 1942, 1950: Restaurant, Kaffee,; 1970: –.
Drei Eichen, Rheinstraße 97
1900: –; 1942, 1950: Restaurant; 1970: Gaststätte.
Drei Könige, Lange Straße 11 und Luisenstraße 8
Gründung 1753. 1869 Abbruch und Neubau: Zusammenlegung von 2 Grundstücken an der Langen Straße und der Luisenstraße, 1895 noch 3. Haus dazu. 1900: Gasthof, Restaurant. 1940 Verkauf an Bäder- und Kurverwaltung, Teil an der Luisenstraße zur Straßenverbreiterung abgerissen, Rest: Wohnungen, Café.
Ebert, Karl-Winter-Straße 8
1900: –; 1942: Fremdenheim; 1950: –.
Echo, Herrengut 11
1900: Gastwirtschaft; 1942, 1950: Restaurant; 1970: Gaststätte.
Eckberg, Hildastraße 27
1950: –; 1970: Hotel garni.
Eichbaum, Eichstraße 13
1900: Gastwirtschaft; 1942, 1950: Restaurant; 1970: –.
Eichelhof, Oosscheuern 36
1900: Gastwirtschaft; 1942: –.
Einhorn, Lange Straße 9 und Luisenstraße 6
1900: Gasthof, Restaurant; 1942: Hotel, Restaurant; 1950: Hotel; nach Aufgabe zu Geschäfts- und Bürohaus umgebaut.
Elefanten, Rettigstraße 12
1900: Gastwirtschaft; 1942, 1950: Restaurant; 1970: Gaststätte.
Ellenberger, Kaiserallee 4
1900: –; 1942: Fremdenheim; 1950: –.
Elsa Marie, Schloßstraße 11
1900: –; 1942, 1950: Fremdenheim; 1970: –.
Elsässer Hof, Rathausstaffeln 1
1873: Gastwirtschaft; 1878: Bierwirtschaft; 1900: Gastwirtschaft; 1942: –.

Engel, Ooser Hauptstraße 20
1810 genannt; 1900: –; 1942, 1950: Restaurant; 1970: Gaststätte.

Erbgroßherzog, Lichtentaler Straße 52
1873: Gastwirtschaft. 1900: –.

Erbprinzen, Fremersbergstraße 47 (1900), Fremersbergstraße 75 (1950)
1900: Gastwirtschaft; 1942, 1950: Restaurant; 1970: –.

Etol, Merkurstraße 7
1950: –; 1970: Hotel.

Europäischer Hof, Hotel d'Europe, Kaiserallee 2
Nach 1830 gegründet; 1857 unter den größeren Gasthöfen genannt; 1900: Gasthof; 1906 unter den Hotels für größte Ansprüche genannt; 1942, 1950, 1970: Hotel.

Fässel, Lichtentaler Straße 77
1873: Speise- und Getränkewirtschaft »Zum Goldenen Fass«; 1878: Bierwirtschaft; 1900: Gastwirtschaft »Zum Goldenen Faß«; 1942: Gastwirtschaft »Fäßl«; 1950: Gastwirtschaft »Fässel«; 1970: Gaststätte »Zum Fässel«.

Feldschlößle, Schwarzwaldstraße 93
1950: –; 1970: Gaststätte.

Felsen, Geroldsauer Straße 43
1900: –; 1942, 1950: Restaurant; 1970: Gaststätte.

Fischer, Maria-Viktoria-Straße 25
1900: –; 1942: –; 1950: Fremdenheim; 1970: –.

Fischkultur, Gaisbach 91
1890 Fischkulturanstalt bei den Gasthöfen außerhalb der Stadt genannt. 1900: –; 1942: Hotel »Waldhotel Fischkultur« [nur im Straßenverzeichnis]; 1950: Hotel »Fischkultur«; 1970: Hotel »Waldhotel Fischkultur«.

Frankfurter Hof, Luisenstraße 32
Gründung nach 1831 als »Französischer Hof« oder »Hotel de France«. 1857, 1878 und um 1906 unter den Gasthöfen ersten Ranges genannt; 1900: Gasthof »Zum Französischen Hof«; 1942, 1950: Hotel »Frankfurter Hof«. Nach Aufgabe als Geschäftshaus genutzt. 1970: –.

Fremersberg, Fremersbergstraße 13
1900: –; 1942, 1950: Kaffee; 1970: –.

Freundt, Steinstraße 17
1873: Restauration; 1900: –.

Friedmann, Lichtentaler Straße 4
1873: Restauration; 1900: –.

Friedrichsbad, zwischen Salmen und Spitalkirche
Um 1827 Umwandlung des ehemaligen »Freibad« zum Gasthaus »Engel«; um 1835 auch Wasserrechte erworben, dann Badgasthaus; 1873: Gastwirtschaft »Zum Engel«; nach 1877 Hotel »Friedrichsbad«. 1892 vom Badfonds gekauft, verpachtet, zum Schluß Hospiz; 1900: – . Nach dem 1. Weltkrieg abgebrochen. An seiner Stelle 1928 Bau des Fangobades; 1963 Abbruch für Tiefgarage des neuen Augustabades.

Friedrichshöhe, Heslichstraße 4
1900: –; 1942: Restaurant, Kaffee; 1950: Kaffee; 1970: –.

Friedrichsruh, Seelachstraße 20
1950: –; 1970: Hotel.

Friesenwald-Hotel, Werderstraße 20
1900: Gasthof, Restaurant; 1942: –.

Friton, Restauration, Kreuzstraße 5
1900: Gastwirtschaft; 1942: –.

Fürstenberg, Haus, Leopoldstraße 30
1950: –; 1970: Hotel.

Gambrinus, Lange Straße 73
1873: Speise- und Getränkewirtschaft; 1900: –.

Geist, Gernsbacher Straße 50
Straußwirtschaft vor dem Gernsbacher Tor, Wirtschaftsgerechtigkeit seit ca. 1789. 1803 Vergrößerung und mehrmaliger Namenswechsel: »Zum Markgrafen von Baden«, »Zum Kurfürsten von Baden«, »Zum Großherzog von Baden«, dann wieder »Geist«. 1857 hinter den größeren Gasthöfen aufgeführt; 1900: Gastwirtschaft; 1906 unter den Gasthäusern für einfache Ansprüche genannt; 1942, 1950, 1970: Hotel.

Germania, Ludwig-Wilhelm-Platz 3
1813 Bau von Wohnhaus und Maison garni auf ehemaligem Zimmerplatz. 1867 Umwandlung in Gastwirtschaft »Germania«. 1887 Abriß, 1889 Neubau als »Hotel Germania«. 1900: Gastwirtschaft; 1942: –.

Geroldsauer Mühle, Geroldsauer Straße 54
1890 bei den Gasthöfen außerhalb der Stadt genannt. 1900: –; 1942: Hotel, Restaurant; 1950, 1970: Hotel.

Geroldsauer Wasserfall, Bütthof
1890 bei den Gasthöfen außerhalb der Stadt genannt. 1900: Gastwirtschaft; 1942: Restaurant; 1950: –.

Goldener Löwe, Hauptstraße 89 (1970: Brahmsplatz)
1840 als guter Gasthof in Lichtental genannt. 1900: Gasthof, Restaurant »Zum Löwen«; 1942: Gastwirtschaft »Goldener Löwen«; 1950: Gastwirtschaft »Goldener Löwen«; 1970: Gaststätte »Goldener Löwe«.

Goldener Stern, Lange Straße 23
1857 hinter den größeren Gasthöfen verzeichnet. 1890 als Hotel genannt. 1900: Gasthof, Restaurant, 1906: Hotel; 1942: –.

Goldener Stern, Ooser Hauptstraße 16
1900: –; 1942: Gastwirtschaft »Stern«; 1950: Gasthaus Pension »Zum Stern«; 1970: Hotel, Gaststätte »Goldener Stern«.

Goldenes Kreuz, Hauptstraße 91
1840 als guter Gasthof in Lichtental genannt. 1890: Hotel; 1900: Gastwirtschaft; 1942: Hotel, Restaurant; 1950: –.

Goldenes Kreuz, Lichtentaler Straße 13
Neues Gebäude kurz vor 1840 errichtet. Nach 1891 Neubau am alten Platz. 1900: Gastwirtschaft; 1942: –; 1950: Restaurant. 1960 aufgegeben. 1983/84 Restaurierung: »Augusta-Arkaden« mit Läden und Restaurant.

Golf-Club, Fremersbergstraße 127
1942: –; 1950: Restaurant; 1970: –.

Golf-Hotel, Fremersbergstraße 113
1900: Hotel und Restaurant »Luftkurhotel Früh«; 1942: Hotel »Golf-Hotel, vorm. Hotel Früh«; 1950: Hotel »Golf-Hotel«; 1970: Hotel.

Götz, Luisenstraße 4
1900: –; 1942, 1950: Kaffee »Scheuermann«; 1970: Café Konditorei.

Graf, Unterbeuern
1857 und 1865: Bierbrauerei und Gasthaus; 1900: –.

Grethel, Moltkestraße 5
1900: Café; 1942: –.

Grethel, Moltkestraße 7 (1942: Lenauweg 1–3)
1890: Wirtschaft Kaffee »Grethel«; 1900: Hotel und Café »Luftkurhotel Café Grethel«; 1942: Hotel und Kaffee »Gretel«; 1969 abgerissen.

Griesinger, Gernsbacher Straße 18
1900: –; 1942, 1950: Kaffee »Scherer«; 1970: Gaststätte.

Grimm, Bismarckstraße 18
1900: –; 1942, 1950: Fremdenheim; 1970: –.

Groddeck, Lichtentaler Straße 62
1900: Pension; 1942: –.

Grosholz,
1878: Restaurant / Café. 1900: –.

Grummt, Lichtentaler Allee 5
1950: –; 1970: Café.

Grüne Laube, Oosscheuern
1900: Gastwirtschaft; 1942: –.

Grüner Baum, Beuerner Straße 9
1942: –; 1950: Restaurant; 1970: Gaststätte.

Grüner Berg, Geroldsauer Straße 27
1900: –; 1942, 1950: Restaurant; 1970: Gaststätte.

Grüner Berg, Rheinstraße 4
1900: Gastwirtschaft; 1942: –.

Grüner Hof, Rheinstraße 176
Der »Grüne Hof« um 1830 mit Brauerei gebaut. 1873: Speise- und Getränkewirtschaft. 1881 Grundstück an den Vincentiusverein verkauft, Wirtschaft in Nachbargebäude verlegt, Brauerei aufgegeben. 1900: Gastwirtschaft; 1942, 1950: Restaurant; 1970: Gaststätte.

Gunzenbachhof, Gunzenbachstraße 6
Ursprünglich Sommersitz des Fürsten Mitchetzky. 1886 verkauft und zu Kaffee und Restaurant mit Pension eingerichtet. 1900: Gasthof, Restaurant; 1942: Hotel, Restaurant; 1950: Hotel; 1970: –.

Gute Quelle, Lichtentaler Straße 50
1900: –; 1942, 1950: Restaurant; 1970: Gaststätte.

Haag, Landhaus, Fremersberg
1950: –; 1970: Hotel.

Hahnhof, Hahnhofstraße 27
1900: Gastwirtschaft; 1942, 1950: Restaurant; 1970: –.

Haitz, Gernsbacher Straße 80
1950: –; 1970: Hotel.

Hausin, Sonnenplatz 1
1900: –; 1942, 1950: Fremdenheim; 1970: –.

Heister, Kaiser-Wilhelm-Straße 2
1900: –; 1942, 1950: Fremdenheim »Gerspach«; 1970: Hotel.

Helenenhof, Eckhöfe
1900: –; 1942, 1950: Kaffee; 1970: –.

Henninger, Fremersbergstraße 23
1950: –; 1970: Fremdenheim.

Hirsch, Balg
1854: Gasthaus; 1900: –; 1942, 1950: Restaurant; 1970: –.

Hirsch, Geroldsauer Straße 130
1900: –; 1942, 1950: Restaurant; 1970: Gaststätte.

Hirsch-Herz
Gründung vor 1873 (Israelitisches Hotel). 1890: Hotel »Hirsch-Herz«; 1900: –.

Hofmann, Bertholdstraße 9
1950: –; 1970: Gaststätte.

Hofmann, Lange Straße 39
1900: –; 1942, 1950: »Kaffee Schweinfurth Nachf.«; 1970: Café Konditorei.

Hohenstein, Friesenbergstraße 4
1900: Pension; 1942: –.

Holland-Hotel, Sofienstraße 14
1733 »Lamm« oder »Goldenes Lamm« vor der Stadtmauer am späteren Leopoldsplatz konzessioniert. Seit 1786 für mehr als anderthalb Jahrhunderte im Besitz der Familie Rößler. In den 1840er Jahren Umbenennung in »Holländischer Hof« oder »Hotel de Hollande«, dann »Holland-Hotel«. Vor 1856 Neubau mit 73 Gastzimmern, 1857 auch Kaffeehaus. Modernisierung 1890-1900, dabei Einbau von Läden. 1900: Gasthof. 1939 aus 3 Läden ein Café-Restaurant »Zum Goldenen Lamm«. 1942, 1950: Hotel. Nach Beschlagnahmung 1956/57 an Volksbank; ein Teil wurde Bankgebäude, ein Teil blieb Hotel. 1970: Hotel.

Hotel am Markt, Marktplatz 22
Alte Schildgerechtigkeit zum »Grünen Baum« ruhte bis 1810, dann bescheidener Gasthofbetrieb. Umbau 1832 und 1882/83. 1888 »Ratskeller« angegliedert. 1900: Gastwirtschaft »Grüner Baum« und »Ratskeller«; 1942: Hotel und Restaurant »Grüner Baum«. Nach dem 2. Weltkrieg Beschlagnahme. Nach Freigabe Umbenennung und Modernisierung zum »Hotel am Markt«. 1950, 1970: Hotel.

Hotel de Paris, Vogesenstraße o. N.
1950: –; 1970: Hotel.

Hotel Royal, Wilhelmstraße/Lange Straße
»Traube« im 18. Jh. genannt. 1828/29 Erneuerung. 1857 Abriß und Neubau; Umbenennung in »Hotel Royal« oder »Königshof« (so 1865 bezeichnet). 1873: »Hotel Royal«. Noch vor 1914 aufgegeben.

Hufeisen Scotch-Club, Blechnergasse 1
1950: –; 1970: Gaststätte.

Irene, Lange Straße 54
1900: –; 1942, 1950: Fremdenheim; 1970: –.

Italia Eiscafé, Lange Straße 35
1950: –; 1970: Café.

Italia-Tiziano, Lichtentaler Straße 3
1950: –; 1970: Café.

Jagdhaus, Hubertusstraße 42
1890 als Gasthof im Westen der Stadt genannt. 1900: –; 1942, 1950: Restaurant, Kaffee; 1970: –.

Jägerhof, Gunzenbachstraße 46
1900: –; 1942, 1950: Restaurant; 1970: –.

Jakob, Sofienstraße 45
1900: –; 1942, 1950: Fremdenheim; 1970: –.

Jonnis Inn, Wilhelmstraße 6
1950: –; 1970: Gaststätte, Bar.

Julier, Yburgstraße 15
1900: Pension; 1942: –.

Jung, Sofienstraße 7
1900: –; 1942, 1950: Fremdenheim; 1970: –.

Kaiserhof, Sofienstraße 22
1890: Restaurant und Wiener Kaffee. 1900: Restaurant; 1942: –.

Kaiserin Elisabeth, Moltkestraße 9
Gründung 1887/88. 1900: Gasthof, Restaurant; 1942: Hotel, Restaurant, Kaffee und Konditorei. Nach 1945 an den Südwestfunk. Abriß um 1987.

Kantine, Güterbahnhofstraße 7
1900: –; 1942: Restaurant; 1950: –.

Karlsburg, Quettigstraße 1
1900: Gastwirtschaft; 1942: –.

Karlshof, Annabergstraße 4
1873: Speise- und Getränkewirtschaft; 1890 Gasthaus; 1900: Gastwirtschaft; 1942: –.

Karlsplatz, Lange Straße 101
1890: Gasthaus; 1900: Gastwirtschaft; 1942, 1950: Restaurant; 1970: Gaststätte.

Kaufmann
1878: Israelitische Restauration. 1900: –.

Kegelbahn Baldreit, Küferstraße 5
1900: Gastwirtschaft; 1942: –.

Kellersbild, Große Dollenstraße 32
1900: Gastwirtschaft; 1942, 1950: Restaurant; 1970: Gaststätte.

Kettenbrücke, Maria-Victoria-Straße 17
1873: Speise- und Getränkewirtschaft; 1900: –.

Kimmig, Stefanienstraße 20
1942: –; 1950: Restaurant »Grüner Hof«; 1970: Hotel »Kimmig«.

Klein, Schloßstraße 19
1900: Pension; 1942: –.

Klosterschenke, Fremersberg
1942: –; 1950: Restaurant; 1970: Gaststätte.

König, Lichtentaler Straße 12
1878: Konditorei Zabler, einzige Konditorei mit Café. 1900: »Wiener Café Zabler«. 1906 eines von nur 3 Cafés in der Innenstadt. 1942: Fremdenheim, »Kaffee Zabler«; 1950: –; 1970: »Café König«.

Korbmattfelsen(hof), Fremersbergstraße 75 (1900); Fremersbergstraße 115 (1942)
Gründung 1891. 1900: Gasthof, Restaurant. Um 1940 in Erholungsheim der LVA Württemberg umgewandelt.

Kranz, Gernsbacher Straße 3
1857: Gasthaus; 1873, 1900: Gastwirtschaft; 1906 Gasthaus für einfachere Ansprüche; 1942: –; 1950: Restaurant; 1970: Gaststätte.

Krokodil, Mühlengasse 2
1890: Restauration und Münchner Bierhalle;

3. Wirtschaft und Verkehr

1900: Gastwirtschaft; 1942, 1950: Restaurant; 1970: Gaststätte.
Krone, Lange Straße 10
Altes Gasthaus. 1842 Abriß und Neubau. 1873: Gastwirtschaft; 1878: Gasthof mit Restaurant; 1900: Gastwirtschaft; 1942: –.
Kühler Krug, Beuerner Straße 115
1900: –; 1942: Restaurant; 1950: Restaurant; 1970: Gaststätte.
Kurhaus, Kaiserallee
1830 bisher fehlende große Restauration durch Chabert im Conversationshaus eingerichtet. 1900: Restaurant »Conversationshaus«; 1942: Kurhaus-Gaststättenbetriebe; 1950: Kurhaus-Restaurant; 1970: Kurhaus-Betriebe.
Landhaus Wagner, Tiergartenweg 5
1900: –; 1942, 1950: Fremdenheim; 1970: –.
Laterne, Gernsbacher Straße 12
1857 als Gasthof genannt. 1900: Restaurant o.ä.; 1906 als Gasthof für einfache Ansprüche; 1942, 1950: Restaurant; 1970: Gaststätte.
Laube, Jagdhausstraße 5
1900: –; 1942, 1950: Restaurant; 1970: Hotel, Gaststätte.
Lehrerinnenheim, Maximilianstraße 44
1942: –; 1950: Fremdenheim; 1970: –.
Leile, Quettigstraße 3
1878: Restaurant/Café; 1890: Gastwirtschaft; 1900: Café; 1942: Restaurant; 1950: –.
Lichtentaler Hof, Lichtentaler Allee 88
1900: –; 1942, 1950: Restaurant; 1970: –.
Liebich, Eichstraße 1
1873: Weinwirtschaft; 1900: –.
Lilienhof, Haus, Ebersteinstraße 14
1950: –; 1970: Hotel.
Linde, Merkurstraße 11
1900: Gastwirtschaft; 1942: –.
Linde, Sinzheimer Straße 3
1900: –; 1942, 1950: Restaurant; 1970: Gaststätte.
Link, Geroldsauer Straße 1 (Brahmsplatz)
1900: –; 1942: Kaffee; 1950: –.
Löhr, Lichtentaler Straße 19
1950: –; 1970: Fremdenheim, Café.
Lorenz, Bertholdstraße 2
1942: –; 1950: Kaffee; 1970: –.
Löwen, Gernsbacher Straße 35
1900: Gasthof, Restaurant; 1942: –.
Löwen, Lichtental
1890: Hotel und Pension; 1900: –.
Löwen-Friedrichsbad, Gernsbacher Straße 37
Nach 1800 Wirtschaftsgerechtigkeit der alten Badherberge »Zum Roten Löwen« wieder ausgeübt, 1805 und 1831 für die »niederen Volksklassen«, 1828 mit 21 Badekästen. 1856 ging die Wirtschaftsgerechtigkeit an den Badfonds über, die Löwenwirtin übernahm das Gasthaus »Baldreit«. 1864 Verkauf der Rechte des »Löwen« und Übertragung auf die bisherige Straußwirtschaft Gernsbacher Straße 31. 1900: Hotel »Friedrichsbad«. Um 1914 Umbenennung in »Löwen-Friedrichsbad«. 1942: Hotel und Gastwirtschaft »Löwen-Friedrichsbad«; 1950: Hotel »Löwen-Friedrichsbad«; 1970: Hotel-Restaurant »Löwen-Friedrichsbad«. 1974 Verkauf an Bäder- und Kurverwaltung zur Einrichtung von Wohnungen. 1977 wieder Hotel »Friedrichsbad« und Gaststätte »Prager Stuben«.
Löwenbräu, Gernsbacher Straße 9
Ursprünglich »Ritter«; 1830 von der »Sonne« abgetrennt. 1857, 1865, 1873 »Zum Goldenen Ritter«; 1878, 1906 als Gasthaus genannt. 1900: Gastwirtschaft »Zum Ritter«; 1942 und 1950: Restaurant »Münchner Löwenbräu«; 1970: Gaststätte »Zum Löwenbräu«.
Löwenkeller, Beutigstraße 7
1890: Wirtschaft; 1900: Gastwirtschaft; 1942: –.
Ludwigsbad, Lichtental 74a–b
Nach Auffindung einer Stahlquelle im Keller 1821 Umbau des Gasthauses »Linde« in Lichtental zum Badhotel »Ludwigsbad«. 1900: Gasthof, Restaurant, Badeanstalt; 1942: –.
Lühl, Lessingstraße 1
1942: –; 1950: Fremdenheim; 1970: –.
Luftkurort Yburg, Yburgstraße 10
1900: Pension, Restaurant; 1942: –.
Luxhof, Lange Straße 33
1890: Restauration und Bierhalle; 1900: Gastwirtschaft; 1942: –.
Mack, Sofienstraße 13
1900: –; 1942, 1950: Kaffee »Röhrle«; 1970: Café.
Mainau, Lichtentaler Straße 115
1890: Gasthaus; 1900: Gastwirtschaft; 1942: Restaurant; 1950: Restaurant, Kaffee; 1970: Gaststätte.
Mandarin, Luisenstraße 36
1950: –; 1970: China-Restaurant.
Mangin, Luisenstraße 20
1873: Restauration und Pension; 1878 Restaurant und Café; 1900: Restaurant und Maison garni; 1942: –.

Manns, Ludwig-Wilhelm-Straße 15
1900: –; 1942, 1950: Fremdenheim; 1970: –.
Markgrafen, Weinbergstraße 8
1900: –; 1942, 1950: Restaurant; 1970: Gaststätte.
Markgräfler Hof, Lange Straße 79
1900: Gastwirtschaft; 1942: Restaurant; 1950: Hotel; 1970: Gaststätte.
Marthahaus, Maria-Viktoria-Straße 8
1900: –; 1942: Fremdenheim; 1950: –.
Maxim-Bar, Ludwig-Wilhelm-Platz 5
1942: –; 1950: Restaurant; 1970: Gaststätte, Bar.
Meierhof, Jagdhausstraße 2
1900: Gastwirtschaft; 1942, 1950: Restaurant; 1970: Gaststätte.
Merkur, Merkurgipfel 6
1900: Gastwirtschaft »Merkurthurm«; 1942: »Merkur-Gaststätte«; 1950: »Merkur-Restaurant«; 1970: –.
Messmer, Werderstraße 1
Gründung 1834 als Gästehaus; 1872 Aufstockkung. 1878 als Privatwohnung und bevorzugtes Quartier des Kaisers genannt. Ab 1890 mehrmals vergrößert, 4 Dependancen. 1900: »Hotel Messmer«. 1919 Verkauf; später Hotelbetrieb eingestellt. 1936 Erwerb des Gebäudes durch die Bäder- und Kurverwaltung. 1947 notdürftige Herrichtung für die Besatzungsmacht, 1955 freigegeben. 1957 Abriß des zentralen Gebäudes. Erhalten blieben die benachbarte Dependance als Wohnhaus mit Läden und der 1891 erbaute Speisesaal als Malersaal des Theaters, 1988 Kulturdenkmal.
Metropol-Stuben, Lange Straße 58
1942: –; 1950: Restaurant; 1970: –.
Missel, Gernsbacher Straße 44
1950: –; 1970: Café.
Molkenanstalt, Quettigstraße 19
1900: Gastwirtschaft; 1942, 1950: Restaurant; 1970: –.
Monte-Rosa, Lichtentaler Straße 67b
1950: –; 1970: Café.
Morgenröte, Gernsbacher Straße 82
1890: neues Luftkurhotel; 1900: Gastwirtschaft; 1942: Restaurant; 1950: –; 1970: Hotel.
Mozart, Augustaplatz
1950: –; 1970: Café Konditorei.
Müller, Lange Straße 34
»Blume« vor dem Stadtbrand von 1689 nachweisbar. Wirtschaftsgerechtigkeit 1856 auf Haus in der Langen Straße übertragen. 1857 »Blume« als neuer Gasthof mit Kaffeehaus genannt. 1865: Gasthof »Zur Blume«; 1873: »Hotel Müller«; 1900: Hotel und Restaurant; 1942, 1950, 1970: Hotel.
Nagel, Luisenstraße 22
1900: Pension; 1942: –.
Nagel, Werderstraße 6
1900: –; 1942, 1950: Fremdenheim; 1970: –.
National, Bertholdstraße 10
1890 erbaut als »Ziegler's Hotel National«; 1900: –; 1942, 1950: Hotel; 1970: – .
Nest, Rettigstraße 1
Ursprünglich Schweizerhaus der Großherzogin Stephanie. 1900: Hotel »Tannhäuser«; 1942, 1950: Restaurant; 1970: Gaststätte.
Neue Welt, Weinbergstraße 32
1900: Gastwirtschaft; 1942, 1950: Restaurant; 1970: Gaststätte.
Oberst
1878: Hotel mit Pension; 1900: –.
Pagenhardt, Lichtentaler Allee 6
1900: –; 1942, 1950, 1970: Fremdenheim.
Panorama, Lichtentaler Allee 16
1900: Gasthof, Café; 1942: –.
Panorama, Stresemannstraße 8
1942: –; 1950: Fremdenheim; 1970: –.
Paradies, Herrenpfädelweg 106
1900: –; 1942: Kaffee; 1950: –.
Park-Hotel, Fremersbergstraße 2
»Villa Stadelhofer« als Dependance des »Englischen Hofs« gebaut. 1887 Verkauf, Weiterführung als »Park-Hotel«. 1900: Gasthof. Während des 1. Weltkriegs Lazarett, dann Mietshaus, dann abgebrochen.
Park-Villa Kossmann, Kaiser-Wilhelm-Straße 3
1950: –; 1970: Hotel-Pension.
Park-Villa Stock, Kaiser-Wilhelm-Straße 5
1950: –; 1970: Hotel.
Peter, Lange Straße 43
1900: Pension; 1942: –.
Pfeil, Wilhelmstraße 6
1900: –; 1942, 1950: Fremdenheim; 1970: –.
Pigalle Jockey Bar, Lange Straße 68
1950: –; 1970: Gaststätte, Bar, Cabaret.
Planeck, Herchenbachstraße 27
1900: –; 1942: Fremdenheim; 1950: Kindererholungsheim; 1970: –.
Postkutsche, Merkurstraße 3
1878: Bierwirtschaft »Merkur«; 1900: Gastwirtschaft »Merkur«; 1942, 1950: Gastwirtschaft »Rheingold«; 1970: Gaststätte, Balkan-Grill.
Prinz Max, Waldseestraße 11
1900: Gastwirtschaft; 1942, 1950: Restaurant; 1970: Gaststätte.

Prinz Wilhelm, Rettigstraße 4
1873: Speise- und Getränkewirtschaft. 1900: –.
Quellenhof, Sofienstraße 27
Alte Badherberge »Zum Drachen«, 1805 mit 33 Badekästen und 36 Zimmern. 1831 Umbenennung in »Stadt Paris«. 1838 Verkauf an Regierung, die das Haus 1840 ohne Wasserrechte wieder abstieß. 1856 Betrieb aufgegeben, Haus später abgerissen. 1860 Rechte auf Haus Sofienstraße 27 übertragen, dieses 1861 vergrößert. 1873: Gastwirtschaft »Zur Stadt Paris«. 1880 Abriß und großer Neubau. 1900: Gasthof, Restaurant »Stadt Paris« mit Weinstube und Weinhandlung; 1915: Umbenennung in »Quellenhof«. 1942: Hotel »Der Quellenhof«; 1950: Hotel und Restaurant »Der Quellenhof« ; 1970: Hotel und Gaststätte »Der Quellenhof«. 1978 Neubau.
Quick, Luisenstraße 10
1950: –; 1970: Café.
Rauber, Lange Straße 63
1950: –; 1970: Café.
Rausch, Lange Straße
1878 genannt bei: Privatwohnungen, sowohl ganze Häuser als einzelne Stockwerke und Zimmer, elegant eingerichtet. 1900: –.
Rebstock, Lichtentaler Straße 75 (1970: Bertholdplatz)
1873: Speise- und Getränkewirtschaft; 1900: Gastwirtschaft; 1942, 1950: Restaurant; 1970: Gaststätte.
Rebstock, Beuerner Straße 37
1900: –; 1942, 1950: Restaurant; 1970: –.
Reeb, Ludwig-Wilhelm-Platz 1
1873: Kostgeber; 1900: –.
Regenold, Merkurstraße 13
1900: –; 1942, 1950: Gastwirtschaft »Nassauer Hof«; 1970: Fremdenheim Hotel garni »Regenold«.
Regina, Werderstraße 10
1900: Hotel »Belvédère«; 1906: »Regina«; 1942: –.
Reichert, Sofienstraße 4
1878 genannt bei: Privatwohnungen, sowohl ganze Häuser als einzelne Stockwerke und Zimmer, elegant eingerichtet. 1900: –; 1942, 1950, 1970: Hotel.
Reisener, Lichtentaler Straße 29 (1942 und 1950); Augustaplatz (1970)
1900: –; 1942, 1950: Kaffee; 1970: Café.
Rheinischer Hof, Rheinstraße 25
1839 Abbruch der Färberei vor dem Beuerner Tor und des dazugekauften Nachbarhauses; Neubau des Hotels »Rheinischer Hof« oder »Hôtel du Rhin«. 1856 und 1858 wurden die Häuser verkauft und der »Rheinische Hof« zwischen Leopoldsplatz und Rettigstraße betrieben. 1857 Gasthof; 1873: Gastwirtschaft; 1878 unter den vortrefflichen Gasthäusern genannt. An der Rheinstraße: 1900: Gastwirtschaft; 1942, 1950: Restaurant; 1970: Gaststätte.
Rieger, Sinzheimer Straße 4
1942: –; 1950: Kaffee »Velten«; 1970: Café.
Ritter-Kah, Sofienstraße 33
1900: –; 1942: Fremdenheim »Kah«; 1950: Fremdenheim »Haus Ritter-Kah«; 1970: Fremdenheim »Ritter-Kah«.
Römerbad, Bäderstraße 1
1878 genannt bei: Weitere empfehlenswerte Hotels mit nicht so hohen bis billigen Preisen. 1900: Gasthof, Restaurant; 1942: –.
Römerhof, Sofienstraße 25
Um die Jahrhundertwende als Pension gegründet. 1900: –; 1910: Hotel »Bristol«; nach 1918: »Haus Hohenzollern«, 1942, 1950, 1970: »Hotel Römerhof«.
Rondo, Lange Straße 49
1950: –; 1970: Hotel, Gaststätte.
Rose, Balg
1900: –; 1942, 1950: Restaurant; 1970: Gaststätte.
Rose, Marktplatz 13
Altes kleines Gasthaus. 1861 Erweiterung, um 1865 mit Kaffeehaus. 1889 Verkauf an Stadt. 1900: Gastwirtschaft, 1935 geschlossen, 1937 Haus abgebrochen.
Rose, Rheinstraße 23
1900: Gastwirtschaft; 1942: Restaurant; 1950: –.
Rose, Schmalbach
1900: –; 1942, 1950: Restaurant; 1970: –.
Rössel, Oos
1817 Rösselwirt Peter als Lehenträger des herrschaftlichen, früher dem Kloster Lichtenthal gehörenden, großen Hofes genannt. 1900: –.
Rössel, Rastatter Straße 2
1900: –; 1942, 1950: Restaurant; 1970: Gaststätte.
Rössler, Bismarckstraße 11
1900: –; 1942, 1950: Fremdenheim; 1970: –.
Rössler, Eichstraße 11
1873: Weinwirtschaft; 1900: –.
Rubens, Werderstraße 24
1900: –; 1942, 1950: Fremdenheim; 1970: –.
Rumpelmayer, Augustaplatz 2
1900: »Hof-Conditorei und Café Heim,

vorm. Perimond-Rumpelmayer«; 1906: »Café Rumpelmayer«, eines von nur 3 Cafés in der Innenstadt. 1942: Konditorei; 1950, 1970: Café.
Runkewitz, Lichtentaler Allee 68
1900: –; 1942, 1950: Hotel; 1970: –.
Russischer Hof, Kaiserallee 4
1830 auf dem Gartengrundstück des »Bock« gebaut, dessen Rechte übertragen. 1878 als Gasthof ersten Ranges bezeichnet. 1900: Gasthof; 1942: im Hause: Fremdenheim »Stegmeyer«; 1950: –.
Salmen, Gernsbacher Straße 34
Alte Badherberge »Zum Salmen«, 1805 mit 42 Badekästen und 33 Zimmern. 1851 vom Badfonds zur Verlegung des Armenbads gekauft. 1865 Gründung des neuen »Salmen« an der Gernsbacher Straße und Übertragung der vom Badfonds angekauften Rechte. 1873: Gastwirtschaft. 1900: Gasthof, Restaurant; 1942: Hotel, Restaurant; 1950, 1970: Hotel.
Schelling, Mühlengasse 6
1873: Bierwirtschaft, Restauration; 1878: Restaurant/Café; 1900: – .
Scherrhof, Stadtwald
1900: – ; 1942, 1950: Restaurant; 1970: Gaststätte.
Schetter, Rheinstraße 50
1900: – ; 1942, 1950: Kaffee; 1970: Café.
Schevé, Lange Straße
1878 genannt bei: Privatwohnungen, sowohl ganze Häuser als einzelne Stockwerke und Zimmer, elegant eingerichtet. 1900: –.
Schiff, Rheinstraße 21
1831 als guter Gasthof in Scheuern genannt. 1873: Speise- und Getränkewirtschaft; 1900: Gastwirtschaft; 1942: –.
Schindelpeter, Friedhofstraße 3
1900: –; 1942, 1950: Kaffee; 1970: Café.
Schindelpeter, Ludwig-Wilhelm-Platz 5
1950: –; 1970: Café.
Schirmhof, Fremersbergstraße 63 (1900); Sielckenstraße 4 (1942)
Früher Hofgut Sauersberg. 1884 Einrichtung einer Gastwirtschaft durch Hofbäckermeister Hermann Zabler. 1890: Gründung des Luftkurhotels. 1900: Pension, Restaurant; 1942: Fremdenheim und Restaurant »Kurhaus Schirmhof«; 1950: –.
Schloßberg, Hirschstraße 18
1878: Bierwirtschaft; 1900: Gastwirtschaft; 1942: –.
Schloßkeller, Schloßstraße 20
1900: Gastwirtschaft; 1942: –.

Schmieder, Lichtentaler Straße 33
1942: –; 1950: Speisehaus; 1970: –.
Schneider, Schillerstraße 11
1900: Pension; 1942: –.
Schneider, Stefanienstraße 22
1873: Kostgeber; 1900: –.
Schöne Aussicht, Ebersteinstraße 4
1900: Gastwirtschaft; 1942: Restaurant; 1950: –.
Schöne Stunde, Lichtentaler Straße 28
1900: Gastwirtschaft; 1942: –.
Schützenhof, Balg
1900: –; 1942, 1950: Restaurant; 1970: Gaststätte.
Schützenhof, Baldreitstraße 3
1900: Gastwirtschaft; 1942, 1950: Restaurant; 1970: Gaststätte.
Schwabenstüble, Du Russel-Straße 4
1900: Gastwirtschaft; 1942, 1950: Restaurant; 1970: Gaststätte.
Schwanen, Hotel du Cygne, Lange Straße 58 (1900)
1857 unter den Gasthöfen genannt. 1873: Gastwirtschaft. Um 1888 Abriß, Bau eines Wohnhauses, 1891 für kürzere Zeit Post- und Telegrafenamt. 1893 lebte die Wirtschaftsgerechtigkeit für einige Jahre wieder auf. 1900: Gastwirtschaft »Zum Schwan«; 1942: –.
Schwarzer Adler, Adlerstraße 4
1900: Gastwirtschaft; 1942: –.
Schwarzwaldhof, Gernsbacher Straße 13
Alte Badherberge »Zur Sonne«, 1805 mit 24 Badekästen und 36 Zimmern. Um 1810 ehemaliges Seminar- und Gymnasiumsgebäude zugekauft. Vor 1831 Gasthaus »Zum Ritter« von der »Sonne« abgetrennt. Umbenennung in »Petersburger Hof«; um 1865 mit Café und Billard. 1900: Gasthof und Restaurant »Petersburger Hof«. Im 1. Weltkrieg in »Schwarzwaldhof« umbenannt. 1942: Hotel und Restaurant »Schwarzwaldhof«; Im 2. Weltkrieg aufgegeben. 1950: Restaurant, Milchbar »Mimosa«. 1970: –.
Schwarzwaldstube, Adlerstraße 6
1900, 1942, 1950: Restaurant »Stadt Sedan«; 1970: Gaststätte.
Schweigrother Hof, Rheinstraße 185
1900: –; 1942, 1950: Restaurant; 1970: Gaststätte.
Schweizerhof, Lange Straße 73 (1906: 63)
1900: –; 1906: »Hotel Schweizerhof«; 1942, 1950, 1970: Hotel.
Schwendemann
1878: Bierwirtschaft. 1900: –.

Schwert, Balzenbergstraße 53
1900: –; 1942, 1950: Restaurant; 1970: Gaststätte.
Secthalle, Kreuzstraße 9
1900: Gastwirtschaft; 1942: –.
Seefels, Fremersbergstraße 3
1900: Pension; 1942: –.
Seelach-Terrasse, Seelach 1
1900: –; 1906: Restaurant und Café »Seelach«; 1942: Restaurant; 1950: –; 1970: Café.
Senges, Seilerstraße 1
Um 1865 Restaurant; 1873: Restauration, Weinwirtschaft. 1900: –.
Siefert, Lange Straße 28
1873: Hotel garni; 1900: –.
Sielesia, Ludwig-Wilhelm-Straße 17
1942: –; 1950: Fremdenheim; 1970: –.
Sinner-Eck, Lange Straße 1 (1970: Luisenstraße 2)
Gründung kurz vor 1867 als »Beau Séjour«, Dependance des Holland-Hotels. 1900: Dependance zu Holland-Hotel; 1942: Restaurant, Kaffee »Sinner-Eck«; 1950: Restaurant: »Sinner-Eck«; 1970: Gaststätte »Sinner-Eck«.
Sinners Saalbau, Lichtentaler Straße 44a
1900: Restaurant; 1942: –.
Sofieneck, Sofienstraße 38
1900: –; 1942, 1950: Fremdenheim; 1970: Hotel.
Sonne, Eisenbahnstraße 2
1900: Gastwirtschaft; 1942, 1950: Restaurant; 1970: –.
Sonne, Fremersbergstraße 38
1900: Gastwirtschaft; 1942: –; 1950: Restaurant; 1970: Gaststätte.
Sonne, Geroldsauer Straße 145
1900: –; 1942, 1950: Restaurant; 1970: Gaststätte.
Sonne, Ooser Hauptstraße 29
1900: –; 1942: Restaurant; 1950: –.
Sonne, Thiergartenstraße 18
1873: Speise- und Getränkewirtschaft; 1900: –.
Sorento, Lichtentaler Allee 14
1900: Gasthof, Café; 1942: –.
Stadt Baden, Lange Straße 65
1753 Gasthaus »Zum Wolf« konzessioniert. 1798 Übertragung der Schildgerechtigkeit auf das neue Haus gegenüber »Baldreit« und Umbenennung in »Stadt Baden«. 1812 Übertragung der Rechte auf einen Neubau vor dem Beuerner Tor. 1847 Verkauf an die Stadt zum Abbruch für den Ausbau des Leopoldsplatzes, Übertragung der Rechte auf ein Haus beim Bahnhof. 1900: Gasthof. 1922 Aufgabe des Hotels und Nutzung als Bürogebäude: 1927 Arbeitsamt und Firma Devant. 1942: –.
Stadt Lyon
Um 1820 Bau des Gasthauses mit Brauerei an den ehemaligen Grabengärten. 1865 Erwerb durch die Stadt zum Abbruch für die Weiterführung der Luisenstraße zum Leopoldsplatz. 1900: –.
Stadt Mannheim, Eisenbahnstraße 9
1900: Gastwirtschaft; 1942, 1950: Restaurant; 1970: Gaststätte.
Stadt Straßburg, Sofienstraße 26
1835 Realwirtschaftsgerechtigkeit zur »Stadt Straßburg« auf das Haus an der neuen Grabenallee, später Sofienstraße 26, eingetragen. Um 1865 mit Café und Billard. Das Hotel blieb in Familienbesitz. 1900: Gasthof, Restaurant; 1939 für den Generalstab, dann nach unterschiedlichen Nutzungen (1942: Hotel) von der Besatzungsmacht beschlagnahmt. 1950: Hotel. 1959 abgerissen, durch Wohn- und Geschäftshaus ersetzt.
Stadt Wien, Seilerstraße 1
1900: Gastwirtschaft; 1942: –.
Stadtwald
1900: Café; 1942: –.
Städtisches Waldkaffee, Merkuriusberg
1900: –; 1942: Kaffee; 1950: –; 1970: Café.
Stahlbad, Lichtentaler Straße 27
1900: Gasthof, Restaurant; 1906: Hotel »Stahlbad«; 1942, 1950: Restaurant; 1970: Gaststätte.
Stephan, Lange Straße 7
1900: Bierwirtschaft und Weinrestaurant; 1942: –.
Stern, Rheinstraße 12
1900: Gastwirtschaft; 1942, 1950: Gastwirtschaft; 1970: –.
Still-Karcher, Lange Straße 55
1900: –; 1942: Fremdenheim; 1950: –.
Stockbauer, Lichtentaler Straße 41
1873: Kostgeber; 1900: –.
Störchle, Lange Straße 48
1942: –; 1950: Kaffee; 1970: –.
Süss, Friesenbergstraße 2
1900: Pension und Restaurant »Jäger«; 1942: Fremdenheim »Süss«; 1950: Hotel und Pension »Süss«; 1970: Hotel »Süss«.
Taborhöhe, Schützenstraße 12
1900: –; 1942, 1950: Christliches Hospiz; 1970: Hotel-Pension.
Tannenhof, Hans-Bredow-Straße 20 (früher: Fremersbergstraße 87)

1900: –; 1942, 1950: Hotel. Um 1950 vom Südwestfunk übernommen, für die Verwaltung genutzt. Der Neubau an der Hans-Bredow-Straße wieder Hotel. 1970: Hotel.
Tell-Stuben, Fremersbergstraße 75
1950: –; 1970: Gaststätte.
Tenneck, Haus, Werderstraße 14
1900: Pension »Lina Groddeck«; 1942, 1950: Fremdenheim »Haus Agnes«; 1970: Hotel garni.
Terminus, Lange Straße 92
1900: Hotel, Restaurant; 1942, 1950: Hotel; 1970: –.
Thalmüller, Hardstraße 11
1873: Kostgeber; 1900: –.
Traube, Rotackerstraße 3
1900: –; 1942: Restaurant; 1950: –.
Traube, Sinzheimer Straße 36
1900: –; 1942, 1950: Restaurant; 1970: Gaststätte.
Treppchen, Stefanienstraße 20 und Eichstraße 13
1950: –; 1970: Gaststätte.
Turm Fremersberg, Stadtwald
1900: Gastwirtschaft; 1942, 1950: Restaurant; 1970: Gaststätte.
Urquell-Stübchen, Lange Straße 34
1950: –; 1970: Gaststätte.
Victoria, Sofienstraße 3
1851 und 1853 Erwerb der Herbergen »Fuchs« und »Blume«, Bau des Hotels »Victoria«, 1853 Eröffnung. 1900: Hotel mit Restaurant und Weinstube. 1912 zum großen Teil abgebrannt, Hotelbetrieb eingestellt. Gebäude zum Geschäfts- und Miethaus umgestaltet.
Vier Jahreszeiten, Lange Straße 49
1900: –; 1942: Hotel, Restaurant; 1950: Hotel, Restaurant, Kaffee, Konditorei; 1970: Hotel.
Villa Carlotta, Kronprinzenstraße 10
1950: –; 1970: Hotel garni.
Villa Cary, Bismarckstraße 1
1900: Pension »Glover«; 1942, 1950: Fremdenheim; 1970: –.
Villa Schömer, Nähe des Bahnhofs
1878 genannt bei: Privatwohnungen, sowohl ganze Häuser als einzelne Stockwerke und Zimmer, elegant eingerichtet. 1900: –.
Vinzentiushaus, Stefanienstraße 9–11
1950: Fremdenheim; 1970: –.
Vogt, Schloßstraße 4
1873: Kostgeber; 1900: –.
Vollmer, Sofienstraße 37
1900: –; 1942, 1950, 1970: Fremdenheim.

Waldeneck, Fremersbergstraße 40
1900: Pension, Café; 1942: –.
Waldhorn, Beuerner Straße 54
1857: Gasthaus; 1900: –; 1942, 1950: Restaurant; 1970: Gaststätte.
Waldhotel Selighof, Fremersbergstraße 125 (1900: Nr 77)
1900: Gasthof, Restaurant; 1942: Hotel, Restaurant; 1950: Hotel [nur im Straßenverzeichnis]; 1970: Hotel.
Waldschlößchen, Gernsbacher Str.
1900: –; 1906: bescheidenes Gasthaus; 1942: –.
Warthburg, (im Osten der Stadt)
1890: neues Luftkurhotel; 1900: –.
Weber, Lange Straße 83
1900: –; 1942: Bäckerei und Konditorei Weber; 1950: Kaffee; 1970: –.
Weber, Lange Straße gegenüber dem Badischen Hof (1873: Promenadeplatz 5)
1857, 1865: Restaurant; 1873: Restauration; 1900: –
Weicker, Moltkestraße 1
1900: Pension; 1942: –
Weinberg, Stefanienstraße 46
1873: Speise- und Getränkewirtschaft; 1900: Gastwirtschaft; 1942, 1950: Restaurant; 1970: Gaststätte.
Weißes Rössel, Baldreitstraße 5 (1873: Küferstraße 10)
1873: Speise- und Getränkewirtschaft »Stadt Karlsruhe«; 1900: Gasthof, Restaurant »Zur Stadt Karlsruhe«; 1942, 1950: Restaurant; 1970: Gaststätte.
Weststadt, Rheinstraße 12
1900: –; 1942, 1950: Restaurant; 1970: Gaststätte.
Wienerwald, Rheinstraße 41 (1900: Rheinstraße 21)
1900: Gasthaus »Zum Schiff«; 1942, 1950: Gasthaus »Goldenes Schiff«; 1970: Gaststätte.
Wittelsbacher Hof, Gernsbacher Straße 70 (1900: Nr 84; 1873: Sofienstraße 30)
»Fortuna« 1749 erwähnt. Nach 1800 Umbau des Gasthauses mit Brauerei an der Sofienstraße. 1873: Speise- und Getränkewirtschaft »Zur Fortuna«. Nach 1883 Verkauf an die Stadt auf Abbruch. Übertragung der Wirtschaftsgerechtigkeit auf das Haus Gernsbacher Straße 70. 1900: Gastwirtschaft »Zur Fortuna«. Später Namensänderung in »Wittelsbacher Hof«. 1942, 1950: Hotel »Wittelsbacher Hof«; 1970: Gaststätte ; jetzt: »Alt Baden«.

Württemberger Hof, Waldseestraße 2
1900: Gastwirtschaft; 1942, 1950: Restaurant; 1970: Gaststätte.
Yburg, Ruine Yburg
1900: –; 1942, 1950: Restaurant; 1970: –.
Zähringer Hof, Lange Straße 44
Um 1820 als Badgasthaus gebaut, 1828 mit 12 Badekästen und Dampfbad. 1878 bei den vortrefflich eingerichteten Gasthöfen. 1900: Gasthof; 1942: Hotel und Restaurant »Badhotel Zähringer Hof und Weinstube«; 1950: Hotel »Zähringer Hof«; 1970: –.
Zerr, Sofienstraße (1865: Erbprinzenstr.)
Um 1865 Restaurant; 1878: Restaurant/Café; 1900: –.
Zink, Fremersbergstraße 35/37
1900: –; 1942, 1950: Fremdenheim; 1970: Hotel-Pension.

Quellen

Adreßbuch 1873. Adreßbuch 1900. Einwohnerbuch 1942. Adreßbuch 1950/1951. Adreßbuch 1970.
Erhard: Gasthäuser. *Fuss:* Stefanienstraße. *Fuss:* Sofienstraße. 1979. *Fuss:* Sofienstraße. 1967. *Fuss:* Baden-Baden damals. *Haebler:* Geschichte der Stadt. *Leis:* Maison Messmer. *Loeser:* Geschichte der Stadt Baden. *Reichel und Kissling:* Illustrirter Führer. *Schnars:* Baden-Baden. *Schreiber, A:* Baaden. 1805. *Schreiber, A.:* Baden. 1811. *Schreiber, H.:* Baden-Baden. 1840. *Schreiber, H.:* Baden. 1857. *Schreiber, H. A.:* Baden 1828. *Schreiber, H. A.:* Neuer Führer. 1831. *Wagner:* Baden-Baden.

4. Gemeinde und Öffentliches Leben

Gemeinde

Verwaltungszugehörigkeit. – Von den territorialen Umgestaltungen zu Beginn des 19. Jh. war die Stadt Baden-Baden, seit 1771 nicht mehr Residenz, nur als Amtssitz betroffen. Im 6. Organisationsedikt von 1803 wurde dem Oberamt Baden das Amt Steinbach eingegliedert. Dazu gehörten Stadt und Stab Steinbach (Steinbach, Neuweier, Varnhalt, Weitenung, Eisental) und Dorf und Stab Sinzheim, jeweils mit den zugehörigen Orten und Zinken. Den Amtsbezirk Baden bildeten die Stadt Baden, der Stab Beuerner Tal (Lichtental), die Dörfer Balg, Ebersteinburg, Haueneberstein, Oos und Sandweier. Das Oberamt Baden umfaßte also das heutige Stadtgebiet und Sinzheim (heute Gde Sinzheim), Weitenung und Eisental (Stadt Bühl).

Nach der Einteilung des Großherzogtums von 1809 in zehn Kreise gehörte das heutige Stadtgebiet zum Murgkreis (später Murg- und Pfinzkreis). Der Stab Steinbach war noch Teil des Amtes Baden, aber Ebersteinburg, Haueneberstein und Sandweier dem Stadt- und 1. Landamt Rastatt eingegliedert. Das Amt Steinbach wurde für kurze Zeit wieder selbständig, kam 1819 aber zum Amt Bühl. Nach der Bildung von nur vier Kreisen (1832) lag das heutige Stadtgebiet im Mittelrheinkreis. Zum Amtsbezirk Baden gehörten außer der Stadt die Gden Beuern (Lichtental), Balg, Ebersteinburg, Haueneberstein, Oos, Sandweier und Sinzheim. Steinbach mit Neuweier und Varnhalt blieben beim Amtsbezirk Bühl. Erst die Verordnung vom 18. 1. 1924 hob das Amt Baden auf. Sinzheim kam zum Amtsbezirk Bühl, Baden-Baden mit den übrigen Gemeinden zum Amtsbezirk (seit 1. 1. 1939 Landkreis) Rastatt. Das Gesetz über die Landkreisselbstverwaltung vom 24. 6. 1939 gliederte die Stadt Baden-Baden als selbständigen Stadtkreis wieder aus dem Landkreis aus. Bei der Bildung sowohl des Landes Baden (Südbaden) nach 1945 als auch des neuen Bundeslandes Baden-Württemberg 1952 blieb die innere Gliederung bis zur Gemeinde- und Kreisreform nach 1970 erhalten. Zwischen 1972 und 1975 wuchs der Stadtkreis um die Gden Neuweier, Steinbach und Varnhalt (1.7.1972) vom Lkr. Bühl und Ebersteinburg (1.1.1972), Haueneberstein (1.1.1974) und Sandweier (1.1.1975) vom Lkr. Rastatt.

Gemarkung. – In den ersten Jahrzehnten des 19. Jh. wurden die Grenzen zwischen den Gemarkungen, oft unter Streitigkeiten, neu festgelegt. Baden-Baden und Beuern (Lichtental) stritten insbesondere um Grenzen und Rechte im Waldgebiet, bis man sich 1846/47 in einem Waldtausch einigte. Verändert wurden 1827 auch die Grenze zwischen Oos und Lichtental und im Lauf des Jahrhunderts die der Stadtgemarkung mit den Gkgn Oos, Steinbach, Ebersteinburg. Die Schloßruinen von Baden und Ebersteinburg lagen in Domänenwaldungen auf der abgesonderten Waldgemarkung Ebersteinburg. Am 1.4.1929 wurde sie aufgehoben und zwischen der Stadt und der Gde Ebersteinburg aufgeteilt. Bei der Verteilung der abgesonderten Gkg Yburg unter Baden-Baden und Varnhalt am 1.4.1930 erhielt die Stadt den Löwenanteil. Im Stab Steinbach wurden die Gemeindegrenzen erst nach 1831 festgelegt. Gallenbach zählte noch 1831 zu Müllenbach (1834 Nebenort von Eisental, heute Stadt Bühl), 1834 zu Varnhalt. Um 1900 wurde die Gemarkungsgrenze zwischen Neuweier und Eisental und 1933 die zwischen Steinbach und Weitenung (heute Stadt Bühl) verändert. Sandweier hatte sich 1769 von Iffezheim gelöst, der noch bestehende gemeinschaftliche Waldbesitz wurde um 1800 gütlich aufgeteilt. Mit Wintersdorf und Ottersdorf dagegen gab es Grenzstreitigkeiten. Zwischen 1800 und 1810 verlor die Gde Sandweier ihre linksrheinischen Gemarkungsteile. 1921 änderte sich nochmals die Grenze zwischen Sandweier und Iffezheim.

Im Jahr 1909 ließ sich Lichtental nach Baden-Baden eingemeinden. Die gleichzeitig angeregte Eingemeindung von Oos stieß dort auf Widerstand. Trotz immer engerer wirtschaftlicher Verbindung kam Oos erst am 1.4.1928 zur Stadt Baden. Am 1.4.1939 folgte die Eingemeindung von Balg. Die Stadt Baden änderte am 1.9.1931 den Namen in Baden-Baden, Beuern heißt seit 1863 Lichtental.

Bürger. – Bis 1831 gliederten sich die Einwohner der badischen Gemeinden in Orts- und Schutzbürger, staatsbürgerliche Einwohner mit Wohnrecht und Insassen. Das Gemeindegesetz vom 31.12.1831 faßte die Orts- und Schutzbürger zu Gemeindebürgern zusammen, das Gesetz vom 24.6.1874 wandelte in den 7 großen badischen Städten, darunter Baden-Baden, die Bürgergemeinde in die Einwohnergemeinde um, in der alle reichsangehörigen Einwohner Gemeindebürger mit aktivem und passivem Wahlrecht zu den Gemeindeämtern wurden.

In Baden-Baden besaß im 19. Jh. jeder Bürgersohn das Bürgerrecht, mußte sich aber bei Mündigwerden als Bürger einschreiben lassen. Ortsfremde konnten sich in das Bürgerrecht einkaufen, wenn sie ein angemessenes Vermögen oder z. B. die Ausübung eines noch fehlenden Gewerbes nachwiesen. Bürgerpflichten waren u. a. das Stellen von Feuereimer und eigener Bewaffnung. Bis 1833 wurden die in Rotten eingeteilten Bürger zur Feuerbekämpfung und zur Aufrechterhaltung der öffentlichen Ordnung und Sicherheit herangezogen. Seit 1833 übernahmen das neue Bürger-Infanterie-Corps, dann auch die Bürger-Kavalleriegarde die Sicherung und traten auch bei Paraden auf. Beide Corps wurden 1849 entwaffnet und danach nicht wieder neugebildet. Lichtental bekam nach jahrzehntelangem Hin und Her 1846 ein Bürger-Militär-Corps mit Uniform und Bewaffnung genehmigt. Erst 1857 wurden die Waffen eingezogen.[1]

4. Gemeinde und Öffentliches Leben

Tabelle 1   Das heutige Stadtgebiet im Jahr 1852

Gemeinden im Amtsbezirk Baden:
Baden (Baden-Baden)
mit Falkensteg, Fremersberg, Gunzenbach, Hahnhof, Häslich, Herrengut, Hungerberg, Im Stadtwald, Krippenhof, Quettig, Sauersberg, St. Wolfgang, Selig (1875: Selighöfe), Tiergarten
Nebenort: Badenscheuern mit Dollen
Unterbeuern (Lichtental)
mit Lichtenthal, Kloster und Waisenhaus, Eck, Schafberg, Seelach
Nebenorte: Geroldsau mit Malschbach
           Oberbeuern mit Gaisbach, Kuchen, Müllenbach, Schmalbach
Oos
mit Bahnhof, Jagdhaus, Schlüsselhof (1875: Jesuitenschloß (Schlösselhof))
Nebenort: Oosscheuern
Balg
Haueneberstein
Sandweier
Ebersteinburg
Gemeinden im Amtsbezirk Bühl:
Steinbach
Nebenort: Umweg
Neuweier
mit Schneckenbach
Varnhalt
mit Nägelsförsterhof
Nebenort: Gallenbach

Quelle: Beiträge zur Statistik ... [1. H.] 1855.

Tabelle 2   Die Gemarkungsflächen 1905 und 1950

Ort / Gebiet	1905	1950
	Hektar	
Baden-Baden mit Lichtental	6 739	
Oos	1 292	
Balg	389	
Baden-Baden in den Grenzen von 1950	8 420	9 119
Haueneberstein	900	900
Sandweier	1 279	1 279
Ebersteinburg	241	520
Waldgemarkung Ebersteinburg	821	
Steinbach	1 181	1 181
Neuweier	608	606
Varnhalt	407	416
Gkg Yburg	166	
Stadtgebiet	14 023	14 021

Quellen:
1905: Die endgültigen Ergebnisse der Volkszählung vom 1. Dez. 1905.
1950: Statistik von Baden-Württemberg. Bd 3. T. 3.

III. Entwicklung im 19. und 20. Jahrhundert

Die beträchtlichen Bürgerrechte umfaßten zu Beginn des 19. Jh. neben Fronfreiheit den kostenlosen Bezug von jährlich sechs Klafter und den billigen Bezug von weiterem Brennholz. Außerdem gab die Stadt an die Bürger Bauholz, Ziegel und Backsteine fast kostenlos ab. Noch vor 1848 setzte die Stadt die Zahl der Bezugsberechtigten auf 830 und die Holzgabe auf 4,5 Klafter fest. 1848 wurden weitere 200 halbe Holzgaben für jüngere Bürger bewilligt.

Auch in den Dörfern bestand der Bürgernutzen aus Gabholz, in Oos, Haueneberstein, Sandweier und Ebersteinburg auch aus Allmendnutzung. Die Rebgemeinden lieferten das Gabholz auch in Form von Stämmen für den Rebbau (Neuweier 1883). Fast immer war nur ein Teil der Gemeindebürger nutzungsberechtigt, eine Auflage auf den Bürgernutzen wurde nur selten erhoben. Ortsfremde mußten sich mit zum Teil hohen Beträgen in die Berechtigung einkaufen. In Sandweier gab es (1892 und 1911) drei Klassen von Berechtigten am Allmendgenuß mit unterschiedlich großen Losen an Acker- und Wiesenland und den Krautgärten. 1936 kamen die Bürger erst mit 53 Jahren in den Allmendgenuß.

Gemeindeverwaltung. – Den Magistrat der Stadt Baden bildeten 1805 je ein ehrenamtlicher Ober- und Unterbürgermeister und 12 Ratsherren. Die Gerichtsbarkeit lag beim Bezirksamt. Der zweite Bürgermeister war für die städtischen Bauten und die Hauptrechnung zuständig, der Stadtschreiber führte das Stadtbuch. Die Aufsicht über Armenhäuser, Gemeindegüter, Straßen und Brunnen etc. war den Ratsmitgliedern anvertraut.[2] Auch das 2. Konstitutionsedikt vom 14. 7. 1807 über das badische Gemeindewesen ließ den Magistrat unverändert. Die von der Gemeindeversammlung gewählten und vom Staat eingesetzten Bürgermeister unterlagen den Weisungen der staatlichen Oberbehörden. Das Gemeindegesetz vom 31. 12. 1831 gab der Gemeinde das Recht, ihre Angelegenheiten selbst zu regeln und ihr Vermögen zu verwalten und übertrug ihr die Ortspolizei, soweit nicht eine staatliche Polizeistelle bestand. Staatliche Aufsicht und Bestätigung des Bürgermeisters blieben erhalten. Im Amtssitz Baden-Baden war die Verbindung von staatlichen und städtischen Behörden besonders eng. Der großherzogliche Amtsvorstand war gleichzeitig Stadtdirektor. Neben den Gemeinderat waren schon nach dem provisorischen Gesetz von 1821 der Bürgerausschuß (kleiner oder engerer Ausschuß), und die Gemeindeversammlung getreten. Letztere konnte in Gemeinden mit mehr als 3000 E. durch einen großen Bürgerausschuß ersetzt werden. Daß der Bürgerausschuß zu je einem Drittel von den Bürgern der drei Steuerklassen gewählt wurde, stärkte in Baden-Baden den Einfluß der Hoteliers, die die Mehrheit unter den Höchstbesteuerten bildeten. 1857 bestand der Gemeinderat in Baden-Baden aus dem Oberbürgermeister als Vorsitzendem und 11 weiteren Mitgliedern. Der engere Ausschuß hatte 12 und der größere Ausschuß 72 Mitglieder. Der Gemeinderat von Beuern = *Lichtental* hatte 1854 8 Mitglieder, 1892 waren aus Unter- und Oberbeuern 6 und aus Geroldsau 4 Männer zu wählen. In *Balg* hatte 1856 der Gemeinderat außer dem Bürgermeister 3 und der engere Bürgerausschuß 4 Mitglieder, in *Oos* hatte der Gemeinderat noch 1894 mit dem Bürgermeister nur 3 Mitglieder.

Das Gemeindegesetz wurde mehrfach, jedoch nicht grundlegend, abgeändert. Die *Städteordnung* vom 24. 6. 1874 ersetzte in den sieben größeren Städten Badens die Gemeindeversammlung durch den Bürgerausschuß, der aus dem Stadtrat und den nach dem Dreiklassenwahlrecht gewählten Stadtverordneten bestand. In Baden-Baden wurden erstmals am 10. 2. 1875 die 60 Stadtverordneten gewählt. Im Jahr 1900 setzte sich der Bürgerausschuß aus 20 Stadtratsmitgliedern und 96 Stadtverordneten zusammen.

4. Gemeinde und Öffentliches Leben

In den nicht unter die Städteordnung fallenden Gemeinden richtete sich nach der 1896 neugefaßten Gemeindeordnung die Größe des Gemeinderats (3–18 Mitglieder) nach der Einwohnerzahl, die des Bürgerausschusses nach der Zahl der Wahlberechtigten. Der Bürgerausschuß wurde jetzt in allen Gemeinden ab 500 E. eingeführt und zu je ⅓ von den 3 Steuerklassen gewählt. In Sandweier gehörten z. B. 1903 zur 1. Klasse 27, zur 2. Klasse 81 und zur 3. Klasse 139 Wahlberechtigte. Wo ein Bürgerausschuß 1896 nicht bestand wie in Ebersteinburg, ordnete das Ministerium des Innern seine Bestellung an. In Lichtental wurde der Bürgerausschuß 1903 auf 60 (Lichtental 48, Geroldsau 12) Mitglieder festgesetzt. Den Gemeinderat bildeten der Bürgermeister, 1 Stabhalter und 7 Gemeinderäte. Auch in Oos mit Oosscheuern wurden im Jahr 1907 entsprechend der gestiegenen Einwohnerzahl der Gemeinderat von 6 auf 8 und der Bürgerausschuß von 48 auf 62 Mitglieder vergrößert. In den übrigen Orten des heutigen Stadtgebiets hatte der Gemeinderat neben dem Bürgermeister 6 Mitglieder.

Während in den Gemeindegremien der Stadt Baden-Baden nationalliberale Kräfte die Mehrheit bildeten, neigten in den Dörfern, soweit nicht bei den Wahlen ohnehin örtliche und persönliche Gruppierungen ausschlaggebend waren, die Gemeindevertreter der katholischen Volkspartei zu. In Steinbach allerdings standen sich schon um 1880 mit wechselndem Erfolg katholische Volkspartei und Liberale gegenüber, wobei auch die hier zeitweise einflußreichen Altkatholiken eingriffen. Sonst gewannen die politischen Parteien erst nach 1900 größeres Gewicht in den Gemeindevertretungen. 1910 hatte sich z. B. in Oos, die soziale Umstrukturierung des Ortes widerspiegelnd, gegen die »Rathauspartei des Bürgermeisters aus alteingesessenen bäuerlichen und klerikalen Bürgern« eine Opposition in der »Bürgerpartei aus Arbeitern, Liberalen, Sozialdemokraten« gebildet.[3] In Sandweier setzte sich der 1922 gewählte Gemeinderat aus je 3 Vertretern einer Bürgerpartei, der Sozialdemokraten und einer fortschrittlichen Bürgerpartei zusammen.

Die Wahl nach Steuerklassen entfiel 1919. Die neue Gemeindeordnung vom 5.10.1921 teilte die Gemeinden nach ihrer Einwohnerzahl in vier Klassen ein. Als Städte galten Gemeinden mit mehr als 15000 E., als Gemeindeangehörige alle auf der Gemarkung Wohnenden, wahlberechtigt waren alle Deutschen ab dem 20. Lebensjahr, soweit sie seit sechs Monaten in der Gemeinde wohnten. In Gemeinden ab 2000 E. wählte der Bürgerausschuß Bürgermeister und Gemeinderat. Der Gemeinderat sollte aus dem Bürgermeister und je nach Einwohnerzahl 6 bis 24 ehrenamtlichen Gemeinderäten sowie evtl. den stellvertretenden Bürgermeistern und besoldeten Gemeinderäten bestehen. In Baden-Baden hatte der Stadtrat mit dem Oberbürgermeister und dem Bürgermeister 20 Mitglieder und bildete zusammen mit den 84 Stadtverordneten weiterhin den Bürgerausschuß.

Die Selbstverwaltung der Gemeinden fand ihr Ende mit der nationalsozialistischen deutschen Gemeindeordnung vom 30.1.1935, die dem (Ober-)Bürgermeister gegenüber dem Gemeinderat mehr Rechte einräumte und die Staatsaufsicht verschärfte. Seit 1933 kontrollierten 3 Kommissare die Stadtverwaltung. Oberbürgermeister Hermann Elfner schied zum 1.1.1934 aus Gesundheitsgründen aus dem Amt. 1942 verzeichnet das Adreßbuch neben dem Oberbürgermeister Hans Schwedhelm 2 Beigeordnete (Bürgermeister und Stadtrat), 2 Stadträte als ehrenamtliche Beigeordnete und 13 Ratsherren. Nach dem Zusammenbruch regelten 1946 französische Verordnungen das Gemeinderecht in Südbaden. Der Bürgerausschuß wurde abgeschafft, die Militärregierung setzte einen Bürgerrat als Berater des neuen Oberbürgermeisters ein. Die Gemeinderäte wurden von den Einwohnern gewählt und hatten Bürgermeister und Beigeordnete zu wählen. Die ersten Kommunalwahlen nach dem Krieg fanden am 15.9.1946

Tabelle 3   **Die Oberbürgermeister und (1.) Bürgermeister der Stadt Baden-Baden bis zur Gemeindereform**

	von	bis
Oberbürgermeister		
Hundt		1813
Schneider, Georg	1813	1830
Jörger, Anton	1830	1835
Schlund, Robert	1835	1840
Jörger, Joseph	1840	1858
Leile, Ignaz	1858	1859
Gaus, August	1860	1874
Zachmann, A.	1874	1875
Dr. Gönner, Albert	1875	1907
Fieser, Reinhard	1907	1929
Elfner, Hermann	1929	1934
Schwedhelm, Hans	1934	1945
Dr. h.c. Schlapper, Ernst	1946	1969
Dr. Carlein, Walter	1969	1990
(Erste) Bürgermeister		
Seefels, Hermann	1875	1888
Dr. Fuchs, Philipp	1888	1890
Dr. Schuberg, Georg	1890	1893
Fieser, Reinhard	1893	1907
Dr. Schwörer, Paul	1908	1909
Dr. v. Saint George	1909	1918
Elfner, Hermann	1918	1929
Dr. Potyka	1930	1933
Bürkle, Kurt	1935	1945
Dr. Holdermann, Walter	1949	1966
Dipl.-Ing. Wurz, Fritz	1966	1970
Mutzbauer, Rasso	1970	1971

Quellen: Loeser 1891. S. 305–306. Freundliche Mitteilung von Herrn Robert Erhard, Stadtarchiv Baden-Baden.

statt. Von den 24 Gewählten gehörten 13 der Christlich-Sozialen Union (später CDU), 4 der Sozialistischen Partei (später SPD), 6 den Freien Demokraten und 1 den Kommunisten an. Der Gemeinderat wählte Dr. Ernst Schlapper zum Oberbürgermeister. Die Gemeindeordnung vom 23. 9. 1948 bestimmte den Gemeinderat als das beschließende Organ für alle Gemeindeangelegenheiten. Daran änderte auch die am 25. 7. 1955 erlassene Gemeindeordnung für das neue Bundesland Baden-Württemberg nichts. 1970 hatte der Gemeinderat außer dem Oberbürgermeister Dr. Walter Carlein und dem Bürgermeister Rasso Mutzbauer 30 Mitglieder. Davon gehörten 13 der CDU, 8 der SPD, 5 der FDP und 4 der Freien Wählergemeinschaft an.[4]

Städtische und Gemeindebehörden. – Die *städtischen Behörden* wurden im Laufe des 19. und 20. Jh. mit dem Anwachsen der Verwaltungsaufgaben größer und differenzierter. Um 1805 trennte sich die Stadt- von der Amtsschreiberei, und die Stadt besoldete einen Stadtschreiber zur Führung der Geschäfte. Zwei Prokuratoren standen dem Magistrat und den Bürgern für besondere Anforderungen zur Verfügung. 1857

4. Gemeinde und Öffentliches Leben

führte der Ratsschreiber mit seinen Hilfskräften die Kanzleigeschäfte, das Rechnungswesen besorgte ein Rentmeister mit einem Gehilfen. Zur Stadtverwaltung gehörten weiter ein Stadtbaumeister, die Holzhofinspektion mit Holzabgeber und Bordmeister, die Verwaltung der Fruchtwaage, ein Schatzungsrat, das Waisengericht, die Eich- und Justierungsanstalt, 2 Feld- und 3 Bauschätzer, die Feuerschaukommission, 2 Leichenprokuratoren und untergeordnete Bedienstete. Für den Stadtwald war ein städtischer Bezirksförster mit 9 Waldhütern zuständig.[5] In den 1870er Jahren erhielten die städtischen Behörden bereits ein moderneres Gesicht. 1870 wurde das städtische Bauamt gegründet (1891 dann in Hoch- und Tiefbauamt geteilt). 1878 bestanden folgende städtische Behörden und Anstalten: Bürgermeisteramt (Oberbürgermeister und Bürgermeister), Ortsschulrat, Ortsgesundheitsrat, städtische Baukommission, Feuerlöschwesen, Sparkasse, städtische Bezirksforstei, Stadtbauamt und die Versorgungsunternehmen Gasfabrik und Schlachthaus.[6] 1900 waren nach weiterer Untergliederung Standesamt, Grund- und Pfandbuchführung, Stadtverrechnung und Rechnungskontrolle eigene Abteilungen. Insgesamt beschäftigte die Stadtverwaltung, abgesehen von Sparkasse und Versorgungsbetrieben, etwa 60 Personen.[7]

Die Struktur der Stadtverwaltung paßte sich weiter den Erfordernissen der jeweiligen Zeit an. 1932 waren das Wirtschaftsamt mit Vermessungsamt, die Kanzlei für Angestellten- und Arbeiterversicherung und ein Fürsorge- und Stadt-Jugendamt eingerichtet, Lichtental und Oos hatten eigene Stadtkanzleien. Die Sparkasse war aus der Stadtverwaltung ausgeklammert. Stadträtliche Pfleger trugen Sorge für städtische und soziale Einrichtungen.[8] Zehn Jahre später, 1942, waren zu Stadtkasse und Rechnungsamt noch Rechnungsprüfungsamt und Steueramt gekommen, zum Wirtschaftsamt ein Kriegswirtschaftsamt und die Abteilung für Familienunterhalt der zur Wehrmacht Einberufenen. Die Stadtkanzleien Lichtental und Oos sowie die stadträtlichen Pfleger waren weggefallen, dafür waren für die Friedhofverwaltung, die Sportaufsicht und die Fahrbereitschaft eigene Abteilungen geschaffen.[9] 1950 waren zwar die kriegsbedingten Ämter aufgehoben, neugeschaffen aber Wohnungsamt, Zuzugs- und Räumungsamt, Besatzungsamt und Preisbehörde. Aus Steuer- und Rechnungsamt war die Stadtkämmerei geworden, vom Wirtschaftsamt blieb das Vermessungs- und Liegenschaftsamt übrig. Neben dem Stadtbauamt bestand die Baupolizeibehörde. Bis 1970 trennten sich Stadtjugendamt und Sozialamt; neu waren das Amt für Öffentliche Ordnung, das Bewilligungsamt für Mietlastenzuschüsse, das Kreisamt für Umsiedlung, das Ausgleichsamt und die Kreisstelle für Naturschutz und Landschaftspflege. Weggefallen oder in andere Abteilungen eingegliedert waren Rechnungsprüfungsamt, Schlachthofdirektion, Besatzungsamt und Zuzugs- und Räumungsamt und Preisbehörde. Die Baupolizeibehörde wandelte sich zum Bauordnungsamt.

In den Landgemeinden einschließlich Steinbach waren Ratsschreiber und Gemeinderechner, die in wenigen Fällen Hilfspersonal hatten, die tragenden Säulen der *Gemeindeverwaltung*. In jeder badischen Gemeinde mußte schon früh im 19. Jh. ein Ratsschreiber angestellt sein. Die öffentliche Ordnung halfen Gemeinde- und Polizeidiener, Feld- und Waldhüter aufrechtzuerhalten. In Lichtental und Oos waren zeitweise 2 und 3 Polizeidiener angestellt, in anderen Orten versah der Gemeindediener mitunter auch das Amt des Polizeidieners. In den größeren Gemeinden sorgten Straßenmeister oder Wegwarte für die Gemeindestraßen. Hebammen, Leichenschauer und Totengräber waren bis weit ins 20. Jh. hinein bei allen Gemeinden angestellt, in den meisten auch Fleischbeschauer und Steinsetzer, die jedoch durch Gebühren bezahlt wurden. Im Grunde blieb die Struktur der Gemeindeämter bis nach dem 2. Weltkrieg nur wenig verändert. Erst dann verschwand mancher Dienst aus den kleineren Gemeinden, wie z. B. der Hebammendienst oder die Leichenschau. Im Rathaus ersetzte der im Verwaltungsdienst ausgebildete Hauptamtsleiter den Ratsschreiber.

Nichtkommunale Behörden. – Als Mittelpunkt eines Amtsbezirks beherbergte Baden-Baden schon im frühen 19. Jh. herrschaftliche und für den Amtsbezirk zuständige Behörden: dem *Bezirksamt* stand zunächst der Obervogt vor, dann der Oberamtmann und ein zweiter Beamter für Rechtspflege und Polizei. Auch die Badepolizei, d. h. die Verwaltung der Bäder, unterstand dem Amt. Um 1860 gehörten dem Bezirksamt an: der Amtmann und Stadtdirektor als Vorstand, ein weiterer Amtmann, 3 Polizeikommissäre und sonstiges Polizeipersonal. Es war bis zur Aufhebung des Bezirksamts Baden-Baden 1924 die oberste staatliche Behörde in der Stadt. Nach 1924 blieb die Polizeidirektion (bis 1934 mit der staatlichen Bäderverwaltung) erhalten. 1950 gliederte sich die Polizeibehörde in Verwaltungspolizei, Schutzpolizei und Kriminalpolizei, 1970 in das Polizeikommissariat und das Kriminalkommissariat Baden-Baden.

Das *Amtsrevisorat* (1805: ein Amtsrevisor) prüfte die Gemeinderechnungen, beaufsichtigte das Vormundschaftswesen und führte das Notariat. In den 1850er Jahren wurde die Behörde in Amtsrevisorat und Bezirksnotariat umbenannt. Infolge der Trennung der *Justizbehörden* von der Verwaltung im Jahr 1857 erhielt Baden-Baden ein *Amtsgericht* für die streitige und die freiwillige Gerichtsbarkeit. Von 1864 bis 1872 hatte der Kreis Baden ein *Kreisgericht*, dann wurde es mit dem in Karlsruhe vereinigt. In den 1930/40er Jahren bestand in Baden-Baden ein Arbeitsgericht. 1932 waren die Gerichtsvollzieher dem Gericht untergeordnet, später bildeten sie eine eigene Behörde. Da die Zonengrenze nach dem 2. Weltkrieg die Amtsgerichtsbezirke Rastatt, Gernsbach und Baden-Baden vom Landgericht Karlsruhe trennte, erhielt Baden-Baden 1945 zunächst zwei Kammern des Landgerichts Offenburg und eine detachierte Staatsanwaltschaft. 1950 wurde der Bezirk des nunmehr selbständigen Landgerichts Baden-Baden um die Amtsgerichtsbezirke Achern und Bühl erweitert. 1970 gab es an Justizbehörden: Amtsgericht, Landgericht, Staatsanwaltschaft, Gerichtsvollzieher und 3 Notariate.

Die herrschaftlichen Einnahmen überwachte zunächst die Amtskellerei (Amtskeller und Buchhalter), dann die *Domänenverwaltung*. 1840 war ihr die Forst- und Amtskassenverrechnung angegliedert. Die *Zollverwaltung* (1805: 1 Zollbediensteter) blieb zusammen mit dem Steueramt selbständig, bis nach 1871 das *Hauptsteueramt* gegründet wurde. Es vereinigte das Hauptzollamt für die Ämter Rastatt, Baden, Bühl, Oberkirch und Kehl, das Finanzamt für die Ämter Baden und Bühl, das Domänenamt für die Ämter Baden und Rastatt, die Amtskasse für Baden und Bühl, die Wasser- und Straßenbaukasse für die Ämter Baden und Bühl. Weitere Steuerbehörden waren das Steuerkommissariat und die Steuereinnehmerei. Nach 1919 wurden Finanzamt, Domänenamt und Hauptzollamt wieder selbständig. An die Stelle der Domänenverwaltung trat nach 1950 das staatliche Liegenschaftsamt. Aus der Zollzweigstelle am Bahnhof ging das Zollamt Bahnhof hervor. 1970 bestanden als Finanzbehörden das Finanzamt, das Hauptzollamt und das Zollamt Baden-Baden Bahnhof.

Für die *Forstverwaltung* war der Forstinspektor, 1810 der unter dem Rastatter Oberamt stehende Forstmeister und ein Förster, dann die Bezirksforstei zuständig. Neben der Bezirksforstei stand in den 1850/60er Jahren die Forstinspektion für die Forstbezirke Baden-Baden und Gernsbach. Um die Jahrhundertwende wurde die Bezirksforstei zum Großherzoglichen Forstamt Baden, nach 1919 zum Staatlichen Forstamt. Es war 1970 außerhalb des Stkr. Baden-Baden zuständig für die Staatliche Revierförsterei Eberstein burg und die Gemeindeforstbetriebe Ebersteinburg, Haueneberstein, Iffezheim, Kuppenheim, Oberndorf und Sandweier.

4. Gemeinde und Öffentliches Leben

Die *staatliche Gesundheitspflege* lag um 1800 beim Landphysikus und Landchirurgen, dann beim Amtsphysikat, seit etwa 1860 bei der Dienststelle des Amts- oder Bezirksarztes mit Assistenzärzten und weiterem Personal. Nach 1933 trat an deren Stelle das Staatliche Gesundheitsamt Baden-Baden, das noch 1970 bestand. Großherzogliche Behörden waren weiter die *Stiftungsverwaltung*, die Verwaltungen des *Bezirksspitals* und der *Waisenanstalt* in Lichtental, die Hofgärtnerei und die Schloßverwaltung. In den 1850er Jahren wurde die *Bezirksbauinspektion* eingerichtet, das spätere Bezirksbauamt, dann Staatliche Hochbauamt. Das 1950 auf Drängen der Besatzung geschaffene Sonderbauamt baute zunächst für die französische Garnison und blieb als Hochbauamt II bestehen. Ein *Arbeitsamt* wurde 1927 eingerichtet. 1970 war es eine Dienststelle des Arbeitsamtes Rastatt.

Behörden übergeordneter Gebietskörperschaften waren in Baden-Baden nur wenige vorhanden. Als die Regierung 1863/64 die bisherigen Kreise auflöste und neue Kreise als Selbstverwaltungskörperschaften der Gemeinden schuf, wurde Baden-Baden Kreisstadt für die Gemeinden der Amtsbezirke Achern, Baden, Bühl und Rastatt. *Kreisbehörden* waren 1890: Kreishauptmann, Kreisverrechnung, Kreisausschuß und Kreisschulvisitatur, später (1932) nur noch die Kreisversammlung und der Kreisrat. Die 18 badischen Kreisschulvisitaturen waren um 1910 in Kreisschulämter umbenannt worden. Aus dem Kreisschulamt wurde nach 1950 das Staatliche Schulamt Baden-Baden. An *Bundesbehörden* war 1970 nur die Bundesvermögensstelle Baden-Baden der Bundesfinanzverwaltung vertreten.

Ver- und Entsorgungseinrichtungen

Wasserversorgung. – Wasser erhielt die Stadt Baden-Baden in der 1. H. 19. Jh durch öffentliche (1810: 9) und private Brunnen. Da aber die Trinkwasserröhren oft neben den Röhren für das heiße Badewasser lagen, fehlte es an frischem kühlem Trinkwasser. In der Mitte des 19. Jh. wurde das Trinkwasser überhaupt knapp, so daß die Stadt und eine Aktiengesellschaft neue Quellen zur Wasserversorgung erschließen mußten. In den 1860er und 1870er Jahren baute sie eine Reihe neuer Brunnenleitungen, Reservoirs und Quellenfassungen, die die Quellen an den Talrändern zur Wasserversorgung nutzten (vgl. S. 399). 1875 bewilligte der große Bürgerausschuß einen Kredit für Vorarbeiten zu einer völlig neuen städtischen Wasserleitung. Es standen zwei Bezugsorte zur Wahl: eine Grundwasserversorgung aus dem Oostal oberhalb der Fischzuchtanstalt, und Quellwasser aus dem Quellgebiet im Buntsandstein. Der beauftragte Ingenieur Lueger aus Freiburg wählte die hochgelegenen Quellen an der Scherrhalde und Kugelau, wo Wasser in beliebiger Quantität gewonnen werden konnte, wenn man die Sammelanlagen entsprechend weit ausdehnte. Bis 1878 baute die Stadt eine Wasserleitung von diesen Quellen und einen Hochbehälter am Annaberg für einen Wasservorrat von 2000 cbm, dessen Höhenlage den Bau der Wasserleitung bis auf den Beutig ermöglichte. 1886/87 wurden weitere Quellen am Harzbach gefaßt und dem Hauptstrang zugeleitet. 1889 kaufte die Stadt die gesamte Anlage der neuen Trinkwasserversorgung von der Aktiengesellschaft für 70 000 Mark. Die gesamten Ausgaben für die Wasserleitung betrugen ca. 800 000 Mark. In der Stadt wurden 100 Hydranten verteilt. Die Kapazität der Leitung wurde auf eine Einwohnerzahl von 20 000 bei einem angenommenen Verbrauch von 100 Liter pro Kopf und Tag berechnet. Schon um 1900 genügte die Wasserleitung nicht mehr, da auch in den Hotels der Wasserbedarf ständig stieg. Bis 1905 wurden weitere Quellen im Raum von der Roten Lache bis zum Plättig erfaßt und neue Leitungen zu den gleichfalls neugebauten Hochzonenbehältern Yburg und Merkur gebaut. Es war vorgesehen und zum Teil schon begonnen, die Wasserversorgung bis in den Raum Herrenwies auszulegen. Aber das Land Baden brauchte für den Bau des Murgkraftwerkes auch das Wasser aus diesem Quellgebiet, und die bereits abgeschlossenen Verträge mit der Stadt Baden-Baden wurden gekündigt. Die Stadt mußte auf die älteren Pläne ausweichen und als Versorgungsreserve ein Grundwasserwerk im Oberwald bei Sandweier errichten. Die erste Druckleitung, die durch ein Pumpwerk in Sandweier betrieben wurde, war 1912 fertig. Gleichzeitig wurde der Höhenbehälter auf der Friedrichshöhe auf das doppelte Volumen erweitert. Erst nach dem 2. Weltkrieg mußte das Grundwasserwerk, das bisher nur zusätzlich benutzt wurde, einen größeren Anteil an der Wasserversorgung der Stadt übernehmen. Da auch die Erschließung neuer Quellen nur zeitweilige Entlastung brachten und das ganze Leitungsnetz störungsanfällig war, wurde in den 1950er Jahren die Wasserversorgung grundlegend verbessert. 1950 ließ die Stadt im Leisbergstollen oberhalb Kl. Lichtenthal einen neuen Behälter, 1951/52 eine mehr als 8 km lange zweite Druckwasserleitung bauen und das Rohrnetz erneuern, 1954/55 im Westen der Stadt, notwendig geworden durch den Bau der großen Siedlung für die Franzosen, einen Wasserspeicher am Hang des Fremersbergs mit mehr als 5000 cbm Inhalt errichten. Zu dem Hochdruckpumpwerk im Grundwasserwerk kam ein Niederdruckpumpwerk. Das Versorgungsnetz wurde zu einem Ringnetz von fast 300 km Länge umgebaut, in der Rheinebene wurde ein Horizontalfilterbrunnen gebaut, der sein Wasser aus dem Kinzig-Murg-Fluß erhält und eine Leistung von 2000 cbm/h erbrachte. 1956 wurde ein neuer Wasserhochbehälter am Tannenweg bei Oos gebaut und 1958 der Behälter am Annaberg erneuert.

Auch in *Lichtental* reichten bis in die Mitte des 19. Jh. die Gemeindebrunnen und die zahlreichen Privatbrunnen auch in trockenen Jahren aus. Erst nach 1860 mußten in Oberbeuern zusätzliche Brunnen erschlossen werden, und 1877 führte eine Untersuchung aller Brunnen zum Bau einer Wasserleitung, die einen Teil von Oberbeuern und Unterbeuern mit Trinkwasser versorgen sollte. Sie wurde 1903/04 in den unteren Ortsteil weitergeführt. *Oos* erhielt 1876 ein Wasserwerk. In den 1880er Jahren wurden neue Quellen zur Speisung der öffentlichen Brunnen gefaßt, die jedoch kein laufendes Wasser hatten. 1899 wurde für Oosscheuern eine Wasserleitung geplant, obgleich Oos selbst noch keine Leitung besaß. Die erst 1908 gebaute Wasserleitung versorgte auch die Ooser Fabriken.

Abgesehen von zeitweiliger Verschmutzung der Brunnen war auch *Balg* mit Pump- und laufenden Brunnen bis 1873 ausreichend mit Wasser versorgt. Dann wurden drei neue Brunnen gebaut. Eine Wasserleitung wurde 1910 fertiggestellt. *Haueneberstein* erhielt sein Wasser noch 1908 durch 54 laufende und 24 Pumpbrunnen, außerdem hatte fast jeder Einwohner einen Privatbrunnen. Eine Wasserleitung lehnte der Gemeinderat 1909 ab, obgleich im Gemeindewald ausreichend Wasser zur Verfügung stand und die vorhandenen Brunnen nach Ansicht des Bezirksamtes nicht genügten. 1913 war der Bau einer Wasserleitung zwar geplant, wurde aber erst 1929 durchgeführt. Nach dem 2. Weltkrieg reichte die Quellwasserversorgung nicht mehr aus. Der Ort schloß sich an die Baden-Badener Ringleitung an. In *Sandweier* gab es bei einem Mangel an guten Trinkwasserquellen noch 1892 nur unzulängliche Ziehbrunnen. Trotzdem war der Gemeinderat dem Bau von Pumpbrunnen abgeneigt. Erst nach 1900 ließ er die alten Brunnen durch Pumpbrunnen ersetzen, wohlhabende Bürger legten sich auch Pumpbrunnen in die Küche. Eine Wasserleitung hielt man daher für entbehrlich. Den Antrag der Stadtgemeinde Baden-Baden, ihr etwa 10 ha Gelände für die Errichtung einer Grundwasserleitung zu verkaufen, genehmigte der Gemeinderat nach ursprünglicher Ablehnung 1908, da der Gemeinde außer dem Kaufpreis (4000 Mark je Hektar) eine

4. Gemeinde und Öffentliches Leben

jährliche Mehreinnahme von 1000 Mark und das Recht, Wasser zum Selbstkostenpreis zu entnehmen, zugesagt wurden. Das Gelände wurde 1909 verkauft, das Wasserwerk 1912 in Betrieb genommen. Allerdings lehnte der Gemeinderat die Entnahme von Wasser ab, obgleich einige Brunnen wegen schlechten Wassers geschlossen werden mußten. Noch 1922 wurde die Wasserversorgung als primitiv und krankheitserregend bezeichnet, aber erst 1936 ein Wasserleitungsprojekt ausgearbeitet. 1954 schloß sich Sandweier an die Baden-Badener Wasserversorgung an.

Schwierig war die Wasserversorgung in *Eberstein burg* in heißen Sommern, auch nach dem Bau des Hilsbrunnens 1857. Mehrfache Untersuchungen führten zu keinem Ergebnis. Erst 1905 brachte der Bau einer Wasserleitung, an deren Kosten sich Staat und Kreis beteiligten, Abhilfe. Aber schon 1912 mußte die Leitung erweitert werden, da sie nicht mehr ausreichte. 1922 galt die Wasserversorgung als befriedigend. 1939/40 baute die Gemeinde einen Hochbehälter und Pumpenraum.

In *Steinbach*, *Neuweier* und *Varnhalt* belieferten spätestens in den 1880er Jahren Wasserleitungen die öffentlichen Brunnen, die in der Mehrzahl laufendes Wasser führten. Daneben gab es auch öffentliche Pumpbrunnen und einige Privatbrunnen. Nur Neuweier besaß keine laufenden Brunnen. Die erste Wasserleitung mit Hausanschluß wurde dort 1881 für das Pfarr- und das Schulhaus gebaut, um 1900 erhielt der Zinken Schneckenbach Privatleitungen, 1910 wurde eine allgemeine Wasserleitung gebaut. Varnhalt ließ kurz nach 1900 eine Wasserleitung mit Hausanschlüssen legen. 1957 stellte Varnhalt auf Grundwasserversorgung um, 1965 baute die Gemeinde eine Pumpstation und einen Hochbehälter.

Kanalisation. – Noch um 1830 verunreinigten Düngerfuhren und der Durchtrieb von Schweinen die Straßen der Stadt, und noch in der Jahrhundertmitte besorgten die Insassen des Armenspitals *die Straßenreinigung*. Regen- und Schmutzwasser floß in Dolen zur Oos. Nach jahrelangen Vorarbeiten erstellte 1885/86 Ingenieur Lueger aus Stuttgart ein Projekt für eine allgemeine Kanalisation. Die Stadt nahm ein Kapital von 5 148 000 Mark auf und ließ die Arbeiten in den neueren Stadtteilen und Badenscheuern beginnen. Sie wurden 1902 in der Friedrichshöhe, Gunzenbach, Herchenbach usw. abgeschlossen. Die Arbeiten wurden hauptsächlich im Winter durchgeführt und trugen so zur Vermeidung von saisonaler Arbeitslosigkeit bei. In den 1930er Jahren war die Kanalisation veraltet und ungenügend. Die Sanierung finanzierten 1937/38 außerordentliche Zuschüsse aus Spielbankmitteln in Höhe von 619 000 RM. Nach dem 2. Weltkrieg mußte die Abwasserfrage neu geregelt werden. Ein Hauptsammelkanal und eine Versuchs-Kompostanlage wurden 1949 gebaut. Das zunächst nur mechanisch arbeitende Klärwerk in Oos ging 1952 in Betrieb und wurde später durch eine chemische Fällungsanlage und in den 1960er Jahren durch eine biologische Stufe ergänzt. Baden-Baden war Vorreiter mit Versuchen zur Klärschlammkompostierung, bei der sowohl Stadtmüll als auch Abwasserschlamm zu Kompost verarbeitet wurde.

Lichtental schloß sich 1897 mit Kanalisationsarbeiten im unteren Ortsteil an Baden-Baden an. In *Oos* beschränkte man sich wie in den Dörfern der Umgebung auf die Pflasterung der Straßenrinnen, um den Regen- und Schmutzwasserabfluß zu erleichtern. Erst 1908 wurde der Ortsteil um den Bahnhof gegen den Einspruch der Stadt Rastatt, die eine Verschmutzung der Oos befürchtete, kanalisiert. In den übrigen heutigen Stadtteilen begann man erst nach dem 2. Weltkrieg mit umfassenden Ortskanalisierungen. So wurde *Haueneberstein* 1950 voll kanalisiert und leitete die Abwässer in eine biologisch arbeitende Kläranlage ein. In *Varnhalt* setzten die Arbeiten 1957 ein.

Gasversorgung. – Für Baden-Baden, schon immer an guter Straßenbeleuchtung interessiert, baute auf Initiative von Jean Jacques Bénazet der Lyoner Gasfabrikant J. P. Pollailon 1845 bei der Leopoldstraße ein Steinkohlengaswerk, das Gas für die Außen- und Innenbeleuchtung erzeugte. Nach Ablauf der auf 25 Jahre erteilten Konzession nahm die Stadt das Gaswerk in eigene Regie und errichtete nach Plänen des Direktors der städtischen Gas- und Wasserwerke Karlsruhe, C. Lang, ein neues großes Gaswerk im Michelbachtal. Es ging 1871 in Betrieb und mußte infolge unerwartet hohen Gasverbrauchs (1885: 1 Million cbm) mehrfach erweitert werden. Obwohl das Gas für die städtische Beleuchtung und die Kuranstalten zum Selbstkostenpreis abgegeben wurde, erzielte das Gaswerk 1885 einen Reinertrag von 100 000 Mark. Auch an den Straßen in *Lichtental* leuchteten schon Ende der 1890er Jahre Gaslaternen, während in *Oos* bis 1908/09 noch Öllampen brannten.

Die wirtschaftlichen Schwierigkeiten in den 1920er Jahren veranlaßten die Stadtverwaltung 1930, die Stadtwerke (Gas und Elektrizitätswerk) zu vergesellschaften und 49 % des Aktienkapitals zu verkaufen. 1938 kaufte sie diese Anteile zurück. Nach dem 2. Weltkrieg war eine neuerliche Modernisierung der Gasanlagen erforderlich. Das nach dem technischen Bürgermeister der Stadt »Wurz-Verfahren« genannte Verfahren steigerte durch Zugabe von Schweröl zur Entgasungskohle Ofenleistung und Gasausbeute und verringerte den Koksanfall. 1957 wurde eine neue Hochdruckgasbehälteranlage errichtet. Anfang der 1960er Jahre gab die Stadt aus wirtschaftlichen Gründen die Eigenproduktion von Gas auf und schloß sich schrittweise an die Ferngasversorgung an.

Stromversorgung. – Schon vor der Jahrhundertwende erkannte die Stadt den Nutzen der Elektrizität, auch für den Betrieb der Verkehrslinien, und baute neben dem Gaswerk ein Gleichstromwerk für ein Stromnetz von 160 Volt. Da die Entwicklung zum Drehstrom überging, mußte die Stadt in jahrzehntelanger Arbeit ihre Stromversorgung auf Drehstrom und 220 Volt Spannung umstellen. Um 1925 produzierte das stadteigene Elektrizitätswerk 2000 kW, zusätzlichen Strom lieferte das Badenwerk. Nach dem 2. Weltkrieg war das Netz überlastet, die Umstellung auf Drehstrom noch nicht völlig durchgeführt. In der Innenstadt wurde ein neues Verteilernetz geschaffen.

Die Gemeinde *Sandweier* genehmigte 1911 in einem Vertrag mit der Rheinischen Schuckert-Elektrizitätsgesellschaft die Aufstellung von Masten zur Übertragung der Elektrizität vom E-Werk Achern nach Niederbühl, versäumte aber, sich günstige Abnahmebedingungen zu sichern. Erst ab 1919/20 erhielt die Gemeinde Strom vom Badenwerk und erstellte die Ortsnetzanschlüsse für 68 000 Mark. In *Haueneberstein* beschloß die Bürgerversammlung 1913 einstimmig die Einführung von elektrischem Strom aus dem Murgwerk. Das *Rebland* erhielt unmittelbar nach dem 1. Weltkrieg Stromanschlüsse (Varnhalt 1920). 1957 wurden in *Varnhalt* vier Trafostationen errichtet und das Ortsnetz auf den technischen Stand der Zeit gebracht.

Feuerwehr. – Eine erste freiwillige Feuerwehr in *Baden-Baden* stellte unter dem Eindruck des Karlsruher Theaterbrandes 1847 der Turnverein auf. Die Firma K. Metz in Heidelberg lieferte die Feuerspritze und bildete auch das »Pompiercorps« aus, dem auch die ältere Pflichtfeuerwehr zugeteilt wurde. Die Neuorganisation der Feuerwehr 1853 verpflichtete alle Bürger bis zum 45. Lebensjahr zum Dienst, seit 1863 war er jedoch wieder freiwillig. Seit 1882 gibt es Feuermelder in der Stadt. Der Bau der Wasserleitung ermöglichte den Anschluß der Feuerspritzen an Hydranten. Um 1890 bestand die militärisch organisierte Freiwillige Feuerwehr aus 2 Kompanien mit je

3 Hauptabteilungen (Rettungsmannschaft, Arbeitsmannschaft und Spritzenmannschaft) und der Feuerwehrkapelle. Die Feuerwehr verbesserte ihre Ausstattung mit dem technischen Fortschritt. 1970 unterstand sie dem Kreisfeuerwehramt mit dem Kommando Feuerwache in der Vincentistraße. Es war eine Rundsteueranlage mit Funkalarmierung, 76 Feuermeldern und 13 Sirenen eingerichtet.

In *Lichtental* waren die gut unterhaltenen Feuerlöschgeräte in der Mitte des 19. Jh. im Klosterhof, im Schulhaus und in Geroldsau untergebracht. 1869 besaß allein Unterbeuern 2 Spritzen. Erst 1871 galt aber die Feuerwehr von 80–90 Mann als gut organisiert. 1894 besaß die Gemeinde 4 Feuerspritzen, die Feuerwehr hatte 163 Mitglieder. Im gleichen Jahr zählte die Freiwillige Feuerwehr in *Oos* etwa 100 Mitglieder. Moderne Spritzen waren angeschafft worden. Die Gemeinde *Balg* baute 1864 eine neue Feuerremise für die Löschgeräte. 1873 wurden die ungenügenden Geräte durch eine neue Feuerspritze ersetzt. 1893 bestand die Löschmannschaft aus ca. 120 Mann. In *Sandweier* beschränkten sich noch um 1860 die Löschgeräte auf Schapfen und Tragbütten, Wasser lieferte die Oos. 1875 war zwar eine kleine Spritze vorhanden, aber noch 1899 wurden 120 neue Feuereimer gekauft. In den 1930er Jahren waren zwar die Geräte in Ordnung, im Brandfall verließ man sich aber auf Hilfe aus Baden-Baden. Auch *Haueneberstein* schaffte in den 1870er Jahren eine neue Feuerspritze an. Zum Brandcorps war ein Zehntel der Einwohner eingeteilt. Die Freiwilligen Feuerwehren in Sandweier und Haueneberstein wurden erst 1936 und 1937 gegründet. *Ebersteinburg* besaß um 1870 nur eine kleine Feuerspritze und keine Mittel zur Modernisierung. Trotzdem arbeiteten Mannschaft und Geräte der Freiwilligen Feuerwehr bei einem Brand im Jahr 1900 zweckmäßig. Besser ausgestattet war schon um 1865 die Stadt *Steinbach* mit 3 Feuerspritzen, 2 Wagen und 1 Handspritze. 1877 richtete sie ein Übungsgelände mit Wasserreservoir und Gerätehalle ein, 1883 versah sie die Wasserleitung mit Hydranten, so daß auch die höher gelegenen Stadtteile genügend Löschwasser erhielten. In *Neuweier* waren 1866 eine Wagen- und eine Handfeuerspritze, in *Varnhalt* mit Gallenbach 3 Feuerspritzen vorhanden. Um 1950 umfaßte die Ausstattung der Freiwilligen Feuerwehr Neuweier (40 Mann) fahrbare Druck- und Saugspritzen, Hydrantenwagen und Schiebeleitern. *Varnhalt* hatte sich in den 1930er Jahren allen behördlichen Anordnungen zur Gründung einer freiwilligen Feuerwehr widersetzt und gab erst 1945 auf Druck der Militärregierung nach. 1956 wurde eine neue Motorspritze und 1968 ein neues Feuerwehrfahrzeug angeschafft.

Gesundheitswesen und soziale Einrichtungen

Medizinische Versorgung. – Die ärztliche Versorgung der Stadt ist von der des Kurortes nicht zu trennen. 1805 bzw. 1810 praktizierten hier zwei Ärzte: der Stadtphysikus Dr. Krapf und der Hofarzt der verstorbenen Königin von Preußen Physikus Schaffroth. Untergeordnete medizinische Dienste leisteten drei Chirurgen. Das gesamte Medizinal- und Badewesen unterstand der großherzoglichen Sanitätskommission im Ministerium des Innern. Wie für jeden Amtsbezirk waren ein Amts- bzw. Stadtphysikus und ein Landchirurg aufgestellt. Ein Badearzt hatte die staatlichen Bäder zu überwachen. Einer der bekanntesten Badeärzte, Dr. Anton Guggert, führte in den 1840er Jahren die Molkenkur und Winterkuren ein. 1840 praktizierten schon 10 Ärzte, 1 Chirurg Erster Klasse und mehrere einfache Chirurgen, außerdem 2 Tierärzte[10], um 1865 auch ein Augenarzt. 1878 war von den Chirurgen keine Rede mehr. Um 1880 setzte sich der Badearzt Dr. Franz Heiligenthal u. a. für den Ausbau der Bäder ein und machte sich besonders um die Organisation des Friedrichsbades verdient, dessen

Tabelle 4 Ärzte in Baden-Baden 1900, 1950, 1970

Fachrichtung	1900	1950	1970
Allgemeinärzte (1900 auch Innere Krankheiten)	18	35	34
Anästhesie		1	
Augenkrankheiten	2	3	5
Chirurgie (1900 auch Frauenkrankheiten)	5	3	3
Frauenheilkunde und Geburtshilfe		6	9
Hals-, Nasen, Ohrenkrankheiten	2	3	3
Haut- und Geschlechtskrankheiten		3	5
Innere Krankheiten		10	24
Kinderkrankheiten	1	4	4
Laboratoriumsdiagnostik		1	
Lungenkrankheiten		1	
Nerven- und Geisteskrankheiten (1900: Suchtkrankheiten)	4	4	2
Orthopädie	1	2	3
Röntgenologie		1	2
Urologie			3
Zahnärzte	4	20	44
Institut für Naturheilverfahren		1	
Gesamtzahl	38	100	138

Quellen: Adreßbuch 1900. S. 32–35. Adreßbuch 1950/51. S. 34–38. Adreßbuch 1970. S. 3–7.

dirigierender Badearzt er war. Er richtete dort 1884 die erste Abteilung für mechanische Heilgymnastik und Massage in Deutschland ein.

Gegen Ende des 19. Jh. spezialisierten sich die Ärzte mehr und mehr nach Fachgebieten. Im Jahr 1900 waren schon eine Reihe von Fachärzten in Baden-Baden ansässig (s. Tabelle), die Zahl der Ärzte und der Fachrichtungen nahm aber weiter zu. 1932 gab es bereits 75 Ärzte in der Stadt, 1950 zählt das Adreßbuch 100 Ärzte auf, darunter 15 – meist Allgemeinmediziner – mit reinen Privatpraxen. Unter den im Jahr 1970 niedergelassenen 138 Ärzten unterhielten 27 Ärzte und 6 Zahnärzte ausschließlich Privatpraxen.

In *Lichtental*, wo 1878 ein Arzt genannt wurde, praktizierten 1903 bereits zwei Mediziner. Der Arzt in *Oos* behandelte (1893) auch die Kranken in Balg. In *Sandweier* hatte der Arzt um 1908 auch die Aufgaben des Armenarztes. In *Ebersteinburg* leisteten die Ärzte im Sanatorium auch den Einwohnern ärztliche Hilfe. Sonst waren die Einwohner der Dörfer auf die regelmäßigen Besuche des Bezirksarztes im Dorf oder auf die Ärzte in der Stadt bzw. in Nachbargemeinden angewiesen.

Krankenhäuser und Sanatorien. – Im Jahr 1803 vermachte der Ratsherr Jakob Seefels sein Haus der Stadt zu einem Krankenhaus für Dienstboten und Handwerksgesellen. Nach einem Streit mit seinen Erben erhielt die Stadt nur einen Geldbetrag von 1100 fl, der dem »Alten Krankenhausfonds« zugute kam. Vorerst wurde nur das Gutleuthaus (s. u.) zur Aufnahme kranker Dienstboten aufgestockt. Die in der Stadt arbeitenden Dienstboten mußten dafür einen wöchentlichen Beitrag leisten. Als dieses Krankenhaus bei weitem nicht mehr genügte, wurde auf Regierungserlaß 1847 ein neuer Krankenhausfonds gebildet, in dem alle Stiftungen zusammenfließen sollten. Er erhielt zahlreiche Zuwendungen, u. a. von den Spielbankpächtern. 1852 baute die Stadt ein Hilfsspital, 1857 wurde der Grundstein zu einem *Städtischen Krankenhaus* gelegt.

Der Bau zwischen der Maria-Viktoria- und der Lichtentaler Straße war 1860 fertig und bekam eine eigene Thermalwasserleitung. Die Pflege übernahmen die Barmherzigen Schwestern. Obgleich zunächst nur für Dienstboten und Arbeiter gedacht, wurde das Krankenhaus 1879 durch einen Neubau mit Badeeinrichtungen erweitert, der auch Fremde zur Kur und für Operationen aufnahm. 1890 hatte das Krankenhaus einschließlich der Privatzimmer 796 Betten. Schon vor dem 1. Weltkrieg plante die Stadt einen völligen Neubau, aber die Mittel reichten nur für einen Neubau der Abteilung Innere Medizin. Nach 1945 war das Krankenhaus völlig unzureichend geworden, aber auch jetzt mußte man sich mit Erhöhung der Bettenzahl, Erweiterung der Laboratorien, der Chirurgischen Abteilung und der Röntgenstation begnügen. 1958 entstand neben dem Krankenhaus ein Neubau auch für Schwesternschule und Kinderstation, die das als Notbehelf während des Krieges eingerichtete Kinderkrankenhaus Villa Hohenstein ersetzte. 1962 brannte ein Teil der Chirurgischen Abteilung ab. 1965 beschloß der Gemeinderat den Bau eines neuen Krankenhauses am Hardberg, aber das Vorhaben konnte erst 1977 nach der Gemeindereform ausgeführt werden. 1970 umfaßte das Städtische Krankenhaus in der Maria-Viktoria-Straße die Chirurgische, Innere, Röntgen- und Kinderabteilung.

Über das *Staatliche Rheumakrankenhaus* wurde bereits berichtet (vgl. S. 228).

Das *Vincentius-Krankenhaus* baute der Vincentius-Verein, der bereits einige Krankenschwestern vom hl. Kreuz in der Krankenpflege eingesetzt hatte, nach 1881 in der Stefanienstraße. 1890 nahm das inzwischen vergrößerte Haus 50–60 Patienten auf. Außerdem waren die Schwestern weiterhin in der häuslichen Pflege tätig.

In *Lichtental* richtete die Gemeinde 1860 ein neues Spital ein und vergrößerte es bald darauf. 1869 wurde das Haus mit 19 Betten, in dem 3 Barmherzige Schwestern pflegten, als luxuriös und den Aufwand nicht rechtfertigend bezeichnet, 1875 war es an arme Leute vermietet und sollte verkauft werden, 1879 jedoch waren Geisteskranke darin untergebracht. In *Steinbach* diente das 1868 gestiftete Spital als Krankenhaus, Waisenhaus und Altenheim.

Private Sanatorien und Kliniken. – Zwischen 1870 und dem Ausbruch des 1. Weltkriegs wurden in Baden-Baden zahlreiche private Krankenanstalten und Sanatorien gegründet. Nur einige von ihnen bestanden noch 1970: Das *Josefinenheim*, von der Gattin des Großkaufmanns Hermann Sielcken (1910 Ehrenbürger der Stadt) als Frauenklinik und Entbindungsheim gestiftet und unter die Leitung des Roten Kreuzes gestellt, wurde nach dem 2. Weltkrieg als Schwerpunktkrankenhaus im Rahmen der Landesplanung anerkannt und auch baulich zur DRK-Klinik erweitert (1970: 190 Betten), die sich auf Orthopädie und Handchirurgie spezialisiert. Auch das *Sanatorium DDr. Frey-Gilbert* für Herz- und Nervenleiden besteht unter dem Namen Klinik Dr. Franz Dengler Nachf. noch heute. Das *Sanatorium Quisisana*, 1873 noch »Klinik für Frauenkrankheiten von Dr. J. Baumgärtner«, mußte im und nach dem 2. Weltkrieg zeitweilig auch als Krankenhaus dienen und wurde dann zum Sanatorium für innere Krankheiten erweitert.

1875 gründete der Augenarzt Dr. von Hoffmann beim Bahnhof eine *Augenklinik* und gliederte ihr eine aus Spenden finanzierte Abteilung für Unbemittelte an. Sie bestand noch 1910, aber nicht mehr nach 1918. Die 1881 von mehreren Ärzten gegründete *Pneumatische Anstalt* wandte atmosphärische Luft unter verschiedenem Druck zur Heilung u. a. von Erkrankungen der Atemwege an. Sie scheint die Jahrhundertwende nur kurz überlebt zu haben. Einen Schwerpunkt innerhalb der Medizin in Baden-Baden bildete um 1900 die Bekämpfung von Nerven- und Suchtkrankheiten. Seit 1890 leitete Dr. Otto Emmerich in der Quettigstraße eine *Anstalt für Morphium-, Kokain- und ähnliche Kranke*, die von den höchsten Kreisen besucht wurde. Patienten mit Geistes- und Infektionskrankheiten durfte sie nicht aufnehmen.[11]

Für das Jahr 1900 führt das Adreßbuch außer den bereits genannten folgende private Krankenanstalten und Sanatorien auf: Sanatorium Dr. Paul Ebers am Annaberg, Privatheilanstalt für Nerven- und innere Krankheiten; Heilanstalt für Magen- etc. Leidende von Dr. Burger; Heilanstalt für Morphium-Kranke, Villa Opperfeld, Dr. Müller. Bis 1906 kamen hinzu: Sanatorium Groddeck in der Werderstraße; Sanatorium Dr. Heinsheimer für Stoffwechsel-, Magen- und Darmkranke in der Leopoldstraße und die Naturheilanstalt von Malten in der Fremersbergstraße. Letztere bestand noch 1970 als *Dr. Maltens Anstalt für Herz-, Kreislauf- und Stoffwechselkranke*. Aus dem Sanatorium Dr. Heinsheimer ging das gleichfalls 1970 noch betriebene *Sanatorium Höhenblick* hervor, das (1942) der Evangelischen Diakonissenanstalt Karlsruhe-Rüppurr unterstand und später als Rheumaheilstätte von der Landesversicherungsanstalt Baden übernommen wurde. Außer diesen Häusern führt das Adreßbuch 1970 an privaten Sanatorien nur noch auf: Sanatorium Birkenhöhe in der Herchenbachstraße und Sanatorium Rubens in der Werderstraße, früher ein Fremdenheim.

In Ebersteinburg nahm das 1905 gegründete Sanatorium Dr. Rumpf, später *Sanatorium Ebersteinburg* leicht lungenkranke Damen auf. Nach dem 1. Weltkrieg war es auf den Besuch von Ausländern angewiesen, da für viele Deutsche die Kosten zu hoch waren. Das Sanatorium schloß 1936 vorübergehend, wurde aber 1939 von der Wohltätigkeitsgesellschaft Maria Hilf GmbH Bühl wieder betrieben. Inzwischen ist es zur Klinik für Innere Medizin erweitert.

Hebammen und Krankenpflege. – Die *Hebammen* standen während des 19. Jh. unter der Aufsicht der großherzoglichen Sanitätskommission. Die Hebammenprüfung nahm der Bezirksarzt ab. 1840 praktizierten in Baden-Baden 4 Hebammen, 1873 und 1900 dann 8. Später gingen ihre Aufgaben an die Krankenhäuser über. In den Dörfern gehörten bis in die Mitte des 20. Jh. eine oder meist zwei Hebammen zu den Gemeindebediensteten. *Häusliche Krankenpflege* organisierte u. a. der Vincentiusverein. Spätestens um die Jahrhundertwende unterhielten alle Kirchengemeinden Schwesternstationen, die neben anderen sozialen Aufgaben auch diese Aufgabe übernahmen.

Apotheken. – Die älteste Apotheke Baden-Badens, die »Alte Schloßapotheke«, zog 1832 von der Schloß- in die Lange Straße. 1838 erhielt nach langem Bemühen der Mannheimer Apotheker Franz Steimig das Privileg für die spätere Hofapotheke in der Sofienstraße. Hermann Bilharz, der sie 1860 übernahm, verkaufte dort auch chirurgische Instrumente, Parfümeriewaren, Wein und Mineralwasser. 1887 ging die Hofapotheke an Dr. Oskar Rössler über, der aus dem Holland-Hotel stammte und sich einen Namen als Balneologe und Stadtgeschichtsforscher machte. In seiner Familie war sie noch 1979. In *Oos* wurde 1902 eine Apotheke zugelassen, in *Lichtental* vor 1903 die Kronenapotheke gegründet. Bis 1950 kam nur die Friedrich-Apotheke in der Langen Straße hinzu, aber 1970 gab es in Baden-Baden, Oos und Lichtental außer den bereits genannten noch zehn neue Apotheken.

Friedhöfe. – Bis 1840 lag der Baden-Badener Friedhof bei der Spitalkirche, dann wurde auf dem Häslich ein neuer Friedhof mit einem Leichenhaus angelegt und der alte Friedhof 1843 aufgegeben. *Lichtental* legte 1894 einen neuen Friedhof an und erweiterte ihn um 1908. Der Friedhof in *Oos* wurde am alten Platz nördlich des Ortes 1907 vergrößert und mit einer Leichenhalle ausgestattet. Der 1822 angelegte Friedhof in *Haueneberstein* wurde 1908 erweitert und 1959 durch eine Leichenhalle ergänzt. Der Friedhof in *Neuweier* erfuhr 1865 und der in *Sandweier* 1873 eine Vergrößerung.

Soziale Einrichtungen. – Die drei ehrwürdigen Wohltätigkeitsanstalten, die um 1800 in der Stadt von Stiftungen, milden Gaben und einem Teil des Glücksspielertrags lebten, gingen in veränderter Form in den neuen Stadtkreis ein. Das *Herrschaftliche Spital*, eine markgräfliche Stiftung, nahm als Pfründnerhaus Alte und Gebrechliche aus der ehemaligen Markgrafschaft, aber nicht aus der Stadt Baden, auf. 1857 verfügte es über 24 Pfründen und ein Vermögen von 194000 fl. Ende des 19. Jh. gab es 36 alten gebrechlichen Leuten Wohnung, Verpflegung und ärztliche Hilfe. Der jährliche Aufwand lag bei 20000 Mark. In seinem Haus befand sich auch die Verwaltung aller Stiftungen. Anfang der 1930er Jahre und noch 1970 befand sich das Herrschaftliche Bezirksspital als Altersheim auf dem Schafberg bei Lichtental.

Das *städtische Gutleuthaus*, gegründet als Siechenhaus für Aussätzige, war um 1800 eine Pfründenanstalt für Bürger der Stadt und von 1817 bis 1852 auch Krankenhaus. Das noch 1857 geringe Kapital von 14755 fl vermehrte sich in der Folge. Im 20. Jh. wurde das Gutleuthaus Städtisches Altersheim. Das *Armen- oder Freibad* ist die Keimzelle des Staatlichen Rheumakrankenhauses (vgl. S. 228.)

Neue soziale Einrichtungen entstanden im 19. Jh. So gründete Großherzog Leopold 1835 mit einem Kapital von 200000 Franken, das ihm der aus Kippenheim bei Lahr stammende und in London als Schneider zu Vermögen gekommene Georg Stulz (geadelt als Stulz von Ortenberg) 1832 unter anderen Stiftungen zukommen ließ, im Amtshaus des Kl. Lichtenthal ein Waisenhaus für zunächst 45 Jungen und Mädchen aller Konfessionen. Das Vermögen vermehrte sich, auch durch weitere Stiftungen. 1857 konnten schon 68 Waisen aufgenommen werden. 1908 wurde ein neues Waisenhaus gebaut. Später erhielt die Anstalt nach einem weiteren Stifter den Namen *Von Stulz-Schriever'sche Waisenanstalt*. Nach dem 2. Weltkrieg wurde sie in ein Heim für schwer erziehbare Knaben umgewandelt.

In den 1850er Jahren übernahm der Frauenverein soziale Aufgaben. Er organisierte die *Kleinkinderbewahranstalt* (1857: 90 Kinder) und die *Suppenanstalt*, in der täglich unentgeltlich Suppe und wöchentlich Brot ausgegeben wurde. Beide Anstalten erhielten sich aus freiwilligen Beiträgen und befanden sich unter einem Dach. Der 1879 gegründete *Verein gegen Haus- und Straßenbettel* richtete eine Herberge ein, gab Verpflegung aus und vermittelte Arbeitsstellen.

Großherzogin Luise stiftete 1888 zum Gedenken an ihren Sohn und ihre Mutter das *Ludwig-Wilhelm-Pflegehaus* für Frauen gebildeter Stände, die dort Krankenpflege und Erholung finden sollten. Das Haus wurde 1890/91 in der Gernsbacher Straße gebaut. Als Ludwig-Wilhelm-Stift wurde es später zum Erholungsheim für Dauer- und Kurgäste (1950), geführt vom Roten Kreuz.

Im Jahr 1929 gründeten die Frauen vom Guten Hirten (Mutterhaus in Angers) in Lichtental das *Haus Maria Frieden* als Erziehungshaus für schulentlassene Mädchen. Die Barmherzigen Brüder führten das *Bernhardusheim* für Krankenpflege in Baden-Baden.

Auch die Stadt *Steinbach* baute 1868 aus Stiftungsmitteln ein Spital und Armenhaus zur Verpfründung vermögender und Verpflegung armer Gemeindeangehöriger und als Waisenhaus. Zwischen 1869 und 1881 hatte das Spital 30–40 Insassen. 1893 konnten 6 Pfründner, 25 Spitaliten, 10 Kranke und 4 Kinder aufgenommen werden.

Kindergärten. – Außer der städtischen, vom Frauenverein betreuten Kleinkinderbewahranstalt gab es 1857 in der Stadt zwei Privatkinderschulen, 1890 eine evangelische und eine private Kleinkinderschule. Bis 1900 war eine katholische Kleinkinderschule der Hegne-Schwestern im Vinzentiushaus hinzugekommen. Die aus milden Beiträgen gegründete und erhaltene Kleinkinderschule in Lichtental betreute schon im Jahr 1875 120 Kinder. 1910 wurde sie vom Vinzentiusverein getragen. Die Kleinkinderanstalt in Oos war 1891 im alten Schulhaus untergebracht und wurde von drei Franziskusschwestern betreut. Um 1910 erhielt sie einen Neubau. In Balg diente 1939 ein Raum im Schulhaus dem von der NSV (Nationalsozialistische Volkswohlfahrt) geführten Kindergarten. 1950 gab es in der Stadt nur konfessionelle Kindergärten: evangelische in der Altstadt, in Lichtental und in der Weststadt, katholische in der Altstadt (Fröbel-Kindergarten), in der Weststadt, in Lichtental und in Oos. 1970 standen außer den Kindergärten (Altstadt, Weststadt, Lichtental, Oberbeuern, Oos, Balg, Geroldsau) auch eine Kindertagesstätte und ein Caritaskinderheim zur Verfügung.

Von den nach 1970 eingemeindeten Orten hatten zu Beginn des 20. Jh. nur Sandweier und Steinbach (seit 1885) Kinderbewahranstalten. In Sandweier betreuten Franziskusschwestern im alten Schulhaus (1903) 136 Kinder. In Steinbach wurde der Kindergarten vom Frauenverein betreut und hatte eine weltliche Lehrerin. Eberschulbierg baute 1913 eine Kleinkinderschule. 1939 besaß auch Eberschulbierg einen Gemeindekindergarten, in Neuweier gehörte der Kindergarten zum Schwesternhaus. In Varnhalt fehlte ein Kindergarten, bis 1963 in Zusammenhang mit dem Neubau der Volksschule der kath. Kindergarten St. Elisabeth eingerichtet werden konnte.

Altenheime. – Zu den oben aufgeführten alten Einrichtungen sind einige weitere Alten- und Altenpflegeheime hinzugekommen, gleichfalls zum Teil durch Stiftungen ins Leben gerufen. So geht das Städtische Altersheim »Im Quettig« auf eine private Stiftung (Breitenberger) zurück. In Lichtental wurde das Altenpflegeheim durch einen außerordentlichen Holzhieb finanziert. Vor der Gemeindereform bestanden in Baden-Baden folgende Einrichtungen der Altenfürsorge: Städtische Altersheime: Im Quettig, Gutleuthaus, Annaberg, Theresienheim in Lichtental. Weitere Altenheime: Josefshaus, Herrschaftliches Bezirksspital Schafberg-Altersheim, Lehrerinnenheim, Ludwig-Wilhelm-Stift, Marthahaus, Pflegeheim Villa Georgsruhe. Das Altersheim in Steinbach war aus dem 1868 gegründeten Spital hervorgegangen.

Sport

Etwa seit 1860 fanden sportliche Betätigungen in Baden-Baden besonderes Interesse und Förderung, auch durch den Bau zahlreicher Sportanlagen. Schon in den 1850er Jahren hatte die Großh. Domänenverwaltung am Balzenberg ein Gelände für eine Schießstätte zur Verfügung gestellt, die der Schützengesellschaft als Versammlungs- und Übungsplatz diente und wo auch Gäste willkommen waren. 1863 bauten die Schützen dort eine *Schießhalle* mit Kegelbahnen, Wirtschaft und Garten. In unmittelbarer Nachbarschaft bauten dann die schon seit Jahrzehnten aktiven Turner eine geräumige *Turn- und Festhalle*, finanziert u. a. durch Spenden des Spielbankpächters Emile Dupressoir. Nach 1945 wurde die Halle Behelfsstudio des Südwestfunks.

Das erste richtige *Flußschwimmbad* entstand bei der Oosregulierung nach der Überschwemmung von 1851, da die älteren Schwimmbäder, u. a. im Stephanienbad und im Wellenbad, nicht mehr genügten. Bauherr war eine Aktiengesellschaft. Sie ließ einen

Kanal von der Oos ableiten und 1859/60 rechts der Oos gegenüber der Tenniswiese das Bad mit Einzelbädern und tiefen Schwimmbecken für Männer und Frauen anlegen. Die Stadt kaufte das Bad 1886 und verpachtete es. Nach manchen Modernisierungen ist es unter dem Namen Bertholdbad noch in Betrieb.

Die für die Kurstadt unerläßliche *Reitbahn* und Reithalle in der Nähe des Stephanienbades bei der Lichtentaler Allee hielt (1857) eine ausreichende Anzahl von Pferden zur Verfügung. Zu Anfang des 20. Jh. bestand in der Lichtentaler Allee von der Kettenbrücke bis nach Lichtental eine Reit- und Radfahrbahn.

Baden-Baden ist die Wiege des deutschen Tennis- und Golfsports. Eingeführt hat beide Sportarten der Geistliche der anglikanischen Kirche, Reverend Thomas Archibald White, der auch den Fußball hier heimisch machte. 1881 gründete White den ersten *Tennisclub* in Deutschland (später TC Rot-Weiß). Die Mitglieder kamen vor allem aus dem europäischen Hochadel. Als Spielplatz diente der Rasen beim Internationalen Club, bis 1883 zwischen Oos und Allee fünf Tennisplätze angelegt wurden. Sie waren gleich der Austragungsort des ersten Tennisturniers in Deutschland. Große Wettspiele folgten jedes Jahr. Nach dem 2. Weltkrieg waren die Plätze beschlagnahmt und gingen seit 1948 nach und nach wieder an den Club zurück, so daß 1950 zum 70. Jubiläum des Baden-Badener Tennissports wieder ein internationales Turnier stattfinden konnte. 1955 begann die Umgestaltung der Plätze in Zusammenhang mit dem großen Sportanlagenbau.

Golf spielte man zuerst gleichfalls bei der Lichtentaler Allee, dann auf den Gönneranlagen, bis White und die Hoteliers Camill Brenner und Heinrich Grosholz beim Bahnhof Oos einen Golfplatz mit 9 Löchern anlegen ließen. Die Leitung des 1891 gegründeten Golf Clubs übernahm ein Neffe des amerikanischen Präsidenten, Willy O. Roosevelt. 1911 fand auf der inzwischen erweiterten Anlage das erste offene deutsche Meisterschafts-Golfturnier statt. 1929 zog der Golfclub in den Selighof um; auf dem umgebenden Weideland entstand ein neuer Golfplatz. Nach 1945 wurde zwischen Fremersberg und Yburg wieder ein neuer Platz mit 18 Löchern für internationale Spiele angelegt.

Autorennen zum Alten Schloß und zur Bühlerhöhe wurden schon vor dem 1. Weltkrieg gefahren. In den 1920er Jahren setzten Stadt und Kurverwaltung auch auf Autorennen, Flach- und Bergrennen unterschiedlichen Schwierigkeitsgrades, um die Anziehungskraft der Stadt auf Gäste zu steigern. Der Erfolg war jedoch nicht groß.

Fußball war weniger der Sport der Kurgäste, sondern wurde zuerst von den Schülern eines englischen College in Baden-Baden gegen die einheimischen Jungen im Kirchenchor der englischen Kirche gespielt, und zwar auf der Spitalwiese bei der Englischen Kirche. Einige der Jungen gründeten 1892 der ersten Baden-Badener Fußballverein. Ein weiterer Fußballplatz entstand in der Fürstenbergallee.

Nach Jahrzehnten der Stagnation konnte seit den 1950er Jahren wieder an die Belebung des Sports und den Neu- und Ausbau von Sportanlagen gegangen werden. Über diese neuen Anlagen sowie über die für die neuen Stadtteile wichtigen Sportstätten, u. a. die Südbadische Sportschule in Steinbach, ist ab S. 442 ff. ausführlich berichtet.

Schule

Volksschule. – Die Volksschulen in Baden waren in der 1. H. 19. Jh. *Konfessionsschulen*. Der Ortspfarrer führte in staatlichem Auftrag die örtliche Schulaufsicht. Die Volksschulen in Baden-Baden, Lichtental, Oos und Balg unterstanden 1805 der katholischen Kirchenvogtei Schwarzach, 1845 der Schulvisitatur Baden, die evangelischen Schulen in Baden-Baden und Lichtental der Schulvisitatur Rastatt. In Auseinandersetzzung mit der Kirche (vgl. S. 200) übertrug der Staat mit Gesetz vom 29. 7. 1862 die Aufsicht über die konfessionelle Volksschule sowie die Verwaltung des örtlichen Schulvermögens einem Ortsschulrat, der sich aus dem Ortspfarrer, dem Bürgermeister, dem ersten Lehrer und weiteren teils ernannten, teils gewählten Mitgliedern zusammensetzte. Das Gesetz stieß auf den Widerstand insbesondere der katholischen Kirche. Auch im Bezirk Baden-Baden riefen die Pfarrer zum Boykott der Ortsschulratwahlen auf. Das Gesetz über den Elementarunterricht vom 8. 3. 1868 verpflichtete dann die Gemeinden zur Übernahme des Schulaufwandes (nötigenfalls mit Staatshilfe) und regte die freiwillige Zusammenlegung von Konfessionsschulen zu Gemeinschaftsschulen an. Bindend angeordnet wurde die Zusammenlegung zu *Simultanschulen* (mit getrenntem Religionsunterricht) durch das Gesetz von 18. 9. 1876. Die örtliche Aufsicht über die Volksschule und die Verwaltung des Schulvermögens ging an den Gemeinderat, der den Ortspfarrer und den ersten Lehrer jeder Volksschule beratend zuzuziehen hatte. Das Gesetz untersagte auch den Ersatz der Gemeindevolksschule durch eine konfessionelle Korporationsschule.

Fortbildungsunterricht war seit 1803 für die schulentlassene Jugend Pflicht und mit den Volksschulen verbunden. 1868 wurden Unterhalt und Besuch der Fortbildungsschulen freigestellt, bis das Gesetz vom 18.2.1875 die Fortbildungsschulpflicht (für Knaben 2 Jahre, für Mädchen 1 Jahr) und die Unterhaltspflicht für die Gemeinden prinzipiell wieder einführte, allerdings staatliche Hilfe zusicherte. Der Fortbildungsunterricht wurde häufig auf den Sonntag gelegt. Die Schüler aus kleinen Orten konnten ihn auch im Nachbarort besuchen, so gingen die Fortbildungspflichtigen aus Ebersteinburg in den 1920er Jahren nach Oos.

Die *städtische Knabenschule* im Stadtschulhaus in Baden-Baden hatte 1805 einen Schullehrer mit 2 Gehilfen und 3 Klassen. Zwischen 1850 und 1879 unterrichteten 2 Haupt- und 2 Nebenlehrer in 4 Klassen (1857: 288 Schüler). Für Bürgerkinder wurde kein Schulgeld erhoben. Nach der Vereinigung mit der evangelischen Schule (s. u.) wurde der Lehrkörper auf 8 Haupt- und 5 Unterlehrer vergrößert. 1890/91 entstand ein neues Knabenschulhaus in der Vincentistraße.

Die *Mädchenvolksschule* betreuten die Klosterfrauen im Kloster zum Hl. Grab. Im Jahr 1809 unterrichteten sie in der Volks- und der Pensionatsschule 277 Mädchen. 1807 und 1810 konnte die bereits verfügte Aufhebung des Klosters abgewendet werden, aber eine staatlich verordnete Verfassung, das sogenannte Regulativ, wandelte 1811 das Kloster in ein dem Staat unterstelltes Lehr- und Erziehungsinstitut um, das als Korporationsschule als Gemeindevolksschule für Mädchen diente. Die Schule war zunächst gegen Miete im Kloster untergebracht, bis 1840/41 die Stadt im Klostergarten ein Schulhaus baute. 1857 hatte die Mädchenvolksschule 323 Schülerinnen in 5 Klassen. Für Pensionat und Volksschule war je ein Schulinspektor verantwortlich. Nach Einführung der Simultanschule 1876 wirkten die Klosterfrauen, einem privaten Vorschlag des Großherzogs folgend, weiterhin an der nun von einem Hauptlehrer geleiteten Schule mit. 1891 unterrichteten noch 7 Klosterfrauen neben 2 Hauptlehrern, 1 Unterlehrer und 1 Unterlehrerin. Da aber ausscheidende Klosterfrauen nicht ersetzt werden durften, entzog sich die Mädchenvolksschule allmählich dem Kloster. Einen Ersatz schuf die Priorin schon 1895 durch die Öffnung der zum Pensionat gehörenden Externenschule für sechsjährige Schulanfängerinnen. Diese Grundschule bestand, bis 1936 ihr Abbau befohlen und 1939 vollendet war. Die städtische Mädchenvolksschule blieb bis nach dem 2. Weltkrieg in ihrem Gebäude beim Kloster.

Eine *evangelische Volksschule* bestand bereits 1840. 1853 richtete sie sich mit 2 Klassen für Knaben und Mädchen in einem Raum des Gasthauses Löwen-Baldreit ein

(1857: 30 Knaben und 22 Mädchen). Finanziert wurde sie zunächst aus freiwilligen Beiträgen der evangelischen Gemeinde. Seit 1860 beteiligte sich die Stadt an den Kosten, 1865 stellte sie im neuerbauten Feuerhaus 2 Schulräume zur Verfügung. Nach dem Gesetz vom 8.3.1868 über den Elementarunterricht übernahm die politische Gemeinde auch diese Schule, bis sie 1876 in den simultanen Volksschulen aufging.

Während des 19. Jh. wurden die Schulen in Baden-Baden auch von den Kindern länger anwesender Kurgäste besucht. Mit aus diesem Grund gab es hier neben den öffentlichen auch einige *private Schulen* und zahlreiche Privatlehrer, insbesondere für Sprachen, Musik und Zeichnen.

Badenscheuern (Weststadt) hatte 1845 zusammen mit Oosscheuern eine Filialschule mit einem Lehrer für Knaben und Mädchen und einer Handarbeitslehrerin. Im Jahr 1900 unterrichteten hier 2 Hauptlehrer, 1 Unterlehrer, 1 Unterlehrerin und 1 Arbeitslehrerin. Die Schule erhielt in den 1920er Jahren einen Erweiterungsbau.

In *Lichtental* stellte 1811 die Äbtissin des Klosters, um der erneut drohenden Aufhebung des Klosters zuvorzukommen, der Gemeinde Beuern das Amtshaus im Klosterhof für eine *Mädchenvolksschule* zur Verfügung und richtete die Schule auf eigene Kosten ein. Die Schule wurde 1815 als »Mädchen-Lehrinstitut« eingeweiht, die Klosterfrauen unterrichteten ca. 80 Mädchen in drei Klassen. Als 1835 im Kloster die Waisenanstalt gegründet wurde, erhielt diese das Amtshaus, und die Schule zog in das ehemalige Krankenhaus des Konvents um. Das Waisenhaus erhielt eine *evangelische Volksschule*. 1876 wurde die Mädchenschule des Klosters Gemeindevolksschule für Mädchen aller Konfessionen, auch aus Oberbeuern. 1886 mußte sie erweitert werden. Die *Knabenschule* in Unterbeuern war auch für die Ortsteile Oberbeuern, Müllenbach, Gaisbach und Schmalbach zuständig. Sie erhielt nach 1910 ein neues Schulhaus. Die Kinder aus Geroldsau und Malschbach gingen in Geroldsau zur Schule, wo 1879 ein neues Schulhaus erbaut wurde. 1886 hatten die Volksschule im Kloster und die Knabenschule in Unterbeuern je 2 Haupt- und 1 Unterlehrer, die Schule in Geroldsau 1 Haupt- und 1 Unterlehrer.

In der Schule in *Oos* wurden 1854 116 Kinder von einem Haupt- und einem Unterlehrer unterrichtet. 1887/88 wurde endlich (1884: 250 Schüler!) das neue Rat- und Schulhaus gebaut. Mit der Einwohnerzahl stiegen auch die Schülerzahlen weiter an, bis 1904 auf 343 Schüler. Oosscheuern erhielt eine eigene Volksschule (1904: 110 Schüler).

Im alten Schulhaus in *Balg* unterrichtete 1854 ein Unterlehrer 102 Schüler. 1858/59 wurde ein neues Schulhaus gebaut, 1871 ein Hauptlehrer angestellt. Steigende Schülerzahlen erforderten 1882 die Einstellung eines Unterlehrers und 1906 wiederum den Bau eines neuen Schulhauses.

Nach dem 2. Weltkrieg beschlagnahmten die Franzosen die größeren Schulen der Stadt und räumten sie erst nach dem Bau von Schulen im französischen Viertel. Inzwischen mußten die deutschen Kinder in den wenigen freien Schulgebäuden notdürftig unterrichtet werden. Noch 1950 waren die Knaben- und die Mädchenschule Altstadt zusammen in der Zähringerstraße untergebracht. Da die Mädchenvolksschule Altstadt im Quellgebiet lag und den Plänen für ein neues Kurviertel im Wege stand, wurde sie abgerissen und 1958 durch einen Neubau auf dem Gelände des ehemaligen Pavillons der Großherzogin Stephanie bei der Rettig- und Stephaniestraße ersetzt. 1969 erhielt auch die Volksschule in der Weststadt einen Neubau. Im Stadtteil Obere Breite war schon 1966 eine neue Grundschule gebaut worden. Die Volksschulen in Oos und Geroldsau wurden erneuert und erweitert.

Zum Zeitpunkt der Gebietsreform betreute die Schulverwaltung der bisherigen Stadt Baden-Baden folgende Volksschulen: Knabenschule Altstadt, Vincentistraße;

Mädchenschule Altstadt, Stephanienstraße; Theodor-Heuss-Schule, Rheinstraße; Sonderschule für Lernbehinderte, Laubstraße; Schule Oos, Ooser Hauptstraße; Knabenschule Lichtental, Maximilianstraße; Mädchenschule Lichtental, Hauptstraße (Kloster); Schule Geroldsau, Geroldsauer Straße; Schule Balg, Balger Hauptstraße. Die Schulreformen der 1960er Jahre machten aus den Volksschulen Grund- und Hauptschulen, ließen sie aber zunächst bestehen. Nach der Gemeindereform gliederte die Stadt Baden-Baden das Schulwesen im Stadtgebiet neu.

Auch die Gemeindeschulen der nach 1970 eingegliederten *Stadtteile* unterstanden zu Beginn des 19. Jh. (1805) alle der katholischen Kirchenvogtei Schwarzach. 1845 gehörten die Schulen in Eberesteinburg, Haueneberstein und Sandweier zur katholischen Schulvisitatur Baden, die Schulen in Neuweier, Steinbach und Varnhalt zur katholischen Schulvisitatur Bühl in Steinbach. Die Ortsschulräte wurden 1862 trotz des Widerstands einiger Pfarrer in allen Gemeinden konstituiert. Nach Erlaß des Schulgesetzes von 1876 wurden neue Lehrerstellen geschaffen oder die Unterlehrer zu Hauptlehrern befördert. Bis zum 2. Weltkrieg bestand der Lehrkörper meist aus einem Haupt- und einem oder zwei Unter- oder Nebenlehrern. Spätestens in den 1880er Jahren übernahmen ausgebildete Handarbeitslehrerinnen den Industrieunterricht, den früher oft Näherinnen oder sonstige Kräfte bestritten hatten. In Steinbach und Neuweier erhielten die älteren Schüler auch Obstbauunterricht.

Neue Schulhäuser oder Erweiterung der alten wurden in den meisten Gemeinden spätestens um die Jahrhundertwende wegen steigender Schülerzahlen, aber auch wegen größerer Ansprüche an den Unterricht erforderlich. *Haueneberstein* baute sogar trotz rückläufiger Schülerzahl 1908 ein neues Schulhaus. Mitte der 1960er Jahre erhielt es einen Anbau. Das Schulhaus in *Sandweier* wurde zwar 1877 erweitert, da es aber nicht ausreichte, wich man (1896) in das Rathaus aus, bis im Juni 1901 ein neues Schulgebäude mit Spiel- und Turnplatz fertig war. 1910 wurde es umgebaut und auf 3 Schulsäle erweitert. Die Gemeinde *Eberesteinburg* baute wegen größerer Schülerzahl 1884 ein neues Schulhaus, das sich jedoch trotz eines 1907 erstellten Anbaus als zu klein erwies. *Varnhalt* baute nach 1900 ein zweites Schulhaus. *Neuweier* mußte erst nach 1950 eine neue Schule bauen, weil die alte 1945 zerstört worden war.

Höhere Schulen. – Nach Aufhebung des Jesuitenordens in Baden (1773) wurde das *Gymnasium* unter Beibehaltung seiner Dotierung aus dem ehemaligen Besitz der Jesuiten in ein *Lyzeum* verwandelt und mit ihm das Theologiestudium verbunden. Den Unterricht übernahmen Kleriker und weltliche Lehrer. Im Jahr 1800 wurde es mit dem zum Schulstift umgewandelten Baden-Badener Kollegiatsstift vereinigt. Ein Schullehrerseminar wurde angegliedert. Das Theologiestudium ging jedoch 1801, als Heidelberg an Baden fiel, an die dortige Universität. Die ehemals große Anzahl der Studierenden schrumpfte auf 40–50 im Jahr 1803. Unterricht gaben der Direktor, 10 Professoren, 1 Zeichen- und 1 Musiklehrer in Griechisch, Latein, Deutsch, Französisch, Geschichte, Erdbeschreibung, Mathematik, Physik, Naturgeschichte, theoretischer Philosophie, Ästhetik, Moral, Religion, Musik und Zeichnen. Im Jahr 1808 jedoch wurden Lyzeum und Schullehrerseminar nach Rastatt verlegt. 1809 erhielt Baden-Baden mit dem *Pädagogium* (Lateinschule) eine neue höhere Schule. 1831 unterrichteten dort aber nur vier Lehrer. 1836 wurde es durch eine *höhere Bürgerschule* mit sieben Lehrern ersetzt, die Religion, Kalligraphie, alte und neue Sprachen, Mathematik, Geographie, Naturgeschichte, Geschichte, Geometrisches und Freihandzeichnen unterrichteten. 1857 hatte die höhere Bürgerschule 111 Schüler. 1870 wurde sie zum *Pro- und Realgymnasium*, 1876 ihre humanistische Abteilung zum *Gymnasium* erweitert. Letztere Erweiterung

Tabelle 5 **Schüler und Studierende 1970**

Stadtteil / Stadtgebiet	Schüler und Studierende am Wohnort insgesamt	Von 100 am Ort wohnenden Schülern und Studierenden besuchten:						Schüler und Studierende am Ausbildungsort insgesamt	Ausbildungs-	
		Grund- und Hauptschule	Realschule	Gymnasium	Berufsfach- u. Fachschule	Ingenieurschule	Hochschule		Auspendler	Einpendler
Baden-Baden	4721	55,9	8,2	29,2	3,9	0,5	2,3	5451	180	910
Haueneberstein	456	70,4	8,6	18,9	1,1	0,2	0,9	314	142	0
Sandweier	482	72,8	5,4	16,2	3,5	0,6	1,5	357	126	1
Ebersteinburg	141	66,0	13,5	16,3	2,8	0,7	0,7	60	83	2
Steinbach	568	76,1	4,6	14,8	3,3	0,2	1,1	400	212	44
Neuweier	351	85,8	3,4	9,1	1,1	0,0	0,6	301	50	0
Varnhalt	259	81,5	6,2	11,6	0,4	0,4	0,0	240	93	74
Stadtgebiet	6978	62,3	7,5	24,5	3,4	0,5	1,8	7123	886	1031

Quelle: Statistik von Baden-Württemberg, Bd 161. H.2. 1973.

war von der Stadt angeregt, die damit auch ihre Attraktivität steigern wollte. Sie ließ auch ein neues Gebäude erstellen, kam für seine Unterhaltung auf und übernahm zusammen mit dem Rastatter Studienfonds und der Regierung die übrige Finanzierung, soweit sie nicht durch Schulgeld gedeckt war. Bis 1890 hatte das Gymnasium immer zwischen 180 und 230 Schüler. Im Jahr 1900 unterrichteten 16 Lehrkräfte. Die Schule erhielt später den Namen Gymnasium Hohenbaden und blieb humanistisches bzw. altsprachliches Gymnasium. Im 2. Weltkrieg war der spätere südbadische Staatspräsident Leo Wohleb ihr Direktor.

Die Erweiterung der humanistischen Abteilung zum Gymnasium kürzte den Realzweig von 7 auf 6 Jahreskurse. In den 1870er und 1880er Jahren trennte sich der Unterricht der Realklassen allmählich von dem des Gymnasiums. 1884 erhielt die Realabteilung den Namen *Höhere Bürgerschule*, 1893 dann *Realprogymnasium*. Zusätzlich zu dem ohnehin schwach besuchten Realprogymnasium mit Latein wurde 1892 eine bis zur Untersekunda gehende *Realschule* ohne Latein gegründet, mit deren Abschluß gleichfalls das Berechtigungszeugnis zum einjährig-freiwilligen Militärdienst erworben wurde. Noch vor 1900 wurde das Realgymnasium mit der nunmehrigen *Oberrealschule* vereinigt. Sie war in der Vincentistraße untergebracht und hatte im Jahr 1900 20 Lehrkräfte. 1907 erhielt die Oberrealschule, damals unter dem Namen Graf-Zeppelin-Schule, einen Neubau in der Hardstraße. In das Gebäude an der Vincentistraße zog die Knabenvolksschule. Nach dem 2. Weltkrieg wurde die Schule in *Markgraf-Ludwig-Gymnasium* umbenannt und als neusprachliches Gymnasium geführt.

Die Höhere Töchterschule wurde auf Wunsch vieler Bürger 1869 als städtische Korporationsschule gegründet. Die Stadt kaufte das Haus Stephanienstraße 14 und ließ es zum Schulhaus umbauen. 1901/02 wurde das linke Nachbarhaus einbezogen. Die Schule begann mit 139 meist evangelischen Schülerinnen in 6 Klassen und 2 Vorklassen. 1877 übernahm der Staat die Schulaufsicht, seit 1879 war die Schule als *Höhere Mädchenschule* mit nunmehr 10 Klassen (einschließlich der die Volksschule ersetzenden Vorschulklassen) und 10 Lehrkräften eine staatliche Mittelschule. Nach Versuchen mit fakultativen Gymnasialkursen wurde 1913 den Absolventinnen der Übergang zur Oberrealschule eröffnet. 1919 hatte die Schule 305 Schülerinnen in 10 Klassen. Dann verpflichtete die neue badische Verfassung alle Kinder zum Besuch der Volksschule, und die Vorschulklassen fielen weg. Zum Ausgleich führte die Schule 1922/23 eine Fortbildungsklasse mit hauswirtschaftlich-sozialen Fächern ein und erweiterte sie 1929 zu einem zweijährigen Kurs. 1926 wurde die Höhere Mädchenschule in eine *Mädchenrealschule* mit einem den Knabenschulen angepaßten Lehrplan umgewandelt. 1931 wehrte sie Versuche des Ministeriums, sie mit der Oberrealschule zu vereinigen, ab. Dagegen baute sie ab 1938 eine dreiklassige Oberstufe auf. 1940 wurde das erste (hauswirtschaftliche) Abitur abgenommen. Die Schülerzahl, die seit Jahren bis auf 145 im Jahr 1938 zurückgegangen war, nahm bis 1944 auf 364 Schülerinnen und 45 Gastschülerinnen in 15 Klassen zu (auch weil die Höhere Mädchenschule im Kloster schließen mußte). Seit 1937 hieß die Schule *Richard-Wagner-Schule, Oberschule für Mädchen, hauswirtschaftliche Form*. Nach Kriegsende begann sie im notdürftig hergerichteten Schulhaus im Herbst 1945 mit 145 Kindern, aber es wurde beschlagnahmt und erst 1953 zurückgegeben. Im gleichen Jahr fand das erste Vollabitur statt, nachdem die 1948 verlorene Oberstufe zurückgewonnen war. Der Raumnot, unter der die Schule seit ihrer Gründung gelitten hatte, konnte 1963 durch den Kauf und Umbau des rechten Nachbarhauses gesteuert werden. 1965 erhielt die Schule die Form des neusprachlichen Gymnasiums II mit Englisch, Französisch, Latein. Damit bot sie eine Alternative zu dem mathematisch-naturwissenschaftlichen Markgraf-Ludwig-Gymnasium, mit dem sie schon einige Jahre zusammengearbeitet hatte, und konnte jetzt auch von Jungen besucht werden. Im Jahr ihres 100jährigen Jubiläums 1969 hatte sie 451 Schüler in 16 Klassen (9 Klassenstufen) und 37 Lehrkräfte.

Aus den 1954 eingeführten Sprachklassen an der Volksschule ging eine selbständige Mittelschule hervor, die 1965 in die Stephanienstraße zog und 1966 *Realschule* genannt wurde (vgl. S. 448).

Unter den *privaten höheren Schulen*, die in Baden-Baden im 19. und 20. Jh. eine verhältnismäßig große Rolle spielten, ist die im *Kloster zum Heiligen Grab* die älteste. Seit der Gründung des Klosters (1670) widmeten sich die Klosterfrauen der Mädchenerziehung. Neben der Volksschule (s. o.) unterhielten sie ein Pensionat, in dem auch Externe aufgenommen wurden, und unterrichteten in Religion, französischer und deutscher Sprache, Hand- und Hausarbeiten, Musik, Tanz, Geographie, Geschichte, Naturgeschichte und Gesundheitslehre. Nach dem Erlaß des Regulativs von 1811 und ähnlich nach der Einführung der Simultanschule konzentrierten sich die Klosterfrauen stärker auf das Pensionat und die angeschlossene Externenschule, die sie erweiterten (1897: 140 Schülerinnen). Sie bauten diese klostereigene Korporationsschule zu einer 10klassigen Höheren Töchterschule aus und gliederten ihr noch vor 1900 eine Frauenarbeitsschule für die schulentlassenen Externen an. 1900/02 wurde ein neues Schulhaus zwischen Pensionat und Volksschule erbaut. In den 1920er Jahren – 1921 wurde das Regulativ abgeschafft – kamen weitere hauswirtschaftliche Kurse und eine Höhere Handelsschule hinzu. Die bis zur Untersekunda führende Höhere Schule wurde – nach dem Abbau der Grundschule – von den Nationalsozialisten dadurch ausgehöhlt, daß 1937 die Beamten und 1938 die Parteigenossen ihre Kinder aus den Privatschulen nehmen mußten. 1940 mußte die Schule völlig schließen. Trotz Kriegsschäden konnte die Höhere Schule schon im Oktober 1945 mit 155 Schülerinnen von Sexta bis Untersekunda wieder eröffnen. 1952 erhielt das Progymnasium die staatliche Anerkennung als »Ersatzschule«.

1968 begann der Aufbau der Oberstufe, nachdem die Umgestaltung des Bäderbezirks einen Neubau für Fachunterrichtsräume ermöglichte. Der Neubau wurde 1970 eingeweiht, und seit 1970 ist die Schule vom Staat als Vollgymnasium des mathematisch-naturwissenschaftlichen Zweigs mit sprachlichem Oberzug anerkannt. Damals unterrichteten 24 weltliche Lehrkräfte unter einem Studiendirektor. Die Zahl der Schülerinnen lag bei 400.

Vor 1890 wurde das *Viktoria-Pensionat* zur Ausbildung und Erziehung von Töchtern besserer Stände und christlicher Konfession, eine Filiale des Karlsruher Viktoria-Pensionats der Großherzogin Luise, gegründet. Es überdauerte die großherzogliche Zeit bis 1924. In diesem Jahr siedelte sich das von der Familie Büchler getragene *Pädagogium* in Baden-Baden, gleichfalls ein Internat, an. 1950 war es Töchterpensionat mit Haushaltungsschule und Fremdsprachenunterricht. Nach manchen Veränderungen führte es 1970 als staatlich anerkanntes mathematisch-naturwissenschaftliches Gymnasium mit neusprachlichem Zweig und Internat für Mädchen und Jungen zum Abitur. Weitere Privatschulen gab es für Mädchen in Form von Töchter- oder Schülerinnenheimen, Haushaltungsschulen, Finishing-Schools etc. seit dem 19. Jh. bis in die 1970er Jahre.

Gewerbliche Schulen. – Der Anfang eines gewerblich orientierten Unterrichts kann in Baden-Baden in der *Sonntagszeichenschule* für Handwerker und Mechaniker gesehen werden, die zu Beginn des 19. Jh. im Winter im Lyzeum gehalten wurde. Sowohl dieser

Bauzeichenunterricht als auch eine 1833 von der Regierung des Mittelrheinkreises errichtete Feierabendschule für Lehrlinge und Gesellen, beide eigentlich Pflichtveranstaltungen, krankten an unregelmäßigem Besuch. Nach Erlaß des Gesetzes über Gewerbeschulen (1834) genehmigte die Regierung auf Betreiben des Bürgermeisters A. Jörger die Errichtung einer *Gewerbeschule*. Als sie 1838 eröffnet wurde, kamen die meisten Schüler aus den Dörfern des Bezirksamts, nur wenige aus der Stadt. Da der Unterricht Pflicht war, mußten die Baden-Badener Lehrlinge zum Besuch der Gewerbeschule gezwungen werden. 1857 wurden 160 Schüler unterrichtet. Mit Einführung der Gewerbefreiheit 1863 wurde auch der Besuch der Gewerbeschule freigestellt, schon 1873 aber wieder über die Gewerbeordnung zur Pflicht gemacht. 1874 hatte die Schule 179 Schüler und 3 Lehrer. Damals stellte sie erstmals Statuten für einen Handelskurs auf. Seine Einführung unterblieb jedoch, weil die potentiellen Schüler nicht zum Besuch verpflichtet werden konnten. Erst 1887 eröffnete eine einklassige *Handelsabteilung*, 1888 eine 2. Klasse. Der Unterricht fand sonntags und an drei Wochennachmittagen statt. 1892 wurden in der Handelsabteilung 57 Schüler unterrichtet, 1893 eine 3. Klasse angefügt. Um die Jahrhundertwende war die Gewerbe- und Handelsschule dem Großh. Gewerbeschulrat in Karlsruhe und dem lokalen Gewerbeschulrat unterstellt. 1902 bestanden an der Gewerbeschule (272 Schüler) 4 Fachklassen mit 3 Jahreskursen, an der Handelsschule (43 Schüler) gleichfalls 3 Jahreskurse. Den Unterricht bestritten 6 Lehrer und 1 Hilfslehrer. Erst ab 1904 waren auch weibliche Handelsgehilfen und Lehrlinge zum Besuch der Handelsschule als Fortbildungsschule verpflichtet. Die Verpflichtung wurde 1908 auf alle in Baden-Badener Handelsbetrieben beschäftigten männlichen und weiblichen kaufmännischen Gehilfen und Lehrlinge bis zum vollendeten 18. Lebensjahr ausgedehnt. 1922 trennte sich die Handelsschule organisatorisch von der Gewerbeschule, blieb aber in deren Gebäude, bis sie 1928 das ehemalige Feuerhaus in der Merkurstraße bezog. Die Gewerbeschule blieb in der Schloßstraße. Ihr waren 1950 angeschlossen: die Meisterschule für das Damenschneiderhandwerk und die Berufsschule für das Kraftfahrzeughandwerk.

Ostern 1928 eröffnete eine *Höhere Handelsschule* mit 60 Schülern in einem ein- und einem zweiklassigen Zug. Nach 1933 spezialisierte sie sich durch die schon früher vorgesehene Einteilung in Fachklassen als Kaufmännische Berufsschule. 1944 mußten alle deutschen Höheren Handelsschulen schließen. Im September 1945 nahmen die Berufsschule mit 157 Schülern und die zweiklassige Höhere Handelsschule mit 71 Schülern den Unterricht wieder auf, zunächst in verschiedenen Unterkünften, bis zu Ostern 1951 das Schulgebäude wieder freigegeben war. Die Schulraumnot in der Stadt zwang jedoch im Herbst 1952 zur Verlegung in die Lichtentaler Knabenschule, wo den 16 Berufsschulklassen und den 6 Klassen der Höheren Handelsschule (seit 1948 gab es auch den einklassigen Zug wieder) nur 6 Räume zur Verfügung standen. Erst 1954 konnte die Schule in die Merkurstraße zurückkehren. Als 1957/58 das 70jährige Jubiläum der Kaufmännischen Berufsschule und das 30jährige der Höheren Handelsschule gefeiert wurde, unterrichteten 11 Lehrkräfte in 12 Berufsschulklassen 371 Schüler und in 7 Klassen der Höheren Handelsschule und Handelsschule 217 Schüler. Steigende Schülerzahlen erforderten 1964 die Anmietung einer Villa in der Werderstraße als weiteres Schulhaus. An die Stelle der zweijährigen Höheren Handelsschule trat 1967 eine zweijährige Wirtschaftsschule. 1967/68 umfaßte die Berufsschule die Fachbereiche Verwaltung, Postverwaltung, Groß- und Außenhandel, Industrie, Bank, Einzelhandel, im Aufbau war eine Fachklasse für Rechtsanwaltsgehilfinnen. 1969 kam in Zusammenarbeit mit dem Südwestfunk die Telekollegschule hinzu. 1972 gliederte sich der Schule entsprechend dem Schulentwicklungsplan II die Hauswirtschaftliche

Berufs- und Berufsfachschule in Lichtental mit 5 Klassen und 92 Schülern an. 1972/73 umfaßte die Handelslehranstalt die Berufsgrundstufe (6 Klassen), die Berufsfachstufen (17 Klassen), die zweijährige Wirtschaftsschule (4 Klassen), die einjährige Höhere Handelsschule (1 Klasse), die Hauswirtschaftliche Berufsschule für Auszubildende (2 Klassen) und für Jungarbeiterinnen (3 Klassen), die einjährige hauswirtschaftliche Berufsfachschule (1 Klasse) und war damit auf dem Weg zur größten Schule der Stadt.

Um der Fortbildungsschulpflicht zu genügen, richteten auch die Klosterfrauen vom Heiligen Grab 1922 eine einjährige, 1927 außerdem eine zweijährige *Frauenschule* ein. 1926 war eine Haushaltungsschule eröffnet worden, bald darauf folgte eine Höhere Handelsschule, die schon 1929 vom preußischen Ministerium für Handel und Gewerbe anerkannt wurde. Seit 1932 führte der zweijährige Lehrgang zur Mittleren Reife. Die Handelsschule wurde 1939 geschlossen. Die Schülerinnen der hauswirtschaftlichen Schule des Hauses »Maria Frieden« kamen mit der Lichtentaler Hauswirtschaftlichen Berufs- und Berufsfachschule 1972 zur Handelslehranstalt.

Kirchen und Glaubensgemeinschaften

Römisch-katholische Kirche. – Nach der *Kirchenorganisation* gehörten im Jahr 1805 die Kirchspiele der Ämter Bühl, Schwarzach, Steinbach und Baden zur Kirchenvogtei Schwarzach. Auf dem heutigen Stadtgebiet bestanden die Pfarreien: Stadt Baden, Stab Beuern, Ebersteinburg, Haueneberstein, Oos (mit Oosscheuern und Balg) Sandweier und Steinbach. Die Pfarrei Steinbach schloß den gesamten Stab Steinbach ein, also auch Neuweier und Varnhalt. Nach der Bildung des Erzbistums Freiburg 1821 wurde die ältere Einteilung in Landkapitel (Dekanate) wieder aufgegriffen. Dem einst zur Diözese Straßburg zählenden Landkapitel Ottersweier gehörten 1828 im heutigen Stadtgebiet die Pfarreien Sandweier und Steinbach mit den Filialen Neuweier, Varnhalt und Weitenung (heute Stadt Bühl) an. Dem Landkapitel Gernsbach, früher beim Bistum Speyer, unterstanden die Pfarrei Baden mit den Filialen Scheuern, Gunzenbach, die Pfarrei Beuern (Lichtental) mit den Filialen Dörfel, Oberbeuern, Geroldsau, die Pfarrei Oos mit den Filialen Balg und Oosscheuern, die Pfarrei Haueneberstein und die Pfarrei Ebersteinburg. Die Gliederung der Dekanate blieb bis 1929 unverändert. Danach verteilte sich das heutige Stadtgebiet auf die Dekanate Bühl (Pfarreien Steinbach und Neuweier, Pfarrkuratie Varnhalt) und Rastatt (alle anderen Pfarreien).

Stärker veränderte sich die innere Gliederung durch Schaffung neuer Pfarrkuratien und Pfarreien. Darüber gibt die Tabelle 6 (S. 308) Auskunft.

Stift und Klöster. – Noch vor der Säkularisation der Klöster gemäß dem Reichsdeputationshauptschluß von 1803 wandelte Mgf Karl Friedrich das *Kollegiatsstift* in Baden-Baden in ein Schulstift um und vereinigte es mit dem Lyzeum. Die Pfründen sollten nach und nach mit dessen Professoren besetzt werden. 1803 übertrug er die Stiftsökonomie der staatlichen katholischen Kirchenkommission. Das Kapitel behielt nur eine Mitaufsicht. Das Patronatsrecht der vom Stift abhängigen Pfarren ging an den Landesherrn. Das Stiftspersonal wurde auf den Dechanten, zugleich Lyzeumsdirektor, den Scholaster, den Kustos, wie bisher Pfarrer der Stadt Baden, je vier Kanoniker und Vikare und zwei Kapläne beschränkt. Als Pfründen wurden nur die Stellen des Dechanten, des Scholasters und des Kustos vergeben. Die Mitglieder des Schulstifts übernahmen gemeinsam den Gottesdienst in der Stifts- und Lyzeumskirche. Mit der Verlegung des Lyzeums nach Rastatt 1808 schließt die Geschichte des Baden-Badener Kollegiatsstifts endgültig ab.

III. Entwicklung im 19. und 20. Jahrhundert

Tabelle 6   Pfarrorganisation im heutigen Stadtgebiet Baden-Baden bis 1970

Stadtteil/Gemeinde	Pfarrpfründe errichtet	Besetzung 1910	Kirche
Baden-Baden			
Altstadt	alt	Großherzog	Ad Assumptionem BMV (Liebfrauen)
Weststadt	1932, vor 1910 Pfarrkuratie		Ad Ssm Cor Jesu, p. B. Bernardus Mrch
Lichtental	1809	Großherzog	St. Bonifatii
Geroldsau	vor 1970; 1939 Filiale von Lichtental, 1950 Pfarrkuratie		Ad Spiritum Sanctum (Heilig-Geist)
Oos	1757 wiedererr.	Großherzog	St. Dionysii EpM
Balg	1841	Großherzog	St. Eucharii EpC
Haueneberstein	alt	Großherzog auf Ternavorschlag des Erzbischofs	St. Bartholomaei Ap.
Sandweier	1769 wiederhergestellt	Großherzog auf Ternavorschlag des Erzbischofs	St. Catharinae M.
Ebersteinburg	alt	Großherzog	St. Antonii Abbat.
Steinbach	alt	Großherzog auf Ternavorschlag des Erzbischofs	St. Jacobi Maj. Ap.
Neuweier	bis 1861 Filiale von Steinbach, dann Pfarrei	freie Vergebung	St. Michaelis Archang.
Varnhalt	bis 1904 Filiale von Steinbach, dann Pfarrkuratie, 1959 Pfarrei		Ad Ssm Cor Jesu (Herz-Jesu)

Quellen: Das Erzbistum Freiburg. 1910; Handbuch des Erzbistums Freiburg. 1. Bd 1939; Adreßbuch 1950 und 1970; Ortsbereisungsakten.

Das *Kapuzinerkloster* ging 1803 in Staatsbesitz über, die Mönche durften jedoch noch bleiben. 1805 waren neben dem Vorsteher noch sieben Priester und drei Brüder im Kloster. Die Priester versahen hauptamtlich (Ebersteinburg) oder aushilfsweise den Pfarrdienst in benachbarten Gemeinden. Zunächst war den Kapuzinern der Bestand des Ordens und die Erlaubnis zur Annahme von Novizen bestätigt worden, 1807 wurde das Kloster dennoch aufgehoben. Das Gebäude wechselte mehrfach den Besitzer, bis es Johann Friedrich von Cotta zum »Badischen Hof« umbaute. Das *Franziskanerkloster* auf dem Fremersberg bestand bis zum Aussterben im Jahr 1826. Sein Gebäude wurde auf Abbruch versteigert.

Die Klöster *Lichtenthal* und zum *Heiligen Grab* konnten u. a. dank ihrer Schulen weiterbestehen (s. S. 300ff.).

Evangelische Landeskirche. – Schon 1812 bemühten sich evangelische Einwohner der Stadt um regelmäßigen Gottesdienst. Eine erste Bittschrift lehnte das Ministerium im Sinne des kirchlichen Konstitutionsedikts von 1804 ab. Erst ab 1832 durfte in der Spitalkirche auch evangelischer und anglikanischer Gottesdienst stattfinden. Am 26. 4. 1832 genehmigte Großherzog Leopold die Errichtung einer evangelischen Pfarrei in Baden-Baden. 1840 hatte sie 400 Mitglieder. Organisatorisch gehörte sie zum Stadtdekanat Karlsruhe (1845). Religionsunterricht und Christenlehre wurden regelmäßig erteilt. 1833 scheiterte ein erster Plan zum Bau einer Kirche, aber 1851 wurde der Bau beschlossen, nachdem die Stadtgemeinde 1841 einen Bauplatz geschenkt hatte und Geldmittel durch Stiftungen und Kollekten vorhanden schienen. Nach zahlreichen

4. Gemeinde und Öffentliches Leben 309

finanziell bedingten Verzögerungen konnte die Kirche im Mai 1864 eingeweiht werden. 1876 waren auch die Türme fertig.

Die Kirchspielsgemeinde Baden-Baden mit Stadtpfarramt und Kirchengemeinderat umfaßte von Anfang an auch Lichtental und Oos. 1876 hatte sie etwa 2000 Mitglieder. Um 1900 hielten die Protestanten in Lichtental den Gottesdienst in der Stulz'schen Waisenanstalt ab, in Oos diente der Schulsaal seit 1903 zum Gottesdienst. Ein Kirchenbau wurde geplant. Die evangelischen Einwohner von Ebersteinburg betreute in den 1930er Jahren die Pfarrei Baden-Baden. Als durch das starke Anwachsen des evangelischen Bevölkerungsteils in der 1. H. 20. Jh. die Kirchengemeinde Baden-Baden zu umfangreich wurde, erhielten die Weststadt und Lichtental eigene Pfarreien. 1970 bestanden in der Altstadt die Lukas- und die Markuspfarrei, in der Weststadt die Pauluspfarrei, in Lichtental die Lutherpfarrei, in Oos die Pfarrei Baden-Oos. Zur Abgrenzung der Pfarreien usw. s. S. 427.

Sonstige christliche Religionsgemeinschaften. – Die *Altkatholische Gemeinde* der Stadt Baden-Baden spaltete sich von der katholischen Kirche im Dezember 1873 ab. Im Juli 1874 vollzog der deutsche altkatholische Bischof die kirchliche Konstituierung. Schon seit Februar 1874 durfte die Gemeinde die Spitalkirche mitbenutzen, die staatliche Anerkennung erhielt sie aber erst 16 Jahre später nach ihrem Verzicht auf alle Ansprüche an die katholische Kirchengemeinde. Für die Bedeutung der Baden-Badener Altkatholikengemeinde spricht, daß 1880 hier der 7. Altkatholikenkongreß stattfand. 1906 lebten in Baden-Baden 168 Altkatholiken. Spätere Zahlen sind nicht veröffentlicht. Die Spitalkirche diente der Gemeinde noch 1970 als Gotteshaus.

Auch die zahlreichen in Baden-Baden lebenden Engländer durften seit 1832 Gottesdienst nach anglikanischem Ritus in der Spitalkirche halten. Der hier ständig wohnende Geistliche der *Englischen Hochkirche* führte seit 1833 Standesbücher. Eine eigene Kirche wurde 1858 von einer Baukommission geplant und 1864–1867 in der Gausstraße gebaut. Hauptinitiator des Baus war der britische Gesandte am badischen und württembergischen Hof, Lord Augustus Loftus. In der »All Saints Church« fanden bis 1938 anglikanische Gottesdienste statt. Nach dem 2. Weltkrieg übernahm die *Evangelisch-Lutherische Kirche* das Gotteshaus unter dem Namen St. Johanniskirche (s. a. S. 429). Deren Gemeinde in Baden-Baden stammt erst von 1912, obwohl nach dem Zusammenschluß der Lutheraner mit den Reformierten zur Evangelischen Landeskirche in Baden schon Ende des 19. Jh. wieder lutherische Christen in Baden-Baden wohnten.

Für Angehörige der *Griechisch-Orthodoxen Kirche* ließ der rumänische Fürst Michael Stourdza 1863–66 nach Plänen des Münchner Architekten Leo von Klenze eine Kapelle als Grablege seiner Familie und zum Gedenken an seinen verstorbenen Sohn bauen. 1867 schenkte der Fürst die Kapelle mit dem zugehörigen Park und einem Kapital zu ihrer Erhaltung der Stadt Baden-Baden. Kapelle und Park werden von einem griechisch-orthodoxen Geistlichen betreut.

Russisch-orthodoxen Gottesdienst hielt die russische Kolonie lange Zeit in einem Privathaus. Der Besuch des Prinzen Wilhelm von Baden und seiner russischen Gemahlin 1863 gab Anlaß für eine Sammlung zum Bau einer Kirche. Weitere Spenden und die Schenkung des Grundstücks durch die Stadt ermöglichten 1880–82 den Bau an der Lichtentaler Straße. Prinzessin Wilhelm von Baden und die in Baden-Baden lebende Prinzessin Gagarine standen dem Kirchenbaukomitée vor. Auch ein Geistlicher der russischen Kirche lebte hier und hielt wöchentlich Gottesdienst. Auch heute noch finden in der Kirche Gottesdienste nach russisch-orthodoxem Ritus statt. 1950 waren die rumänische und die russische Kirche in einem Pfarramt zusammengefaßt. (Zu den übrigen christlichen Gemeinschaften vgl. S. 429)

Israelitische Glaubensgemeinschaft. – Im Jahr 1867 richtete der Straßburger Benjamin Levi im Hotel Baldreit einen Betsaal für die in der Stadt ansässigen und die als Kurgäste hier weilenden Israeliten ein. Vorher war das Bedürfnis nicht groß gewesen, da bis 1862 nur wenige Juden hier lebten. 1884 gründeten die Israeliten einen Religionsverein. Er ging 1890 auf in der Körperschaft der israelitischen Religionsgemeinde, die der Bezirkssynagoge Bühl zugewiesen wurde. Um 1890 wohnten etwa 50 Israeliten in der Stadt. Sie und die jüdischen Kurgäste wünschten den Bau eines Gotteshauses. 1898 erbaute die Gemeinde die Synagoge in der Stefanienstraße nach Plänen von Ludwig Levy, Karlsruhe. Der jüdische Friedhof wurde 1921 oberhalb des Lichtentaler Friedhofs angelegt. Die Synagoge fiel den Zerstörungen vom 10.11.1938 zum Opfer. Die israelitische Gemeinde Baden-Baden e. V. wurde offiziell 1951 im Vereinsregister gelöscht. 1956 wurde die Jüdische Kultusgemeinde wiedergegründet. Für den Gottesdienst stellte die Kur- und Bäderverwaltung einen Betsaal zur Verfügung.

Vereine

Ausdruck des wachsenden bürgerlichen Selbstverständnisses wurden im 19. Jh. die Vereine. Ältester Verein in Baden-Baden dürfte die *Lesegesellschaft* gewesen sein, die schon um 1830 im Gasthaus Zum Lamm zu gemeinsamer Lektüre und Gesprächen zusammenkam, eine Bibliothek und Zeitschriften hielt und auch gebildete Fremde aufnahm. Aus ihr ging das Museum, später *Museumsgesellschaft*, hervor. Ähnliche Ziele verfolgte der *Bürgerliche Lese- und Gewerbeverein*, später Bürgerverein, der sich 1843 »zum Zwecke technischer Weiterbildung und geselliger Unterhaltung durch Lektüre, Spiel, Musik und Tanz«[12] zusammenschloß und in den 1860er Jahren im Gasthaus Rose tagte. Beide Vereine bestanden noch um die Jahrhundertwende. Der *Kunstverein*, 1863 auf Anregung des Großherzogs gegründet, hatte um 1890 etwa 300 Mitglieder. Er kaufte Bilder zur Ausstellung in der Kunsthalle an. Schützen, Turner und Sänger schlossen sich in den 1840er Jahren zusammen. Die *Schützen-Gesellschaft* von 1840 und die *Liedertafel Aurelia*, 1847 als Eintracht gegründet, bestehen noch heute.

Da staatliche Wohlfahrtspflege weitgehend unbekannt war, seit der Mitte des 19. Jh. aber die Kluft zwischen Reich und Arm gerade in Baden-Baden sich sichtbar vergrößerte, machten sich viele Wohlhabende die Sorge um die ärmeren Klassen zur gesellschaftlichen Pflicht. Ein Beispiel dafür ist der *Frauenverein*, der sich schon 1851 zusammenschloß und 1859 dem von Großherzogin Luise gegründeten Landes-Frauenverein beitrat. 1875 wurde er als dessen Zweigverein in Baden-Baden wiedergegründet und ging später im Roten Kreuz auf. Schon in den 1850er Jahren organisierte der Frauenverein die Kleinkinderbewahranstalt und die Suppenanstalt. Weitere Aktivitäten im Bereich der Fürsorge kamen hinzu, so daß sich der Verein 1890 nach seinen Aufgaben in fünf Abteilungen gegliedert hatte (388 Mitglieder). Das katholische Gegenstück war der 1866 vom damaligen Stadtpfarrer gegründete *Vincentius-Verein*, der sich aber auf die Pflege von Kranken und Alten (ohne Unterschied der Konfession) konzentrierte. Vincentius-Vereine entstanden auch in den Stadtteilen. Im 20. Jh. ging das soziale Engagement insgesamt mehr von überkonfessionellen auf konfessionelle Vereinigungen über.

Die große Zeit der *Sportvereine* begann in den 1880er Jahren. Noch 1873 gab es nur die Schützen-Gesellschaft und den Turnverein, im Jahr 1900 bereits 12 Vereine für verschiedene Sportarten. Ihre Zahl wuchs noch stetig an, bis 1970 insgesamt die 43 Sportvereine die weitaus größte Gruppe der Vereine stellten, mit Abstand gefolgt von den 14 *Gesangvereinen* (ohne Kirchenchöre). Viele Gesangvereine waren zwischen 1900 und 1933 gegründet worden.

Neben dem 1872 gegründeten *Internationalen Club* (als Aktiengesellschaft gegründet), der sich speziell um die Iffezheimer Rennen verdient machte, verdankt die Stadt dem *Gemeinnützigen Verein* eine Steigerung ihrer Anziehungskraft. Der Verein wurde 1882 gegründet und sah seine Aufgabe in der Veranstaltung von Festen und der Verschönerung und Verbesserung der sportlichen und anderen Anlagen der Stadt. Der Verein hat das Dritte Reich nicht überlebt.

In den 1860er Jahren gründeten Handwerker und Angehörige des Handelsstandes schon Standesvereine. Ihre Blüte erlebten die *Standes- und Berufsvereine* jedoch in der 1. H. 20. Jh. Sie sind allerdings in ihren Zielen oft nicht von reinen Interessenvertretungen zu trennen.

Die *Militär- und Veteranenvereine* stammen aus den Jahren zwischen 1871 und 1914 und zwischen 1918 und 1939. 1878 gab es auch in Lichtental, Oos, Balg, Haueneberstein und Sandweier Veteranenvereine. 1950 bestand kein einziger mehr, 1970 war die Marine-Kameradschaft Baden-Baden wiedererstanden.

Die erste selbständige *Freimaurerloge* »Badenia zum Fortschritt« in Baden-Baden wurde 1871 gegründet (sie bestand seit 1866 unter einer Karlsruher Loge), weitere Logen und freimaurerähnliche Verbindungen wie Schlaraffia folgten bis 1933. Zum Teil wurden sie nach dem Krieg wiedergegründet.

Auch in den Dörfern der Umgebung entstanden in den letzten Jahrzehnten des 19. Jh. Gesang- und Musikvereine, Veteranenvereine, später auch Sportvereine. Ihre Schicksale waren wechselvoll, ihr Bestand durch die Kriege und Wirtschaftskrisen, auch durch sich ändernde Interessen gefährdet. Aber zahlreiche Vereine gingen nach 1970 in den neuen Stadtkreis ein. Zu ihnen gehören u. a. der 1888 gegründete Männergesangverein Yburg und die Musikvereinigung von 1909 in Varnhalt, in Haueneberstein der Turnverein von 1903, der Fußballverein von 1919 und der 1922 gegründete Musikverein.

Anmerkungen

1. GLA 339/773.
2. *Schreiber* 1805. S. 105 ff.
3. GLA 371/Zug. 1932 Nr. 37/134.
4. Frdl. Mitteilung von Herrn Robert Erhardt, Stadtarchiv Baden-Baden.
5. *Schreiber* 1857. S. 53.
6. *Schnars* 1878. S. 26.
7. Adreßbuch 1900. S. 10–15.
8. Adreßbuch 1932. S. 4–6.
9. Einwohnerbuch 1942. S. 21–22.
10. *Schreiber*, H. 1840. S. 44/45.
11. GLA 339/1188.
12. *Loeser* 1891. S. 520.

Literatur zu III. Entwicklung im 19. und 20. Jahrhundert bis zur Kreis- und Gemeindereform

Adreßbuch der Grossh. Stadt Baden einschließlich Badenscheuern und Oosscheuern. 1873. Baden-Baden 1873.
Adreßbuch der Stadt Baden-Baden 1932. Baden-Baden 1932.
Adreßbuch der Stadt Baden-Baden 1950/1951 nach dem Stand vom 1. Juli 1950. Baden-Baden 1951.
Adreßbuch der Stadt Baden-Baden 1970. Baden-Baden 1970.
Baden-Baden Aufbau 1946–1958. Zeitschrift Baden-Baden. Sonderausgabe 1958.
Badische Gemeindestatistik enthaltend die wichtigsten statistischen Angaben für die Gemeinden und abgesonderten Gemarkungen des Landes Baden. Bearb. vom Statistischen Landesamt. Karlsruhe 1927.
Badische GemeindeStatistik mit den wichtigsten Angaben für die Gemeinden des Landes Baden. Bearb. vom Badischen Statistischen Landesamt. Karlsruhe 1943.
Die badische Landwirtschaft im Allgemeinen und in einzelnen Gauen. Bearb. vom Badischen Statistischen Landesamt. Bd. 1. 2. Karlsruhe 1932. 1933.
Baier, Hermann: Die Ortenau als Auswanderungsgebiet. In: Bad. Heimat. 22. Jg. 1935, S. 144–150.
Becker, Josef: Liberaler Staat und Kirche in der Ära von Reichsgründung und Kulturkampf. Geschichte und Strukturen ihres Verhältnisses in Baden 1860–1876. Mainz 1973. Veröffentlichungen der Kommission für Zeitgeschichte. Reihe B. Forschungen. Bd 14.
Beckerath, Melitta von: Stadtgeographie von Baden-Baden. Masch. Diss. Freiburg 1961.
Berger, Martin: Die Aufhebung der Spielbank zu Baden-Baden (1861–1872) nach den staatlichen und städtischen Akten dargest. Vortrag. Baden-Baden 1912.
Berl, Heinrich: Das Badener Tagebuch. Aufzeichnungen eines Chronisten aus den Jahren 1933–37. Baden-Baden 1937.
ders.: Das Badener Tagebuch. Aufzeichnungen eines Chronisten aus den Jahren 1933–45. 2. erw. Aufl. Baden-Baden 1948.
ders.: Paris und Baden-Baden im 19. Jh. Baden-Baden 1949.
ders.: Baden-Baden, die älteste Spielbank Deutschlands. Baden-Baden 1950.
ders.: Das wiedererstandene Baden-Baden. In: Adreßbuch der Stadt Baden-Baden 1950/1951.
ders.: Neuweirer Chronik. Baden-Baden 1943.
ders.: Geschichtlicher Führer durch Baden-Baden und nähere Umgebung. Baden-Baden 1936.
Boerkircher, Helmut: Die Wirtschaft des Stadtkreises Baden-Baden. Karlsruhe 1979. Mitteilungen der IHK Mittlerer Oberrhein. 11.
Brandstetter, Lothar: Forstgeschichtliche Untersuchungen über den Stadtwald von Baden-Baden. Baden-Baden 1963. Beiträge zur Geschichte der Stadt und des Kurorts Baden-Baden. H. 6.
Brandt, Peter, Reinhard *Rürup*: Volksbewegung und demokratische Neuordnung in Baden 1918/19. Sigmaringen 1991.
Bräunche, Ernst Otto: Die Entwicklung der NSDAP in Baden bis 1932/33. In: Zeitschrift für die Geschichte des Oberrheins. 125. NF 86. 1977. S. 331–375.
Bruckner, Karl: 100 Jahre SPD in Baden-Baden. Hrsg. SPD Baden-Baden. Baden-Baden 1989.
ders.: 150 Jahre Sankt Katharina Sandweier. Sandweier 1987.
Bruttowertschöpfung der kreisfreien Städte, der Landkreise und der Arbeitsmarktregionen in der Bundesrepublik Deutschland 1980 und 1990 (früheres Bundesgebiet). Stuttgart 1994. Gemeinschaftsveröffentlichung der Statistischen Landesämter. Volkswirtschafliche Gesamtrechnungen der Länder. H. 21.
Carganico, Walter: Vor Hundert Jahren am 10. Dezember 1892 – Einweihung des Postgebäudes Sophienstraße 12 am Leopoldsplatz und die Post damals. In: Aquae 92. Arbeitskreis für Stadtgeschichte Baden-Baden. Beiträge zur Geschichte der Stadt und des Kurortes Baden-Baden. H. 25. 1992. S. 61–68.
ders.: Baden-Baden in der Revolution 1848–1849. In: Aquae 89. Arbeitskreis für Stadtgeschichte Baden-Baden. H. 22. 1989. S. 19–26.
Einwohnerbuch der Stadt Baden-Baden 1942. Baden-Baden 1942.
Endgültige Ergebnisse der Volks- und Berufszählung in Baden vom 29. Oktober 1946. Fortsetzung. Stand der Bevölkerung am 30. Juni 1948. Freiburg i. Br. 1948.

Endgültige Ergebnisse der Volks-, Berufs- und Betriebszählung vom 17. Mai 1939 in Baden. Bearb. u. hrsg. vom Badischen Statistischen Landesamt. Karlsruhe 1941.
Endgültige Ergebnisse der Volkszählung in Baden vom 29. Oktober 1946. Die Gemarkungsflächen nach dem Stand vom 1. Januar 1948. Die Veränderungen in der inneren Verwaltung in der Zeit vom 1. April 1938–31. März 1948. Freiburg i. B. (1948).
Die endgültigen Ergebnisse der Volkszählung vom 16. Juni 1925 in den Gemeinden, Amtsbezirken ... Bearb. im Badischen Statistischen Landesamt. Karlsruhe 1925.
Die endgültigen Ergebnisse der Volkszählung vom 16. Juni 1933 in Baden. Bearb. vom Badischen Statistischen Landesamt. Karlsruhe 1933.
Erhard, Robert: Die Gasthäuser und Hotels der Stadt Baden-Baden. T. 1. Baden-Baden 1982. Arbeitskreis für Stadtgeschichte Baden-Baden. Beiträge zur Geschichte der Stadt und des Kurortes Baden-Baden. H. 18.
Festschrift 100 Jahre Handelslehranstalt Baden-Baden 1887–1987. Baden-Baden 1987.
Feyer, Ute: Entwicklung des Hauptstraßennetzes um 1855 und 1976. In: Historischer Atlas Baden-Württemberg. Erläuterungen. Stuttgart 1972–1988. Beiwort zur Karte X, 3.
Fischer, Klaus: »Faites votre jeu«. Geschichte der Spielbank Baden-Baden. Baden-Baden 1975. dass. 2. Aufl. Baden-Baden 1984.
Frech, Karl: Der Kurort Baden-Baden. Beitrag zur Geschichte und Statistik des Badewesens. Karlsruhe 1870. An: Frech, Die russ. Thermaldampfbäder in Baden-Baden.
Frühe: Grossherzogliches Gymnasium und Realprogymnasium Baden. Bericht über das Schuljahr 1894/95. Mit einer Beilage: Ein Rückblick auf die fünfundzwanzig ersten Jahre (1870 bis 1895) des Gymnasiums und Realprogymnasiums. Baden-Baden 1895.
Fuss, Margot: Die Chronik der Stefanienstraße. Ein ganz besonderer Stadtführer. Baden-Baden 1987.
dies.: Aus der Chronik der Sofienstraße. Baden-Baden 1980. Arbeitskreis für Stadtgeschichte Baden-Baden. Beiträge zur Geschichte der Stadt und des Kurortes Baden-Baden. H. 17.
dies.: Die Chronik der Sofienstraße. Baden-Baden 1967. Arbeitskreis für Stadtgeschichte Baden-Baden. Beiträge zur Geschichte der Stadt und des Kurortes Baden-Baden. H. 4.
dies.: Baden-Baden damals. 1860–1910. Konstanz 1978.
Griesmeier, Josef: Die Entwicklung der Wirtschaft und der Bevölkerung von Baden und Württemberg im 19. und 20. Jahrhundert. Jahrbücher für Statistik und Landeskunde von Baden-Württemberg. 1. Jg. H. 2. 1954.
Groß, Karl: Handbuch für den Badischen Landtag. IV. Landtagsperiode 1929–1933. [Karlsruhe] 1929.
ders.: Handbuch für den Badischen Landtag. V. Landtagsperiode 1933–1937. o. O. o. J.
Das Großherzogthum Baden nach seinen zehen Kreisen und Amtsbezirken topographisch skizzirt. Karlsruhe 1810.
Das Großherzogtum Baden in geographischer, naturwissenschaftlicher, geschichtlicher, wirtschaftlicher und staatlicher Hinsicht dargest. Karlsruhe 1885.
Haebler, Rolf Gustav: Geschichte der Stadt und des Kurortes Baden-Baden. Bd 2. Baden-Baden 1969.
Haehling von Lanzenauer, Reiner: Spurensuche: Die Baden-Badener Zeppelinhalle. In: Aquae 89. Arbeitskreis für Stadtgeschichte Baden-Baden. H. 22. 1989. S. 101–104.
Hochstuhl, Kurt, Erwin *Senft*: Haueneberstein. Aus der Geschichte des Dorfes am Eberbach. Haueneberstein o. J. (1994).
Hof- und Staats-Handbuch des Großherzogthums Baden 1834. Karlsruhe 1834.
Hof- und Staats-Handbuch des Großherzogthums Baden 1910. Karlsruhe 1910.
Hof- und Staats-Handbuch des Großherzogthums Baden 1913. Karlsruhe 1913.
Höhere Töchterschule 1869, Richard-Wagner-Gymnasium 1969 Baden-Baden. Festschrift zum 100jährigen Bestehen. Baden-Baden 1969.
Holdermann: Die geschichtliche Entwicklung der Bäder- und Kurverwaltung – Anstalt des öffentlichen Rechts – und ihre Bedeutung für Baden-Baden. Neuaufl. Baden-Baden 1969 [Ms].
Hundsnurscher, Franz, und Gerhard *Taddey*: Die jüdischen Gemeinden in Baden. Denkmale, Geschichte, Schicksale. Hrsg. von der Archivdirektion Stuttgart. Stuttgart 1968. Veröffentlichungen der Staatlichen Archivverwaltung Baden-Württemberg. Bd 19.

Jahresbericht der Gewerbe- und Handelsschule in Baden-Baden für das Schuljahr 1901/1902. Baden-Baden 1902.
Jörger, Karl: Aus der Geschichte der Baden-Badener Volksschule. Baden-Baden 1965. Beiträge zur Geschichte der Stadt und des Kurortes Baden-Baden. 8.
Keller: Die kurörtliche Verwaltung Baden-Badens. In: Zeitschrift für badische Verwaltung und Verwaltungsrechtspflege. 67. Jg. 1935. S. 81–84.
Koch, Ernst: Friedrich Eisenlohr. Architekt der Badischen Staatseisenbahnen. In: Aquae 88. Arbeitskreis für Stadtgeschichte Baden-Baden. H. 21. 1988. S. 69–82.
Kraetz, Julius: Die Kreisfreie Stadt Baden-Baden. In: Die Ortenau. 50. Jahresband 1970. S. 3–23.
Krienen, Walter: Handel und Industrie im Bezirk der Handelskammer Karlsruhe. In: Deutsche Handels- und Industrie-Städte. Zeitschrift für Handel und Industrie. Januar/April 1921. S. 99–111.
Kur-Badischer Hof- und StaatsCalender für das Jahr 1805. Karlsruhe 1805.
Lauck, Ingrid: Bilddokumentation Bäderviertel. In: Aquae 88. Arbeitskreis für Stadtgeschichte Baden-Baden. H. 21. 1988. S. 63–68.
Leis, Hannes: Maison Messmer. Chronik des Hauses Werderstraße 1. In: Aquae 88. Arbeitskreis für Stadtgeschichte Baden-Baden. H. 21. 1988. S. 49–62.
Lindemann, Klaus E.: Merkur-Bergbahn Baden-Baden. Karlsruhe 1989.
Loeser, J.: Geschichte der Stadt Baden von den ältesten Zeiten bis auf die Gegenwart. Baden-Baden 1891.
Löffler, K.: Geschichte des Verkehrs in Baden. Heidelberg 1910.
Mall, J.: Handbuch für alle großherzoglich Badischen Staatsbehörden. Karlsruhe 1831.
Morgenthaler, Josef: Die wirtschaftliche und soziale Struktur des Kreises Bühl in Mittelbaden. Diss. Landw. Hochschule Hohenheim 1952.
Müller, Karl: Geschichte des badischen Weinbaus. 2. Aufl. Lahr 1953.
Müller, Karl: Die badischen Eisenbahnen in historisch-statistischer Darstellung. Heidelberg 1904.
Müller, Karl-Friedrich: Das Jahr 1945 in Südbaden. Frankfurt 1987. Menschen und Strukturen. Bd 3.
Die Neuordnung der Verkehrsstraßen im Raume Baden-Baden, dem Stadtrat vorgelegt von der Stadtverwaltung in der öffentlichen Sitzung vom 1. Februar 1955. Baden-Baden 1955.
Oels, Monika: Der Liberalismus in Baden in der Weimarer Republik. Schriftl. Hausarbeit Phil. Fak. Georg-August-Univ. Göttingen 1970 [?].
Die politischen, Kirchen- und SchulGemeinden des Großherzogthums Baden mit der Seelen- und Bürgerzahl vom Jahr 1845. Karlsruhe 1847.
Polizei-Landesmeisterschaften 1964 im Schwimmen und Rettungskampf. Festschrift und Programm. Freiburg 1964.
Reichel, F. M., und H. K. *Kissling*: Illustrirter Führer für Baden-Baden und Umgegend. Baden-Baden o. J. [nach 1862, vor 1866].
Reinhard, Eugen: Verkehr. In: 40 Jahre Baden-Württemberg. Aufbau und Gestaltung 1952–1992. Stuttgart 1992. S. 413–478.
Die Religionszugehörigkeit in Baden in den letzten 100 Jahren auf Grund amtlichen Materials. Bearb. und hrsg. vom Badischen Statistischen Landesamt. Freiburg im Breisgau 1928.
Rössler, Oskar: Baden-Baden als Heilbad. T. 2. Baden-Baden 1940.
Roth, Adolf, und Paul *Thorbecke*: Die badischen Landstände insbesondere die Zweite Kammer. Landtagshandbuch. Mit Unterstützung der Zweiten Kammer hrsg. Karlsruhe 1907.
Rothmund, Paul, und Erhard R. *Wiehn* (Hrsg.): Die F. D. P./DVP in Baden-Württemberg und ihre Geschichte. Stuttgart 1979. Schriften zur politischen Landeskunde Baden-Württembergs. Bd 4.
Schadt, Jörg, und Wolfgang *Schmierer* (Hrsg.): Die SPD in Baden-Württemberg und ihre Geschichte. Stuttgart 1979. Schriften zur politischen Landeskunde Baden-Württembergs. Bd 3.
Schindler, Angelika: Der verbrannte Traum. Jüdische Bürger und Gäste in Baden-Baden. Bühl-Moos 1992.
Schindler, Jörg-Wolfram: Bevölkerung – Struktur und Entwicklung. In: Der Landkreis Lörrach. Bd 1. 1993. S. 251–278. Kreisbeschreibungen des Landes Baden-Württemberg.
Schmid, Christoph: Die Reichstagswahlen von Baden im Jahre 1907. Magisterarbeit Phil. Fak. Univ. Freiburg 1986.

Schnars, Carl Wilhelm: Baden-Baden und Umgebung. Neuester zuverlässiger Führer. Baden-Baden 1878.
Schreiber, A[loys]: Baaden in der Marggrafschaft mit seinen Bädern und Umgebungen. Karlsruhe 1805.
ders.: Baden im Großherzogthum mit seinen Heilquellen und Umgebungen neu beschrieben. Heidelberg 1811.
Schreiber, H[ipolyt]: Baden-Baden die Stadt, ihre Heilquellen und Umgebung. Taschenbuch für Fremde und Einheimische. Stuttgart 1840.
ders.: Baden, seine Heilquellen, seine Saison und seine Umgebung. [Baden-Baden] 1857.
Schreiber, H. A[loys]: Baden im Großherzogthum und seine Umgebungen. Ein Führer für Reisende. Karlsruhe und Baden 1828.
ders.: Neuer Führer für Reisende und Kurgäste in und um Baden, nebst einer Geschichte der Stadt. Karlsruhe und Baden 1831.
Schurr, Hermann: Lebensbild einer Dorfgemeinschaft. (Umschlagtit.: 500 Jahre Varnhalt 1479–1979) Gaggenau 1979.
Schwarz, Sepp (Hrsg.): Drei Jahrzehnte. Die Heimatvertriebenen in Baden-Württemberg. Berichte – Dokumente – Bilder. Im Auftrag des Bundes der Vertriebenen, Landesverband Baden-Württemberg. Stuttgart 1975.
1670–1970 [Kloster vom Heiligen Grab in Baden-Baden]. Baden-Baden 1970.
Sepaintner, Fred Ludwig: Wahlen und Abgeordnete der deutschen Nationalversammlung in Frankfurt 1848. In: Historischer Atlas von Baden-Württemberg. Erläuterungen. Stuttgart 1972–1988. Beiwort zur Karte VII, 6.
ders.: Die Reichstagswahlen im Großherzogtum Baden. Ein Beitrag zur Wahlgeschichte im Kaiserreich. Frankfurt am Main, Bern 1983. Europäische Hochschulschriften. Reihe 3. Bd 192.
Siehl, Hans Martin: Zur Geschichte der evangelischen Kirchengemeinde Baden-Baden. In: Aquae 92. Arbeitskreis für Stadtgeschichte Baden-Baden. Beiträge zur Geschichte der Stadt und des Kurortes Baden-Baden. H. 25. 1992. S. 9–35.
Singer, Friedrich: Franz Joseph Herr 1778–1837, ein Ehrenbürger der Stadt Baden-Baden. Baden-Baden 1967. Arbeitskreis für Stadtgeschichte Baden-Baden. Beiträge zur Geschichte der Stadt und des Kurortes Baden-Baden. H. 7.
St.-George, von: Die Verselbständigungsbestrebungen der Stadt Baden-Baden auf dem Gebiet der Bäder und Kurverwaltung. In: Zeitschrift für badische Verwaltung und Verwaltungsrechtspflege. 68. Jg. 1936. S. 17–19.
Staatshandbuch für Baden 1927. Hrsg. vom Badischen Staatsministerium. Stand 1. April 1927. Karlsruhe 1927.
Statistisches Jahrbuch für das Großherzogthum (ab 42. 1925: Land) Baden. Hrsg. vom Badischen Statistischen Landesamt. Jg 1–44. 1868–1938. Karlsruhe 1868–1938.
1200 Jahre Steinbach, 700 Jahre Stadtrecht. Steinbach 1958.
Stiefel, Karl: Baden 1648–1952. Bd 2. Karlsruhe 1977.
Traechtler, Alban: Zu Füßen des Merkur. Handel und Wandel im Raum der Civitas Aquensis bis auf unsere Zeit. Hrsg.: IHK Baden-Baden. Baden-Baden 1955.
100 Jahre Volksbank Baden-Baden 1869–1969. Festschrift; Geschäftsbericht 1968. Baden-Baden 1968.
Wagner, Alfred: Baden-Baden und Umgebung. (Beckmann-Führer). Stuttgart o. J. [um 1906].
Weber, Herm., Aug. *Fass*: Adressbuch der Grossherzoglichen Stadt Baden-Baden ... nach dem Stand vom Januar 1900. Baden-Baden 1900.
Weech, Friedrich von: Baden in den Jahren 1852 bis 1877. Festschrift zum fünfundzwanzigjährigen Regierungs-Jubiläum ... des Großherzogs Friedrich. Karlsruhe 1877.
Weinacht, Paul-Ludwig (Hrsg.): Die CDU in Baden-Württemberg und ihre Geschichte. Stuttgart 1978. Schriften zur politischen Landeskunde Baden-Württembergs. Bd 2.
Weinacht, Paul-Ludwig, Tilman *Mayer*: Ursprung und Entfaltung christlicher Demokratie in Südbaden. Eine Chronik 1945–1981. Hrsg. vom Bezirksverband der CDU Südbaden, Freiburg i. Br. Sigmaringen 1982.
Winzerfest Neuweier 1952. 30jähriges Jubiläum der Winzer-Genossenschaft Neuweier. Festschrift. Neuweier 1952.
Die Wohnbevölkerung in Baden und ihre Religionszugehörigkeit nach der Volkszählung vom 16. Juni 1933. Karlsruhe 1934.

IV. DIE STADT DER GEGENWART

1. Bevölkerung

Entwicklung. – Die Bevölkerungsentwicklung im Zeitraum von 1970 bis 1995 läßt sich in drei Phasen einteilen:

In der *ersten Phase*, die die Jahre 1970 bis 1974 umfaßt, ist ein bemerkenswerter Einwohnerzuwachs zu konstatieren, der allerdings kaum aus der natürlichen Bevölkerungsentwicklung herrührte, sondern durch Eingemeindungen zustande kam, denn 1972 wurden Ebersteinburg, Neuweier, Steinbach und Varnhalt sowie 1974 Haueneberstein und Sandweier eingemeindet. Alle eingemeindeten Orte hatten auch bereits als politisch selbständige Gemeinden in mehr oder weniger enger Beziehung zur Stadt Baden-Baden gestanden. So hatten sie beispielsweise in den sechziger Jahren, in einer Zeit, als die Stadt Baden-Baden bereits Einwohnerverluste durch Abwanderung zu verzeichnen hatte, Wanderungsgewinne aufzuweisen, die aus der Ausweisung und Erschließung von Bauland resultierten, das oftmals von bis dahin in Baden-Baden ansässigen Bürgern – häufig handelte es sich dabei um junge Familien – erworben wurde. Solche Neubürger der neuen Stadtteile behielten in der Regel jedoch ihre räumliche Orientierung nach der Kernstadt bei, nicht selten mögen sie sich gar nach wie vor als Baden-Badener gefühlt haben. Mit der Eingemeindung nach Baden-Baden im Zuge der baden-württembergischen Gebiets- und Verwaltungsreform wurde demnach das in vielerlei Hinsicht bestehende Interdependenzverhältnis administrativ neu geregelt. Im Hinblick auf die 1974 eingemeindeten Orte Haueneberstein und Sandweier muß allerdings auch die Orientierung eines etwa ebenso großen Teiles der Einwohnerschaft nach Rastatt angesprochen werden. Sinzheim, das nicht nach Baden-Baden eingemeindet wurde, stand und steht ebenfalls in enger Beziehung zu Baden-Baden und darf deshalb an dieser Stelle nicht unerwähnt bleiben, auch wenn dieser Ort bei der Betrachtung der Bevölkerungsentwicklung Baden-Badens unberücksichtigt bleiben muß. Nach den erfolgten Eingemeindungen erreichte Baden-Baden Ende 1974 mit 50201 registrierten Einwohnern seine bis dahin höchste Bevölkerungszahl. In Wirklichkeit hatte die Stadt jedoch mehr Einwohner, denn die Franzosen, die unmittelbar oder mittelbar aufgrund der französischen Militärpräsenz in Baden-Baden ansässig waren, durften von den deutschen Behörden nicht erfaßt werden. Heute schätzt man seitens der Stadtverwaltung Baden-Baden deren Zahl auf 2000 bis zu 6000 Personen. Mithin wären der offiziell veröffentlichten Einwohnerzahl etwa 10 % hinzuzurechnen.

Die genannte Zahl von 50201 Einwohnern am Ende des Jahres 1974 beruht auf der Fortschreibung der Einwohnerzahlen, die das Statistische Landesamt Baden-Württemberg kontinuierlich durchführt. Die Stadt Baden-Baden kam nach ihren eigenen statistischen Berechnungen auf wesentlich mehr Einwohner. Danach hatte Baden-Baden am 31. 12. 1974 sogar 55028 Einwohner (ohne den französischen Bevölkerungsanteil). Nach den seitens der Stadtverwaltung geführten Statistiken ging allerdings ebenso wie nach den Fortschreibungsdaten von 1975 an die Einwohnerzahl beständig zurück.

Somit läßt sich eine *zweite Phase* in der Bevölkerungsentwicklung von Baden-Baden ausmachen, die von der Mitte der siebziger Jahre bis zum Ende der achtziger Jahre

1. Bevölkerung

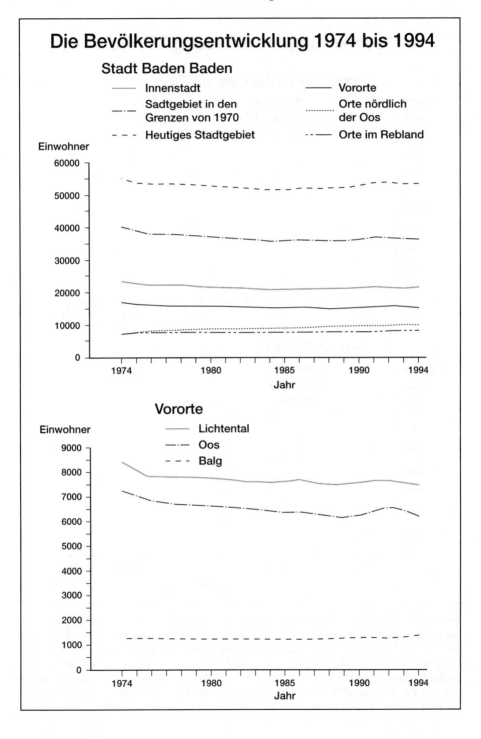

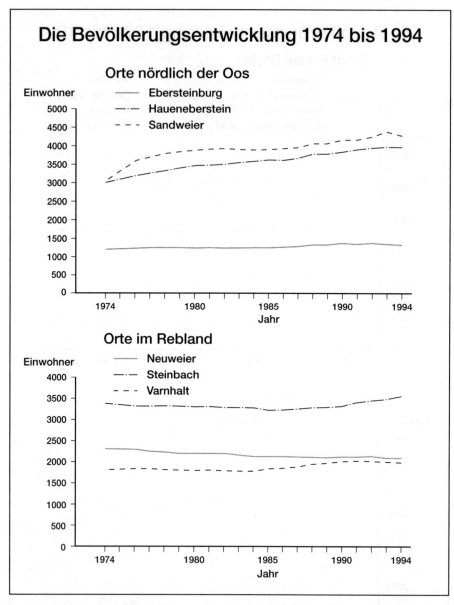

(1975–1989/90) reicht. Diese Phase, die mit dem Ausklang des Eingemeindungsprozesses nach Baden-Baden beginnt und mit der Grenzöffnung der einstigen DDR 1989 bzw. mit der deutschen Wiedervereinigung 1990 endet, ist gekennzeichnet durch einen kontinuierlichen Bevölkerungsrückgang: nach den städtischen Daten verliert Baden-Baden in dieser Zeit jährlich zwischen 1,5 % (1975) und 0,5 % (1984) seiner Einwohner, ein Prozeß, der erst Mitte der achtziger Jahre zum Stillstand kommt und in der zweiten Hälfte der achtziger Jahre sogar wieder in ein geringes Wachstum umschlägt

(Ende 1987: 51294, Ende 1988: 51583, Ende 1989: 51706). Ein ähnliches Bild ergibt sich aus den Fortschreibungsdaten des Statistischen Landesamtes Baden-Württemberg. Auch hier ist ein kontinuierlicher Bevölkerungsrückgang bis zur Mitte der achtziger Jahre zu erkennen, der seit 1985 umschwenkt zugunsten eines geringen aber stetigen Bevölkerungswachstums. Die Einwohnerzahl Baden-Badens steigt nach diesen Angaben von 48 684 im Jahre 1985 auf 51 085 im Jahre 1989, ein bemerkenswerter Zuwachs von immerhin fast 5 % in einem halben Jahrzehnt. Laut der städtischen Statistiken stieg die Einwohnerzahl in diesem Zeitraum allerdings nur von 51 236 Einwohnern 1985 auf 51 706 Einwohner 1989 an und betrug damit lediglich 0,5 %. Erheblichen Anteil an diesem Wachstum hatten die Stadtteile Varnhalt mit mehr als 5 % Bevölkerungszunahme sowie Sandweier und Haueneberstein, deren Einwohnerzahl seit 1985 um etwa 5 % anstieg. Ein geringeres Wachstum hatten Balg, Ebersteinburg, Steinbach und die Weststadt zu verzeichnen – die heutige Weststadt als administrativer und statistischer Stadtbezirk entspricht in etwa dem früheren Oosscheuern, das zur Gemeinde Oos gehörte, und dem Baden-Badener Badenscheuern. In Oos, der Innenstadt, Lichtental und Neuweier war dagegen auch in diesem Zeitraum ein Einwohnerschwund zu konstatieren.

Die 1990 beginnende *dritte Phase* ist gekennzeichnet durch einen sprunghaften Bevölkerungszuwachs in den Jahren 1990 bis 1992, der insbesondere 1991 und 1992 erfolgte, als die Bevölkerungszahl jährlich um ca. 1,5 % zunahm und ihren Höhepunkt im Jahre 1992 erreichte, als Baden-Baden am Jahresende 53 059 Einwohner hatte. Die Bevölkerungszunahme fand 1990 in sämtlichen Stadtteilen statt, ein Indikator dafür, daß sie nicht mit der natürlichen Bevölkerungsbewegung zu erklären ist, sondern höchstwahrscheinlich durch die Ost-West-Migration als Folge des deutschen Wiedervereinigungsprozesses 1989/1990. Diese Tendenz setzte sich 1991 und in stark abgeschwächter Intensität auch 1992 in allen Stadtteilen mit Ausnahme von Balg fort. Seit 1993 ist jedoch ein erneuter, allerdings leichter, Bevölkerungsrückgang um 0,5 % p. a. festzustellen, der sich bereits 1994 wieder auf ca. 0,2 % p. a. abgeschwächt hat.

Jüngste Tendenzen. – Die Wiedervereinigung und der Rückgewinn der deutschen Souveränität hat wegen des damit verbundenen Abzuges der Siegermächte des Zweiten Weltkrieges aus Deutschland für Baden-Baden weitreichende Folgen, die in ihren Konsequenzen momentan noch nicht vollständig abgeschätzt werden können. Die Stadt verliert durch den *Weggang der französischen Truppenkontingente* etwa 10 % – eine genauere Quantifizierung ist leider nicht möglich – ihrer Gesamtbevölkerung. Ein solcher Einbruch kann natürlich nicht ohne gesellschaftliche und wirtschaftliche Konsequenzen für die Stadt vonstatten gehen. Neuerdings zeichnen sich bereits erste Auswirkungen dieses z. Zt. noch in Gang befindlichen Prozesses ab: so etwa im Bereich der Weststadt, wo insbesondere im Gebiet zwischen der Rheinstraße und der Bundesstraße 500 die von den Franzosen freigegebenen Wohnblöcke von der Stadt Baden-Baden erworben und renoviert worden sind. Im Laufe des Jahres 1994 sind diese Wohnungen sukzessive bezogen worden, wobei die Stadtverwaltung Baden-Baden bei der Vergabe weitgehend steuernd einwirken konnte. Dies hat bewirkt, daß im Jahre 1994 die Einwohnerzahl der Weststadt von 7874 am 31.12.1993 auf 8661 am 31.12.1994 angestiegen ist, insgesamt also um 787 Personen oder genau 10 %. Der überwiegende Teil der Zuzüge hat in der zweiten Jahreshälfte stattgefunden, nachdem die einstigen Wohngebäude der Franzosen wieder bezugsbereit waren; allein im Monat September sind 126 Personen eingezogen. Dieser Einwohnerzuwachs ist ohne nennenswerte Bautätigkeit in der Weststadt zustande gekommen und damit mit Sicherheit ganz überwiegend dem Abzug der ehemaligen Besatzungsmacht zuzuschreiben, der die Voraussetzung für eine derartige Bevölkerungsbewegung darstellte. Die Gesamtbevölkerungszahl der Stadt Baden-Baden ist 1994 nämlich nicht angestiegen, im Gegenteil, sie ist sogar geringfügig von 52 737 Einwohnern am 31.12.1993 auf 52 607 Einwohner am 31.12.1994, also um etwa 0,25 %, gesunken. Der Bevölkerungszugewinn der Weststadt ist demnach zum allergrößten Teil aufgrund innerstädtischer Wanderungen zustande gekommen. Sämtliche Stadtteile mit Ausnahme von Balg und Steinbach haben in diesem Zeitraum Einwohner eingebüßt, wobei die Innenstadt, deren Einwohnerzahl sich um 477 Personen von 12 758 auf 12 281 verringert hat, an der Spitze gestanden hat. Die Weststadt ist somit anscheinend auf dem Wege, Ergänzungsfunktionen für die Innenstadt wahrzunehmen, indem sie Teile der innerstädtischen Wohnbevölkerung aufnimmt. So werden nicht nur der dortige Wohnraummangel und Bevölkerungsdruck abgebaut, sondern wohl auch neue Handlungsspielräume für eine zukünftige Innenstadtentwicklung geschaffen und Potentiale freigesetzt.

Aus der aktuellen Bevölkerungsbestandtabelle, die seitens der Stadt Baden-Baden in Zusammenarbeit mit dem Regionalen Rechenzentrum Karlsruhe geführt wird, wurde die *Bevölkerungspyramide* auf S. 321 entwickelt. Sie läßt neben den auch anderenorts auftretenden Phänomenen wie geburtenschwache Jahrgänge als Folge der beiden Weltkriege 1915 bis 1919 und 1941 bis 1947 sowie der Weltwirtschaftskrise 1930 bis 1933 und dem natürlichen Überwiegen der männlichen Bevölkerung unter den jüngeren Jahrgängen doch auch deutlich die Besonderheiten des Bevölkerungsaufbaues Baden-Badens erkennen. Diese kommen insbesondere in einer relativen Überalterung der Bevölkerung zum Ausdruck. Der generell überwiegende Frauenanteil sticht dabei markant hervor: in manchen Jahrgängen ist die weibliche Bevölkerung unter den über 65jährigen mehr als doppelt so stark vertreten wie die männliche, besonders in den Jahrgängen der bis Mitte der zwanziger Jahre Geborenen, in denen die männliche Bevölkerung im Zweiten Weltkrieg noch zum Wehrdienst herangezogen wurde und demzufolge starke kriegsbedingte Verluste zu verzeichnen waren.

Tabelle 1 Anteil der über 65jährigen in den eingemeindeten Orten in % von 1989 bis 1994

Jahr	Steinbach	Neuweier	Varnhalt	Hauen-eberstein	Sandweier
1989	16,6	14,0	12,1	12,2	11,7
1990	17,0	14,7	12,8	12,3	11,3
1991	17,1	15,7	13,1	12,7	11,9
1992	17,1	15,7	13,4	12,8	12,3
1993	17,5	16,2	14,0	13,2	12,5
1994	17,5	16,3	14,3	13,8	13,2

Die *Altersgliederung* Baden-Badens ist außergewöhnlich. Seit Bestehen des heutigen Stadtkreises liegt der Anteil der über 65jährigen an der gesamten Stadtbevölkerung bei über einem Fünftel, mit weiterhin kontinuierlich ansteigender Tendenz: 1977 waren 20,6 % der Einwohner älter als 65 Jahre, 1979 21,4 %, 1981 21,7 %, 1983 21,0 %, 1985 21,9 %, 1987 22,5 %, 1989 22,6 %, 1991 22,5 %, 1993 22,7 % und Ende 1994 fast 22,8 %.

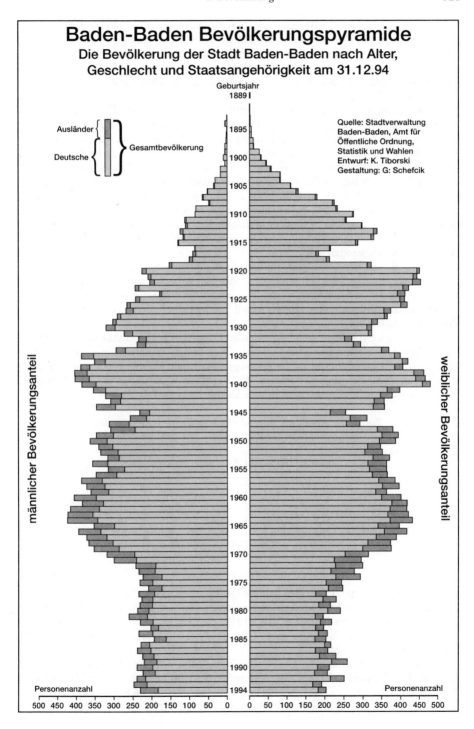

Mehr als die Hälfte der Bevölkerung dieser Altersgruppe lebt allein, d.h. ist ledig, verwitwet oder geschieden, wobei der Anteil der Geschiedenen beständig zunimmt. Besonders auffällig ist die markante Zunahme des Anteils der Menschen im Alter von über 80 Jahren, der von 3,5 % in der Mitte der siebziger Jahre auf 6,3 % der Gesamtbevölkerung Baden-Badens Anfang 1990 anstieg, 1994 hat er sogar bereits fast 7 % (6,995 %) betragen.

In den Stadtbezirken Innenstadt und Lichtental haben mehr als die Hälfte aller über 65jährigen ihren Wohnsitz, etwa zwei Drittel der Menschen dieser Altersgruppe leben in den Bezirken Innenstadt, Weststadt und Lichtental. Allein im Stadtbezirk Innenstadt wohnt ein Drittel aller über 65jährigen, die damit wiederum fast ein Drittel der dortigen Wohnbevölkerung ausmachen. Seit ab 1989 stadtteilbezogene Daten verfügbar sind, liegt der Anteil der über 65jährigen in der Innenstadt bei über 30 % (1990: ca. 30,6 %, 1991: ca. 30,5 %, 1992: ca. 31,1 %, 1993: ca. 31.2 %) mit dem vorläufigen Höhepunkt 1994, als deren Anteil fast 32 % erreicht hat, was sicherlich auch damit zu erklären ist, daß Familien mit Kindern besonders in diesem Jahr – wie erwähnt – in die durch den Abzug der französischen Einheiten frei gewordenen Wohnquartiere am Briegelacker in der Weststadt umgezogen sind.

Die im Rahmen der Gebietsreform neu hinzugekommenen Stadtteile Baden-Badens weisen hingegen eine gänzlich andere Bevölkerungsstruktur auf: der Anteil der über 65jährigen ist deutlich geringer, wenngleich auch dort mit stetig ansteigender Tendenz. In den Reblandgemeinden liegt deren Anteil durchweg höher als in den Orten nördlich der Oos (vgl. Tab. 1).

Mit Ausnahme von Steinbach liegt bei allen Ortsteilen auch der Anteil der 18–65jährigen über dem städtischen Durchschnitt. Dies bringt zusammen mit dem deutlich höheren Anteil Jugendlicher an der jeweiligen örtlichen Wohnbevölkerung zum Ausdruck, daß hier die jungen Familien die Bevölkerungsstruktur prägen. Besonders auffällig wird dies in Haueneberstein und Sandweier (vgl. Tab. 2).

Tabelle 2 Anteil der Jugendlichen unter 18 Jahren in den eingemeindeten Stadtteilen in % von 1990 bis 1994

Jahr	Steinbach	Neuweier	Varnhalt	Haueneberstein	Sandweier
1990	16,9	17,1	15,3	20,0	18,5
1991	17,2	17,0	15,4	20,0	18,5
1992	17,9	17,8	16,2	20,2	18,9
1993	18,3	18,0	15,7	20,2	20,0
1994	18,0	17,5	16,6	20,0	19,0

Der Anteil der unter 15jährigen nahm dagegen – bezogen auf die Gesamtstadt – seit Bestehen des heutigen Stadtkreises kontinuierlich von fast 15 % in der Mitte der 70er Jahre auf etwa 11 % im Jahre 1990 ab; (1977: ca. 14,9 %, 1979: ca. 13,7 %, 1981: ca. 12,7 %, 1983: ca. 11,3 %, 1985: ca. 10,6 %, 1987: ca. 10,7 %, 1989: ca. 11,1 %) 1994 hat er ca. 12,7 % betragen.

Der Anteil der Bevölkerung im erwerbstätigen Alter zwischen 15 und 65 Jahren sah im in Rede stehenden Zeitraum folgendermaßen aus: 1977 ca. 64,5 %, 1979 ca. 64,9 %, 1981 ca. 64,6 %, 1983 ca. 67,7 %, 1985 ca. 67,5 %, 1987 ca. 66,8 %, 1989 ca. 66,3 %. Da seit 1990 in Baden-Baden andere Altersgruppen statistisch zusammengefaßt wurden

– das Regionale Rechenzentrum weist Jugendliche als Nichtvolljährige im Alter von 0 bis unter 18 Jahren aus – lassen sich seither vergleichbare Prozentwerte aus den 90er Jahren für die Bevölkerung im erwerbstätigen Alter kaum erfassen. Im Jahre 1994 hat deren Anteil allerdings wahrscheinlich wiederum bei etwa zwei Dritteln gelegen.

Auffällig ist außerdem, daß die Zahl der Geschiedenen innerhalb des Zeitraumes von der Gemeindereform bis heute signifikant angestiegen ist von 1897 (ca. 3,5 %) im Jahre 1976 auf 3134 (ca. 6 %) 1994, ein Phänomen, das allerdings nicht nur in Baden-Baden zu beobachten ist.

In Baden-Baden waren Mitte der 70er Jahre (1976) fast zwei Drittel (64,83 %) der Bevölkerung katholisch und ein Viertel (25,03 %) evangelisch. Bis zur Mitte der 80er Jahre (1985) blieb das Verhältnis der beiden großen christlichen *Konfessionen* zueinander – 62,54 % katholisch zu 24,67 % evangelisch – sehr ähnlich, wobei allerdings deren jeweiliger Anteil an der Gesamtbevölkerung zurückging, vornehmlich resultierend aus der ansteigenden Zahl der Kirchenaustritte. Diese Tendenz hat sich bis heute fortgesetzt. Zum Ende des Jahres 1994 stellt sich die konfessionelle Situation in Baden-Baden folgendermaßen dar: 57,14 % der Bevölkerung sind katholisch und 22,55 % evangelisch. Innerhalb eines Zeitraumes von nur zwei Jahrzehnten ist damit der Anteil der Kirchenmitglieder einer der beiden großen christlichen Konfessionen von fast 90 % (89,86 %) auf annähernd 80 % (79,69 %) gesunken. Ein Fünftel der Einwohner Baden-Badens sind 1994 rechtlich kirchlich nicht gebunden gewesen, d. h. aber nicht notwendigerweise, das sie konfessionslos sind. Aufgrund der bestehenden Regelungen zwischen Kirchen und Staat interessiert die Meldebehörden allerdings lediglich die Zugehörigkeit zur evangelischen Landeskirche oder zum römisch-katholischen Bekenntnis. Nur 0,7 % der Bevölkerung haben 1994 den sogenannten »sonstigen Religionszugehörigkeiten« (z. B. Altkatholiken, evangelische Freikirchliche Gemeinden, Israeliten) angehört. Wahrscheinlich liegt deren tatsächlicher Anteil jedoch höher, da statistisch nur solche Personen erfaßt werden, die sich gegenüber dem Standesamt ausdrücklich einer Religionsgemeinschaft zugehörig erklären. Der wirkliche Anteil der Einwohner ohne Konfession ist damit sehr schwer zu bestimmen. Er macht aber mit Sicherheit nicht 20 % aus, sondern dürfte zwischen 10 und 15 % liegen. Selbst wenn man unterstellt, daß alle 1994 in Baden-Baden gemeldeten Ausländer aus vornehmlich islamischen Staaten Moslems sind, so macht deren Anteil an der Gesamtbevölkerung des Stadtkreises allenfalls 2 % aus.

Der *Ausländeranteil* an der Baden-Badener Wohnbevölkerung ist seit der Bildung des heutigen Stadtkreises kontinuierlich angewachsen: 1976 waren von den 53 302 Einwohnern 3604 ausländische Staatsbürger (ca. 6,75 %), 1991 von 52 968 Einwohnern 5080 (ca. 9,75 %) und Ende 1994 von 52 607 Einwohnern 5557 (ca. 10,5 %); vgl. Grafik S. 324. Der Anstieg des Ausländeranteils in den vergangenen Jahren hängt nach Einschätzung des städtischen Amtes für öffentliche Ordnung, Statistik und Wahlen entgegen landläufiger Meinung nicht mit einem erhöhten Asylbewerberandrang zusammen, sondern paßt in das Bild des moderaten kontinuierlichen Anstiegs von jährlich etwa 4 %. Diesen Eindruck bestätigt auch das beim Bundesverwaltungsamt in Köln geführte Ausländerzentralregister. Die größte Gruppe der in Baden-Baden lebenden Ausländer stammt heute aus dem ehemaligen Jugoslawien, an zweiter Stelle stehen die Franzosen, gefolgt von Türken und Italienern. Bereits 1970 stand Jugoslawien als Herkunftsland der größten Ausländergruppe an der Spitze, danach kamen Italien und Frankreich. Seither ist der Anteil der Türken prozentual am stärksten gestiegen. Der Anteil der Staatsangehörigen Jugoslawiens bzw. seiner Nachfolgestaaten unter den Ausländern Baden-Badens ist dagegen seit 1970 annähernd konstant

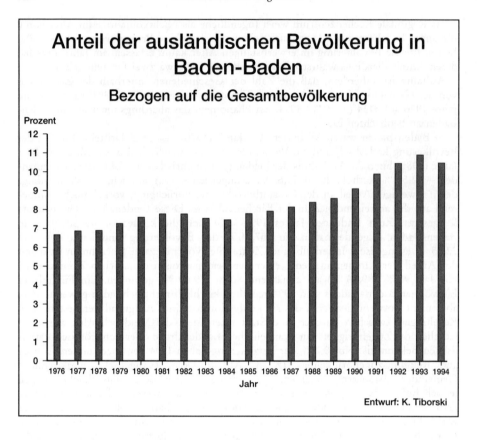

geblieben (1970: 27,8 %, 1993: 28,5 %) und ist damit im Gegensatz zur weit verbreiteten Auffassung keineswegs eine unmittelbare Auswirkung des Krieges im ehemaligen Jugoslawien.

2. Wirtschaft und Verkehr

Wirtschaftsstruktur

Wenn irgendwo der Name »Baden-Baden« fällt, denkt man an vieles: An den aktuellen internationalen Treffpunkt, an die ehemalige »Sommerhauptstadt Europas«, an heilende Thermalquellen und Spielbankmillionen. Weniger bekannt ist, daß Baden-Baden eine Stadt mit weit über 50000 Einwohnern ist, die auch für ihre eigene Bevölkerung eine Infrastruktur bereitstellen muß, die sich nur zum Teil aus den Quellen internationaler Ausstrahlung speisen kann. Der klassische Kurbetrieb, der neben den Einnahmen aus dem Spielcasino über viele Jahre die Prosperität der Stadt sicherte, reicht hierfür allein nicht mehr aus. Auch Produzierendes Gewerbe, Dienstleistungen und Kongreßwesen spielen für die künftige wirtschaftliche Entwicklung der Stadt daher eine immer größer werdende Rolle.

Fremdenverkehr und Kurbetrieb. – Noch immer ist der Fremdenverkehr ein wichtiges wirtschaftliches Standbein der Kurstadt – Hotels, Restaurants und Einzelhandelsgeschäfte sind auf Gäste aus aller Welt angewiesen. Gerade der *Fremdenverkehr* hat nach dem 2. Weltkrieg eine kontinuierliche Aufwärtsentwicklung erfahren. Davon hat natürlich auch Baden-Baden profitiert. Doch der Kampf um die Gunst der Gäste ist in den letzten Jahren auch für Baden-Baden härter geworden. Vom geänderten Freizeit- und Kurverhalten blieb auch die Bäderstadt nicht unberührt. Der klassische vierwöchige Kur- und Erholungsurlaub tritt im Vergleich zu kürzeren Erlebnis- und Fitnessaufenthalten immer mehr in den Hintergrund. Zur Verkürzung der durchschnittlichen Aufenthaltsdauer trugen letztendlich aber auch die vielen Gäste aus dem Ausland bei, die immerhin rd. 40 % aller Besucher ausmachen. Diesem Trend hat sich die Baden-Badener Hotellerie mit vielen sog. »Package-Angeboten« gestellt. Als zukunftsweisend für die Stärkung des Fremdenverkehrs sollen sich aber auch Investitionen in Hotelneubauten erweisen. Dabei ist es Ziel, mit möglichst privaten Investitionen für eine marktkonforme Erweiterung des kurstädtischen Angebots zu sorgen und somit den Ruf Baden-Badens als »Gesundheitsmarkt« insgesamt zu stärken. Dabei zählt Baden-Baden aber auch auf die fundierten Angebote der Sanatorien, in denen höchstes Bade- und fachärztliches Know-how präsent ist. Als Beispiel für solche bedarfsgerechte Angebote stehen Hotelkonzeptionen, die über das traditionelle Angebot hinaus auch das Bedürfnis vieler Gäste nach einer umfassenden und attraktiven medizinischen Betreuung berücksichtigen.

Eng mit dem Fremdenverkehr verbunden ist das *Kongreßwesen*, das nationale und internationale Verbände und Organisationen in die Stadt zieht und damit auch Gastronomie und Einzelhandel stärkt. Das Kongreßhaus am Augustaplatz ist im Frühjahr 1994 nach grundlegenden Umbau- und Modernisierungsmaßnahmen wieder eröffnet worden. Mit der hierfür notwendig gewordenen Investition in Höhe von rd. 53 Mio. DM hat sich Baden-Baden nach anderthalbjähriger Pause eindrucksvoll im Konkurrenzkampf der Kongreßstädte zurückgemeldet und kann nun mit einem gehobenen Raumangebot allerneuester Technik und erweiterten Ausstellungsflächen um neue Kongreßgäste werben.

Dienstleistungen. – Vollkommen konform mit den Bemühungen um Stärkung Baden-Badens als Kongreßstadt gehen die Anstrengungen, neue Dienstleistungsunternehmen für die Kurstadt zu gewinnen. Hierzu zählen natürlich vor allem *Banken* und *Versicherungsagenturen*. Das nach seiner Einwohnerzahl recht kleine Baden-Baden beherbergt heute immerhin knapp 130 solcher Unternehmen in seinen Stadtgrenzen. Noch höher als die damit verbundenen fast tausend Arbeitsplätze ist jedoch die Sogwirkung von internationalen Instituten einzuschätzen, die die Stadt als Standort für diesen Dienstleistungsbereich bekanntmacht.

Weniger bekannt ist, daß Baden-Baden im *Verlagsgewerbe* eine Spitzenstellung unter den Städten des Landes einnimmt: Über 30 Fachverlage mit hervorragendem Ruf haben hier ihren Sitz. Eng damit verbunden sind die rund 130 privaten Unternehmen, die sich um Vermittlung von Bildung, Kultur, Sport und Unterhaltung bemühen und damit weit über 2000 Arbeitsplätze sichern.

Als Kulturträger und Wirtschaftsfaktor zugleich ist an bedeutender Stelle natürlich der *Südwestfunk* zu nennen, der allein in seinen täglichen Rundfunknachrichten den

Namen »Baden-Baden« ständig bis weit über die regionalen Grenzen hinaus ausstrahlt. Mit seinen über 1500 Beschäftigten und seinen Werbeumsätzen ist der Südwestfunk nicht nur einer der größten Arbeitgeber und Gewerbesteuerzahler in der Kurstadt, er steht damit auch als erster Garant für die Sicherung des Medienstandorts.

Gewerbe und Industrie. – Ein Wirtschaftsfaktor, der in der Kurstadt zunehmend an Bedeutung gewinnt, ist das Produzierende Gewerbe. Gewerbebetriebe, die Gebrauchs- oder Investitionsgüter herstellen, galten früher oftmals als »kurortunverträglich« und durften sich deshalb nur unter strengen Auflagen in der Peripherie des Stadtkreises ansiedeln. In den vergangenen Jahren hat aber auch in Baden-Baden ein Umdenkungsprozeß stattgefunden, der die Ansiedlung von Produktionsunternehmen nicht nur toleriert, sondern auch nachdrücklich fördert. Tatsächlich gibt es jetzt schon weit über 300 meist kleine Produktionsfirmen in Baden-Baden. Darunter sind jetzt schon einige, die ihren guten Ruf mit dem Namen Baden-Baden verbinden und dabei mit Markenartikeln von internationalem Ruf bekannt wurden. Was in der kurörtlichen Atmosphäre von Gesundheit und Schönheit eigentlich nicht verwundern darf, ist es vor allem die *kosmetische* und *pharmazeutische Industrie*, die hier einige ihrer Stammplätze aufgeschlagen hat – wie beispielsweise Sans Soucis, Juvena oder Biologische Heilmittel Heel GmbH, um nur einige große Namen zu nennen.

Das Umschwenken hin zu einer kurortverträglichen Gewerbeentwicklungspolitik hat gute Gründe: Schaffung eines ausreichenden Arbeitsplatzangebotes, Sicherung einer branchenunabhängigen wirtschaftlichen Entwicklung durch ein gesundes Branchenmix sowie Sicherung der kommunalen Finanzautonomie durch Gewerbesteuereinnahmen. Gerade die Gewerbesteuereinnahmen sind im Hinblick auf exorbitante Zuwachsraten in den kommunalen Sozialetats unverzichtbar.

Mittlerweile haben sich in Folge dieser Politik die *Gewerbegebiete in Oos, Haueneberstein und Steinbach* fast gänzlich gefüllt und sind die Baden-Badener Gewerbeflächenreserven nahezu vollständig erschöpft. Es ist daher eines der wichtigsten kommunalpolitischen Ziele in Baden-Baden, neue Gewerbegebiete zu erschließen. Ein Blick auf die Landkarte zeigt jedoch, daß dies angesichts geographischer und ökologischer Restriktionen nur mit viel Augenmaß und einiger Selbstbeschränkung möglich sein wird. Einen Orientierungsrahmen sowohl bei der künftigen Akquisition als auch bei der immer wichtiger werdenden »Bestandspflege« soll der *Gewerbeentwicklungsplan* aufzeigen, an dessen inhaltlicher Ausarbeitung Vertreter aller wirtschaftsrelevanten Gruppen beteiligt wurden.

Räumliche Verflechtungen und Verkehr. – Seit 1987 ist Baden-Baden Mitglied in der *»Technologieregion Karlsruhe«* und steht somit in engem regionalen Schulterschluß mit 7 weiteren Städten des mittelbadischen Raums. Erklärtes Ziel dieser Gesellschaft ist die Darstellung des Wirtschaftsraumes um Karlsruhe durch ein aktives Regionalmarketing. Neben den Gesellschafterversammlungen finden regelmäßig institutionalisierte Regionalkonferenzen statt, in denen alle gesellschaftlichen Kräfte aus Wirtschaft, Wissenschaft, Politik und Kultur gebündelt und auf gemeinsame Zielsetzungen ausgerichtet werden. Durch diese Mitgliedschaft dokumentiert Baden-Baden auch nach außen sein Bekenntnis zum »Gewerbestandort Baden-Baden« und versteht sich dabei keineswegs nur als wirksamer Werbeträger für die weiteren Mitglieder. Zusammenarbeit ist angesagt, und somit war der Ausbruch aus der ehemals selbstgewählten »splendid isolation« ein wichtiger Schritt zur Öffnung Baden-Badens als kleiner gewerblicher Wirtschaftsraum.

2. Wirtschaft und Verkehr

Aus dem bereits Gesagten wird klar, daß das wirtschaftliche Leben in Baden-Baden mit dem Bäder- und Kurbetrieb allein schon längst nicht mehr zu fassen ist, obwohl noch bis zum Beginn der 90er Jahre im Dienstleistungssektor annähernd die Hälfte der Bruttowertschöpfung erarbeitet wurde, gefolgt vom Produzierenden Gewerbe mit einem knappen Drittel und von Handel und Verkehr mit einem Anteil von rund einem Fünftel. Es wird Aufgabe der Zukunft sein, zwischen den jeweiligen wirtschaftlichen Interessen ein ausgewogenes Verhältnis zu schaffen, welches ermöglicht, daß kurstädtische und gewerbliche Potentiale zu einer leistungsfähigen wirtschaftlichen Einheit zusammengeformt werden können.

Von entscheidender Bedeutung für alle wirtschaftsrelevanten Kräfte in Baden-Baden ist jedoch die *verkehrliche Anbindung*. Und hier hat Baden-Baden eine gute Position. Mit einem IC/EC-Anschluß verfügt der Standort über eine optimale Anbindung an das *Schienennetz* und ist somit über den Fernverkehr bundesweit in kürzester Zeit erreichbar. Zusätzlich pendeln seit Ende Mai 1994 zwischen Baden-Baden und Karlsruhe regelmäßig die Stadtbahnwagen der Karlsruher Verkehrsbetriebe und sorgen somit auch im Nahverkehrsbereich für ein attraktives Angebot an die Bevölkerung. Im innerstädtischen Bereich verfügt Baden-Baden durch das Angebot der »Baden-Baden-Linie« über einen öffentlichen Linienverkehr, der in anderen Städten dieser Größe kaum zu finden ist. Durch den *Karlsruher Verkehrsverbund* ist Baden-Baden in ein regionales Verkehrskonzept eingebunden, das der Bevölkerung ein einfaches und überschaubares Umsteigen zwischen den jeweiligen Netzen ermöglichen soll.

Auch die Anbindung an das öffentliche *Straßennetz* läßt keine Wünsche offen. Baden-Baden liegt verkehrsgünstig an der Autobahn A 5 (Frankfurt–Basel) und an den Bundesstraßen B 3 (Basel–Freiburg–Offenburg–Karlsruhe) und B 500 (Frankreich–Baden-Baden–Freudenstadt–Furtwangen–Waldshut-Tiengen). In unmittelbarer Nähe liegt die B 462 (Rastatt–Gaggenau–Rottweil).

Auch der *Verkehrslandeplatz in Baden-Oos* ist ein Glücksfall für Baden-Baden. Er wurde ursprünglich gebaut, um die Attraktion des Kurorts für die Gäste aus aller Welt zu erhöhen. Mit Beginn der Motorfliegerei wurde die technische Ausstattung ständig erweitert und erneuert, so daß der Landeplatz den Ansprüchen der regionalen Kurzstreckenflüge genügen kann. Dabei sind es in erster Linie Geschäftsleute, die die Möglichkeit einer schnellen Flugverbindung zu ihren Partnern in bundesdeutschen Städten nutzen. Die relativ langen Anfahrtszeiten zu den internationalen Flughäfen in Frankfurt und Stuttgart und die noch schlechten Straßenverbindungen im Osten machten die kurzen Wege nach Baden-Oos mit der problemlosen abendlichen Rückkehr attraktiv.

Neben der unbestrittenen verkehrlichen Funktion hat der Landeplatz aber auch eine wirtschaftliche Bedeutung. Mittlerweile haben am Flugplatz in Oos eine Reihe attraktiver Unternehmen, vorwiegend aus dem flugzeugspezifischen Produktions- und Servicebereich, ihre Heimat gefunden. Dazu gehören z. B. Betriebe, die sich auf Wartungsarbeiten oder auf die Entwicklung und Produktion von Navigationsinstrumenten spezialisiert haben, aber auch Firmen, die Charterflüge anbieten. Es ist im Moment noch nicht absehbar, wie sich hier die Gegebenheiten verändern, wenn der Regionalflugplatz Söllingen kommt, der große Bedeutung entfalten kann, wenn alle Kräfte an einem Strang ziehen.

Baden-Baden setzt heute in allen Bereichen, dem traditionell kurörtlichen und der modernen Gewerbepolitik, auf Aufbruch und Zuwachs. Mit seinen hervorragenden weichen Standortfaktoren und der verkehrsgünstigen Lage im Herzen Europas will die Stadt ihre Chancen nutzen.

Landwirtschaft

Die Bedeutung der Landwirtschaft im Stadtkreis Baden-Baden

Nahrungsmittelproduktion. – Landwirtschaft zur Nahrungsmittelproduktion wird nur noch von wenigen Betrieben im Bereich der Rheinebene und der Vorbergzone – hier überwiegend als Wein- und Obstbau – ausgeübt. Die Flächen in der Rheinebene werden sowohl von Landwirten aus Haueneberstein, Sandweier und Steinbach als auch von Landwirten aus dem angrenzenden Lkr. Rastatt bewirtschaftet. Landwirtschaftlich hauptberuflich bewirtschaftete Betriebe mit wesentlicher Rinder- oder Schweinehaltung gibt es im gesamten Stadtbereich nicht mehr. Aber es gibt eine hauptberuflich betriebene Wanderschäferei mit zusammen rund 1200 Mutterschafen und 12 nebenberufliche Schafhalter mit über 300 Mutterschafen. Zählt man hierzu noch die Jährlinge, so ergibt dies Herden von insgesamt etwa 1900 Tieren.

Tabelle 1 Nahrungsmittelproduktion im Durchschnitt der Wirtschaftsjahre 1991/92 bis 1993/94

Pflanzliche Erzeugnisse	davon			
insg. in tGE	Getreide	Obst einschl. Erdbeeren	Wein	Sonstige Sonderkulturen
10 249	484	5659	3169	614

Tierische Erzeugnisse	davon		
insg. in tGE	Schlachtrinder	Schlachtschweine	Sonstige tier. Erzeugnisse
695	254	42	432

Quelle: Stat. Landesamt

Die Nahrungsmittelproduktion betrug im Durchschnitt der Wirtschaftsjahre 1991/92 bis 1993/94 rund 23,8 Mio. DM. Die Leistungskraft der Landwirtschaft im Bezug auf die Nahrungsmittelproduktion läßt sich am sog. Selbstversorgungsgrad abschätzen. Dieser beträgt – umgerechnet in Getreideeinheiten (GE) – etwa 16 %. Hierbei hatte in den o. g. Wirtschaftsjahren die tierische Produktion (in GE) mit 6,4 % wenig Gewicht. Deutlich stärker trat die pflanzliche Produktion (in GE) mit 93,6 % hervor, wobei die Leistungskraft des Weinbaus mit 31 % der pflanzlichen Produktion erhebliches Gewicht hatte.

Im Bereich der eigentlichen Kernstadt wird nennenswerte Landwirtschaft im Sinne von wirtschaftlichen Unternehmen nicht mehr betrieben. Erwähnenswerte hauptberuflich bewirtschaftete Betriebe sind dennoch z. B. der »Schulbetrieb« des Pädagogiums in Schmalbach, das Weingut Eckberg der Familie Sermersheim-Hillert und die Schäferei der Familie Svensson. Der vom Herrschaftlichen Bezirksspitalfonds bewirtschaftete Betrieb auf dem Lichtentaler Schafberg mußte aus Rentabilitätsgründen im Jahre 1987 aufgelöst werden.

Landwirtschaft und Landschaftspflege. – Die Stadt Baden-Baden hat die Probleme, die sich für die Kurstadt aus dem Rückgang der Landwirtschaft ergeben, schon vor Jahren erkannt. Denn für die Kernstadt, die fast ausschließlich von Wald umgeben ist, ist die offene, abwechslungsreiche Kulturlandschaft ein wesentliches Kleinod. Die Stadtverwaltung hat deshalb schon frühzeitig Gegenmaßnahmen ergriffen, um das Verwildern nicht mehr bewirtschafteter – brachgefallener – Flächen aufzuhalten. Schon seit den 1960er Jahren können z.B. Landwirte – überwiegend von außerhalb des Stadtkreises – ihre Rinder in Seiten- und Waldtälern der Oos weiden lassen. Im Jahre 1969 wurde auch der Weinbaubetrieb Sermersheim-Hillert auf dem Eckberg angesiedelt, der seinerzeit nicht nur alte Weinbaulagen im Stadtgebiet – Eckberg, Schafberg, Balzenberg – in Bewirtschaftung genommen hat, sondern auch Weinberge in den Baden-Badener Reblandgemeinden und im angrenzenden Sinzheim bewirtschaftet.

Zu Beginn der 1970er Jahre hat die Stadt Baden-Baden erstmals einen Schäfer unter Vertrag genommen, der mit seiner Herde umfangreiche städtische und private Flächen abzuweiden hatte. Diese Regelung wurde mit der Ansiedlung der Familie Svensson im Jahre 1978 fortgesetzt und gefestigt.

Landwirtschaft im Oostal und seinen Seitentälern hat heute primär landschaftserhaltenden und landschaftspflegerischen Charakter. Zu ihrer Absicherung muß in den kommenden Jahren – vor allem im Bereich von Lichtental, Oberbeuern, Geroldsau, Malschbach – noch viel getan werden. Die Landwirtschaft – insbesondere das Abweiden von Grünland durch Tiere – bietet aber mit Sicherheit auch künftig eine sehr kostengünstige Landschaftspflege. Alle anderen Maßnahmen sind in der Regel sehr arbeitsintensiv und teuer.

Flächennutzung und Betriebsstruktur

Die Gemarkungsfläche des Stadtkreises Baden-Baden beträgt 14021 ha. Der größte Teil – nämlich knapp 60 % – ist mit Wald bestanden. Die bebaute Siedlungsfläche entspricht mit etwa 15 % dem Durchschnitt mittelbadischer Gemeinden. Die Landwirtschaftsfläche hat mit 3340 ha einen Anteil von rund 24 %.

Tabelle 2   **Flächennutzung 1989**

Gemarkungsfläche	Siedlungsfläche		Landwirt. Fläche		Waldfläche	
ha	ha	% d. Gkg.	ha	% d. Gkg.	ha	% d. Gkg.
14021	2119	15,1	3340	23,8	8355	59,6

Quelle: Flächenerhebung 1989, Stat. Landesamt

Etwa ein Drittel der statistisch erfaßten Landwirtschaftsfläche wird nicht mehr genutzt. Ein weiteres Drittel wird »hobbymäßig« oder von Landwirten bewirtschaftet, die ihren Betriebssitz außerhalb des Stadtkreises haben.

Die Betriebserhebung für 1993 ergab, daß im Stadtkreis Baden-Baden 361 landwirtschaftliche Betriebe insgesamt 1262 ha (rund 37 %) der o.g. Landwirtschaftsfläche bewirtschaften. Hiervon sind aber 179 Betriebe – das ist rund die Hälfte – kleiner als 1 ha; diese bewirtschaften insgesamt nur eine Fläche von 102 ha oder rund 8 % der landwirtschaftlich genutzten Fläche. Weitere 99 Betriebe – 27 % – bewirtschaften 1–2 ha und mit insgesamt 139 ha weitere 11 % der Fläche. 94 % der Betriebe (341) sind kleiner als 10 ha und sie bewirtschaften mit 489 ha nur 39 % der landwirtschaftlich

IV. Die Stadt der Gegenwart

Tabelle 3 **Landwirtschaftliche Betriebe und Forstbetriebe 1993 nach Größenklassen der landwirtschaftlich genutzten Flächen (LF)**

	Landwirtschaftlich genutzte Fläche (LF) von ... bis unter ... ha					
Größe	Unter 1	1–2	2–10	10–30	über 30	insgesamt
Zahl d. Betriebe	179	99	63	13	7	361
LF in ha	102	139	248	194	579	1262

Quelle: Betriebs- und Bodenstruktur, Stat. Landesamt

genutzten Fläche. Nur 7 Betriebe – knapp 2 % – sind größer als 30 ha; sie bewirtschaften aber insgesamt 579 ha und damit 46 % der landwirtschaftlich genutzten Fläche.

Nur etwa 55 Betriebe beziehen ihr Einkommen überwiegend aus landwirtschaftlicher Tätigkeit (hauptberufliche Landwirte); der größere Rest – nämlich über 300 Betriebe – ist Nebenerwerbslandwirt (Stat. Landesamt 1991). Hieraus wird in etwa ersichtlich, welches Gewicht die Nebenerwerbsbetriebe bei der Bewirtschaftung der mit Reben und Obstbäumen bestandenen Flächen vor allem in Neuweier, Steinbach und Varnhalt haben.

Bodennutzung durch landwirtschaftliche Betriebe

Die *Bodennutzungshaupterhebung 1994* weist im Erfassungsbereich des Stadtkreises Baden-Baden 1401 ha landwirtschaftlich genutzte Fläche (LF) aus.

Tabelle 4 **Betriebsfläche 1994 nach Hauptnutzungs- und Kulturarten in ha**

Landwirtschaftlich genutzte Fläche (LF)	davon					
insgesamt	Ackerland	Obstanlagen	Baumschulflächen	Dauergrünland	Rebland	übrige LF
1401	551	80	42	423	279	15

Quelle: Stat. Landesamt

Grünland. – Das Dauergrünland wird in der Regel sehr extensiv bewirtschaftet; große Flächen dienen als Schafweide und Rinderweide.

Ackerland. – 1991 wurden vom Ackerland unter anderem 170 ha mit Getreide, 140 ha mit Mais, 75 ha je zur Hälfte mit Raps und Sonnenblumen, 24 ha mit Erdbeeren und Gemüse angebaut. Im wesentlichen werden diese Flächen von den o. g. flächenstarken Betrieben bewirtschaftet. Zwei größere Betriebe befassen sich schwerpunktmäßig auch mit Erdbeeranbau. 47 ha (10 %) des Ackerlandes waren 1991 in das fünfjährige Flächenstillegungsprogramm der EG einbezogen.

Weinbau. – Die bestockte Rebfläche beträgt rund 280 ha. Der größte Teil dieser Fläche ist flurbereinigt. Aus der Bewirtschaftung des Reblandes bezieht die Baden-Badener Landwirtschaft den größten Anteil ihres Einkommens. Bezogen auf den DM-

Wert belief sich die Bruttoproduktion 1991/92 bis 1993/94 auf durchschnittlich 6,6 Mio. DM und machte über 30 % der Gesamtproduktion aus. Drei Winzergenossenschaften sorgen im wesentlichen für die Verarbeitung der Trauben und die Vermarktung der daraus gekelterten Weine. Daneben bestehen vier selbständige Weingüter und eine Erzeugergemeinschaft.

Rund drei Viertel der Rebfläche des Baden-Badener Reblandes sind mit der Sorte Riesling bestockt.

Struktur der Winzergenossenschaften und Weingüter. – Die Mitglieder der Winzergenossenschaften sind nicht alle im Stadtkreis Baden-Baden ansässig; nicht wenige Mitglieder haben ihren Betriebssitz in den angrenzenden Gemarkungen des Lkr. Rastatt und bewirtschaften dort auch Rebflächen. Die *Winzergenossenschaft Neuweier-Bühlertal* hat 806 Mitglieder und 203 ha Gesamtrebfläche, davon 125 ha in Baden-Baden (Neuweier), 59 ha in Bühlertal, 19 ha in Sinzheim. Ihr Sortenspiegel umfaßt 53,75 % Riesling, 27,70 % Spätburgunder, 15,30 % Müller-Thurgau, 1,15 % Traminer und 2,10 % sonstige Sorten. Die *Winzergenossenschaft Steinbach und Umweg* zählt 445 Mitglieder mit einer Gesamtrebfläche von 104 ha, davon 80 ha in Baden-Baden (Steinbach), 15 ha in Sinzheim, 9 ha in Bühl. Der Sortenspiegel zeigt ein gewaltiges Überwiegen des Rieslings mit 79,53 %, ferner 10,07 % Müller-Thurgau, 10,19 % Spätburgunder, sonstige Sorten 0,21 %. Die *Winzergenossenschaft Varnhalt* hat 374 Mitglieder mit 89 ha Gesamtrebfläche, davon 77 ha in Baden-Baden (Varnhalt), 12 ha in Sinzheim. Auch in ihrem Sortenspiegel dominiert der Riesling 76,97 %, machen Müller-Thurgau 9,10 %, Spätburgunder 8,24 %, Weißburgunder 2,74 % und die sonstigen Sorten 2,94 % aus (Stand 1993).

Die vier *Weingüter »Eckberg«* (Sermersheim–Hillert) mit Weinstube in der Kernstadt, der *Nägelsförster Hof (Reinhard Strickler, vormals Therstappen)* in Varnhalt, das *Schloß Neuweier* und das Weingut *Willi Fischer & Sohn* in Steinbach bewirtschaften zusammen über 40 ha Reben. Auch bei den Weingütern ist die Rieslingrebe mit einem Anteil von durchschnittlich 63 % (52–80 %) am stärksten vertreten; Müller Thurgau schwankt von 2 % – 20 % und Spätburgunder von 5 % – 16 %. Eine *Erzeugergemeinschaft in Neuweier*, geführt von Eduard Fröhlich (Weinstube zum Engel), verfügt über einen ähnlichen Sortenspiegel.

Obstbau. – Der Obstbau (einschl. Beerenobst) erbringt mit 7,9 Mio. DM rund 33 % der landwirtschaftlichen Bruttoproduktion (Durchschnitt der Jahre 1991/92–1993/94). Ein Teil der von den Erwerbsobstbauern erzeugten Ware wird von den 340 Baden-Badener Mitgliedern, die überwiegend Kleinerzeuger sind, der *Obstabsatzgenossenschaft Bühl* bei der Obstsammelstelle in Steinbach angeliefert. Die Umsätze der Sammelstelle sind zwar je nach Marktpreis von Jahr zu Jahr unterschiedlich, aber in den letzten Jahren erkennbar rückläufig. Starkes Gewicht haben die Frühzwetschgen – insbesondere Bühler – aber auch die Johannisbeeren. Beide zusammen machten etwa 80 % des Umsatzes der Jahre 1990–1992 aus, der zwischen 300 000 DM und 600 000 DM jährlich schwankte. Ein hoher Anteil der im Streuobstbau anfallenden Äpfel wird zu Apfelsaft verarbeitet. Darüber hinaus wird aus Kern- und Steinobst auch Alkohol gewonnen.

Schnapsbrennereien. – Im Stadtkreis Baden-Baden bestanden am Jahresbeginn 1993 noch 170 Abfindungsbrennereien, die sich vor allem in den Reblandgemeinden konzentrieren. 140 werden regelmäßig betrieben; 30 Brennereien sind derzeit ruhend. Die

Brennkontingente betragen fast ausschließlich 300 l Alkohol pro Jahr. Etwa zwei Drittel der Brennereien nutzen ihre Kontingente voll aus. In rund 70 Brennereien lassen jährlich ca. 350 sog. Stoffbesitzer zusätzlich noch jeweils zwischen 80 und 500 l Obst- und Topinamburmaterial brennen.

Insgesamt werden somit durchschnittlich jährlich rund 8000 dt Obst über die bäuerlichen Abfindungsbrennereien verwertet und 3500 l reiner Alkohol gewonnen. Die hiermit zum Teil verbundene Herstellung exzellenter Obstbrände und Geiste wie »Schwarzwälder Kirschwasser«, »Zwetschgenwasser« oder »Himbeergeist« bringt vor allen den kleineren Betrieben einen beachtlichen Einkommensanteil.

Tierhaltung

Die Tierhaltung hat im Stadtkreis als landwirtschaftlicher Produktionszweig nur geringes Gewicht. Die Bruttoproduktion von tierischen Erzeugnissen betrug im Durchschnitt der Jahre 1991/92 bis 1993/94 mit 585 000 DM nur 2,3 % der gesamten landwirtschaftlichen Bruttoproduktion. Bedeutsam ist allerdings die von rund 1900 Schafen und rund 150 Rindern erbrachte kostengünstige landschaftspflegerische Leistung vor allem im Bereich der Grünlandflächen und Obstwiesen der Kernstadt.

Tabelle 5   **Bruttoproduktion von tierischen Erzeugnissen im Durchschnitt der Wirtschaftsjahre 1991/92 bis 1993/94 in 1000 DM**

Schlachtrinder einschl. Schlachtkälber	Schlachtschweine	Übriges Schlachtvieh (überw. Schafe)	Sonstige tierische Erzeugnisse (überw. Fische)	Tierische Erzeugnisse insgesamt
142	31	107	304	585

Quelle: Stat. Landesamt

Den größten Anteil an der tierischen Bruttoproduktion in DM haben wohl mit über 30 % die in Baden-Baden ansässigen *Fischzuchten*. Die *Schafe* erbringen 18 %, die *Rinder* 24 %, die *Schweine* 5 % der tierischen Bruttoproduktion. Die wenigen noch vorhandenen Kühe dienen im wesentlichen der Selbstversorgung der Eigentümer.

Leistungskraft der Landwirtschaft

Die landwirtschaftliche Bruttoproduktion betrug in den Jahren 1991/92 bis 1993/94 insgesamt durchschnittlich 25,1 Mio. DM. Wesentlichen Anteil an diesem Ergebnis haben der *Weinbau* mit 6,6 Mio. DM, die *Baumschulen* mit 8 Mio. DM und der *Obstbau* mit 7,9 Mio. DM. Die gesamte tierische Produktion fällt hierbei mit knapp 0,6 Mio. DM kaum ins Gewicht. Die Bedeutung der Baumschulen im Stadtkreis, die über 40 ha bewirtschaften, wird daraus ersichtlich. Ebenfalls nicht unbedeutend sind die Leistungen der im Stadtgebiet ansässigen 17 *Gärtnereien*, die sich überwiegend auch dem »Nichtnahrungsbereich« zugewandt haben. Sie erzeugen hauptsächlich Schnittblumen, Topfpflanzen und Blumen als Grabschmuck.

Landwirtschaftliche Organisationen

Stützen der Landwirtschaft sind vor allem *genossenschaftliche Organisationen* wie z. B. Winzergenossenschaften, Rebenaufbaugenossenschaften, die Obstabsatz-Genossenschaft Bühl, aber auch die berufständischen Organisationen wie z. B. der Badische

Weinbauverband, der Verband der Obst- und Kleinbrenner, der Badische Landwirtschaftliche Hauptverband, der Verband Badischer Gartenbaubetriebe und der Verein Landwirtschaftlicher Fachschulabsolventen.

Ein *Obst- und Gartenbauverein* existiert nur noch in Haueneberstein; seine Mitglieder sind heute im wesentlichen Nebenerwerbs- und Hobby-Landwirte.

Tabelle 6 Landwirtschaftliche Betriebe nach Größenklassen der landwirtschaftlich genutzten Fläche (LF)

Jahr	Betriebe/LF	1–10 ha	10–30 ha	> 30 ha	insgesamt
		Zahl der Betriebe und LF			
1979	Betriebe	422	8	4	434
	LF ha	760	174	312	1246
1993	Betriebe	341	13	7	361
	LF ha	489	194	579	1262

Quelle: Stat. Landesamt

Strukturwandel in der Landwirtschaft

Landwirtschaftliche Betriebe. – Seit 1979 hat sich die Anzahl der Betriebe um 17 % verringert. Dieser Abbau fand hauptsächlich bei den kleineren Betrieben bis 10 ha statt (– 19 %). Das Mittelfeld der Betriebe von 10–30 ha hat um 62,5 % und die Betriebe über 30 ha haben um 75 % zugenommen. Im gleichen Zeitraum hat die von den Betrieben der Größenklassen von 1 bis 10 ha insgesamt bewirtschaftete Fläche um 34,6 % abgenommen, während die von den Betrieben mit 10 bis 30 ha um 4 % und von den Betrieben mit über 30 ha um 61,2 % zugenommen hat.

Tabelle 7 Bewirtschaftete Fläche von Betrieben mit Betriebssitz in Baden-Baden

Jahr	LF ha insg.	davon				
		Ackerland	Dauergrünland	Rebland	Obstkulturen	Baumschulen
1979	1375	528	467	242	91	30
1992	1300	466	423	278	81	37

Quelle: Stat. Landesamt

Bewirtschaftete Flächen (LF). – Zwischen 1979 und 1990 stieg die bewirtschaftete Fläche zunächst um 15,6 % an. Seit 1990 ist sie aber wieder um 18 % zurückgegangen. Dies bedeutet, daß in dieser kurzen Zeitspanne 260 ha weniger von landwirtschaftlichen Betrieben aus Baden-Baden bewirtschaftet oder gepflegt werden. Die Bewirtschaftung von Ackerland hat abgenommen. Die Bewirtschaftung von Dauergrünland ist ebenfalls rückläufig, weil sich vor allem der Rindviehbestand weiter drastisch verringert hat. Nur das Rebland (+ 14,9 %) und die Baumschulen (+ 23,3 %) wurden ausgedehnt; die Obstkulturen haben ebenfalls abgenommen (– 11 %).

Tabelle 8 Tierhaltung in Betrieben im Stadtkreis Baden-Baden

Jahr	Rindvieh		Schweine	Schafe
	insg.	darunter Kühe		
1979	301	118	173	1642
1992	144	25	34	1604

Rückgang der Tierhaltung. – Seit 1979 ist die Tierhaltung erheblich weiter zurückgegangen. Die Rindviehhaltung hat insgesamt um über 50 % und die Anzahl der Kühe um 80 % abgenommen. Der Schweinebestand verringerte sich ebenfalls um über 80 %. Lediglich die Schafhaltung blieb weitgehend stabil.

Staatliche Förderprogramme. – Die staatlichen Förderprogramme versuchen dem Rückgang der Betriebe und der Tierhaltungen entgegenzuwirken. Durch finanzielle Extensivierungsanreize oder ausgleichspflichtige Auflagen sollen gleichzeitig die Produktion von Überschüssen im Nahrungsmittelbereich und durch die Landwirtschaft hervorgerufene negative Auswirkungen auf die Umwelt gedrosselt werden. 1994 haben im Stadtkreis Baden-Baden knapp 100 Betriebe an einem oder mehreren Förderverfahren teilgenommen.

Geringe Ausbildungsquote in »Grünen Berufen«. – Die insgesamt rückläufigen Ausbildungszahlen in landwirtschaftlichen Berufen und vor allem die äußerst geringe Ausbildungsquote bei den Betrieben im Stadtkreis lassen vermuten, daß in absehbarer Zeit nur noch einige wenige Betriebe hauptberuflich bewirtschaftet und die Nebenerwerbsbetriebe weiter rapide abnehmen werden. In den letzten acht Jahren wurden als potentielle Nachfolger Baden-Badener Betriebsleiter nur 2 Winzer, 1 Landwirt und eine Tierwirtin ausgebildet. Die übrigen in diesem Zeitraum in Baden-Baden ausgebildeten Winzer sind auswärts zu Hause. Dies bedeutet, daß künftig weitere Flächen – auch Obst- und Weinbauflächen – trotz städtischer und staatlicher Fördermaßnahmen nicht mehr wirtschaftlich genutzt werden und daß dann unter Umständen die Aufwendungen der Öffentlichen Hand für die Flächen- und Landschaftspflege noch größer werden. Deshalb ist vor allem im Quellschutzgebiet des Kernstadtbereiches eine extensive Landnutzung zu erhalten und zu fördern.

Funktionen des Stadtwaldes

Einleitung. – Wald ist nicht nur eine Ansammlung von Bäumen; er ist Lebensraum für Tiere und Pflanzen, Wasserspeicher, Luftfilter, Klimaregulatur und Erosionsschutz; er ist Arbeitsplatz, Rohstofflieferant und Erholungsraum; er ist Teil unserer Landschaft, unseres Lebensraumes und unserer Geschichte.

Und trotzdem sind die Bäume das Wesensmerkmal des Waldes: Tannen, Fichten, Buchen, Eichen, Ahorne, Kiefern und Douglasien sowie einige andere, seltenere Baumarten. Der größte Baum im Stadtwald ist eine 180 Jahre alte Tanne, 50 m hoch mit 34 cbm verwertbaren Holzgehaltes. Ein Baum, der charakteristisch für den Stadtwald von Baden-Baden ist – im Bergwald befindet sich die Tanne im Optimum.

Bäume haben eine hohe Lebenserwartung verglichen mit dem Menschen. Ein Wald entsteht über viele Generationen. Der heutige Wald ist das Ergebnis eines geschichtlichen Prozesses.

Geschichte des Waldes. – Der Wald und die Stadt waren schon immer schicksalhaft aufeinander angewiesen. Geht man auf die frühesten Spuren der Anwesenheit von Menschen im Oostal zurück, so hatte damals in der Jungsteinzeit – etwa 5000 Jahre v. Chr. – der Wald in der nacheiszeitlichen Wiederbewaldungsphase längst Berge und Täler mit einem dichten Urwald überzogen. Da es etwa 3°C wärmer war als heute, setzte sich der Wald aus mehr Laubbaumarten, hauptsächlich Eichen, auch Ulmen, Linden und Eschen zusammen.

In der späteren, kühleren Wärmezeit wanderten zunächst die Buchen und dann die Weißtanne wieder ein. Um Christi Geburt, der Nachwärmezeit, entsprechend dem heutigen Klima, bestand der Wald in den tieferen Lagen aus Buchen-Mischwäldern mit einer hohen Beteiligung der Eiche, die allmählich in Buchen-Bergwälder mit der Weißtanne und Fichte übergingen. Der heutige große Anteil der Fichte ist Menschenwerk der letzten 200 Jahre.

Den Anfängen der Besiedlung stand der Wald als schwer zu überwindendes Hindernis entgegen, obwohl die Menschen zunächst alles darin fanden, was sie als Jäger und Sammler zum Leben benötigten. Im Übergang zu Ackerbau und Viehzucht gelang es nur, den Wald in den ebeneren, hügeligeren Teilen zu roden. Auch die Römer umgingen die unwegsamen Waldgebiete. Die mittelalterliche Kolonisation war Ende des 14. Jh. im wesentlichen abgeschlossen. An der Verteilung von Wald und Feld änderte sich nicht mehr viel. Im Rebland waren auf die Initiative der Klöster die Südhänge mit Weinstöcken bepflanzt worden. Im Oostal hatte man in den zugänglicheren Talgründen Wiesen und Äcker und auch schon Reben angelegt.

Bis ins 19. Jh. hinein war Holz die einzige Quelle der Energie, oft auch das einzige Baumaterial, der Werkstoff für alle Dinge des täglichen Lebens. Die Landwirtschaft war ohne den Wald als Weideplatz für das Vieh und Lieferant der Waldstreu für die Viehhaltung und die Düngung der Äcker und Reben nicht lebensfähig.

Flurnamen wie »Ochsenstall«, »Schweintrieb« oder »Grinde« (als der durch Weide gelichtete Wald) erinnern noch heute an diese Formen der Waldnutzung, die für den Wald eine große Last bedeuteten, für den Menschen aber lebenswichtige Funktionen erfüllten.

Bis 1400 war die sich auf germanisches Recht gründende, gemeinschaftliche Nutzung des Waldes als Markgenossenschaft bei uns allgemein üblich. Später lösten der steigende Holzbedarf und die herrschaftlichen Ansprüche an die Jagd einen schier endlosen Streit um das Eigentum und die Nutzung am Wald zwischen der Stadt, dem Kl. Lichtenthal und den Markgrafen von Baden aus, in dem die Stadt schließlich ihr Recht zugestanden bekam. Auf die damals gezeigte bewundernswerte Standfestigkeit geht der heutige große Waldbesitz der Stadt zurück.

Kriegswirren des ausgehenden Mittelalters taten ihr übriges, Angst vor einer Holznot aufkommen zu lassen. Zahlreiche Forstordnungen und Vorschriften sollten den eingetretenen Mangel steuern. Frieden im Land gab es erst nach dem großen Brand 1689 und dem Ende der napoleonischen Kriege. 1806 war die mehrere Jahre in Anspruch nehmende Teilung der ehemaligen, großen Markgenossenschaft vollzogen. Die Gden Sinzheim, Bühl, Vimbuch, Altsweier, Bühlertal und Steinbach erhielten Wald als ihr Eigentum zugesprochen. In Baden-Baden hatten die Beuerner und die Bürger in Oos und Balg ebenfalls schon jahrelang darauf gepocht, die althergebrachten Nutzungsrechte am Wald in Eigentum umzuwandeln, was ihnen 1840 schließlich gewährt wurde.

Wenige Jahrzehnte später allerdings kehrten die Waldungen durch die Eingliederung der Gemeinden wieder zur Stadt zurück, so daß die Stadt heute einen Forstbetrieb mit rd. 7500 ha ihr Eigen nennen kann.

Die Gründung eines eigenen städtischen Forstamtes 1829 und das Inkrafttreten des Badischen Forstgesetzes 1833 leiteten den Übergang zu einer modernen, planmäßigen und sachkundigen Forstwirtschaft ein, die dem jahrhundertelangen Raubbau ein Ende setzte. Die systematische Begründung und Pflege ertragreicher Mischwälder mit hohen Holzvorräten ging ab Mitte des 19. Jh. einher mit dem Aufbau eines modernen Waldwegenetzes. Heute verfügt der Forstbetrieb über 420 km Lkw-befahrbare Wege.

Glücklicherweise überstand die Stadt den 2. Weltkrieg fast unversehrt, der Wald leider nicht. Nach 1945 mußten im Zuge der Kriegsfolgelasten 225 ha Wald kahlgeschlagen, über 100000 cbm Holz als Reparationen an die Siegermächte abgeliefert werden. Das waldbauliche Gefüge wurde dadurch erheblich gestört. Negative Auswirkungen sind bis heute spürbar.

Die nach forstlichen Begriffen erst eine Waldgeneration von rd. 150 Jahren zurückliegende Aufbauarbeit seit Mitte des 19. Jh. erklärt am besten, wie sehr in der langfristig wirkenden Forstwirtschaft Vergangenheit, Gegenwart und Zukunft miteinander verknüpft sind.

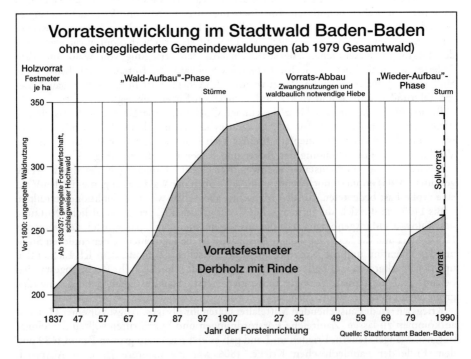

Struktur des Waldes. – Die *Aufbauarbeit moderner Forstwirtschaft* der letzten eineinhalb Jahrhunderte zeigt sich am besten in der Entwicklung des Holzvorrates (vgl. Abb. S. 336). Mit nahezu 350 Festmeter je Hektar kulminierte der Vorrat Ende der 20er Jahre und erreichte nach einer intensiven Verjüngungsphase des Waldes 1969 einen vorläufigen Tiefpunkt mit nur 200 Festmetern je Hektar. Seither nimmt der Vorrat

47 Trinkhalle

48 Trinkhalle, Giebelrelief am Mittelrisalit

49 *Gernsbacher Straße*

51 *Badhotel zum Hirsch*

52 *Lange Straße* 53 *Bürgerhäuser an der Luisenstraße*

54 Altstadthügel, Battert und Altes Schloß

55 Leopoldsplatz

56 Ehemaliges Palais Hamilton

57 Russisch-Orthodoxe Kirche

58 Stourdza-Kapelle

59 Reliefwappen
der Fürsten Stourdza

60 *Das Paradies*

61 *Das Paradies* ▷

62 *Gönneranlage*

63 *Theater am Goetheplatz*

64 *Theater und Kolonnadengeschäfte an der Kastanienallee*

65 Lichtentaler Vorstadt

66 Evang. Stadtkirche

67 Ev.-Lutherische Johanniskirche

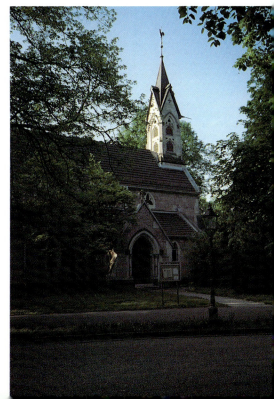

68 *Goldenes Kreuz*

69 *Oos an der Lichtentaler Allee* ▷

70 *Oossteg an der Lichtentaler Allee*

71 Hotel an der Lichtentaler Allee   72 Villa an der Lichtentaler Allee ▷
73 Villa an der Oos

74 Gönneranlage, Hirschtor an der Josefinenbrücke

75 Gönneranlage, Josefinenbrunnen

wieder stetig zu und hat 1990 260 Festmeter je Hektar oder 1,8 Mio. Festmeter insgesamt erreicht.

Der Stadtwald wird in dieser heutigen Phase als *Aufbaubetrieb* bezeichnet, weil er seinen Normalvorrat von 2,4 Mio. Festmeter noch nicht wieder erreicht hat. Der Grund für dieses Ungleichgewicht ist das gestörte Altersklassenverhältnis (vgl. Abb. S. 338). Durch die zu spät eingeleitete Verjüngung Anfang des 20. Jh. gab es einen Überhang an zu alten Beständen, die heute nach der Verjüngungsphase dazu führt, daß die jüngeren Bestände gegenüber einer normalen Altersklassenverteilung zu stark repräsentiert sind und die 80- bis 140-jährigen Bestände zu geringe Anteile aufweisen. Die Abb. S. 338 zeigt deutlich den Unterschied zwischen der Normalverteilung der verschiedenen Altersklassen und dem tatsächlichen aktuellen Stand.

Mit dem *Altersklassenverhältnis* und der flächenmäßigen Ausstattung der verschiedenen Altersklassen hängt auch die Nutzungsmöglichkeit des Waldes zusammen. Eine zu geringe Ausstattung mit älterem Wald führt dazu, daß die jährliche Nutzung von derzeit 41000 Festmetern unter dem laufenden jährlichen Zuwachs an Holz im Stadtwald liegt, so daß sich der Holzvorrat wieder aufbauen kann, bis der Normalvorrat erreicht ist. Erst dann, in ca. 20 Jahren, wird im Stadtwald von Baden-Baden das volle Nutzungspotential, das bei ca. 50000 Festmeter liegen dürfte, zu nutzen sein. Holzzuwachs und Holznutzung befinden sich dann im Gleichgewicht. Die Ernte von 50000 cbm Holz kann nachhaltig, ohne Substanzverlust für den Wald erfolgen.

Einen wesentlichen Einfluß auf den Holzvorrat und den Zuwachs hat auch das *Baumartenverhältnis*, da die verschiedenen Baumarten unterschiedlich bevorratete Waldbestände hervorbringen und auch unterschiedlich hohe Ertragsstufen haben. So beträgt beispielsweise der Zuwachs von Fichte und Tanne im Durchschnitt der ersten 100 Jahre rd. 10 Festmeter je Jahr und Hektar; die Douglasie liegt bei knapp 13 Festmetern, während die Eiche beispielsweise nur 5 Festmeter je Jahr und Hektar liefert.

Der Stadtwald von Baden-Baden setzt sich zu 30 % aus Laubbäumen und 70 % aus Nadelbäumen zusammen. Fichten (31 %) und Tannen (17 %) sowie die Buche (19 %) beherrschen das Waldbild. Die Baumartenverteilung im einzelnen ergibt sich aus der Abb. S. 339. Bei den forstlichen Planungen ist angestrebt, das Baumartenverhältnis dahingehend zu modifizieren, daß die Laubbäume um etwa 10 % auf 40 % steigen und die Fichte deutlich an Flächenanteilen verlieren soll. Damit wird die Baumartenverteilung in Richtung auf die von Natur aus stärker dominierenden Laubbäume hin korrigiert.

Funktionen des Waldes. – Im Forstlichen Rahmenplan Baden-Baden für 1979 und der Waldfunktionenkartierung wurden neben den klassischen Nutz-, Schutz- und Erholungsfunktionen des Waldes folgende *Sonderfunktionen* für den Stadtwald Baden-Baden kartiert:

Wasserschutzwald	6954 ha
Bodenschutzwald	1046 ha
Klimaschutzwald	102 ha
Immissionsschutzwald	418 ha
Sichtschutzwald	47 ha
Wald in Landschaftsschutzgebieten	6274 ha
Wald in Naturschutzgebieten und -denkmalen	7,5 ha
Wald zum Schutz naturkundlicher und kultureller Objekte	236 ha

Ferner wurde aufgrund der herausragenden Rolle des Stadtwaldes als *Erholungswald* für den Kurort, aber auch für die einheimische Bevölkerung mittels Satzung vom

IV. Die Stadt der Gegenwart

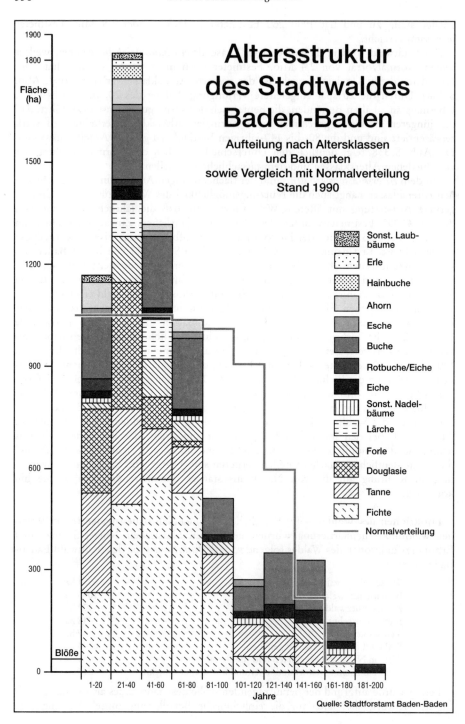

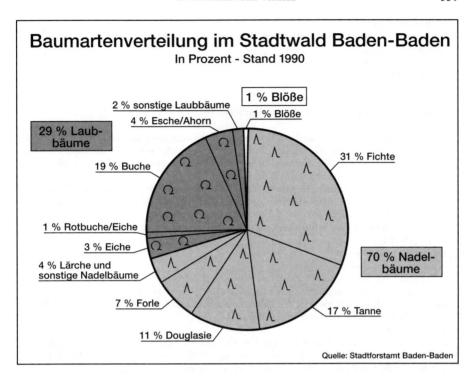

7. 6. 1989 ein gesetzlicher Erholungswald nach § 33 Landeswaldgesetz ausgewiesen, der 3645 ha umfaßt.

Während die Waldfunktionenkartierung den Ist-Zustand des Waldes beschreibt und dabei insbesondere auf die örtlich gebundenen Besonderheiten und Funktionen Rücksicht zu nehmen hat, stellt der Waldbesitzer durch die Definition der Zielsetzung für den Forstbetrieb die Weichen, wie sich der Wald in der kommenden Planungsperiode (in der Regel 10 Jahre) und gegebenenfalls darüberhinaus entwikkeln soll. Das Landeswaldgesetz bestimmt, daß Kommunalwald in zehnjährigen Planungsperioden (Forsteinrichtung) einer Zustandserfassung, Kontrolle und Planung unterzogen wird. Zu Beginn dieser Neueinrichtung hat der Waldbesitzer den Planern die Zielsetzung vorzugeben. Der Gemeinderat von Baden-Baden hat daher in seiner Sitzung vom 2. 11. 1988 die nachstehende Zielsetzung für den Stadtwald Baden-Baden beschlossen:

Der Stadtwald hat multifunktionale Aufgaben. Die verschiedenen Ziele sind in der Regel durch ein und denselben Waldteil gleichzeitig zu erreichen; ortsweise dominieren jedoch einzelne Ziele derart, daß ihnen der Vorrang gegenüber anderen einzuräumen ist – auch wenn dies mit Einbußen zum Beispiel wirtschaftlicher Art verbunden sein sollte.

Ungeachtet der allgemeinen Zielsetzung für den Körperschaftswald nach § 46 in Verbindung mit § 45 Abs. 1 Landeswaldgesetz[1] ergeben sich aufgrund der Eigenarten und der besonderen Bedürfnisse der Stadt Baden-Baden folgende Wirtschaftsziele:

1. *Dienstleistungsfunktion*
Innerhalb der kurörtlichen Zielsetzung der gesamten Stadtentwicklung hat der Stadtwald insbesondere zu dienen als
   - gestaltendes Landschaftselement
   - Klimaregulator
   - Frischluftspeicher
   - Erholungsraum (a)
   - therapeutische Ergänzung der Kureinrichtungen (b)
2. *Wirtschaftliche Funktion*
   - Nachhaltige Holzproduktion und Verkauf zur Erzielung eines angemessenen Reinertrages (c). Die wirtschaftliche Zielsetzung findet ihre Begrenzung durch die Auflage, besonders stabile und gemischte Waldformen zu erhalten bzw. zu entwickeln, sowie gegebenenfalls durch andere außerwirtschaftliche Zielsetzungen.
   - Arbeitsplatz für Beamte, Angestellte und Arbeiter sowie Beschäftigungsmöglichkeit für Sozialhilfeempfänger, Asylbewerber, Arbeitsbeschaffungsmaßnahmen und Ferienbeschäftigung von Schülern (d).
   - Wasserschutzwald für die Stadtwerke und die Bäder- und Kurverwaltung
   - Jagdgebiet (e)
3. *Ökologische Funktionen*
   - Erhaltung der Bodenfruchtbarkeit
   - Erhaltung des natürlichen Potentials an Pflanzen und Tieren
   - Schutz- und Gestaltungsmaßnahmen für besonders gefährdete Arten
   Der größte Teil des Stadtwaldes ist Landschaftsschutzgebiet, einzelne Teile sind als Naturschutzgebiet und Naturdenkmal ausgewiesen (f).
4. *Erholungsfunktion*
Der Stadtwald dient als Erholungsraum für die Stadtbevölkerung und die Gäste; neben der Bewirtschaftung des Waldes und der Unterhaltung der Wanderwege kommt der Erhaltung und gegebenenfalls dem Ausbau vorhandener Erholungs- und Sporteinrichtungen besondere Bedeutung zu.

Zur Erreichung der o. g. Ziele sind u. a. vor allem folgende Maßnahmen vorzusehen:

1. Ausschöpfung aller forstlichen Möglichkeiten zur Dämpfung und Besserung der Walderkrankung.
2. Förderung und Baumartenreichtum bei Kulturen, Jungbestandspflege und Durchforstung; Prüfung des Anbaus fremdländischer Baumarten.
3. Möglichst hohe Umtriebszeiten; Erhaltung von Altholzresten in Kleinbeständen oder als Überhälter entlang von Wegen.
4. Rechtzeitige Jungbestandspflege und Durchforstungen, auch wenn diese Maßnahmen defizitär sind.
5. Wertästungen bei Douglasie, Lärche (Kiefer, Tanne, Fichte) nach Maßgabe der bereitgestellten Arbeitskapazität und hierfür vorgesehener Haushaltsmittel.
6. Waldwegebau und Unterhaltung unter besonderer Berücksichtigung landschaftspflegerischer Aspekte.
7. Ordnende Maßnahmen im Erholungsbereich: Gegebenenfalls Ausweisung von gesetzlichem Erholungswald, Reitwegenetz, Ruhezonen, Erholungsschwerpunkten.
8. Steigerung des Erlebniswertes des Waldes durch Waldlehrpfade, Ausblicke, Wanderweggestaltung, Biotoppflegemaßnahmen.

Gefährdung des Waldes. – Schon immer waren der Wald und damit auch seine Funktionen im Naturhaushalt und für den Menschen Gefährdungen ausgesetzt: Sturm, Brand, Insektenbefall, Viren und Pilzerkrankungen, aber auch Schäden durch Wild. Für die heutige Situation im Stadtwald sind drei Problemfelder von besonderer Bedeutung:

- Sturm und Insektenschäden aufgrund der Sturmserie Anfang 1990 (Vivian und Wiebke),
- Wildverbiß und Schälschäden durch Rotwild sowie
- neuartige Walderkrankung.

Das säkulare *Sturmereignis von 1990* hat auch den Stadtwald Baden-Baden erfaßt. Obwohl hier im Vergleich zu anderen Forstämtern und Waldgebieten mit einem Schadholzanfall von »nur« 31 000 Festmetern eine unterdurchschnittliche Holzmenge geworfen wurde, sind doch vor allem in den Höhenlagen größere Kahlflächen entstanden. Dies schmerzt umso mehr, als gerade hier eine dauerhafte Waldbestockung ohne Kahllegung die beste Gewähr für die Erfüllung der Wasserschutzfunktion wäre. Etwa 50 % des Trinkwassers der Stadt Baden-Baden kommen aus den Hochlagen im Buntsandsteingebiet, wo die meisten Sturmschäden entstanden sind. Die Kahlflächen sind heute im wesentlichen wieder aufgeforstet, doch kann der Jungwald die Schutzfunktion nicht in gleichem Maße wahrnehmen wie der vorher dort stockende ältere Wald.

In der Folge der Sturmschäden und aufgrund der sich anschließenden trockenen Witterung haben *Borkenkäfervermehrungen* dazu geführt, daß sich die Flächen noch weiter ausgedehnt haben. Eine besondere Schwierigkeit besteht darin, daß die Bekämpfung des Borkenkäfers nicht mit chemischen Mitteln erfolgen kann, weil dadurch die Qualität der Trinkwasserversorgung gefährdet werden könnte.

Es ist eine Daueraufgabe der Jagd- und Forstwirtschaft, die Frage zu lösen, welcher Wildverbiß noch tolerierbar ist und wo die *Wildpopulation* die Entstehung eines gesunden, aus verschiedenen Baumarten gemischten Jungwaldes gefährdet. Leider hat das Rehwild, aber auch das Rotwild die unangenehme Eigenschaft, einzelne Baumarten bevorzugt zu verbeißen, was im Ergebnis zu einer Entmischung der jungen Kulturen führt. Das gleiche gilt für die Krautpflanzen. In der Vergangenheit sind daher auf nicht allzu geringer Fläche mehr oder weniger reine Fichtenbestände entstanden, die heute eine unbefriedigende Bestandsstruktur mit hohem Risikopotential und auch eine suboptimale Erfüllung der verschiedenen Waldfunktionen darstellen. In den letzten 25 Jahren ist es jedoch gelungen, den Reh- und Rotwildbestand so zu regulieren, daß die waldbauliche Zielsetzung in den Jungbeständen nicht gefährdet ist.

Ähnliches gilt für die aktuelle Lage bei den *Schälschäden* durch Rotwild. Aber auch hier sind die Hypotheken der Vergangenheit unübersehbar. 46 % der Fichtenrein- und -mischbestände sind zu über 30 % von Rotwild geschält; einzelne Bestände zu 100 %. Auch bei den Buchenrein- und -mischbeständen ist der Anteil von 10 % stark geschälter Bestände nicht unerheblich. Durch das Schälen entsteht eine Pilzinfektion im unteren Stammteil, die nicht nur die Stabilität der Bäume erheblich negativ beeinflußt, sondern natürlich auch zu enormen Qualitätsverlusten bei der Holzproduktion führt. Es wird noch Jahrzehnte dauern, bis diese labilen Bestände – meist Reinbestände – in stabilere Mischwälder umgebaut sind. Die Abb. S. 343 zeigt, daß in der jüngsten Altersklasse 1–20 praktisch keine Schälschäden vorhanden sind und auch in der Altersklasse 21–40jährig der Schadensgrad nur halb so groß ist wie in den am meisten betroffenen Altersklassen 41–80jährig.

Durch die *neuartige Walderkrankung* wurde der Stadtwald von Baden-Baden ganz besonders stark betroffen. Kleinflächig ist der Wald insbesondere in den Hochlagen abgestorben, und auf großer Fläche weisen Nadelbäume wie Tanne und Fichte, aber in den letzten Jahren auch verstärkt die Buche erhebliche Blattverfärbungen und Blattverluste auf. Der Ursachenkomplex für die neuartige Walderkrankung dürfte in Baden-Baden aufgrund verschiedener Untersuchungen im wesentlichen aus einem Zusammenwirken von nährstoffarmem Bodensubstrat, sauren Einträgen aus der Luft (vor allem

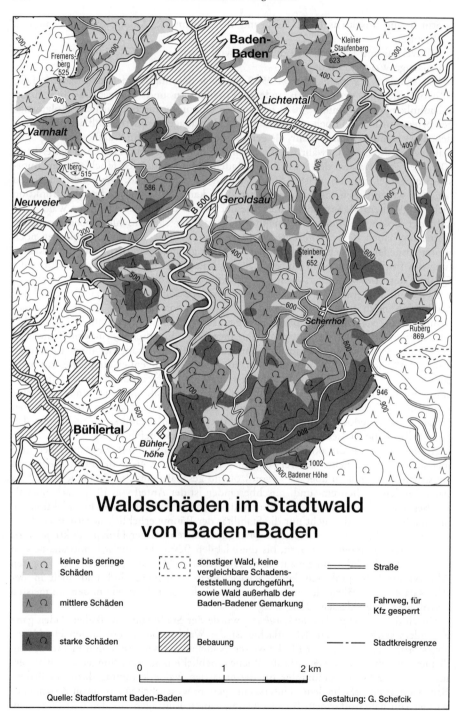

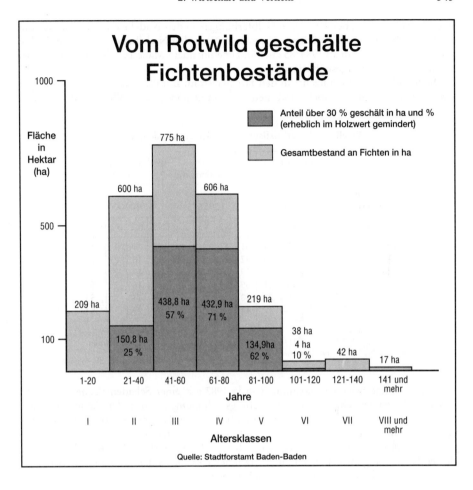

Umwandlungsprodukte des Stickoxids) und direkten Blattschädigungen durch hohe Ozonwerte bestehen. Der Holzeinschlag aufgrund von Immissionsschäden, der seit 1984 statistisch gesondert erfaßt worden ist, spricht für sich:

Anfall Immissionsholz 1984–1992

1984	7 658 Festmeter		1989	11 988 Festmeter
1985	5 404 Festmeter		1990	15 623 Festmeter
1986	10 306 Festmeter		1991	5 823 Festmeter
1987	9 905 Festmeter		1992	5 128 Festmeter
1988	11 553 Festmeter			

Noch 1980/81 wurden die bis dahin aufgetretenen Schäden an der Tanne als Trockenschäden infolge des sehr trockenen Sommers 1976 und eines Niederschlagsdefizits in den Jahren 1970 bis 1979 bewertet. Die Erkenntnis, daß es sich um Immissionsschäden handeln könnte, kam erstmals Mitte 1981 auf. Im Spätherbst 1981 traten dann in geringem Umfang bei der Fichte Gelbfärbungen an den Nadeln auf, die sich bis zum Frühjahr 1982 wesentlich stärker verbreiteten. Nach den Nadelbäumen – Tanne, Fichte und Kiefer – sind dann ab 1984/85 auch in zunehmendem Maße Immissionsschäden bei Buche und Eiche festgestellt worden.

Die Schäden setzten zunächst in den Hochlagen im Buntsandsteingebiet über 700 m ein, sind aber dann auch mehr und mehr im Granit und in den Tallagen aufgetreten.

Tabelle 1 **Schadensfläche in % der Holzbodenfläche**

	Stadtwald Baden-Baden				Baden-Württemberg				Bundesrepublik Deutschland			
Holzbodenfläche (ha)	7017				1 295 673				10 300 000			
Schadstufe	S1	S2	S3	insg.	S1	S2	S3	insg.	S1	S2	S3	insg.*
1983	28	11	5	44	31	17	1	49	25	9	1	35
1984	42	19	9	70	42	22	2	66	33	16	2	51
1985	42	21	12	75	39	25	2	66	33	17	2	52
1987	44	27	10	81	39	20	1	60	35	16	1	52
1989	39	28	5	72	40	18	2	60	37	14	2	53
1991*	38	35	4	77	44	16	1	61	39	23	2	64

S   = Schadstufe
S1   = Nadel-/Blattverlust 11–25%
S2   = Nadel-/Blattverlust 26–60%
S3   = Nadel-/Blattverlust über 60%
*   ab 1991 neue und alte Bundesländer

Das vorläufige Schadensmaximum wurde 1987 mit einer Schadensfläche von 81 % erreicht. Wegen der sehr günstigen Witterungsbedingungen war in den darauffolgenden Jahren eine leichte Schadensreduzierung zu beobachten (s. Tab. 1), wobei eine Verbesserung vor allem bei den jüngeren Altersklassen eingetreten ist.

Im Hinblick auf die Schadstufen wurde bereits 1983 ein Maßnahmenkatalog erstellt, dessen Umsetzung mithelfen soll, den Krankheitsverlauf zu dämpfen und die Bekämpfung der Erkrankungsursachen zu beschleunigen:

1. Schadeninventur und Dokumentation – terrestrisch, Luftbild
2. Öffentlichkeitsarbeit
3. Beteiligung an Ursachenforschung
4. Bodeninventur
5. Düngung – Kulturen, Bestand
6. Waldbau – Kulturen, Jungbestandspflege, Durchforstung, Endnutzung, Vorbau
7. Monetäre Schadenserfassung
8. Propagieren von Luftreinhaltemaßnahmen Dritter – Stadt, Industrie, Bürger

Die *Bodenmeliorationsmaßnahmen* (siehe oben Nr. 5) zur Dämpfung des Krankheitsverlaufes wurden 1984 mit dem Ziel begonnen, die Pufferkapazität der Böden und die Versorgung mit basischen Nährelementen (Calcium, Magnesium) zu verbessern. Bis 1989 wurden 6000 ha, das sind 80 % der Betriebsfläche mit Dolomit durch Verblasen vom Boden aus bzw. durch Streuen mit dem Hubschrauber gedüngt. Die großflächige Düngung kann damit im wesentlichen als abgeschlossen gelten. Parallel laufen waldbauliche Maßnahmen zur Reduzierung des Schadensfortschritts: *Jungbestandspflege* und *Erstdurchforstung* wurden intensiviert; aufgelockerte Bestände werden mit Tanne oder Buche unterbaut. Ziel all dieser kommunalen Maßnahmen ist die Dämpfung des Krankheitsverlaufs, um die Zeit zu überbrücken, bis sich die lufthygienischen Bedingungen verbessert haben.

Anmerkungen

1. § 46 des Landeswaldgesetzes lautet:
   Für die Bewirtschaftung des Körperschaftswaldes ist, unbeschadet der besonderen Zweckbestimmung des Körperschaftsvermögens und der aus der Eigenart und den Bedürfnissen der Körperschaften sich ergebenden besonderen Zielsetzungen, § 45 Abs. 1 entsprechend anzuwenden.
   § 45 Abs. 1 des Landeswaldgesetzes lautet:
   Der Staatswald soll dem Allgemeinwohl in besonderem Maße dienen. Ziel der Bewirtschaftung des Staatswaldes ist, die den standörtlichen Möglichkeiten entsprechende, nachhaltig höchstmögliche Lieferung wertvollen Holzes zu erbringen bei gleichzeitiger Erfüllung und nachhaltiger Sicherung der dem Wald obliegenden Schutz- und Erholungsfunktionen.
2. Einzelne Funktionen:
   a) und b): Der Stadtwald ist mit zahlreichen Erholungseinrichtungen und therapeutischen Anlagen ausgestattet, u. a.
   - 40 Wanderparkplätze mit 920 Pkw-Stellplätzen
   - Merkur-Bergbahn (Baden-Baden-Linie) Länge 1192 m, Steigung max. 54 %, Fahrzeit 4 Minuten
   - 82 Schranken an Waldwegen
   - 310 km Rundwanderwege
   - 310 km Zielwanderwege
   - 47 km Terrainkurwege
   - 37 km Panorama-Rundweg
   - 148 km ausgewiesene Reitwege
   - 19 km Skifernwanderweg, Rubergloipe
   - 31 Orientierungstafeln
   - 2 Waldlehrpfade 7,8 km
   - 1 Lehrpfad »Waldsterben« 0,6 km (Merkurgipfel)
   - 1 Naturlehrpfad Baden-Baden
   - 4 Waldsportpfade
   - 1 Wildgehege 15,7 ha (Rot-, Dam-, Muffel- und Schwarzwild)
   - 15 Rast-, Spielplätze, Liegewiesen (= 5,7 ha)
   - 3 Wanderheime, Schullandheime
   - 51 Schutzhütten (davon 10 mit Grilleinrichtungen)
   - 1000 Sitzbänke
   - 3 Aussichtstürme (Merkur, Fremersberg, Badener Höhe)
   - 10 ha Wasserflächen (Leissee, oberer und unterer Waldsee)
   - 34 Brunnen
   - 1 Kneipp-Anlage
   - 16 ha Arboreten

   c) Betriebswirtschaftliche Ergebnisse des Holzproduktionsbetriebs 1979–1992
   1. Haushaltsergebnis
      - 1979–1990: − 1,088 Mio. DM
      - 1991: + 0,441 Mio. DM
      - 1992 (voraussichtl.): − 1,800 Mio. DM − 2,5 Mio DM
   2. Vermögenszugänge
      - Flächenzugang: + 0,8 Mio. DM
      - Holzvorratsaufbau: + 6,7 Mio. DM + 7,5 Mio DM
   3. Einschlagsreserve aus 1991 und 1992: + 1,7 Mio DM
      (verminderter Holzeinschlag infolge der Orkane des Jahres 1990)

IV. Die Stadt der Gegenwart

4. Investitionen wegen Waldschäden
Düngung   + 3,6 Mio. DM
Vorbau   + 2,3 Mio. DM + 5,9 Mio DM
5. Schadensereignisse, die sich wesentlich auf das
Betriebsergebnis ausgewirkt haben:
– Walderkrankung durch Immissionen   – Sturmwurf 1990 (ca. 33 000 Fm)
– Schnee- und Eisbruch 1981/82   – Borkenkäfer 1991/92
6. Sonderbelastung des Holzproduktionsbetriebes
– Rotfäule infolge überhöhter Wildbestände bis vor 25 Jahren
– Mehraufwendungen und Mindererträge auf 1000 ha Wasserschutzgebiet
– Rücksichtnahme auf Naturschutz, Landschaftspflege und Erholungswesen.

d) Das Personal des Forstamtes besteht aus
2 Dipl.-Forstwirten,
1 Dipl.-Biologen,
10 Dipl.-Forstingenieuren (FH) und
6 Angestellten (davon 2 Halbtagskräften).
Der Forstbezirk ist in 8 Forstreviere zwischen 711 und 1090 ha eingeteilt.
1 Dipl.-Forstingenieur (FH) leitet den Betriebshof mit dem Fuhrpark und dem zentralen Arbeiter- und Maschineneinsatz für Wegebau, kurörtliche Maßnahmen einschließlich Landschaftspflege. Der forsttechnische Stützpunkt und die zentrale Pflanzschule sind je einem Forstrevier angeschlossen.
An Arbeitskräften stehen zur Verfügung:
– 45 Stammarbeiter
Aufgliederung der Arbeitsstunden:
Holzernte: 26 %   Erschließung: 12 %
Kulturen: 13 %   Sozialfunktion: 17 %
Forstschutz: 5 %   Jagd: 5 %
Bestandspflege: 12 %   Sonstiges: 10 %
Weitere Arbeitskräfte:
– 2 Zivildienstleistende und 2 Teilnehmer/-innen des Freiwilligen Ökologischen Jahres
– Unternehmer beim Holzrücken und beim Holzeinschlag (16 000 Fm/Jahr) entsprechend 20 Stammarbeiter
– Saisonale Hilfskräfte entsprechend 10 Stammarbeitern.
Der Forstbetrieb sichert somit die Arbeitsplätze für ungefähr 100 Personen.
Zusätzlich sind im Wald mehrere hundert Selbstwerber eingesetzt.

e) Jagd und Fischerei
Die Jagdfläche umfaßt 7144 ha Wald und 4543 ha Feld = 11 687 ha insgesamt.
Davon sind Selbstverwaltungsjagd   6512 ha Wald
                                      96 ha Feld
                   insgesamt: 6608 ha
Verpachtet 9 Jagdbezirke mit   1470 ha Wald
                                    3547 ha Feld
                   insgesamt: 5017 ha
4000 ha der Selbstverwaltungsjagd liegen im Rotwildgebiet Nördlicher Schwarzwald, ebenso ein Teil des verpachteten Jagdbezirks Steinbach II.
Auf der *Selbstverwaltungsjagd* wurden in den Jagdjahren 1980 bis 1991 an Rot-, Reh- und Schwarzwild erlegt:
Rotwild: Insgesamt 209 Stück, davon 24 Hirsche und 115 Kahlwild einschl. Kälber, das sind jährlich 17,4 Stück = 0,4 Stück/100 ha.
           Geschlechterverhältnis 1:1,2
Rehwild: Insgesamt 4469 Stück, davon 1318 Böcke und 3151 weibliches Rehwild und Kitze, das sind jährlich 372 Stück = 6,2 Stück/100 ha.
           Geschlechterverhältnis 1:2,4

2. Wirtschaft und Verkehr

Schwarzwild: Insgesamt 1349 Stück, das sind jährlich 112 Stück = 1,9 Stück/100 ha. Insbesondere in den Jagdjahren 1990 und 1991 ist das Abschußergebnis stark angestiegen:
(1990: 272 Stück = 4,5 Stück/100 ha sowie
1991: 194 Stück = 3,2 Stück/100 ha)

Auf der Selbstverwaltungsjagd werden jährlich entsprechend den Möglichkeiten, die das Jagdgesetz bietet, 41 ganzjährige entgeltliche Jagderlaubnisscheine an hiesige Jäger ausgegeben.

Das Fischwasser an den Waldseen, dem Leis- und Kühlsee, der Oos, dem Grobbach, dem Steinbach und weiteren Bächen ist verpachtet.

f) Naturschutz und Landschaftspflege
Naturschutz und Landschaftspflege spielen im Stadtwald eine zunehmend wichtigere Rolle. Flächen, denen wichtige Biotopfunktionen zukommen, wurden daher erfaßt und erfahren eine besondere Behandlung. Dies sind insbesondere:

185 ha Altholzinseln	66 km Bachtäler
25 ha Plenterwaldüberführungsbestände	50 naturnahe Quellen
21 ha Flächen außerregelmäßiger Bewirtschaftung	37 Tümpel und Kleingewässer
185 ha Wiesenflächen	51 Felsbildungen
83 ha feuchte Wälder	3150 m Trockenmauern.
10 ha Trockenwälder	

Literatur

1. *Brandstetter,* Lothar, 1962, Forstgeschichtliche Untersuchungen über den Stadtwald Baden-Baden.
2. Baden-Badener Waldbüchlein, hrsg. v. Städt. Forstamt Baden-Baden 1981.
3. Forsteinrichtungswerk Stadtwald Baden-Baden nach dem Stande vom 1. Oktober 1990. Bearbeitet vom Städt. Forstamt Baden-Baden u. d. Körperschaftsforstdirektion Karlsruhe (nicht veröffentlicht).
4. *Schröter* H., Forstlicher Rahmenplan Baden-Baden, Ministerium für Ernährung, Landwirtschaft und Umwelt, Druck Nr. EM-30–79; Karlsruhe 1979.
5. *DIERCKE,* Weltatlas, Heimat für Baden-Württemberg, Westermann Schulbuchatlas GmbH, Braunschweig 1991.
6. *Mahler,* Otto, Der Stadtwald Baden-Baden, Baden-Baden 1954.

Handwerk

Die Leistungsstruktur des Handwerks im Stkr. Baden-Baden ist vielschichtig und in vielen Bereichen beeinflußt vom Fremdenverkehr, insbesondere dem Kur- und Bäderwesen sowie dem Kongreßtourismus, Bereichen also, denen bei der Stadtentwicklung Priorität eingeräumt wurde und wohl auch zukünftig eingeräumt werden wird. Abgesehen davon bezieht das Handwerk der Kernstadt Baden-Baden und ihrer sechs Umlandgemeinden seine Auftraggeber aus allen Teilen der Wirtschaft, der öffentlichen Hand und der gesamten Bevölkerung. Die hier angesiedelten Handwerksbetriebe sind mit dafür maßgeblich, daß der Landesentwicklungsplan der Stadt Baden-Baden die Funktion eines Mittelzentrums in der Region Mittlerer Oberrhein zuweist. Der Schwerpunkt handwerklicher Leistungen liegt bei der Neuherstellung (einschließlich Bauleistungen, Installation, Montage). Weitere wichtige Arbeitsfelder der Handwerkswirtschaft sind die Dienstleistungen und die Reparaturen individueller und handwerklicher Erzeugnisse.

Tabelle 1 Das Handwerk seit 1970

Branchen	1970	1975	1980	1985	1990	1994
Handwerk insgesamt	580	612	579	534	497	486
Bau-, Ausbaugewerbe	131	128	131	114	110	116
Metallgewerbe	170	169	170	173	165	165
Holzgewerbe	39	44	39	37	34	32
Bekleidungs-, Textil- und Ledergewerbe	69	85	69	53	43	32
Nahrungsmittelgewerbe	68	74	68	56	44	33
Gesundheits-, Chem.- Reinigungsgewerbe	76	86	76	76	81	86
Glas-, Papier-, sonstige Gewerbe	27	26	26	25	24	22

Quelle: Handwerkskammer Karlsruhe

Betrachtet man die Entwicklung seit dem Jahre 1970, so ist festzustellen, daß die Anzahl der Betriebe zurückgegangen ist (vgl. Tab. 1). Diese Entwicklung spiegelt den in vielen Handwerkszweigen feststellbaren Konzentrationsprozeß auf leistungsfähigere Betriebsgrößen wider (vgl. Tab. 2). Zweifellos sind aber auch andere wirtschaftliche Gründe für die Betriebsrückgänge maßgeblich. Strukturelle Umschichtungen und Einengungen des bisherigen Marktes haben vielfach einen Wandel hervorgerufen. Auf dem Sektor des Bekleidungshandwerks, wo große Betriebsrückgänge festzustellen sind, dürfte die Konkurrenz der industriellen Fertigung mitbestimmend gewesen sein. Ähnliches gilt für die Nahrungsmittelhandwerke durch die Konkurrenz der Super- und Verbrauchermärkte.

Tabelle 2 Beschäftigte und Umsätze im Handwerk 1977

Branchen	Beschäftigte	Umsätze 1000 DM
Handwerk insgesamt	4788	356280
Bau-, Ausbaugewerbe	1621	105250
Metallgewerbe	1712	161567
Holzgewerbe	184	10806
Bekleidungs-, Textil- und Ledergewerbe	246	13522
Nahrungsmittelgewerbe	443	39390
Gesundheits-, Chem.- Reinigungsgewerbe	424	15458
Glas-, Papier-, sonstige Gewerbe	158	10287

Quelle: Statistisches Landesamt Baden-Württemberg

Da neuere statistische Erhebungen fehlen – die Ergebnisse der nächsten Handwerkszählung werden voraussichtlich 1996 vorliegen –, kann, gestützt auf durchschnittliche Mitarbeiterzahlen, angenommen werden, daß in Handwerksbetrieben des Stkr. Baden-Baden derzeit ca. 3000–3500 Menschen beschäftigt sind.

Von einem Handwerksbetrieb ist auszugehen, wenn dort ein Gewerbe handwerksmäßig betrieben wird und vollständig oder in wesentlichen Teilen ein Gewerbe umfaßt, das in der Anlage A zur Handwerksordnung aufgeführt ist (§ 1 Abs. 2 Handwerksordnung). Diese Anlage A führt als Positivliste derzeit 127 Handwerksgewerbe auf, die in sieben Bereiche unterteilt sind. Im einzelnen:

Bau- und Ausbaugewerbe. – Hierzu zählen *Maurer, Beton-* und *Stahlbetonbauer, Zimmerer, Fliesenleger, Stukkateure (Gipser), Maler* und *Lackierer*, um nur die wichtigsten Bereiche zu nennen. Im Bau- und Ausbaugewerbe verfügt der Stadtkreis über leistungsstarke, über die Stadtgrenzen hinaus tätige und bekannte Unternehmen, welche die im Jahr 1977 festgestellte Umsatzgröße von etwa 105 Mio. DM inzwischen deutlich überschritten haben. Auch die Anzahl der im Bau- und Ausbauhandwerk beschäftigten Personen ist trotz einer zurückgegangenen Anzahl der Betriebe angestiegen. Ein Großteil der Aufträge stammt aus dem Wohnungsbau, in welchem nach Angaben des Statistischen Landesamtes vom Juni 1992 nahezu genauso viele Arbeitsstunden geleistet wurden wie im gewerblich-industriellen Bau. Seit jeher sind die Betriebe des Bau- und Ausbauhandwerks aber auch damit beschäftigt, die das Stadtbild von Baden-Baden prägenden alten, teilweise historischen Gebäude fach- und stilgerecht innen und außen instandzusetzen bzw. instandzuhalten. Maurer, Stukkateure, Fliesenleger, Maler und Lackierer, um nur einige Gewerbe zu nennen, sind hier mit ihrem ganzen handwerklichen Können gefordert. Die drastischen Sparmaßnahmen der Kommunen führten zu einem deutlichen Auftragsrückgang der öffentlichen Hand insbesondere im Tiefbau.

Elektro- und Metallgewerbe. – Die große Gruppe der handwerklichen Elektro- und Metallberufe ist im Stkr. Baden-Baden mit 165 eingetragenen Betrieben am häufigsten vertreten. Wie Tab. 1 zeigt, ist in diesem Gewerbebereich seit 1970 eine nahezu gleichbleibende Anzahl eingetragener Betriebe festzustellen. Die zahlenmäßig stärkste Handwerkergruppe bilden die *Kraftfahrzeugmechaniker* mit heute 32 Betrieben und die in diesem Zusammenhang ebenfalls zu nennenden *Kraftfahrzeugelektriker* (2) sowie *Karosserie- und Fahrzeugbauer* (4). An zweiter Stelle rangiert das Elektrohandwerk mit seinen fünf verschiedenen Berufen. Den Schwerpunkt bilden 30 eingetragene *Elektroinstallateure*, die in der Privatwohnung oder im Einfamilienhaus genauso tätig sind wie bei der Installierung und Instandhaltung ganzer Energieverteilanlagen, Melde- und Signalanlagen, Breitbandkommunikations- und Antennenanlagen, Steuer- und Regelanlagen sowie kleinerer Fernmeldeanlagen. Ferner gehören zum Elektrohandwerk des Stadtkreises 5 *Radio- und Fernsehtechnikerbetriebe* – die Experten der Unterhaltungselektronik – *Elektromechaniker* (2), *Fernmeldeanlagenelektroniker* (1) und *Elektromaschinenbauer* (1).

Zu den Metallgewerben zählen auch die *Gas- und Wasserinstallateure* (12), die *Zentralheizungs- und Lüftungsbauer* (13) und *Blechner* (5). Diese Handwerksunternehmen sind wesentliche Stützen für den im Stkr. Baden-Baden stark vertretenen Wohnungsbau. Speziell im weiten Feld der Renovierungsarbeiten im Bäder- und Kurwesen sind Heizungsbauer, Installateure und Blechner mit ihrem individuellen Leistungsangebot nicht hinwegzudenken. Die eingangs erwähnte vielschichtige Leistungsstruktur des Handwerks in Baden-Baden läßt sich auch anhand der 16 eingetragenen *Maschinenbaumechanikerbetriebe* belegen. Diese Unternehmen sind wichtige Partner für andere Bereiche: Maschinen, Anlagen- und Apparatebau, Transport- und Verkehrswesen sowie Forschung und Entwicklung.

Zu nennen sind schließlich noch 6 *Uhrmacher* und 4 *Goldschmiede*, die als arbeitsplatzintensive und flächenschonende Betriebe, aber auch von ihrem Leistungsangebot her eine besondere »Kurortverträglichkeit« aufweisen.

Holzgewerbe. – Das Holzgewerbe des Stadtkreises mit seinen insgesamt 32 eingetragenen Betrieben wird getragen von 29 *Schreinereien*, 2 *Rolladen- und Jalousiebauern* und 1 *Korbmacher*. Die Schreinereien sind in ihrer Bedeutung für den Neubaubereich in einem Atemzug zu nennen mit den anderen oben bereits erwähnten Ausbauhandwerkern. Daneben gibt es im privaten, gewerblichen, speziell aber vom Fremdenverkehr genutzten Altbau vielfältige Betätigungsfelder u. a. in der Möbel- und Baurestaurierung. Man denke nur an Deckenverkleidungen, Treppen, Wandelemente, um einige Bereiche zu nennen, wo hochwertige Schreinerarbeit gefordert ist. Selbstverständlich gehört auch die Anfertigung und Instandsetzung von Einzelmöbeln zum Leistungsangebot des hiesigen Schreinerhandwerks. Erst in den letzten Jahren ist die Zahl der Betriebe leicht zurückgegangen, wohl hauptsächlich aufgrund fehlender Betriebsnachfolger.

Bekleidungs-, Textil- und Ledergewerbe. – Die Anzahl der für diese Gewerbe eingetragenen Betriebe hat sich seit 1970 nahezu halbiert. Maßgeblich beteiligt an dieser Entwicklung sind das *Damen- und Herrenschneiderhandwerk*. In diesen Bereichen konnte die handwerkliche Einzelerzeugung dem Preiswettbewerb der industriellen Massenproduktion nur schwer standhalten. Mit ähnlichen Problemen hat das in diesem Zusammenhang ebenfalls zu nennende *Schuhmacherhandwerk* zu kämpfen. Nur noch 7 von ehemals 13 im Jahre 1970 eingetragenen Schuhmacherbetriebe befassen sich mit der Anfertigung neuer Schuhe und der Instandhaltung und Pflege von schadhaftem Schuhwerk.

Die zahlenmäßig stärkste Berufsgruppe sind die *Raumausstatter*, deren Zahl von 19 (1970) auf heute 15 zurückgegangen ist. Dieser Rückgang ist wohl mehr auf fehlende Betriebsnachfolger als auf mangelnde Aufträge zurückzuführen. Privatwohnungen, Gewerberäume wie beispielsweise Büros oder Arztpraxen, aber auch Hotels, Gaststätten, das weithin bekannte Kurhaus und Theater bieten ein umfangreiches Betätigungsfeld für Raumausstattung und Dekoration jeglicher Art von der Verlegung strapazierfähiger Teppichböden über Aufarbeitung von Polstermöbeln bis hin zur hochwertigen Wandbespannung.

Als eine besondere Stätte der Handwerksausübung ist an dieser Stelle die Zisterzienserinnen-Abtei des Klosters Lichtenthal zu nennen. Unter der Leitung von derzeit 3 Ordensschwestern, die im *Weber-* bzw. *Stickerhandwerk* die Meisterprüfung abgelegt haben, werden kostbare, hauptsächlich religiöse Textilien (z. B. Kirchengewänder) hergestellt.

Nahrungsmittelgewerbe. – Hierzu gehören das *Bäcker-, Konditoren- und Fleischerhandwerk*, außerdem Müller, Brauer, Melzer sowie Küfer, die aber in dem hier zu betrachtenden Zeitraum seit 1970 im Stadtkreis Baden-Baden nicht mehr vertreten waren. Speziell im Bäcker- und Fleischerhandwerk sind die Betriebszahlen seit 1970 erheblich zurückgegangen, z. B. um über 60 % bei den Fleischern. Gleichwohl sind die ca. 52600 Einwohner des Jahres 1994 im Stadtkreis deshalb nicht unterversorgt gewesen. Häufig sind nämlich Verkaufsfilialen an die Stelle ehemals eigenständiger Betriebe getreten. Das Bäckerhandwerk des Stkr. Baden-Baden hat eine Produktpalette von 200 verschiedenen Brotsorten und über 1200 Sorten Klein- und Feingebäck anzubieten und beliefert damit sowohl die Kundschaft im Laden als auch Abnehmer der Fremdenverkehrsbetriebe, Altersheime, Sanatorien u. a. Dem stehen die Konditoren in nichts nach. Auch sie leisten in Cafés und Ladengeschäften sowie der Belieferung der Hotellerie und Gastronomie mit ihrem reichen Angebot an Torten, Gebäck,

Cremespeisen, Eis und vielem anderen mehr einen wichtigen Beitrag zum vielzitierten Flair der Bäder- und Kurstadt Baden-Baden.

Von den 16 eingetragenen Fleischereibetrieben des Jahres 1970 und sogar 22 Betrieben im Jahr 1975 sind 1994 noch 6 Betriebe übriggeblieben. Allerdings haben häufig auch hier Verkaufsfilialen auswärtiger Betriebe den Platz der bisherigen Betriebsstätten eingenommen. Bis ins Jahr 1989 bestand ein städtischer Schlachthof in Baden-Oos, in dem die Fleischer der Stadt ihre Schlachtungen durchführen mußten. Die im hiesigen Fleischerhandwerk nicht unumstrittene Schließung des Schlachthofes zwingt die Betriebe heute, mit ihrer Schlachtung in den Schlachthof der Nachbarstadt Bühl auszuweichen. Neben den vielfältigen Fleisch- und Wurstsorten, mit welchen sowohl die Privatkundschaft als auch Großabnehmer der Gastronomie, Kantinen, Sanatorien u.a. versorgt werden, bieten die Betriebe aber auch Spezialitäten, Fleischerfeinkost, oftmals verzehrfertige Gerichte bis hin zum kompletten Partyservice an. Gerade in den zuletztgenannten Bereichen hat sich das Leistungsangebot der Fleischereibetriebe der letzten Jahre erheblich erweitert, nicht zuletzt um dem Konkurrenzdruck von Super- und Einkaufsmärkten besser standhalten zu können.

Gewerbe für Gesundheits- und Körperflege, chemische und Reinigungsgewerbe. – Im Gegensatz zu allen anderen Bereichen haben sich hier zumindest in den letzten zehn Jahren die Betriebszahlen gesteigert. Spitzenreiter ist dabei das *Friseurhandwerk* mit 59 eingetragenen Betrieben, einer seit 1970 nahezu gleichbleibenden Zahl. Daß sich das Friseurhandwerk neben der Bedienung der Stammkundschaft geradezu ideal in das Leistungsangebot einer Bäder- und Kurstadt einfügt, versteht sich von selbst. Auf jeden Fall »kurortverträglich« sind aber auch die anderen hier vertretenen Handwerke, nämlich *Zahntechniker* (8), *Augenoptiker* (7), *Orthopädieschuhmacher* (5), *Textilreiniger* (2), *Gebäudereiniger* (2), *Orthopädiemechaniker*, *Bandagisten* (1), deren Anzahl insgesamt sich seit 1970 nicht nennenswert verändert hat.

Glas-, Papier-, keramische und sonstige Gewerbe. – In dieser Gruppe findet man die *Fotografen* mit 8 eingetragenen Betrieben. Ferner 6 *Glaserbetriebe*, welche sich insbesondere im Fensterbau, Glasbau sowie in der Fensterverglasung betätigen. Während die beiden zuerst genannten Bereiche vorwiegend den Wohnungs-, Verwaltungs- und Industriebau betreffen, ist die Fensterverglasung als älteste Sparte des Glaserhandwerks an den zahlreich vorhandenen sakralen und weltlichen Bauten früherer Epochen zu finden und damit Gegenstand handwerklicher Aufträge. Zunehmend wird die Fensterverglasung aber auch in neuere Gebäude einbezogen, beispielsweise an sieben Fenstern des Steinbacher Rathauses, wo ein ansässiger Kunstglaser Bilder aus der Ortsgeschichte festgehalten hat. Zu erwähnen sind schließlich auch noch die im Stadtkreis vorhandenen handwerklichen *Buchbinder* und *Buchdrucker* mit jeweils 2 Betrieben.

Durch die Novelle zur Handwerksordnung wurden auch die sog. *handwerksähnlichen Gewerbe* der Handwerkskammer zur Betreuung zugewiesen. Insgesamt 40 Gewerbe können laut der Anlage B zur Handwerksordnung handwerksähnlich betrieben werden, für die aber eine Meisterprüfung oder sonstige Voraussetzungen nicht erforderlich sind, um in das von der Handwerkskammer Karlsruhe geführte Verzeichnis aufgenommen zu werden. Zu den handwerksähnlichen Gewerben zählen z.B. das *Holz- und Bautenschutzgewerbe*, die *Reparaturschneider*, die *Schnellreinigung*, die *Schönheitspflege*, um die vier häufigsten Bereiche der am 31.12.1994 insgesamt registrierten 77 Betriebe zu nennen. Die größte Einzelgruppe bildet dabei die

Schönheitspflege mit 33 Einzelbetrieben. In diesem vorwiegend kosmetischen Tätigkeitsbereich, der gewiß auch vom Bäder- und Kurwesen profitiert, war gerade in den letzten Jahren ein deutlicher Zuwachs festzustellen.

Organisation des Handwerks. – Die *Handwerkskammer Karlsruhe* unterhält in Baden-Baden eine Außenstelle, das »*Haus des Handwerks*«. Damit will die Handwerkskammer als modernes Dienstleistungsunternehmen des Handwerks den Handwerkern des Stkr. Baden-Baden, aber auch des Lkr. Rastatt auf kurzem Weg ein vielfach spezialisiertes Serviceangebot zur Verfügung stellen; von der Ausbildung der Lehrlinge (Lehrlingsrolle) bis hin zur hochqualifizierten Maßnahme in beruflicher Fortbildung und individueller Betriebs-, Rechts- und Ausbildungsberatung. Seit 1.9.1992 ist das Haus des Handwerks auch *Ausbildungsstätte der Akademie des Handwerks* im Rahmen der Fortbildung zum staatlich anerkannten Betriebswirt des Handwerks.

Zur regionalen Organisation des Handwerks zählt auch die *Kreishandwerkerschaft Rastatt/Baden-Baden/Bühl*, deren Geschäftsstelle ebenfalls im Haus des Handwerks in Baden-Baden untergebracht ist. Die Kreishandwerkerschaft wird gebildet aus den derzeit 30 Innungen, die im Stkr. Baden-Baden und/oder Lkr. Rastatt ihren Sitz haben. Davon sind allerdings lediglich 3 Innungen regional auf den Stadtkreis beschränkt. Es sind dies die *Maler- und Lackierer-Innung Baden-Baden* (45 Mitgliedsbetriebe), die *Friseur-Innung Baden-Baden* (42 Mitgliedsbetriebe) und die *Schreiner-Innung Baden-Baden* (24 Mitgliedsbetriebe). Obwohl die Innung ein freiwilliger Zusammenschluß selbständiger Handwerker ist, sind die meisten in der Handwerksrolle eingetragenen Betriebe zugleich auch Mitglied der hiesigen Innung. Als fachliche Organisation des Handwerks hat der *Landesverband Südbaden des Maler- und Lackierer-Handwerks* seine Geschäftsstelle in Baden-Baden eingerichtet, von wo aus auch die Innungsgeschäfte der Maler- und Lackierer-Innung geführt werden.

Zentrale Bedeutung zur Aufrechterhaltung der künftigen Leistungs- und Wettbewerbsfähigkeit des Handwerks kommt der *Nachwuchssicherung- und gewinnung* zu. Hierzu unternehmen die Handwerksorganisationen auch im Stkr. Baden-Baden erhebliche Anstrengungen in der Nachwuchswerbung. Nachdem 1985 mit den damals geburtenstarken Jahrgängen ein Höchststand bei den eingetragenen Lehrverhältnissen erreicht wurde, ist inzwischen aufgrund der demographischen Verhältnisse die Anzahl der Lehrverhältnisse erheblich zurückgegangen. Zahlreiche Ausbildungsplätze bleiben heute unbesetzt. Die meisten Lehrverträge wurden in den vergangenen Jahren im Elektro-/Metallgewerbe, gefolgt vom Gesundheitsgewerbe und vom Baugewerbe abgeschlossen. Am beliebtesten sind bei den weiblichen Lehrlingen der zum Gesundheitsgewerbe gehörende Beruf der Friseurin und bei den männlichen Lehrlingen der Kraftfahrzeugmechaniker, gefolgt vom Elektroinstallateur. Gleichgültig für welche handwerkliche Ausbildung sich der Lehrling auch entscheiden mag, er hat damit die Möglichkeit, einen sicheren, zukunftsorientierten Beruf zu erlernen, der ihm später als Meister die Möglichkeit der beruflichen Selbständigkeit eröffnet.

Industrie

Überblick. – Industrie und Baden-Baden ein Widerspruch? Ein solches Urteil wäre voreilig. Auch wenn Baden-Baden seine lebendige Kraft aus dem Weltbadcharakter bezieht und eine große Tradition als Kur-, Bade- und Kongreßstadt besitzt, so heißt dies nicht, daß Baden-Baden keine nennenswerte Industrie aufzuweisen hätte. Eine solche

Einschätzung wäre schlichtweg falsch. Ebenso falsch wäre jedoch die Erwartung, in Baden-Baden rauchende Schlote und lärmende Fabriken anzutreffen.

Erholung und Arbeit, Ruhe und Fabrik, Ästhetik und industrielle Produktion sind in Baden-Baden in den vergangenen Jahrzehnten eine einzigartige Symbiose eingegangen. Diese Formel beschreibt die Baden-Badener Industriestruktur deutlich besser als das so schlichte Wort von einem »gesunden Branchenmix«. Die Industrie Baden-Badens steht in einer lebendigen Beziehung zum Weltbad mit Charme. Eine international renommierte Kosmetik- und Körperpflegeindustrie weiß diesen Standort genauso zu schätzen wie Unternehmen aus der Pharmabranche. Kundennähe und eine »erste Adresse« waren immer noch ein Standortvorteil, der sich häufig ausschlaggebend für die Wahl des Betriebsstandortes erweist.

Kosmetik- und Pharmaprodukte sind jedoch nicht die einzig prägenden Merkmale der Baden-Badener Industriekultur. Als international renommierter Kurort muß Baden-Baden für seine Gäste erreichbar sein. der »Verkehrslandeplatz« in Baden-Baden/Oos hat daher eine weit größere Bedeutung als das diese bescheiden anmutende Bezeichnung suggerieren mag. Die in Deutschland bekannteste Gebrauchtflugzeugmesse hat hier ihren Standort und ihr Publikum. Baden-Baden/Oos wurde damit zum Nukleus industrieller Ansiedlungen, die im weitesten Sinne dem Bereich der *Flugtechnik* zuzuordnen sind.

Auf eine Formel gebracht sind es »Kosmetik und Flugtechnik«, die der Baden-Badener Industrie »Jet-set-Charakter« verleihen und weshalb es gerechtfertigt erscheint, von einer einzigartigen Symbiose zwischen weltläufigem Kurbetrieb und einer starken Industrie zu sprechen.

Aber auch hier wie überall in Baden-Württemberg fehlt nicht die klassische Stärke des »Musterländles«. Maschinen- und Anlagenbau, mittelständische Elektronik- und Zulieferbetriebe mit ausgeprägten mittelständischen Strukturen sind ein weiteres Kennzeichen der Industrie des Stadtkreises Baden-Baden. Hier, wie im ganzen Oberrheingebiet, hat auch der traditionelle Kiesabbau in den Rheinauen seine Spur in Form einer florierenden Grundstoff- und Bauindustrie gelegt.

Rückblick. – »Baden-Baden und Industrie« ist also kein Widerspruch, vielmehr ist beides aufeinander angelegt und weist deshalb eine Zukunftsorientierung auf, aus der heraus sich die Stadt an der Oos künftig eine gesunde Wirtschaftsentwicklung wird versprechen können. Die dahinterliegende Theorie ist einfach und klar: Florierende Dienstleistungen werden sich nur auf dem Nährboden einer kräftigen Industrie entwickeln können. Der zukunftsträchtige Bereich der technologieorientierten Dienstleistungen sucht die Nähe zu seinem Kunden; das ist die Industrie. Auf den Menschen bezogene Dienstleistungen, wie sie insbesondere im Kur- und Freizeitbetrieb erbracht werden, benötigen eine kaufkräftige Wertschöpfung – und auch die wird zu wesentlichen Teilen durch die Industrie erzeugt.

So wird das Miteinander von Industrie und Kurstadt auch durch einen Rückblick in die industrielle Entwicklung der letzten Jahrzehnte bestätigt. Betrachtet man die Entwicklung der Beschäftigten im Verarbeitenden Gewerbe Baden-Badens anhand von Abb. 1, so ist im Verlauf der 1950er und frühen 60er Jahre ein steiler Anstieg der Industriebeschäftigung zu beobachten. Wie viele andere Regionen Deutschlands nahm auch Baden-Baden intensiv am »Wirtschaftswunder« teil. In den lediglich sechs Jahren zwischen 1958 und 1964 wuchs die Beschäftigung im Verarbeitenden Gewerbe Baden-Badens um 20,3 % von 1984 auf 3590 Beschäftigte.

Damit war ein Sockel industrieller Beschäftigung erreicht, der sich bis 1983 stabil – von den nahezu regelmäßigen konjunkturellen Schwankungen einmal abgesehen –

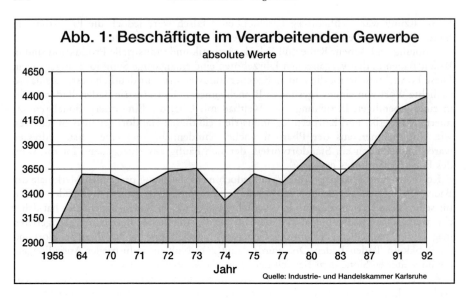

entwickelte. Die Konjunkturkrise der auslaufenden 60er und beginnenden 70er Jahre, der erste Ölpreisschock 1974 sowie der zweite im Jahre 1977 hinterließen hier genauso ihre Spuren wie die dazwischenliegenden Phasen des konjunkturellen Aufschwungs.

Auch nach Ende der Rezession zu Beginn der 80er Jahre schien der übliche Aufschwung wiederzukehren, doch in Baden-Baden entwickelte er sich rasch zu einem Boom, der die bis dahin bekannten Regeln der Konjunktur außer Kraft zu setzen schien. Die Beschäftigung, die noch 1983 mit 3581 Beschäftigten im Verarbeitenden Gewerbe de facto denselben Stand wie im Jahre 1964 aufwies, wuchs in dem folgenden Jahrzehnt auf 4400 Beschäftigte steil an. Das Konjunkturprogramm »Deutsche Einheit« verschaffte daher, der weltwirtschaftlichen Entwicklung zum Trotz, auch der Baden-Badener Industrie eine Verschiebung des Sockels an industrieller Tätigkeit nach oben, der erst mit Beginn des Jahres 1993 die Unbilden der auch Deutschland erfassenden Konjunkturkrise zu spüren bekam, die zumindest in den klassischen Industriezweigen, vor allem im Investitionsgütergewerbe, deutliche Anzeichen einer Strukturkrise in sich trug.

Abb. 2 verdeutlicht den Sprung der industriellen Beschäftigung in Baden-Baden im Jahre 1989, dem Jahr des Beginns der deutschen Einheit. Sie zeigt auch den Vergleich mit den benachbarten Gebietskörperschaften, dem Lkr. Rastatt, dem Stkr. Karlsruhe und dem Lkr. Karlsruhe, mit denen die Stadt Baden-Baden und ihre Wirtschaft in intensiver Weise vernetzt ist, wie dies auch der 1987 zustandegekommene Zusammenschluß zur Technologie-Region Karlsruhe verdeutlicht.

Für den Zeitraum 1977 bis 1991 wird erkennbar, daß Baden-Baden eine dem Lkr. Rastatt nahezu synchrone Entwicklung der Beschäftigung im Verarbeitenden Gewerbe durchlaufen hat. Es ist ein deutlicher Hinweis darauf, daß die Stadt sich trotz ihrer herausgehobenen und sich stark differenzierenden Position als Weltbad durchaus in homogener Weise zu ihrem Umfeld entwickelt, und daß man daher zurecht von

2. Wirtschaft und Verkehr 355

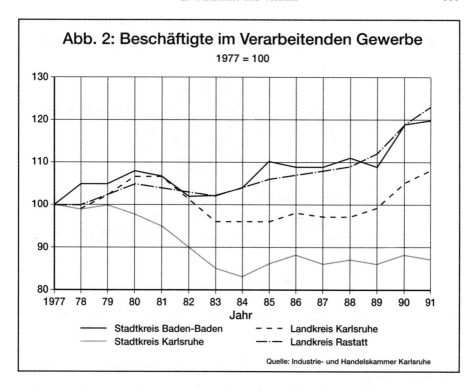

gesunden Stadt-Umlandbeziehungen insbesondere aus industriepolitischer Sicht sprechen kann.

Dies wäre völlig anders zu beurteilen, hätte Baden-Baden dieselbe Entwicklung durchlitten, die andere kreisfreie Städte Baden-Württembergs in diesen Jahren durchlebt haben. Im benachbarten Karlsruhe ging die Industriebeschäftigung im gleichen Zeitraum um 13 % zurück, was zu Spannungen und Verwerfungen mit dem Karlsruhe umschließenden Landkreis Karlsruhe geführt hat, der im gleichen Zeitraum um 8 % zulegen konnte. Insgesamt belegen diese Zahlen, daß es in den letzten eineinhalb Jahrzehnten in der Region Mittlerer Oberrhein ein Nord-Süd-Gefälle der industriellen Entwicklung gegeben hat, bei dem der »Süden« auf der Gewinnerseite gestanden hat. Darüberhinaus wird deutlich, daß die Stadt Baden-Baden dabei in gleicher Weise profitieren konnte, wie der Baden-Baden umschließende ländliche Raum. Dies wäre ohne eine kluge, der Wirtschaft und Industrie zugewandte Politik nicht möglich gewesen. Nach der Ansiedlung von Mercedes-Benz in Rastatt besitzt Baden-Baden weitere Chancen, seine industrielle Position auch in Zukunft im Gleichschritt mit anderen prosperierenden Regionen auszubauen.

Industriestruktur. – Abb. 3 erlaubt nähere Einblicke in die Beschäftigungsstruktur des Verarbeitenden Gewerbes der Stadt Baden-Baden, gegliedert nach Wirtschaftshauptgruppen. Sie zeigt deutlich, daß der Maschinenbau mit 27 % der Beschäftigten und die Chemische Industrie mit 26 % der Beschäftigten die tonangebenden industriellen Sektoren im Stadtkreis sind. Demgegenüber geben sich der Fahrzeugbau mit 5 %,

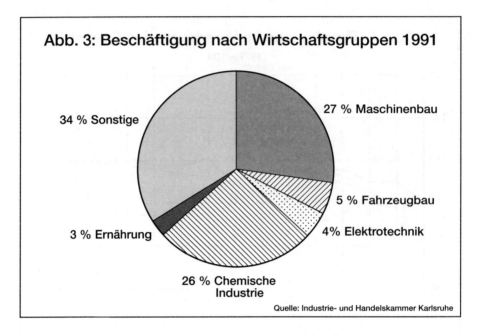

die Elektroindustrie mit 4 % und die Nahrungs- und Genußmittelindustrie mit 3 % eher bescheiden aus.

Zu einem ähnlichen Ergebnis führt die Betrachtung von Abb. 4, die einen Überblick über die Umsätze des Verarbeitenden Gewerbes der Stadt Baden-Baden erlaubt. Auch hier wird die beherrschende Rolle von Maschinenbau und Chemischer Industrie deutlich. Gleichzeitig werden die voranstehenden Aussagen über die Industriestruktur durch die Tatsache differenziert, daß auch der Fahrzeugbau zu einem nicht unbedeutenden Anteil zum Gesamtumsatz der Baden-Badener Industrie beiträgt, was auf eine hohe Produktivität dieses Industriezweigs schließen läßt.

Export. – Interessant ist auch ein Blick auf die Auslandsaktivitäten der Baden-Badener Industrieunternehmen (Abb. 5). Auch wenn die Baden-Badener Exportquote mit 17,3 % im Jahr 1991 deutlich unter dem regionalen Wert mit 20,7 % lag, so hat die Baden-Badener Wirtschaft in den vergangenen Jahrzehnten eine dynamische Öffnung gegenüber den Weltmärkten gezeigt. Während die Exportquote im Lkr. Rastatt im Zeitraum 1977/1991 von 26 auf 30 % anstieg, waren die Vergleichswerte für den Stadtkreis Baden-Baden 8,3 % und 17,3 %. Im gleichen Zeitraum stiegen die Auslandsumsätze um 342 % von 31,45 Mio. DM im Jahr 1977 auf 139,06 Mio. DM im Jahre 1991 (vgl. Abb. 6). Der vergleichbare Anstieg im Landkreis Rastatt betrug demgegenüber »nur« 142 % (vgl. Abb. 7). Ursächlich für diese interessante Entwicklung dürfte die Kosmetikindustrie gewesen sein, die sich in diesem Zeitraum eine internationale Reputation durch weltmarktfähige Produkte aufgebaut hat.

Verhältnis zu den übrigen Wirtschaftsbereichen. – Die letzten Jahrzehnte waren in der Bundesrepublik Deutschland Jahre eines fortwährenden Strukturwandels, in dessen

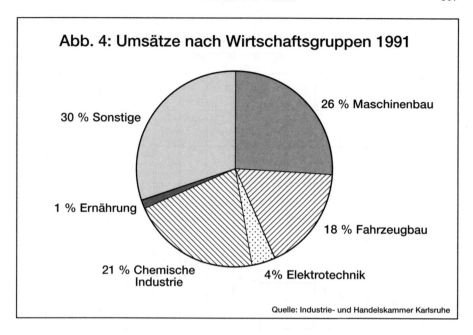

Abb. 4: Umsätze nach Wirtschaftsgruppen 1991

30 % Sonstige
26 % Maschinenbau
1 % Ernährung
18 % Fahrzeugbau
21 % Chemische Industrie
4% Elektrotechnik

Quelle: Industrie- und Handelskammer Karlsruhe

Verlauf die Industrie zwar nach wie vor als größter Wirtschaftszweig dominiert, in denen jedoch die Dienstleistungsbereiche permanent an Boden gewonnen haben. In Baden-Baden, das als Kurstadt ohnehin von einem niedrigeren vergleichbaren Sockel an industriellen Aktivitäten ausging, hat sich diese Entwicklung in besonderer Weise niedergeschlagen. Waren es 1970 noch 40 % aller Beschäftigten (vgl. Abb. 8), die im Produzierenden Gewerbe tätig waren, so nahm diese Zahl bis 1987, also in nur 17 Jahren, um 11 auf 29 % ab (vgl. Abb. 9). Den Hintergrund dieser Verschiebungen bildet die Tatsache, daß bei einer auf den Betrachtungszeitraum bezogenen Konstanz der Industriearbeitsplätze die Zahl der Beschäftigten im Baden-Badener Dienstleistungssektor (Hotellerie und sonstige Dienstleistungen) beträchtlich zunahm.

Industrielle Infrastruktur. – Gemäß dem IHK-Ansiedlungsatlas aus dem Jahr 1989 besaß Baden-Baden eine ausgewiesene Gewerbefläche für zusätzliche Ansiedlungen von ca. 400000 qm, wovon sich 295000 qm in Gemeindeeigentum befanden. Dabei waren keine reinen Industriegebiete vorgesehen. Durch Genehmigung eines neuen Flächennutzungsplanes ist in Baden-Baden jedoch gerade in den letzten Jahren Raum für gewerbliche Aktivitäten durch Ausweisung neuer bzw. erweiterter Gewerbegebiete in Haueneberstein, in Sandweier, in Steinbach-West und in Oos-Nord geschaffen worden.

Einzelne Industriegruppen. – Der folgenden Darstellung von Industriegruppen und Einzelunternehmen liegt eine Auswahl derjenigen Baden-Badener Industrieunternehmen zugrunde, die mit Stand 12. Febr. 1991 in der Regel mehr als 100 Beschäftigte aufwiesen. Dabei kann aufgrund von Meldefehlern gegenüber dem Statistischen Landesamt kein Anspruch auf absolute Vollständigkeit erhoben werden. Auch die Zuordnung auf die einzelnen Industriegruppen kann nur auf dem betrieblichen

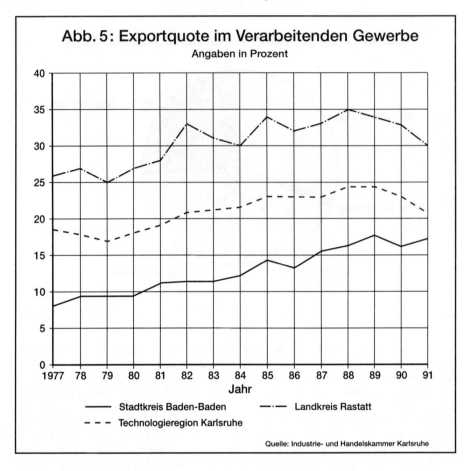

Schwerpunkt beruhen und muß daher Überschneidungen bewußt in Kauf nehmen. Die Reihenfolge der Darstellung orientiert sich an der zuvor dargestellten Bedeutung der einzelnen Industriegruppen am Umfang industrieller Tätigkeit in Baden-Baden.

Chemische Industrie. – Die Firmen Fribad Cosmetics GmbH und Juvena Produits de Beauté GmbH stehen für Baden-Baden als bedeutenden Standort einer Kosmetikindustrie von internationalem Renommee.

Sans Soucis und Biodroga sind die Erfolgsmarken der *Fribad Cosmetics GmbH*, deren Firmengeschichte 1939 mit der Eröffnung eines Friseursalons in Potsdam begann. Die Firma befindet sich in Familienbesitz. 1962 begann die Produktion von Kosmetikartikeln unter der Firmierung Sans Soucis: Johanniscreme und Kräuterbalsam – Kosmetikschlager der 50er Jahre – wurden zur »Sensitive-skin-line« weiterentwickelt. Als erster Hersteller der Welt setzte das Unternehmen 1970 den Wirkstoff Collagen ein. Heute beschäftigt die Fribad-Gruppe rund 890 Mitarbeiter, unter denen 35 mit Forschung und Entwicklung beschäftigt sind. Die gesamte Bandbreite der Haut- und Körperpflege wird abgedeckt. Parfums werden in Frankreich, dem klassischen Land

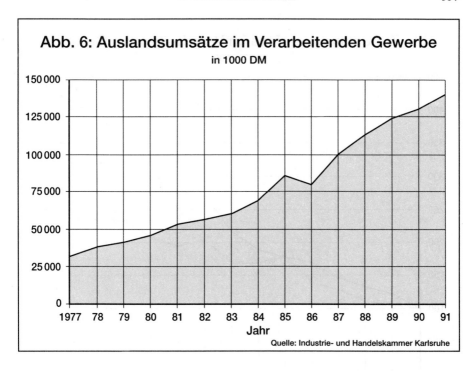

der Düfte, hergestellt, die Farbkosmetik in Baden-Baden entworfen, kontrolliert und verpackt. Alle anderen Produkte werden in der Kurstadt hergestellt und auch von dort vertrieben. Biodroga-Erzeugnisse widmen sich vorwiegend Hautproblemen und erfreuen sich vor allem in Japan größter Beliebtheit, das seither einer der bedeutendsten Auslandsmärkte von Fribad Cosmetics darstellt. Die Umsätze der Firmengruppe betrugen 1992 weltweit 138 Mio. DM.

Die *Juvena Produits de Beauté GmbH* siedelte sich 1957 in Baden-Baden an. Zuvor war die Firma in Stuttgart gegründet worden; die schweizerische Muttergesellschaft hat ihren Sitz in Zürich. 1977 wurde die Firma Tochtergesellschaft der »British-American-Cosmetics Ltd., London«. Emulsionen und Lotionen und die »Binella-Produkte« bildeten den Produktschwerpunkt dieser Jahre. Ende der 70er Jahre war Juvena International mit 600 Mitarbeitern der größte industrielle Arbeitgeber in Baden-Baden. Durch einen Immobilienverkauf Ende des Jahres 1982, der der Firma große Lager- und Betriebsflächen zu rauben drohte, war der Standort Baden-Baden vorübergehend gefährdet. Durch Erwerb eines neuen Geländes und den Entschluß zu Erweiterungsinvestitionen konnte dies verhindert werden. 1983 wurde das weltbekannte französische Parfümhaus Gres durch die Juvena-Gruppe übernommen, wodurch die Aktivitäten in dem Bereich französischer Haute Couture-Parfums ausgebaut werden konnten. Das Sortiment ist geprägt von der präparativen Kosmetik, dekorativen Linien, Duft- und Herrenlinien sowie von Geschenksortimenten. Der Vertrieb erfolgt ausschließlich über den Fachhandel in sehr selektiver Verteilung. Im Jahr 1984 wechselte der Konzern Juvena International von der British-American Tobacco (BAT) zum Londoner Multi Beecham Ltd. Damit stieß die Gruppe zu einer Mutter, in der die Kosmetik dominierte.

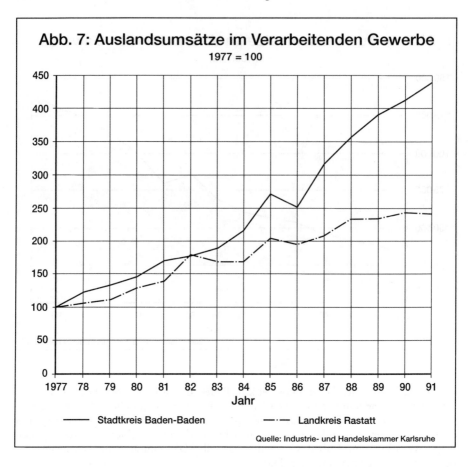

Abb. 7: Auslandsumsätze im Verarbeitenden Gewerbe
1977 = 100
Quelle: Industrie- und Handelskammer Karlsruhe

1988 übernahm das Juvena-Management durch einen »Management-buy-out« die Juvena-Gruppe. Größere Beweglichkeit und Investitionsspielräume wurden dadurch eröffnet. Nach zwei erfolgreichen Geschäftsjahren übernahm im April 1990 die Hamburger Beiersdorf AG 100 % des Aktienkapitals der Juvena International AG, um dadurch weltweit zu einem der führenden Anbieter in allen wichtigen Verteilungskanälen und Marktsegmenten der Hautpflege zu werden. 1992 beschäftigte Juvena 350 Mitarbeiter in Baden-Baden bei wachsender Tendenz.

»Dritter im Bunde« der Baden-Badener Kosmetikfirmen ist die Niederlassung der *Shoynear Cosmetic GmbH* mit Sitz in Bad Vilbel, die 1970 ihre Geschäfte aufnahm und aus dem Know-how der Firma Arzneimittel Heel entstand. Pflanzliche, tierische und mineralische Grundsubstanzen werden als Hautpflegemittel hergestellt.

Zweites, wichtiges Bein der Chemischen Industrie Baden-Badens bildet die Pharmaindustrie, die, wie das Beispiel der Firma Heel zeigt, eng mit der kosmetischen Industrie verbunden ist. Die Firma *Biologische Heilmittel »Heel« GmbH* beschäftigt sich mit der Herstellung und dem Vertrieb biologischer Heilmittel. Dieser Hersteller homöopathischer Arzneimittel mit 460 Mitarbeitern konnte 1991 ein neues Verwal-

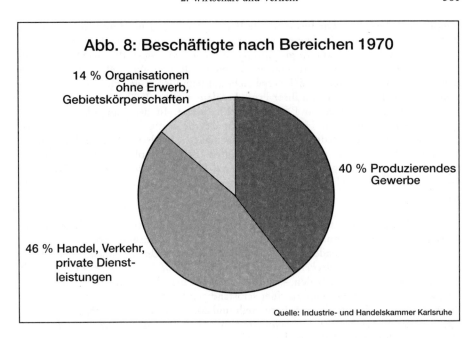

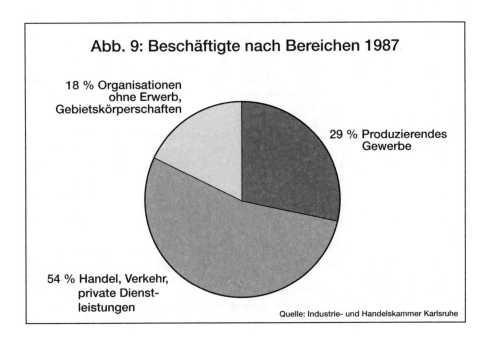

tungsgebäude beziehen. Die Firma wurde 1936 in Berlin gegründet und ist seit 1961 in Baden-Baden ansässig. Zusammen mit fünf weiteren Firmen am gleichen Standort gehört die Heel GmbH zur *Ergo-Pharm-Unternehmensgruppe*, die Beteiligungen an weiteren Firmen in den USA und in Spanien hält und ihre selbst entwickelten biologischen Arzneimittel mit Schwergewicht auf dem Gebiet der Homöopathie weltweit in 35 Ländern absetzt. Mit ihrer Produktpalette von ca. 2500 Arzneimitteln ist die Heel GmbH Marktführer im Bereich der Pharmazie. In der Rangfolge der europäischen homöopathischen Hersteller nimmt sie die dritte Stelle ein. 1988 erwarb Heel von der Stadt Baden-Baden das ehemalige städtische Schlachthofgelände, das im Rahmen eines großzügig ausgelegten Bebauungsplans nahezu vollständig bebaut wurde. Gegenstand der *Standard-Pharma pharmazeutische Präparate GmbH* ist die Herstellung pharmazeutischer, parapharmazeutischer und kosmetischer Präparate.

Investitionsgüterindustrie. – Flugtechnik, Maschinenbau und Kfz-Industrie bilden die Schwerpunkte der Baden-Badener Investitionsgüterindustrie.

Die vormals zur Karlsbader Becker-Gruppe gehörenden Unternehmen *Becker Avionics AG & Co. KG*, die *Becker KG* und die *Deutsche Luftfahrt-Elektronik* – alle mit Verwaltungssitz in Baden-Baden – wurden 1988 aus dem Konzernverbund herausgelöst, wodurch Becker Avionics zu einer selbständigen Firma wurde. In einem Rastatter Werk werden u. a. Flugfunkgeräte hergestellt und 200 Mitarbeiter beschäftigt. 70 % der Geräte gehen in den Export. Die Schwesterfirma *DLE Luftfahrtservice GmbH* ist seit 25 Jahren am Flugplatz Baden-Baden beheimatet und beschäftigt sich schwerpunktmäßig mit dem Verkauf, dem Einbau und der Instandhaltung von Avionics-Geräten sowie der Wartung von Flugzeugen bis zu einem maximalen Abfluggewicht von 5,7 Tonnen. Die ebenfalls am Baden-Badener Flughafengelände seit 1988 ansässige Firma *Motorflug GmbH* ist mit ihren rund 140 Mitarbeitern die größte Hubschrauberwerft Deutschlands und betreibt in Oos die Wartung und Überholung von Hubschraubern der Hersteller Bell Helicopter, Textron (USA), Construzioni Aeronautiche Giovanni Agusta (Italien), MBB Messerschmidt-Bölkow-Blohm (Deutschland) und Société Nationale Industrielle Aerospatiale (Frankreich). Die Wartung, Instandsetzung und Überholung von Polizei-, Militär- und Zivilhubschraubern aus dem In- und Ausland wird auf eigenen Prüfständen betrieben, weiterhin der Verkauf und ein Ersatzteildienst. Nachrüstungen und Mustereinbauten werden ebenso durchgeführt wie auch die Piloten- und Mechanikerschulung.

Die Firma *Apparatebau Hundsbach GmbH Meß- und Prozeßleittechnik* wurde 1945 in Hundsbach gegründet und nahm 1960 die Arbeit am zweiten Standort Baden-Baden auf. Die Firma beschäftigt sich mit der Entwicklung und Herstellung von Geräten der Meß-, Steuer- und Regelungstechnik, wobei beispielsweise komplette Steuerungssysteme für Kraftwerke in Baden-Baden entwickelt und in Hundsbach produziert werden. In Baden-Baden befinden sich Teile der Fertigung, der Verwaltung und des Vertriebs sowie die Entwicklungsabteilung, bedingt durch die höhere Verkehrsgunst der Stadt.

Die Firma *Aeroquip GmbH* ist mit rund 1200 Beschäftigten einer der größten Arbeitgeber der Stadt Baden-Baden. Die Gesellschaft produziert in erster Linie Schlauch- und Rohrleitungen sowie dazugehörige Verbindungsteile (Kupplungen) für die Automobilindustrie. 690 Beschäftigte sind im Fahrzeugbereich beschäftigt. Ein weiterer wichtiger Bereich ist die Herstellung von Teilen für den Maschinenbau. Die Firma hatte 1959 in Baden-Baden mit nur fünf Mitarbeitern begonnen. Muttergesellschaft der Aeroquip ist der amerikanische Trinova-Konzern, der auf dem Sektor Industrieausrüstungen sowie in der Luft- und Raumfahrt, Verteidigungs- und Automobiltechnik tätig ist.

Bauindustrie. – Seit 1961 stellen die *Kies- und Betonwerke Rudolf Peter GmbH & Co. KG* in Baden-Baden-Sandweier Transportbeton her. Zuvor war schon seit zehn Jahren Kies abgebaut worden. Heute wird in hochkapitalintensiven Anlagen in Sandweier, Bühl, Achern, Bietigheim, Karlsruhe und Neureut produziert. Erzeugt werden genormte und anerkannte Betone für alle Baubereiche, für den Ein- und Mehrfamilienhausbau, für den gewerblichen und öffentlichen Hochbau, für Tunnels, Kläranlagen, Garagen, Brücken und Autobahnen. Ca. 240 verschiedene Betonsorten sind in einem Rechner gespeichert, der für die entsprechenden Mischungsverhältnisse sorgt. Die Firma beschäftigt 149 Mitarbeiter. Die Firma *Adolf Keller Spezialtiefbau GmbH* wurde 1979 gegründet und beschäftigt sich mit den Bereichen Rohrleitungsbau, Brunnenbau und Grundbau. Die Firma beschäftigt 133 Mitarbeiter. Die Firma *Sänger & Lanninger GmbH & Co*, Bauunternehmung, die in Baden-Baden in Form der Firma *Sänger & Lanninger Verwaltungsgesellschaft GmbH* vertreten ist, hat in einer über 100jährigen Firmentradition herausragende Tunnelbauvorhaben verwirklicht. Das Unternehmen beschäftigt in Baden-Baden 60 Mitarbeiter sowie in Waldshut-Tiengen 26 Mitarbeiter im Hoch- und Tiefbau. Die Bergbauabteilung in Dortmund zählt 125 Mitarbeiter. Es ist beabsichtigt, die badischen Abteilungen in Baden-Baden als Stammsitz und in Waldshut-Tiengen als Ergänzung zum überregionalen Tunnel- und Stollenbau zu verstärken und auszubauen. Das Unternehmen firmiert seit 1991 als *Sänger & Lanninger Nachf. Sauerbier & Link GmbH & Co. KG*. An herausragenden Tunnelbauvorhaben, an denen die Firma mitgewirkt hat, sind das Kavernenkraftwerk der Schluchseewerke, der Bau der Münchner U-Bahn mit dem Bahnhof am Marienplatz und der Bau von zwei Großtunnels der Bundesbahn im Zuge der Neubaustrecke zwischen Würzburg und Hannover zu erwähnen.

Die Firma *Vetter Hoch- und Tiefbau GmbH* wurde 1880 in Baden-Baden gegründet und hat als traditionsreichste Baden-Badener Bauunternehmung die Baugeschichte dieser Stadt maßgeblich mitgeprägt. Die Firma beschäftigt heute ca. 200 Mitarbeiter. Die Firma war beteiligt an Baumaßnahmen wie dem Bertholdsbad, der Bahnüberführung an der B 500, dem Bau verschiedener Südwestfunk-Studios, der Augusta-Tiefgarage, der Autobahnraststätte Bühl, des Schloßbergtunnels, der Dresdner Bank, Deutschen Bank und Volksbank in der Kurstadt, von Teilbereichen der französischen Cité, der Großkläranlage, des Michaelstunnels und des Flugplatzes Söllingen. Die im Jahre 1962 gegründete *Eberhard Schöck KG* im Stadtteil Steinbach, die im Bereich der Bau- und Bauzulieferindustrie tätig ist, firmiert seit 1993 als *Schöck AG* mit den Geschäftsbereichen Rohbau, Schlüsselfertig-Bau, Mietservice und Bauteile. Die Aktiengesellschaft hält das Kapital der an den zur Firmengruppe gehörenden Beteiligungsgesellschaften. Die Umwandlung in eine AG geschah im wesentlichen zur Sicherung des Fortbestandes der Firmengruppe über den Generationswechsel in der Inhaberfamilie hinaus. Erklärtes Ziel ist, daß die Beschäftigten wenigstens 25 % des Aktienkapitals halten. Der Schwerpunkt liegt nach wie vor bei der Herstellung schlüsselfertiger Bauten und der Produktion von Bauteilen. Die Gruppe beschäftigte 1992 419 Mitarbeiter. 1987 konnten die in Achern und Baden-Baden beheimateten *Bold-Baubetriebe* auf ihr 75jähriges Bestehen zurückblicken. Mit etwa 600 Mitarbeitern gilt die Bold-Gruppe als eines der führenden Unternehmen der Bauindustrie im deutschen Südwesten. Die Tochter *Bold Fertigbau* befindet sich in Sandweier. Die Firma *Josef Schwend GmbH & Co* wurde 1911 in

Straßburg gegründet, entschied sich später für die Fabrikation in Kehl und zog schließlich nach Baden-Baden um, wo sie letztlich im Steinbacher Gewerbegebiet einen neuen Standort fand. Die Firma beschäftigt rund 50 Mitarbeiter und engagiert sich in der Herstellung und dem Vertrieb von Spezialbauteilen, insbesondere von Schornsteinen.

Sonstige Industrie. – Seit 1963 ist die deutsche Tochtergesellschaft des international bekannten Herstellers der Parker Schreibgeräte, die *Parker Pen GMBH*, in Baden-Baden ansässig. 1988 konnten 80 Mitarbeiter das 100jährige Firmenjubiläum begehen. Die Parker Pen GmbH in Baden-Baden ist 100prozentige Vertriebstochter der amerikanischen Parker Pen Company in Janesville. Die *Druckerei und Verlag Firma Franz W. Wesel* beschäftigt etwa 100 Mitarbeiter im Bereich der Herstellung von Fachzeitschriften, Bildbänden, Kalendern, Prospekten und Faksimile-Werken. Der Druck auf Seide ist ebenfalls eine Spezialität des Hauses. Vom Satz bis zum Einzelversand werden alle Arbeitsgänge im Hause Wesel erledigt. Die Großwäscherei *Buchholz Textilpflege* beschäftigt rund 180 Mitarbeiter und weist derzeit eine Waschkapazität von ca. 25 t auf. Ihr Einzugsbereich erstreckt sich von Lahr bis in den Mannheimer Raum. Darüber hinaus konfektioniert die Firma individuell zugeschnittene Firmenkleidung unter dem Stichwort »Mietkleidung«. Der Mietservice umfaßt Berufskleidung, Hotelwäsche, Stoffhandtuch-Spender, Schmutzmagnetmatten und einen Gardinen-Vollservice.

Handel

Einzelhandel. – Zu einer internationalen Kur-, Tourismus- und Tagungsstadt vom Niveau Baden-Badens gehört ein *Einzelhandelsangebot für besondere Ansprüche*. Der Kongreßteilnehmer, der Spielbankbesucher, der Fernsehstar beim Südwestfunk, der Rennsportanhänger, der Kurgast, sie alle suchen neben anderen Aktivitäten auch Einkaufsmöglichkeiten in exklusiven Geschäften und das Flanieren in eleganten Einkaufsstraßen. Baden-Baden wird diesem Anspruch gerecht. Es dürfte kaum eine andere Stadt vergleichbarer Größe in Deutschland geben, die einen so breit gefächerten und gleichzeitig vielfältig spezialisierten Einzelhandel aufzuweisen hat.

Der Einzelhandel der Stadt hat sich auf die Gäste eingestellt. Das ist aber nur eine Seite der Medaille »Einzelhandel in der Kur- und Bäderstadt Baden-Baden«. Das Handelsgewerbe hat nicht nur seinen Beitrag zur Attraktivitätspalette der Kur- und Kongreßstadt zu leisten, es muß auch die Versorgungsfunktion eines Mittelzentrums erfüllen und die Bürger der Stadt und ihres Mittelbereiches mit ganz normalen Gütern des kurz-, mittel- und langfristigen Bedarfs mit akzeptablen Preisen und auf den Durchschnittsbürger zugeschnittenen Qualitäten beliefern.

Dieser doppelte Anspruch an den Einzelhandel der Stadt stellt gleichzeitig besondere Anforderungen an die Einzelhandelsstruktur mit einem spezifischen Branchenmix. Dies gilt primär für die Innenstadt, in der beide Nachfragelinien zusammentreffen. Die besondere Herausforderung für die innerstädtischen Einzelhandelsgeschäfte liegt darin, daß kaum ein Betrieb nur von einer der beiden Nachfragegruppen allein existieren könnte.

Diese besondere Nachfragesituation führt zu einer eigenen, *»Baden-Baden-spezifischen« Einzelhandelsstruktur*, die weniger aus den statistischen Gesamtzahlen, um so mehr aus den branchenmäßigen Differenzierungen ablesbar ist. Die Statistik weist in der Gesamtschau ein für ein Mittelzentrum ziemlich normales Bild aus. Dies zeigen die Ergebnisse der letzten Arbeitsstättenzählung (1987). Danach zählt die Kurstadt rund

2. Wirtschaft und Verkehr

Tabelle 1   Arbeitsstätten und Beschäftigte des Einzelhandels in Baden-Baden 1987 nach Branchen

Wirt-schafts-zweig-Nr.	Merkmale Einzelhandel mit...	Arbeitsstätten abs.	in %	Beschäftigte abs.	in %
431	Nahrungsmitteln, Getränken, Tabakwaren	138	22,0	496	16,6
432	Textilien, Bekleidung, Schuhen, Lederwaren	171	27,4	617	20,7
433	Einrichtungsgegenständen (ohne Elektrotechnik usw.)	76	12,2	207	7,0
434	Elektrotechn. Erzeugnissen, Musikinstrumenten usw.	22	3,5	82	2,8
435	Papierwaren, Druckerzeugnissen, Büromaschinen	46	7,4	168	5,6
436	Pharmazeutischen, kosmetischen und medizinischen Erzeugnissen usw.	45	7,2	238	8,0
437	Kraft- und Schmierstoffen	12	1,9	64	2,1
438	Fahrzeugen, Fahrzeugteilen und Fahrzeugreifen	21	3,4	398	13,4
439	Sonstigen Waren, Waren verschiedener Art	94	15,0	708	23,8
43	Einzelhandel insgesamt	625	100,0	2978	100,0

Quelle: Statistisches Landesamt Baden-Württemberg, Arbeitsstättenzählung 1987 und eigene Berechnungen

630 Arbeitsstätten im Einzelhandel mit knapp 3000 Mitarbeitern; 10 % aller Beschäftigten der Stadt sind somit im Einzelhandel tätig. In diesen Zahlen sind allerdings Betriebe enthalten, die nicht dem »klassischen« Einzelhandel zuzurechnen sind, nämlich der in Baden-Baden stark vertretene Automobil- und der Brennstoffhandel (vgl. Tab. 1).

Neuere Ergebnisse, die zudem mehr auf den reinen Konsumgüterhandel zugeschnitten sind, weist ein im Jahre 1989 abgeschlossenes (unveröffentlichtes) Gutachten der GMA Gesellschaft für Markt- und Absatzforschung mbH, Ludwigsburg, aus. Danach umfaßt der typische Einzelhandel (incl. Ladenhandwerk wie Bäcker und Metzger) 707 Betriebe (der Begriff »Betrieb« unterscheidet sich vom statistischen Begriff »Arbeitsstätte«); diese tragen mit einem Umsatz von rund 500 Mio. DM zum Wirtschaftsleben der primär vom Tertiären Sektor geprägten Stadt bei. Die Einzelhandelsbetriebe beschäftigen etwa 2500 Mitarbeiter, sind also ein beachtlicher arbeitsmarktpolitischer Faktor. Die reine Verkaufsfläche liegt bei ca. 72 000 qm (Bruttogeschäftsfläche rund 125 000 qm).

Noch stärker als in anderen Mittelzentren konzentriert sich der Einzelhandel Baden-Badens auf die engere Innenstadt mit dem Kristallisationskern in der Langen Straße sowie den Einkaufsstraßen Sophienstraße, Lichtentalerstraße, Gernsbacher Straße, Luisenstraße und einigen Seitenstraßen. In diesem innerstädtischen Handels- und Dienstleistungszentrum – zu einem großen Teil Fußgängerzone – sind etwa 60 % aller Baden-Badener Einzelhandelsbetriebe angesiedelt, die 55 % der gesamten Verkaufsfläche und rund 60 % der Beschäftigten auf sich vereinigen.

Zwei Waren- bzw. Kaufhäuser, Fachgeschäfte und Boutiquen prägen zusammen mit Gaststätten und Dienstleistungsbetrieben das Ambiente der Innenstadt. Auf den ersten Blick wird deutlich: Die besondere Atmosphäre der traditionsreichen Kurstadt wird in erheblichem Maße von der Gestaltung, den Aktivitäten und den Auslagen der Einzelhandelsbetriebe beeinflußt. Zwischen dem Bereich Tourismus/Kur/Kongreßwesen auf der einen und dem Handels- und Dienstleistungsgewerbe der Innenstadt auf der anderen Seite besteht seit jeher eine Symbiose: Der Handel profitiert von der Anziehungskraft der Kur- und Kongreßstadt und ist selbst ein unverzichtbarer Bestandteil ihres Gesamtangebotes.

Die Magneten des Innenstadthandels sind zwei großflächige Einkaufsstätten in der Fußgängerzone der Langen Straße. Das Familienunternehmen »*Wagener*« mit 3300 qm Verkaufsfläche in einem liebevoll sanierten und renovierten Gebäudekomplex aus der Jahrhundertwende mit einer markanten Jugendstil-Fassade ist eine städtebauliche Attraktion. Das Pendant ist das frühere Horten, dann *J. Gg. Rupprecht-Warenhaus* am Standort des früheren »Zähringer Hofes« (mit 5400 qm Verkaufsfläche), das 1994 von Wagener übernommen worden ist. Diese weitaus größten innerstädtischen Einzelhandelsbetriebe umgibt ein Kranz von *Fach- und Spezialgeschäften*; die »Gästeorientierung« vieler Betriebe und Sortimente zeigt sich dabei in Sortimentsschwerpunkten, die sich vom üblichen Branchenmix eines Mittelzentrums deutlich unterscheiden: Die innerstädtischen Einkaufsstraßen sind geprägt durch die Dominanz der Sparten Bekleidung, Schuhe, Pelze, Lederwaren, Accessoires, mit einem teilweise hohen Spezialisierungsgrad, mit Fachgeschäften, die – teilweise – internationale Luxusmarken bieten. Aber auch das Mittelgenre fehlt nicht und vor allem die in den letzten Jahren stärker aufgekommenen Niedrigpreisläden decken die unteren Preisgruppen ab; stärker als andernorts – z.B. in den übrigen Mittelzentren der Region – prägt jedoch das Spektrum »exklusive Mode« auch optisch das Bild.

Der genius loci dokumentiert sich zudem in einem überdurchschnittlichen Anteil der Sortimente Uhren/Schmuck, Foto, Kosmetik, Confiserie/Delikatessen, Andenken, Porzellan und Präsente sowie – zumeist in Randlagen der Innenstadt – Galerien und Antiquitätengeschäften. Eine »Spezialität« des Einzelhandels in Baden-Baden sind die Läden in den Kolonnaden, der Flanierstrecke zwischen Innenstadt und Kurhaus; in kleinen, aber anspruchsvollen Verkaufsräumen haben sich diese Läden auf die Gäste der Stadt und ihren Bedarf spezialisiert. Seit über 125 Jahren gibt es diese beiden gegenüber liegenden Ladenzeilen mit einem besonderen Flair.

Die besondere *Struktur des Einzelhandels* Baden-Badens zeigt sich bei der Auswertung statistischer Daten in einem überdurchschnittlich hohen Betriebsbesatz und einer unterdurchschnittlichen Verkaufsfläche, auch im Vergleich zu anderen Mittelzentren. Diese Daten sind ein Indiz für eine kleinbetriebliche Fachgeschäftsstruktur.

Gutachter haben für den Handel der Stadt ein potentielles Einzugsgebiet von 90000 Einwohnern errechnet. Die Kaufkraftbindung ist auf dieser Basis in der Relation zu Vergleichsstädten unterdurchschnittlich. Die Bürger der Stadt und des Umlandes kaufen in Baden-Baden weniger ein, als dies in anderen Städten der Fall ist. Es ist symptomatisch, daß das auf jährlich rund 60 Mio. DM geschätzte Umsatzvolumen mit Kur-, Ferien- und Kongreßgästen (leicht) höher liegt als die Verkäufe an Kunden aus dem näheren und weiteren Umland. Die Gründe sind vielfältig. Eine aus der Statistik nicht ersichtliche, aber wichtige Rolle spielt die Tatsache, daß ein auch von der Bevölkerung Baden-Badens stark frequentiertes Selbstbedienungswarenhaus (mit gut 20000 qm Geschäftsfläche und benachbarten Fachmärkten) knapp außerhalb der Gemarkungsgrenze der Stadt in einer Nachbargemeinde besteht. Wäre der Standort nur wenige 100 m östlich, würden sich für die Kaufkraftbindung Baden-Badens erheblich höhere Zahlen ergeben. Ein anderer Grund ist der Einfluß der nahe gelegenen Großstadt Karlsruhe, deren Einzelhandelsangebot auch in den Raum Baden-Baden ausstrahlt. Der mittelbadische Raum weist zudem attraktive Mittelzentren mit gut ausgestatteten innerstädtischen Einkaufszentren auf. Dazu kommt ein spezielles Baden-Baden-Phänomen. Das Image »Baden-Baden – Ihr Niveau« (so ein früherer Slogan der Fremdenverkehrswerbung) hat auch eine Kehrseite. Die profil-prägenden »vornehmen« Geschäfte in der Innenstadt vermitteln den Eindruck »gut, aber teuer« und verdecken dabei die Tatsache, daß das Einzelhandelsangebot durchaus auch andere Bedarfsbereiche abdeckt. Der Handel der Stadt steht damit ständig vor der Gratwanderung, den anspruchsvollen Kurgast anzusprechen und trotzdem den Stadtbürger und Umlandkunden nicht zu vernachlässigen. Die Diskussion der Gemeinschaftswerbung des innerstädtischen Handels steht deshalb immer wieder vor einer »Orientierungs- und Profilierungsfrage«.

Baden-Baden ist trotz seines internationalen Publikums auch eine ganz normale Einkaufsstadt. Der Handel bietet sämtliche Betriebsformen, die heute in einem Mittelzentrum vorzufinden sind, wenn man das knapp außerhalb gelegene SB-Warenhaus einbezieht.

Kaufhäuser, Verbrauchermärkte, Fachmärkte (z. B. Baumärkte) Supermärkte, Filialgeschäfte, Discounter und Kleinpreisläden verdichten sich zusammen mit den Fachgeschäften und Spezialisten zu einem umfassenden Einzelhandelsangebot für alle Bedarfsbereiche. Zahlreiche Geschäfte mit größerem Flächenbedarf haben sich in den Randlagen der Top-Einkaufszonen angesiedelt, wobei neben dem Nahbedarf die üblichen Branchen wie Unterhaltungselektronik, Küchen/Möbel, etc. vertreten sind. In den Wohngebieten und Stadtteilen, vor allem in der Weststadt, in Oos, Lichtental, Sandweier, Haueneberstein und im Rebland gibt es zahlreiche Einkaufsmöglichkeiten. Im Vergleich zu früheren Jahren – und im Gleichklang mit anderen Gemeinden – ist aber auch hier ein Konzentrationsprozeß festzustellen, dessen Ende noch nicht erreicht sein dürfte. Die »Tante-Emma-Läden« sind auch in den ländlich geprägten Ortsteilen bis auf wenige Ausnahmen verschwunden. Diese unter Versorgungs- und Mittelstandsaspekten problematische Entwicklung ist aber kein Baden-Baden-spezifisches Phänomen.

Die generell wirksamen einzelhandelstypischen Entwicklungen vollziehen sich trotz seiner Besonderheiten auch in Baden-Baden. Wie überall sind Filialunternehmen im Vordringen; sie haben in den letzten Jahren zunehmend auch 1a-Standorte übernommen, die von bisherigen selbständigen Geschäftsinhabern aufgegeben worden sind. Mittelständische Familienbetriebe, in denen der Inhaber oder die Inhaberin selbst den Kundenkontakt pflegt, sind aber immer noch das prägende Element der Baden-Badener Handelsszene.

Das strahlende Erscheinungsbild vieler Innenstadtgeschäfte und das elegante Ambiente der Einkaufsstraßen läßt auf den ersten Blick die Vermutung aufkommen, in der Baden-Badener Handelsszene sei die Welt absolut in Ordnung. Die jährlich neu bestätigten Kaufkraftkennziffer-Rekorde bekräftigen noch diesen Eindruck, denn die Bürger der Stadt liegen mit ihrer Kaufkraft an der Spitze der alten Bundesländer. Die Kaufkraftkennziffer übersteigt mit 125,9 im Jahr 1992 den Bundesdurchschnitt (100) deutlich. Zu diesem hohen Durchschnittsergebnis tragen nicht zuletzt viele wohlhabende Senioren bei, die es sich leisten konnten, die Stadt an der Oos mit all ihren Qualitäten als Alterswohnsitz zu wählen. Das Kaufkraftniveau wird auch durch produzierende Firmen und (öffentliche) Dienstleister mit relativ hohem Gehaltspegel gestärkt.

Diese hohen Kaufkraftwerte, die z. B. bei wohlhabenden Rentnern nicht zwangsläufig zu einer aktiven Güternachfrage führen müssen, und die – nicht zu Unrecht – vermutete Konsumfreudigkeit der Gäste provozieren permanent Geschäftsneugründungen, die sich oftmals sehr bald auf dem Boden enttäuschender Tatsachen wiederfinden. Auch in Baden-Baden ist die effektiv für den Handel zur Verfügung stehende Kaufkraft nicht unbegrenzt. Die sog. einzelhandelsrelevante Kaufkraft je Einwohner liegt nur um 9,2 % über dem Bundesdurchschnitt. Die Fluktuation im Einzelhandel der Stadt nimmt zu. Dieser Prozeß wird begleitet von einem Mietanstieg vor allem in den besten Lagen, der zu einer Bedrohung der Handelsqualität der Innenstadt geworden ist. Hinter eleganten Schaufenstern und verlockenden Dekorationen werden nicht selten nur unzureichende Erträge erwirtschaftet. In einigen Standorten, vor allem im Bäderviertel, haben sich zudem verkehrsbedingte Frequenzverluste ergeben.

Diese Hinweise auf Probleme sollen nicht bedeuten, daß es keine florierenden Geschäfte in Baden-Baden gäbe. Der Einzelhandel der Stadt ist im Prinzip gesund. Die Chancen sind gut, Gefahren für die weitere Entwicklung jedoch nicht zu übersehen. Dabei wird es auch entscheidend darauf ankommen, ob die Stadt ihren Status als internationaler Kur- und Kongreßort im Umfeld einer zunehmenden Konkurrenz behaupten kann. Der Einzelhandel ist in eine Interdependenz eingebunden. Der Erfolg der Neustrukturierung der bisherigen Bäder- und Kurverwaltung ist auch von entscheidender Bedeutung für die weitere Handelsentwicklung. Dies gilt ebenfalls für die Aktivitäten unter dem Leitmotiv »Stadtmarketing«.

Eine Gesamtwertung zeigt, daß der Einzelhandel der Stadt die Ansprüche an Betriebsformen und Sortimente abdeckt, die ein Bewohner eines Mittelzentrums von ca. 50 000 Einwohnern zu stellen gewohnt ist – mit der »Zusatzleistung« eines gästeorientierten »Top-Angebots«.

Großhandel und Handelsvertreter. – Baden-Baden ist eine Stadt, in der sich gut arbeiten und besonders gut leben läßt. Dies bedeutet eine interessante Ansiedlungsalternative für Unternehmer, die nicht unbedingt an einen bestimmten Betriebsstandort gebunden sind. Ein Firmensitz Baden-Baden ist zudem auf jedem Briefkopf eine besonders gute Adresse mit einem »eingebauten« Image und einem internationalen Bekanntheitsgrad, den manche Großstadt nicht aufweisen kann. Auch die Fakten sprechen für die Stadt als Sitz vertriebsorientierter Aktivitäten: Die Zentralität an der Rheinschiene im Dreieck Südpfalz, Nordelsaß und Mittelbaden, die Nachbarschaft zu Frankreich, die Verkehrsanbindung...

Diese Standortqualitäten machen den Kurort zu einem interessanten Stützpunkt für *Großhandels- und Vertriebsaktivitäten.* Die Arbeitsstättenzählung 1987 erfaßt für Baden-Baden rund 130 Großhandelsbetriebe mit 1200 Mitarbeitern; dazu kommen fast 80 Arbeitsstätten im Handelsvermittlungsgewerbe mit knapp 500 Beschäftigten. Damit sind rund 6 % aller Beschäftigten der Stadt im Großhandel und in Handelsvertretungen eingesetzt (Tab. 2). Unter ihnen sind viele Betriebe mit internationalen Geschäftsbeziehungen, wobei frankreichorientierte Im- und Exportaktivitäten eine besondere Rolle spielen. Die Spannweite der Vertriebsaktivitäten ist breit, beginnt mit zahlreichen, in diesem Falle standortgebundenen Betrieben des Baustoffsektors (z.B. mit Kiesen und Sanden aus der Rheinebene) und endet mit Produkten, für die ein Vertriebsstützpunkt in einem Weltbad geradezu prädestiniert ist, nämlich den Wachstumssparten Gesundheit und Schönheit. Auffällig, aber auch Baden-Baden-adäquat, ist die überdurchschnittliche Anzahl von Vertriebsaktivitäten im Bereich Delikatessen und Weine/Spirituosen.

In einer Zeit, in der immer mehr Geschäfte über moderne Kommunikationsmittel und ohne direkten Warenaustausch abgewickelt werden, wird der Vertriebs-, Großhandels- und Handelsvertreterstützpunkt Baden-Baden mit seinen besonderen Standortqualitäten weiter an Bedeutung zulegen. Dieser Sektor bietet der Stadt die Chance, die Zahl der wirtschaftlichen Standbeine ohne negative Einflüsse auf den Fremdenverkehrsbereich zu stärken, denn vielfach sind diese Vertriebsaktivitäten wenig flächenintensiv; viele Verkaufszentralen und Handelsvertreterbetriebe kommen mit einem

2. Wirtschaft und Verkehr

Tabelle 2 Arbeitsstätten und Beschäftigte des Großhandels und der Handelsvermittlungen in Baden-Baden 1987 nach Branchen

Wirtschaftszweig-Nr.	Merkmale		Arbeitsstätten		Beschäftigte	
	Großhandel mit ... bzw. Vermittlung von ...		abs.	in %	abs.	in %
401	Getreide, Futter- und Düngemitteln, Tieren		9	7,1	23	1,9
402	Textilien, Rohstoffen und Halbwaren, Häuten usw.		2	1,6	7	0,6
404	Technischen Chemikalien, Rohdrogen, Kautschuk		2	1,6	2	0,2
405	Festen Brennstoffen, Mineralölerzeugnissen		4	3,2	8	0,7
406	Erzen, Stahl, NE-Metallen usw.		2	1,6	15	1,2
407	Holz, Baustoffen, Installationsbedarf		11	8,7	121	10,1
408	Altmaterial, Reststoffen		4	3,1	15	1,2
411	Nahrungsmitteln, Getränken, Tabakwaren		28	22,0	282	23,4
412	Textilien, Bekleidung, Schuhen, Lederwaren		7	5,5	21	1,7
413	Metallwaren, Einrichtungsgegenständen		27	21,3	153	12,7
414	Feinmech. und optischen Erzeugnissen, Schmuck usw.		7	5,5	17	1,4
416	Fahrzeugen, Maschinen, technischem Bedarf		12	9,4	138	11,5
418	Pharmazeutischen, kosmetischen u. ä. Erzeugnissen		5	3,9	383	31,8
419	Papier, Druckerzeugnissen, Waren verschiedener Art		7	5,5	19	1,6
40/41	Großhandel insgesamt		127	100,0	1204	100,0
421	Landwirtschaftlichen Grundstoffen, Tieren, Textilien, Rohstoffen usw.		1	1,3	2	0,4
422	Technischen Chemikalien, Erzen, Holz, Baustoffen usw.		13	16,9	23	4,7
423	Nahrungsmitteln, Getränken, Tabakwaren		8	10,4	26	5,4
424	Textilien, Bekleidung, Schuhen, Lederwaren		12	15,6	19	3,9
425	Metallwaren, Einrichtungsgegenständen		7	9,1	13	2,7
426	Feinmech. und optischen Erzeugnissen, Schmuck usw.		2	2,6	3	0,6
427	Fahrzeugen, Maschinen, technischem Bedarf		13	16,9	27	5,6
428	Sonstigen Waren, Waren veschiedener Art		7	9,1	352	72,4
429	Versandhandelsvertretung		14	18,1	21	4,3
42	Handelsvermittlung insgesamt		77	100,0	486	100,0

Quelle: Statistisches Landesamt Baden-Württemberg, Arbeitsstättenzählung 1987 und eigene Berechnungen

»vollelektronischen« Büro aus. Der Großhandel mit Lagerfunktionen ist dagegen im allgemeinen in peripheren Gewerbegebieten angesiedelt. Der Vertriebssektor ist damit besonders kurortverträglich.

Sonstige Dienstleistungen. – Neben dem Handel, dem Gastgewerbe als Basis des Fremdenverkehrs, der Verkehrswirtschaft und dem Finanzwesen ist die Stadt für viele Betriebe des Sektors »Sonstige Dienstleistungen« ein geradezu idealer und immer mehr an Bedeutung gewinnender Standort.

Die Tatsache, daß viele Konzerne und Unternehmensgruppen von standortunabhängigen Holdings als »schlanker Spitze« geführt werden, weist Baden-Baden als Alternative zu den »Wirtschaftszentren« aus. Einige ausgewählte Beispiele beweisen dies: Ein internationaler Hersteller hochklassiger Schreibgeräte hat in Baden-Baden genauso eine Deutschland-Zentrale wie ein führender deutscher Medienkonzern, ein expandierendes

Leasing-Unternehmen genauso wie bedeutende Stiftungen. Falls die Bestrebungen, in Söllingen einen Regionalflugplatz anstelle des aufgegebenen kanadischen Militärflughafens zu erbauen, erfolgreich sein sollten, wird nicht nur die ganze Technologie-Region Karlsruhe, sondern auch speziell Baden-Baden als Standort für Firmensitze weiter aufgewertet.

Besondere Bedeutung für Baden-Baden hat der *Informations- und Kommunikationssektor*. Um den Südwestfunk herum hat sich ein Netz von verselbständigten Vor- und Folgeaktivitäten – so der Werbebereich – gruppiert, zusätzlich viele mehr oder minder unabhängige Dienstleistungsbetriebe und Freiberufler, die ihren Beitrag zur Medienstadt Baden-Baden leisten. Zum Medienplatz Baden-Baden gehören auch zahlreiche Betriebe und Selbständige der Publizistik, der Werbung und der Öffentlichkeitsarbeit, die mit ihren Aktivitäten weit über die Region hinaus ausstrahlen. Überdurchschnittlich stark besetzt ist auch die Berufsgruppe der Finanz- und Unternehmensberatungen, die von Baden-Baden aus in ganz Deutschland (und darüber hinaus) ihre Klienten betreuen, sowie das Immobilien- und Baubetreuungswesen.

Im *Medienbereich* ist »media-control« als ein innovatives Dienstleistungsunternehmen gestartet, das mittlerweile auch eine bundesweit führende Rolle in touristischen Marktnischen wie Last-minute-Reisen erreichen konnte. Mit diesem und anderen Betrieben wird die Bedeutung touristischer Dienstleistungen, im internationalen Weltbad seit jeher stark besetzt, weiter gestärkt. Das Angebot reicht von den Reiseveranstaltern bis hin zu Spezialisten wie dem Ballooning. »Luftfahrtorientiert« sind auch viele Service-Betriebe am Flugplatz Oos, der als Standort von Europas bedeutendster Gebrauchtflugzeugmesse oder des größten deutschen Hubschrauber-Service- und Wartungszentrums mit Superlativen aufwarten kann.

Baden-Baden als Dienstleistungszentrum wird auch durch Aktivitäten geprägt, die nicht vordergründig als »gewerblich« in Erscheinung treten. Die *Spielbank* ist als Arbeitgeber und Steuerzahler (vor allem für das Land!) ein hochrangiger Wirtschaftsfaktor; der Internationale Club mit seinen *Rennsportaktivitäten* und den damit verbundenen vielfältigen Multiplikatoreffekten im Dienstleistungsbereich zeigt, daß auch derartige Institutionen eine wirtschaftspolitisch wichtige Rolle zu spielen vermögen.

Die Palette der sonstigen Dienstleistungen ist bunt und vielfältig. Eine nicht zu übersehende Bedeutung haben die *»Freien Berufe«*, wobei – in einem Badeort verständlich – eine überdurchschnittliche Quantität und Qualität der Ärzteschaft zu verzeichnen ist. »Betriebe« im Gesundheits-, Präventiv- und Nachsorgebereich finden im Tale der Oos einen idealen Standort. Ein weiterer Bereich verdient besondere Erwähnung, denn auch dieser ist »Baden-Baden-typisch« und ein Werbeträger für die Stadt; der *Bildungs-, Schulungs- und Weiterbildungssektor*. Mehrere bundesweit aktive Institutionen haben sich diesem Metier verschrieben, vom Internat mit Privatgymnasium bis zum Spezialisten für Persönlichkeitsschulung. Ein markantes Beispiel ist die »Gesellschaft zur Förderung des Unternehmernachwuchses«, die seit Jahrzehnten hochkarätige Unternehmer mit unternehmerischen Nachwuchskräften zu ihren »Unternehmergesprächen« im Tagungszentrum Palais Biron versammelt. Mehrere überregional tätige Bildungsinstitutionen werben ganz bewußt mit dem Image »Weiterbildung in Baden-Baden«.

Baden-Baden ist ein Kur-, Tourismus- und Kongreßzentrum und wird es auch bleiben. 71 % der Beschäftigten sind im privaten und öffentlichen Dienstleistungssektor tätig. Der Wirtschaftsbereich Handel hat daran einen maßgeblichen Anteil. Er bietet rund 4700 Erwerbstätigen einen Arbeitsplatz; das sind 16 % aller Beschäftigten in Baden-Baden.

Bankwesen

Entwicklung und Aufgaben. – Mit der Errichtung einer *Reichsbanknebenstelle* noch vor dem Ersten Weltkrieg wurde der Bedeutung des Bankplatzes Baden-Baden vor über 80 Jahren Rechnung getragen. Wie wichtig der Stadt die Eigenschaft als Bankplatz war, ergab sich schon daraus, daß die damalige Wirtschaft die Reichsbank mit Mitteln für die Verwaltung auszustatten hatte. Schon vorher haben mit der *Stadtsparkasse Baden-Baden* (Gründungsjahr 1837) und dem *Vorschußverein Baden*, später *Volksbank Baden-Baden* (Gründungsjahr 1869) sowie einigen Privatbankhäusern leistungsfähige Kreditinstitute die vielfältigen Finanzierungsprobleme der Bürger und der Gäste sowie der Kommune, die sich aus dem aufstrebenden Kur- und Spielbetrieb ergaben, bewältigt.

Heute hat sich der Kurort zu einem überregionalen Finanzplatz entwickelt, an dem die hier ansässigen Kreditinstitute zentrale Aufgaben innerhalb ihrer Organisation vornehmlich für die Bereiche des nördlichen Ortenaukreises und des Lkr. Rastatt wahrnehmen. In einigen Spezialbereichen sind sie für den gesamten südbadischen Raum tätig. Lediglich die wegen satzungsmäßiger Beschränkungen eingeengten Sparkassen und Genossenschaftsbanken sind regional tätig. Eine Ausnahme bildet die heutige *Volksbank Baden-Baden*Rastatt eG* mit juristischem Sitz in Rastatt, die von der Verwaltungszentrale in Baden-Baden aus zusätzlich Teile des Landkreises Rastatt, vor allem das wirtschaftlich starke Murgtal, betreut.

Tabelle 1 **Betriebe und Beschäftigte der Kreditinstitute 1987**

	Arbeitsstätten	Beschäftigte
Kredit- und sonstige Finanzierungsinstitute:		
Deutsche Bundesbank	1	22
Kreditbanken	7	175
Institute des Sparkassenwesens		
(ohne Post-, Bausparkassen)	18	213
Genossenschaftliche Kreditinstitute	14	231
Bausparkassen	4	6
insgesamt	44	647

Quelle: Statistisches Landesamt Baden-Württemberg, Stuttgart

Tabelle 2 **Entwicklung der Geschäfte einiger Kreditinstitute mit Sitz in Baden-Baden jeweils zum Jahresende in Mio. DM**

	1986	1988	1990*	1992
Geschäftsvolumen	1620	1843	3464	3990
Forderungen an Nichtbanken	1005	1140	2226	2603
Verbindlichkeiten ohne Spareinlagen				
gegenüber Nichtbanken	585	651	1457	1698
Sparbriefe, Namensschuldverschreibungen	143	190	383	371
Spareinlagen	657	708	886	948

* ab 1990 durch Fusion vergrößertes Geschäftsgebiet

Nach der Arbeitsstättenzählung von 1987 (Tab. 1) waren im Kreditgewerbe der Stadt Baden-Baden 44 Arbeitsstätten mit fast 650 Arbeitsplätzen vorhanden. Die Geschäftsentwicklung einiger Kreditinstitute (Sparkassen und Genossenschaftsbanken) seit 1986 ist in Tabelle 2 dargestellt.

Die Kreditinstitute haben die Stadtentwicklung ganz entscheidend mitgeprägt. Mit ihrem Grundauftrag, den Anlage- und Finanzbedarf ihrer Kunden zu befriedigen, mit Beratung den jeweiligen Herausforderungen gerecht zu werden und die Wirtschaft zu fördern, sind sie mitbeteiligt an der Struktur der wirtschaftlichen Entwicklung der Region.

Einzelne Kreditinstitute

Landeszentralbank. – Im Jahr 1909 wurde in Baden-Baden eine Reichsbanknebenstelle gegründet, die in den Jahren 1967 durch Übernahme der Landeszentralbank Zweigstelle Bühl und 1990 durch Übernahme der Landeszentralbank Zweigstelle Rastatt nach Errichtung eines modernen Neubaus das Geschäftsgebiet Stadtkreis Baden-Baden, Landkreis Rastatt und Teile des nördlichen Ortenaukreises betreut. Mit der Standortwahl Schweigrother Platz für den Neubau hat sie für die Stadt einen Akzent für ein »Bankenviertel« gesetzt, haben doch die Stadtsparkasse Baden-Baden und die Volksbank Baden-Baden ihre Verwaltungszentren in unmittelbare Nähe der Notenbankfiliale aus dem Stadtkern ausgesiedelt.

Die Landeszentralbank-Zweigstelle regelt den Bargeldumlauf, fördert den Zahlungsverkehr im Inland und mit dem Ausland und sieht in der Betreuung der Bundes- und Landesbehörden sowie in der Versorgung des zu betreuenden Bankenapparates mit kurzfristigen Kredithilfen ihre vornehmste Aufgabe. Weiterhin übt sie die im Gesetz über die Deutsche Bundesbank und im Kreditwesengesetz den Landeszentralbanken zugewiesenen hoheitlichen Funktionen in der Bankenaufsicht aus. Insgesamt 28 Kreditinstitute führen – neben zahlreichen Behörden und Wirtschaftsunternehmen – bei ihr ein Girokonto.

Kreditbanken. – Die *Baden-Württembergische Bank AG*, Filiale Baden-Baden, hat im Jahr 1986 eine Niederlassung in Baden-Baden eröffnet. Die Bank ist hervorgegangen aus dem Zusammenschluß der Württembergischen Bank, der Handelsbank Heilbronn und der Badischen Bank. Letztere, 1870 gegründet, hatte bis 1935 Notenprivileg. Die Baden-Württembergische Bank ist überwiegend auf die mittelständische Firmenkundschaft und auf Privatkunden ausgerichtet. Sie berät ihre Kunden in allen finanziellen Angelegenheiten. Von Baden-Baden aus wird der mittelbadische Raum betreut.

Den vielen Kunden im mittelbadischen Raum Rechnung tragend, entschloß sich die seit 1835 bestehende *Bayerische Hypotheken und Wechselbank AG, München*, im Jahr 1991 eine Filiale in Baden-Baden zu eröffnen. Sie hat dabei ihre Unternehmensstrategie fortgeführt, im süddeutschen Raum flächendeckend präsent zu sein. Sie bietet den Privatkunden und der mittelständischen Wirtschaft den umfassenden Service einer Universalbank. In Baden-Baden konzentriert sie sich auf jene Geschäftsfelder, in denen sie im Wettbewerb mit der örtlichen Konkurrenz eine maßgebliche Position einnehmen kann. Dazu rechnen vor allem die Baufinanzierung und die Vermögensanlage. Im Jahre 1991 wurde die Palette der örtlichen Kreditinstitute um eine Niederlassung der seit 1785 bestehenden *Trinkaus & Burkhardt KGaA, Düsseldorf* bereichert. Die Niederlassung Baden-Baden ist überwiegend tätig als Filiale einer klassischen Merchant-Bank, die ihr Angebot unter Betonung der Dienstleistungen auf Kundenzielgruppen konzentriert: Regionale und überregionale Unternehmen. Das Wertpapiergeschäft und die Vermögensverwaltung haben dabei einen hohen Rang.

2. Wirtschaft und Verkehr

Der Ursprung der Filiale Baden-Baden der *Commerzbank* geht zurück auf das im Jahr 1878 gegründete Bankgeschäft Meyer & Diss., welches in der damaligen Zeit das angesehenste Privatbankgeschäft der Kurstadt Baden-Baden war. Es wurde später von der Mitteldeutschen Creditbank übernommen und 1929 in das große Filialnetz der Commerzbank eingegliedert. Nach kriegsbedingter Schließung im Jahr 1943 wurde die hiesige Filiale 1954 wieder eröffnet. Heute betreut sie ein Geschäftsgebiet, das von Offenburg und dem Kinzigtal bis Rastatt und ins Murgtal reicht. Mit fast 40 Mitarbeitern ist sie eine Bank für Industrie, Gewerbe und Privatkunden. Die Vermögensberatung hat heute einen hohen Stellenwert.

Die *Deutsche Bank AG* Filiale Baden-Baden ist seit 1897 zunächst als eine Filiale der Rheinischen Creditbank am Ort vertreten. 1929 hat die Deutsche Bank AG die Filialen dieser Bank übernommen. Die hiesige Filiale hat heute ein überregionales Geschäftsgebiet, in welchem rd. 33 000 Konten geführt werden. Sie betreut mit über 120 Mitarbeitern ein Wertvolumen von über 1,7 Mrd. DM.

Im Jahre 1952 ist im Hotel »Europäischer Hof« in den Räumlichkeiten, in denen früher die Süddeutsche Diskonto-Gesellschaft domizilierte, eine Filiale der Rhein-Main-Bank, der heutigen *Dresdner Bank* eröffnet worden. Die Filiale betreut mehrere Geschäftsstellen in der Umgebung von ihrem 1980 errichteten neuen Gebäude am Augustaplatz aus.

Sparkassen. – Die *Stadtsparkasse Baden-Baden* ist ausschließlich im Stadtgebiet Baden-Baden tätig. 1837 gegründet, ist sie das älteste heute noch tätige Kreditinstitut am Platz. Mit 18 Geschäftsstellen hat sie sich als Helferin für Bevölkerung und Wirtschaft der Heimatstadt erwiesen. Sie ist das größte rein örtlich tätige Kreditinstitut mit einem ebenso umfassenden wie qualifizierten Dienstleistungsangebot geworden. Die sich ausweitende Geschäftstätigkeit im Sparverkehr, Giroverkehr und Kreditgeschäft sowie im Bereich Anlagen- und Vermögensberatung machten 1983 den Neubau einer Verwaltungszentrale unweit des Schweigrother Platzes notwendig. Ende 1992 hatte die Stadtsparkasse 250 Mitarbeiter, betreute 843 Mio. DM Kundeneinlagen und trug mit 650 Mio. DM Ausleihungen wesentlich zur Finanzierung der Wirtschaft in der Kurstadt bei. Die 24 000 Girokonten und 60 000 Sparkonten zeugen von einer starken Durchdringung des örtlichen Marktes.

Genossenschaftsbanken. – Die *Volksbank Baden-Baden*Rastatt eG* hat ebenfalls der starken Expansion folgend 1989 einen repräsentativen Neubau ihrer Verwaltungszentrale am Schweigrother Platz errichtet. Das 1869 gegründete Institut ist heute die größte Volksbank in Baden, nachdem im Jahr 1989 die Verschmelzung mit der Volksbank Rastatt eG vollzogen wurde. Schon zuvor wurden die Genossenschaftsbanken Baden-Oos, Gernsbach, Varnhalt und Neuweier mit der Volksbank Baden-Baden fusioniert. Hinzu kam im Jahr 1991 noch die Spar- und Kreditbank Sandweier eG. Ende 1992 hatte die Bank ein Geschäftsvolumen von über 3 Mrd. DM. Sie betreut rd. 120 000 Kunden und hat ein Kreditvolumen von 1,88 Mrd. DM. Die Einlagen betragen über 2 Mrd. DM. 518 Mitarbeiter sind für die mehr als 38 000 Mitglieder tätig.

Wie bedeutend der Bankplatz Baden-Baden für die *Badische Beamtenbank eG Karlsruhe* war, ist aus ihrer Entscheidung zu sehen, daß sie bereits im Jahre 1950 eine ihrer damals insgesamt sechs Zweigstellen in Baden-Baden errichtete. Der Entwicklung der Kurstadt zum Dienstleistungsstandort im öffentlichen Bereich (Südwestfunk, Bäder- und Kurverwaltung, Stadtverwaltung, Krankenhaus) entsprechend, hatte die

Bank einen regen Mitgliederzuwachs und eröffnete im Jahr 1971 hier eine zweite Zweigstelle. Heute bietet die Bank ein umfassendes Service-Angebot in allen Bankgeschäften nicht nur den Angehörigen des öffentlichen Dienstes an, sondern hat sich für alle privaten Kundenkreise geöffnet.

In den Stadtteilen Baden-Badens sind noch zwei über 100 Jahre alte ländliche Kreditinstitute angesiedelt. Die *Raiffeisenbank Haueneberstein eG*, 1880 als Hauenebersteiner Darlehensverein gegründet, widmet sich heute der bankgeschäftlichen Versorgung der Eberstinburger und Hauenebersteiner Kunden, die 1684 Mitglieder stellen. Sie verwaltete Ende 1992 85,6 Mio. DM an Einlagen, mit einer Bilanzsumme von über 100 Mio. DM.

Die *Raiffeisenbank Steinbach eG* wurde 1884 als Ländlicher Kreditverein Steinbach gegründet. Sie hat heute eine Bilanzsumme von über 75 Mio. DM. Den 1418 Mitgliedern, vorwiegend aus dem alten Städtchen Steinbach, bietet sie angepaßt an die Erfordernisse des modernen Wirtschaftslebens, vielfältige Leistungen in allen Sparten des Bankgeschäftes an.

Baufinanzierung und Versicherungen. – Die *Landeskreditbank Baden-Württemberg* ist mit einem Vertriebsstützpunkt seit dem Jahre 1990 in der Kurstadt vertreten. Sie versteht sich als Fachgeschäft rund um die Wohnimmobilie.

Noch eine Vielzahl von *Agenturen von Bausparkassen, Spezialfinanzierungsinstituten* und *Versicherungen* runden das Bild der in Baden-Baden angebotenen Finanzdienstleistungen ab. Hervorzuheben ist hier die 1992 gegründete *Baden-Badener Versicherungs AG*, die mit einem Grundkapital von 12 Mio. DM Unfallversicherungen anbietet.

Kurbetrieb und Fremdenverkehr

»Damit die Kranken geheilet werden hat Gott in seiner Schöpfung verordnet, daß im aufspringenden Wasser mehr Kraft erfunden werde, denn in gescheiten Briefen geschrieben. Die heißen Wasser von Badin aber sind vollkommener als alles andere«. Theophrastus Bombastus von Hohenheim, besser bekannt unter dem Namen Paracelsus, wurde vor genau 500 Jahren (1493) in Einsiedeln/Schweiz geboren. Er machte sich nach vielfältigen Studien in Italien und der Schweiz einen Namen als Arzt und Naturforscher. Bevor er 1541 in Salzburg/Österreich starb, bereiste er viele europäische Städte und dürfte so um 1528 in Badin, dem heutigen Baden-Baden, in Diensten des Markgrafen Philipp I. von Baden gestanden haben. Der oben genannte Satz führt uns nicht nur direkt zu dem Wasser von Baden-Baden, sondern auch zu dem Thema »Kurbetrieb und Fremdenverkehr«.

Das Wasser war bereits ca. 1400 Jahre vor Paracelsus der Grund für die Soldaten der römischen VII. Legion, hier nicht nur drei Bäder (je eines für die Pferde, die Soldaten und den Kaiser), sondern auch einen Stützpunkt zu bauen, dem sie den Namen Aquae = Wasser gaben (vgl. S. 85 ff.). Das Wasser – nämlich die Natrium-Chlorid-Thermen – (maximale Temperatur 68,9° Celsius/Schüttung ca. 800 000 l/Tag) ist somit Basis und Grund für den – mit Unterbrechungen – seit fast 2000 Jahren bestehenden Kurbetrieb und Fremdenverkehr in Baden-Baden. Das Thermalwasser in seinen vielfältigen Anwendungsformen (Inhalation, Thermalwannenbäder, Thermalbewegungsbäder, Übungsbad, Gruppentherapie in Thermalwasser, Unterwassermassage; Kombinationspackungen Naturfango mit Thermalwasser etc.) wurde hier zur Basis der Kur, die Kur zur Basis des Fremdenverkehrs.

2. Wirtschaft und Verkehr

Baden-Baden, die führende Kur-, Ferien- und Kongreßstadt. – Modern ausgedrückt: Das »Produktionsmittel Kur« (für »Kur« sollte kein zu enger Maßstab angelegt werden) produziert das Produkt »Gesundheit«. Gesundheit ist international auf der Werteskala fast immer Nummer 1, gefolgt von Glück und Freiheit. Weil nicht nur in Deutschland, sondern in vielen Ländern der Welt die Gesundheit zwischenzeitlich diesen herausragenden Stellenwert hat, wurden Kurwesen und Gesundheitsurlaube zu einem beachtlichen Teil des Fremdenverkehrs, den wir heute lieber Tourismus nennen. Der Tourismus hat weltweit im Jahre 1990 – wohl erstmalig in der Geschichte – den höchsten Umsatz aller Branchen erreicht. Er brachte demzufolge 1990 einen Umsatz von 2900 Mrd. US-Dollar. Der Tourismus soll mit 6 % am Weltsozialprodukt beitragen und 180 Mio. Menschen weltweit (6,5 % der Industrie-Beschäftigten) Arbeit geben.

Bei den Deutschen selbst nimmt der Trend zum Gesundheitsurlaub immer mehr zu. Wie die Reiseanalyse 1992 des Studienkreises für Tourismus in Starnberg zeigt, haben 1992 17,6 Mio. Bundesbürger (28 %) dieser Urlaubsform den Vorzug gegeben. Damit steht der Gesundheitsurlaub an zweiter Stelle nach der Städtereise, die mit 33,6 % (21,1 Mio.) Spitzenreiter ist. Aus dem Ausland nach Deutschland spielt – gemessen am Gesamtreiseverkehr – die gesundheitsorientierte Reise nach wie vor eine untergeordnete Rolle mit Ausnahme von Baden-Baden.

Günther Spazier, der Direktor der Deutschen Zentrale für Tourismus in Frankfurt/Main, schreibt in seinem Beitrag »Der Stellenwert des Gesundheitsurlaubs im Rahmen des Ausländerreiseverkehrs nach Deutschland«: Gemessen am Gesamtreiseverkehr aus dem Ausland nach Deutschland spielt die gesundheitsorientierte Reise nach wie vor eine untergeordnete Rolle. Von den ca. 26,5 Mio. Reisen ausländischer Gäste nach Deutschland im Jahr 1992 waren etwa 150 000 Reisen (= ca. 0,6 %) »Gesundheitsreisen«, d. h. Kuraufenthalte, gesundheitsorientierte Urlaubsreisen und Klinikaufenthalte. Nach den Erkenntnissen der Deutschen Zentrale für Tourismus stellen die Niederlande, Großbritannien und Südamerika die zahlenmäßig größten Quellenmärkte dar. Sie will in Abstimmung mit dem Deutschen Bäderverband das steigende Interesse an Gesundheitsurlauben nutzen und eine Offensive für gesundheitsorientierte Reisen nach Deutschland in den Märkten Europas und in Übersee starten, in denen reelle Wachstumschancen vorhanden sind.

Wie vorstehend schon erwähnt, gehört nicht nur der Kurbetrieb (hier in seinen vielfältigen Formen von Behebung/Linderung von Krankheiten bis zu Gesundheit, Fitness und Wohlbefinden) zum Tourismus, sondern auch andere Bereiche wie Kongreßwesen, Kunst, Kultur und Sport. Da die Kur den Menschen als Gesamtwesen anspricht, wird kaum ein Kurgast nur die Anwendungen im physiotherapeutischen und balneologischen Bereich nehmen, sondern auch andere kulturelle und gesundheitsbezogene Angebote nutzen. Andererseits wird der Anteil an Kongreß-, Kultur- und Ferienreisenden, die in einem Kurort etwas für ihre Gesundheit tun, immer größer.

Die »10 Gesundheitsüberlegungen« nach Schipperges u. a., die auch zu Entscheidungen am Kurort führen, verdeutlichen dies:

10 Gesundheitsüberlegungen

1. Umwelt: Licht, Luft, Wasser, Ernährung, Arbeitswelt, Freizeit
2. Ernährung, Wohnen
3. Ordnung der Zeit incl. Schlafen, Wachen
4. Arbeit, Muße-Feiern
5. Pflege des Leibes (Essen, Trinken, Kleiden, Beachtung der Ausscheidung)
6. Beziehung zu anderen (Kontakt, Sexualität, Familie, Gruppe)

7. Beziehung zu Geburt, Leben, Tod
8. Kultur des Geistes (Psychohygiene, Religiosität)
9. Kultur der Kommunikation
10. Leben mit und/oder ohne Einschränkungen
Modifiziert nach H. Schipperges, G. Vescovi, B. Gene, J. Schlemmer. Hrsg.: Regelkreise der Lebensführung (Dtsch. Ärzte Verlag Köln 1988).

Somit wird verständlich, daß in den letzten Jahren in der Bundesrepublik Deutschland ungefähr 40 % aller Übernachtungen auf die 266 offiziellen Kurorte und Heilbäder entfallen (ohne die neuen Bundesländer, die in dieser Ausarbeitung unberücksichtigt bleiben, da noch keine entsprechenden Statistiken vorliegen).

In Baden-Württemberg (Bäder-Land Nr. 1), das übrigens als erstes Bundesland bereits 1972 ein Gesetz über die Anerkennung von Kur- und Erholungsorten erließ, wurden 1992 im Tourismus 5 % des Bruttosozialproduktes erwirtschaftet, und über 200 000 Beschäftigte sind in diesem Bereich tätig.

Für Kurbetrieb und Fremdenverkehr in Baden-Baden ist folgendes wichtig: Das Land Baden und die Stadt Baden-Baden gründeten in Anbetracht der in jeder Hinsicht besonderen Situation von Baden-Baden und in weiser Voraussicht im Jahr 1934 gemeinsam die *Bäder- und Kurverwaltung*, eine Anstalt des öffentlichen Rechts. In der Satzung von 1934 bzw. der gültigen Version von 1975 heißt es: »Aufgabe der Anstalt sind der Betrieb und der Ausbau der Bäder- und Kureinrichtungen sowie die Förderung der Einrichtungen des Fremdenverkehrs in Baden-Baden mit Ausnahme des Landesbades«.

Einrichtungen des Fremdenverkehrs sind in diesem besonderen Kurort Baden-Baden natürlich außer den Bädern auch das Kongresshaus, Kultur mit Theater, Musik und Museen, die Natur mit Parks und Wald, die Pferderennen in Iffezheim sowie das Casino. Baden-Badens Kurwesen erhielt also vor 60 Jahren für Kurbetrieb und Fremdenverkehr durch kluge und vorausschauende Politiker auf städtischer Ebene und Landesebene eine angemessene Organisation und Rechtsform. Heute würde man sagen: Durch Zusammenführung und Bündelung der Einzelangebote wurde der gesamte operative Bereich optimiert und ein nicht zu unterschätzender Synergie-Effekt erzielt, der unzweifelhaft zu Wettbewerbsvorteilen für Baden-Baden führte.

Die Angebote des Kurortes Baden-Baden stehen nebeneinander und nicht hintereinander und umwerben – zusammen mit Hotellerie, Gastronomie und Einzelhandel – die Zielgruppe: anspruchsvolles, kaufkräftiges, deutsches und internationales Publikum. Das Angebot stellt sich wie ein kunstvoller Ikebana-Strauß dar: nur wenige, dafür aber erlesene Teile, die das »Gesamtkunstwerk« bilden.

Baden-Baden, internationalster Kurort. – Die internationale Ausrichtung, die bereits vor 150 bis 200 Jahren in anderer Form (Weltbad, Luxusbad, Gesellschaftsbad) gegeben war, führte 1992 zu 271 608 Gästen und 832 034 Übernachtungen.

8,2 % der Gäste bzw. 23,3 % der Übernachtungen kamen aus dem Ausland oder wurden durch Ausländer verursacht. Diese für den Fremdenverkehr wichtigen Zahlen wurden in 233 Beherbergungsbetrieben mit insgesamt 5137 Betten erwirtschaftet.

Ein Vergleich mit den 265 anderen deutschen Kurorten (Mitglieder des Deutschen Bäderverbandes DBV) zeigt erhebliche Abweichungen: Sowohl der hohe Anteil der ausländischen Gäste in Baden-Baden ist völlig atypisch (DBV/BRD: 3,4 %) als auch die hiesige Massierung der Beherbergungsmöglichkeiten im Angebotsbereich Hotels, wobei hier sogar noch eine eindeutige Tendenz in Richtung Luxus-Hotels geht. Während in über 80 % der deutschen Kurorte überhaupt kein Luxushotel existiert, hat

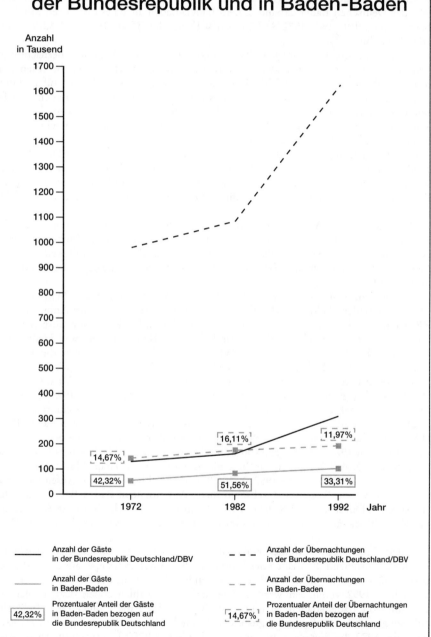

Baden-Baden 5 im Angebot. Außerdem ist die niedrige Zahl der privat vermieteten Betten in Baden-Baden völlig atypisch. Sie liegt bei vielen Kurorten um die 50 %.

Um die Besonderheit von Baden-Baden auch aus der Historie zu verstehen, werden die relevanten Daten von Baden-Baden für die Jahre 1892 (vor 100 Jahren; Gründungsjahr des Deutschen Bäderverbandes, dem Baden-Baden als eines der ersten Mitglieder beitrat) und 1919 sowie 1972/82/92 mit den Daten der BRD/DBV 1972/82/92 verglichen (vgl. Tab. 1–4).

Die Maxime ›Qualität vor Quantität‹ findet in den Gästezahlen und Übernachtungen von Ausländern in Baden-Baden im Vergleich zur BRD/DBV einen beredten Ausdruck. Während sich in der BRD/DBV der Ausländeranteil in Bezug auf Ankünfte zwischen 1972 und 1992 nur um 3 % bewegt, zeigt sich für Baden-Baden eine fast sensationelle Situation: 42,32 % aller Ausländer, die 1972 deutsche Kurorte besuchten, kamen nach Baden-Baden. Im Jahr 1982 wird die Spitze (51,56 %) erreicht und geht dann 1992 auf »nur« 33,31 % zurück.

Bei Übernachtungen ist Baden-Baden bei ausländischen Gästen BRD/DBV 1972 mit 14,67 %, 1982 mit 16,11 % und 1992 mit 11,97 % beteiligt. Hier zeigt sich in Zahlen, was sich beim Bekanntheitsgrad von Baden-Baden im Ausland immer errechnen läßt: Baden-Baden ist für Ausländer das wichtigste Ziel unter allen Kurorten und Heilbädern in Deutschland.

Die Internationalität des Baden-Badener Angebotes kommt auch im ärztlichen Bereich zum Ausdruck. 40 in Baden-Baden niedergelassene oder in Kliniken arbeitende Ärzte haben das Diplom »Badearzt/Kurarzt« und gehören zum mitgliederstärksten Badeärztlichen Verein in Deutschland. In 14 verschiedenen Fremdsprachen können sie ihre Patienten beraten.

Wichtiger Indikator im Kurbereich und in der Touristik ist der sog. Marktanteil. Es ist der auf Baden-Baden entfallende Anteil von der Gesamtheit aller Anbieter in der BRD/DBV. Bei diesen Zahlen muß man von folgender Rechnung ausgehen: Die Gesamtheit (d. h. die Basis = 100 %) sind alle 266 offiziellen Kur- und Heilbäder in Deutschland (BRD/DBV). Bei 266 Bäderorten ergäbe es dann einen theoretischen durchschnittlichen Marktanteil von 0,3759 %, wenn alle Bäder gleich wären.

Bei Kurmitteln ist der Marktanteil Baden-Badens von 0,9775 % (1972) auf 0,6514 % (1982) zurückgegangen. Deutlich verbessert hat sich der Marktanteil 1992 (1,6849 %). Das bedeutet, daß Baden-Baden mehr als das Vierfache eines »Durchschnittskurortes« in Deutschland erzielte. Bei den Gästeankünften lag der Marktanteil von Baden-Baden (1972/1982 über 3 %) hoch und erlitt bis 1992 Einbußen auf 2,9 %. Bei den Übernachtungen ist von 1972 bis 1992 ein kontinuierlicher Abfall des Marktanteils festzustellen (1,0358 % – 0,7413 %). Auch die Bettenkapazitäten lassen einen Marktanteilsverlust erkennen (1972: 0,8000 % – 1992 0,7105 %). Die Zahlen über die Aufenthaltsdauer zeigen, um wieviel Tage der durchschnittliche Aufenthalt in Baden-Baden unter dem statistischen Durchschnitt BRD/DBV lag. Bei ihnen ergab sich die größte Abweichung mit einem Rückgang von 12,6 Tagen im Jahr 1972 auf noch 8,0 Tage im Jahr 1992.

Baden-Baden, ein besonderer Kurort. – Um diese Feststellung zu begründen, werden nachstehend die Zahlen des Deutschen Bäderverbandes e.V. aus dem Jahresbericht 1992 zitiert, die dann mit den vorstehenden Zahlen aus der BKV-Gäste-Statistik des Jahres 1992 verglichen werden. Die nationalen Zahlen sollen dazu dienen, die Position von Baden-Baden zu erkennen. Bevor jedoch die Zahlen DBV 1972–1992 aufgezeigt werden, soll die Rangliste der 26 Heilbäder der Bundesrepublik Deutschland, die 1970 die Spitzengruppe mit jeweils über 500 000 Übernachtungen bildeten,

2. Wirtschaft und Verkehr

aufzeigen, daß damals Baden-Baden den ausgezeichneten 11. Rang innehatte, und daß 10 der 26 »Top-Bäder« (38,5 %) sog. Staatsbäder waren, von denen es in der BRD nur 22 gibt (8,4 % der Mitglieder des Deutschen Bäderverbandes). Hinzu kommt noch das »halbe Staatsbad« Baden-Baden, so daß 42,3 % der »Top-Bäder« damals im Besitz eines Bundeslandes waren (vgl. Tab. 5).

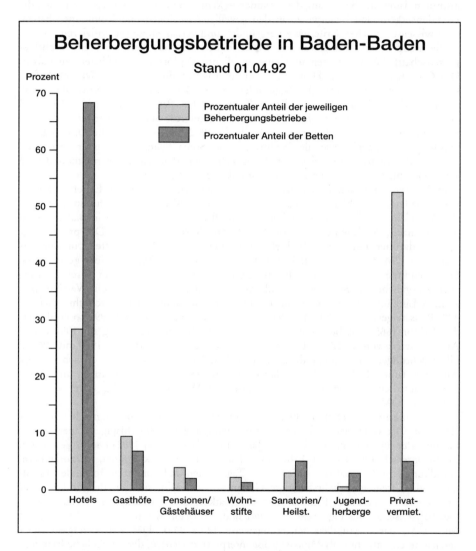

Kurbetrieb und Fremdenverkehr, wirtschaftliche Grundlage Baden-Badens. – Der Fremdenverkehr hat – wie eingangs erwähnt – eine besondere Bedeutung für die wirtschaftliche Situation von Bund, Ländern und Kommunen. Bei der seit Jahrzehnten bestehenden Diskussion, welche Bedeutung die »Weiße Industrie« (Fremdenverkehr) insgesamt für die Stadt Baden-Baden hat und welchen Anteil der Kurort, der Ferienort, die

Kongreß-Stadt an der Wirtschaft Baden-Badens haben, war man auf Vermutungen angewiesen. Die immer stärker werdende ökonomische Bedeutung des Tourismus hat in der Betriebswirtschaft zu einer vermehrten Beschäftigung mit Fragen dieser Art und der Schaffung wissenschaftlich einwandfreier Methoden geführt. Seit den 70er Jahren beschäftigen sich Experten an Universitäten, Fachhochschulen, Handels- und Marktforschungsinstituten damit, die Bedeutung des Fremdenverkehrs und der sog. »Wertschöpfung«, die Fremdenverkehr und Bäderwesen in den jeweiligen Regionen und Kommunen haben, nach wissenschaftlichen Kriterien zu ergründen und verläßlich zu quantifizieren.

Die Bäder- und Kurverwaltung Baden-Baden hat das Verdienst, ein wichtiges wissenschaftliches Gutachten und eine exzellente Diplomarbeit gefördert zu haben. Das Gutachten kam vom Handelsinstitut im Institut für empirische Wirtschaftsforschung an der Universität des Saarlandes/Saarbrücken, wurde im November 1981 veröffentlicht und von Prof. Dr. Bruno Tietz und Dr. Peter Rothaar unter dem Titel »Die Stadt Baden-Baden als Kur-, Ferien- und Kongress-Stadt« erarbeitet. Es basiert auf umfassenden Recherchen vom 2. Halbjahr 1980 bis Juli 1981. Die Diplomarbeit wurde an der Fachhochschule Heilbronn von Sonja Schumacher unter dem Titel »Wirtschaftliche Bedeutung des Fremdenverkehrs in Baden-Baden« erarbeitet und 1993 veröffentlicht. Der Erhebungszeitraum umfaßte das Jahr 1992.

In dem sehr umfassenden Gutachten, für das über viele Monate ein Expertenteam in Baden-Baden recherchierte, ist nachzulesen, daß im statistischen Durchschnitt erhebliche Abweichungen bei den Ausgaben festzustellen sind, die ein Gast in Baden-Baden pro Tag macht. Sie lagen damals von 35 DM pro Person/Tag bis 700 DM pro Person/Tag und darüber. Für Kongreßteilnehmer wurden z. B. 211 DM ermittelt, für Kurzreisende 204 DM, für Inländer 154 DM, für Ausländer 215 DM. Bei einer gewichteten Durchschnittsrechnung ergab sich »für die Gesamtheit aller Gäste ein durchschnittlicher Ausgabebetrag pro Person und Aufenthaltstag, für Unterkunft, Verpflegung, kleinere Einkäufe und Ausflüge von 165 DM«. Berücksichtigt man durchschnittlich ca. 4 % Preissteigerung pro Jahr für den Zeitraum zwischen 1980 und 1992 so ergibt das den Faktor 1665, was bei dieser gewichteten Durchschnittsrechnung für 1992 einem Ausgabebetrag von ca. 274,73 DM pro Person/Tag entspricht. Im Jahr 1980 mit 896 152 Übernachtungen und einem durchschnittlichen Satz von 165 DM, erreichen diese Ausgaben rund 148 Mio. DM; im Jahre 1992 bei 832 034 Übernachtungen und einem durchschnittlichen Ausgabebetrag von 274,73 DM pro Person/Tag wären es dann 228,6 Mio. DM.

Die Verfasserin der Diplomarbeit bringt Ergebnisse aufgrund umfangreicher Recherchen vor Ort einerseits und unter Berücksichtigung der einschlägigen, anerkannten Fachliteratur andererseits, die bis zum Jahre 1993 (Basiszahlen 1992) enorm gewachsen ist. Sie unterscheidet hier nach Erholungsurlaubern und Privatkurgästen, Kurzurlaubern, Sozialkurgästen, Geschäftsreisenden sowie Tagesgästen und kommt zu folgenden Resultaten: »Der fremdenverkehrsbedingte Gesamtumsatz ergibt sich aus der Addition der Einzelumsätze, die durch Erholungs- und Privatkurgäste, Kurzurlauber, Sozialkurgäste, Geschäftsreisende und Tagesgäste induziert sind. Er beläuft sich für das Jahr 1992 auf 293 Mio. DM, davon entfallen schätzungsweise 128,5 Mio. DM auf Tagesgäste. Der geschätzte Umsatz muß als Mindestgröße interpretiert werden, der tatsächliche fremdenverkehrsbedingte Umsatz dürfte weit über dem ermittelten Wert liegen. Die durchschnittlichen Tagesausgaben eines Übernachtungsgastes betragen in Baden-Baden mindestens 197,70 DM und liegen somit weit über dem Landesdurchschnitt von 117,50 DM«.

Der Gesamtumsatz durch den Fremdenverkehr in Baden-Baden lag mindestens bei 293,0 Mio. DM. Davon erbrachten Erholungsurlauber/Privatkurgäste 52,5 Mio. DM,

Kurzurlauber 58,7 Mio. DM, Sozialkurgäste 34,4 Mio. DM, Geschäftsreisende 18,9 Mio. DM und Tagesgäste 128,5 Mio. DM. Während die Hochrechnung der Zahlen von 1980/81 (Tietz/Rothhaar) für 1992 Tagesausgaben von ca. 274,73 DM pro Person/Tag ergeben, liegen die 1992 ermittelten Zahlen (Schumacher) bei 297,70 DM mit dem ausdrücklichen Vermerk, daß der tatsächliche fremdenverkehrsbedingte Umsatz über dem ermittelten Wert liegen würde. Die Arbeit von 1993 belegt ferner, daß in Baden-Baden im Jahr 1992 ca. 2340 Arbeitsplätze unmittelbar auf den Fremdenverkehr zurückzuführen sind. Dies würde bedeuten, daß ca. 10 % der 1992 versicherungspflichtig beschäftigten Arbeitnehmer von Baden-Baden (29000) unmittelbar für den Fremdenverkehr in der Stadt tätig waren. Interessant sind in diesem Zusammenhang auch Angaben zum Steueraufkommen aus dem Fremdenverkehr. Bei einem für 1992 geschätzten Nettoumsatz in diesem Bereich von 264 Mio. DM würden der Stadt Baden-Baden ca. 8 Mio. DM an Steuern aus der primären touristischen Nachfrage zugeführt, und die Autorin bemerkt mit Recht: »Der Fremdenverkehr stellt einen bedeutenden Wirtschaftsfaktor für Baden-Baden dar. Die touristische Nettowertschöpfung ist beachtlich, der Beitrag des Tourismus zum Volkseinkommen liegt weit über dem Bundesdurchschnitt. Ohne den Wirtschaftsfaktor Tourismus würde sich das kommunale Steueraufkommen wesentlich verringern, nahezu 3000 direkt aus dem Fremdenverkehr resultierende Arbeitsplätze gingen verloren. Nicht nur typische Tourismusbetriebe, wie Hotels, sondern auch die ergänzende Tourismusindustrie und die touristische Randindustrie, vor allem Gastronomiebetriebe und Einzelhandel, sind in Baden-Baden in hohem Maße vom Tourismus abhängig.

Von den indirekt durch den Fremdenverkehr bewirkten Impulsen für Einkommen und Beschäftigung profitiert der gesamte Wirtschaftskreislauf der Stadt und des Umlandes.

Die Bedeutung des Fremdenverkehrs für die Stadt Baden-Baden könnte jedoch auch durch exakte Berechnungen nicht vollständig erfaßt werden, geht sie doch über quantifizierbare Auswirkungen weit hinaus. Die natürliche Umwelt, das Orts- und Landschaftsbild, Faktoren wie Ruhe, Wohnatmosphäre, Lebensqualität usw. werden wesentlich vom Fremdenverkehr geprägt. Obgleich in einer Rezessionsphase monetäre Überlegungen häufig im Vordergrund stehen, sollten somit qualitative Aspekte bei der Fremdenverkehrsentwicklung nicht außer acht gelassen werden. Gerade aufgrund ihrer jahrhundertelangen Tradition als Fremdenverkehrsort weist die Stadt Baden-Baden eine außerordentlich hohe Lebensqualität auf, die die einheimische Bevölkerung zu schätzen weiß. So verursachen weitläufige Parkanlagen und gepflegte Fußgängerzonen nicht nur Kosten und bringen zahlende Gäste in die Stadt, sondern erhöhen auch den Wohnwert in Baden-Baden ungemein. Von Maßnahmen im ökologischen, kulturellen und sozialen Bereich profitieren nicht nur Touristen, sondern auch Einheimische. So wird das breitgefächerte Freizeit- und Kulturangebot (Thermen, Theater, Tanzveranstaltungen, Konzerte etc.) auch von der hiesigen Bevölkerung gerne genutzt.

In einer vom Fremdenverkehr geprägten Stadt zu leben, birgt jedoch nicht nur Vorteile für die Bevölkerung. Eine durch Passanten überlastete Innenstadt, überteuerte Wohnungen und ein allgemein hohes Preisniveau stellen einige der Kehrseiten kurstädtischen Lebens dar.«

Baden-Baden, Kurort mit Zukunft. – Die *I/SPA – International Spa & Fitness Association, Washington, DC, USA* – die größte Fachvereinigung in Nordamerika mit Mitgliedern in Nord-, Mittel- und Südamerika, Afrika, Asien und Europa –, wählte anläßlich ihrer Jahrestagung 1992 in Telluride (Colorado/USA) Baden-Baden zum »Spa of the year 1993«. Das Zertifikat lautet frei übersetzt:

Ehrenurkunde

Der Vorstand der Internationalen Spa- and Fitness Association ehrt und ernennt für herausragende und einzigartige Kurorterfahrung Baden-Baden/Deutschland zum »Spa of the year 1993/Kurort des Jahre 1993«. Anläßlich des Treffens der I/SPA 1992 wird dieser jährliche Preis als Symbol für Professionalismus von Mitgliedern des Spa-/Kurortwesens verliehen.

Baden-Baden wurde vor ungefähr 2000 Jahren gegründet, um den Gästen die Segnungen des Thermalwassers angedeihen zu lassen. Die in ihrer Art einzigartigen Thermalkurbäder Friedrichsbad und Caracalla Therme, das Hotelangebot, kulturelle und sportliche Ereignisse haben Baden-Baden zum herausragenden Kurort in Europa gemacht. Diese Ehrung bescheinigt den außergewöhnlichen Service, den Gäste aus allen Teilen der Welt hier erfahren. Als Modell eines modernen Kurortes vereinigt Baden-Baden die Geschichte des Bäderwesens seit der Römerzeit mit Erholung und Wiederherstellung der Gesundheit im Rahmen eines gesamten holistischen Anspruchs, sowie auch Krankheiten zu vermeiden.

So mag es auch Paracelsus vor 500 Jahren gemeint haben. Wenn die Weichen ökonomisch und ökologisch richtig gestellt werden, sagen vielleicht auch unsere Nachkommen in 500 Jahren: Baden-Baden, eine Oase für Körper, Geist und Seele.

Tabellenanhang

Tabelle 1   Beherbergungsbetriebe Stand 1.4.1991

Anzahl	%	Betriebsarten	Betten	%
66	28,3	Hotels	3510	68,3
22	9,4	Gasthöfe	347	6,8
9	3,9	Pensionen/Gästeh.	103	2,0
5	2,2	Wohnstifte	69	1,3
7	3,0	Sanatorien/Heilst.	586	5,1
1	0,6	Jugendherberge	155	3,0
123	52,6	Privatvermietungen	367	5,1
233	100,0	Gesamt	5137	100,0

Tabelle 2   Bettenangebot 1919 in Baden-Baden

Hotels	3661	68,3%
Logiehäuser	299	5,6%
Fremdenheime	913	17,0%
Sanatorien	434	8,1%
Naturheilanstalten	54	1,0%
Total	5361	100,0%

Tabelle 3   Entwicklung des Kurbetriebs in Baden-Baden 1892–1992

Baden-Baden	Einheiten	1892	1919	1972	1982	1992
Kurmittelabgabe	Anzahl	70492	–	329519	219038	697328
Kurmittelerlöse	TDM	124	–	2588	3353	12604
Ankünfte	Anzahl	60697	54987*	162206	213971	271608
davon Deutsche	%	(75,9)	(96,0)	(66,1)	(61,1)	(61,8)
davon Ausländer	%	(24,1)	(4,0)	(33,9)	(38,9)	(38,2)
Übernachtungen	Anzahl		556649	834998	751221	832034
davon Deutsche	%			(82,8)	(76,7)	(76,7)
davon Ausländer	%			(17,2)	(23,3)	(23,7)
Aufenthaltsdauer	Tage		10,12	5,15	3,51	3,06
Bettenkapazität	Anzahl		5361	4296	5132	5137
Bettenauslastung	Tage/%		03,8/28,4	194/53,1	146/40,1	162/45,5

* Ankünfte 1910–1919: 60496/Jahr (im Durchschnitt)

2. Wirtschaft und Verkehr

Tabelle 4 Entwicklung des Kurbetriebs in der Bundesrepublik Deutschland 1972–1992

BRD/DBV	1972	1982	1992
Kurmittelabgabe Anzahl i.T.	33 708	33 627	41 391
Ankünfte: Anzahl i.T.	4 899	6 328	9 309
davon Deutsche in %	97,5	97,4	96,7
davon Ausländer in %	2,5	2,6	3,3
Übernachtungen: Anzahl i.T.	80 618	85 107	112 115
von Deutschen in %	98,7	98,7	98,0
von Ausländern in %	1,3	1,3	2,0
Aufenthaltsdauer in Tagen	17,8	14,5	12,0
Bettenkapazität: Anzahl i.T.	537	655	723
Bettenauslastung: Tage	150,2	129,9	155,0

Tabelle 5 Rangliste der 26 führenden Heilbäder in der Bundesrepublik 1970 mit über 500 000 Übernachtungen

Rang	Heilbad/Kurort	Einwohnerzahl	Bettenkapazität	Übernachtungen	Bettenbel./Tage
1.	Bad Wildungen	12 000	7015	1 645 200	234,5
2.	Bad Salzuflen*	18 000	6890	1 604 600	232,9
3.	Bad Kissingen*	13 000	7537	1 546 400	205,2
4.	Bad Nauheim*	15 700	5992	1 410 700	235,4
5.	Bad Mergentheim	13 500	5859	1 320 700	225,4
6.	Bad Orb	8 000	5915	1 318 300	222,9
7.	Bad Wörishofen	9 000	6822	1 210 100	177,4
8.	Bad Reichenhall*	14 000	6411	1 188 000	185,3
9.	Bad Oeynhausen*	14 500	4285	1 177 000	274,7
10.	Bad Meinberg*	3 300	4720	999 700	211,8
11.	Baden-Baden	40 000	4423	925 200	209,2
12.	Bad Wiessee	5 000	6086	908 300	149,2
13.	Bad Neuenahr	10 000	4457	889 100	199,5
14.	Bad Wildbad*	7 000	4421	887 500	200,7
15.	Bad Pyrmont*	16 000	5156	862 000	167,3
16.	Bad Driburg	10 000	3636	862 500	237,3
17.	Badenweiler*	3 000	4588	818 500	178,4
18.	Bad Lippspringe	10 000	2929	772 600	263,8
19.	Hindelang	4 900	4196	704 000	167,8
20.	Bad Tölz	13 000	3252	669 600	205,9
21.	Bad Krozingen	5 800	2652	585 600	223,1
22.	Bad Nenndorf*	6 000	2303	578 800	244,9
23.	Bad Füssing	800	2694	560 200	207,9
24.	Bad Harzburg	12 000	3168	528 900	166,9
25.	Bad Sooden-Allendorf	7 000	2703	519 800	192,3
26.	Bad Sachsa	6 200	2902	515 000	177,5

* Staatsbad

IV. Die Stadt der Gegenwart

Tabelle 6   Rangliste der 26 führenden Heilbäder in der Bundesrepublik 1992

Rang	Heilbad/Kurort	Einwohner-zahl	Betten-kapazität	Anz. Gäste	Über-nachtungen	Rang 1970
1.	Bad Füssing	6 270	13 909	166 605	3 053 373	23.
2.	Bad Wildungen	17 500	8 000	100 000	1 950 000	1.
3.	Bad Kissingen*	23 205	9 337	170 723	1 799 347	3.
4.	Bad Orb	9 300	9 000	70 000	1 500 000	6.
5.	Bad Reichenhall*	19 665	6 649	113 140	1 475 304	8.
6.	Bad Oeynhausen*	51 677	4 862	90 437	1 436 525	9.
7.	Bad Wörishofen	14 585	7 100	86 297	1 392 009	7.
8.	Bad Salzuflen*	55 000	5 905	55 542	1 227 860	2.
9.	Bad Nauheim*	25 794	4 762	66 237	1 117 437	4.
10.	Bad Wiessee	5 300	5 522	83 586	1 082 751	12.
11.	Bad Mergentheim	22 000	4 394	95 240	1 063 247	5.
12.	Hindelang	5 110	7 337	108 760	1 033 669	19.
13.	Bad Driburg	18 000	4 500	66 763	972 344	16.
14.	Bad Krozingen	13 050	3 809	67 534	926 825	21.
15.	Bad Pyrmont*	23 362	4 916	38 344	924 576	15.
16.	Bad Meinberg*	17 200	4 000	37 467	876 126	10.
17.	Bad Neuenahr	26 000	4 693	157 170	854 727	13.
18.	Bad Tölz	15 751	3 945	66 492	847 744	20.
19.	Baden-Baden	53 159	5 137	271 608	832 034	11.
20.	Bad Sooden	10 486	3 192	87 336	822 025	25.
21.	Badenweiler*	3 600	3 478	48 550	689 723	17.
22.	Bad Lippspringe	13 500	2 707	43 061	666 577	18.
23.	Bad Harzburg	25 000	3 500	107 700	662 084	24.
24.	Bad Wildbad*	11 602	4 028	40 749	530 900	14.
25.	Bad Nenndorf*	9 100	2 100	16 700	453 000	22.
26.	Bad Sachsa	7 332	2 702	41 831	433 200	26.

* Staatsbad

Tabelle 7   Entwicklung des Kurverkehrs 1972–1992 in den westlichen Bundesländern

| Jahr | Erfaßte Kur-betriebe | Gäste | | | Kurtage[2] | Abgegebene Kurmittel |
		Ausländer in Tausend	Inländer[2] in Tausend	Gesamt[2] in Tausend	in Tausend	in Tausend
1972	252	125	4774	4899	80 618	33 708
1975	247	133	5357	5490	88 592	38 437
1980	255	148	6320	6468	91 417	39 639
1985	258	215	7256	7471	94 392	37 276
1990	266	265	8648	8913	105 397	49 493
1992	267	311	8998[1]	9309[1]	112 115	41 391

[1] Nur Gäste, die mindestens vier Nächte im Kurort wohnen
[2] Bis 1990 einschließlich Kurpatienten, die von einer Unterkunft außerhalb des Kurortes die zentralen Kurmitteleinrichtungen in Anspruch genommen haben

2. Wirtschaft und Verkehr

Tabelle 8 Ausländeranteil in den Kurorten der Bundesrepublik und in Baden-Baden

Jahr	1972	1982	1992
Gäste/BRD/DBV	130 000	161 488	311 393
davon Baden-Baden	55 020	83 270	103 710
Baden-Baden %	42,32	51,56	33,31
Übernachtungen BRD/DBV	980 000	1 085 390	1 621 754
davon Baden-Baden	143 808	174 905	194 118
Baden-Baden %	14,67	16,11	11,97

Tabelle 9 Entwicklung des Kurverkehrs in Baden-Baden 1962–1992

Jahr	Ankünfte			Übernachtungen			Aufenthaltsdauer in Tagen		
	Inland	Ausland	Gesamt	Inland	Ausland	Gesamt	Inland	Ausland	Gesamt
1962	120 033	69 952	189 985	676 338	183 805	860 233	5,63	2,63	4,63
	63,2 %	36,8 %	100 %	78,6 %	21,4 %	100 %			
1965	111 331	68 068	179 399	702 875	188 504	891 379	6,31	2,77	4,97
	62,1 %	37,9 %	100 %	78,9 %	21,1 %	100 %			
1970	111 706	59 978	171 684	769 213	155 996	925 209	6,89	2,60	5,39
	65,1 %	34,9 %	100 %	83,1 %	16,9 %	100 %			
1975*	120 825	61 214	182 039	683 661	129 345	813 006	5,68	2,11	4,47
	66,4 %	33,6 %	100 %	84,1 %	15,9 %	100 %			
1980	139 547	67 683	207 230	744 993	151 159	896 152	5,34	2,23	4,32
	67,3 %	32,7 %	100 %	83,1 %	16,9 %	100 %			
1990*	168 627	130 064	298 691	640 930	236 464	877 394	3,80	1,82	2,94
	56,5 %	43,5 %	100 %	73,0 %	27,0 %	100 %			
1992*	167 898	103 710	271 608	637 916	194 118	832 034	3,80	1,87	3,06

* 1975 Eingemeindung Sandweier (+ 112 Betten)
* 1990 Neue Kurtaxe-Satzung
* 1992 Schließung Okt./Nov. 1991 »Falkenhalde« (– 60 Betten) und »Magnetberg« (– 80 Betten)

Spielbank Baden-Baden

Die Spielbank Baden-Baden ist vermutlich die älteste in Deutschland, wenn nicht in Europa. 1801 erlaubte Markgraf Karl Friedrich das Glücksspiel im Oostal; Spielstätten waren das Promenadehaus (an der Stelle des heutigen Kurhauses) und einige Hotels. Gespielt wurde unter der Aufsicht von Spielkommissaren gegen Entrichtung einer Taxe. Aus dieser Abgabe wurde mit der Zeit ein Fonds gebildet, der der Verbesserung der kurörtlichen Verhältnisse diente. Aus der Geschichte der Stadt Baden-Baden ist dieser Badfonds oder – wie man heute sagt – die Spielbankabgabe nicht wegzudenken: sie gehört wie mildes Klima, Landschaft und heiße Quellen zum Kapital der Stadt.

Bis 1872 war Baden-Baden vor allem dank seines Casinos im rechten Kurhaustrakt eines der führenden Gesellschaftsbäder. Damals wurden sämtliche Spielbanken im neugebildeten Deutschen Reich geschlossen, das öffentliche Glücksspiel untersagt. Erst 60 Jahre später konnten die Prachtsäle des französischen Innenarchitekten Charles Séchan, die zu den wenigen in Deutschland erhaltenen Zeugnissen des Second Empire-Stils gehören, wiedereröffnet werden. 1944 wurde das Baden-Badener Casino im Zeichen des »totalen Kriegs« erneut aufgehoben. Die dritte Wiedereröffnung erfolgte am 1. April 1950. Die Rechtsform der Spielbank ist seither die einer GmbH und Co. KG; als »Spielbank Baden-Baden GmbH und Co. KG« wurde sie am 31.1.1950 in das Handelsregister des Amtsgerichts Baden-Baden eingetragen.

Als Sitz der französischen Militärregierung in Deutschland und des Hauptquartiers der französischen Streitkräfte in Deutschland unterlag Baden-Baden, das im 2. Weltkrieg nicht zerstört worden war, stärkeren Belastungen als andere Erholungsorte. Es konnte erst 1950 mit vergleichsweise wenigen Hotels und Restaurants wieder seine Dienste als Erholungsort anbieten. Auch die Anfänge der Spielbank waren bescheiden: drei Säle, vier Spieltische, 45 Croupiers. Die Casinodirektion führte an das Land Südbaden bei einer Bruttospieleinnahme von 2,6 Mio. Mark 2,16 Mio. Mark ab. Im folgenden Jahr stiegen die Einnahmen auf 3,6 Mio. an, die Abgabe belief sich auf 2,36 Mio. Mark. Um den Ausbau des Kurortes Baden-Baden zu beschleunigen, verzichteten die Regierungen von Südbaden und ab 1951 von Baden-Württemberg bis zum Jahr 1955 auf den ganzen Ertrag der Spielbankabgabe. Die Gelder wurden der 1934 entstandenen Bäder- und Kurverwaltung überlassen, die mit ihnen allerdings nicht frei wirtschaften konnte, da in ihrem Verwaltungsrat Vertreter des Stuttgarter Finanzministeriums und der südbadische Regierungspräsident saßen.

Während es in der frühen Geschichte der Bundesrepublik Deutschland durchaus Höhen, Tiefen und dramatische Zuspitzungen gab – man denke an den Mauerbau im Jahr 1961 und die stürmischen Tage der außerparlamentarischen Opposition – verzeichnete die Spielbank Baden-Baden von 1950 bis 1970 eine erstaunlich stetige positive Entwicklung ihrer Bruttoeinnahmen: 3,7 Mio. Mark im Jahr 1952, 13,3 Mio. Mark im Jahr 1962, 23,2 Mio. Mark im Jahr 1969.

1969 wählte Baden-Baden einen neuen Oberbürgermeister; für die Stadt ging die Nachkriegszeit zu Ende. Dr. Walter Carlein sah sich mit gewichtigen Problemen konfrontiert; das dringlichste war die nachlassende Anziehungskraft des Erholungsorts Baden-Baden. Im Jahr 1966 hatten die Baden-Badener Hotels und Pensionen noch 944 445 Übernachtungen gemeldet, 1968 waren es 913 237 und 1972 nur noch 834 998. Mit Hilfe des Landes Baden-Württemberg suchte die Stadt den verlorenen Boden wiederzugewinnen. Auf einer Pressekonferenz im November 1973 umriß der damalige Verwaltungsratsvorsitzende der Bäder- und Kurverwaltung, Staatssekretär Manfred Rommel vom Finanzministerium in Stuttgart, die Aufgabenstellung so: »Wir sind seit geraumer Zeit dabei, für Baden-Baden eine umfassende Strategie auszuarbeiten und durchzuführen, die dieser Stadt in neuer Form den alten Rang einer internationalen Kurstadt wiedergeben soll«.

In diesem Konzept eines verjüngten, auch für jüngere Gäste attraktiven Badeorts waren eine neue Therme (die 1985 eingeweihte Caracalla-Therme) und ein modernes Casino die Hauptfaktoren. Im Kurhaus wurden 1974 der Restaurationstrakt umgebaut und der Bénazetsaal restauriert; die Spielbank erhielt zwei neue Säle, die sich mit ihrer Kupferdecke, ihren Wänden und Säulen aus goldfarbenem Mosaik und ihrem schweren, weinroten Bodenbelag den Second Empire-Sälen harmonisch anschlossen. Eine neue Bar gleich hinter der gleichfalls umgestalteten Rezeption erhielt den Namen Bénazet-Bar. Die Generaldirektion führte mit Erfolg zwei neue Spiele ein: American Roulette und das gleichfalls aus den USA importierte populäre Kartenspiel Black Jack.

Die Bemühungen um ein neues Image zahlten sich zwar nicht für die Stadt, die in den Medien weiterhin viele schlechte Noten erhielt, wohl aber für das Casino aus. Es stand 1975 nach Besucherzahl und Umsatz an der Spitze aller deutschen Spielbanken und war auch das räumlich größte. In neun Spielsälen waren 38 Spieltische aufgestellt.

2. Wirtschaft und Verkehr

Verstand sich Baden-Baden damals als der grüne Salon der Bundesrepublik, so waren die Prachtsäle im Kurhaus wiederum die gute Stube der Stadt und wurden für vielerlei festliche Gelegenheiten genutzt; gern zeigte man sie auch hochgestellten Gästen. Die Gästebücher der Spielbank geben darüber Auskunft: erwähnen wir hier nur den Besuch des französischen Staatspräsidenten Valéry Giscard d'Estaing im Juli 1980, der zusammen mit dem damaligen deutschen Bundeskanzler Helmut Schmidt in Baden-Oos einen deutsch-französischen Truppenappell abnahm, während Madame Anne-Aymone Giscard d'Estaing die Casinosäle besichtigte. Im November 1981 ließ sich der kanadische Premierminister Pierre Trudeau durch die Spielbank führen, im Juni 1986 der amerikanische Ex-Präsident Jimmy Carter, im Januar 1991 der Bürgerrechtler und künftige tschechische Staatspräsident Vaclav Havel. Der 11. Olympische Kongreß im August 1981 führte IOC-Mitglieder aus aller Welt nach Baden-Baden; Bundespräsident Dr. Karl Carstens begrüßte sie im Bénazetsaal und gab danach für die Kongreßteilnehmer und Pressevertreter in den historischen Casinoräumen einen Empfang.

1981 legte sich die Baden-Badener Spielbankengruppe, die seit 1950 als Filialbank auch die Spielbank in Konstanz betreibt, eine weitere Dépendance zu. Der Alte Bahnhof in Baden-Baden, ein Bau aus den Gründerjahren mit reich gegliederter Fassade, war 1977 stillgelegt und von der Stadt erworben worden, die ihn in den Jahren 1980–81 gründlich restaurierte. In die Repräsentationsräume, in denen einst die badischen Großherzöge prominente Gäste zu begrüßen pflegten, zogen die Spielautomaten ein, denen Las Vegas seinen Aufstieg zur Glücksspielmetropole des 20. Jh. verdankt. Der Besucher findet hier seither ein reiches Angebot an Roulette-, Slot-, Poker-, Black Jack und Bingo-Geräten. Beim Publikum ist der Umgang mit den »einarmigen Banditen« so beliebt, daß die 1981 eröffneten Räumlichkeiten schon zehn Jahre später zu klein wurden und erweitert werden mußten; jetzt erhalten sie ein neues Entree. 1994 war das bisher erfolgreichste Jahr im »Kleinen Glücksspiel«; die Automaten im Alten Bahnhof, der inzwischen unter Denkmalschutz steht, erwirtschafteten eine Bruttospieleinnahme von 21 Mio. Mark.

Innovation wurde im Casino Baden-Baden auch in den späten 80er Jahren großgeschrieben; bei der Einführung neuer Spiele behauptete die »schönste Spielbank der Welt« (so der Hollywoodstar Marlene Dietrich) in Deutschland weiterhin ihre Spitzenposition. Zu den klassischen Spielen Roulette und Baccara (das hinter der Kurhaus-Vorderfront auf der Baccara-Terrasse gespielt wird), zu American Roulette und Black Jack kam im Februar 1989 das »7 card stud-Poker« hinzu, eine in den Vereinigten Staaten entwickelte und weitverbreitete, für den Spieler besonders faire Pokervariante. Sie fand auch in Deutschland rasch Anhänger. Als einzige deutsche Spielbank bietet das Casino Baden-Baden Poker freitags und samstags bis 5.00 Uhr morgens an. Seit 1993 veranstalteten mehrere deutsche Spielbanken gemeinsam jährliche Deutsche Pokermeisterschaften; das Turnier wird in zwei Teilen gespielt, einer Vorrunde und einem Finale. Die beiden ersten Meisterschaften gewann zur Überraschung vieler eine Frau. Dreimal jährlich finden in Baden-Baden Baccara-Wettbewerbe mit stattlichen Gewinnprämien statt – während des Frühjahrsmeetings in Iffezheim, während der großen Rennwoche und zwischen Weihnachten und Neujahr.

Neu ist der 1993 ins Leben gerufene Club Bénazet, der einzige Cercle privé für potente Spieler auf deutschem Boden. Der Club, in dem Französisches Roulette und Baccara gespielt werden, verfügt über eine VIP-Lounge mit Telefon, Fernsehen und internationalem Zeitschriftenangebot sowie ein kulinarisches kalt-warmes Buffet, das bis spät in die Nacht angeboten wird. Mitglieder können sich vom clubeigenen Fahrzeug zuhause abholen und wieder heimfahren lassen. Der Club Bénazet, der sogleich nach seinem Entstehen viel von sich reden machte, ist samstags geöffnet. Clubmitglied wird man auf Vorschlag der Direktion.

Das A und O geschäftlicher Unternehmen sind heute großzügige Investitionen. Neue sicherheitstechnische Vorkehrungen oder Einrichtungen, die den Angestellten der Reception und den Croupiers die Arbeit erleichtern, fallen dem Spielbankbesucher oft gar nicht auf. Bauliche Veränderungen hingegen bleiben nicht unbemerkt. 1994 wurden die bisher im Mosaikhof, dem einstigen Stechplatz des Baden-Badener Hofes aufgestellten Zelte durch einen wetterfesten, beheizbaren Pavillon mit Glasfenstern und weiß-gelb gestreiftem Dach ersetzt. Der Pavillon – Kosten ½ Mio. Mark – enthält zwei Roulettetische und einen Black Jack-Tisch und bietet Platz für Empfänge und Spieldemonstrationen.

Die Spielbank Baden-Baden beschäftigt heute (1995) 400 Angestellte, darunter 220 Croupiers. Seit einem Jahr arbeiten erstmals zwei weibliche Croupiers, die den Croupier-Anfängerkurs absolviert haben, aushilfsweise als Jetonsortiererinnen. In neun Sälen bestehen an insgesamt 40 Tischen Spielmöglichkeiten für die Spiele Französisches und Amerikanisches Roulette, Black Jack, Baccara und Poker. Der Mindesteinsatz liegt bei fünf Mark. Französisches Roulette kann bis zu einem Einsatz von 20 000 Mark auf einfache Chancen und 500 Mark auf volle Nummern gespielt werden, Baccara ohne Limit. Bei Baccara, es sei daran erinnert, spielen die Spieler gegeneinander, die Bank spielt selbst nicht mit, sondern erhebt nur vom Gewinn des Bankhalters eine Taxe von 5 Prozent, die »cagnotte«.

Insgesamt zählte die Spielbank-Gesellschaft im Jahr 1994 850 000 Besucher, davon rd. 600 000 in Baden-Baden (Kurhaus und Alter Bahnhof), 250 000 in der Filialbank Konstanz. Die Führungen am Vormittag wurden von insgesamt 80 000 Gästen besucht. Da für diese Führungen, die von Fachkräften betreut werden, keinerlei Werbung gemacht wird, ist dies ein beachtliches Ergebnis; manches Museum im In- und Ausland verzeichnet eine bescheidenere Publikumsresonanz.

Über die soziale Herkunft der Spieler wissen die Spielbankangestellten nicht allzu viel, da Pässe und Kennkarten heute keine beruflichen Angaben mehr enthalten; nur die großen Spieler sind dem Technischen Direktor und den Saalchefs namentlich bekannt. Das Haupteinzugsgebiet der Spielbank Baden-Baden umfaßt Nord- und Südbaden, den mittleren Neckarraum, das Elsaß und die benachbarte Schweiz. Schon an den Autoschildern in der Kurhaus-Tiefgarage läßt sich ablesen, daß weitere Casinobesucher aus allen Teilen Deutschlands kommen – aus Hamburg, Berlin, Düsseldorf, Frankfurt und München. Finden in Baden-Baden ein größerer Kongreß oder ein gesellschaftliches Ereignis von Rang statt, dann hat dies sogleich Auswirkungen auf die Zusammensetzung des Spielbankpublikums; es gehört auch keine besondere Voraussicht zu der Feststellung, daß die vorgesehene Einrichtung einer Spielbank in Stuttgart oder neue Casinos in der deutschsprachigen Schweiz das Aufkommen der Baden-Badener Bank schmälern werden. Im Aufbau der Alterspyramide der Spielbankgäste haben sich in den zurückliegenden zwei Jahrzehnten bemerkenswerte Veränderungen ergeben. 1975 dominierten in den Spielsälen noch die älteren Jahrgänge, heute sind fast ein Drittel der Besucher zwischen 21 und 30 Jahren alt. Der Ausländeranteil ist stark; seit Beginn der 90er Jahre kommen weniger Casinogäste aus den Vereinigten Staaten, weit mehr aus Japan und anderen fernöstlichen und südostasiatischen Ländern. Die französischen Besucher reisen keineswegs nur aus dem 50 km entfernten Straßburg, sondern aus ganz Ostfrankreich an. Gäste aus der Schweiz stellen im Casino Konstanz einen beachtlichen Anteil; die Spielbank Baden-Baden erfreut sich von Seiten der Eidgenossen eines zwar geringeren, aber doch regen und konstanten Zuspruchs.

2. Wirtschaft und Verkehr

Tabelle 1 **Spielbankeinnahmen 1970–1994 in DM**

Jahr	Roulette	Baccara	Black Jack	Sonstige Spiele	Kleines Glücksspiel	insgesamt
1970	20 052 300	2 855 300	1 537 600			24 445 200
1971	23 031 300	3 925 800	1 738 200			28 695 300
1972	27 241 500	4 767 200	1 189 600			33 198 300
1973	31 982 200	4 895 700	1 861 400			38 739 300
1974	31 109 100	5 181 700	2 031 200			38 322 000
1975	31 820 400	5 450 900	2 067 600			39 338 900
1976	34 778 900	6 235 600	2 301 100			43 315 600
1977	38 778 100	7 474 400	2 758 300			49 010 800
1978	37 292 700	6 822 800	2 559 100			46 674 600
1979	39 933 100	8 596 800	2 912 600			51 442 500
1980	42 688 300	9 675 900	3 202 400			55 566 600
1981	41 278 800	9 198 600	3 462 400		868 900	54 808 500
1982	41 141 100	7 853 200	4 177 000		2 301 500	55 472 800
1983	47 178 200	6 870 500	4 068 400		2 917 700	61 034 800
1984	45 645 700	7 394 700	4 446 700		2 661 500	60 148 600
1985	46 356 400	8 327 200	5 428 100		6 658 100	66 769 800
1986	45 005 700	9 202 100	5 261 400	191 300	9 298 100	68 958 600
1987	43 766 300	9 164 800	5 156 300	691 500	9 177 500	67 956 400
1988	47 258 600	10 403 400	5 829 200	–70 000	10 785 900	74 207 100
1989	43 668 100	13 291 200	5 386 700	1 029 800	12 046 700	75 422 500
1990	44 337 500	11 310 400	5 516 300	1 311 300	10 977 200	73 452 700
1991	51 321 900	12 329 900	5 013 200	1 326 100	12 929 400	82 920 500
1992	56 511 200	11 502 200	4 876 400	1 430 800	14 898 000	89 218 600
1993	57 001 800	12 703 900	5 254 300	1 280 400	17 814 900	94 055 300
1994	53 528 400	11 531 200	4 892 600	800 700	21 126 700	91 879 600
insg.	1 022 707 400	206 965 400	92 928 100	7 991 900	134 462 100	1 465 054 900

Quelle: Casinodirektion

Baden-Baden ist ohne sein Casino so wenig vorstellbar wie ohne seine Bäder. Die Spielbank im Kurhaus versteht sich heute als ein modernes, weiter ausbaufähiges Unternehmen der Freizeitindustrie von überregionaler Bedeutung. Schon aus dem Umstand, daß der alleinige Geschäftsführer der Spielbankgesellschaft, Hartmann Freiherr von Richthofen, seit 1993 auch Präsident des Internationalen Clubs Baden-Baden ist, der die Iffezheimer Pferderennen veranstaltet, ergeben sich gesellschaftliche Verflechtungen und Verpflichtungen, die sich zugunsten Baden-Badens auswirken. Eines der Rennen in Iffezheim wird traditionell um den Preis der Spielbank ausgetragen; zum Grand Prix-Ball, den seit diesem Jahr die neue Festival-Gesellschaft organisiert und der stets in der ersten Septemberwoche stattfindet, trägt die Spielbank einen erheblichen finanziellen Zuschuß bei, wie sie ja, offen oder stillschweigend, nicht nur in der Saison, sondern das ganze Jahr über als Sponsor zum Gelingen des Baden-Badener Veranstaltungsprogramms beiträgt.

Die Bruttospieleinnahmen der Spielbank Baden-Baden sind von 1970 bis 1993 fast stetig gewachsen und haben sich 1994 auf hohem Niveau, wenn auch mit einer leichten Einbuße gegenüber dem Vorjahr stabilisiert, wie die Tabelle 1 zeigt, die allein die Ergebnisse in Baden-Baden berücksichtigt.

Tabelle 2 **Spielbankabgabe und Rückfluß**
1970–1994 in DM

Jahr	Spielbankabgabe 80 v. H. **	Rückfluß an die BKV
1970	19 555 000	14 000 000
1971	22 956 000	16 414 000
1972	26 559 000	17 175 000
1973	30 991 000	23 568 000
1974	30 658 000	21 914 000
1975	31 471 000	17 996 000
1976	34 652 000	19 841 000
1977	39 209 000	22 501 000
1978	37 340 000	21 340 000
1979	41 154 000	23 598 000
1980	44 453 000	25 504 000
1981	43 847 000	25 128 000
1982	44 378 000	25 390 000
1983	48 828 000	28 020 000
1984	48 119 000	26 374 000
1985	53 416 000	30 712 000
1986	55 167 000	30 374 000
1987	54 365 000	31 203 000
1988	59 366 000	31 510 000
1989	60 338 000	27 348 000
1990	58 762 000	26 754 000
1991	66 336 000	24 600 000
1992	71 375 000	24 500 000
1993	75 244 000	19 300 000 *
1994	73 600 000	15 150 000 **

* 1993 und 1994 zusätzlich je 5 Mio. Mark zur Bewältigung der durch die Auflösung der BKV entstandenen Unkosten, im Rückfluß 1993 zusätzlich 7,1 Mio. für das Kongreßhaus enthalten.
** ohne die weiteren Abgaben (bis zu 10 %)
Quelle: Stadtkämmerei Baden-Baden

Für den Insider aufschlußreich ist die in Tab. 2 erstmals vorgelegte Übersicht über die Entwicklung der Spielbankabgabe an das Land Baden-Württemberg von 1970 bis 1994 und die Höhe der Rückflüsse (die bis zu ihrer Auflösung 1993 an die Bäder- und Kurverwaltung gingen, seither an die Stadt Baden-Baden). Sie zeigt deutlich, daß neben der Stadt auch das Land Baden-Württemberg aus der Existenz der Spielbank Baden-Baden beträchtlichen Nutzen zog, der sich 1970 auf 4,5 Mio. DM, 1994 schon auf über 50 Mio. Mark belief. Das Spiel in Baden-Baden kommt nicht nur der um eine Neuorientierung ringenden Oostalgemeinde zugute, sondern auch den Finanzen des Landes, für das die Spielbankabgabe eine willkommene, zusätzliche Steuereinnahme ist.

2. Wirtschaft und Verkehr

Verkehr und Verkehrsgewerbe

Straßenverkehr

Überörtliches Straßennetz. – Auf dem Baden-Badener Stadtgebiet verläuft die im europäischen Verkehrsnetz bedeutende *Bundesautobahn A 5* Hamburg–Frankfurt–Basel (HAFRABA). Bereits vor dem Zweiten Weltkrieg konzipiert, wurde sie 1962 durchgehend bis zur Schweizer Grenze fertiggestellt. Baden-Baden hat eine voll ausgebaute Anschlußstelle (»Kleeblatt«). Die Verbindung zur Stadt stellt die B 500 her, die 1959 fertiggestellt, zwischen der A 5 und dem westlichen Innenstadtrand vierspurig ausgebaut ist.

Die *Bundesstraße B 500* beginnt im W an der Grenze zu Frankreich bei der Rheinstaustufe Iffezheim; sie stellt eine wichtige Verbindung nach Frankreich dar mit Anschluß an die autobahnähnliche CD 300 Lauterburg–Straßburg, und damit zur französischen Autobahn A 4 Straßburg–Paris. Östlich von Baden-Baden setzt sich die B 500 als Schwarzwaldhochstraße nach Freudenstadt fort. Sie stellt sowohl im Winter als auch im Sommer eine für den Fremdenverkehr attraktive Straße dar. Im wesentlichen parallel zur Autobahn A 5 verläuft die mehr dem Regionalverkehr dienende *Bundesstraße B 3*. Sie verbindet die Orte am Schwarzwaldrand miteinander (Karlsruhe–Rastatt–Bühl–Achern–Offenburg).

Das Netz an *Landes- und Kreisstraßen* im Stadtgebiet dient vor allem den verkehrlichen Umlandbeziehungen der Kernstadt Baden-Baden mit dem Murgtal (L 79 a), dem Rebland (L 84 a) sowie Iffezheim (K 9613) und Kuppenheim (L 67).

Zwei bedeutende *Straßenbauvorhaben* stehen auf dem Stadtgebiet von Baden-Baden noch an: Die A 5 wird auf sechs Fahrspuren ausgebaut und wird damit ihrer Bestimmung als internationaler Verkehrsachse mit Anbindungen an die Schweiz, nach Italien und über die Autobahn Mülhausen-Lyon nach Südfrankreich, Spanien und Portugal gerechter. Der sechsspurige Ausbau wird 1995 bis Baden-Baden von Norden her abgeschlossen sein. Die B 3 wird zwischen Bühl und Baden-Baden/Sandweier zusammen mit dem Ausbau der Bahn westlich der Gleise gebündelt und neu gebaut. Für Baden-Baden werden damit die Stadtteile Oos und Sandweier wesentlich vom Durchgangsverkehr entlastet. Im N des Stadtgebietes wird die B 3 mit der A 5 an einer Anschlußstelle zusätzlich verknüpft. Eine in den 1970er Jahren geplante Verlegung der B 500 an den Westrand des Oostales außerhalb der Stadt wird nicht weiter verfolgt. Sie scheitert aus Kostengründen bei einer Tunnellösung bzw. aus landschaftsökologischen Gründen bei einer Führung durch den Stadtwald.

Tabelle 1 **Maximale Verkehrsbelastung pro Tag**

Zählpunkte	Kfz-Zahl/Tag
Autobahn A 5	ca. 64 000
Bundesstraße B 3 in Oos	ca. 28 370
Michaelstunnel	ca. 20 000
Schloßbergtangente	ca. 13 000
Landesstraße L 79, Wolfsschlucht	ca. 8 780
Landesstraße L 84, Klosterschänke	ca. 8 320

Quelle: Stadtverwaltung Baden-Baden

Der *Ausbau von Landes- und Kreisstraßen* beschränkte bzw. beschränkt sich auf sicherheitsverbessernde Maßnahmen, dabei kommt dem parallelen Ausbau von Radwegen zunehmend Bedeutung zu.

Innerörtliches Straßennetz. – Die langgestreckte, enge Tallage Baden-Badens führt seit jeher zu Zwängen zwischen Bebauung und Verkehrsleitung. In der Innenstadt war lange Zeit die Lange Straße in der Altstadt die einzige Ost-West-Verbindung. Bereits im ersten Drittel des 19. Jh. wurden deshalb die Stadttore abgerissen, um dem Verkehr Platz zu machen. Anfang der 1920er Jahre wurde an der Altstadt vorbei entlang der Oos der Durchbruch im Zuge der Luisenstraße gebaut. Bestrebungen, aufgrund der überschwappenden Motorisierungswelle Anfang der 1960er Jahre ganze Häuserzeilen zugunsten einer Verbreiterung der Luisenstraße abzureißen, blieben glücklicherweise unverwirklicht.

Mit zunehmendem Verkehr wurde allerdings die Trennung zwischen Kurhaus und Altstadt durch die hochbelastete B 500 (ca. 30 000 Fahrzeuge/Tag) als entwicklungshemmend für die Gesamtstadt erkannt.

Im Rahmen der *Stadtentwicklungsplanung 1974* wurde dann in den Jahren 1975 bis 1989 ein System von Umgehungsstraßen um die Innenstadt einerseits und die Verkehrsfreimachung der Altstadt in Form von Fußgängerzonen andererseits geplant und Zug um Zug umgesetzt. Bis 1989 wurde die verkehrliche Neugestaltung abgeschlossen. Schloßbergtangente und Michaelstunnel nehmen den durchgehenden, den Ziel- und Quellverkehr sowie den innerörtlichen Binnenverkehr auf. Die *Schloßbergtangente* wurde 1981 rechtzeitig zur Landesgartenschau fertiggestellt. Dabei wurde ein ca. 300 m langes Teilstück überdeckelt, um ein zusammenhängendes Ausstellungsgelände zu bekommen. Insgesamt hat sich dieses Bauwerk für die Stadtentwicklung ausgezahlt, ist dadurch doch eine durchgehende, verkehrsfreie Grünzugverbindung von der Altstadt bis zu den Battertfelsen entstanden. Der *Michaelstunnel* war das Ergebnis von bis in die 1960er Jahre zurückreichenden Bemühungen, den trennenden und störenden Verkehr im Zuge der B 500 aus der Innenstadt herauszunehmen. Städtebauliche und geologische Probleme führten schließlich dazu, daß der Tunnel am Rande der Innenstadt beim Alten Bahnhof bzw. beim alten Krankenhausgelände begann. Beide Grundstücke standen im Eigentum der Stadt. Der Tunnel kreuzt die Hauptthermalquellenspalte und unterfährt die Oos. Die Thermalquellen wurden durch den Bau nicht gefährdet; umfangreiche Erkundungsbohrungen vor Baubeginn und ein dem eigentlichen Bau vorauseilender Sondierungsstollen garantierten die Unversehrtheit des artesischen Quellensystems (vgl. S. 394).

Mit dem Michaelstunnel und der Schloßbergtangente ist ein »Dreiviertel-Umgehungskreis« um die Innenstadt Baden-Badens vorhanden, der es erlaubt, den Tallängsverkehr und den Übereckverkehr Talachse – Murgtal aus dem Stadtzentrum herauszunehmen. Die Anfahrbarkeit der Innenstadt ist jeweils von den Tunnelenden bzw. über die Schloßbergtangente sichergestellt. Der städtebauliche Gewinn für die Stadt und den Kurort ist erheblich. Der zentrale Leopoldsplatz wurde in den Jahren 1990/1991 als Fußgängerbereich mit Brunnen umgestaltet. Der zügigere Ausbau der bestehenden Waldseestraße wurde nicht mehr vollzogen.

Durch den Bau von *Tiefgaragen* am Rande der Innenstadt bzw. im Kurhausbereich (ca. 3000 Plätze) konnten auch ausreichend Parkplätze zur Verfügung gestellt werden. Damit ist die verkehrliche Umgestaltung der Innenstadt Baden-Badens abgeschlossen.

Im Westen der Stadt wird zur *Entlastung der Rheinstraße* der Zubringer Zug um Zug durch den Bau von Anschlüssen für den innerörtlichen Verkehr herangezogen. Somit wird die Rheinstraße wieder mehr zur Einkaufsstraße der Weststadt und im Hinblick auf ihre Wohnqualität erheblich aufgewertet. Die übrigen anstehenden Umbauten im Straßenraum dienen in erster Linie der Verbesserung der städtebaulichen Qualität (Bernhardusplatz, Änderung Kurhausgarage-Einfahrt).

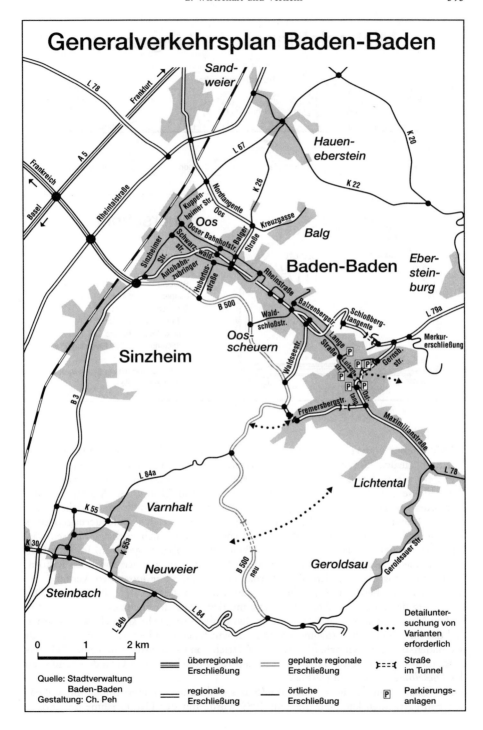

394 IV. Die Stadt der Gegenwart

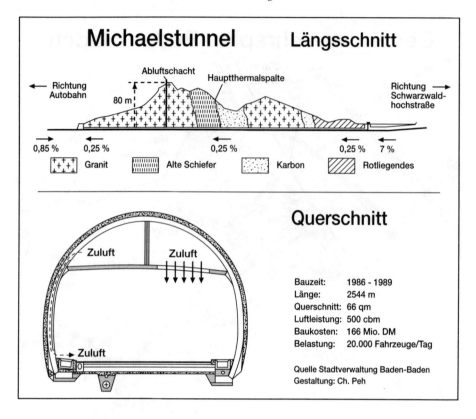

Öffentlicher Nahverkehr. – Der Nahverkehr blickt in Baden-Baden auf eine lange Tradition zurück. Bereits 1910 wurde eine Straßenbahnlinie zwischen Lichtental und dem Zentrum Baden-Badens gebaut. Bis 1929 war der Ausbau des Straßenbahnnetzes abgeschlossen, so daß von Oos im W bis Oberbeuern im O und vom Merkur bis zum Tiergarten (im Bereich des heutigen Südwestfunks) Straßenbahnlinien betrieben wurden. 1951 wurde die *Straßenbahn* stillgelegt, nachdem sie den Anforderungen eines modernen Nahverkehrsmittels aufgrund der engen Straßen nicht mehr gewachsen war. Ein zweigleisiger Ausbau wäre in Baden-Baden nicht möglich gewesen. Im Jahr 1948 erreichte die Straßenbahn mit 13,9 Mio. beförderten Personen einen absoluten Rekord. Nach Stillegung der Straßenbahn übernahmen *Oberleitungsbusse* den Verkehr. Sie stellten ein aus heutiger Sicht ideales Nahverkehrsmittel für den Kurort dar. Das Liniennetz der Obusse deckte sich in etwa mit dem Netz der ehemaligen Straßenbahn. In dem Maß, in dem Umlandstadtteile an den Linienbusverkehr angeschlossen wurden und das innerstädtische Liniennetz verdichtet wurde, entstand ein für eine kleine Stadt wie Baden-Baden unwirtschaftlicher Mischbetrieb von Oberleitungsbussen und Dieselbussen. 1971 wurde deshalb der Obusbetrieb aus wirtschaftlichen Gründen zugunsten des *Dieselbusbetriebes* aufgegeben.

Insbesondere in den 80er Jahren mußte das städtische Busunternehmen mit sinkenden Fahrgastzahlen kämpfen. Im Jahr 1989 wurde mit der Herausnahme des Indivi-

2. Wirtschaft und Verkehr

Tabelle 2 »Baden-Baden-Linie« (1991)

Beförderte Personen	8 200 000
Erlöse in DM	6 392 000
Nutzwagen-Kilometer	2 127 370
Platz-Kilometer	183 133 422
Länge der Linien in km	119
Anzahl der Omnibusse	37
Dieselverbrauch in Liter	842 210

Quelle: Stadtverwaltung Baden-Baden

dualverkehrs aus der Innenstadt durch die Fertigstellung des Michaelstunnels der Linienomnibus weniger störanfällig gegen Verspätungen. Der eingeführte Taktverkehr (tagsüber 7½ Minuten) erhöhte die Attraktivität erheblich. Parallel hierzu wurde durch eine neue Tarifgestaltung mit der Einführung der übertragbaren Monats- bzw. Jahreskarte (»Joker«) eine Wende erreicht, die die Beförderungszahlen wieder ansteigen ließ, allerdings auch die Kosten. Derzeit fahren auf 12 Linien 38 Omnibusse, davon 14 Gelenkzüge.

Über die im Stadtgebiet verkehrenden Linien hinaus bedient die »Baden-Baden-Linie« auch Umlandgemeinden des Landkreises Rastatt. So fahren 14 Kurse nach Iffezheim und Wintersdorf (werktags), 14 Kurse nach Rastatt sowie 28 Kurse nach Gaggenau.

Zur Zeit laufen Bestrebungen, die Gemeinde Sinzheim wieder in den öffentlichen Nahverkehr nach Baden-Baden einzubeziehen, um den erheblichen Kraftfahrzeug-Pendlerverkehr zu reduzieren. Weiter ist vorgesehen, eine Schnellkursverbindung von Bühl übers Rebland nach Baden-Baden einzurichten.

Die *Gesellschaft »Regional-Verkehr-Süd«* der Deutschen Bundesbahn, jetzt Deutsche Bahn AG, unterhält Linien von Offenburg, Achern über Bühl, Sinzheim nach Baden-Baden, nach Bad Herrenalb (-Tübingen) und zur Schwarzwaldhochstraße. Diese Linien haben aber von den Beförderungszahlen her gesehen für die Stadt keine Bedeutung.

Im Sommer 1994 ist Baden-Baden dem *Karlsruher Verkehrsverbund KVV* beigetreten. Damit hat sich tariflich und verkehrlich eine neue Dimension des Nahverkehrs in der Region zwischen Bruchsal/Bretten, Wörth in der Pfalz, Pforzheim und Baden-Baden entwickelt.

Der außerordentlich günstige Tarif einer Tageskarte für vier Personen zum Preis von 14 DM für das Netz des Karlsruher Verkehrsverbundes einschließlich der Baden-Baden-Linie und der Karlsruher Straßenbahn stellt eine echte Alternative zum Kraftfahrzeug dar. Sichtbares Zeichen dieses Verbundes sind die rot-gelben Zweisystem-Stadtbahnwagen, die den Bahnhof Baden-Baden im Taktverkehr anfahren.

Für Baden-Baden haben sich damit zusätzliche Impulse ergeben: An der Bahnstrecke Karlsruhe–Bühl werden zusätzliche Haltepunkte für die Stadtbahn im Bereich Haueneberstein/Sandweier und Steinbach untersucht, für eine Stadtbahnverbindung vom Bahnhof Oos zur Innenstadt ist ein erster Untersuchungsauftrag erteilt. Die Umgestaltung des Bahnhofsplatzes in Oos für eine verbesserte Verknüpfung von Bahn und Bus nimmt greifbare Formen an.

Tabelle 3   Technische Angaben zur Merkurbahn

Länge (in der Schräge gemessen)	1192 m
Steigung	23–54 %
Höhe der Bergstation ü. NN.	657 m
Höhendifferenz Talstation/Bergstation	370 m
Spurbreite	1 m
Leistung der Motoren	125/225 KW
Platzzahl/Wagen	30
Fahrzeit	3,5 Min.
Höchstgeschwindigkeit	6 m/sec.
Beförderte Personen 1992	138 000

Quelle: Stadtverwaltung Baden-Baden

Merkurbergbahn. – Auf den Hausberg von Baden-Baden, den Merkur mit fast 700 m ü. NN, führt eine Standseilbahn. Sie stellte von Anfang an eine Fremdenverkehrsattraktion dar, zumal an ihrer Bergstation ein großzügiges Hotel und Restaurant errichtet worden war. Besonders an den im Oberrheinischen Tiefland häufigen Nebeltagen ist der Merkurgipfel mit seinem Aussichtsturm ein beliebtes Ausflugsziel.

Die Merkurbahn wurde am 16. 8. 1913 eröffnet und am 2. 11. 1967 aus wirtschaftlichen Gründen stillgelegt. Im April 1979 wurde sie völlig neu konzipiert wiedereröffnet. Seitdem wird sie als eine vollautomatisch und weitgehend ohne Personal geführte Standseilbahn betrieben. Die alte Hotel- und Gaststättenanlage wurde mit Ausnahme des renovierten Turmes abgerissen. Stattdessen wurde eine volkstümliche Gaststätte für Wanderer errichtet, deren Pächter den Bergbahnbetrieb überwacht.

Eisenbahn

Verkehrslage. – Baden-Baden liegt an der *Hauptbahnstrecke Mannheim/Heidelberg–Karlsruhe–Basel*. Wie bei vielen Orten am Rand des Schwarzwaldes, liegt der Bahnhof nicht im Zentrum, sondern im Westen der Stadt, da sich die Orte in die Täler hinein entwickelt haben. Dieser Nachteil wurde in Baden-Baden durch den Bau der ca. 5 km langen sog. *Stichbahn* ausgeglichen, die bis an den Innenstadtrand heranführte. Sie wurde 1845 fertiggestellt, der Stadtbahnhof wurde 1893 errichtet. Das imposante Bahnhofsgebäude und der von vornherein zweigleisige Ausbau der Strecke spiegeln die Bedeutung Baden-Badens als internationaler Kurort wider. Die Strecke wurde 1958 elektrifiziert und 1977 stillgelegt, da sie sowohl im internationalen Verkehr als auch im Nahverkehr weitgehend an Bedeutung verloren hatte und dem Zeitgeist entsprechend wegen der schienengleichen Bahnübergänge für den Autoverkehr als hinderlich angesehen wurde.

Das Bahnhofsgelände und -gebäude wurden von der Stadt erworben. Die Trasse wurde nach der Einstellung des Bahnverkehrs als begrünter Rad-/Fußweg angelegt, das Bahnhofsgelände wurde für eine Tiefgarage sowie die Einfahrt zum Michaelstunnel (vgl. S. 392) genutzt. Das Bahnhofsgebäude enthält Veranstaltungsräume, ein Jugendzentrum und die Dependance der Spielbank Baden-Baden.

Der Bahnhof in Baden-Baden/Oos ist heute Haltepunkt für EC-/IC-Züge, Interregio- sowie Eil- und Nahverkehrszüge. Pro Tag halten laut Fahrplan 1992/93 120 Züge. EC- und IC-Züge halten alternierend in Offenburg oder Baden-Baden. Damit entsteht in Baden-Baden annähernd ein Zwei-Stunden-Takt. Die Interregiolinie

2. Wirtschaft und Verkehr

Tabelle 4 **Zughalte in Baden-Baden 1992/93**

Zugart	Anzahl der Halte (beide Richtungen)
Eurocity/Intercity-Züge	21
Interregio-Züge	19
Schnellzüge (D)	25
Eil-/Nahverkehrszüge	55
Zughalte insgesamt	120

Quelle: Jahresfahrplan 1992/93 der DB und DR

Konstanz–Kassel(–Hamburg) hält grundsätzlich in Baden-Baden im Zwei-Stunden-Takt.

Zwischen Karlsruhe und Offenburg – und später bis Basel – plant und baut die Deutsche Bahn AG zwei zusätzliche Schnellfahrgleise, die zwischen Baden-Baden und Offenburg 1998, zwischen Rastatt und Baden-Baden um 2000 fertiggestellt sein sollen. Die für den ICE-Verkehr vorgesehenen Gleise liegen westlich der jetzigen Strecke. Nach heutigem Stand werden die 250 km/h schnellen Züge nicht in Baden-Baden halten.

Besondere Bedeutung allerdings wird der Ausbau der Strecke auf vier Gleise für den Nahverkehr haben. Die zusätzlichen Gleise machen Kapazitäten für eine weitere Verbesserung (Taktverdichtung) frei. Die straßenbahnähnlichen Fahrzeuge können dank ihrer Bauweise sowohl unter dem Wechselstromfahrdraht der Deutschen Bahn AG als auch im Gleichstromnetz der Karlsruher Straßenbahn fahren. Damit wird auch von Baden-Baden aus – wie von Bretten nach Karlsruhe seit Herbst 1992 – ein attraktives Hineinfahren in den Stadtkern des Oberzentrums Karlsruhe möglich. Das Enden der Nahverkehrszüge am Karlsruher Hauptbahnhof in Randlage zur Innenstadt wird damit vermieden. Eine Verlagerung des Kraftfahrzeug-Pendlerverkehrs von Baden-Baden nach Karlsruhe und umgekehrt auf die Schiene kann im Zusammenhang mit entsprechenden Park+Ride-Anlagen am Bahnhof in Oos erreicht werden.

Luftverkehr

Flugplatz. – Die Geschichte des Flugplatzes Baden-Baden geht zurück in das Jahr 1909. Schon im Jahr 1910 – nach Erstellung einer 128 m langen und 25 m breiten Luftschiffhalle – landete erstmals ein Zeppelin in Oos. Die ersten Flugzeuge landeten im Jahr 1911 auf dem Flugplatz Baden-Baden-Oos im Rahmen des 1. Oberrheinischen Zuverlässigkeitsfluges. Eine Nutzung des Flugplatzes im Linienflugdienst erfolgte in den Jahren 1925 bis 1934 durch die Lufthansa.

Nach dem Krieg wurde die Landebahn durch die französischen Besatzungsstreitkräfte von 500 m auf 1200 m verlängert und mit Lochblechmatten befestigt. Die zivile Nutzung, wie sie heute noch besteht, wurde 1958 zugelassen. Das größte Flugzeug, das je landete, war die »Super Constellation« des Französischen Oberkommandierenden. Bis 1971 bestand diese 1200 m lange und 30 m breite Lochblechpiste, die Starts und Landungen bis zu einem Gewicht von ca. 10 to zuließ.

1971 wurden auf dieser Start- und Landebahn 36640 Flugbewegungen registriert. Ende 1971 wurde die Startbahn erneuert und in Asphalt ausgeführt. Sie weist seit dieser Zeit eine Länge von 1200 m und eine Breite von 30 m auf. Die Tragkraft beträgt 20 to.

Tabelle 5 **Flugbewegungen
in Baden-Baden 1981–1992**

Jahr	Anzahl der Flugbewegungen
1981	42 135
1989	43 751
1990	39 230
1991	31 787
1992	30 307

Quelle: Stadtverwaltung Baden-Baden

Aufgrund dieser Verbesserung stieg die Zahl der Flugbewegungen 1972 sprunghaft auf 53 566 an und erreichte 1975 mit 60 244 Flugbewegungen ihren Höhepunkt. Der starke Rückgang ab 1991 beruht auf lärmeinschränkenden Maßnahmen, die sowohl den (Freizeit-)Wochenendflugverkehr, als auch die Festlegung der Mindestflugdauer (bei Übungsflügen) betreffen, um die Orte Sandweier, Haueneberstein und Sinzheim vor vermeidbarem Fluglärm zu schützen.

Neben der asphaltierten Start- und Landebahn besteht eine Graspiste von 500 × 30 m, die ausschließlich dem sportlichen Segelflugbetrieb (einschließlich Schlepp) dient (Tragkraft 1,5 to). Die Betriebszeiten des Flugplatzes sind 8.00–20.00 Uhr im Sommer bzw. 8.00 Uhr bis Sonnenuntergang im Winter. Baden-Baden ist Zollflugplatz. Im Jahr 1991 fanden die meisten Flugbewegungen im Mai mit 5892 (im Vorjahr 6018), die wenigsten im Dezember mit 869 (1990: 867) statt. An einem Tag wurden maximal 407 Starts und Landungen registriert. Dies war während der alljährlich stattfindenden »Internationalen Gebrauchtflugzeugmesse« am 9. Mai 1991.

Wegen seiner Bedeutung für den Sportflug (2 Segelflugvereine sind in Baden-Baden ansässig) und dem Geschäftsreiseverkehr hat der Flugplatz auch eine erhebliche Bedeutung als Arbeitsplatz für Baden-Baden. 7 Firmen mit 189 Arbeitsplätzen sind am Flugplatz ansässig.

Durch den Abzug der französischen Streitkräfte werden Zug um Zug Flächen frei, die für die Ansiedlung von flugspezifischen Gewerbebetrieben genutzt werden sollen. Allerdings besteht für die Zukunft des Flugplatzes derzeit Unsicherheit. Der Abzug der kanadischen Streitkräfte vom Militärflugplatz Söllingen in der Nähe Baden-Badens eröffnet neue Perspektiven. Die möglichen Nutzungen umfassen regionalen Gewerbepark, Freizeit, Sport und Regionalflughafen. Baden-Baden ist Mitglied in der EGS, der »Entwicklungsgesellschaft Söllingen« für die Konversion des Geländes. (Neben den Städten Karlsruhe, Bühl, Rastatt und Sinzheim sind die Gemeinden Hügelsheim und Rheinmünster sowie der Lkr. Karlsruhe und verschiedene Organisationen Mitglied). Folglich sind damit alle Bestrebungen der Flughafengesellschaft Baden-Baden für eine Verlängerung der Start- und Landebahn derzeit zurückgestellt, und die weitere Entwicklung des Flugplatzes Baden-Baden läßt sich erst nach einer endgültigen Entscheidung über die künftige Nutzung des bisherigen Militärflugplatzes Söllingen absehen.

2. Wirtschaft und Verkehr

Ver- und Entsorgung

Versorgung

Versorgungsbetriebe. – Die Stadtwerke versorgen die Stadt Baden-Baden mit Gas, Wasser und Strom und außerdem die Gemeinden Iffezheim und Hügelsheim mit Gas. Die Verkehrsbetriebe in Form der »Baden-Baden-Linie« sind im Querverbund angeschlossen (vgl. S. 395).

Die *Stadtwerke* werden als sog. »Eigenbetrieb« der Stadt Baden-Baden geführt, d. h., sie bilden einen Betrieb ohne eigene Rechtspersönlichkeit, aber mit einer von der Stadt und ihrem Haushalt losgelösten, getrennten Vermögensmasse. Die Organe des Eigenbetriebs sind der Gemeinderat, der Werksausschuß und die Werksleitung. Ihre Aufgaben und Tätigkeiten sind durch eine entsprechende Satzung und Betriebsordnung geregelt. Die Betriebssatzung ist vergleichbar mit der einer Aktiengesellschaft bzw. der einer GmbH. Der Querverbund zwischen den Versorgungszweigen und den Verkehrsbetrieben ermöglicht, daß steuerlich ertragsstarke Betriebszweige wie die Versorgungszweige mit ertragsschwachen Betriebszweigen wie den Verkehrsbetrieben saldiert werden können.

Zum 31.12.1991 weisen die Stadtwerke ein Bilanzvolumen von rd. 164 Mio. DM aus. Davon entfallen rd. 130,5 Mio. DM auf die Versorgungsbetriebe und 33,5 Mio. DM auf die Verkehrsbetriebe. Die Stadtwerke haben folgende Anteile an den nachstehend genannten Verbundunternehmen:

– Rebland GmbH	100,00 %	5,000 Mio. DM
– Gasversorgung Süddeutschland	2,19 %	2,800 Mio. DM
– Stille Beteiligung GVS		1,314 Mio. DM
– Verkehrsgesellschaft Baden-Baden/Gaggenau GmbH	50,00 %	0,050 Mio. DM
– Flughafengesellschaft Baden-Baden	96,00 %	1,000 Mio. DM
– Parkgaragengesellschaft Baden-Baden mbH	100,00 %	17,700 Mio. DM
– Reisebüro Baden-Baden GmbH	55,00 %	0,055 Mio. DM
– Stammkapital Stadtwerke		42,500 Mio. DM

Die Stadtwerke haben derzeit ohne Mitarbeiter mit Zeitverträgen und ohne Auszubildende 390 Beschäftigte.

Wasserversorgung. – Zu Beginn des 19. Jh. war die Versorgung der Bevölkerung mit Wasser hauptsächlich durch Brunnen im Stadtgebiet sichergestellt. Der aufblühende Kurort stellte frühzeitig hohe Ansprüche an die Trinkwasserversorgung. In den Jahren 1864 bis 1874 wurden deshalb für die *zentrale Versorgung* der Stadt stadtnahe Quellen gefaßt. Zuerst wurden vor allem Quellen östlich des Tales, also unterhalb des Batterts und des Merkurs, gefaßt, anschließend auch im Bereich des Tiergartens und Quettigs (im Bereich des heutigen Südwestfunks).

Um den steigenden Ansprüchen an den Wasserverbrauch zu genügen, wurde Wasser aus dem Bereich der *»Scherr«* im Osten der Stadt aus den Bergen des Nordschwarzwaldes unterhalb der Badener Höhe erschlossen. Diese Quellen liegen in einem der ausgedehntesten kommunalen Waldgebiete und sind fassungs- und bautechnisch sehr interessant. Die geologischen und hydrologischen Voraussetzungen ergeben einen ca. 15 km langen Quellhorizont östlich der Stadt im Schwarzwaldmassiv. Er wird durch den leicht nach Westen geneigten Badener Granit gebildet, der etwa von der Roten Lache auf Höhe 620 m ü. NN bis zum Plättig auf Höhe 780 m ü. NN gleichmäßig ansteigt. Aus diesen Höhendifferenzen ergibt sich auch die Lage einer mit hydraulisch einwandfreiem Gefälle angeordneten Quellwassersammelleitung, an die alle Quellwas-

Tabelle 1   Das Baden-Badener Trinkwasser. Chemisch-Physikalische Wasseruntersuchung

Parameter / Einheit			Probenentnahmestellen			
			Quellwasser Plättiggruppe		Grundwasserwerk	
			Rohwasser 1)	Reinwasser 2)	Rohwasser 3)	Reinwasser 4)
Farbe	qualitativ		farblos	farblos	leicht gelblich	farblos
Trübung	qualitativ		keine	keine	leicht trüb	keine
Geruch	qualitativ		ohne	ohne	ohne	ohne
Temperatur in °C			7,8	7,8	11,4	11,7
Leitfähigkeit (bei 25° C)		mS/m	6,5	12,9	61,3	60,8
Sauerstoff		mg/l	12,5	12,9	0,1	8,4
pH-Wert (ber.)			6,13 (17,6°C)	8,33 (17,8°C)	7,13 (18,8°C)	7,13 (17,4°C)
pH-Wert nach $CaCO_3$-Sätt.			8,42 (7,8°C)	8,68 (7,8°C)	7,20 (11,4°C)	7,22 (11,7°C)
Säurekapazität	bis pH 4,3	mol/cbm	0,29	1,0	4,96	4,86
Basekapazität	bis pH 8,2	mol/cbm	0,449 (17,6°C)	–	0,876 (18,8°C)	0,789 (19,1°C)
Säurekapazität	bis pH 8,2	mol/cbm	–	0,005 (17,8°C)	–	–
Gesamthärte		mol/cbm	0,25	0,60	2,93	2,93
Sättigungsindex			−3,44	−0,24	−0,06	−0,03
Delta pH (Calcit)			−2,21	−0,22	−0,04	−0,02
Calcitlösekapazität		mg/l	45,6	1,3	5,8	2,7
Calcium	Ca^{2+}	mg/l	5,6	15,1	104,6	104,0
Magnesium	Mg^{2+}	mg/l	2,7	5,4	7,5	7,9
Natrium	Na^+	mg/l	1,0	1,0	13,7	13,6
Kalium	K^+	mg/l	1,5	1,4	1,5	1,6
Ammonium	NH_4^+	mg/l	< 0,05	< 0,05	0,05	0,05
Eisen	Fe	mg/l	< 0,01	< 0,01	1,93	0,01
Mangan	Mn	mg/l	< 0,01	< 0,01	0,12	0,01
Aluminium	Al	mg/l	–	< 0,03	–	< 0,03
Chlorid	Cl	mg/l	1,8	1,4	22,0	21,8
Nitrat	NO_3	mg/l	8,0	7,9	1,0	1,1
Nitrit	NO_2	mg/l	0,01	0,01	0,01	0,01
Sulfat	SO_4^{2-}	mg/l	6,5	6,1	50,9	51,6
Orthophosphat	PO_4^{3-}	mg/l	0,02	0,03	0,03	0,01
Phosphor, gesamt	PO_4^{3-}	mg/l	–	–	–	–
Fluorid	F	mg/l	–	0,04	–	0,10
Cyanid, gesamt	CN	mg/l	–	0,01	–	0,01
Silikat, gesamt	Si	mg/l	–	2,7	5,1	5,1

Entnahmedatum: 9. 3. 1992
Quelle: Stadtverwaltung Baden-Baden

seranlagen angeschlossen sind. Die Fassungsbauwerke bestehen aus langen Stollengalerien und über 40 Einzelbauwerken, in die das Wasser aus dem Felsgestein frei einlaufen kann. Aus dieser geologischen Herkunft bestimmt sich auch der Wassercharakter eines vorzüglichen weichen Quellwassers. Der 4 km langen Zuleitung zur Stadt wurde 1878 erstmals Wasser entnommen. Die Quellen kamen aus einer Höhe von 700 m, so daß ein entsprechend hoher Druck in der Stadt zur Verfügung stand. Die Kapazität wurde auf 20 000 Einwohner mit einem Verbrauch von angenommen 100 l/Einwohner ausgelegt. Baden-Baden hatte zu dieser Zeit 12 000 Einwohner, 2000 cbm/Tag wurden von den

Quellen zur Stadt geleitet. Ein Behälter von 2000 cbm Inhalt auf der Friedrichshöhe war Teil dieser Wasserversorgung. Bis 1905 wurden alle *Quellen im Bereich der Scherr* von der Roten Lache bis zum Plättig erschlossen. Ebenso wurde ein System von Wasserbehältern gebaut, das für mindestens 24 Stunden den Verbrauch der Stadt sicherstellte.

In dem Maß, wie Hotels entstanden, immer mehr Gäste kamen und der Komfortanspruch immer größer wurde, d. h., auch Bäder in den Hotels den Gästen zur Verfügung standen, stieg auch der Wasserverbrauch. Auch die Bevölkerung schätzte das bequeme Entnehmen von Wasser aus dem Hahn mehr als das beschwerliche Wasserholen am Brunnen, wodurch der Verbrauch ebenfalls gesteigert wurde.

Eine Zwischenepisode stellte die Erschließung der *Herrenwieser Quellen* jenseits des Höhenrückens der Badener Höhe dar. Von dort wurde mit Hilfe eines Pumpwerks Wasser nach Baden-Baden geleitet. Wegen der fortschreitenden Elektrifizierung des Landes und der damit verbundenen Anlage von Stauseen für die Nutzung der Wasserkraft an der Murg wurden die Verträge nach wenigen Jahren vom Land gekündigt.

Als Folge fiel 1911 die Entscheidung im Gemeinderat, *Tiefbrunnen im Oberrheingraben* zu errichten. Bereits 1912 wurde eine erste Leitung nach Baden-Baden (Durchmesser 400 mm, Länge 12 km) zum Behälter »Friedrichshöhe« in Betrieb genommen und damit langfristig die Wasserversorgung sichergestellt. Die Oberrheinebene birgt in ihrem Untergrund einen der größten Trinkwasserspeicher Europas. Durch ihre Zuflüsse aus dem Alpenraum und den Gebirgstälern von Schwarzwald und Vogesen ist eine sichere Wasserentnahme bis ca. 3 Mrd. cbm/Jahr möglich. Nach dem Zweiten Weltkrieg verdoppelte sich die Bevölkerung Baden-Badens durch die Französischen Stationierungskräfte schlagartig, so daß ab 1950 eine weitere Ausbauphase einsetzen mußte. 1952 wurde eine zweite Grundwasserdruckleitung (400 mm) bis in die Weststadt zur Kapazitätserweiterung fertiggestellt. Weitere Behälter wurden gebaut. 1954 schloß sich die damals selbständige Gemeinde Sandweier an die Wasserversorgung von Baden-Baden an.

Die 1970er Jahre waren geprägt vom Ausbau der Wasseraufbereitungsanlagen auf der Quellwasserseite. Um ein chemisch vollkommen neutrales Wasser zu erreichen, wurden insgesamt drei Entsäuerungsanlagen mit Leistungen von 240, 120 und 70 cbm/h errichtet. Durch die Eingliederung des Reblandes, der Gemeinden Haueneberstein und Ebersteinburg (1971–1974) waren zusätzliche Netzerweiterungen der Baden-Badener Wasserversorgung notwendig. Die Wasserversorgung der drei Gemeinden Varnhalt, Neuweier und Steinbach war mangelhaft. In den Jahren 1974–1976 wurde deshalb ein neuer Zentralbehälter mit 3000 cbm Inhalt gebaut. Die Steuerung der Wasserzuführung zu den Stadtteilen erfolgt durch eine vollautomatische Pumpenstation. Angesichts des Nitratgehalts des Grundwassers, der sich an der Grenzwertmarke bewegt, ist vertraglich gesichert, derzeit Wasser aus Bühl zuzumischen. Mittelfristig ist vorgesehen, die Wasserqualität durch einen Anschluß des Reblandes an die Baden-Badener Trinkwasserversorgung in Sandweier (Grundwasserwerk Oberwald) zu verbessern. Eine für das Rebland eigenständige Wasseraufbereitungsanlage wird derzeit alternativ untersucht. Im Jahr 1979 wurde der Stadtteil Haueneberstein von Oos her an das Wasserverteilungsnetz Baden-Badens angeschlossen. Ebenso wurde Ebersteinburg, das an die Wasserversorgung Gaggenau angeschlossen war, über eine 3,3 km lange Leitung angeschlossen.

Das *Grundwasserwerk im Oberwald* besteht heute aus 20 Vertikalbrunnen mit einer Bohrtiefe von 28 m, 20 Unterwasserpumpen mit einer Gesamtleistung von 800 cbm/h sowie einem Horizontalfilterbrunnen mit einer Tiefe von 35 m und drei Unterwasserpumpen mit einer Gesamtleistung von 1600 cbm/h. Das Grundwasserschutzgebiet im Westen der Stadt umfaßt Schutzzonen von 910 ha und ein Fassungsgebiet von 200 ha.

Der gesamte *Wasserverbrauch* Baden-Badens kann durch Eigengewinnung gedeckt werden. Die dargebotene Wassermenge beläuft sich auf 4,577 Mio. cbm, davon sind 2,284 Mio. cbm Grundwasser und 2,293 Mio. cbm Quellwasser. Der höchste Tagesverbrauch im Jahr 1991 lag bei 17890 cbm (11. 7.), der niedrigste bei 9654 cbm (25. 12.). Die *Länge des Wasserrohrnetzes* beträgt derzeit rd. 377 km. An diesem sind 8285 Hausanschlüsse installiert. Der Wasserpreis beträgt derzeit 2,30 DM. Er wurde letztmals am 1. 7. 1992 von 1,81 DM auf den derzeitigen Stand erhöht. Die Entwicklung des Wasserabsatzes ist dem Schaubild S. 403 zu entnehmen.

Der steigende Wasserpreis führt tendenziell zu Einsparungen beim Verbrauch und damit zum durchaus erwünschten Effekt der Schonung der Wasserressourcen. Der Wasserverbrauch ist aber auch in erheblichem Umfang witterungsabhängig. 1991 war erstmals wieder eine steigende Tendenz des Wasserverbrauchs erkennbar.

Stromversorgung. – Bedingt durch die Kurortfunktion hat auch die Stromverteilung in Baden-Baden sehr frühzeitig Einzug gehalten. Es standen bereits 1890 in einzelnen Hotels eigene kleine Elektrizitätswerke zur Verfügung. Straßenbahn, Bergbahn, aber auch die Ansprüche an die öffentliche Beleuchtung, machten 1898 die Einrichtung eines *städtischen Elektrizitätswerkes* notwendig, das neben dem Gaswerk an der Waldseestraße errichtet wurde. Es zählt damit zu den ältesten E-Werken in Deutschland. Der Strom wurde mit Dampf- und Dieselmaschinen erzeugt, die anfangs eine Leistung von 270 kW hatten und Gleichstrom mit einer Spannung von 160 Volt lieferten.

Tabelle 2   **Stromabgabe 1991/92 in Tsd. KWh**

Abnehmer	1991	1992
Haushalte	63 717	66 940
Gewerbe	25 737	25 323
Sonderabnehmer	79 567	79 928
Stadt	14 444	13 080
Eigenverbrauch	2 675	2 326

Quelle: Stadtverwaltung Baden-Baden

Tabelle 3   **Stromverteilungsnetz 1991/92**

Art der Leitungen	1991	1992
Hochspannungskabel	5 872 m	5 872 m
Mittelspannungskabel	126 180 m	133 128 m
Niederspannungskabel	199 470 m	204 526 m
Mittelspannungsfreileitungen	10 228 m	10 228 m
Niederspannungsfreileitungen	62 684 m	62 329 m
Schwachstrom	290 149 m	297 125 m
Hausanschlußkabel	127 124 m	128 409 m
Anzahl der Hausanschlüsse	6 817	6 891

Quelle: Stadtverwaltung Baden-Baden

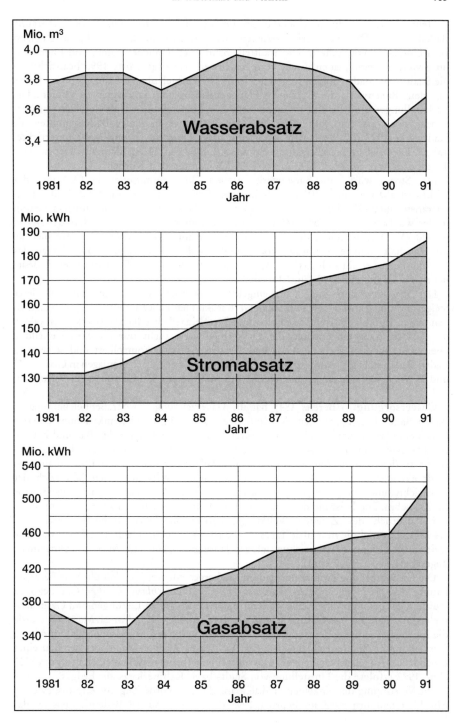

Heute betreiben die *Stadtwerke* ein umfangreiches Netz zur Stromversorgung Baden-Badens. Die Stadtwerke beziehen ihren Strom vom Badenwerk, das Rebland vom Überlandwerk Achern. Die Stadtteile Sandweier, Haueneberstein und Ebersteinburg werden derzeit noch direkt vom Badenwerk versorgt. Mitte 1995 beabsichtigen die Stadtwerke Baden-Baden wegen des Ende 1994 ausgelaufenen Konzessionsvertrages mit dem Badenwerk die Ortsnetze Haueneberstein und Sandweier zu kaufen. Die Verhandlungen sind bereits abgeschlossen. Für Ebersteinburg läuft der Konzessionsvertrag noch bis zum Jahr 2005. Für den Verbrauch in Baden-Baden mußten die Stadtwerke 1992 rd. 194,4 Mio. kWh einkaufen. Über die Stromabgabe unterrichtet Tab. 2. Die höchste Netzbelastung trat am 5. 2. 1992 mit 34 090 kWh auf. Der höchste Tagesbezug war am 22. 1. 1992 mit 657 000 kWh festgestellt worden.

Der Strom wird vom Badenwerk in zwei *Umspannstationen* in Oos und der Waldseestraße von einer 110 000-Volt-Leitung übernommen und auf 20 000 Volt heruntertransformiert. Die Umspannstation Oos wurde 1965 errichtet. Die Umspannstation in der Waldseestraße wurde 1975 in Betrieb genommen. Bis dahin erfolgte der Bezug mit 20 kV. Derzeit stellen 195 Umspannstationen im gesamten Versorgungsgebiet die im Haushalt übliche Spannung von 230/400 Volt zur Verfügung. Die Länge des Leitungsnetzes ergibt sich aus Tab. 3, und die Entwicklung des Stromabsatzes verdeutlichen die Grafik auf S. 403 und Tabelle 2.

Der *Stromverbrauch* stieg trotz eingeleiteter Sparmaßnahmen konstant. An dieser Steigerung sind Tarifkunden und Sondervertragskunden nahezu gleichmäßig beteiligt. In den Jahren 1979 bis 1981 wurde eine zentrale Netzleitstelle bei der Stadtwerke-Zentrale in der Waldseestraße eingerichtet, die als Verbundwarte nicht nur die Stromverteilung überwacht, sondern auch die Gas- und Wasserversorgung kontrolliert und steuert. In Baden-Baden stehen Leistungstransformatoren in zwei Freiluftschaltanlagen in Oos mit 23 und 25 MVA sowie in einer weiteren mit 31,5 MVA in der Waldseestraße zur Verfügung.

Gasversorgung. – Bereits 1845 hat die Gaserzeugung zur Straßenbeleuchtung in Baden-Baden Einzug gehalten. Auf Initiative des damaligen Spielbankpächters Bénazet erhielt ein Gasfabrikant aus Lyon (Frankreich) die Konzession für den Bau und Betrieb eines Gaswerks bis 1871. Dieses erste kleine Werk befand sich gegenüber der Waldseestraße an der Mozart-/Leopoldstraße. Nach Ablauf der Konzession 1871 erbaute die Stadt ein eigenes *Gaswerk* in der Waldseestraße. Bereits im ersten Jahr nach der Inbetriebnahme betrug die Jahresgasabgabe rd. 537 000 cbm, die maximale Tagesabgabe ca. 2300 cbm. Die Leistung des Gaswerks stieg kontinuierlich im Laufe der Jahre. 1938, vor Ausbruch des Zweiten Weltkriegs, betrug die Jahresgasabgabe bereits rd. 4,4 Mio. cbm und die maximale Tagesabgabe rd. 15 000 cbm. Nach dem Krieg war eine weitere Steigerung zu verzeichnen (1953: Jahresgasabgabe 11,5 Mio. cbm, maximale Tagesabgabe rd. 39 000 cbm).

Die Gasversorgung konnte nur dadurch sichergestellt werden, daß über die Ferngasleitung der 1962 gegründeten *Gasversorgung Süddeutschland GmbH* Gas bezogen wurde. Dies bedingte eine Reihe weiterer Baumaßnahmen an Leitungen und Gasdruckreglerstationen, um das Gas ins städtische Netz einzuspeisen. Am 21. Mai 1965 wurde die Eigengaserzeugung der Stadtwerke eingestellt und das Gas ausschließlich durch die Gasversorgung Süddeutschland bezogen. Sichtbares Zeichen war dabei der Bau eines Hochdruck-Kugelgasbehälters in Oos mit einem (geometrischen) Gehalt von 10 000 cbm. 1972 erfolgte die Umstellung von Stadt- bzw. Raffineriegas auf Erdgas.

Die Versorgung der einzelnen Stadtteile mit *Erdgas* wurde Zug um Zug ausgeweitet. Mit Ebersteinburg wird im Februar 1995 der letzte Stadtteil Baden-Badens an das

Gasnetz angeschlossen. Dabei betreiben die Stadtwerke eine offensive Akquisition, um den Erdgasverbrauch zu steigern und den Einsatz fossiler Energieträger zu ersetzen. Die 1991 bezogene Menge betrug 515,1 Mio. cbm. Dies bedeutet gegenüber dem Vorjahr eine Steigerung um 12,8 %. Diese Entwicklung war einerseits witterungsbedingt – das ganze Gasgeschäft ist überhaupt stark witterungsabhängig –, zum anderen trugen neu hinzugewonnene Heizgaskunden im Tarif- und Sonderabnehmerbereich wesentlich zur Absatzsteigerung bei. Die Stadtwerke versorgen auch die Ortsnetze Hügelsheim und Iffezheim. Auslöser hierzu war usprünglich die Versorgung des Natoflughafens Söllingen, der eine annähernd wirtschaftliche Nutzung dieser Gasleitung frühzeitig ermöglichte. Im Gaswirtschaftsjahr 1991 wurden an die Abnehmer in Hügelsheim ca. 2,88 Mio. cbm, in Iffezheim rd. 1,13 Mio. cbm geliefert. Der Gasabsatz ist dem Schaubild S. 403 zu entnehmen.

Im Jahr 1991 wurden 515,123 Mio. kWh Erdgas bezogen. Davon entfielen auf

Haushalte	96 418 Tsd kWh
Gewerbe	10 081 Tsd kWh
Sonderabnehmer	354 808 Tsd kWh
Stadt	48 782 Tsd kWh
Eigenverbrauch	5 034 Tsd kWh

Die höchste Tagesbezugsmenge betrug am 11. 12. 1991 3 057 250 kWh.

Das Baden-Badener Gasrohrnetz hat Hochdruckleitungen mit einer Länge von 45 618 m, Mitteldruckleitungen von insgesamt 44 433 m, Niederdruckleitungen einschließlich Hausanschlußleitungen von 176 225 m und Laternenleitungen mit einer Gesamtlänge von 7771 m. Die Anzahl der Hausanschlüsse entwickelte sich von 3603 im Jahr 1981 über 3823 (1985) und 4430 (1990) auf 4631 im Jahr 1991.

Entsprechend läßt sich die Entwicklung des Gasrohrnetzes darstellen (in Metern):

	1981	1985	1990	1991
Hochdruckleitungen	33 463	42 791	45 168	45 618
Mitteldruckleitungen			36 591	44 433
Niederdruckleitungen	162 917	176 335	174 227	176 225
Laternenleitungen	7 671	7 660	7 831	7 771
	204 051	226 786	263 817	274 047

Der weitere *Ausbau des Gasnetzes* hängt im wesentlichen von dessen Wirtschaftlichkeit ab. Soweit keine Sonderabnehmer vorhanden sind, die einen sofortigen hohen Gasverbrauch garantieren, lassen sich Gasleitungen kaum wirtschaftlich betreiben. Die Umstellung von privaten Haushalten auf Gas erfolgt in der Regel erst bei der Erneuerungsbedürftigkeit von vorhandenen Strom- oder Ölheizungsanlagen und kann sich über einen Zeitraum von 10 bis 20 Jahren hinziehen. Im Zusammenhang mit Neubaugebieten werden Gaserschließungen sofort durchgeführt.

Die Stadtteile Neuweier, Varnhalt und Steinbach werden von den *Gasbetrieben Bühl* mit Erdgas versorgt. Diese Stadtteile hatten 1971 bei ihrer Eingliederung in die Stadt bereits einen Vertrag mit den Gasbetrieben Bühl. In Ebersteinburg beginnt – wie erwähnt – 1995 die Erschließung mit Gas. In Sandweier und Haueneberstein wurden vorrangig die Neubaugebiete erschlossen.

Ausblick. – Um die unternehmerischen und energiepolitischen Ziele der Stadtwerke festzulegen, wurde im Jahr 1992 ein *Energieversorgungskonzept* erarbeitet, das im wesentlichen zu folgenden grundsätzlichen Ergebnissen kommt:
1. Für die Einsparung an Primärenergie bestehen erhebliche Potentiale. Diese liegen in Baden-Baden zum großen Teil im privaten Bereich. 80 % des Energieverbrauchs entsteht im Wohnhaus, vornehmlich im Einfamilienhausbereich. Durch verbesserte Heizungsanlagen und zusätzliche Gebäudeisolierung sind erhebliche Einsparungsmöglichkeiten gegeben.
2. Die bessere Ausnutzung der Energie in großem Maßstab ist durch den Einsatz von Blockheizkraftwerken, durch Brennwertkessel und durch Abwärmenutzung möglich. Dies ist vornehmlich bei großen Versorgungseinheiten, bei Gewerbebetrieben und öffentlichen Gebäuden sinnvoll.
3. Der Einsatz regenerativer Energien kann forciert werden (Holz, Sonne, Wasser, Wind, Biogas usw.).
4. Das vorhandene Gasversorgungsnetz soll verstärkt genutzt werden. Dies soll vornehmlich durch eine entsprechende Werbung und Akquisition geschehen. Die Anschlußquote beträgt derzeit ca. 52 %.

Die Stadtwerke haben mit verschiedenen Projekten bereits einen Einstieg ins Energiesparen vollzogen. Die Entlastung der Umwelt ist dabei oberste Zielsetzung. Dabei ist die Umsetzung des Kabinettsbeschlusses der Bundesregierung vom 7. 11. 1990 vorrangig, der besagt, daß die CO_2-Emission gegenüber 1987 bis zum Jahr 2005 um 25 % gesenkt werden muß.
1. Ein Blockheizkraftwerk ist in der Stadtklinik Baden-Baden seit April 1992 in Betrieb. Es ermöglicht eine wesentlich bessere Ausnutzung zur Wärmegewinnung des eingesetzten Gases, da gleichzeitig Strom erzeugt wird (thermische Leistung = 1000 kW, elektrische Leistung = 600 kW).
2. Eine Gasentspannungsanlage nutzt das Druckgefälle zwischen der Versorgungsleitung der Gasversorgung Süddeutschland und den Verteilungsleitungen der Stadtwerke. Mit diesem System kann eine durchschnittliche Leistung von 500 kW erzeugt werden.
3. Die Höhendifferenz zwischen zwei Wasserbehältern am Merkur wird zur Erzeugung von Strom mittels einer Wasserturbine genutzt (Leistung ca. 20 kW).
4. Die Abwärme eines 110 kV-Transformators soll zur Gebäudeheizung genutzt werden (Leistung ca. 60 kW).
5. In Heizkraftwerken soll auch Holz als Brennstoff eingesetzt werden (günstigster CO_2-Ausstoß). Baden-Baden als größter kommunaler Waldbesitzer hat einen hohen Anfall an Schwachholz. Die Holzabfälle von den Sägewerken in der Umgebung stehen auch zur Verfügung.
6. Deponiegas aus Mülldeponien soll zur Wärmeerzeugung genutzt werden (Brennstoff für BHKW).
7. Photovoltaikanlagen sollen für die Stromerzeugung genutzt werden. Die gewonnene Energie soll u. a. Solartankstellen speisen, die zur »Betankung« von Elektroautos installiert werden.
8. Der Einsatz der Windkraft – im Prinzip möglich – ist aus optischen und topographischen Gründen noch in der kontroversen Diskussion.

Insgesamt werden sich die Stadtwerke von einem reinen Versorgungsunternehmen künftig immer mehr zu einem Dienstleistungsunternehmen entwickeln, das die Beratung für den sinnvollen und sparsamen Umgang mit Energie betreibt und selbst mit Energieversorgungsanlagen zur besseren Ausnutzung aller möglichen Energieresourcen beiträgt – soweit dies finanziell und wirtschaftlich vertretbar ist.

Entsorgung

Abwasserbeseitigung. – Ähnlich wie bei der Entwicklung der Wasserversorgung, machte es die stürmische Entwicklung des Kurorts Ende des letzten Jahrhunderts erforderlich, im Interesse der Sauberkeit und Hygiene eine geordnete Ableitung des Abwassers sicherzustellen. Bereits 1890 führte der Stadtrat in einer Denkschrift zum Projekt der *Kanalisation* 5 Mißstände auf, die zum Bau der ersten Kanäle führten:
1. Beseitigung der Ansammlung von Sinkstoffen aller Art in den öffentlichen Kanälen (Dolen), »welche die Herausnahme mit Schaufel und die Wegführung mit Wagen« notwendig machten.
2. Eine größere Tieflage und allgemeinere Zugänglichkeit der neuen Kanalisation, »so daß alle normal gebauten Keller trockengelegt und alle Versitzgruben, welche eine Belästigung der Bewohner bildeten«, beseitigt werden konnten.
3. Verhinderung der »faulen Gärung und der dadurch hervorgerufenen gesundheitsschädlichen Gerüche im Bereich der Wohnungen«.
4. Beseitigung der Feuchtigkeit in Straßen und Häusern.
5. Die für die Stadt Baden-Baden außerordentlich wichtige Beseitigung des »zeitweise schlechten Geruchs in der Niederwasserrinne des Oosbachs unmittelbar neben der Promenade und am Mühlwehr beim Bahnhof«.

Hand in Hand ging der Bau einer *mechanischen Kläranlage* etwa auf Höhe der heutigen Feuerwache in der Weststadt, deren Ziel es war, 75 % der im Wasser vorhandenen Schwebstoffe zu beseitigen.

Der 1895 erbaute Hauptsammler unter der Oos ist heute noch betriebsfähig. Er hat einen Durchmesser von 600–900 mm. Er war als Mischwasserkanal geplant. Folglich wurden an der Oos zahlreiche Regenauslässe gebaut, die bei starken Regenfällen das verstärkt anfallende Regenwasser in die Oos entlasteten. Das Verdünnungsverhältnis von Regenwasser zu Schmutzwasser war dabei in der Regel 5:1.

Bis zum Jahr 1990 wuchs die Kanalisation in Baden-Baden auf eine Länge von 270 km. Davon sind 180 km Misch- und Schmutzwasserkanäle und rd. 90 km Regenwasserkanäle (einschließlich Rebland). 1952 wurde westlich des Stadtteils Oos eine *mechanische Kläranlage* errichtet, die 1962/63 um eine *biologische Stufe* (feinblasige Belüftung) erweitert wurde. Zusammen mit der mechanischen Kläranlage wurde 1953 eine *Kompostierungsanlage* gebaut, die unter Verwendung von Klärschlamm und unter Hinzufügung von Hausmüll Kompost erzeugte. Diese Anlage war eine der ersten ihrer Art in Deutschland und arbeitete bis zum Jahr 1975. Verarbeitet wurde dabei nur der »Sommermüll«, da während der Winterzeit aufgrund der tiefen Temperaturen kein Kompost entstehen konnte.

Derzeit kommt der *Reinigung des Regenwassers* besondere Bedeutung zu. Die Stadt muß hier im Zuge ihres Kanalnetzes ein Rückhalte-Volumen von rd. 7700 cbm bauen. Fertiggestellt sind hiervon bisher rd. 2400 cbm, und zwar ein Regenrückhaltebecken bei der neuen Großkläranlage, ein Regenrückhaltebecken beim Kongreßhaus und 4 Staukanäle im Zuge des Kanalnetzes.

Die Kreisreform Anfang der 1970er Jahre brachte durch die Eingliederung der Reblandstadtteile sowie der Stadtteile Haueneberstein, Sandweier und Ebersteinburg zusätzliche Aufgaben im Hinblick auf die Entwässerung für die Stadt und führte letztlich zum Neubau einer *Großkläranlage* im Westen der Stadt auf Gkg Sinzheim.

Die vorhandene Kläranlage in Oos aus dem Jahre 1952 war bereits an der Grenze ihrer Kapazität angelangt und nicht in der Lage, weitere Abwassermengen aufzunehmen. Auch die geographische Lage war im Hinblick auf die Reblandstadtteile und

Sinzheim sowie des Bühler Stadtteils Weitenung ungünstig. Kurz vor der Eingemeindung des Reblands hatten die Gemeinden Sinzheim und Weitenung und die drei Reblandstadtteile Neuweier, Steinbach und Sandweier noch einen Abwasser-Zweckverband gegründet mit dem Ziel, ihr Abwasser in Kanälen zu sammeln und zu einer gemeinsamen Kläranlage im Raum Sinzheim zu leiten.

Im Rebland waren zu dieser Zeit noch kaum Abwasserkanäle vorhanden. Das Abwasser wurde weitgehend in Sickergruben am Haus gesammelt. Zusammen mit dem Bau des Hauptsammlers entlang des Sandbachs von Weitenung bis nach Sinzheim wurden die Stadtteile kanalisiert. Zum Bau der Kläranlage dieses Verbandes kam es nicht mehr. Die Aufgabe des Verbandes besteht heute im Betrieb des Hauptsammlers. Gemeinsam mit der Stadt Baden-Baden, Sinzheim und Bühl wurde dann die »Großkläranlage Baden-Baden/Sinzheim« gebaut, die auf einen Trockenwetterzufluß von 36000 cbm/Tag ausgelegt ist. Sie weist heute eine Reinigungsleistung von über 95 % auf. Die Abwässer der Stadtteile Haueneberstein und Sandweier werden mittels eines Pumpwerks am Landgraben mit einer Kunststoffdruckleitung (Durchmesser 450 mm) gegen das natürliche Gefälle zurück zur Großkläranlage gepumpt. Diese Leitung wurde im Jahr 1976 in Betrieb genommen. Der Stadtteil Ebersteinburg leitet seine Abwässer ins Murgtal zur Verbandskläranlage des Abwasserverbandes Murg in Gaggenau. Aufgrund der geographischen Lage dieses Stadtteiles ist es aus wirtschaftlichen Gründen sinnvoll, diese Lösung beizubehalten.

Die Großkläranlage besteht aus dem Hebewerk, Rechen, Sandfang (460 cbm), Vorklärbecken (2100 cbm), Belebungsbecken (7200 cbm), Nachklärbecken (12400 cbm) und Faultürmen (6000 cbm). Derzeit ist der Bau einer dritten Reinigungsstufe zur Entfernung von Stickstoffverbindungen geplant. Im Hinblick auf die erheblichen Kosten werden verschiedene Alternativen untersucht. Die Investitionsbandbreite erstreckt sich derzeit dabei von 20–40 Mio. DM. Baden-Baden nimmt bei der Reinigungsleistung der Abwässer im Landesdurchschnitt einen der vorderen Plätze ein.

Abfallbeseitigung. – Bereits seit 1834 hat Baden-Baden eine *Hausmüllabfuhr*. Der Müll wurde dabei auf Kippen abgelagert. 1952 mit Inbetriebnahme des Klärwerks in Oos wurde eine Kompostierungsanlage in Betrieb genommen, die dem Gedanken einer Wiederverwertung und Rückführung der Abfälle in den natürlichen Stoffkreislauf bereits Rechnung trug. Die Technik dieser Anlage war aber noch nicht so ausgereift, daß sie den steigenden Müllmengen und der veränderten Zusammensetzung des Mülls entsprach. Nach ihrer Stillegung wurde der Müll auf *geordnete Deponien* gebracht.

Im Jahr 1974 wurde die *Deponie Tiefloch* gebaut. Sie wurde für eine Kapazität von 1,7 Mio. cbm ausgelegt und hatte damit eine voraussichtliche Laufzeit von 30 Jahren. Im Laufe der Jahre wurde klar erkennbar, daß auf dem Stadtgebiet im Hinblick auf die zahlreichen vorhandenen Schutzgebiete die Ausweisung einer weiteren Hausmülldeponie ausgeschlossen ist. Unabhängig davon, daß ein Genehmigungsverfahren zur Erweiterung der Deponie Tiefloch betrieben wird, nahmen die Aspekte der *Müllvermeidung*, *Müllverwertung*, die gesonderte Ablagerung von Aushub und Bauschutt breiten Raum ein. Der Transport von Hausmüll nach Frankreich blieb auf eine kurze zeitliche Episode (1989/90) beschränkt (15000 cbm/Jahr).

Im Jahr 1990 stellte die Stadt ein »Abfallwirtschaftliches Konzept« auf, das neben einer Bestandsaufnahme auch die Richtung für die künftige Müllpolitik aufzeigt. Dieses Konzept wird Zug um Zug umgesetzt.

1992 basierte die *Müllabfuhr* im Stadtgebiet auf einem Sammelsystem mit 110 l-Tonnen, von denen 11000 in der Kernstadt, und 50 l-Tonnen, von denen 6500 im Umland

2. Wirtschaft und Verkehr

Tabelle 4 **Abfälle in Tonnen 1984–1989**

Abfallart	1984	1985	1986	1987	1988	1989
Hausmüll	15 660	15 140	15 255	15 960	17 025	16 604
Gewerbemüll	7 480	7 655	7 730	9 700	13 510	12 973
Sperrmüll	2 100	1 950	2 520	3 430	3 340	2 300
Gartenabfälle incl. Friedhofsabfälle	3 600	2 835	2 130	1 725	1 685	1 488
Rechengut: Klärschlamm	4 300	5 345	4 575	4 265	890	607
Kehrmaschinen	850	850	850	850	850	822
Schlammsaugwagen	1 200	1 200	1 200	1 200	1 200	1 200
Kleinanlieferer	600	600	600	600	600	600
Zwischensumme	35 795	35 575	34 860	37 730	39 100	36 594
Bauschutt	49 040	39 694	44 640	63 670	79 030	49 652
Erdaushub	102 310	65 589	86 785	207 920	217 745	172 919
Gesamtsumme Abfall	186 140	140 858	166 285	309 320	335 875	258 165

Quelle: Stadtverwaltung Baden-Baden

regelmäßig geleert wurden. Außerdem waren 700 Großbehälter mit einem Fassungsvermögen von jeweils 1,1 cbm im Einsatz. Abgeholt wurden ferner etwa 6200 Papiersäcke mit einem Inhalt von 50/70 l. Sperrmüll wurde in 1300 7,5 cbm-Mulden abgeführt. Dafür standen 7 Fahrzeuge mit einem Nutzvolumen von jeweils 13 bis 25 cbm zur Verfügung. Bewältigt wurde diese Arbeit in der Kernstadt von 32 Müllwerkern und 1 Aufseher. Im Umland wird die Müllabfuhr von einem Privatunternehmen betrieben.

Tabelle 5 **Wertstoffabfälle in Tonnen 1986–1989**

Wertstoffart	1986	1987	1988	1989
Altpapier	1 300	1 400	2 000	2 400
Altglas	750	800	900	1 050
Weißblech/Schrott	100	100	110	165
Gartenabfälle	2 500	3 000	6 000	8 300
Biomüll (Küchenabfälle)	–	–	–	50
Gemischte Kunststoffe	–	–	–	40
Styropor	–	–	20	20
Summe der Wertstoffe	4 650	5 300	9 030	12 025
+ Klärschlammverwertung	–	–	3 300	3 300
+ Summe Müll	34 860	37 730	39 100	36 594
= Gesamtsumme Abfälle	39 510	43 030	51 430	51 919
Verwertungsquote	12 %	12 %	24 %	30 %

Quelle: Stadtverwaltung Baden-Baden

Dem Zwang zur *Wiederverwertung von Abfällen* in Form von getrennten Sammlungen trägt die Stadt wie folgt Rechung: Seit 1988 wird von einem Privatunternehmer eine Kompostierungsanlage betrieben, die *Gartenabfälle* aus dem Stadtkreis Baden-Baden verarbeitet. 1992 wurden 50 000 cbm Gartenabfälle zu Kompost verarbeitet. Ergänzend

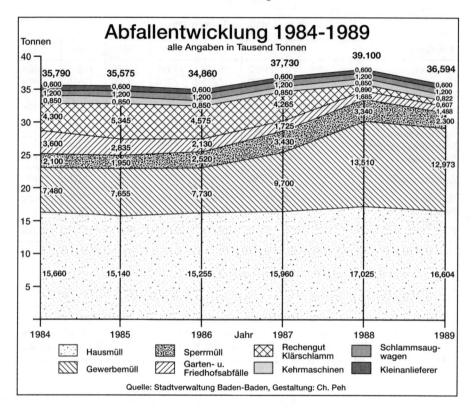

hierzu finden jährlich zwei Gartenabfallsammlungen statt. Mit steigender Tendenz wurden damit 1992 4300 cbm Gartenabfälle zusätzlich gesammelt. Die Kompostqualität ist konkurrenzlos gut. Im Jahr 1989 wurden ca. 2400 to *Altpapier* eingesammelt. Dies entspricht einem Wert von ca. 45 kg/Einwohner und Jahr. Die Sammlung geschah sowohl durch Vereine als auch durch monatliche Sammlungen bei den Haushaltungen (»Hol-System«). Für das Gewerbe bestand eine wöchentliche Abfuhr von Kartonagen. *Altglas* wird in ca. 60 Altglascontainern (ca. 500 Einwohner/Container) gesammelt. 1989 wurden 1050 t Altglas eingesammelt, dies entspricht etwa 19 kg/Einwohner und Jahr (»Bring-System«). *Altmetalle* wurden in 12 Containern, die im Stadtgebiet verteilt waren, gesammelt. Hierbei handelt es sich in der Hauptsache um Konserven- und Getränkedosen. Auf der Deponie Tiefloch wird *Metallschrott* gesammelt. *Altkleider* werden durch die üblichen Sammlungen caritativer Organisationen von der Deponie ferngehalten.

Bestimmte Abfälle werden aufgrund ihrer Gefährdung für die Umwelt oder ihrer guten Wiederverwertung wegen ebenfalls getrennt gesammelt. Dies sind Styropor, Leuchtstoffröhren, Kühlschränke, Batterien und Arzneimittel.

Eine besondere Bedeutung kommt der getrennten Ablagerung bzw. Erfassung von *Bauschutt, Straßenaufbruch* und *Aushub* zu. Von den 1989 im Stadtgebiet angefallenen ca. 50 000 t Bauschutt wurden ca. 65 % dem Bauschuttrecycling zugeführt. Erdaushub

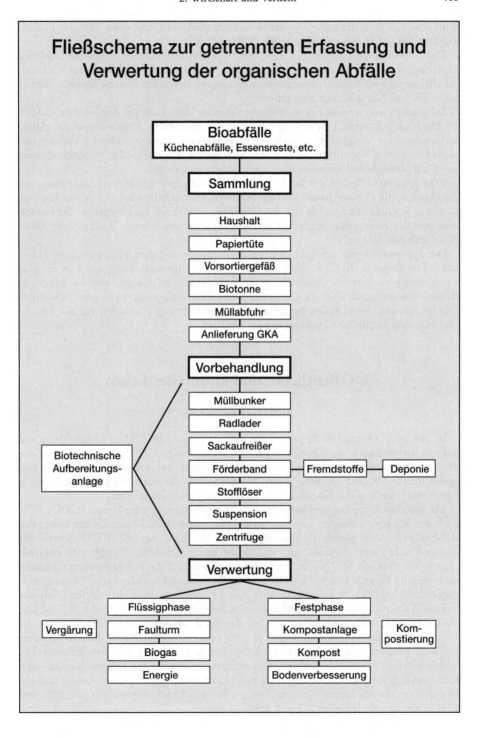

wird – soweit er nicht sofort wiederverwendet wird (dies sind etwa 30 %) – in einer eigenen Erdaushubdeponie abgelagert. (1989: 173 000 to).

Der *Klärschlamm* wurde bis 1990 einem Privatunternehmer überlassen. Mittels Holzrinde wurde er zu einem kompostartigen Düngemittel verarbeitet, das im Landschaftsbau und zu Rekultivierungszwecken eingesetzt wurde. Hierzu wurden jährlich 3000–3500 to Klärschlamm abgegeben.

Inzwischen sind weitere Entwicklungen absehbar bzw. kurz vor der Inbetriebnahme. Im Hinblick auf die sich stetig verringernden abzulagernden Abfallmengen bei gleichbleibenden bzw. steigenden Kosten der Deponierung wurde ein neues Behälter- und Gebührensystem eingeführt, das sowohl verschiedene Behältergrößen vorsieht, als auch einen variablen Abholturnus in die Überlegungen einbezieht.

1993 begann in Teilen der Stadt ein Versuch mit einer getrennten Sammlung von *Bioabfällen*, die in einer neuen Anlage bei der Großkläranlage behandelt werden (vgl. Grafiken S. 410f.). Es handelt sich im Grundsatz um Vergärungsvorgänge, die kombiniert mit der Kompostierung von Gartenabfällen zur erheblichen Reduzierung dieser Abfallfraktion führen.

Die *Sperrmüllabfuhr* erfolgt nur noch auf Anforderung durch die einzelnen Haushalte. Die *Deponie Tiefloch* wird mittels einer Zwischenabdeckung aus Ton für eine Erweiterung vorbereitet. Diese Arbeiten sind derzeit im Gange, um die künftigen Restmüllmengen auch über die Jahrtausendwende hinaus gesichert ablagern zu können. Die Einführung des »Dualen Systems Deutschland« bringt zumindest für die örtliche Deponie eine zusätzliche Entlastung von Abfällen.

3. Öffentliches und kulturelles Leben

Politisches Leben

In den zurückliegenden 25 Jahren hat sich das politische Bild in Deutschland und auch in Baden-Baden verändert. Die Prozentanteile der großen Parteien haben bei den Wahlen etwas abgenommen – eine neue politische Kraft hat sich etabliert: Die Grünen, später Bündnis 90/Die Grünen. Hinzu kommen Ende der achtziger Jahre die Republikaner, die jedoch in der Kurstadt auf keine große Resonanz stießen.

Bei den *Bundestagswahlen* hatte die Christlich Demokratische Union (CDU) 1976, nach den Eingemeindungen von Sandweier, Haueneberstein, Ebersteinburg sowie den Reblandgemeinden Steinbach, Neuweier und Varnhalt, wo die CDU jeweils die dominierende Partei darstellt, mit 55,2 % ihr bestes Ergebnis. Weniger Stimmanteile erzielte sie 1994 mit 46,7 %. In der Regel bewegten sich die kurstädtischen Christdemokraten im Bereich von 50 %. Während die Sozialdemokratische Partei Deutschlands (SPD) 1972 auf 35,1 % kam, reduzierte sich bei den Sozialdemokraten im Laufe der letzten Wahlen der Stimmenanteil auf einen Bereich zwischen 26,2 und 25,3 %. Die »Wählergunstkurve« steigt hingegen bei der FDP zunächst leicht an: Konnten die Liberalen 1972 10 % erringen, waren es 1990 14,6 und 1994 12,8 %. Bei der Bundestagswahl 1980 traten erstmals »Die Grünen« an; sie erhielten 1,5 % der Stimmen. Die Wahlergebnisse der ökologisch orientierten Partei stiegen bei den Folgewahlen an – erst 6,0, dann 9,2, 4,4 und 9,1 %. Die stark rechtsgerichteten Republikaner kamen dagegen in der Kurstadt auf keinen »grünen Zweig«. Bei den Bundestagswahlen von 1990 und 1994 erreichten sie lediglich 2,2 und 2,5 %.

Die Wahlbeteiligung, 1972 noch bei 89,4 %, ging stetig bis auf 78,2 % (1994) zurück. 1990, bei der »Wendewahl«, der ersten gesamtdeutschen Bundestagswahl nach dem Fall der Mauer, wählten im Stkr. Baden-Baden gar nur 75,2 % der Wahlberechtigten. Das seit Mitte der achtziger Jahre kursierende Schlagwort der »Politikverdrossenheit« drückt sich ganz offensichtlich in diesen Zahlen mit aus, die sich auch in vergleichbarer Form bei anderen Wahlen im Stadtkreis wiederholen.

Direkt gewählte *Bundestagsabgeordnete* für den Wahlkreis 193 Rastatt, ab 1980 Wahlkreis 177 Rastatt von 1965 bis heute:

1965 bis 1976	Dr. Hugo Hauser (CDU), Sasbach
1976 bis 1990	Dr. Bernhard Friedmann (CDU), Ottersweier
1990 bis heute	Peter Götz (CDU), Rastatt

Bei den *Landtagswahlen* lag die Wahlbeteiligung jeweils immer deutlich unter der der Bundestagswahl und ging ebenfalls stetig zurück. Hatten 1972 noch 77,6 % der Wähler den Weg zur Urne gefunden, waren es zur jüngsten Landtagswahl (1992) gerade noch 66,6 %; ein beachtlicher Rückgang von 11 %.

Auch hier hatte die CDU, nach den Eingemeindungen, 1976 mit 59,5 % ihr bestes Ergebnis zu verzeichnen (1972 waren es noch 51,1 %). Einen Einbruch erlebten die Christdemokraten 1992. Hatten sie mit 55,7 % 1988 ein gutes Ergebnis eingefahren, erbrachte die 92er Wahl noch 45,9 % – ein Verlust von rund 10 %; ein landesweiter Trend, der für Baden-Württemberg eine Große Koalition und die Republikaner ins Landesparlament brachte. Auch die Sozialdemokraten verloren Stimmen: 1972 37,3 %, 1980 31,3 % und 1992 27,6 %. Ähnliche Verluste mußten die Freien Demokraten hinnehmen. Von ehedem 11,1 % im Jahr 1972 pendelten sich die Ergebnisse jetzt bei 7,2 % ein. Aufstieg hingegen bei den Grünen: Erstmals 1980 angetreten, erlangten Die Grünen 3,8 %, 1984 7,3 %, 1988 6,8 % und 1992 8,1 % der Wählergunst im Stadtkreis. Die Republikaner erreichten aus dem Stand 8,3 %.

Direkt gewählte *Landtagsabgeordnete* für den Wahlkreis 56 Baden-Baden, ab 1976 Wahlkreis 133 Baden-Baden, von 1965 bis heute:

1965 bis 1976	Camill Wurz (CDU), Baden-Baden
1976 bis 1988	Egon Gushurst (CDU), Sinzheim
1988 bis 1992	Ulrich Wendt (CDU, zunächst Bühl, dann Baden-Baden
1992 bis heute	Ursula Lazarus (CDU), Baden-Baden

Das Gefälle der Wahlbeteiligung im Stadtkreis zwischen Bundestags- und Landtagswahl setzt sich bei den erstmals 1979 durchgeführten Wahlen zum Europäischen Parlament nach unten fort (von 62,1 auf 52,7 %), wobei dann, wenn parallel dazu andere Wahlen stattfanden, die Wahlbeteiligung deutlich höher lag.

Die CDU erhielt 1979 und 1984 knapp über 55 %, bei den beiden jüngsten Wahlen 1989 und 1994 43,5 bzw. 44,8 %. Von 30,9 % 1979 schafften die Sozialdemokraten 1994 noch 23 %. Die FDP hat sich zwischen 9,5 (1989) und 7,2 % (1994) eingependelt. Auch hier wird der Anstieg der Grünen deutlich, die 1979 4,5 und zuletzt 13,7 % (1994) erzielten. Die Republikaner erreichten 1989 6,2 und 1994 noch 4,2 % der Wählerstimmen.

Wie entwickelten sich nun die *Parteien* in der Bäder- und Kurstadt von 1970 bis heute? Berücksichtigung sollen dabei Parteiorganisation und Mitgliederzahlen finden. Der Kreisverband der *CDU* hat, ebenso wie die anderen etablierten Parteien auch, nach den Eingemeindungen Anfang der siebziger Jahre deutlich an Mitgliedern zugenommen. 1970 zählt der CDU-Kreisverband 331 Mitglieder, 1980 711 Mitglieder, 1990 892 und 1994 791 Mitglieder. Der Kreisverband ist in sieben Stadtbezirksverbände untergliedert. Innerhalb der kurstädtischen Christdemokraten bestehen als Partei-Vereinigungen die Jugendorganisation Junge Union (JU), die Frauen Union (FU), die Christlich Demokratische Arbeitnehmerschaft (CDA), die Mittelstandsvereinigung, die Kommunalpolitische Vereinigung und die Senioren Union.

7 Ortsvereine hat die *SPD* im Stadtverband Baden-Baden: Mitte, Lichtental, West, Sandweier, Haueneberstein, Ebersteinburg und Rebland. Übergeordnet ist der Kreisverband Baden-Baden-Rastatt. Nach einer Mitgliederanalyse aus dem Sommer 1989 – anläßlich der 100-Jahrfeier der Baden-Badener SPD – zählen die Sozialdemokraten an der Oos 303 Mitglieder, davon 93 im Ortsverein Mitte, 47 im Ortsverein Lichtental, 58 im Ortsverein West, 35 in Sandweier, 20 in Haueneberstein, sieben in Ebersteinburg und 43 im Rebland. Nur 15,8 % der Mitglieder waren vor 1969 in die SPD eingetreten, die anderen erst nach der »Sozialliberalen Wende« 1982. Im November 1994 betrug die Mitgliederzahl 256. Zudem arbeiten in Baden-Baden eine Arbeitsgemeinschaft Jungsozialisten (Jusos), eine Arbeitsgemeinschaft sozialdemokratischer Frauen (ASF) und eine Arbeitsgemeinschaft der Seniorinnen und Senioren (ASS). Seit 1994 ist die Baden-Badenerin Nicolette Kressl über die SPD-Landesliste Mitglied des Bundestags.

Im Stadtkreis unterhält die *FDP* einen Kreisverband, die Jugendorganisation »Junge Liberale«, einen Kommunalpolitischen und einen Wirtschaftspolitischen Arbeitskreis. Der Kurstädter Dr. Olaf Feldmann ist seit 1981 FDP-Bundestagsabgeordneter. Der FDP-Kreisverband hatte nach eigenen Angaben 1970 rd. 80, 1980 120 und 1990 ca. 110 Mitglieder.

Die Grünen gründeten ihren Ortsverband am 12. März 1986 im »Rebstock« am Bertholdplatz. Bislang waren die damals 14 Grünen-Partei-Mitglieder mit Wohnsitz im Stadtkreis im übergeordneten Kreisverband Rastatt/Baden-Baden untergekommen. Ende 1994 verfügt der Ortsverband über 23 Mitglieder. Nach der »Wende« schlossen sich Die Grünen mit oppositionellen Kräften der früheren DDR, die sich zum Bündnis 90 vereinigt hatten, zusammen. Um die Gleichberechtigung beider Partner zum Ausdruck zu bringen, wurde der Name »Bündnis 90/Die Grünen« gewählt.

Ein Mann hatte in Baden-Baden die siebziger und achtziger Jahre entscheidend mitgeprägt und gestaltet. Es war der frühere *Oberbürgermeister Dr. Walter Carlein*. Die erste von drei Amtsperioden des gebürtigen Karlsruhers, der der CDU angehört, beginnt 1969. Die wichtigste zukunftsweisende Entscheidung dieses Jahres ist der Beginn der Planung für die neue Stadtklinik. Ein Jahr später wird die erste Phase des Stadt- und Kurortentwicklungsplanes beschlossen. Die Selbständigkeit des Stkr. Baden-Baden ist 1971 in Gefahr: Bewehrt mit Gutachten zur Infrastruktur der Bäder- und Kurstadt kann der Jurist Dr. Carlein in Stuttgart die Eigenständigkeit der Stadt an der Oos verteidigen. Im gleichen Jahr noch wird das Behördenzentrum in der Gutenbergstraße eingeweiht.

1972 werden zunächst Ebersteinburg, dann Steinbach, Neuweier und Varnhalt eingemeindet. In das Jahr 1973 fällt der erste Spatenstich für die neue Stadtklinik. Im gleichen Jahr kann Dr. Carlein seinen ersten Erfolg zur Verkehrsberuhigung verbuchen: In der Langen Straße, zwischen Stern- und Wilhelmstraße, entsteht die »kleinste Fußgängerzone Deutschlands«. Das Verabschieden des Stadt- und Kurortentwicklungsplanes, das Erweitern der Spielbank und das Eingemeinden Hauenebersteins sind die wichtigsten Ereignisse 1974. Sandweier schließt sich der Kurstadt ein Jahr später an. Der Generalverkehrsplan wird vom Gemeinderat verabschiedet und begonnen wird mit dem Umgestalten des Augustaplatzes.

Mit einem Straßenfest werden 1976 die Fußgängerzone Lange Straße und der Sofienboulevard eröffnet. Der Bau des Schulzentrums West beginnt. 1977 öffnet die neue Stadtklinik am Ortsrand von Balg ihre Pforten. Eingestellt wird hingegen der

Fahrbetrieb der Stichbahn von Baden-Oos zum Stadtbahnhof: Damit wird das Bürgerzentrum »Alter Bahnhof« ermöglicht. Bis zum Hindenburgplatz wird 1978 die Fußgängerzone fertiggestellt. Eingeleitet wird die Altstadtsanierung; der Umbau des Baldreit beginnt. Ein Jahr später geht, wie von Oberbürgermeister Dr. Carlein gewünscht und im Gemeinderat durchgesetzt, die Merkurbahn in Betrieb.

Das herausragendste Ereignis des Jahres 1980 ist der Baubeginn des Untersuchungsstollens des Michaelstunnels. Die Schloßbergtangente wird in Betrieb genommen und das Schulzentrum West eingeweiht. Ein Jahr später sind die Renovierungsarbeiten am Friedrichsbad fertig, der Olympische Kongreß tagt und die Landesgartenschau wird eröffnet. 1982 wird die Verlagerung des Behördenzentrums in die Weststadt abgeschlossen, zwei Jahre später der renovierte Merkurturm eingeweiht. In das Jahr 1985 fällt die Eröffnung der Caracalla-Therme, der Umbau des Alten Bahnhofes wird beendet. 1986 wird der Michaelstunnel angeschlagen.

Der *Stadt- und Kurortentwicklungsplan* wird 1987 fortgeschrieben. 1988 beschließt der Gemeinderat das Verkehrskonzept. Nach der Außensanierung beginnt 1989 die Innensanierung des Theaters, und am 5. Dezember desselben Jahres eröffnet Oberbürgermeister Dr. Walter Carlein zusammen mit Ministerpräsident Lothar Späth den Michaelstunnel. Der Beginn der Neugestaltung des Leopoldsplatzes und die Gründung einer weiteren Städtepartnerschaft – neben Menton – mit der italienischen Stadt Moncalieri in Piemont sind 1990 herausragende Ereignisse.

Am 31. Mai 1990 wird Dr. Walter Carlein feierlich in den Ruhestand verabschiedet und erhält die Ehrenbürgerwürde der Kurstadt. Ein Zeitungsfoto bleibt wohl vielen Baden-Badenern in Erinnerung: Zusammen mit den Bürgermeistern Jörg Zwosta und Klaus Klein läßt sich Dr. Carlein mitten auf dem just verkehrsberuhigten »Leo« einen Espresso servieren. In diesem Foto drückt sich das wichtigste Ziel der politischen Arbeit der letzten Amtsjahre von Oberbürgermeister Dr. Walter Carlein aus: die *Verkehrsberuhigung der Innenstadt* durch den Tunnelbau, damit der Kurort wieder atmen kann.

Zum Nachfolger wird bereits im ersten Wahlgang der bisherige Bühler Oberbürgermeister und Landtagsabgeordnete *Ulrich Wendt* gewählt. Wendt, in Baden-Baden aufgewachsen, ist Jurist. Seinen ersten Amtsschwerpunkt bildet die *Neuordnung der Bäder- und Kurverwaltung*. 1992 tritt er – wie vor der Wahl zugesagt – nicht mehr als Kandidat für die Landtagswahl an.

Die Bäder- und Kurverwaltung (BKV), ein Kind der dreißiger Jahre, war in die Jahre gekommen; Land und Stadt waren zu je 50 % Träger dieser Anstalt des öffentlichen Rechts. Wendt wollte weg von der »Verwaltung« der kurörtlichen Einrichtungen, dem Staatsbaddenken vergangener Tage, hin zu einem modernen Management, unternehmerischem Wettbewerb und optimiertem Marketing für Baden-Baden.

Die Rückflüsse aus der Spielbankabgabe an die Bäder- und Kurverwaltung zum Ausbau und zur Unterhaltung der Kureinrichtungen einschließlich der Bäder wurden zum Ende der achtziger Jahre immer stärker von der Finanzknappheit der Stuttgarter Doppelhaushalte abhängig. Trotz aller Bemühungen, das betriebswirtschaftliche Ergebnis der Bäder- und Kurverwaltung zu verbessern, betrug der jährliche Verlust in dieser Zeit in der Regel zwischen 20 und 25 Mio. DM. Die Anstaltsträger kamen überein, die Bäder- und Kurverwaltung neu zu strukturieren und gaben ein Gutachten in Auftrag. Ergebnis: Die marktorientierten Bereiche sollten entweder vollständig privatisiert (Veranstaltungen, Marketing) oder pachtweise privatisiert (Bäder, Kur- und Kongreßhaus) werden; Theater, Orchester sowie Kur- und Parkanlagen sollten kommunalisiert und die nicht betriebsnotwendigen Grundstücke verkauft werden. Nicht einfach verliefen die Verhandlungen zwischen Land und Stadt, ging es doch auch um erhebliche Geldbeträge, die zur weiterhin gesicherten Finanzierung der kurörtlichen Aufgaben aus der Spielbankabgabe vom Land zurückfließen. Aber man einigte sich.

Am 1. Januar 1994 kamen *Orchester, Theater* sowie die *Kur- und Parkanlagen* mit voller, dynamisierter Finanzabsicherung zur Stadt. Am 7. März 1994 beschließt der Gemeinderat den Beitritt zur *Baden-Baden-Marketing GmbH* (Nachfolgerin der BKV-Marketingabteilung), in der mittlerweile weitere wichtige Partner mit der Stadt in einem Boot sitzen, um Baden-Baden gemeinsam mit gebündelten und konzentrierten Aktionen in die Zukunft zu führen. Die Partner: das Casino, die Aktionsgemeinschaft Einzelhandel Baden-Baden e.V., die Stadtsparkasse, die Festival GmbH, die Kongreß GmbH und als assoziiertes Mitglied der Südwestfunk, die Bäderärzte und die Volksbank. Mit ins Boot geholt werden sollen noch die Arbeitsgemeinschaft der Kliniken, die Carasana GmbH, die Kurhausbetriebe und besonders der Hotel- und Gaststättenverband, der zunächst einen eigenen Kur- und Touristikverein gründete. Am 1. Juli 1994 gehen Caracalla-Therme und Friedrichsbad an die private Carasana GmbH und das Kongreßhaus, das mit großem Aufwand modernisiert und erweitert wurde, an die ebenfalls private Kongreß GmbH zur Geschäftsbesorgung über. Beteiligt ist die Stadt auch an der Festival GmbH (Nachfolgerin der BKV-Veranstaltungsabteilung) und an der Kongreß GmbH. Kurhaus und Bäder bleiben im Eigentum des Landes. Damit wird das Land über den langfristig gesicherten Rückfluß aus der Spielbankabgabe hinaus auch weiterhin in Baden-Baden Verantwortung tragen.

Ziele Ulrich Wendts sind zum einen das Erreichen eines ausreichenden finanziellen Handlungsrahmens durch eine weitere Entschuldung des städtischen Haushalts. Dies macht sich auch in Personalkürzungen bemerkbar. Die Pro-Kopf-Verschuldung verringert sich deutlich. Jeweils von der festen Einwohnerzahl 52 595 (1994) ausgehend, zeigte sich in den letzten 10 Jahren folgendes Bild:

Datum	Verschuldung in TDM	Pro-Kopf-Verschuldung (DM/Einw.)
31. 12. 1985	135 858	2583
31. 12. 1989	122 403	2327
31. 12. 1990	115 591	2205
31. 12. 1994	86 023	1636

Damit verbunden ist zum anderen das feste Ziel Ulrich Wendts, die Kurstadt sicher und zukunftsorientiert in das nächste Jahrtausend zu führen: »Über Baden-Baden darf keinesfalls ein weinrotes Samttuch ausgerollt werden, um die Stadt vor äußeren Einflüssen, dem Fortschritt und der Weiterentwicklung abzuschirmen. Baden-Baden muß seine Schätze bewahren, die außergewöhnliche Bausubstanz und den besonderen Charakter der Stadt. Gleichzeitig müssen wir Strukturen verändern, uns offener, beweglicher und jünger präsentieren, damit der Standort Baden-Baden mit seinem breitgefächerten Qualitätsangebot auch künftig eine gute Chance auf dem internationalen Markt hat«.

Wendt hat aber deutlich gemacht, daß dies um so schneller und um so mehr gelingt, wenn neue starke Zukunftsimpulse auch durch private Initiative geschaffen werden: das *Festspielhaus* beim Alten Bahnhof als hochkarätiges Kulturangebot, aber auch als

76 *Lichtental und Oberbeuern vom Friesenberg*

77 *Lichtental von Südosten*

78 *Kloster Lichtenthal, Marienbrunnen*

79 *Kloster Lichtenthal, Brunnenstock mit Marienstatue*

80 *Kloster Lichthental, Fürstenkapelle*

81 *Kloster Lichtenthal, Abteigebäude*

82 *Kloster Lichtenthal, Wappen am Abteigebäude*

85 Oberbeuern

86 Oberbeuern, Beuerner Straße

87 Oberbeuern, Beuerner Straße

◁ 83 Kloster Lichtenthal, Klosterhof mit Schulgebäude

84 Kloster Lichtenthal, ehemalige Wirtschaftsgebäude

90 Oos,
Bahnhof Baden-Baden

91 Oos, kath. Pfarrkirche
St. Dionys, Ostchor

◁ 88 Weststadt mit der
St. Bernhardus-Kirche
vom Friesenberg

89 Weststadt und Oos
vom Friesenberg

92 Oos, Ooser Hauptstraße

93 Oos, ehemaliges bäuerliches Anwesen an der Ooser Hauptstraße

Standortstärkung des so wichtigen Südwestfunks und als Beispiel regionaler Zusammenarbeit der *Baden-Airport in Söllingen*, unmittelbar vor den Toren der Stadt.

Gemeinderat und Stadtverwaltung

Gemeinderat. – Wenn in Baden-Baden der Gemeinderat zusammentrifft, um in öffentlicher Sitzung über Weichenstellung der Kommunalpolitik abzustimmen, sind die Mehrheitsverhältnisse, wenn auch nicht die Abstimmungsergebnisse, klar. Seit den ersten freien Wahlen nach dem Kriegsende hält die *CDU* ihre Stellung als stärkste Fraktion. Neun Jahre lang, von 1975 bis 1984, konnte sie die absolute Mehrheit im Stadtparlament halten. Wesentlicher Grund hierfür war die Gemeinde- und Kreisreform. Von 1971 bis 1975 wurden die Gemeinden Haueneberstein und Sandweier und das Rebland mit Varnhalt, Steinbach und Neuweier sowie das »Bergdorf« Ebersteinburg nach Baden-Baden eingemeindet. Auf dem zweiten Rang folgt die *SPD*, die im allgemeinen etwa ⅔ der Stimmen der CDU aufwies. Auch die Grünen und die FDP sind von den bundesweit vertretenen Parteien im Rat, die *FDP* immer mit mindestens 3 Mandaten und damit in Fraktionsstärke, die *Grünen* erstmals seit 1989.

Zwei Kommunalwahlgruppen gehören ebenfalls dem Rat an: die landesweit organisierte *Freie Wählergemeinschaft* und ein Fraktionszusammenschluß, der sich *Unabhängige Bürgerbewegung* nennt.

Die politische Sitzverteilung entspricht damit einem Bild, wie es in den meisten Kommunalparlamenten Baden-Württembergs besteht, welches aber durch noch größere Kontinuität geprägt ist. Denn auch an der Spitze des Rathauses gab es niemals einen parteipolitischen Wechsel. Nach einem kurzen Intermezzo von 3 *Oberbürgermeistern* im ersten Jahr der Nachkriegswirren waren die gewählten Stadtoberhäupter allesamt Christdemokraten. Von 1946 bis 1969 – also 23 Jahre lang – leitete *Dr. Ernst Schlapper* Baden-Baden in den Aufbaujahren. 1969 trat *Dr. Walter Carlein* die Nachfolge an. 21 Jahre hatte er den Vorsitz im Gemeinderat und die Leitung der Verwaltung inne. 1990 übergab er den Rathausschlüssel an *Ulrich Wendt*, einen Sohn der Stadt und ehemaligen Oberbürgermeister der Nachbarstadt Bühl.

Als der erste frei gewählte Gemeinderat der Kurstadt nach dem 2. Weltkrieg seine Arbeit aufnahm, waren die Herausforderungen an die Parlamentarier ebenso groß wie heute, wenn über die Zukunftsvisionen Baden-Badens und eine Standortsicherung für den Aufbruch ins nächste Jahrtausend debattiert wird. Zwar war die Stadt von den Siegermächten weitgehend verschont worden, aber die französische Besatzungsmacht hatte ihre Hand auf die unversehrten Wohnungen der Kurstädter gelegt. Bis zu 15 000 Franzosen waren zu beherbergen, so daß es für die verbleibenden 28 000 Baden-Badener sehr, sehr eng wurde. Die Interessen der Stadt konnte in dieser Zeit nur ein von den französischen Besatzungsbehörden einberufener *Bürgerrat* vertreten.

Am 15. September 1946 fand aber die *erste demokratische Wahl zu einem Kommunalparlament* nach 1933 statt. Bereits eine Woche später traf sich der gewählte Gemeinderat zu seiner 1. Sitzung. Von den 24 Stadträten gehörten 13 der Christlichen Sozialen Union (später CDU), 6 der Sozialistischen Partei (später SPD), 4 Sitze hatte die Freie Demokratische Partei und 1 Sitz die Kommunistische Partei Deutschlands.

Das dringendste Problem der Anfangsjahre – die Wohnungsnot – wurde erst mit dem *Bau der Cité* gelöst. Im Umfeld der bestehenden Kaserne im Stadtteil Baden-Oos erhielten die französischen Militärangehörigen durch den Bau eines eigenen Stadtviertels 1500 Wohnungen von der Bundesrepublik Deutschland zur Verfügung gestellt. Bis Ende 1955 waren alle Wohnungen geräumt. Für die Baden-Badener Bürger war dies sicherlich einer der größten Erfolge in der Aufbauzeit nach dem 2. Weltkrieg. Fast vergessen wird dabei, daß in vielen Bereichen die öffentliche Infrastruktur wie Gas-, Wasser- und Stromversorgung, Schulhäuser, Verwaltungsgebäude zuerst gesichert und dann ausgebaut werden mußte.

Mit dem Bau der Cité war der Gemeinderat neben den schwierigen Sicherungsaufgaben aber auch schon gefordert, sich ein Bild von der künftigen Gestalt der Stadt Baden-Baden zu machen. So war es nur konsequent, daß 1953 ein *Generalbebauungsplan* verabschiedet wurde. Die damals getroffene Grundsatzentscheidung prägt bis heute das Stadtbild. Konsequent hatte man die Bebauung des Stadtkerns und der südöstlichen Stadtteile begrenzt. Die Verantwortlichen hatten erkannt, daß die Landschaft das Kapital der Stadt war und der einmalige Charakter Baden-Badens als einer grünen Stadt mit den Villenlagen an den Hängen gesichert werden mußte. Neben der Cité wurde auch dem Südwestfunk, der bedeutendsten wirtschaftlichen Einrichtung der Stadt, ein Platz am Fremersberg ausgewiesen.

Nach dem Generalbebauungsplan wollte man auch die Zielrichtung für die Entwicklung von Kurort und Verkehr vorgeben. Bereits 1956 lag dem Gemeinderat ein erster Entwurf eines *Kurortentwicklungsplanes* vor. Doch sollte es noch viele Jahre dauern, bis das umstrittene und in zahllosen Sitzungen heiß diskutierte Papier schließlich 1974 doch einstimmig verabschiedet wurde.

Nicht minder kontrovers stießen die Meinungen aufeinander, bevor 1975 ein *Generalverkehrsplan* beschlossen wurde. Dieser mündete in den zentralen Beschluß zum Bau des Michaelstunnels, der auf 2,2 km Länge den Stadtkern Baden-Badens umfährt. Endlich waren der Kurhausbereich und der Bäderbereich wieder fußläufig, ohne den Lärm von 30000 Autos pro Tag, erreichbar. Das Jahr 1989 mit der feierlichen Eröffnung des Michaelstunnels durch den Oberbürgermeister Dr. Walter Carlein und der Schließung des Leopoldsplatzes zählt sicherlich zu den denkwürdigen Jahren in der Entwicklung Baden-Badens.

In die Amtszeit Dr. Walter Carleins fiel auch die Inbetriebnahme der neuen *Stadtklinik* im Jahre 1977. In herrlicher Halbhöhenlage im westlichen Stadtteil Balg gelegen beeindruckt die 400-Betten Klinik die Besucher, und mit ihren humanen Dimensionen begünstigt sie die Genesung der Kranken. Neben Oberbürgermeister Dr. Ernst Schlapper, der die infrastrukturellen Grundlagen der Stadt nach dem Krieg schuf und Oberbürgermeister Dr. Walter Carlein sind die Namen von 6 Stadträten zu nennen: *Alfred Brenner* und *Ludwig Braun* von der CDU, *Kurt Falk* und *Dr. Hermann Bauer* von der SPD sowie *Hermann Gommel* von der FDP und *Meinrad Lauinger* von der FWG, die maßgeblich die Stadtpolitik mit beeinflußten.

Ein wesentliches Datum der Stadtpolitik war sicherlich das Jahr 1971. Nicht wegen eines im Gemeinderat gefaßten Beschlusses, sondern wegen einer Abstimmung im Landtag in Stuttgart. Dieser beschloß nämlich, Baden-Baden mit seinen 50000 Einwohnern als den weitaus kleinsten *Stadtkreis* im Land Baden-Württemberg zu erhalten. Vorausgegangen war dieser Entscheidung ein gewaltiger Einsatz aller Verantwortlichen und der Bürger für den Erhalt der Kreisfreiheit im Rahmen der Kreisreform des Landes Baden-Württemberg. Entscheidend war sicherlich der Einfluß des damaligen Landtagspräsidenten und früheren Fraktionsvorsitzenden der CDU Fraktion und Baden-Badener Abgeordneten *Camill Wurz*.

Erst aufgrund dieses Beschlusses des Landtags von Baden-Württemberg waren die vorn aufgeführten *Eingemeindungen* der idyllischen Ortschaften des Baden-Badener Reblands, aber auch der kleinen Ortschaft Ebersteinburg und den nördlichen Nachbargemeinden Sandweier und Haueneberstein möglich. Aus einem Gemeindeparlament mit 24 Sitzen wurde so ein Gemeinderat mit 51 Mitgliedern. Aufgrund der Unechten Teilortswahl, die den einzelnen Stadtteilen eine bestimmte Anzahl an Sitzen sichert, und den daraus resultierenden Ausgleichssitzen pendelte der Gemeinderat von 46 Sitzen bis zu 53 Sitzen mit der im Jahr 1994 beginnenden Sitzungsperiode. Damit sind gleich neun Parteien und kommunale Wahlgruppierungen bis 1999 im Gemeinderat vertreten.

Als nicht minder bedeutsam wird einmal das Jahr 1994 genannt werden. Es ist das Jahr der Umsetzung der von Oberbürgermeister Ulrich Wendt von Anfang an angestrebten *Neuordnung der Bäder- und Kurverwaltung*. Die vom Land und der Stadt je zur Hälfte getragene Anstalt des öffentlichen Rechts wird nach Abschluß der Neuordnung in die alleinige Trägerschaft des Landes übergehen und im wesentlichen landeseigene Liegenschaften und sonstige Vermögenswerte in Baden-Baden verwalten. Zu Beginn des Jahres kamen – von den Gemeindevertretern seit Jahrzehnten gewünscht – das Theater, das Orchester und die Gartenanlagen in die Verantwortung der Stadt Baden-Baden.

Das Kongreßhaus erhält mit der Stadt ebenfalls einen neuen Eigentümer, wird aber von einem privaten Betreiber verantwortlich geführt. Die Stadt hält hier nur eine Minderheitsbeteiligung. Aus der Marketingabteilung der Bäder- und Kurverwaltung wurde unter mehrheitlicher Mitwirkung Privater die Baden-Baden Marketing Gesellschaft, die alle Kräfte der Stadt bündeln soll. Aus der Veranstaltungsabteilung wurde die Festival GmbH, an der die Stadt eine Minderheitsbeteiligung hält. Ein Schwerpunkt der Privatisierung sind Friedrichsbad und Caracallatherme; hier haben erfahrene Unternehmer aus dem Bäderwesen die Geschäftsführung übernommen. Gleichwohl bleibt das Land Baden-Württemberg Eigentümer der Bäder und des Kurhauses.

Mit dieser Neuordnung ist die rahmensetzende kurpolitische Verantwortung zu großen Teilen in die Hände der Stadt übergegangen.

Einher mit diesem bedeutsamen Aufgabenzuwachs ging die Schaffung eines 4. Dezernats. Zum Beigeordneten für diesen Bereich wurde der langjährige SPD Fraktionsvorsitzende Kurt Liebenstein gewählt. Mit ihm, den Bürgermeister-Kollegen Jörg Zwosta (1. Bürgermeister) und Klaus Klein will Oberbürgermeister Ulrich Wendt gezielt mit dem in seiner Kompetenz gestärkten Gemeinderat arbeiten.

Stadtverwaltung. – Seit 1862 hat die Stadtverwaltung im früheren Jesuitenkollegium und späteren Konversationshaus am Marktplatz eine feste Bleibe gefunden, zentrumsnah, direkt gegenüber der Stiftskirche. Später kam das ehemalige Hotel »Darmstädter Hof« am Jesuitenplatz, unterhalb des Rathauses, hinzu. Längst haben nicht mehr alle Ämter im Rathaus an den Jesuitenstaffeln Platz: Ausgesiedelt sind das Amt für öffentliche Ordnung (Behördenzentrum, Gutenbergstraße 13), die Abteilung Bestattungswesen (am Hauptfriedhof), das Forstamt (Maria-Victoria-Straße 18), das Gartenamt (Winterhalter Straße 6), das Hochbauamt (Rheinstraße 111), das Schul-, Kultur- und Sportamt (Marktplatz 3), das Sozial- und Jugendamt (Hildastraße 32 und 34), das Standesamt (Augustaplatz) und das Vermessungs- und Liegenschaftsamt (Ludwig-Wilhelm-Straße 15).

Ziel von Oberbürgermeister Wendt ist, die »Verwaltung« in ein »Dienstleistungsunternehmen« mit modernem, zeitgemäßem Anspruch umzuwandeln. Dieser Anspruch ist umso leichter umzusetzen, je konzentrierter die Verwaltung zusammengelegt ist. Mehrfach wurden innerhalb der Stadtverwaltung Pläne für ein »Rathaus II«, ein sogenanntes Technisches Rathaus, entwickelt, aber bislang aus Kostengründen nicht in die Tat umgesetzt. Als Standort waren das Mercedes-Benz-Gelände in der Rheinstraße und das Verwaltungshochhaus der Französischen Armee in der Sinzheimer Straße im

Gespräch. Das Interesse konzentriert sich jetzt auf das Gebäude des früheren französischen Hotels »Blandan« in der Briegelackerstraße. Es gibt Überlegungen, dort verschiedene städtische und Landesdienststellen unterzubringen.

Oberstes Beschlußorgan im Stadtkreis Baden-Baden ist der *Gemeinderat*. Er tagte bis Mitte der 80er Jahre im heutigen »Alten Ratssaal«. Diesen nutzt mittlerweile der Oberbürgermeister für repräsentative Ereignisse und Empfänge der Stadt. Inzwischen sind die Stadträte längst in den »neuen« Ratssaal mit seinem markanten, freigelegten Dachgebälk umgezogen: Das Beschlußorgan ist zahlenmäßig gewachsen und der Alte Ratssaal war einfach zu klein geworden. Durch die unechte Teilortswahl, die den eingemeindeten Ortsteilen Vertreter im Gemeinderat sichert, und die Ausgleichsmandate zählt der Gemeinderat der Kurstadt nach der 1994er Wahl 53 Mitglieder. Die Gemeindeordnung sieht für eine Stadt der Größe Baden-Badens (ohne unechte Teilortswahl) 40 Ratsmitglieder vor. Mittlerweile werden Stimmen laut, die Anzahl der Gemeinderäte zu reduzieren, zum einen aus arbeitsökonomischen Gründen, zum anderen schon der Kosten wegen.

Tabelle 1 **Kommunalwahlen in Baden-Baden**

Kommunalwahl (Datum)	Wahlbeteiligung	CDU	SPD	FDP	FWG	Wähler	Grüne
20. 10. 1968	60,1	37,6	24,9	19,6	13,5	–	–
25. 10. 1971	60,2	39,4	34,1	13,0	13,6	–	–
20. 4. 1975	62,6	48,5	26,6	6,9	12,7	7,2	–
22. 6. 1980	60,5	49,0	27,1	11,3	9,5	14,5	–
28. 10. 1984	60,2	42,8	25,9	6,9	9,2	15,2	–
22. 10. 1989	58,0	37,5	23,3	9,5	11,0	14,5	4,1
12. 6. 1994	62,0	37,9	18,5	7,8	11,1	25,9	9,9

* (FDP trat gemeinsam mit den Wählervereinigungen »Bürgerinitiative Baden-Baden« und »Die Unabhängigen« an. Gemeinsam erreichten die Partner 11,3 Prozent der Stimmen)

Nach den Eingemeindungen (1972 Ebersteinburg, Steinbach, Neuweier und Varnhalt, 1974 Haueneberstein und 1975 Sandweier) kamen bei den *Kommunalwahlen* erstmals die Wählerstimmen der neuen Stadtteile, den also ehemals selbständigen Gemeinden, hinzu. Insgesamt erhöhte sich die Zahl der Bürger um rund 15400. Im einzelnen waren dies 3570 Sandweierer, 3200 Hauenebersteiner, 1118 Ebersteinburger, 3375 Steinbacher, 2300 Neuweierer und 1855 Varnhalter. Nicht allen fiel die Entscheidung, in den Stadtkreis Baden-Baden überzuwechseln, leicht. Detaillierte Eingemeindungsverträge regeln den Wechsel. In den eingemeindeten Stadtteilen war in der Regel die Christlich Demokratische Union (CDU) recht stark. Dies trug bei der Kommunalwahl 1975 mit dazu bei, daß die CDU einiges an Prozenten hinzugewann. (Vgl. Tabelle 1).

Während der letzten 25 Jahre bauten die CDU und die Sozialdemokratische Partei Deutschlands (SPD) Stimmenanteile ab, ein Trend, der durchaus bundesweit war. Stimmen zugelegt haben hingegen Die Grünen, heute Bündnis 90/Die Grünen, eine junge Partei, die die Ökologie auf ihre Fahnen geschrieben hat. Innerhalb der einzelnen Wählervereinigungen zeigte sich jeweils die Freie Wählergemeinschaft (FWG) als stärkste Kraft, gefolgt vom Zusammenschluß Grüne Bürgervereinigung/Die Unabhängigen, die sich 1986 zu einer Fraktion zusammentaten. Bei der Kommunalwahl 1994 errangen drei weitere Wählervereinigungen (Junge Liste, Bürger für Baden-Baden und BAD 2000) je ein Stadtratsmandat.

Tabelle 2 **Personalentwicklung**

Jahr	Stadtverwaltung	Stadtklinik	Stadtwerke
1980	990	501	376
1990	1006	583	361
1994	1116	574	374

Mit den Eingemeindungen der ehemals selbständigen Gemeinden änderte sich der Status des Bürgermeisters und der Gemeindeverwaltung, daraus wurden der *Ortsvorsteher und die Ortsverwaltung*. Die Ortsverwaltungen sind heute bürgernahe Einrichtungen, die den Bewohnern der Stadtteile manchen Weg zum Rathaus ersparen. Die Ortsvorsteher geben wöchentlich Ortsmitteilungsblätter heraus. Bis auf den ehrenamtlichen Ebersteinburger Ortsvorsteher arbeiten seine Kollegen in den anderen Stadtteilen hauptamtlich. Zusammen mit den Ortsverwaltungen, den Stadtwerken (inkl. Baden-Baden-Linie) und der Stadtklinik arbeiten innerhalb der Stadtverwaltung über 2000 Mitarbeiter. Nicht ohne Grund schlagen die Personalkosten im städtischen Verwaltungshaushalt mit rund einem Drittel (82 Mio. DM) zu Buche.

Neben dem Südwestfunk ist die Stadtverwaltung damit der größte Arbeitgeber im Stadtkreis. Anfang der 70er Jahre stiegen im Rathaus durch die Eingemeindungen die Beschäftigtenzahlen. 1976, 1983/84 und 1994/95 erlebt die Stadtverwaltung spürbare Stellenabbauphasen infolge der ungünstigen Haushaltssituation. 1994 kommt jedoch mit der Übernahme von Theater, Orchester, Kurgärtnerei und Teilen der Bäder- und Kurverwaltung weiteres Personal (160 Mitarbeiter) zum Rathaus.

Die Stadtverwaltung wird vom *Oberbürgermeister* geleitet. Ihm beigeordnet sind die *Bürgermeister*. Zudem ist dem Oberbürgermeister ein Dezernat direkt zugeordnet. Auch die Bürgermeister stehen jeweils Dezernaten vor. In einem Dezernat sind die Ämter, Abteilungen und Eigenbetriebe zusammengefaßt, die dem jeweiligen Dezernenten direkt unterstehen. Der Oberbürgermeister leitet das Dezernat 1, sein Stellvertreter das Dezernat 2, usw. Bis 1994 wurde das Baden-Badener Rathaus vom Oberbürgermeister und 2 Dezernenten, seither von 3 Dezernenten geleitet.

Nach dem ersten *Dezernatsverteilungsplan von 1971* unterstanden Oberbürgermeister Dr. Walter Carlein das Hauptamt mit dessen Rechtsabteilung, das Rechnungsprüfungsamt (RPA), die Kämmerei und die Stadtkasse. Bürgermeister Thornton (Dezernat 2) war Chef des Amtes für Öffentliche Ordnung (AföO), der Schul-, Sozial und Jugendverwaltung, des Standesamtes mit Bestattungswesen, der Feuerwehr, des Forstamtes und des Krankenhauses. Bürgermeister Haller (Dezernat 3) waren zugeordnet der gesamte Baubereich, das Vermessungs- und Liegenschaftsamt sowie die Stadtwerke. 1979 übernahm Bürgermeister Jörg Zwosta das Dezernat 2 und 1981 Bürgermeister Klaus Klein das Dezernat 3.

Nach dem Amtswechsel des Oberbürgermeisters 1990 nahm Oberbürgermeister Ulrich Wendt 1991 den gesamten Baubereich in sein Dezernat. Mit ein Grund dafür waren die nicht enden wollenden Bauprobleme im Rahmen des Umbaues des Leopoldsplatzes, die Oberbürgermeister Wendt damit zur Chefsache erklärt hatte. Als

Tabelle 3 **Dezernatsverteilung in der Stadtverwaltung**

Dezernat 1 OB Wendt	Dezernat 2 EBgm Zwosta Stellv. Dez. Werner Hirth	Dezernat 3 Bgm Klein Stellv. Dez. E.-H. Steinberg	Dezernat 4 Bgm Liebenstein
Pers. Referat Presseamt Gleichstellung Hauptamt – Personal – Organisation – EDV Kämmerei mit Wirtschafts- förderung Stadtkasse RPA Rechtsamt Ortsverwaltung Theater Orchester	Amt f. öff. Ordnung Bauordnungsamt Bauverwaltung Planungsamt Hochbauamt Tiefbauamt Gartenamt Umweltamt Feuerwehr Gesellschaft f. Stadter- neuerung u. Stadtent- wicklung Baden-Baden Kommunalbau GmbH	Stadtklinik Vermessungs- u. Liegen- schaftsamt Stadtwerke mit – Baden-B.-Linie – Energie- und Wasserversorgung Rebland GmbH – Parkgaragengesellschaft Baden-Baden GmbH – Flughafengesellschaft Baden-Baden mbH Forstamt	Schul-, Kultur- und Sportamt Bibliothek Musikschule Stadtgeschichtliche Sammlung Sozial- und Jugendamt Standesamt und Bestattungswesen Stadtbildstelle

Ausgleich wurde dem Dezernat 3 die Stadtkämmerei und die Stadtkasse unterstellt, und aus dem Dezernat 2 (Zwosta) übernahm das Dezernat 3 (Klein) die Stadtklinik. Erstmals gibt es stellvertretende Dezernenten: Für das OB-Dezernat sind dies der Leiter des Rechts- und Bauordnungsamtes und der Hauptamtsleiter, für das Dezernat 3 der Stadtkämmerer. Durch die Übernahme von Theater und Orchester im Rahmen der Neuordnung der Bäder- und Kurverwaltung (BKV) – Baden-Baden hat ab diesem Zeitpunkt keinen Kurdirektor mehr – sah Oberbürgermeister Wendt durch die deutliche Aufgabenmehrung im Rathaus die Notwendigkeit, einen weiteren Bürgermeister einzustellen. Der Gemeinderat stimmte zu. Die Leitung des Dezernats 4 übernahm am 1. April 1994 der langjährige SPD-Fraktionsvorsitzende Kurt Liebenstein. Jörg Zwosta wird Erster Bürgermeister. (Vgl. Tabelle 3).

Abschließend sei noch auf eine wohl einmalige Besonderheit hingewiesen: Unter dem Rathaus existiert ein See, im Volksmund »Rathaus-See« genannt. Er ist über den Eingang in Höhe des Bürgerbüros am Jesuitenplatz zu erreichen. Seit einigen Jahren ist der eigentliche Seezugang vergrößert, mit einer Glastüre versehen und innen ausgeleuchtet. Wiederentdeckt wurde der See, der einst zur Gewinnung von Mühlsteinen diente, 1891 beim Bau des Darmstädter Hofes. Er war wohl über vier Jahrhunderte in Vergessenheit geraten. Er besteht aus zwei wassergefüllten Becken mit einer Tiefe von bis zu 3 Metern. Das Wasser hat Trinkwasserqualität und eine konstante Temperatur von 18 Grad Celsius.

Kirchen und Religionsgemeinschaften

Entwicklung. – Im Frühmittelalter war das Kl. Weißenburg in der Siedlung an der Oos begütert, und es darf auch die Existenz einer Kirche angenommen werden, die das weißenburgische Patrozinium Peter und Paul trug. 987 wurde die Kirche in *Badon* urkundlich genannt. Als Markgräfin Irmengard 1245 das Kloster *Lucida Vallis in Buere*

(Lichtental) gründete, erhielt die klösterliche Neugründung durch ihren Sohn Rudolf I. das Patronatsrecht und die Hälfte des Kirchensatzes der Kirche in Baden. Etwa 200 Jahre blieben diese Besitzverhältnisse. Dann entschloß sich Markgraf Jakob I., die Peter- und Paulskirche zu einem Stift mit dem Patrozinium »Unsere Liebe Frau« zu erheben und in gotischem Stil zu erweitern. Nun sollte die Stiftskirche Grablege der Markgrafen von Baden werden. Der Chorraum blieb den Stiftsherren, das Langhaus der Bevölkerung vorbehalten. Das Patronatsrecht wurde vom Kl. Lichtenthal zurückgegeben. Zur Zeit der Reformation hatten die Gläubigen acht Mal die Konfession zu wechseln. Im Westfälischen Frieden 1648 wurde der Religionsfriede von 1555 bestätigt, und in der Residenz der katholischen Markgrafschaft Baden-Baden mußte die katholische Konfession ausgeübt werden.

Am 6. September 1812 ging eine Bitte der protestantischen Einwohner der Stadt Baden um Einführung eines Gottesdienstes ihrer Konfession an das Großherzogliche Ministerium des Innern. 1832 entstand eine evangelische Kirchengemeinde, und noch im selben Jahr wurde in der Spitalkirche der erste evangelische Gottesdienst abgehalten. Am 8. Mai 1864 konnte die Evangelische Stadtkirche als erstes Gotteshaus einer protestantischen Kirchengemeinde in der ehemaligen Markgrafschaft Baden-Baden ihrer Bestimmung übergeben werden. Sechs Tochtergemeinden sind unter dem derzeitigen Dekanat an der Markuspfarrei aus ihr hervorgegangen.

Heute leben die beiden Konfessionen gleichberechtigt nebeneinander und stehen in ständigem Dialog. Die römisch-katholischen und evangelischen Gemeinden, die altkatholische, lutherische, methodistische, russisch-orthodoxe und rumänisch-orthodoxe Kirche sowie die französische Militärgemeinde haben sich am 20. November 1969 zu einer *Arbeitsgemeinschaft christlicher Kirchen* zusammengeschlossen. Als Gäste wirken auch die Adventgemeinde und die Freie Evangelische Gemeinde mit.

Da Spaltung und Trennung der Kirche widersprechen, sieht es die Arbeitsgemeinschaft als ihre entscheidende Aufgabe an, Schritte zu einem gegenseitigen Verständnis, einer wechselseitigen Rücksichtnahme und einer die eigene Gestalt der einzelnen Kirchen berücksichtigenden Zusammenarbeit anzuregen und Formen des gemeinsamen Zeugnisses und Dienstes zu schaffen. Unter der Trägerschaft des Arbeitskreises stehen die Beratungsstelle für Ehe-, Familien- und Lebensfragen, die Arbeitsgemeinschaft der Religionslehrer an Gymnasien sowie die kirchlichen Bildungswerke, die seit 1977 ein gemeinsames Programm herausgeben.

Römisch-katholische Kirche

Dekanatsgliederung und Pfarreien. – Seit 1827 das Erzbistum Freiburg errichtet wurde, gehören die römisch-katholischen Kirchen des heutigen Stadtkreises zur Erzdiözese Freiburg, nachdem sie vorher jahrhundertelang zum Fürstbistum Speyer gehört hatten. Sie sind in die Dekanate Baden-Baden I, II und III eingeteilt. Die katholische Bevölkerung belief sich 1993 im Stadtkreis auf 31 162 Einwohner.

Das Dekanat Baden-Baden I umfaßt fünf Pfarreien mit der Stiftskirche, St. Bernhard (Weststadt), St. Josef (Südstadt), St. Bonifatius (Lichtental) und Hl. Geist (Geroldsau).

Die *Stiftskirche* (Patrone Peter und Paul, seit 1453 auch Unsere Liebe Frau) ist die Mutterkirche Baden-Badens, die von 1391 bis 1793 die Grablege der Baden-Badener Markgrafen war. Ihr Pfarrsprengel umfaßt heute die Altstadt und erstreckt sich bis zur Stephanienstraße und Werderstraße und schließt den Friesenberg bis zur östlichen Waldseestraße ein. Im NW reicht sie im Tal der Oos bis zur Karlstraße und hat 3739 Pfarrangehörige (1993).

IV. Die Stadt der Gegenwart

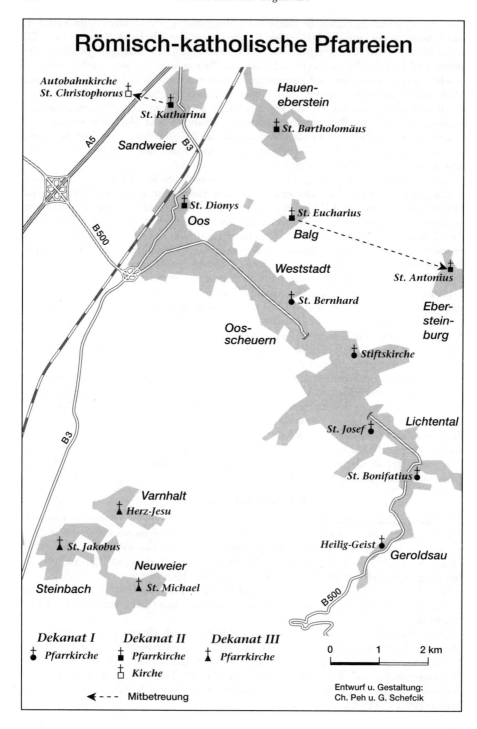

3. Öffentliches und kulturelles Leben

Die *Pfarrei St. Bernhard* entstand 1904 als eigene Pfarrkuratie und erhielt 1911 bis 1914 eine im Jugendstil erbaute Kirche. Seit 1993 ist die Bernhardskirche Dekanatssitz. Ihr Pfarrbezirk erstreckt sich über Ooßscheuern und die Weststadt von der Westseite der Waldsee- und Karlstraße über die Balzenbergstraße bis zu den Schweigrother Matten, der Schweigrother Straße und der Balger Straße im NW. Die Dreieichenkapelle an der Rheinstraße, eine alte Wallfahrtskirche seit dem 17. Jh., in der ehemals der Gottesdienst für die Weststadt abgehalten wurde, und die Bernharduskapelle beim Alten Schloß stehen unter der Trägerschaft von St. Bernhard. Die Gemeinde hat 4252 Mitglieder.

Die *Pfarrei St. Josef* erhielt 1959–61 einen Kirchenneubau, errichtet durch den Architekten Albert Peter. Ihr Pfarrbezirk reicht östlich der Oos von der Stephanienstraße und Weinbergstraße im N bis zur Rotackerstraße im S. Westlich der Oos schließt sie Gunzenbach mit ein und erstreckt sich im NW bis zur Fremersberg-, Katzenstein-, Moltkestraße und zum Ludwig-Wilhelm-Platz. Die Zahl ihrer Gemeindemitglieder liegt bei 2770.

Die *Pfarrei St. Bonifatius* in Lichtental erhielt 1865 eine neue Kirche für die Gläubigen von Unter- und Oberbeuern. Im N reicht ihr Sprengel bis zur Frankreichstraße westlich und zur Rotacker- und Eckbergstraße östlich der Oos. Im O umfaßt sie das ganze Beuerner Tal und hat 3800 Pfarrangehörige.

Das ehemalige Dorf Geroldsau erhielt mit dem Gotteshaus der *Pfarrei Hl. Geist* 1937/38 eine eigene Kirche, die am 30. 10. 1938 konsekriert wurde. Geroldsau gehörte in früheren Jahrhunderten zum Kl. Lichtenthal. Die Pfarrei hat heute 730 Gemeindemitglieder.

Zum Dekanat Baden-Baden II gehören die nordwestlichen Stadtteile. Die *Pfarrei St. Dionys* in Baden-Oos besteht seit 1509 als selbständige Pfarrei mit eigener Kirche. 1864 wurde nach Plänen von Heinrich Hübsch das heutige Gotteshaus errichtet. Der Pfarrsprengel erstreckt sich im O bis zur Schußbachstraße und Rheinstraße, die ihm ab den Hausnummern 132 und 185 westwärts angehört. Südlich der Rheinstraße grenzt die Pfarrei an die Schweigrother Straße und Vogesenstraße. 3681 Mitglieder gehören ihr an.

Die *Pfarrei St. Eucharius* in Balg ist seit 1841 selbständig und gehörte vorher zur Pfarrei Oos. 1880 wurde ihre alte Kirche abgebrochen und ein Neubau errichtet, in dem 1992 eine umfangreiche Innenrenovation durchgeführt wurde. Die künstlerische Ausgestaltung übernahm Herbert Kämper aus Karlsruhe. Die Pfarrgemeinde hat 936 Mitglieder. Noch kleiner ist mit 785 Pfarrangehörigen die *Pfarrei St. Antonius* in Ebersteinburg, die vom Geistlichen in Balg mitbetreut wird. Ihre alte Kirche erhielt nach dem Zweiten Weltkrieg einen modernen Anbau.

Die *Pfarrei St. Katharina* in Sandweier erhielt 1835–37 eine Pfarrkirche mit einer seit vielen Jahren gepflegten Walburgawallfahrt. Die Pfarrgemeinde hat 3133 Mitglieder. Auf dem Gebiet der Pfarrei steht die 1976/78 von Friedrich Zwingmann erbaute und von Emil Wachter künstlerisch gestaltete *Autobahnkirche St. Christophorus* in Gestalt einer zeltartigen Pyramide. Sie wird auch vom Pfarrer in Sandweier betreut.

Die *Pfarrei St. Bartholomäus* in Haueneberstein hat 2753 Pfarrangehörige. Am Ende des 18. Jh. (1799) erhielt sie ihr Gotteshaus, das 1957/58 erweitert wurde.

Das Dekanat Baden-Baden III umfaßt die südwestlichen Stadtteile im Rebland mit insgesamt drei Pfarreien. Das Gotteshaus der *Pfarrei St. Jakobus* in Steinbach wurde schon 1070 erwähnt und hat noch heute einen Chor aus dem 15. Jh. Der letzte Neubau dieses kirchlichen Mittelpunktes für heute 2368 Pfarrangehörige erfolgte 1906/07 in neugotischem Stil.

Die *Pfarrei St. Michael* in Neuweier wurde 1861 selbständig und gehörte vorher zur Pfarrei Steinbach. Von 1865 bis 1945 bestand ihr erster Kirchenbau; das heutige

Gotteshaus konnte 1951 geweiht werden. Die Zahl der Pfarreimitglieder liegt derzeit bei 1737 (1993).

Die *Pfarrei Herz-Jesu* in Varnhalt erstellte 1909 eine Notkirche, die 1957 durch einen Neubau ersetzt werden konnte. Die Zahl der Pfarrangehörigen liegt zur Zeit bei 1420 (1993).

Sonstige kirchliche Einrichtungen. – Alle katholischen Kirchengemeinden haben einen von den Gemeindemitgliedern gewählten Pfarrgemeinderat. In vielen Gemeinden bestehen Frauengemeinschaften, Männerwerke, Kolpingsgemeinschaften, Kindergärten, Arbeitskreise für Jugendarbeit und das Altenwerk. Damit ist in den Pfarreien eine intensive *Sozialarbeit* gewährleistet. Zur *liturgischen Ausgestaltung der Gottesdienste* wirkt in jeder Kirche ein Kirchenchor.

Unter der Trägerschaft der Erzdiözese arbeiten ferner eine *sozialpädagogische Beratungsstelle*, ein *Mädchenfreizeitheim* und das *Dekanatsjugendbüro*. Das *Pflegeheim Vincentiushaus* wird als GmbH von der katholischen Gesamtkirchengemeinde Baden-Baden betrieben. Der *Sozialdienst katholischer Frauen e.V.* mit Sitz in der Rettigstraße 4 bietet als freier Wohlfahrtsverband gesetzliche Betreuung und Familienberatung. Die *Sozialstation e.V.*, Bernhardusplatz 10, besteht in der Trägerschaft von beiden großen Konfessionen und bietet allgemeine Kranken-, Alten- und Familienpflege. Die *Aktion Nächstenhilfe e.V.* in der Schloßstraße 6 wird ebenfalls von den evangelischen und katholischen Kirchen sowie von der Stadtverwaltung getragen. Der *Caritasverband e.V.* bietet Hilfe u. a. für psychisch Kranke, vermittelt Kuren für Mutter und Kind, betreut ausländische Arbeitnehmer und Asylanten. Er betreibt ein Übernachtungsheim für Wohnungslose. Caritas und Diakonie, die eine Arbeitsgemeinschaft »Soziale Brennpunkte« bilden, bieten *Mahlzeit auf Rädern* an. In der Adlerstraße werden ein *Altentreffpunkt* und in Geroldsau eine *Altentagespflegestätte* betrieben. Die *Krankenhausseelsorge Baden-Baden* erstreckt sich auf die Stadtklinik, die Rheumaklinik und die DRK-Klinik. *Presse- und Rundfunkarbeit* werden von einem eigenen Büro betreut.

Klösterliche Niederlassungen. – Die *Zisterzienserinnenabtei Lichtenthal*, deren Fürstenkapelle von 1245 bis 1391 als Grablege der badischen Markgrafen diente und die in der napoleonischen Zeit der Säkularisation entging, unterhält eine Werkstätte für sakrale Kunst und betreibt eine Buch- und Kunsthandlung. Dem Kloster angeschlossen ist eine Grundschule.

Das *Kloster vom Heiligen Grab* untersteht als unabhängige Niederlassung von Klosterfrauen und als Orden päpstlichen Rechts der Obhut des Erzbischofs in Freiburg. Die dem Kloster angeschlossene Schule ging 1991 in die Trägerschaft der Schulstiftung der Erzdiözese Freiburg über. Die Schule besitzt ein modern ausgebautes Internat. Zur Zeit befindet sich im Kloster eine Förderschule für Aussiedlerinnen. Seit 1982 wohnen kroatische Schwestern der Kroatenmission im Klostergebäude und erhalten dort auch einen eigenen Gottesdienst.

Das *Kloster vom Guten Hirten*, das sein Mutterhaus in Angers (Frankreich) hat und dem südwestdeutschen Provinzialat in Würzburg sowie dem Generalat in Rom untersteht, ist seit 1929 in Baden-Baden und führte sein Haus »Mariafrieden« in Lichtental als Heim für verhaltensgestörte Mädchen. Heute ist das Kloster eine Zufluchtsstätte für Menschen in Notlagen aus aller Welt.

In Ebersteinburg besteht das *Schwesternheim Maria Frieden* als ein Haus für betagte Schwestern des Klosters Maria Hilf e.V. in Bühl. Unter der Trägerschaft dieses Klosters in Bühl arbeitet auch das Krankenhaus Ebersteinburg.

3. Öffentliches und kulturelles Leben

Evangelische Landeskirche in Baden

Dekanats- und Pfarreiorganisation. – Das Dekanat Baden-Baden umfaßt die evangelische Gesamtkirchengemeinde Baden-Baden mit sechs Pfarreien im Stadtkreis und der Stabsgemeinde Sinzheim.

Die evangelischen Einwohner der Stadt an der Oos wurden 1832 zu einer gemeinsamen Kirchengemeinde zusammengeschlossen. Bis 1864 fand ihr Gottesdienst in der Spitalkirche statt. Erst nach dem Bau der neugotischen evangelischen Stadtkirche am Augustaplatz (1855–64), die bis 1876 noch turmlos war, erhielten die Evangelischen eine eigene Kirche. Seit 1957 bestehen in der Altstadt zwei evangelische Kirchengemeinden, deren Grenzlinie im Verlauf von Kreuzstraße-Augustaplatz-Schillerstraße liegt und etwa parallel zur Oos zieht. Die westlich dieser Linie wohnenden Evangelischen gehören zur *Markusgemeinde*. Die Anwohner östlich davon gehören zur *Lukasgemeinde*, die sich im S bis zur Falken- und Gunzenbachstraße ausdehnt. Die rund 300 Gemeindemitglieder der 1968 errichteten evangelischen *Michaelskapelle in Ebersteinburg* werden vom Pfarrer der Lukasgemeinde mitbetreut.

Die *Luthergemeinde* Lichtental ist für die evangelischen Einwohner im Ostteil Baden-Badens zuständig. Seit 1890 fanden evangelische Gottesdienste in Lichtental statt. 1905–07 wurde eine eigene Pfarrkirche, der Jugendstilbau der Lutherkirche an der Hauptstraße, errichtet. Das Pfarramt besteht seit 1936. Angeschlossen sind ein Kindergarten und ein Gemeindehaus. Die Luthergemeinde hat 1856 Mitglieder (1993).

Die heutige *Paulusgemeinde* mit den beiden Pfarreien für die Weststadt und den Stadtteil Balg besteht seit 1946. Die von Rolf Weber entworfene Pauluskirche in Oosscheuern an der Jagdhausstraße wurde 1958 geweiht. Die Paulusgemeinde hat in ihren zwei Pfarreien 2307 Gemeindeglieder.

Die Evangelischen des Stadtteils Oos und der Oberen Breite haben ihren kirchlichen Mittelpunkt in der 1936 an der Schwarzwaldstraße erbauten Friedenskirche der *Friedensgemeinde*. Sie besteht seit 1949 und betreut auch die Stadtteile Sandweier und Haueneberstein. 1972/73 wurde ein Gemeindezentrum mit Kindergarten errichtet. Für die Gläubigen in Haueneberstein und Sandweier wurde 1981 das Hermann-Maas-Haus errichtet. 1993 hatte die Friedensgemeinde 2851 Mitglieder.

Die *Matthäusgemeinde* in Steinbach betreut nicht nur die evangelischen Einwohner dieses Stadtteils und die außerhalb des Stadtkreises liegende Stabsgemeinde Sinzheim. Ihr weitverzweigter Sprengel erstreckt sich auch über das in den Schwarzwaldvorbergen liegende Rebland mit Affental, Eisental, Müllenbach (Stadt Bühl, Lkr. Rastatt), Neuweier, Varnhalt und Weitenung (Stadt Bühl). Die evangelischen Kirchen in Steinbach und Sinzheim wurden 1961 und 1962 errichtet. Die Matthäusgemeinde hat insgesamt 2850 Pfarrangehörige.

Jede der sechs evangelischen Pfarrgemeinden hat einen *Ältestenrat*, der von ihren Mitgliedern gewählt wird. Die Ältestenräte beraten und beschließen die wichtigen Gemeindeangelegenheiten wie die Jugend-, Senioren-, Frauenarbeit und die Kantorei. Sie stimmen gemeinsam über Fragen der Krankenpflege, der Kindergärten, der drei Altenheime (Marthahaus, Haus am Berg, Steinbach) mit insgesamt rund 200 Plätzen, der Krankenhausseelsorge, Erwachsenenbildung, der kirchlichen Pressearbeit ab.

Übrige kirchliche Einrichtungen. – Die evangelische Kirchengemeinde Baden-Baden unterhält als eigene Einrichtung eine *Sozialstation*. Das *Diakonische Werk* unterhält ferner eine Beratungsstelle, die versucht, in Konflikt- und Notsituationen wie z. B. bei Krankheit, Ehe- und Partnerschaftsschwierigkeiten, Erziehungsproblemen,

IV. Die Stadt der Gegenwart

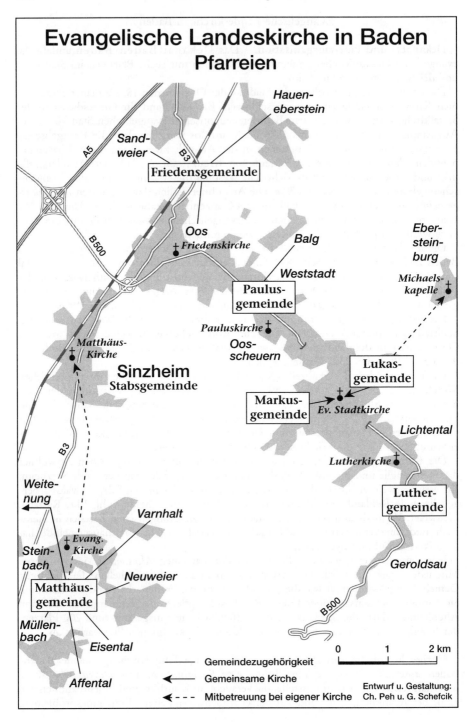

3. Öffentliches und kulturelles Leben

Schwierigkeiten am Arbeitsplatz oder in sozialrechtlichen und finanziellen Fragen zu helfen. Angeboten werden auch Hilfen für seelisch Kranke, alte Menschen und Behinderte, die Vermittlung von mobilen Hilfsdiensten und Hausbesuche sowie Beratungen für Ausländer, Aussiedler und Asylbewerber. Die Vermittlung von Kuren für Erwachsene und Senioren, Mutter und Kind sowie für ganze Familien gehört ebenfalls zum Aufgabenbereich des Diakonischen Werkes. Es bietet auch Kinderfreizeiten, betreut Senioren und führt eine Stadtranderholung für Senioren durch. Dem Diakonischen Werk angegliedert ist die Geschäftsführung von »Mahlzeit auf Rädern«, einer Einrichtung der freien Wohlfahrtsverbände der Stadt. Erwähnenswert ist auch die Selbsthilfegruppe für Krebs- und ehemalige Krebspatienten, die mit Gesprächsrunden, Diskussionen und Geselligkeit sowie Informationen über rechtliche und finanzielle Fragen zu helfen versucht.

Die evangelische Diakonie und der katholische Caritasverband e.V. bilden die Arbeitsgemeinschaft *»Soziale Brennpunkte«*. In diesem Arbeitskreis wird versucht, Menschen am Rand der Gesellschaft Hilfen zu bieten.

Inmitten der Stadt, an der Bertholdstraße, besteht das *Evangelische Gemeindezentrum* mit dem Dietrich-Bonhoeffer-Saal und Jugendräumen, dem Marcel-Sturm-Haus mit dem Gemeindeamt und dem Diakonischen Werk, dem Dekanat, der religionspädagogischen Medienstelle sowie dem Marthahaus, einem Altenheim.

Übrige evangelische Kirchen

Die *Evangelisch-Lutherische Gemeinde* Baden-Badens bildet mit sechs anderen Gemeinden die Evangelisch-Lutherische Kirche in Baden und ist organisatorisch selbständig. Seit 1876 gibt es evangelisch-lutherische Gläubige in Baden-Baden und seit 1912 eine eigene Gemeinde. Sie hält ihren Gottesdienst in der ehemaligen anglikanischen Kirche »All Saints Church«, der heutigen St. Johanniskirche am Gausplatz. Seit 1968 gehört die Baden-Badener Gemeinde dem Lutherischen Weltbund an, seit 1973 auch der damals gegründeten Arbeitsgemeinschaft Christlicher Kirchen in Baden-Württemberg.

Die *Evangelisch-Methodistische Gemeinde* hält ihre Gottesdienste in der Christuskapelle an der Lichtentaler Straße 77a. Diese Kapelle gehört heute der Evangelisch-Methodistischen Kirche, nachdem sie 1926 von Pfarrer Ippach errichtet und der Bischöflichen Methodistenkirche gestiftet wurde. Die Evangelisch-Methodistische Kirche ist eine evangelische Freikirche. Die Gemeinde in Baden-Baden hat 30 Vollmitglieder und 40 Kirchenangehörige. Sie ist Außenstelle des Bezirks Baden-Baden, Bad Herrenalb und Loffenau.

Weitere christliche Kirchen

Altkatholische Kirche. – Die Altkatholische Kirche hält ihre Gottesdienste in der *Spitalkirche* bei der Caracalla-Therme. Sie wurde 1832 Simultankirche, in der katholische, evangelische und anglikanische Gottesdienste abgehalten wurden. 1874 wurde sie den Altkatholiken überlassen. 1963–66 wurde sie renoviert und aus Gründen der benachbarten Bäderneugestaltung um 7 m gekürzt, nachdem der in Heidelberg ansässige schottische Künstler Harry McLean 1951–59 die neuen Farbfenster mit einem zehnteiligen Zyklus aus der Offenbarung des Johannes neu gestaltet hatte. Die Kirchengemeinde Baden-Baden der Altkatholiken betreut heute auch die Altkatholiken in Offenburg, Freudenstadt und Pforzheim.

Rumänisch-Orthodoxe Kirche. – 1833–66 hat Fürst Michael von Stourdza aus Rumänien durch den Münchner Architekten Leopold von Klenze die *Stourdza-*

Grabkapelle auf dem vorderen Friesenberg, dem Michaelsberg, erbauen lassen. In ihr befindet sich die Familiengruft der Fürstenfamilie. Das gesamte Kirchenareal, der Michaelsberg samt Kapelle und Popenhaus, sind heute Eigentum der Stadt Baden-Baden und wurden der bisherigen Bäder- und Kurverwaltung zur Nutzung und Pflege überlassen. In der Kapelle finden Gottesdienste nach orthodoxem Ritus in rumänischer Sprache statt. Die deutsche Sprache findet heute allerdings auch Berücksichtigung. Das Gotteshaus untersteht der kanonischen Jurisdiktion der Metropole von Moldau und Suceava in Rumänien und dem Erzbischof von Jassy. Von dort werden Geistliche nach Baden-Baden entsandt.

Russisch-Orthodoxe Kirche. – In Baden-Baden bestehen heute zwei russisch-orthodoxe Gemeinden. Einmal handelt es sich um die *Russisch-Orthodoxe Kirche, Gemeinde Baden-Baden*, die in der Christi-Verklärungskirche in der Lichtentaler Straße 76 ihr Gotteshaus hat. Nach Plänen von Iwan Strom, Professor an der St. Petersburger Akademie der Künste, wurde es von dem Baden-Badener Architekten Bernhard Belzer ab 1880 gebaut und 1882 geweiht. Die zugehörige orthodoxe Gemeinde gehört zur Russisch-Orthodoxen Kirche im Ausland und untersteht dem russisch-orthodoxen Bischof in Berlin und in Deutschland. Die Gottesdienste in Baden-Badens russischer Kirche werden in russischer Sprache gehalten; deutsche Texte werden jedoch auch gelesen. Die Gottesdienste sind offen für alle Gläubigen. Gottesdienstbesucher kommen aus allen Teilen des Landes, auch aus dem Ausland. Taufen werden für Gläubige z. B. aus London, Paris und Moskau abgehalten.

Die zweite russisch-orthodoxe Gemeinde Baden-Badens ist die *Gemeinde »Verklärung des Herrn«*, die ihre Gottesdienste in der evangelisch-lutherischen St. Johanniskirche feiert. Diese Gemeinde untersteht unmittelbar dem Patriarchat Moskau und war ehemals die einzige russisch-orthodoxe Gemeinde Baden-Badens, die alle ihre Gottesdienste in der russischen Kirche versah. Sie wurde 1922 als »Russisch-Katholischer Kirchenverein Baden-Baden« in das Register beim Amtsgericht Baden-Baden eingetragen. Die Gemeinde selbst besteht seit 1853 und konnte 1982 das hundertjährige Bestehen der russischen Kirche noch in diesem Gotteshaus feiern. Seit einem Urteilsspruch des Bundesverfassungsgerichtes im Jahr 1988, der das Kirchengebäude der Russisch-Orthodoxen Kirche im Ausland zusprach, ist sie gezwungen, ihre Gottesdienste in der Johanniskirche abzuhalten. Im Januar 1993 wurde die dem Moskauer Patriarchen unterstehende Russisch-Orthodoxe Kirche in Deutschland zu einer Diözese zusammengefaßt.

Anglikanische Kirche. – Der Bau der anglikanischen Kirche »All Saints Church« war 1867 durch Spenden und Stiftungen von Engländern in Baden-Baden, aber auch von vielen Deutschen ermöglicht worden. Sie sollte der immer größer werdenden englischen Kolonie in der Stadt an der Oos zur Abhaltung ihrer Gottesdienste dienen. Zur Weihe kamen die Königin von Preußen und spätere Kaiserin Augusta, Bürgermeister Gaus und der Stadtdirektor Freiherr von Göler. Erbaut wurde die Kirche von Bernhard Belzer unter Aufsicht des Architekten Ludwig Lang nach Plänen von Thomas H. Wyatt. Als berühmtester unter den anglikanischen Geistlichen gilt Reverend T. A. S. White, der von 1871 bis 1911 in der Stadt an der Oos amtierte. Im Herbst 1938 fand der letzte anglikanische Gottesdienst in Baden-Baden statt. Nach dem Zweiten Weltkrieg gab es keine regelmäßigen anglikanischen Gottesdienste mehr, und die Evangelisch-Lutherische Gemeinde, die bereits 1876 ihre Gottesdienste in der anglikanischen Kirche abgehalten hatte, übernahm das Gotteshaus als St. Johanniskirche (s. o.).

3. Öffentliches und kulturelles Leben

Kirche Notre Dame de la Paix. – In der Cité Française besitzen die Französischen Streitkräfte in Baden-Baden ihre eigene Kirche. Sie wurde 1955 für 450 Personen katholischen Bekenntnisses erbaut. In diesem Kirchenbau befindet sich auch ein »Temple« für 40 Protestanten sowie eine Synagoge für 50 Personen israelitischen Glaubens.

Jüdische Gemeinde Baden-Baden

Noch bis zur Mitte des vorigen Jahrhunderts war es für Juden unmöglich, in der Stadt Grund und Boden zu erwerben. Jeglicher Versuch dazu wurde von den Bürgern Baden-Badens unterbunden. Erst nach der Schließung der Spielbank und mit dem Ausbau Baden-Badens zur Bäderstadt ab 1871 kam man auch jüdischen Kurgästen, vor allem Kaufleuten, Ärzten und Rechtsanwälten, die sich in der Kurstadt niederlassen wollten, entgegen. So verwundert es nicht, daß erst 1899 – nach langjährigen vergeblichen Bemühungen – eine *Synagoge* im neuromanischen Stil an der Ecke Stephanien- und Scheibenstraße erbaut wurde. Ihr Architekt war Professor Ludwig Levy. 1921 wurde der jüdischen Gemeinde gestattet, einen eigenen Friedhof in Lichtental anzulegen. Bis dahin mußten die Toten israelitischen Glaubens auf dem jüdischen Friedhof in Kuppenheim bestattet werden. Der israelitische Gottesdienst der heutigen jüdischen Gemeinde Baden-Badens wird in der Werderstraße 2 abgehalten. Die Gemeinde untersteht dem Oberrat der Israeliten Badens in Freiburg. Ein Landesrabbiner versorgt alle jüdischen Gemeinden des Landes. Nach dem Tod ihres Vorsitzenden, Rechtsanwalt Dr. A. Wachsmann, hat sich die Baden-Badener Gemeinde wieder neu konstituiert. Ihre Verjüngung erfolgt durch russische Kontingentflüchtlinge, die vorübergehend in Baden-Baden aufgenommen werden.

Soziale Einrichtungen

Einführung. – Wer an Baden-Baden denkt, dem stehen das Kurhaus mit dem Spielcasino, die Pferderennen oder die Lichtentaler Allee vor Augen. Baden-Baden mit seinen 52000 Einwohnern ist aber neben allem Glanz auch eine ganz normale Stadt mit Sorgen und Problemen, die es zu bewältigen gilt. Die Stadt besitzt deshalb eine überraschend große Palette sozialer Dienstleistungsangebote, für deren Bereitstellung Baden-Baden als Stadtkreis und Träger der Sozial- und Jugendhilfe Verantwortung trägt.

Das Bundessozialhilfegesetz und das neugeschaffene Jugendhilfegesetz verpflichten die Stadt Baden-Baden, bestimmte soziale Einrichtungen oder Dienstleistungen selbst vorzuhalten oder dafür Sorge zu tragen, daß solche Einrichtungen von Verbänden oder den Kirchen gegen finanziellen Ausgleich übernommen werden. Die Träger dieser Einrichtungen und ihre Dienstleistungen werden nachstehend kurz beschrieben.

Sozial- und Jugendamt der Stadt Baden-Baden. – Baden-Baden besitzt als *örtlicher Träger der Sozial- und Jugendhilfe* ein Sozial- und Jugendamt. Sozial- und Jugendhilfe, Betreuung und Beratung von Aus- und Übersiedlern sowie Asylbewerbern, Gewährung von Leistungen nach dem Bundesausbildungsförderungsgesetz, Kriegsopferfürsorge, Abwicklung von Pflegschaften und Vormundschaften, Gewährung von Bundes- und Landeserziehungsgeld, Rentenberatung, die Gewährung von Miet- und Lastenzuschuß, die Pflegekinder- und Adoptionsvermittlung bis zur Verwaltung der städtischen Alten- und Altenpflegeheime gehören zu den Aufgaben dieses Amtes mit 65 Mitarbeitern. Dazu kommen in jüngster Zeit die Vorbeugung gegen Suchtgefahren durch legale

(Alkohol) oder illegale Drogen (Rauschgifte), die Schuldnerberatung, die Koordination der Hilfsangebote auf dem Gebiet der Altenhilfe und die psychologische Beratungsstelle. In Kürze wird gemeinsam mit dem Landkreis Rastatt ein Frauen- und Kinderschutzhaus in Baden-Baden seinen Betrieb aufnehmen. Eine psycho-soziale Beratungs- und Behandlungsstelle für Alkohol- und Drogenprobleme besteht seit 1992.

Selbsthilfegruppen. – Neben diesen gesetzlichen Pflichtaufgaben der Stadt werden Hilfen zur »Selbsthilfe« von einer Vielzahl freier Organisationen, Vereinen und Verbänden angeboten. Die nachfolgende Auswahl verdeutlicht, daß es in Baden-Baden einen umfassenden Grundkonsens über die große Bedeutung sozialer Aufgaben gibt: Die Ortsgruppe von *Amnesty International,* der *Arbeitskreis Asyl,* das *Aktionskomitee »Kind im Krankenhaus«,* der *Verein Hilfe für deutsche Aussiedler,* die *Kriegsopferverbände,* der *Verband alleinstehender Mütter und Väter,* die *Selbsthilfegruppe »Leben nach Krebs«,* der *Verein »Lebenshilfe für das geistig behinderte Kind«,* die neugegründete *Ortsgruppe des Deutschen Kinderschutzbundes,* der *Sozialdienst Katholischer Frauen,* die *Ortsgruppe des »Weißen Ringes«,* die zahlreichen *Altenwerke der Kath. Kirchengemeinden* haben starke Fäden ins soziale Netz gewoben. *Selbsthilfegruppen für Alsheimer-, Parkinson- und Bechterew-Kranke, Diabetiker,* für *MS-Kranke (AMSEL-Gruppe)* und *Rheumatiker* – all diese Selbsthilfegruppen stellen heute neben den staatlichen und städtischen Einrichtungen einen wichtigen Teil des in Baden-Baden vorhandenen Sozialgefüges dar. Sie sind Beweis dafür, daß in der Bürgerschaft ein hohes Maß an sozialem Verantwortungsgefühl und Einsatzwillen vorhanden ist.

Verbände der freien Wohlfahrtspflege. – Große Bereiche der sozialen Aufgaben werden von den Trägern der freien Wohlfahrtspflege und den ihnen angeschlossenen Verbänden wahrgenommen. Die Verbände, die in der sog. Liga zusammengeschlossen sind, bilden das Rückgrat der sozialen Arbeit im Stadtkreis.

Kreisverband Baden-Baden der Arbeiterwohlfahrt (AWO). – Mit 11 hauptamtlichen Mitarbeitern, 39 Zivildienstleistenden, einem Mädchen im freiwilligen sozialen Jahr, 2 Honorarkräften bewältigt die AWO den *Mobilen Sozialen Hilfsdienst (MSHD)* für die alten Menschen, den allgemeinen Pflegedienst und die individuelle Schwerstbehindertenbetreuung (ISB). Der MSHD (17744 Einsätze im Jahr 1992) umfaßt die Haushaltshilfe, Besorgungen, Gartenarbeit, Gespräche, Vorlesen, Spielen, Spaziergänge, Begleitung bei Arztbesuchen, Betreuung, Nachtbereitschaft, Pflegehilfen und die Mahlzeit auf Rädern. Der Pflegedienst (20539 Einsätze im Jahr 1992) übernimmt die Grundpflege der Patienten nach vorheriger ärztlicher Verordnung. Die AWO betreibt die *Seniorenwohnanlage »Gutleuthaus«,* die ihr von der Stadt Baden-Baden übertragen worden ist. Im »Gutleuthaus« ist auch ein Altentreff integriert. Zur Durchführung von Jugendfreizeiten und Seminaren sowie Bildungsveranstaltungen ist der AWO auch das der Stadt Baden-Baden gehörende *Else-Stolz-Heim* im Schwarzwaldhöhengebiet verpachtet worden.

Caritasverband für die Stadt Baden-Baden e.V. (CV). – 56 haupt- und nebenberufliche Mitarbeiter, darunter 6 Zivildienstleistende führen im CV in 4 Fachbereichen »*Soziale Dienste«, »Altenhilfe«, »Wohnungslosenhilfe«,* und *»Sozialarbeit«* die wichtigen Aufgaben durch. Angeschlossen sind dem Verband die katholischen Pfarrgemeinden mit ihren Kindergärten, die Sozialstation, das Altenpflegeheim Vincentiushaus-GmbH, das Altenpflegeheim Schafberg, die noch bestehenden Krankenpflegevereine und die Frauen-

3. Öffentliches und kulturelles Leben

gemeinschaften. Im Rahmen der Altenhilfe hat der CV, angeregt durch die Stadt, den Betrieb einer Altentagespflegestätte in Geroldsau aufgebaut. 1994 wird diese Altentagespflegestätte nach Steinbach in das frühere Spital nach erfolgtem Umbau verlegt.

Der CV leistet Gemeinwesenarbeit in einem Wohnquartier, das zum großen Teil von Familien mit niederem Einkommen bewohnt wird. Diese Arbeit umfaßt den Betrieb eines Kinderhortes mit Hausaufgabenbetreuung, Jugendarbeit und Familienbetreuung. Die Stadt wird nach Auflösung dieses Wohngebiets im Zuge des Neubaues der Schnellbahntrasse die Gemeinwesenarbeit in dem neuen Wohnquartier »Briegelacker« unter anderen Bedingungen fortsetzen. Dieses Wohnquartier wird die Stadt vom Bund nach Wegzug der französischen Streitkräfte im Rahmen eines Generalmietvertrages anmieten und unter den Bedingungen des sozialen Wohnungsbaues an Baden-Badener Familien weitervermieten.

Neben diesen Aktivitäten betreibt der CV auch eine Werkstatt mit einem Gebrauchtmöbellager. In die Reparaturarbeiten sind Wohnsitzlose miteingebunden. Aus dem Gebrauchtmöbellager können sich sowohl die Sozialhilfeempfänger als auch die Asylbewerber bei der Einrichtung ihrer eigenen Wohnung bedienen.

Evangelische Diakonie. – Mit 4 Mitarbeitern ist die Ev. Diakonie in der Beratung in allen Lebenslagen, der Leitung der Selbsthilfegruppe »Leben nach Krebs«, der Sitzwachengruppe zur Begleitung Sterbender, der Vermittlung von Mutter-Kind-Kuren und der Organisation von Kinder- und Seniorenfreizeiten tätig. Die Ev. Diakonie hat die Geschäftsführung für die Aktion »Mahlzeit auf Rädern«, die den alten Menschen hilft, möglichst lange in der eigenen Wohnung verbleiben zu können. An dieser Aktion sind alle Wohlfahrtsverbände beteiligt.

Kreisverband Baden-Baden des Deutschen Roten Kreuzes (DRK). – Das DRK umfaßt 3 *Bereitschaften* in Lichtental, Stadtmitte und Oos Land mit insgesamt 114 Aktiven, die sich auf Betreuungs- und Sanitätsdienst spezialisiert haben. Außerdem besteht ein *Jugendrotkreuz* mit 54 Jugendlichen. Die *Ortsvereine der 3 Rebland-Stadtteile* umfassen zusätzlich 70 Aktive und 18 Jugendliche im Jugendrotkreuz.

Die Ausbildung zu lebensrettenden Sofortmaßnahmen am Unfallort, erste Hilfe, Herz-Lungen-Wiederbelebung, Ausbildung von Betriebshelfern, Pflichtausbildung für Fahrerlaubnis-Prüfungen, Krankenpflege in der Familie, Blutspende-Aktionen und Altkleidersammlungen gehören zu den *laufenden Aufgaben* des DRK. Für die *Seniorenarbeit* bestehen unter dem Dach des DRK-Zentrums am Schweigrother Platz eine Seniorenbegegnungsstätte, die Senioren-Theatergruppe »Spätlese«, ein Mahlzeitendienst mit Diätverpflegung, ein Handarbeitskreis und ein Arbeitskreis Gymnastik. Im Rahmen der *Behindertenhilfe* unterhält das DRK einen Behindertenfahrdienst, Kinder- und Schülerfahrdienst und führt einen Freizeitclub mit Behinderten sowie eine Malwerkstatt für diese Personengruppe durch. Unter dem Oberbegriff »*Gesundheitsdienste*« bietet das DRK zahlreiche Kurse an, wie z.B. Vorbereitung auf den Ruhestand, Konzentrations- und Gedächtnistraining. Zusätzlich unterhält das DRK den *Rettungsdienst* und eine *Abteilung des Katastrophenschutzes*, der eng mit der Katastrophenschutzstelle im Amt für öffentliche Ordnung zusammenarbeitet.

Deutscher Paritätischer Wohlfahrtsverband (DPWV). – Im DPWV haben sich die Aktion *Nächstenhilfe e.V.*, die *v. Stulz-Schrieversche Waisenanstalt*, der *Waldorf-Kindergarten* in Sandweier, das *Altenwohnstift e.V. Hahnhof*, das *Alten- und Pflegeheim Haus Rehoboth*, die Aktion *Multiple Sklerose Erkrankter (AMSEL) e.V.* und die

Deutsche Parkinson Vereinigung e.V. zusammengeschlossen. Dieser Verband bündelt die Mitwirkungsinteressen seiner Mitglieder in der Liga wie auch bei den Planungsvorhaben der Stadt. Die einzelnen Mitgliedsverbände des DPWV agieren völlig selbständig und in eigener Verantwortung.

Kreisseniorenrat (KSR). – Der KSR ist eine Arbeitsgemeinschaft von Einzelpersonen, Organisationen, Einrichtungen und Vereinigungen, die auf dem Gebiet der *Altenhilfe* tätig ist. Der KSR ist ein »Seniorenvertretungsorgan« und dem Landesseniorenrat Baden-Württemberg angeschlossen. Er sieht seine Aufgabe darin, die Interessen alter Menschen zu bündeln und einen engen Erfahrungsaustausch mit den Liga-Verbänden, den Kirchengemeinden und der Stadt Baden-Baden zu pflegen. Der KSR hat sich aus dem Bewußtsein gebildet, daß in Baden-Baden eine überdurchschnittlich hohe Zahl von älteren Menschen wohnt, die von Jahr zu Jahr weiter wächst und deshalb eine besondere Interessenvertretung braucht. Der KSR betreibt eine Kontaktbörse, die praktische Hilfen für Senioren vermittelt (»Senioren helfen Senioren«).

Mütterzentrum Känguruh e.V. – Das Mütterzentrum versteht sich als Selbsthilfegruppe, die sich das Ziel gesetzt hat, solche Mütter zusammenzuführen, die wegen ihrer Erziehungstätigkeit auf eine Berufstätigkeit vorübergehend verzichten und deshalb »ans Haus gebunden sind«. Das Mütterzentrum will ein Forum des Erfahrungsaustausches und des Wiedereinstiegs in das Berufsleben bieten. Hierfür organisiert das Mütterzentrum Kinderbetreuung, Hausaufgabenhilfe und Müttertreffs. Insgesamt 80 Mitglieder tragen diese Arbeit mit. Die Stadt übernimmt die jährlichen Aufwendungen für die Miete in Höhe von DM 15000,–.

Stationäre Alten- und Altenpflegeeinrichtungen. – Durch den überdurchschnittlich hohen Anteil von älteren Menschen an der Gesamtbevölkerung hat Baden-Baden zahlreiche Alten- und Altenpflegeeinrichtungen in städtischer, kirchlicher, verbandlicher oder privater Trägerschaft.

Wohlfahrtsverbände, Kirchengemeinden und private Träger haben in den letzten 15 Jahren neue Pflegeeinrichtungen gebaut und bestehende um- und ausgebaut. Die Stadt hat im Laufe der letzten 15 Jahre das Josefsheim, das Altenheim Annaberg, das Spital in Steinbach, das Haus Quettig und das Gutleuthaus aufgegeben. Der Verlust an Heimplätzen wurde teilweise durch Umbau der ehemaligen Inneren Abteilung des alten städtischen Krankenhauses im Haus Reich aufgefangen. Dieses *städtische Altenheim* hat heute 50 Betten, die zum Teil auch mit pflegebedürftigen Menschen belegt sind. Als zusätzlichen Ausgleich hat die Stadt in den letzten Jahren rund 15 Mio. DM für kirchliche Träger, die AWO und für die stadteigene Stiftung »Altenpflegeheim Schafberg« zur Schaffung weiterer Pflegeplätze bereitgestellt.

Die Evangelische Gesamtkirchengemeinde betreibt das *Alten- und Altenpflegeheim »Marthahaus«* (54 Plätze), das *»Haus am Berg«* (61 Plätze) und das *Evangelische Altenheim in Steinbach*, das nach seinem Umbau 100 Plätze haben wird. Die Katholische Kirche betreibt über die Vincentiushaus-GmbH als alleinige Gesellschafterin das *Pflegeheim Vincentiushaus* mit 121 Plätzen. Das DRK führt das *Ludwig-Wilhelm-Stift* mit 51 Altenheim- und 19 Pflegebetten. Dieses Haus wurde 1981 grundlegend erneuert und erweitert.

Das *Parkstift Hahnhof*, die *Kurpark-Residenz »Bellevue«*, das *Schwarzwald-Wohnstift*, das *Christinen-Stift*, das *Haus »Rehoboth«* in Steinbach und das *Schwarzwald-Wohnstift*, das aus dem ehemaligen Lehrerinnen-Altenheim hervorging, ergänzen als

3. Öffentliches und kulturelles Leben

Einrichtungen privater Organisationen das Gesamtangebot der stationären Altenhilfe. Die Kurpark- Residenz wurde im früheren Hotel Bellevue und das Christinen-Stift im früheren Hotel Falkenhalde eingerichtet. Insgesamt bestehen in Baden-Baden 457 Altenheim- und 491 Pflegeplätze. Darüber hinaus werden 26 Plätze in der *Kurzzeitpflege* angeboten. In der *Altentagespflege* bestehen zur Zeit 15 Plätze. Mit diesem Angebot hat der Stkr. Baden-Baden die Nachfrage nach Pflegeplätzen bis zum Jahre 2000 abgedeckt.

Ambulante Hilfen. – Ambulante Hilfen und Dienstleistungen werden zur Vermeidung von Heimaufenthalten oder für das Hinausschieben der Heimunterbringung immer wichtiger. Die älter werdenden Menschen möchten solange wie möglich in ihrer eigenen häuslichen Umgebung auch im Krankheits- oder im Pflegefalle bleiben. Diesem Wunsch hat die Stadt durch verstärkten Ausbau der ambulanten Hilfen bei den Verbänden Rechnung getragen. Die Sozialstation (24 hauptamtliche Kräfte), der MSHD der AWO und die Aktion Nächstenhilfe (5 hauptamtliche, 55 nebenamtliche Kräfte) tragen mit finanzieller Unterstützung der Stadt die Hauptlast. Während die Sozialstation sowie der MSHD sowohl von den Krankenkassen als vom Land Baden-Württemberg finanzielle Mittel erhalten, ist die Aktion Nächstenhilfe, die aus der Stiftskirchengemeindearbeit heraus entstanden ist, im wesentlichen auf städtische Hilfe angewiesen; die Entgelte der Patienten für die in Anspruch genommenen Dienstleistungen sind nicht kostendeckend. Die Aktion Nächstenhilfe erhält für ihre Arbeit jährlich 120 000 DM.

Für die Träger der ambulanten Hilfen wurden im Jahre 1992 insgesamt 490 000 DM aus dem städtischen Haushalt bereitgestellt. Darüber hinaus bezuschußte Baden-Baden die offene Altenarbeit mit einem Gesamtbetrag von 187 000 DM. Damit leistet die Stadt einen entscheidenden Beitrag zur Unterstützung des sozialen Netzwerkes für die ältere Generation.

Stulz-Schriever'sche Waisenanstalt (Kinder- und Jugendheim). – Aus zwei großen Stiftungen hervorgegangen ist das Kinder- und Jugendheim heute eine heilpädagogische Einrichtung. Das Kinder- und Jugendheim hat die Aufgabe, emotional gestörte, erziehungsschwierige junge Menschen (Jungen und Mädchen) zu betreuen und zu fördern. Hierfür bestehen auch schulische Einrichtungen. 163 Kinder leben dort, die von 104 Lehrern und Erziehern unterrichtet, beraten und erzogen werden. Das Kinder- und Jugendheim bietet ein vielfältiges Betreuungsangebot, das sich von klassischen Heimgruppen in den Gebäuden am Eckberg bis zu Außenwohngruppen gliedert. Der Tagessatz pro Jugendlichen und pro Tag beträgt 203 DM (Stand 1.1.1993).

Ausblick. – Die Stadt wird gemeinsam mit den Wohlfahrtsverbänden Wohn- und Betreuungsformen für ältere Menschen weiterentwickeln und bei der Jugendhilfe vorbeugende Maßnahmen verstärken, um die sehr kostenträchtige Heimunterbringung weitgehend zu vermeiden. Dieses Ziel muß in den kommenden Jahren mit großem Nachdruck angestrebt werden, um den hohen Standard des dicht gewebten sozialen Netzes für die Bürger erhalten zu können. Ansätze hierfür sind in der Erprobung.

Gesundheitswesen

Durch das Thermalwasser und seine heilende Wirkung ist Baden-Baden als Kurort berühmt geworden. Heute dienen 5 Krankenhäuser und 4 ärztlich geführte Sanatorien in Baden-Baden der Heilung kranker Menschen.

Die Geschichte der kommunalen öffentlichen Krankenhäuser beginnt in Baden-Baden 1847, als von der damaligen badischen Regierung verfügt wurde, daß alle Schenkungen, die in Form von privaten Spitälern betrieben wurden, zu einem *städtischen Krankenhausbetrieb* zusammengefaßt werden sollten. 1857 erfolgte die Grundsteinlegung auf dem Gelände der ehemaligen Ziegelhütte an der Lichtentaler Straße im Bereich des heutigen Bertholdplatzes bei der Russischen Kirche. 1860 war die Einweihung des ersten Baden-Badener Krankenhauses, das 1880 bereits um einen Flügel erweitert wurde. Vor dem Ersten Weltkrieg bestanden schon Neubauabsichten, die sich aber erst nach dem Zweiten Weltkrieg teilweise am alten Standort verwirklichen ließen.

Schließlich faßte der Gemeinderat 1965 den Beschluß, ein städtisches Krankenhaus in der Weststadt unterhalb von Balg völlig neu zu bauen. 1977 ging dieser Neubau in Betrieb. Das veraltete Krankenhaus an seinem ursprünglichen Standort an der Russischen Kirche wurde abgebrochen. Lediglich ein Gebäude blieb als Städtisches Altenheim in Funktion (Haus Reich). Die übrigen Flächen sind heute eine Grünanlage, unter der der Michaelstunnel verläuft.

Das *Städtische Krankenhaus*, die Stadtklinik, ist ein Krankenhaus der Regelversorgung. Es wies im Jahr 1991 443 Planbetten auf. Diese verteilten sich auf die einzelnen Kliniken bzw. Belegabteilungen wie folgt:

		Betten
Kliniken und Institute:	Innere Medizin einschl. Infektion	128
	Chirurgie	111
	Gynäkologie	75
	Kinderklinik	50
	Institut für Anästhesiologie und Intensivmedizin	12
	Radiologisches Institut	9
Belegabteilungen:	Urologie	23
	Hals, Nasen, Ohren	15
	Neurologie	12
	Augen	8
	Insgesamt	443

Die Stadtklinik hat derzeit einen Personalbestand von 605 Mitarbeitern, der sich folgendermaßen aufteilt:

Ärztlicher Dienst	74
Pflegedienst	271
Medizinisch-Technischer-Dienst	74
Funktionsdienst	56
Wirtschafts-, Versorgungs- und Techn. Dienst	64
Instandhaltung	15
Verwaltung	40
Ausbildung Krankenpflegeschule	4
Sonderdienst (Betriebsarzt, Arbeitsschutz-ingenieur, Personalrat, Pflegedienstleitung)	7

Die Stadtklinik Baden-Baden ist gemäß der Vereinbarung mit dem Land Baden-Württemberg seit 1978 *Akademisches Lehrkrankenhaus der Universität Freiburg*, an dem Medizinstudenten ihre praktische klinische Ausbildung absolvieren können. Im Jahr 1992 waren 16 Studenten an der Stadtklinik in Baden-Baden zur Ausbildung.

Der Stadtklinik zugeordnet ist eine *Krankenpflegeschule* mit 69 Ausbildungsplätzen. Daneben wurde im Jahr 1990 eine *Krankenpflegehilfeschule* eröffnet, die im Jahr 1991

15 Auszubildende entließ. An der Krankenpflegeschule wird ein dreijähriger Kurs, an der Krankenpflegehilfeschule ein einjähriger Kurs abgehalten.

1990 war die Stadtklinik zu 87,86 %, 1991 zu 88,33 % ausgelastet. Die durchschnittliche Verweildauer der Patienten betrug im Jahr 1990 11,03 Tage, 1991 10,69 Tage.

1990 wurden 142 072, 1991 142 831 Pflegetage errechnet. 1990 wurden 12 869, 1991 13 365 stationäre Patienten behandelt.

Die Stadtklinik wird nicht nur von Bewohnern des Stadtkreises Baden-Baden aufgesucht, sondern auch aus den umgebenden Kreisen.

1991 stammten über die Hälfte aller Patienten, nämlich 6753 oder 50,52 % aus dem Stadtkreis. Weitere 5313 Patienten (39,76 %) kamen aus dem Lkr. Rastatt, 835 (6,25 %) aus dem übrigen Baden-Württemberg und nochmals 464 (3,47 %) aus dem restlichen Bundesgebiet und dem Ausland. Insgesamt wurden 1991 13 365 Patienten behandelt.

Die Stadtklinik Baden-Baden wird als Regiebetrieb von der Stadt Baden-Baden geführt. Die vom Land Baden-Württemberg für Investitionen zur Verfügung gestellten Fördermittel reichten nicht aus, um die notwendigen Beschaffungen und Ersatzbeschaffungen zu tätigen. Der Klinikträger, die Stadt Baden-Baden, stellte deshalb im Jahr 1991 für Investitionen 2,5 Mio. DM zur Verfügung. Auch der laufende Betrieb konnte durch die Kostenträger (die Krankenkassen) finanziell nicht voll abgedeckt werden. Hier mußte die Stadt Baden-Baden ebenfalls einen Zuschuß in Höhe von rd. 2,8 Mio. DM zum laufenden Betrieb in den Haushaltsplan 1991 einstellen.

An bedeutenden, modernen Behandlungseinrichtungen sind Geräte zur Behandlung ambulanter Dialyse-Patienten, ein Computertomograph und ein Kernspintomograph vorhanden.

Das Gesundheitsstrukturgesetz 1992 bestimmt die künftige Entwicklung und macht einen transparenten und unter wirtschaftlichen Gesichtspunkten straff geführten Betrieb notwendig. Die vollständige Ausstattung der Stadtklinik mit EDV-Geräten zu einer lückenlosen Erfassung aller Daten ist bis 30. Juni 1995 abgeschlossen. Dieses »patientenorientierte Informationssystem« ermöglicht wesentlich verbesserte Organisationsabläufe sowohl in der medizinischen Arbeit als auch in der Kostenerfassung.

Die ambulante Dialyse wurde aus dem Betrieb der Stadtklinik ausgegliedert und als privatwirtschaftlich betriebene Einheit im Haus über einen Mietvertrag angesiedelt.

Der Spielraum, den das Gesundheitsstrukturgesetz bietet, wird zu weiteren privatwirtschaftlich orientierten Einrichtungen bzw. Veränderungen im Klinikbetrieb führen. Das neue Pflegegesetz wird auch für die Klinik Auswirkungen haben (Einrichtung einer Station für Kurzzeitpflege).

Die Einrichtung eines geriatrischen Schwerpunktes in Verbindung mit der Bereitstellung von Betten der geriatrischen Rehabilitation im Lkr. Rastatt steht an. Eine Neonatologische Abteilung mit 4 Betten (künftig 6) dient zur regionalen Versorgung Frühgeborener. Die seit Ende 1994 betriebene Station zeigt durch die ständige Belegung den bestehenden hohen Bedarf.

In Baden-Baden werden weitere Kliniken und Krankenhäuser betrieben. So das *Staatliche Rheumakrankenhaus*, das vom Land Baden-Württemberg getragen wird und 228 Betten zählt. 1991 wurden 2884 Patienten behandelt. Zu dieser Spezialklinik gehören zusätzlich 3 Spezialambulanzen mit ca. 1800 Patienten pro Jahr. Die durchschnittliche Aufenthaltsdauer der Patienten beträgt 28,57 Tage. Ihre Betten sind zu 98,6 % fast voll ausgenutzt.

Primär kommen Patienten mit allen Erkrankungen des Bewegungsapparates zur stationären Aufnahme, bevorzugt Patienten mit Erkrankungen aus dem rheumatischen

Formenkreis, hier wiederum Erkrankungen der entzündlich-rheumatischen Formen (z. B. Rheumatoide Arthritis, Kollagenosen u. ä.). Zusätzlich werden degenerative Erkrankungen großer und kleiner Gelenke sowie der Wirbelsäule behandelt. Ferner werden postoperative Nachbehandlungen nach Gelenkeingriffen bei entzündlichen Gelenkerkrankungen oder nach dem Einsatz von Gelenk-Endoprothesen durchgeführt. Vereinzelt werden auch Erkrankungen wie »Weichteilrheumatismus«, »Bandscheibenschäden« u. ä. behandelt.

Ein großer Teil der Patienten weist neben Erkrankungen des Bewegungsapparates auch zusätzliche internistische Erkrankungen (Herz, Niere, Stoffwechsel, Blutdruck u. ä.) auf. Entsprechend dem vielfältigen Muster der zur Behandlung kommenden Erkrankungen verfügt das Staatliche Rheumakrankenhaus über breite internistischdiagnostische Möglichkeiten, über ein umfangreiches diagnostisches Laboratorium sowie über eine große Röntgenabteilung und über eine moderne Osteoporose-Meß-Station zur Knochendichte-Bestimmung.

Die lange Geschichte dieses Hauses reicht bis in die 2. Hälfte des 15. Jh. zurück und läßt sich auf ein Lehen des Markgrafen von Baden an den damals bekanntesten »Scherer« in Baden-Baden, Hans Ulrich, zurückführen. Die Institution lag in den vergangenen Jahrhunderten im Bereich des jetzigen Marktes, des Baldreit und in der Gegend des jetzigen Rathauses. 1891 wurde das Krankenhaus an der jetzigen Stelle errichtet, wo es mehrfach umgebaut und renoviert wurde, zuletzt 1992/93. Es befand sich seit seiner Gründung in der Obhut des jeweiligen Landesherrn, der Markgrafen und Großherzöge von Baden, seit 1918 des Landes Baden, seit 1952 des Landes Baden-Württemberg. Unterstellt ist es dem Sozialministerium in Stuttgart. Das Haus spiegelt in seiner Namengebung einen Teil der sozialmedizinischen Entwicklung wider: Bei seiner Gründung wurde es den minderbemittelten Bürgern der Markgrafschaft zur Verfügung gestellt; sein Name lautete: »Armenbad«. Nach Einführung der Bismarckschen Sozialgesetzgebung wurde der Neubau von 1891 in »Landesbad« umbenannt. Obgleich dieser Begriff in der Bevölkerung noch heute fest verwurzelt ist, erhielt das Krankenhaus mit seiner Umwandlung aus einer Reha-Klinik in ein normales Krankenhaus und der Fertigstellung seines großen Neubaus am Ende der 1970er Jahre den jetzigen Namen »Staatliches Rheumakrankenhaus, Klinik für innere und physikalische Medizin«.

Das Staatliche Rheumakrankenhaus Baden-Baden hat sich in den vergangenen Jahrzehnten als Keimzelle einer zunehmend interdisziplinären Rheumaversorgung im Raum Mittelbaden entwickelt und wird sein Angebot klinischer Möglichkeiten auf dem Gebiet der internistischen, konservativen und operativen rheumachirurgischen Intervention weiter ausbauen. Es besteht eine enge Kooperation mit den medizinischen Fakultäten der Universitäten Heidelberg, Straßburg und Freiburg, die auch in Zukunft intensiviert werden soll. Das Haus ist in der Vergangenheit wiederholt an der Entwicklung neuer therapeutischer Strategien beteiligt gewesen, die insbesondere auch von der Max-Planck-Gesellschaft, München, und dem Bundesforschungsministerium, Bonn, unterstützt wurden.

Die *DRK-Klinik* wird vom Deutschen Roten Kreuz, Kreisverband Baden-Baden e. V. getragen und hat 83 Betten. 1991 wurden 2386 Patienten betreut, deren Aufenthaltsdauer durchschnittlich 12,2 Tage währte.

Behandelt wird auf dem Gebiet der Orthopädie, in den Bereichen operative Rheumatologie, Endoprothetik, Versorgung von Sportverletzungen, Fußorthopädie, Phlebologie, Bandscheibenerkrankungen und Handchirurgie. In der plastischen und rekonstruktiven Chirurgie werden alle Verletzungen und Verletzungsspätfolgen an den

Händen und Unterarmen (Sehnen, Muskeln, Nerven, Knochen und Gelenke), alle angeborenen Erkrankungen der Hände, rheumatische Erkrankungen der Hände, Geschwülste aller Art an den Händen und Unterarmen sowie Narben am ganzen Körper behandelt. Auf dem Gebiet der Anästhesie werden neben üblichen anästhesiologischen Aufgaben Patienten auch im Rahmen einer besonderen Schmerztherapie behandelt, insbesondere bei degenerativen Erkrankungen (Schulter, Wirbelsäule, Knie, Spannungskopfschmerzen und Migräne).

Das *Krankenhaus Ebersteinburg*, das von den Schwestern vom Göttlichen Erlöser vom Kloster Maria Hilf Bühl e. V. getragen wird, hat 94 Betten. Es hatte im Jahr 1991 1258 Patienten mit einer durchschnittlichen Aufenthaltsdauer von 20,83 Tagen.

Behandelt werden in diesem Haus Krankheiten der Kreislauforgane, der endokrinen Organe und des Stoffwechsels, des Verdauungstraktes, der Atmungsorgane, des rheumatischen Formenkreises sowie der Knochen, Muskeln und Gelenke. Weitere Behandlungsschwerpunkte sind Malignome, Krankheiten des Urogenitalsystems, des zentralen und peripheren Nervensystems, des Blutes und der blutbildenden Organe, Intoxikationen, Infektionskrankheiten, Psychosen und psychiatrische Krankheiten sowie Unfallerkrankungen.

Der *Gunzenbachhof* ist eine Klinik für offene Psychiatrie, Psychosomatik und Psychotherapie und wird von der Oberrheinische Kliniken GmbH & Co. Betriebs-KG Nordrach getragen. In der 88 Betten zählenden Klinik werden jährlich 750 Patienten bei einer durchschnittlichen Aufenthaltsdauer von 8 Wochen betreut. Behandelt werden Neurosen und Persönlichkeitsstörungen, psychovegetative bzw. funktionelle Erkrankungen, psychosomatische Erkrankungen, Psychosen und gerontopsychiatrische Erkrankungen. Betreut werden auch Suchtpatienten i. S. von Entgiftung, wobei auch Motivationsarbeit zur Langzeittherapie geleistet wird.

Das *Sanatorium Dr. Dengler*, getragen von der Liebig Klinik GmbH, hat 260 Betten und betreut jährlich 3100 Patienten, die im Durchschnitt 29,2 Tage bleiben. Behandelt werden Patienten mit Erkrankungen des Bewegungsapparates (Rheuma) und mit Herz/Kreislauf-Krankheiten. Durchgeführt werden auch postoperative Behandlungen nach orthopädischen, unfallchirurgischen und neurochirurgischen Eingriffen sowie Nachsorgebehandlungen.

Die von der Landesversicherungsanstalt Baden in Karlsruhe getragene *Rehabilitationsklinik Höhenblick* hat 130 Betten und betreut 1500 Patienten im Jahr, deren durchschnittliche Aufenthaltsdauer 28 Tage beträgt. Behandelt werden Patienten mit degenerativen Gelenkerkrankungen, entzündlich-rheumatischen Erkrankungen, internistischen Erkrankungen wie z. B. Bluthochdruck, Zucker, Gicht und arteriellen Verschleißkrankheiten.

Die *AOK-Klinik Korbmattfelsenhof*, deren Träger die AOK-Klinik GmbH Lahr ist, hat 115 Betten. Jährlich werden dort 1395 Patienten bei einer durchschnittlichen Aufenthaltsdauer von 4 Wochen betreut. Behandelt werden Patienten mit Herz- und Gefäßleiden, Ernährungs- und Stoffwechselkrankheiten, psychovegetativen Störungen sowie Erkrankungen des Stütz- und Bewegungsapparates.

Das *Sanatorium Birkenhöhe* der Schiewe-Langenstein GdbR hat 37 Betten und 360 Patienten pro Jahr bei einer durchschnittlichen Aufenthaltsdauer von 28 Tagen. Behandelt werden Patienten mit Erkrankungen des Bewegungsapparates, Unfall- und Verletzungsfolgen, entzündlichen und degenerativen rheumatischen Erkrankungen, Erkrankungen des vegetativen und peripheren Nervensystems, Krankheiten der Atmungsorgane, Frauenleiden sowie Erkrankungen des Herz- und Kreislaufsystems.

Soweit in den Sanatorien nicht direkte Behandlungen abgewickelt werden, stehen im Rahmen der Kurbäder entsprechende Behandlungseinrichtungen zur Verfügung (vgl. Kurbetrieb und Fremdenverkehr).

Zur *ambulanten Versorgung der Bevölkerung* in Baden-Baden sind 110 Ärzte niedergelassen. Diese decken das gesamte Spektrum der ambulanten medizinischen Versorgung für das Stadtgebiet ab.

Eine *Außenstelle des Staatlichen Gesundheitsamtes Rastatt* ist in Baden-Baden tätig und nimmt folgende Aufgaben wahr: 1. Gesundheitsschutz mit Seuchenhygiene und Umweltmedizin, 2. Gesundheitsvorsorge, 3. Gesundheitshilfe und 4. sonstige Aufgaben.

Im Rahmen des Gesundheitsschutzes mit Seuchenhygiene ist insbesondere die Bekämpfung übertragbarer Krankheiten, die im Bundesseuchengesetz festgelegt sind, vorrangig, z. B. Salmonellenerkrankungen und infektiöse Hirnhautentzündungen. Die Tuberkuloseüberwachung ist zuständig für Umgebungsuntersuchungen. Des weiteren ist eine Aidsberatungsstelle angeschlossen, die anonym berät und kostenlos Blutuntersuchungen durch das Landesgesundheitsamt veranlaßt. Umweltmedizinische Maßnahmen beinhalten die Überwachung von Trinkwasser und Badewasser, Bäder- und Krankenhaushygiene.

Bei der Reinhaltung von Boden und Luft werden die notwendigen Daten und Erkenntnisse gesammelt und bewertet und bei Verdacht auf gesundheitsschädigende Wirkung von Immissionen für die Bevölkerung bzw. bestimmte Risikogruppen untersucht.

Im Rahmen der Gesundheitsvorsorge ist die Impfberatung und die Gesundheitserziehung Aufgabe dieser Außenstelle. Im Rahmen von Ausstellungen und weiteren Veranstaltungen wird die Bevölkerung bzw. werden einzelne Berufsgruppen im Rahmen von Vortragsveranstaltungen und Ausstellungen informiert. Im Rahmen der Gesundheitshilfe werden Behinderte und Psychisch-Kranke sowie Tuberkulose-Kranke betreut. Im Rahmen der Schwangerenkonfliktberatung wird die gesetzlich vorgeschriebene Beratung über den Schwangerschaftsabbruch durchgeführt. Daneben werden sonstige amtsärztliche und gerichtsärztliche Tätigkeiten wahrgenommen und eine beratende Tätigkeit im Jugendhilfeausschuß der Städte Rastatt und Baden-Baden abgewickelt.

Eine Einrichtung, die für ganz Baden-Württemberg Bedeutung besitzt, ist der *»Blutspendedienst Baden-Württemberg« des Deutschen Roten Kreuzes*, dessen Zentralverwaltung ihren Sitz in Baden-Baden hat. Diese Einrichtung nahm im Januar 1958 ihre Arbeit in Baden-Baden auf und versorgt die Kliniken und Krankenhäuser Baden-Württembergs mit Blut, Blutpräparaten, aber auch Plasmafraktionen, Präparaten gegen Blutgerinnungsstörungen und Immunglobin-Präparaten. Im Hinblick auf den erheblichen Bedarf wurden inzwischen weitere solche Einrichtungen in Ulm und Mannheim errichtet. Die Baden-Badener Zentrale wurde in den Jahren 1962/1964 um ein weiteres Laborgebäude erweitert. Von den rd. 400000 Blutkonserven, die im Jahr 1992 in Baden-Württemberg gespendet wurden, wurden rd. $2/5$ in Baden-Baden gewonnen. Die Blutspendezentrale – einschließlich der Zentralverwaltung – beschäftigt z. Zt. 207 Mitarbeiter. Von der reinen Blutabgabe hat sich diese Einrichtung zu einem hochmodernen Betrieb entwickelt, der das Blut zerlegt und nur noch die jeweils notwendigen Bestandteile an die Empfänger weitergibt. Die Forschung hat in der Blutspendezentrale einen hohen Stellenwert.

In Baden-Baden stehen 23 *Apotheken* zur Versorgung der Bevölkerung mit Arzneimitteln zur Verfügung.

Sport

Entwicklung des Sports. – Niemand vermutet, daß ausgerechnet in Baden-Baden der erste deutsche Tennis-Club gegründet wurde. Weit mehr als mit Sport wird diese Stadt mit großen gesellschaftlichen Ereignissen, mit dem Spielcasino, den berühmten Pferderennen auf der Iffezheimer Rennbahn oder rauschenden Festen in Verbindung gebracht. Und doch ist es wahr: Diese Stadt ist dem Sport gegenüber aufgeschlossen, weil er eben auch der Gesundheit dient.

Am 25. Juni 1881 wurde durch den englischen Geistlichen Reverend Thomas Archibald White der *erste deutsche Tennis-Club*, der heutige TC Rot-Weiß, gegründet.[1] White und sein Mitstreiter, Baron Robert von Fichard, gehörten zur »englischen Kolonie« der Kurgäste von der Insel in Baden-Baden. White war ihr anglikanischer Seelsorger. Über Baron von Fichard wird gesagt, er habe den Tennissport von Oxford, seinem Studienort, nach Baden-Baden gebracht.[2]

Fast ein Jahrhundert später, 1965, gab es in Baden-Baden mit seinen 40 000 Einwohnern 14 *Sporthallen* und *Sportplätze* und rund 20 *Sportvereine*.[3] *Turnvereine* gab es noch sechs. Der an Mitgliedern größte Baden-Badener Sportverein ist der *Ski-Club*, früher noch mit Kanu- und Schwimmabteilung. Noch heute ist dieser Sportverein der mitgliederstärkste mit rund 1200 Mitgliedern. Innerhalb der letzten 30 Jahre seit 1965 hat sich das Angebot an *Hallensportplätzen* beinahe verdoppelt. Dies war nur mit außerordentlich hohen finanziellen Kraftanstrengungen möglich, deren Grundlage teilweise auch vertragliche Zusagen aus den Eingemeindungsverträgen mit den eingemeindeten neuen Stadtteilen waren.[4]

Sportvereine. – Die Sportvereine sind die wichtigsten Organisationen, die die sportliche Betätigung in dieser Stadt tragen. Daneben gibt es auch noch private Einrichtungen, insbesondere Fitneß-Studios, die auf kommerzieller Ebene sportliche Betätigung anbieten. Hierbei ist zu berücksichtigen, daß immer mehr neue Sportarten Einzelsportarten sind, die nicht im Verein oder auf organisierter Ebene ausgetragen werden. Es gibt auch viele Betriebssportgruppen oder private Kleingruppen, in denen eine oder mehrere Sportarten betrieben werden. Dies gilt besonders für Hilfsorganisationen wie Feuerwehr, DRK, THW, DLRG und Bergwacht. Auch diese Organisationen können in beschränktem Umfange die städtischen Einrichtungen nutzen.

In Baden-Baden bestehen nahezu 100 *Sportvereine* und vereinsähnliche Gruppen, die sich meist aus den Wohngebieten oder Stadtteilen herausgebildet haben oder eine bestimmte Sportart anbieten. Neben den Sportvereinen mit den »klassischen« Sportarten gibt es in dieser Stadt noch eine überraschend große Zahl von Gruppen, die eine Vielzahl von Modesportarten oder solche sportliche Disziplinen anbieten, die sich kaum zum Massensport entwickeln wie *Bogenschießen*, *Kunstradsport*, *Boccia* oder *Segelfliegen*.[5]

Die Vereine leisten wichtige Kinder- und Jugendarbeit zur Nachwuchsförderung. Sie arbeiten deshalb mit den Schulen eng zusammen. Vor allem bieten die Vereine Zugang zu den verschiedensten Sportanlagen im städtischen Eigentum. Die Sportvereine tragen die Hauptlast der sportlichen Aktivitäten in dieser Stadt. Von großer Bedeutung sind sie für das Erfahren von Bürger- und Gemeinschaftssinn, für die Übernahme von Verantwortung und damit das Herausbilden eines »Wir-Gefühls« in einer örtlich überschaubaren familiären Gemeinschaft. In einer Massengesellschaft braucht der Bürger Orientierung und das Gefühl, aufgehoben, geborgen und angenommen zu sein. In der örtlichen Gemeinschaft eines Vereins erfährt er dieses »Dazugehören« am zwanglosesten.

IV. Die Stadt der Gegenwart

In den Stadtteilen Steinbach und Sandweier hat sich seit vielen Jahrzehnten ein besonderer sportlicher Schwerpunkt im *Hallenhandball* entwickelt, der auch von der örtlichen Bevölkerung begeistert mitgetragen wird. Bezogen auf die Stadt Baden-Baden kann hier durchaus von einer Hallenhandball-Hochburg gesprochen werden.

Eine Sonderstellung im Baden-Badener Sportgeschehen nimmt der *Internationale Club* ein, der in der Lichtentaler Allee seinen Sitz hat. Er ist seit der Schließung der Spielbank im Jahre 1872 durch das Deutsche Reich Träger und Organisator der berühmten *Pferderennen* auf der Iffezheimer Rennbahn bis heute. An schönen Renntagen werden bis zu 15 000 Besucher gezählt.

Sportausschuß Baden-Baden. – Die Sportvereine in Baden-Baden sind seit über 40 Jahren in einer Selbstverwaltungsorganisation zusammengeschlossen, dem sogenannten »*Sportausschuß der Baden-Badener Sportvereine*«. Dieser Ausschuß hat die Aufgabe, die sportlichen Zielsetzungen der Sportvereine untereinander abzustimmen, zu bündeln und im ständigen Austausch mit der Stadt Baden-Baden je nach Haushaltslage umzusetzen. Mehr als 15 000 Baden-Badener Bürgerinnen und Bürger sind über ihre mehr als 50 Sportvereine im Sportausschuß Baden-Baden organisiert.[6]

Sportstätten in Baden-Baden. – Im Stadtgebiet gibt es z. Zt. (Stand 1992) mehr als 30 *Sporthallen*, 25 *Sportplätze*, 3 *Tennishallen*, rund 60 *Tennisplätze*, 2 große *Reithallen* und 2 *Segelflughallen*. Die Schulsporthallen an allen Baden-Badener Schulen sind hier miteinbezogen. Ein städtisches *Hallenbad*, 4 *Freibäder* (einschl. Strandbad in Sandweier), *Lehrschwimmbäder* in den Schulen sowie 8 *Schießsportanlagen* runden die Angebotspalette dieser Stadt ab. Die Sportstätten sind über das gesamte Gebiet des Stadtkreises verteilt, so daß meist ein wohnortnahes Angebot an Plätzen, Wettkampfstätten und Hallen vorhanden ist. Der weitaus größte Teil der Sporthallen steht im Eigentum der Stadt. Einige Hallen und Plätze befinden sich im Eigentum von Privatschulen oder Vereinen. Die Tennisplätze gehören wie die Schießsportanlagen den Vereinen, die diese Sportart betreiben.

Eine besondere Bedeutung hat das *Aumattstadion*. Es wurde am 16. 6. 1962 als eine der seinerzeit modernsten Sportanlagen im mittelbadischen Raum eingeweiht. Für den Sport in Baden-Baden stellt dieser neue Bau einen der wichtigsten Schritte in der Sportgeschichte der Nachkriegszeit dar. So wurde die Entwicklung des Fußballsports dieser Stadt erst hierdurch möglich. Nach 30 Jahren intensiver Nutzung des Stadions mußte Anfang der 90er Jahre das gesamte Areal saniert werden. Am 12. September 1992 konnte das Stadion in neuer Trainings- und Wettkampfqualität wiedereröffnet werden. Der Rasenspielplatz wurde völlig neu aufgebaut, die 400 m-Laufbahn mit einem wasserdurchlässigen Kunststoffbelag beschichtet, 6 Rundbahnen und 7 Kurzstreckenbahnen angelegt, die leichtathletischen Disziplinen erhielten neue technische Einrichtungen. Flutlichtanlage, Beschallung, Zeitmeßanlage, Sprecherkabine und weitere technische Einrichtungen nach dem modernsten Stand der Technik gehören dazu.

Das *Hardbergbad* wurde am 14. Juni 1952 in wunderschöner Hanglage eröffnet. »Im Frühjahr 1952 konnte das Schwarzwald-Schwimmstadion als eines der schönsten Freibäder Deutschlands eröffnet werden. 80 m über der Talsohle gelegen, erscheint es dem Besucher als mitten in den Bergen eingebettet mit einer Fernschau bis auf den Hochschwarzwald«.[7] Heute ist das Hardbergbad saniert und mit einer zusätzlichen Riesenrutsche ausgestattet wieder ein großer Anziehungspunkt in den Sommermonaten, der Tausende von Badelustigen anlockt.

Großsporthallen im städtischen Eigentum befinden sich in Sandweier und im Schulzentrum der Weststadt. Diese Hallen dienen der schulischen Nutzung und dem Vereinssport. Die Sandweierer Rheintalhalle hat rund 8 Mio. DM gekostet. Die Folgekosten betragen bei betriebswirtschaftlicher Betrachtung rund 1 Mio. DM. Weitere dreiteilige Sporthallen gibt es in Baden-Baden auf dem Gelände der Steinbacher Sportschule. Zwei dreiteilige Großsporthallen modernster Bauart stehen am Wochenende den Sportvereinen aus Steinbach zur Verfügung.

Das *Bertholdbad* gehört auch in die Reihe wichtiger Sportstätten. Es bestand zunächst als Freibad mit dem Namen »Badestrand an der Bertholdstraße«. Anfang der 50er Jahre wurde das Hallenbad hinzugebaut. Es dient heute im wesentlichen der Durchführung des Schwimmunterrichts und des Schwimmsports der Baden-Badener Schulen.

Südbadische Sportschule Steinbach. – Eine Sonderstellung im Sport des Stadtkreises Baden-Baden nimmt die Südbadische Sportschule in Steinbach ein. Sie ist die *Aus- und Fortbildungsstätte des Badischen Sportbundes*. Die Schule, die zwischen den Ortschaften Steinbach und Neuweier liegt, wurde 1957 mit Unterstützung der damals noch selbständigen Stadt Steinbach gegründet und ist heute Landesleistungszentrum für viele Sportarten. Sie wurde in den letzten Jahren grundlegend renoviert. Die Sportschule bietet Unterkünfte für 100 Personen. 1987 hat die Stadt dem Sportbund die Meister-Erwin-Halle zum Preis von 3 Mio. DM verkauft, weil sie selbst aus eigener Kraft die dringend notwendige Sanierung nicht durchführen konnte. Die Schule besitzt heute zwei dreiteilige Großsporthallen, ein Schwimmbad, zwei Sportplätze, zahlreiche Trainings- und Fachräume. Geplant ist ein dritter Rasensportplatz, der den hiesigen Sportvereinen zur Verfügung stehen soll.

Aus- und Fortbildung für nebenberufliche Trainer im Leistungssport und nebenberufliche Übungsleiter im Breitensport ist Arbeitsschwerpunkt der Sportschule, die eine der vier Landessportschulen in Baden-Württemberg ist. Selbstverständlich hat der in Steinbach beheimatete Verein SR Yburg dort Gastrecht. Darüber hinaus werden an der Sportschule Führungskräfte der Sportvereine und Fachverbände im Sportmanagement weitergebildet. Spitzensportler der Leistungskader (D-Kader bis zu Nationalmannschaft) werden in Kaderlehrgängen geschult und auf Wettkämpfe vorbereitet.

Finanzierung der Sportvereine und der Sportstätten. – Die Sportvereine finanzieren ihre laufenden Aufwendungen und Betriebskosten aus den *Mitgliedsbeiträgen*. Aus diesen Einnahmen müssen die z.T. recht hohen Instandhaltungs- und Pflegearbeiten der vereinseigenen Sportstätten, insbesondere beim Tennissport, finanziert werden. Die Stadt stellt den Sportvereinen für Trainings- und Wettkampfzwecke die stadteigenen Hallen kostenlos zur Verfügung, wobei lediglich für das Benutzen der Duschanlagen ein geringfügiges Entgelt gefordert wird. Das Jugendtraining ist kostenlos.

Im Jahr 1993 sind für die laufende *Förderung des Baden-Badener Sports* 80 000 DM vorgesehen. So war es auch die Jahre zuvor. Zusätzlich wird als »*Talentförderung« für den Leistungssport* ein Zuschuß in Höhe von jährlich 15 000 DM gewährt, die der Sportausschuß Baden-Baden verteilt. Außerdem werden *Investitionszuschüsse* zum Bau von Sportstätten und Funktionsgebäuden zur Verfügung gestellt, die in ihrer Höhe den Zuschüssen des Sportbundes entsprechen. In Einzelfällen kann dies ein Zuschuß bis zu 200 000 DM sein. Die Stadt honoriert damit auch das hohe Engagement von Vereinsmitgliedern, die bei Investitionsvorhaben oft einen hohen Eigenanteil erbringen. Im Jahre 1993 waren für sportliche Investitionen rund 491 800 DM veranschlagt.

Durch die Pflege und Instandhaltung der städtischen Sportanlagen entstehen jährliche Kosten, die weit über diesen Investitions- und Zuschußmitteln liegen. Allein die *Folgekosten des Betriebs der Sporthallen* im Stadtgebiet liegen bei mehreren Millionen DM pro Jahr. Dies ist der Beitrag der Stadt für den Erhalt und den Ausbau des Sports zugunsten der Bürger und Gäste.

Herausragende sportliche Ereignisse. – 1858 fanden zum ersten Mal *Pferderennen* in Iffezheim statt. »Der damalige Spielbankpächter Edouard Bénazet initiierte diese Rennen, um mit diesem Ereignis viele zahlungskräftige Gäste an Baden-Baden und die Spielbank zu binden«.[8] Die Rennen wurden ausschließlich aus Geldern der Spielbank finanziert. Nach der Spielbankschließung 1872 hat der »Internationale Club« diese Rennen weitergeführt. Er ist heute einer der berühmtesten Pferderennclubs in Deutschland und Europa. Die Rennen, die auch heute noch exklusive und große Besucherscharen anziehen, sind ein internationales gesellschaftliches Großereignis im Galopprennsport. Die Rennen finden als Frühjahrsmeeting und als »Große Woche« statt.[9]

Jährlich werden auf der Anlage des TC Rot-Weiß auf herrlichem Gelände in der Lichtentaler Allee *ATP-Turniere für Senioren* ausgetragen. Es sind Europameisterschaften, an denen sich berühmte, aus ihrer aktiven Zeit noch bekannte Tennissportstars beteiligen. Auch diese Meisterschaften haben sich zu einem bedeutenden sportlichen und gesellschaftlichen Ereignis in Baden-Baden entwickelt.

Die Wahl und Ehrung »*Sportler des Jahres*«, die seit 1947 durchgeführt wird, wurde zwischen 1960 und 1977 in Baden-Baden ausgetragen. Nach längerer Unterbrechung wurde die Sportlerwahl ab 1985 wieder in Baden-Baden unter lebhafter Publikumsbeteiligung durchgeführt. Bei dieser Wahl bestimmen Sportjournalisten die besten deutschen Einzel- und Mannschaftssportler. Die Ehrungen, die jeweils mit einem Ball und einem bunten Show-Programm verbunden sind, bilden einen sportlichen Höhepunkt des Sportjahres in Baden-Baden.

Ein sportpolitischer Höhepunkt für Baden-Baden war der *11. Internationale Olympische Kongreß*, der 1981 im Jahr der Landesgartenschau in Baden-Baden stattfand. Auf dem 11. Olympischen Kongreß wurden die künftigen Olympiastädte Seoul (Sommerolympiade 1988) und Calgary (Winterolympiade 1988) gewählt.

Ausblick. – Die Vielfalt sportlicher Möglichkeiten dieser Stadt gilt es zu erhalten und für die Zukunft zu sichern. Neue Wege müssen beschritten werden, um die Jugend wieder stärker an den Vereinssport zu binden und sie auf diesem Wege an die Übernahme von Verantwortung und Engagement zugunsten des Gemeinwesens heranzuführen. Der Sport ist ein wichtiger Standortfaktor für die Wirtschaft. Deshalb wird – trotz den knapper werdenden Mitteln – die Stadt viel Kraft dafür aufbieten, die Sportmöglichkeiten in Zukunft weiter zu verbessern. Daß dies bei den hohen finanziellen Aufwendungen nur noch mit verstärktem Einsatz privaten Kapitals möglich sein wird, muß den sporttreibenden Bürgern immer deutlicher bewußt werden.

Anmerkungen

1. Aus: Bulletin Nr. 4 zum Olympischen Kongreß.
2. *Julius Overlack*, Auszüge aus einer Veröffentlichung der Club-Zeitschrift des TC RW, 19.
3. *Rolf Gustav Häbler*, Geschichte der Stadt und des Kurortes Baden-Baden, S. 224.
4. So z. B. für Neuweier (Erweiterung), Varnhalt (Neubau), Sandweier (Neubau einer Großsporthalle), Ebersteinburg (Neubau innerhalb des Kur- und Gemeindezentrums).

5. Fußball in SC Baden-Baden (größter klassischer Sportverein), FV Oos, FC Lichtental (Spielgemeinschaft im Jugendfußball mit dem SC) FV Haueneberstein, SV Sandweier, FC Neuweier, FC Varnhalt.
6. Aus: Hauptakten der Stadtverwaltung.
7. Vgl. 3
8/9. aus: *Karsten von Werner* Bulletin Nr. 5 zum Olympischen Kongreß 1981.

Schulen

Jüngste Entwicklung. – Die Schulgeschichte seit Ende der 1960er Jahre ist vor allem durch die auf Bundes- und Landesebene entwickelten bildungspolitischen Ziele und Vorgaben geprägt. Insbesondere solche zur Schulstruktur und -organisation mußten durch die Kommunen umgesetzt werden. Der *Schulentwicklungsplan I des Landes Baden-Württemberg* sah vor, die Grundschulen möglichst nah im Einzugsgebiet zu belassen. Der Wohn- und Lebensbereich sollte weitgehend mit dem Schulbereich übereinstimmen. Die Hauptschulen sollten danach zweizügig, das heißt mit zwei Jahrgangsklassen geführt werden; das war 1971 in keiner der Baden-Badener Hauptschulen erfüllt.[1] Der Grund hierfür lag in einer überraschend hohen Übergangsquote von der Grundschule auf die Realschule und die Gymnasien. Seit der Mitte der 60er Jahre bewegte sich diese Übergangsquote immer über dem Landesdurchschnitt. Heute liegt sie in Baden-Baden bei 64 %.[2]

Eine *Zusammenfassung der Hauptschulen* war daher dringend geboten. So wurden die bestehenden Hauptschulen im Rebland zusammengelegt und in die Nachbarschaftshauptschule Steinbach umgewandelt. Die nach Geschlechtern getrennten Hauptschulen der Altstadt wurden aufgelöst und die Schüler den Hauptschulen in Lichtental und der Theodor-Heuss-Schule zugewiesen. Im Schulhaus der Knabenschule der Altstadt, der heutigen Vincentischule, konnte dann die gesamte Grundschule für den Bereich der Kernstadt untergebracht werden.

Der Realschule, die schon in den Gebäuden der Mädchenschule der Altstadt in der Stephanienstraße untergebracht war, konnten die gesamten Räume des Gebäudes zur Verfügung gestellt werden. Die Zugangsbeschränkungen für auswärtige Schüler, die bis dahin bestanden, konnten somit wegfallen.[3]

Die Stadt Baden-Baden verfügt heute über drei staatliche und zwei private *Gymnasien*. Ein privates Gymnasium ist die Klosterschule vom Heiligen Grab, bis Anfang der 80er Jahre ein reines Mädchengymnasium und ab Februar 1983 koedukativ geführt, zunächst in der Trägerschaft des Ordens des Konvents der Frauen vom Hl. Grab. Heute steht die Klosterschule vom Hl. Grab in der Trägerschaft der Schulstiftung der Erzdiözese Freiburg. Das sog. Pädagogium stand und steht als zweites privates Gymnasium noch heute in der Trägerschaft der Familie Büchler. Das Pädagogium hat sich bis heute zu einer weithin bekannten Internatsschule entwickelt, die auch von Baden-Badener Schülerinnen und Schülern besucht wird.

Eine immer stärkere Frequentierung der höheren Schulen war in dieser Zeit deutlich zu beobachten. Diese führte zu immer größeren Klassen und erreichte ihren Höhepunkt in den Jahren 1973–1977, als die geburtenstärksten Jahrgänge in die Gymnasien und die Realschule drängten. Die vorhandenen Räumlichkeiten waren dadurch schnell ausgelastet, so daß Um- und Neubauten erforderlich wurden. Beispiele hierzu sind der Anbau beim Markgraf-Ludwig-Gymnasium 1974 und der Neubau des Richard-Wagner-Gymnasiums 1980. Die gymnasiale Oberstufenreform, bei welcher für die bestehenden Klassen 11–13 ein Kurssystem eingeführt wurde, erschwerte die Bemühungen der Stadt, einzelne Schulen wie das Richard-Wagner-Gymnasium (RWG) zu verlegen, ohne diese zu gefährden. Das größte Projekt war dann der *Bau des Schulzentrums West*, in welchem das RWG, die frühere Handelslehranstalt und die Gewerbeschule untergebracht werden konnten. Ein berufliches Gymnasium war ebenfalls für das Schulzentrum vorgesehen, ist aber bis heute nicht entstanden. Mit diesem Bauvorhaben sollten nicht nur unerträgliche Raumverhältnisse in diesen Schulen selbst beseitigt werden. Darüber hinaus sollte auch die Kernstadt im Bereich der Schloßstraße (Gewerbeschule), der Merkurstraße (Handelslehranstalt) und der Stefanienstraße (RWG) eine wesentliche verkehrliche und bauliche Entkernung durch den Wegfall der Schülerströme erfahren. Eine Beruhigung dieser Wohnquartiere war damit – auch kommunalpolitisch gewollt – vorprogrammiert.

Tabelle 1 **Übersicht über die Schülerzahlen zum Einschulungsstichtag September/Oktober 1993**

Schularten	Schüler	Klassen
Allgemeinbildende Schulen		
Grundschulen	1491	70
Hauptschulen	639	34
Realschule	387	16
Abendrealschule	34	2
Öffentliche Gymnasien	1109	53
Förderschule	67	5
Berufliche Schulen		
Gewerbeschule	477	
Robert-Schuman-Schule	1033	
Öffentliche Schulen insgesamt	5237[1]	
Privatschulen		
Pädagogium:		
Grundschule	121	
Realschule	153	
Gymnasium	284	
Wirtschaftsgymnasium	75	
Kloster zum Hl. Grab	650	

1 Schulstatistik des Schul-, Kultur- und Sportamtes der Stadt Baden-Baden

Anfang der 80er Jahre war dann eine durch die gesunkenen Schülerzahlen hervorgerufene Krise zu überwinden. Der *Rückgang der Schülerzahlen* war so stark, daß dadurch die Standorte der kleinen Grundschulen, einiger Hauptschulen und vor allem der fünf Gymnasien in Baden-Baden gefährdet war. Dabei ging es für Baden-Baden darum, die drei öffentlichen Gymnasien neben den privaten weiterhin zu halten und Oberstufenkurse anbieten zu können, obwohl die Schülerzahlen der einzelnen Gymnasien dies fast nicht mehr zuließen. Durch eine verstärkte Zusammenarbeit der staatlichen Gymnasien untereinander und zusätzlich mit dem Gymnasium zum Hl. Grab konnte dies gewährleistet werden. Heute und für die weitere Zukunft sind der Bestand und der Standort der drei staatlichen Gymnasien sichergestellt. Neben der hohen Übergangsquote ist dafür auch die Vergrößerung der Einwohnerzahl des Stadtkreises, die Erschließung neuer Baugebiete, besonders in den Außenstadtteilen und durch den

3. Öffentliches und kulturelles Leben

Zugewinn des Wohnquartiers Briegelackerstraße ursächlich, wo sich in rund 415 Wohnungen mindestens 1200 Personen ansiedeln können.

Bestehende Schulen. – Die *Grundschule Balg* besteht als einzügige Grundschule mit einer Schülerzahl von ca. 77 Kindern in vier Klassen.[4] Die *Grundschule Klosterschule Lichtenthal* (Cisterzienserinnen-Abtei) wurde im Jahr 1815 gegründet und war seit 1949/1950 selbständige Volksschule der Stadt Baden-Baden für Mädchen. 1966 wurde aus der Volksschule eine Grund- und Hauptschule für Mädchen. Zwischen 1980 und 1983 erfolgte die Umstellung zu einer koedukativen Schule. Die Hauptschule wurde aufgegeben und an die bereits bestehende Grund- und Hauptschule Lichtental verlegt. Mit Ausnahme der Zeit des Dritten Reichs waren bis 1970 auch nur Lehrkräfte des Klosters für die Unterrichtung der Schülerinnen zuständig.[5] Die Schule hat zum Stichtag 1993 in 11 Klassen 239 Schüler.[6]

Die *Schule in Neuweier* war bis 1971/72 Grund- und Hauptschule. Seit diesem Zeitpunkt sind die Schüler der Hauptschule an der Nachbarschaftshauptschule in Steinbach. Heute besteht eine Grundschule mit 74 Schülern in 4 Klassen.[7]

Trotz eines Neubaus für die *Grund- und Hauptschule Varnhalt* wurden von Anfang an nur noch Schüler bis einschließlich Klasse 6 unterrichtet. Für die Klassen 7–9 wurde bereits eine Nachbarschaftshauptschule in Steinbach geführt. Heute besteht nur noch die *Grundschule Varnhalt*. In der Nachbarschaftshauptschule werden alle Klassen ab Klasse 5 unterrichtet. Die Grundschule ist eine einzügige Grundschule mit 71 Schülern und 6 Lehrkräften.

Die *Vincenti-Grundschule* in der Innenstadt von Baden-Baden, einen architektonisch sehr gelungenen, denkmalgeschützten Schulbau aus dem Jahr 1890, besuchen 189 Schüler in 9 Klassen. Bis zum Schuljahr 1992/93 wurden dieser Schule weitere rund 50 Schüler in 3 Klassen zugerechnet, die die Außenstelle in Ebersteinburg besuchten. Seit Schuljahresbeginn 1993/94 wird die Außenstelle Ebersteinburg als selbständige *Grundschule Ebersteinburg* mit 39 Schülern in drei Klassen geführt. Das Gebäude der Vincenti-Grundschule diente früher der Knabenschule Altstadt, heute werden einige Räume durch das Gymnasium Hohenbaden mitgenutzt.

Die *Grund- und Hauptschule Haueneberstein* befindet sich heute in einem denkmalgeschützten Schulhaus, das 1908 eingeweiht wurde. Mitte der 60er Jahre wurde ein Anbau vorgenommen, der 1988 um einen Fachtrakt für Biologie, Chemie, Physik, Computer, Hauswirtschaft und Technik ergänzt wurde. Die Schule besteht heute aus einer zweizügigen Grundschule und einer einzügigen Hauptschule, in der zusammen mehr als 252 Schüler in 13 Klassen von derzeit 22 Lehrkräften unterrichtet werden.

Das Gebäude der *Hauptschule Lichtental* wurde in der Zeit des 1. Weltkriegs erbaut und besteht im wesentlichen bis heute. Es ist weit über die Grenzen Baden-Badens bekannt aus den Filmen mit Theo Lingen, Hansi Kraus u. a. Heute ist die Hauptschule Lichtental eine zweizügige Hauptschule mit ca. 226 Schülern, die von 10 Lehrkräften unterrichtet werden. Zusätzlich zur zweizügigen Hauptschule besitzt sie noch eine Förderklasse.

Die *Grund- und Hauptschule Oos* hat heute ca. 250 Schüler in 14 Klassen, wovon ca. 90 Schüler auf die Grundschulabteilung in der Oberen Breite fallen. Zur Verkürzung des Schulwegs und der Entlastung des Schulgebäudes wurde 1966 die »Pavillon-Schule« in der Oberen Breite eingeweiht, die bis heute als Grundschulabteilung besteht.

Im Jahre 1971 konnte die *Grund- und Hauptschule Sandweier* in ein neues Schulhaus einziehen, das bis heute der Unterbringung der Hauptschule dient. Die freien Klassenräume werden noch zusätzlich von der Grundschule genutzt, die sich in einem benachbarten Gebäude befindet. In der Grund- und Hauptschule werden ca. 250 Schüler in 12 Klassen unterrichtet.

Die *Grund- und Hauptschule Steinbach* konnte ebenfalls im Jahr 1971 ein neues Schulhaus als Nachbarschaftshauptschule der drei Reblandgemeinden beziehen. Die Schule verfügt neben dem Hauptschulgebäude noch über ein Grundschulgebäude, in welchem die Grundschule der Ortschaft Steinbach untergebracht ist. In der Grund- und Hauptschule sind insgesamt 230 Schüler in 12 Klassen, wovon 104 Schüler in 5 Klassen die Hauptschule besuchen. An der Schule unterrichten 21 Lehrkräfte.

Der *Theodor-Heuss-Grund- und Hauptschule* wurden Anfang der 70er Jahre die Schüler aus den ehemaligen getrennten Volksschulen für Mädchen und Jungen der Altstadt zugeteilt. Derzeit besuchen 277 Schüler in 13 Klassen die Schule, wovon 189 Schüler in 8 Klassen der Grundschule angehören.

Die *Förderschule* befindet sich seit September 1986 ebenfalls in der Rheinstraße in einem abgeteilten Gebäude der Theodor-Heuss-Grund- und Hauptschule. Vorher war diese Schule, die sich aus der früheren Hilfsschule entwickelt hat, in einem Gebäude in der Laubstraße untergebracht, das in Baden-Baden allgemein unter dem Namen Waldschule bekannt war. Die Schließung erfolgte, weil das Gebäude der Waldschule einer dringend notwendigen Generalsanierung unterzogen werden mußte, deren finanzieller Aufwand bei den rückläufigen Schülerzahlen und den freien Klassenräumen in der Theodor-Heuss-Schule nicht mehr vertretbar waren. Nach heftigen politischen Debatten im Gemeinderat zog die Sonderschule für Lernbehinderte aus dem bisherigen Gebäude in die Grundschule an der Theodor-Heuss-Schule, die ihrerseits in die renovierten Räume des Hauptschulgebäudes überwechselte. Zur Zeit wird diese Schule, die vom ersten bis zum neunten Schuljahr durchgängig betrieben wird, von ca. 70 Schülern aus dem gesamten Stadtkreis besucht.[8]

Die *Realschule* entwickelte sich aus Bestrebungen vom Anfang der 50er Jahre, Mittelschulzüge einzurichten, die dazu dienen sollten, die Lücke zwischen den Volksschulen und den Gymnasien zu schließen. Die Schüler sollten eine Befähigung erhalten, die für die mittleren Führungspositionen befähigte. Im Schuljahr 1954/55 wurden an der Volksschule Baden-Baden zunächst sog. Sprachklassen als Vorläufer des Mittelschulzuges eingerichtet. Die Errichtung des eigentlichen Mittelschulzuges erfolgte zum Schuljahr 1955/56 und wurde an der Knabenschule Altstadt und der Volksschule in der Weststadt eingeführt. 1961 bestanden Bestrebungen der Elternschaft, den Mittelzug zu einer selbständigen Mittelschule auszubauen. Nach Genehmigung durch das Kultusministerium wurde die selbständige Mittelschule zum 1. 4. 1965 errichtet. Sie zog in das Gebäude in der Stefanienstraße ein. Zum 1. 12. 1966 erhielt die Mittelschule den Namen Realschule. Auch die Bezeichnung der Abendmittelschule wurde auf *Abendrealschule* geändert. 1959 wurde das noch heute bestehende Gebäude der Realschule auf dem Rettighügel an der Stephanienstraße eingeweiht. Anfang der 70er Jahre mußte die Mädchenvolksschule, für die das Gebäude gebaut worden war, in die Grund- und Hauptschule Lichtental und in die Theodor-Heuss-Grund- und Hauptschule aufgeteilt und ausgelagert werden. Jetzt konnte die Realschule das ganze Gebäude in Anspruch nehmen, da diese rasch an Schülerinnen und Schülern zunahm. Nach dem Umzug des RWG in das neue Schulzentrum konnten noch zusätzlich Räume des alten RWG für die Realschule miteinbezogen werden. An der Realschule werden heute 387 Schüler in 16 Klassen unterrichtet. Davon sind rund 30 Schüler in 2 Klassen in der Abendrealschule.[9]

Das *Gymnasium Hohenbaden* wurde im Jahr 1876 gegründet. Seine Geschichte läßt sich jedoch zurückverfolgen bis auf das im Jahr 1453 eingerichtete Kollegialstift. Das

3. Öffentliches und kulturelles Leben 449

Gymnasium ist eines der noch wenigen in Baden-Württemberg bestehenden altsprachlichen Gymnasien und wird heute von 289 Schülern in 15 Klassen besucht.

Das *Markgraf-Ludwig-Gymnasium* wurde 1892 als »Höhere Bürgerschule Baden« in den Räumen der heutigen Vincenti-Grundschule gegründet. 1907 wurde das neue Schulgebäude eingeweiht, in welchem das MLG bis heute ist. Die Schule hieß damals »Graf-Zeppelin-Schule«. 1974 wurde aufgrund großer räumlicher Sorgen ein eigener Schultrakt für Naturwissenschaften errichtet. 1983/84 erfolgte der Bau einer neuen Sporthalle. Aufgrund der mit der Oberstufenreform eingeführten Kurssysteme erfolgt heute eine Kooperation des MLG mit der Klosterschule vom Hl. Grab und dem Gymnasium Hohenbaden in den Leistungskursen der Oberstufe. Wegen der räumlichen Entfernung ist das RWG allerdings nur schwach in diese Kooperation miteinbezogen.[10]

Das *Richard-Wagner-Gymnasium* wurde 1869 als »höhere Töchterschule« gegründet. 1937 erhielt die Schule den Namen »Richard-Wagner-Schule« – Oberschule für Mädchen. 1965 erfolgten die Umwandlung des bis dahin naturwissenschaftlichen Gymnasiums in ein neusprachliches Gymnasium und die Einführung der Koedukation. 1969 erfährt das Gymnasium die bisher letzte Namensänderung und heißt seither »Richard-Wagner-Gymnasium«. 1980 erfolgt der Umzug in das Schulzentrum West als wohl bisher bedeutendste Wandlung der Schule. Heute ist das Gymnasium sowohl ein neusprachliches Gymnasium mit der Sprachenfolge Englisch – Latein – Französisch als auch ein naturwissenschaftliches Gymnasium mit der Sprachenfolge Französisch – Englisch mit Latein. Im Richard-Wagner-Gymnasium werden heute 425 Schüler in 20 Klassen unterrichtet.[11]

Die *Klosterschule vom Hl. Grab* ist seit Januar 1991 ein privates Gymnasium in der Trägerschaft der Schulstiftung der Erzdiözese Freiburg und unterstand bis dahin dem Orden des Konvents der Frauen vom Hl. Grab. Im Jahr 1670 erfolgte die Gründung. Die Schule ist damit die älteste von einem Frauenorden betriebene Bildungsstätte der Erzdiözese Freiburg. Die Klosterschule war ein Mädchengymnasium. Heute werden rund 650 Schülerinnen und Schüler von über 60 Lehrern unterrichtet. Erst seit Februar 1983 erfolgte die Öffnung des Gymnasiums für Jungen. Das Gymnasium wird als mathematisch-naturwissenschaftliches Gymnasium betrieben. Das Kloster verfügt außerdem bis heute über ein Internat mit 27 Plätzen. 1990 konnte zusätzlich eine Förderschule für 20 Aussiedlerinnen an der Schule eingerichtet werden. In der Schule besteht eine sozialpädagogische Beratungsstelle, welche von »IN VIA«, einer Einrichtung des Caritasverbandes der Stadt Baden-Baden, getragen wird.

Das *Pädagogium Baden-Baden* besteht ebenfalls als privates Gymnasium in der Trägerschaft der Familie Büchler. Das Pädagogium ist eine weit über die Grenzen Baden-Badens hinaus bekannte private Ganztages- und Internatsschule. Es wurde 1887 von Prof. Hermann Büchler als Privatrealgymnasium in Rastatt gegründet. 1924 erfolgte der Umzug an den Schloßberg nach Baden-Baden, wo sich die Schule noch heute befindet. Das Pädagogium umfaßt folgende Schularten: Kindergarten als Regel- und Ganztagskindergarten, zweizügige Grundschule, die bereits als Ganztagsgrundschule angeboten wird, Realschule, Gymnasium und Wirtschaftsgymnasium.[12]

Die *Handelslehranstalt Baden-Baden – Robert-Schuman-Schule* (RSS) – geht auf einen Handelskurs an der bereits bestehenden Gewerbeschule zu Baden-Baden zurück, der am 18.4.1887 mit einer Klasse und 32 Schülern gebildet wurde. 1922 erfolgte die Trennung der Handelsabteilung von der Gewerbeschule als selbständige Schule, die ab 1928 in der Merkurstraße untergebracht war. 1972 wurde im Rahmen des Schulentwicklungsplanes II die Hauswirtschaftliche Berufs- und Berufsfachschule, die vorher in Lichtental war, an die Handelslehranstalt angegliedert.

Bedeutendster Schritt in der Entwicklung der Schule war die Fertigstellung des ersten Bauabschnitts des Schulzentrums West und der damit erfolgende Umzug im Jahr 1980. Als 1984 die Einweihung des zweiten Bauabschnitts erfolgte, konnte die hauswirtschaftliche Berufsschule hinzugenommen werden. 1987 beschloß der Gemeinderat auf Vorschlag des Lehrerkollegiums den Namen Robert-Schuman-Schule. 1989 wurde eine *Altenpflegeschule* an der Robert-Schuman-Schule eingerichtet, 1990 folgte die Einrichtung einer *Wirtschaftsoberschule*.

Die Robert-Schuman-Schule umfaßt heute einen weiten Bereich an Schularten. Sie sind gegliedert in die *Kaufmännischen Berufs- und Berufsfachschulen* und die *Hauswirtschaftlichen Berufs- und Berufsfachschulen*. Die kaufmännischen Berufs- und Berufsfachschulen untergliedern sich in die Berufsfachschulen im Rahmen der dualen Berufsausbildung im Berufsfeld Wirtschaft und Verwaltung, in die Berufliche Grundbildung und in die Zweijährige Kaufmännische Berufsfachschule. Daneben stehen noch die Kaufmännischen Berufskollegs. Dies sind das kaufmännische Berufskolleg I und II, Telekolleg I und II und die Wirtschaftsoberschule. Die hauswirtschaftlichen Berufs- und Berufsfachschulen gliedern sich in die Berufsfachschulen für die duale Berufsausbildung im Berufsfeld Ernährung und Hauswirtschaft, das Berufsvorbereitungsjahr (Erfüllung der Berufsschulpflicht), die Hauswirtschaftliche Berufsfachschule, die zweijährige Hauswirtschaftlich-Sozialpädagogische Berufsfachschule und die dreijährige Berufsfachschule für Altenpflege.[13]

Die Anfänge der *Gewerbeschule* und somit der schulischen beruflichen Bildung liegen im Jahr 1790, in welchem der Architekt und Kunstmaler Johann Stanislaus Schaffroth die Lehrlinge der Baugewerbe-Innungen, der Hafner und Drechsler in der »Architektonischen Zeichnungsschule« unterrichtete. Der Unterricht beschränkte sich damals auf 2 Stunden in der Woche (sonntags). Bereits 1838 wird die Gewerbeschule im Adreßbuch der Stadt in der Schloßstraße 9 aufgeführt. Im Jahr 1980 schlossen sich die Tore des Schulhauses in der Schloßstraße nach nahezu einundhalb Jahrhunderten, nachdem der erste Bauabschnitt des Schulzentrums fertiggestellt worden war. 1983, nach Fertigstellung des zweiten Bauabschnitts, konnten alle Bereiche untergebracht werden. Die Gewerbeschule gliedert sich in die drei Schularten Gewerbliche Berufsschule, Gewerbliche Berufsfachschulen und das Berufsvorbereitungsjahr.

Die *Gewerbliche Berufsschule* ist eine Pflichtschule für Auszubildende der gewerblichen Wirtschaft (Handwerk und Industrie). Der Unterricht wird als Teilzeitunterricht gestaltet. Ein Schwerpunkt der Schule ist das Berufsfeld Drucktechnik, was auch im hohen technischen Einrichtungsstandard zum Ausdruck kommt. Die *Gewerblichen Berufsfachschulen* sind einjährige Vollzeitschulen, die vor einer Ausbildung oder als Ersatz für das erste Lehrjahr absolviert werden. Auch bei diesem Schultyp werden verschiedene Berufsfelder unterrichtet. Die dritte Schulart an der Gewerbeschule, das *Berufsvorbereitungsjahr*, ist eine einjährige Vollzeitschule für berufsschulpflichtige Jugendliche, die in keinem Ausbildungsverhältnis stehen. Sie dient der Orientierung in verschiedenen Berufsfeldern, der Vermittlung einer berufsvorbereitenden Ausbildung, Förderung der Berufsreife, Erleichterung der Berufswahl und Erweiterung der allgemeinen Bildung.[14]

Die *Errichtung des Schulzentrums West* kann als das herausragende Ereignis für die Stadt Baden-Baden im Bereich der Schulgeschichte in den letzten 20 Jahren betrachtet werden.[21] Bereits kurz nach dem 2. Weltkrieg herrschte aufgrund der hohen Geburtenrate Raumnot an verschiedenen Schulen in Baden-Baden; auch für das RWG wurde bereits nach Neubaulösungen gesucht. Bemühungen um Standorte beim Aumatt-Stadion und auf dem Gelände des heutigen Vincentius-Pflegeheims (damals – 1968 –

3. Öffentliches und kulturelles Leben

sollte noch das MLG hinzugenommen werden) erwiesen sich für beide Schulen als zu klein. Im Laufe der Zeit wurden Überlegungen hinsichtlich der Zusammenlegung des Richard-Wagner-Gymnasiums mit der Realschule, den Berufsschulen und anderen Kombinationen entwickelt. Das Markgraf-Ludwig-Gymnasium schied dadurch aus, weil es einen Neubau für Naturwissenschaften erhielt. Am 22. 3. 1974 haben sich Vertreter der Stadt Baden-Baden und des Oberschulamtes Karlsruhe dafür entschieden, ein Schulzentrum auf dem Standort »Stubrain« allen anderen in die engere Wahl fallenden Alternativen vorzuziehen. Es wurde beschlossen, auf jeden Fall das RWG miteinzubeziehen, die Realschule verblieb in der Innenstadt.

Während der *Testphase des Schulentwicklungsplanes II* wurde die Stadt 1968 vom Abzug der gewerblichen Berufsfachschule, der hauswirtschaftlichen Berufsschule und einzelner Berufsfelder in kaufmännischen Zweigen bedroht. Zusammen mit den Schulleitungen und den Berufsverbänden kämpfte die Stadt um den Erhalt der drei Berufsschulen. Das Oberschulamt hob dabei darauf ab, im Zuge der Neuordnung des beruflichen Schulwesens an den einzelnen Orten Schwerpunkte für bestimmte Berufsfelder einzurichten. Die alten Gebäude der Handelslehranstalt und der Gewerbeschule waren dafür nicht mehr geeignet. Die Stadt verfolgte daraufhin das Konzept, ein Berufsschulzentrum mit gewerblichem und kaufmännischem Zug und dem hauswirtschaftlich-pflegerischen Typ sowie mit Berufsfachschulen der gleichen Typen zu erstellen. Außerdem sollten analog dazu berufsbezogene Gymnasien der gleichen Typen eingerichtet werden; diese wurden bereits 1975 wegen rückläufiger Schülerzahlen zurückgestellt. Alles sollte in einem Gebäude integriert werden.

Durch diese Entscheidung konnte der Stadt der Erhalt der Berufsschulen zugesagt werden. 1974 erfolgte der Beschluß des Gemeinderats, das RWG in dieses »Berufsschulzentrum« zu integrieren. Ein Architektenwettbewerb wurde von Architekt Hannes Hübner gewonnen; nach seinem Modell wurde das Schulzentrum gebaut. 1980 war der erste Bauabschnitt fertiggestellt, und alle drei Schulen konnten den Unterricht aufnehmen. Seit der Fertigstellung des zweiten Bauabschnitts 1983 sind die Handelslehranstalt, die Gewerbeschule und das Richard-Wagner-Gymnasium im Schulzentrum West untergebracht.[15]

Als *besondere Schulen* in Baden-Baden sind die Clara-Schumann-Musikschule, die Schule an der von Stulz-Schrieverschen-Waisenanstalt und die Volkshochschule Baden-Baden anzusehen.

Die *Clara-Schumann-Musikschule* wurde 1982 als städtische Musikschule Baden-Baden gegründet. Im Mai 1982 wurde der Lehrbetrieb in den Räumen des ehemaligen RWG in der Stefanienstraße mit 16 Lehrern und ca. 250 Kindern und Jugendlichen aufgenommen. Im September 1988 erhielt die Musikschule den Namen »Clara-Schumann-Musikschule«, weil Clara Schumann viele Jahre in Baden-Baden lebte und wirkte. Heute werden in der Musikschule über 600 Schüler von 35 Musiklehrern unterrichtet; der Unterricht beschränkt sich nicht mehr nur auf die Räume in der Stefanienstraße, sondern erfolgt auch in Ebersteinburg, in Steinbach und Varnhalt. Zusätzlich wurde eine Außenstelle außerhalb des Stadtkreises, in Sinzheim, eingerichtet, in der ca. 75 Schüler unterrichtet werden. Das Alter der Schüler reicht von unter 6 Jahren bis hin zu über 60jährigen Teilnehmern.

Das Fächerangebot der Musikschule gliedert sich in Grundstufe und Hauptstufe. Die Grundstufe umfaßt die musikalische Früherziehung und Grundausbildung sowie die Vorschulrhythmik. Die Hauptstufe umfaßt neben Gesang und Chor den Unterricht für Holz- und Blechblasinstrumente, Schlaginstrumente, Streichinstrumente bis hin zur Komposition. Außerdem werden Spielkreise in verschiedenen Musikrichtungen angeboten. Außerhalb der musikalischen Erziehung gibt es Gruppen in Yoga und darstellendem Spiel.[16]

Die *Schule der von Stulz-Schrieverschen-Waisenanstalt* ist eine Sonderschule für Erziehungshilfe und dient sowohl den im Heim untergebrachten Kindern und Jugendlichen wie auch externen Schülern. Folgende Bildungsgänge, die mit den jeweiligen Abschlüssen denen der öffentlichen Schulen entsprechen, werden angeboten: Förderschule, Grundschule, Hauptschule und Realschule. Der Bildungsgang Realschule wurde erst vor wenigen Jahren neu eingeführt und umfaßt ab dem Schuljahr 1993/94 vier Klassen. Zu beachten ist, daß es in Baden-Württemberg 57 Sonderschulen für Erziehungshilfe gibt, von denen nur zwei den Bildungsgang Realschule anbieten. Einmalig in Baden-Württemberg ist das Angebot von allen vier Bildungsgängen. Das Einzugsgebiet der Schule ist weitgehend begrenzt auf den Jugendhilfeverbund Mittlerer Oberrhein. Die Schule hatte im Schuljahr 1992/93 ca. 130 Schüler, die von 25 Lehrkräften unterrichtet wurden. Die Klassengröße an der Schule liegt bei 8 Schülern. Von diesen Schülern kommen ca. 65 % aus vollstationären und 35 % der Schüler aus den teilstationären Gruppen. Die Schule für Erziehungshilfe nimmt – in Absprache mit den betreffenden Jugendämtern und dem Staatlichen Schulamt – Kinder und Jugendliche mit schulischen Leistungsschwierigkeiten auf, mit Problemen im sozialen, motorischen, emotionalen Bereich, mit seelischen oder gar psychosomatischen Leiden, die besondere heilpädagogische und zum Teil therapeutische Hilfen benötigen.[17]

Die Gründungsversammlung der *Volkshochschule (VHS) Baden-Baden* fand am 7.6.1973 statt. Die VHS besteht als eingetragener Verein. Der Betrieb der Geschäftsstelle wurde am 1.4.1974 zuerst im Haus der Jugend aufgenommen. Am 22.9.1974 fand die feierliche Eröffnung der Volkshochschule Baden-Baden statt. Das erste Semester der VHS begann mit ca. 1000 Hörern in 74 Kursen. 1976 wurde die Geschäftsstelle der VHS in das Gebäude des Arbeitsamtes in der Langen Straße verlegt. Die VHS verfügt dort neben ihren Geschäftsräumen nur noch über zwei Unterrichtsräume. Daneben wurden immer Räume und technische Einrichtungen von verschiedenen Schulen mitbenutzt. Von Anfang an war es das Ziel der VHS, ein eigenes Haus zu bekommen. Dies ist jedoch bis heute nicht gelungen. Auch in Zukunft wird sich wegen der schwierigen Finanzlage der Kommunen, die Baden-Baden genauso trifft wie andere Städte, nichts an diesem Zustand ändern. Trotzdem erfreut sich die VHS großer Beliebtheit, wie die Zahlen der Kursteilnehmer Jahr für Jahr belegen. 1992 konnte der höchste Teilnehmerstand seit der Aufnahme der Arbeit im Jahr 1974 verzeichnet werden. Es wurden 4774 Kursteilnehmer, 8323 Vortragsbesucher, 556 Teilnehmer an Tagesfahrten und 86 Teilnehmer an Studienreisen registriert.

Ausblick. – Durch die ganze neuere Geschichte Baden-Badens zieht sich wie ein roter Faden bis heute das Bestreben, für die gesamte Bürgerschaft eine solide und gut gegliederte Aus- und Weiterbildung vorzuhalten. Baden-Baden als einer der kleinsten Stadtkreise wollte politisch seine Kreisfreiheit auch immer dadurch festigen, daß es möglichst die ganze Palette an Aus- und Weiterbildungsmöglichkeiten bereitstellt, über die sonst nur größere Stadt- oder Landkreise verfügen. Daher erklärt sich auch seine so auffällige Vielfalt an Aus- und Weiterbildungseinrichtungen, die dem Bedürfnis der in dieser Stadt lebenden Bürgerschaft entspricht und deren Bildungsstand überdurchschnittlich hoch liegt – nicht zuletzt durch die Konzentration von hochwertigen Arbeitsplätzen im Bereich der Medien (SWF, Privatmedien), Banken und sonstiger Dienstleistungen (Versicherungen), deren Gesamtzahl die der gewerblichen Arbeitsplätze übersteigt. Die Bedeutung der Kreisfreiheit im kommunalpolitischen Bewußtsein wird auch in Zukunft als so entscheidend angesehen, daß die bestehende Struktur im gesamten schulischen Bildungsangebot auch in den kommenden Jahren erhalten bleibt, solange das Land seine finanzielle Beteiligung beibehält.

Quellen und Literatur

1. 3. 8. 9. Archiv der Stadt Baden-Baden
2. 4. 6. 7. Schulstatistik des Schul-, Kultur- und Sportamtes der Stadt Baden-Baden.
5. 175 Jahre Klosterschule Lichtenthal Baden-Baden, 1815–1990; Ein Rückblick.
10. 100 Jahre Markgraf-Ludwig-Gymnasium, 1892–1992 Festschrift.
11. Aus RWG – 10 Jahre Schulzentrum West (Festschrift).
12. 100 Jahre Pädagogium Baden-Baden, Festschrift.
13. Robert-Schuman-Schule; 10 Jahre Schulzentrum West Baden-Baden (Festschrift).
14. Aus »Die Gewerbeschule Baden-Baden 10 Jahre im Schulzentrum West« Hrsg. Gewerbeschule Baden-Baden.
15. Aus Schulzentrum West Baden-Baden, Herausgeber Pressestelle der Stadtverwaltung Baden-Baden.
16. 10 Jahre Clara-Schumann-Musikschule der Stadt Baden-Baden; 1982–1992.
17. Festschrift des Kinder- und Jugendheims von Stulz-Schrieversche Waisenanstalt, Baden-Baden, 1989.

Kulturelle Einrichtungen
Museen, Stadtarchiv, Kunsthalle, Theater, Konzerte

Baden-Baden verfügt über kulturelle Einrichtungen, deren Entstehungsgeschichte mit dem glanzvollen Aufschwung der Stadt im 19. Jh. nahe einhergeht. Die Entwicklung zum internationalen und mondänen Kur- und Badeort zog viele Künstler und Kunstliebende jeder Sparte an, so daß sich hier eine eigenständige, von der Residenzstadt abgegliederte Tradition entfalten konnte. Die Bedeutung der kulturellen Einrichtungen in heutiger Zeit hat sich durch den veränderten Stellenwert der Kunst in den letzten Jahrzehnten verändert. Vom elitär geprägten Interessengebiet, das einer kleinen Minderheit vorbehalten war, ist die Kunst zu einem integralen Bestandteil der Lebensbereiche geworden und spricht damit die breite Öffentlichkeit an.

Die kulturellen Aktivitäten sind in Baden-Baden vielgestaltig. Ausstellungen, Theatervorführungen und Konzerte erfordern organisatorisch und technisch einen Stab erfahrener Mitarbeiter, und so bieten die kulturellen Einrichtungen Baden-Badens letztlich einer nicht geringen Zahl von Menschen das wirtschaftliche Auskommen.

Museen

Stadtgeschichtliche Sammlungen. – Die Museen Stadtgeschichtliche Sammlungen im Neuen Schloß, Stadtmuseum im Baldreit und das Stadtarchiv bilden seit 1976 ein Amt unter hauptamtlicher Leitung innerhalb der Stadtverwaltung.

Der Ursprung der Sammlungen geht weit ins 19. Jh. zurück. Den zahlreichen römischen Bodenfunden war es zu verdanken, daß schon 1804 das erste Museum der Stadt, das *Museum Paleotechnicum* erbaut wurde. Markgraf Karl Friedrich beauftragte seinen Baumeister Friedrich Weinbrenner, eine Altertumshalle in Form eines antiken Tempels, dessen vordere Seite von vier dorischen Säulen getragen wurde, nahe der Stiftskirche zu erstellen. Knapp ein halbes Jahrhundert später fiel das Gebäude neuen städtebaulichen Planungen zum Opfer. Die bedeutenden römischen Denkmäler gelangten in die Landessammlungen nach Karlsruhe.

Erneute Bestrebungen zur Wiedereinrichtung eines Museums hatten erst 1892 den ersehnten Erfolg: die Stadträte Stanislaus Kah und Hugo von Boemble erreichten mit Unterstützung namhafter Bürger die Gründung der *Stadtgeschichtlichen Sammlungen*. Anfangs wurden die Exponate, zu denen wertvolles Silbergerät oder kunstvolle Schnitzarbeiten zählten, in zwei Räumen des Rathauses gezeigt. Die nächste Bleibe erhielten die Sammlungen in der Inselstraße 1, einem Gebäudeteil des ehemaligen Großherzoglichen Palais. Hier war die Präsentation des schon reich angewachsenen Museumsbestandes in verschiedenen Räumen und Abteilungen möglich.

Nach Stanislaus Kah bekam 1920 der Jurist Dr. Otto Schmitz die ehrenamtliche Tätigkeit als Konservator übertragen. Er führte die ersten Sonderausstellungen durch, unter anderen über das seltene »Baden-Badener Porzellan«, von dem er auch einige Stücke erwerben konnte. So hält heute das Stadtmuseum die umfangreiche Sammlung des Porzellans aus hiesiger Manufaktur (1771–80). Nach dem 2. Weltkrieg und den Beschlagnahmungen vieler Stadthäuser und Villen durch die Franzosen mußten die Sammlungen zunächst aufgelöst werden.

Ein Neuanfang konnte 1951 gemacht werden: Das Museumsinventar, das sich in den Wirren der Nachkriegszeit merklich verringert hatte, zog ins Marstallgebäude des Neuen Schlosses, wo sich neben Ausstellungsräumen noch weite Lagerungsflächen anboten. Der Apotheker Dr. Hans Rössler übernahm das Konservatorenamt, das er bis 1969 innehatte. Seine Nachfolgerin war die Lehrerin Margot Fuss, die von 1976 bis 1985 hauptamtliche Museumsleiterin war.

Die Ausstellungsfläche beträgt ca. 600 qm. Dort werden heute noch im Lapidarium die römerzeitlichen und mittelalterlichen Steindenkmäler, sowie verschiedene Sonderabteilungen – allen voran die große Puppen- und Spielzeugsammlung – gezeigt.

Die Zukunft der Stadtgeschichtlichen Sammlungen im Neuen Schloß ist ungewiß, da das Markgräfliche Haus die Veräußerung des Anwesens beabsichtigt.

Stadtmuseum im Baldreit. – Seit 1981 ist ein Teil der Stadtgeschichtlichen Sammlungen in der ehemaligen Badeherberge aus dem Mittelalter »Zum Baldrich« untergebracht. Der Name »Baldreit« weist auf die Sage, die auch in der Trinkhalle von Jakob Götzenberger auf einem Fresko dargestellt ist: Ein pfälzischer Kurfürst sucht Heilung seiner Gicht in diesem Gasthaus mit eigenem Thermalwasseranschluß. Nach wenigen Tagen schwingt er sich, vollkommen gesund, in den Morgenstunden auf sein Pferd und ruft dem Wirt zu: »Seht, wie bald reit ich doch!« So soll der Name entstanden sein.

Das Gebäude wurde noch bis 1970 als Gasthaus betrieben, dann durch umfangreiche Sanierungsmaßnahmen – es war der Beginn der Altstadtsanierung –, ab 1978 zum Museum umgebaut. Dem Denkmalschutz wurde insofern Rechnung getragen, als die kleinteilige Raumgliederung der alten Herberge weitgehend erhalten blieb, was der *Präsentation der Baden-Badener Stadtgeschichte* einen eigenwilligen Reiz verleiht.

Auf einem Rundgang erlebt der Besucher die fast 2000jährige Geschichte von der Römerzeit bis zum Beginn des 20. Jahrhunderts.

Eine Sonderabteilung *Naturraum Baden-Baden* zeigt nach modernsten museumspädagogischen Gesichtspunkten regionale Geologie. In den Sonderausstellungsräumen des Stadtmuseums werden jährlich ein bis zwei Ausstellungen, hauptsächlich aus den eigenen Beständen zusammengestellt, präsentiert. Die museumspädagogische Abteilung befindet sich im Aufbau. Insgesamt bietet das Stadtmuseum im Baldreit eine

3. Öffentliches und kulturelles Leben

Ausstellungsfläche von rund 900 qm. Dazu kommen die Magazin- und Verwaltungsräume, die in einem zweiten Bauabschnitt 1989 entstanden sind.

Im Dachgeschoß befindet sich auch eine *Künstlerwohnung*, die jährlich neu an Schriftsteller, Bildende Künstler oder Komponisten mit dem *Baldreit-Stipendium* vergeben wird. Diese Künstlerförderung der Stadt Baden-Baden genießt inzwischen internationalen Ruf.

Zähringer Museum. – Ein Teil des markgräflichen Neuen Schlosses ist als Museum zu besichtigen, andere Gebäudetrakte sind vermietet oder auch gelegentlich von Markgraf Max von Baden mit seiner Familie bewohnt.

Die Schauräume werden vom Aussehen des 19. Jh. bestimmt, namentlich von der Einrichtung unter Großherzog Leopold von Baden und seinen Nachfolgern. 1960 gestaltete man Prunkräume und Salons so um, daß darin Publikumsverkehr stattfinden konnte. Möbel, Gemälde, qualitätvolles Kunsthandwerk, oder Porzellan und Fayence spiegeln die fürstliche Wohnkultur des vergangenen Jahrhunderts wider. Besondere Erwähnung verdienen das Prunkbad im Erdgeschoß, dessen ungewöhnlich üppige Stukkaturen aus der Zeit um 1660 stammen, und die Schloßkapelle.

Museum im Kloster Lichtenthal. – Eine bedeutende Kunstsammlung befindet sich in den ehemaligen *Fürstenzimmern* der Cistercienserinnen-Abtei Lichtenthal.

Die Sammlung ist seit 1912 öffentlich zugänglich. Da das Kloster von den Zerstörungen der Kriege und von der Säkularisation verschont geblieben war, existieren hier noch Kunstschätze ganz besonderer Art: Tafelbilder und Altarblätter, Stickereien und Textilien aus dem 16. Jh., liturgische Gewänder aus der Zeit von 1500–1800, oder altkolorierte Antiphonarien. Einige Objekte der Sammlung sind in der kunsthistorischen Literatur zu finden.

Brahmshaus. – Der Komponist Johannes Brahms verbrachte 1865–1874 jeweils den Sommer in Baden-Baden, wo er sich in Lichtental ein kleines Häuschen gekauft hatte. Die Brahmsgesellschaft erwarb dieses Anwesen 1967 und richtete eine Erinnerungsstätte ein, die auch jungen Musikern Arbeitsmöglichkeit in einer Bibliothek bietet, sowie über eine Musikanlage und einen Flügel verfügt. Das kleine Museum zeigt im Stil der damaligen Zeit eingerichtete Räume mit Fotodokumentationen zum Leben, sowie Erinnerungsstücke aus dem Alltag von Johannes Brahms. Außerdem sind dort schriftliche und bildliche Zeugnisse von Robert und Clara Schumann und Joseph Joachim aufbewahrt.

Heimatmuseum Steinbach. – Seit 1977 hat der Stadtteil Steinbach im Rebland ein eigenes Museum, das auf Betreiben der Mitgliedergruppe Yburg im Historischen Verein für Mittelbaden damals im Alten Amtshaus eingerichtet wurde. Die Sammlung wird ständig erweitert. Sie besteht aus Plänen, Karten und alten Dokumenten zur Steinbacher Stadtgeschichte. Landwirtschaft und Weinbau sind durch frühere Geräte und Handwerkszeug in der Ausstellung erläutert.

Da die Geschichte der Gemeinden Neuweier, Varnhalt und Steinbach in engem Zusammenhang steht, wird eine Umbenennung in »Reblandmuseum« erwogen.

Heimatmuseum Haueneberstein. – Auch im 1972 eingemeindeten Ort Haueneberstein betreibt der Heimatverein das Museum. Die Stadt stellte 1989 ein denkmalgeschütztes Fachwerkhaus zur Verfügung, das nach der gänzlichen Renovierung fachlichkonzeptionell eingerichtet wurde. Seit 1994 ist es der Öffentlichkeit zugänglich und präsentiert bäuerliches Arbeitsgerät, Objekte der Volksfrömmigkeit, Trachtenbekleidung und die für den Ort typische Hafnerware. Im Hof steht ein Backhäuschen, das einen nachgebauten gängigen Holzbackofen birgt.

Das Museum ist gleichzeitig ein Ort der Kommunikation; es werden zahlreiche Veranstaltungen und Aktivitäten angeboten.

Heimatmuseum Sandweier. – Noch im Aufbau befindet sich das vom Heimatverein Sandweier initiierte Museum im ältesten Haus des Dorfes, dem ehemals markgräflichen Jagdhaus. Bis jetzt besteht die Sammlung aus bäuerlichem Mobiliar, religiösen Gegenständen, selten gewordenen ausgestopften Kleintieren der Region und einer Menge von Fotos und Dokumenten zur Ortsgeschichte.

Spielzeugmuseum. – Ein kleines, aber erwähnenswertes Puppen- und Spielzeugmuseum befindet sich am Römerplatz. Die Privatsammlung zeigt Exponate aus zwei Jahrhunderten.

Weitere Ausstellungen. – Das Kulturamt der Stadt veranstaltet jährlich mehrere Ausstellungen im Jesuitensaal des Rathauses und im Luisensaal des Alten Bahnhofs. Außerdem befinden sich in Baden-Baden 16 private Kunstgalerien, deren Angebote sich auf die wichtigsten Stilrichtungen verteilen.

Römische Badruinen. – Unter dem Friedrichsbad am Römerplatz liegen Mauerreste einer römischen Badeanlage, die als »Soldatenbad« ausgewiesen wurde. Die Ruine wurde in den Jahren 1846 bis 1900 ausgegraben und der Öffentlichkeit zugänglich gemacht. Sie bildet ein eindrucksvolles Zeugnis der Badekultur der Römer vor rund 2000 Jahren und ist eine der besterhaltenen Anlagen in Südwestdeutschland. Im Vergleich zu den unter dem Marktplatz befindlichen »Kaiserbädern« ist die Anlage wesentlich kleiner, verfügt aber über eine hervorragend erhaltene Hypokaustenanlage mit Feuerraum, sowie über verschieden zu beheizende Baderäume mit Wasserbecken. Die Römischen Badruinen werden von der Bäder- und Kurverwaltung betreut.

Stadtarchiv

Im »Baldreit« sind die Verwaltung und ein Teil des Stadtarchivs untergebracht. Die Lagerung der ca. 1500 lfm. Akten verteilt sich auf mehrere Rathauskeller, die mit Klimaanlagen und Sicherheitsvorrichtungen ausgestattet sind. Da der Stadtbrand im Französischen Erbfolgekrieg im Jahre 1689 auch vor dem Archiv nicht Halt gemacht hat, existieren nur noch wenige Zeugnisse aus der Zeit davor, diese jedoch ab dem 16. Jahrhundert.

Im Bestand des Stadtarchivs werden Akten, Urkunden, Zeitungen, Zeitschriften, Fotos, Karten, Pläne, Bücher, Film- und Tondokumente, sowie eine zeitgeschichtliche Sammlung verwahrt. Die steigende Benutzerzahl verdeutlicht ein zunehmendes Interesse an Forschungsarbeiten über die Baden-Badener Stadtgeschichte.

Staatliche Kunsthalle

Inmitten der weltberühmten Lichtentaler Allee liegt das Gebäude der Staatlichen Kunsthalle, ein international anerkanntes Ausstellungshaus ohne eigene Sammlung. Schon Mitte des 19. Jh. zeichnete sich in Baden-Baden die Bildung eines Künstlerkreises ab. 1863 wurde der Kunstverein gegründet, dessen Ausstellungen in einem Gebäude hinter dem Theater stattfanden und überwiegend von badischen Künstlern bestückt waren. Beim Konversationshaus, also gegenüber, unterhielt der Bildhauer Joseph von Kopf (Rom) ein Atelier, wo seine zahlreichen Porträtbüsten ausgestellt waren. Einige ortsansässige Künstler wie Georg Saal, Hofmaler Johann Grund, Johann Baptist Heinefetter oder die Gebrüder Gimbel besaßen ebenfalls offene Ateliers. In der Kronprinzenstraße befand sich das Künstlerhaus des Malers Gustav Amberger.

Der Ruf nach einer Kunsthalle wurde lange Jahre von vielen Seiten laut, und so fanden sich im Jahre 1906 endlich mehrere Mäzene, die dem Initiator und Maler Robert Engelhorn zur Seite standen.

Der Wahl-Münchener, der später seinen Wohnsitz nach Baden-Baden verlegte, hatte die *Freie Künstlervereinigung Baden e.V.* gegründet, einen Verein, dessen erklärtes Ziel die Errichtung eines Ausstellungshauses und die Veranstaltung von Ausstellungen war. Die Architekten Hermann Billing und Wilhelm Vittali führten ihr Projekt in den Jahren 1907–09 aus. Am Ostersonntag, dem 3. April 1909, fand die feierliche Eröffnung der 1. Deutschen Kunstausstellung unter Anwesenheit des Großherzogs Friedrich II. und seiner Gattin Luise statt.

Insgesamt 128 Maler, Bildhauer und Graphiker waren zur Ausstellung aufgefordert und hatten Werke eingeliefert, die eine Jury unter Vorsitz von Wilhelm Trübner auswählte. Regionalen Künstlern wurde Vorrang gegeben, doch schon im zweiten Jahr stellten Maler wie Max Liebermann, Lovis Corinth und Max Slevogt aus, die heute allgemein als »das Dreigestirn des deutschen Impressionismus« bezeichnet werden.

Die Ausstellungen fanden bis in die 1930er Jahre jährlich während der Sommermonate statt. Bis auf jeweils wenige Ausnahmen waren die Exponate verkäuflich. Die heute in den Stadtgeschichtlichen Sammlungen verwahrten Ausstellungskataloge weisen fast sämtliche aus jener Zeit bekannten Künstlernamen auf!

Nach dem 1. Weltkrieg kämpfte die »Freie Künstlervereinigung« mit finanziellen Problemen. Das zog letztlich in den 20er Jahren die Übernahme der Kunsthalle in staatliche Trägerschaft nach sich. Der Verein »Freie Künstler-Vereinigung« wurde 1935 aufgelöst, woraufhin ein nationalsozialistisches Gremium das Ausstellungsprogramm zu bestimmen hatte. Nach 1937 wurden die jährlichen Kunstausstellungen von der Reihe »Oberrheinische Kunstausstellung« abgelöst, die bis 1941 stattfanden.

Ein adäquater *Leiter der Kunsthalle* wurde erst wieder 1952 eingesetzt. Der Maler Erwin Heinrich legte den Ausstellungsschwerpunkt auf die badische Malerei. Erst sein Nachfolger Dietrich Mahlow begründete den internationalen Ausstellungsstil zeitgenössischer Kunst, der der Kunsthalle Baden-Baden – wie vom Begründer beabsichtigt – den internationalen Ruf verlieh.

Von großer Bedeutung dabei war die Zusammenarbeit mit der *Gesellschaft der Freunde junger Kunst,* die unter Beteiligung namhafter Förderer bis 1974, dem Ausscheiden des Kunsthallenleiters Klaus Gallwitz, anhielt. In seiner Amtszeit fanden so maßgebliche Ausstellungen wie »Fernand Leger« (1967), »Pablo Picasso« (1968), oder »Wassily Kandinsky« (1970) statt. 1971 erreichte die Salvador Dali-Ausstellung einen Besucherrekord, der noch nicht überboten werden konnte.

In der Folge besetzten Hans Albert Peters (1974–80) und Katharina Schmidt (1980–85) die Stelle der Kunsthallenleitung, beide darauf bedacht, Zeitgenössisches und Historisches gleichermaßen zu berücksichtigen und ein Kontrastprogramm zu bieten. Heute liegen die Schwerpunkte in der klassischen Moderne und der Gegenwartskunst.

Theater

Die Darstellungskunst am Goetheplatz kann auf eine lange Tradition zurückblicken. Schon am Hof der Markgrafen fanden Theateraufführungen statt, die um die Wende zum 19. Jh. ins Promenadehaus, den Vorgängerbau des Kurhauses, verlegt wurden. Mit dem erneuten Aufschwung der Stadt Anfang des 19. Jh. wurde der Ruf nach dem Bau eines Schauspielhauses »zur Ergötzung der Badegäste« laut.

1810 entstand ein Holzbau, der schon ein Jahr später durch ein Theatergebäude von Friedrich Weinbrenner ersetzt wurde. Nach der Überlieferung spielte zur Eröffnung die Dengler'sche Schauspielertruppe aus Bern Kotzebues Ritterschauspiel »Johanna von Maufaucon«.

Unter Großherzog Ludwig von Baden entstand dann das Konversationshaus mit einem Bühnensaal, der 600 Personen Platz bot. Dieser entfiel ab 1853 im Zuge großer Umbaumaßnahmen, als Gesellschaftsräume benötigt wurden. Planung und Ausführung eines neuen Theaters nahmen dann neun Jahre in Anspruch.

Finanziert wurde der Bau in unmittelbarer Nachbarschaft zum Konversationshaus aus Mitteln des Badfonds, der Spielbank und der Stadtverwaltung. Spielbankpächter Edouard Bénazet zog die französischen Theaterarchitekten Charles Derchy (innen) und Charles Couteau herbei, die ein pompöses kleines Kunstwerk im neubarocken Stil mit Rokoko-Interieur erstellten. Bei der feierlichen Einweihung am 6. August 1862 hob sich der Vorhang für Konradin Kreutzers »Nachtlager von Granada«, drei Tage später wurde die komische Oper »Béatrice und Bénedict« von Hector Berlioz nach Shakespeares Komödie »Viel Lärm um nichts« uraufgeführt. Ein festes Ensemble existierte damals noch nicht, die Gastspieler kamen aus Frankreich und für deutschsprachige Aufführungen oft aus dem benachbarten Karlsruhe, wo das Großherzogliche Hoftheater Opern und Schauspiele zu bieten hatte. Der Krieg 1870/71 beendete die für die Kurstadt so bedeutende »Franzosenzeit« und die damit verbundene hohe Theaterkultur an der Lichtentaler Allee.

Die Wiederaufnahme der Vorstellungen nach 1872 brachte regelmäßige Gastspiele des Straßburger Stadttheaters. Auch das Karlsruher Hoftheater blieb Baden-Baden erhalten, ebenso die Ensembles aus Budapest, Berlin und Hamburg. Gegen Ende der 1870er Jahre war das Gästeaufkommen durch das modernisierte Bäderwesen wieder stark angestiegen. Das bescherte auch den kulturellen Einrichtungen der Stadt enormen Aufschwung.

Ein fest engagiertes Ensemble wurde 1918 für die Städtischen Schauspiele gegründet, das die großen Vorstellungen allerdings in den Sälen des Kurhauses gab. Die Theaterbühne diente »Stücken älterer Art« und Schwänken. Fünf Jahre später verkaufte das Land Baden das »Kleine Theater« an die Stadt. 1934 übernahm die damals neu gegründete Bäder- und Kurverwaltung die Trägerschaft.

Unter den zahlreichen Intendanten der Nachkriegszeit sei Hannes Tannert hervorgehoben, der 1949 aus Stuttgart an die Oos kam. Mit Unterstützung durch die 1952 ins Leben gerufene *Patronatsgesellschaft für das Theater Baden-Baden* erlangte die Bühne neue Bedeutung, die auch heute noch spürbar ist.

1992 wurden gründliche Sanierungsarbeiten abgeschlossen, die Betrieb und Technik auf den modernsten Stand brachten, sowie dem äußeren Ansehen den alten Glanz wieder verliehen. 31,6 Mio. DM wurden dafür investiert, die durch die Stadt Baden-Baden, die Bäder- und Kurverwaltung, das Land und durch Spenden in beachtlicher Höhe finanziert wurden. Das Theater verfügt nun über 510 Zuschauerplätze vor einer Bühne mit Drehmechanismus, Versenkungen, Flugapparaten, elektrischen Aufzügen, sowie diversen Anlagen für Licht- und Toneffekte. Seit Anfang 1994 befindet sich das Theater wieder in städtischer Trägerschaft.

Konzerte

Baden-Badener Orchester. – In enger Verbindung zum Theater steht das Orchester der Stadt Baden-Baden, das zu den ältesten und traditionsreichsten Orchestern der Bundesrepublik zählt. Mit dem Bau des Konversationshauses begann eine auch für das Musikleben der Stadt wichtige Epoche. Schon damals fanden, wie die Ankündigungen im »Badeblatt« zeigen, in gewissen Abständen Konzertaufführungen statt, die spätestens 1842 mit der Aufführung von Rossinis »Stabat mater« eine Regelmäßigkeit aufweisen. Als erste Chefdirigenten sind Henri Panofka und Alexandre Piccini zu nennen. Ab der Saison 1853 finden wir jährlich den Namen Hector Berlioz auf der Liste der Dirigenten. Die Orchestermitglieder waren saisonal engagiert, bis sie Ende 1854 zum ersten Mal ganzjährig verpflichtet wurden. Dieses Jahr wird als Gründungsjahr des Orchesters angesehen.

Berühmte Namen wie Carl Maria von Weber, Albert Lortzing, Franz Liszt, Hans von Bülow oder Johann Strauss stehen in engem Zusammenhang mit dieser Ära der Baden-Badener Musikgeschichte.

1872 verbrachte Johann Strauss zwei Monate in der »Sommerhauptstadt Europas« und dirigierte zweimal wöchentlich. Im gleichen Jahr hatte die Stadt das Orchester übernommen, das von da an die Bezeichnung *Städtisches Orchester* trug. Unter der Leitung von Miloslaw Koennemann, der seit 1859 die Kiosk-Konzerte dirigierte, zählte das neu gegründete Orchester 57 Mitglieder.

Für diese Zeit muß noch ein weiterer maßgeblicher Name genannt werden: Richard Pohl, bekannter Musikschriftsteller und persönlicher Freund von Liszt, Berlioz und Wagner. Er hatte 1862 die Schriftleitung des Badeblatts übernommen und sorgte durch seine Musikkritiken für durchschlagende Publizität der Veranstaltungen. Im Umfeld bildeten sich wahre Musikerkolonien. Johannes Brahms, Clara Schumann, Pauline Viardot-Garcia und andere ließen sich in der Stadt nieder. 1867 erwog Richard Wagner sein Festspielhaus in Baden-Baden zu errichten, entschied sich dann jedoch – nicht zuletzt durch den großzügigen Mäzen König Ludwig II. von Bayern – für einen Standort in Bayreuth.

Brahms dirigierte 1887 sein Doppelkonzert für Violine, Violoncello und Orchester im Theater als Uraufführung. Koennemann leitete das Orchester bis 1890, seine Nachfolge trat zwei Jahre später Paul Hein an, der 1906 das erste *Baden-Badener Musikfest* ins Leben rief. Mit der Verpflichtung berühmter Solisten und Dirigenten verschaffte sich Hein den Ruhm, zur Glanzzeit des Orchesters beigetragen zu haben. Allerdings muß erwähnt werden, daß ihm auch eine große Anzahl von Musikern, zeitweise waren es bis zu 90 Personen, zur Verfügung standen. Weitere Akzente in der Konzertfolge setzten Ernst Mehlich 1927–29 mit den *Baden-Badener Kammermusiktagen* und Herbert Albert 1936–39 mit den Internationalen zeitgenössischen Musikfesten.

1934 wurde das Orchester, wie das Theater, von der Bäder- und Kurverwaltung übernommen und erhielt den Titel *Sinfonie- und Kurorchester*. Am Ende des 2. Weltkriegs war das Orchester wegen Mangels an Musikern nicht mehr spielfähig. Nach der Rückkehr aus dem Kriegsdienst schlossen sich einige der Mitglieder dem neu gegründeten Südwestfunk-Sinfonieorchester an.

Das 1950 neuorganisierte *Kurorchester* führt seit Musikdirektor Hans Wunderlich (1971–81) den Namen *Baden-Badener Orchester*. Durchschnittlich werden 34 Musiker verpflichtet, die bei Sinfoniekonzerten von Aushilfskräften unterstützt werden. Das

»BBO« gibt regelmäßig Konzerte und veranstaltet Konzertreihen, die vorzugsweise in den Sälen im Kurhaus stattfinden. Das Festival »Musikalischer Sommer Baden-Baden«, die Internationalen Meisterkurse der »Carl Flesch-Akademie« und die »Brahmstage« sind zu festen Einrichtungen geworden, die internationalen Ruf genießen. Mit Beginn des Jahres 1994 ist das Baden-Badener Orchester in die Verwaltung der Stadt übergegangen.

Südwestfunk-Sinfonie-Orchester. – Weit über die Grenzen bekannt ist das mit dem Südwestfunk 1946 gegründete Hausorchester. Öffentliche Konzerte finden im Hans-Rosbaud-Studio statt, das nach dem langjährigen Chefdirigenten (1948–62) benannt ist (vgl. Beitrag über den Südwestfunk).

Jugendorchester. – Als private Einrichtung mit städtischer Unterstützung konzertiert das Jugendorchester unter der Leitung von Karl Nagel überwiegend im Kurhaus. Mit der Musikschule leistet das Orchester einen wichtigen Beitrag zur Jugendmusikpflege in der Stadt.

Weitere Konzerte. – Sehr beliebt sind die *Orgelkonzerte*, die sowohl in der katholischen Stiftskirche, als auch in der evangelischen Stadtkirche abgehalten werden. In der Lutherkirche in Lichtental finden in regelmäßigen Abständen *Kleine Lichtentaler Kirchenkonzerte* statt, die von Gemeindemitgliedern und Gastmusikern gestaltet werden.

Literatur

Fuss, Margot: Katalog der Stadtgeschichtlichen Sammlungen/Stadtmuseum im Baldreit. Baden-Baden 1981.
Kircher, Gerda: Zähringer Bildnissammlung im Neuen Schloß zu Baden. Karlsruhe 1958.
Ausstellungskatalog: Kunsthalle Baden-Baden 1909–1986. Staatliche Kunsthalle Baden-Baden 7.–29. Juni 1986.
Bäder- und Kurverwaltung Baden-Baden (Hrsg.): Rendez-vous mit einem Jahrhundert. Festschrift zum 100jährigen Bestehen des Theaters Baden-Baden. 1962.
Stadtverwaltung Baden-Baden (Hrsg.): Theater am Goetheplatz. Festschrift zur Wiedereröffnung 1992. Baden-Baden 1992.

Der Südwestfunk Baden-Baden

Aufgaben und Bedeutung. – Hörfunk- und Fernsehsendungen, beseelt vom Geist demokratischer Freiheit und Toleranz, zu produzieren und zu verbreiten – dies ist, auf eine Formel gebracht, die Aufgabe des Südwestfunks. Als viertgrößte ARD-Anstalt hat der Sender auch eine erhebliche überregionale Bedeutung. Er gehört mit einem Jahreshaushalt von rund 912 Mio. DM (1993), mit 3,3 Mio. Radiohörern und 2,8 Mio. Fernsehzuschauern im Sendegebiet zu den wichtigsten deutschen Medien. Zu Baden-Baden unterhält der Sender seit fast einem halben Jahrhundert enge und privilegierte Beziehungen. Der internationale Kurort ist laut SWF-Satzung der Sitz des Südwestfunks. Von den 2463 festangestellten Mitarbeitern der Rundfunkanstalt leben rund 1800 mit ihren Familien in Baden-Baden und Umgebung. Große Landesstudios unterhält der Sender in Mainz, Freiburg und Tübingen, darüber hinaus 18 Studios und Regionalbüros in Rheinland-Pfalz und Baden-Württemberg, von Koblenz bis Ludwigsburg und von Offenburg bis Ravensburg.

Anfänge unter französischem Besatzungsregime. – Erst Monate nach dem Ende des Zweiten Weltkrieges, am 12. Juli 1945, wurde Frankreich von den eigentlichen Siegermächten USA, UDSSR und Großbritannien endgültig eine eigene, von der britischen und amerikanischen Zone abgetrennte Besatzungszone zugesprochen. Sie umfaßte ein Gebiet von 40 216 qkm und setzte sich aus acht Teilen zusammen, die bis Kriegsende zu Preußen (der Südteil der Rheinprovinz, vier Kreise der Provinz Nassau), Hessen (Rheinhessen) und Bayern (Pfalz, Kreis Lindau) gehört hatten. Ferner erhielt Frankreich als Besatzungsgebiet das Saarland und große Teile von Baden und Württemberg sowie das bisher gleichfalls preußische Hohenzollern. Die französische Besatzungszone reichte somit vom Südrand der Kölner Bucht bis zum Bodensee und nach Oberschwaben und wies nur vier stark zerstörte Großstädte mit Vorkriegseinwohnerzahlen zwischen 100 000 und 150 000 auf: Mainz, Saarbrücken, Ludwigshafen und Freiburg im Breisgau. Am 31. Juli 1945 bezog der als Nachfolger des eigenwilligen Generals de Lattre de Tassigny zum Oberkommandierenden der Französischen Streitkräfte in Deutschland (CCFFA) ernannte Viersternegeneral Pierre Koenig sein Hauptquartier, Brenner's Kurhof in Baden-Baden.

Er war zugleich Militärgouverneur für Deutschland und somit Vertreter Frankreichs im Berliner Kontrollrat. Während die drei anderen Besatzungsmächte die wichtigsten Bereiche der Militärregierung in die einstige Reichshauptstadt verlegten, blieben das französische Hauptquartier des CCFFA in Baden-Baden und das »Gouvernement Militaire pour la Zone Française d'Occupation« (GMZFO) bis 1949 in der Stadt an der Oos.

General Koenig und sein Administrateur General Emile Laffon begannen sogleich mit dem Aufbau der Militärverwaltung. Die vier Regionen Baden, Württemberg, Rheinland-Pfalz und die Saar erhielten eigene Militärgouverneure, ebenso der französische Sektor von Berlin; in Baden-Baden nahmen zwölf für das ganze Besatzungsgebiet in Südwestdeutschland zuständige Direktionen die Arbeit auf. Die »Direction de l'Information« unterstand General Pierre Arnaud, ihre »Section Radio-Diffusion« hatte eine Anordnung des Ministerpräsidenten Charles de Gaulle vom Juni 1945 in die Tat umzusetzen, die militärisch-knapp so lautete: *Auf deutschem besetztem Gebiet wird eine Rundfunkstation geschaffen. Beauftragt mit französischen Sendungen in deutscher Sprache und zum Gebrauch der deutschen Bevölkerung wird diese Station dem militärischen Oberkommando in Deutschland zur Verfügung gestellt.*

Die staatliche »Radio-Diffusion Française« in Paris leistete Amtshilfe und entsandte im September 1945 die Journalisten Paul Peronnet und Pierre Ponnelle nach Baden-Baden; die beiden anderen Mitgründer des Südwestfunks, Louis Hirn und Henri Miltenberger, kann man als Geheimdienstleute mit nur geringer journalistischer Erfahrung bezeichnen. Peronnet erhielt den Dienstgrad eines Obersten, Ponnelle den eines Hauptmanns, ihre Büros befanden sich im Hotel Stephanie, dessen Haupttrakt in den Sechziger Jahren abgerissen wurde.

Hier ist der »Südwestfunk« mit den Sendern Koblenz, Freiburg und dem Kurzwellensender Baden-Baden, angeschlossen Radio Saarbrücken. Mit dieser Ansage nahm der damals noch in Anführungszeichen gesetzte Südwestfunk am 31. März 1946 sein Programm auf. Das Sendestudio war ein in der Moltkestraße vor dem Hotel »Kaiserin Elisabeth« postierter Funkwagen der französischen Armee, der mit einem Mikrofon und zwei Plattenspielern ausgerüstet war. Das Morgenkonzert wurde mit einer alten Aufnahme von Carl Maria von Webers »Aufforderung zum Tanz« eröffnet.

Die Baden-Badener Rundfunkanstalt hatte im ersten Jahr ihrer Existenz zwei Spitznamen. Die einen nannten sie den »Hotelsender«, denn sie war in zwei alten, beschlagnahmten Hotels, dem »Kaiserin Elisabeth« auf dem Beutig und dem »Tannenhof« auf dem Quettig, untergebracht. Andere titulierten den Südwestfunk spöttisch als »Geheimsender«, da man ihn fast nirgendwo im Sendegebiet der französisch besetzten Zone Südwestdeutschlands gut hören konnte. An Übertragungsanlagen standen nur wenige schwache Mittelwellensender und ein kleiner Kurzwellensender zur Verfügung. Ab dem 15. September 1946 strahlte von Sigmaringen ein Militärsender das SWF-Programm aus, den Taucher von einem vor Le Havre gesunkenen amerikanischen Truppentransporter geborgen hatten. Am 18. Januar 1947 wurde dann in Koblenz ein leistungsfähiger 50-Kilowatt-Sender in Dienst gestellt, den das GMZFO der amerikanischen Armee abgekauft und der Section Radio-Diffusion leihweise überlassen hatte. Von einigen Schallplattensendungen klassischer Musik und den von Paris übernommenen Sendungen abgesehen, wurden damals, im heroischen Zeitalter kühn improvisierender Sendetechnik, alle SWF-Sendungen live ausgestrahlt, obwohl das Tonband längst erfunden war und in den Vereinigten Staaten gerade wesentlich zum Triumph der Seifenoper beitrug.

Die französischen Rundfunkoffiziere sahen sich vor die schwierige Aufgabe gestellt, für den deutschsprachigen Besatzungssender politisch unbelastete deutsche Mitarbeiter zu finden. Der Südwestfunk hatte drei Hauptaufgaben:

1. Er verbreitete aus französischen Quellen Nachrichten aus aller Welt und dazu die Verlautbarungen des Gouvernement militaire.
2. Er hatte die von den drei westlichen Besatzungsmächten in Gang gesetzte demokratische Umerziehung zu betreiben und
3. den Hörern in Südwestdeutschland ein positives Bild von Frankreich zu vermitteln, also die – in sich widersprüchliche – französische Deutschlandpolitik diplomatisch geschickt zu interpretieren und Frankreichs Großmachtrolle zu betonen. Wichtig war auch der kulturpropagandistische Aspekt der Rundfunkarbeit; der Südwestfunk sollte mit Nachdruck auf die Weltgeltung der französischen Sprache, Literatur und Zivilisation hinweisen.

Zum Verwaltungsdirektor des neuen Senders ernannte das Gouvernement militaire am 1. November 1945 den Fabrikanten Oscar Schneider-Hassel. Künstlerischer Leiter wurde im Frühjahr 1945 der schlesische Schriftsteller Friedrich Bischoff, der als Intendant von Radio Breslau 1933 von den Nationalsozialisten entlassen und verhaftet worden war. Bischoff war von dem in Württemberg-Hohenzollern amtierenden Leiter des Staatssekretariats Staatsrat Prof. Dr. Carlo Schmid empfohlen worden, der bei der Besatzungsmacht als zweisprachiger Sohn einer Französin aus Perpignan und eines deutschen Privatgelehrten persona grata war. Die Musikabteilung des Senders übernahm der aus der französischen Emigration zurückgekehrte Musikschriftsteller Dr. Heinrich Strobel, ein kerniger, kraftvoller Niederbayer, der Baden-Baden von Besuchen Ende der Zwanziger Jahre her kannte. Erster technischer Direktor war Dipl.-Ing. Anton Weingärtner.

Heinrich Strobel wählte das Sender- und Pausenzeichen des SWF aus, die auf dem Klavier gespielte Mozartmelodie »Bald prangt, den Morgen zu verkünden« aus der Oper »Die Zauberflöte«. Es lohnt sich, sich bei dieser Wahl der Sender-Erkennungsmelodie einen Augenblick aufzuhalten. Mit diesen zwei Takten in Mozarts Freimaurer-Tonart, dem festlich-feierlichen Es-Dur, beginnt das Finale des zweiten Akts der Oper. Die drei guten Genien singen:

3. Öffentliches und kulturelles Leben

Bald prangt, den Morgen zu verkünden
Die Sonn' auf goldner Bahn.
Bald soll der Aberglaube schwinden.
Bald siegt der weise Mann.
O holde Ruhe, steig hernieder,
Kehr in der Menschen Herzen wieder,
Dann ist die Erd' ein Himmelreich
Und Sterbliche den Göttern gleich.

In Emanuel Schickaneders unbeholfenem Deutsch ist dies, was die Philosophen eine Utopie, die Theologen eine Botschaft nennen: Den Faden, den Schickaneder und Mozart hier den Nachgeborenen reichen, werden Heine und Marx weiterspinnen. Die Entscheidung für das Mozartmotiv signalisierte, daß sich der Baden-Badener Sender dem aufklärenden Denken verschrieb, daß er sich aber auch an eine Elite wandte und zur Elitenbildung beitragen wollte, denn nicht jeder wird in der »Zauberflöte« in Sarastros Bund aufgenommen und in die Geheimnisse des Lebens eingeweiht.

Der langjährige Hörfunk-Hauptabteilungsleiter Kultur, Bernhard Rübenach, hat sich bei seiner Verabschiedung am 20. Januar 1989 auf die Wahl des Mozartthemas durch Heinrich Strobel bezogen. Er sagte: *Als am 31. März 1945 zum erstenmal das Pausenzeichen des Südwestfunks gesendet wurde, steckte darin die Idee, daß Mozarts »weltoffener Geist die deutsche Wandlung zu leiten hat, weil er die Fähigkeit besaß, alles in seinem Werk geistig zu verarbeiten, was die Weltmusik seiner Epoche an lebendigen Kräften umschloß«* (Strobel). *Mit diesem »Werk« meinte Strobel natürlich durchaus auch das Programm unseres Senders, dem damit die Aufgabe gestellt wurde, alles zu verarbeiten, was die Epoche an lebendigen Kräften umschließt.*

Aufbau des Hörfunks. – Die kleine Mannschaft, die den Südwestfunk aufbaute, ging mit hohen Ansprüchen und Zielen an die Arbeit. Friedrich Bischoff umriß sie in einem Interview, das er im März 1946 dem Konstanzer »Südkurier« gab: *Ich will, wie ich es schon früher gefordert habe, nicht Angebot und Nachfrage ausbalancieren, sondern die schöpferische Auftragserteilung, wenn ich so sagen darf, inthronisieren. Die heute in Deutschland wesentlichen oder wieder wesentlich gewordenen Schriftsteller, Dichter und Komponisten werde ich sammeln und im Südwestfunk zu Worte kommen lassen. Wir werden den wirklichen Geist unserer Zeit in unser Programm einfangen und die Gedanken der Mitwelt verkünden. Aber nicht nur die Mitwelt, sondern vor allem die Umwelt liegt mir am Herzen. Zu dieser müssen die Fenster aufgestoßen werden, damit Licht in unser armes Land fließt.*

Das Medium Radio, der ihnen anvertraute Sender – so dachte Bischoff und so dachten seine engsten Mitarbeiter und nicht zuletzt die französischen Kontrolloffiziere, die den Südwestfunk im Auftrag ihrer Regierung betreuten –, sollte zu einer gesellschaftlichen Neuordnung im zerstörten und zerrissenen Deutschland und zu der notwendigen moralischen Erneuerung beitragen. Weltoffen sollte das Programm des Südwestfunks sein, den humanistischen Werten verpflichtet, und deutscher Hybris, Nationalismus und Rassenwahn eine Absage erteilen. In einem Artikel für die deutschfranzösische, von W. A. Peters redigierte Zeitschrift »Die Quelle« kam der Generalintendant im Frühjahr 1947 auf diese Leitideen zurück: *Die Sendetürme, die sich nun allenthalben erheben, sind – ich möchte sagen – Kristallisationspunkte eines wieder beginnenden kulturellen Lebens in Deutschland. Sie strahlen eine Macht aus, die es allein mit dem Geist zu tun hat. Uns, den Überlebenden, die das Schicksal vor die schwere Aufgabe gestellt hat, im Bereich des Geistes, der Kultur, dort wieder anzuknüp-*

fen, wo das Echte und Beständige verschüttet und niedergeknüppelt liegt, ist es zumute wie Schiffbrüchigen, die ihr Schiff mit halben Segeln wieder flott machen wollen. Der Rundfunk ist dazu aufgeboten, die ersten Wink- und Blinkzeichen auszusenden. Er soll verkünden, daß das wahre Deutschland noch vorhanden ist und seine Stimme aussendet, um brüderlich verstehende und verzeihende Antwort zu finden.

Man hat die Schwierigkeiten, denen sich Bischoff und seine Mitarbeiter bei ihrer Arbeit in den ersten Nachkriegsjahren ausgesetzt sahen, mehrfach geschildert. Baden-Baden besaß aus der Vorkriegszeit keinerlei Funkeinrichtungen. Die Wohnungsnot war groß. Die Kost der ersten dreißig Funkmitarbeiter war so eiweiß- und fettarm, daß es im Studio zu Ohnmachtsanfällen kam. Die Verwaltungsangestellten konnten in Baden-Baden kein Schreibpapier und keine Büroartikel auftreiben, die Techniker fanden in den Geschäften der Stadt weder Nägel noch Schrauben oder Isolierband. Es wurde viel improvisiert, was die Phantasie aller Mitarbeiter beflügelte. Der junge Kriegsheimkehrer und Pianist Joachim Ernst Berendt, der spätere Jazz-Redakteur des SWF, reiste nach Berlin und tauschte im Sowjetsektor der Stadt Varnhalter Riesling gegen Musikaufnahmen aus der Zeit des Dritten Reichs. Auf Geheiß der Militärregierung nahm in Ludwigshafen die Badische Anilin- und Sodafabrik die Produktion von Tonbändern auf; sie war später zeitweise der führende Tonbandhersteller der Welt. Die AEG im fanzösischen Sektor von Berlin ging an die Fabrikation von Tonband- und Studiogeräten.

Bevor die Post wieder in Gang kam und in der Französischen Zone die Hörergebühr von monatlich zwei Mark einzog, waren die Konten des Südwestfunks so sehr belastet, daß Generaldirektor Schneider-Hassel die Stadt Baden-Baden um einen Kredit bitten mußte. Doch dann setzte, noch unter französischer Aufsicht, relativ rasch die Phase der Konsolidierung ein. Auf dem Funkhügel, dem Quettig, auf dem vor dem Krieg Schafe geweidet hatten, erwarb der SWF das Hotel Tannenhof und die Villa Seldeneck. Der erste Neubau war das am 26. November 1950 eingeweihte Musikstudio, das später den Namen des Dirigenten Hans Rosbaud erhielt. Die schuppenähnliche, bewußt karg gestaltete Konstruktion kostete eine halbe Million Mark, war akustisch und technisch vollendet und bot 350 Konzertgästen Platz. Hier probte und spielte fortan das von Heinrich Strobel und den beiden Dirigenten Gotthold Ephraim Lessing (1946–1948) und Hans Rosbaud (ab 1948) zusammengestellte sechsundneunzigköpfige Große Orchester des Südwestfunks, das 1956 in Südwestfunkorchester und 1966 in Sinfonieorchester des Südwestfunks umbenannt wurde; heute heißt es SWF-Sinfonieorchester Baden-Baden.

Frühe bauliche Entwicklung. – Die SWF-Architekten entschieden sich schon zu Beginn der Fünfziger Jahre, dem harmonischen Stadt- und Landschaftsbild im Oostal zuliebe, für ein dezentrales Bauen nach dem sogenannten Pavillon-System. Es hatte den Vorteil, daß der Sender sich bei seiner Bautätigkeit nicht verschulden mußte, sondern größere Projekte – auch in Mainz, Kaiserslautern, Freiburg und Tübingen – immer dann in Angriff nahm, wenn genügend Haushaltsmittel zur Verfügung standen.

Den Zeitgeist der Fünfziger Jahre spiegelt die Inneneinrichtung des 1953 entstandenen Unterhaltungs- und Hörspielkomplexes UKO mit seinem großen Aufnahmeraum für die Produktionen des damaligen Südwestfunk-Tanzorchesters, mit dem kleineren Studio für leichte Musik und Jazz sowie für Kabarettsendungen und den drei Hörspielstudios. Etwa gleichzeitig entstanden an der neugeschaffenen Hans-Bredow-Straße das Haus der Funkwerbung (Wis), gleichfalls mit kleinen Aufnahmestudios, und die Villa des Musikabteilungsleiters Dr. Heinrich Strobel, die heute die Redaktionen des Fernseh-Landesprogramms Baden-Württemberg beherbergt. Im C-Bau zwischen Tannenhof und Musikstudio empfingen die Redakteure der von dem Schlesier Herbert

Balinger geleiteten Literaturabteilung ihre Gäste aus aller Welt, die bis in die späten Siebziger Jahre hinein noch von keinem Pförtner kontrolliert und weitergeleitet wurden.

Kernstück der Funkbauten auf dem Quettig war und ist das 1952 gebaute sechsstöckige neue Funkhaus, das im August 1952 das Hotel Kaiserin Elisabeth in der Moltkestraße als Sendezentrale ablöste. Das neue Funkhaus heißt heute Haus der Intendanz und ist Sitz des Intendanten, des Justitiariats, der Hauptabteilung des Hörfunks sowie der Hauptabteilung Dokumentation und Archive. 1955 folgte das erste Haus der Technik neben dem Flachbau der Kantine. Im Haus der Technik sind heute Redaktionen des Hörfunks, im Kantinengebäude die Funkbibliothek und das Pressearchiv untergebracht. Für Funkzwecke werden auch seit der damaligen Zeit zwei Altbauten auf dem Quettig, Haus Seldeneck und Villa Adler, genutzt.

In der Ära des Intendanten Willibald Hilf setzte der SWF das Investitionsprogramm kontinuierlich und mit wachsendem Volumen fort. Allein am Standort der Zentrale in Baden-Baden flossen rund 300 Mio. DM in den Neubau und die Renovierung von Studios und anderen Betriebsteilen; insbesondere der sogenannte »Fernsehbetriebskomplex« wurde modernisiert und im Bereich der Betriebswerkstätten erheblich erweitert. Aber auch außerhalb Baden-Badens wurde kräftig in die Zukunft investiert; zuletzt wurde im Sommer 1992 das Richtfest für das neue Landesstudio in Mainz gefeiert, für das ein Investitionsvolumen von 178 Mio. DM vorgesehen ist – es soll bis 1996 schrittweise bezugsfertig sein. In Freiburg wurde der Umzug vom alten Studio in Güntersthal in das neue Funkhaus, das 60 Mio. DM gekostet hatte, bereits im September 1992 mit einem großen Stadtfest gefeiert – ein Zeichen für die starke regionale Verankerung des Senders.

Anstalt des öffentlichen Rechts. – Der Südwestfunk gewann schon in den späten Vierziger Jahren mit seinem 60-Stunden-Wochenprogramm ein unverwechselbares Profil und band rund 460000 Hörer an sich. Die stärksten Impulse gingen von der Musikabteilung aus. Lothar Hartmann, der rechte Arm Friedrich Bischoffs, fungierte von 1949 bis 1965 als erster Hörfunk-Programmdirektor; zuvor war er Chefsprecher gewesen. Nach der Währungsreform 1948 ging der Sender an den Aufbau eines internationalen Korrespondentennetzes und richtete ein eigenes Büro in Bonn ein.

Allmählich entglitt das einstige Sprachrohr der Militärregierung der Aufsicht der Besatzungsmacht. Die Verordung Nr. 187 des Gouvernement militaire vom 30. Oktober 1948 verwandelte den Südwestfunk in eine gemeinnützige Anstalt des öffentlichen Rechts, der das Recht der Selbstverwaltung eingeräumt wurde. Als gesellschaftliche Kontrollorgane wurden Rundfunkrat und Verwaltungsrat ins Leben gerufen. Im Juli 1949 – die Bundesrepublik Deutschland war knapp zwei Monate alt – wählte der Rundfunkrat unter seinem Vorsitzenden, dem Mainzer Philosophieprofessor Dr. Karl Holzamer, der später an der Gründung und dem Aufbau des Zweiten Deutschen Fernsehens maßgebend beteiligt war, Friedrich Bischoff zum ersten Intendanten des Südwestfunks.

Gleich nach seiner Wahl geriet der Schlesier, ein Idealist mit dem verträumten Blick des Poeten, einem kühlen Verstand und eisenharten Ellenbogen, ins Kräftefeld der Rundfunkpolitik. Seine wichtigste Aufgabe wurde, den Einfluß der drei Bundesländer Rheinland-Pfalz, Baden und Württemberg-Hohenzollern auf den von ihm geleiteten Sender auszutarieren und notfalls einzudämmen. Es galt also, auf den Abschluß eines Staatsvertrags zwischen Rheinland-Pfalz, Baden und Württemberg-Hohenzollern hinzuarbeiten, der dem Sender seinen ihm schon vom GMZFO eingeräumten Status einer deutschen öffentlich-rechtlichen Anstalt bewahrte. Dies gelang nach langem, zähem politischem und juristischem Tauziehen. Im August 1951 gab die Mainzer Staatskanzlei dem von dem badischen und württembergisch-hohenzollerischen Kabinett schon gebilligten Staatsvertrag ihre Zustimmung, am 1. Mai 1952 trat er mit zunächst zehnjähriger Laufzeit in Kraft. Einen Monat zuvor registrierte die Bundespost erstmals über eine Million Radio-Genehmigungen im Südwestfunk-Sendegebiet.

Programmausweitung durch das Fernsehen. – In die zwanzigjährige Amtszeit des Intendanten Prof. Friedrich Bischoff fällt weltweit die Entstehung und Ausbreitung des neuen Mediums Fernsehen. Im Sommer 1954 erschien auf den Bildschirmen der ersten in den guten Stuben aufgestellten Fernsehgeräte das Stationszeichen des SWF, ein Rhythmogramm. Ende November 1954 nahm der Südwestfunk regelmäßige Fernsehsendungen innerhalb des Abendprogramms der Arbeitsgemeinschaft Deutscher Rundfunkanstalten (ARD) auf. Der dampfende Thermalbrunnen im Park des Hotels Badischer Hof war das erste Erkennungszeichen der SWF-Sendungen. Den noch wenigen Mitarbeitern des SWF-Fernsehens diente die alte Baden-Badener Stadthalle als erste Produktionsstätte. Der wenig ansehnliche Bau im Steinbaukastenstil des späten 19. Jahrhunderts hatte der Besatzungsmacht von 1945 bis 1954 als Warenhaus gedient, wurde vom Südwestfunk bis 1969 genutzt, dann aufgegeben und später abgerissen. In einigen einstigen Militärbaracken vor der Stadthalle schmorten im Sommer und froren im Winter unter asbestgedeckten Flachdächern die Dramaturgen der neugebildeten Abteilung Fernsehspiel.

Der Staatsvertrag hatte ausdrücklich Baden-Baden zum Sitz des Südwestfunks bestimmt; die Bautätigkeit auf dem Quettig konnte somit weitergehen. Das Hotel Tannenhof nahm die Werbung im Südwestfunk auf. Zu Füßen des Funkhügels, am Ende der Quettig-Straße, entstand in den frühen Sechziger Jahren das breit hingelagerte Ernst-Becker-Studio, die wichtigste Fernseh-Produktionsstätte des SWF, ein grobschlächtiger grauer Riesenkubus, der 1992 nochmals um einen Gutteil seines Volumens vergrößert wurde. 1968 wurde dem Ernst-Becker-Studio, in dem auch die Abteilung Fernsehausstattung mit den künstlerischen und technischen Werkstätten zu Hause ist, hügelaufwärts das Fernseh-Betriebsgebäude (FBG) angegliedert. Von dem um einen Innenhof herum angelegten Mehrzweckbau aus werden die SWF-Fernsehsendungen ausgestrahlt. Hier residiert der Programmdirektor Fernsehen (diese Stelle wurde 1969 geschaffen), hier arbeiten die Angestellten der Hauptabteilung Fernsehproduktion und Fernseh-Information, und hierher pilgern nach zwölf Uhr viele hundert Betriebsangehörige zum Mittagstisch in Kantine und Cafeteria. Im Erdgeschoß des FBG finden häufig Fotoausstellungen statt, oder es wird an Verkaufsständen zu Hilfe für die Dritte Welt aufgerufen. In einem Seitentrakt des FBG liegen zahlreiche kleine Misch- und Schneideräume, Vorführräume, die MAZ-Regieräume, der Senderaum des ARD-Satellitenprogramms EINS PLUS und das Fernseharchiv mit seinen täglich wachsenden Beständen von heute schon unschätzbarem Wert. Hinter dem FBG erhebt sich seit den frühen Neunziger Jahren ein in den Fels gehauener siebenstöckiger Büroturm, der weitere Fernsehredaktionen – »Kultur, Wissenschaft, Kirche und Zeitgeschehen«, »Fernsehspiel und Musik«, »Unterhaltung und Vorabendprogramm« – aufnahm.

Ein gesellschaftliches Ereignis im Baden-Baden der Siebziger Jahre waren die Fasnachtsbälle im Ernst-Becker-Studio und im Fernseh-Betriebsgebäude, bei denen sechs oder sieben Kapellen aufspielten, und zu denen auch gern Prominente kamen, so der damalige Ministerpräsident von Rheinland-Pfalz, Dr. Helmut Kohl, meist in einem schwarzen Sheriff-Kostüm. Der SWF veranstaltete die beliebten Bälle nicht mehr, als das wochenlange Dekorieren der Produktionsstudios finanziell nicht mehr zu verantworten war, vor allem aber, weil sich die telefonischen Bombendrohungen häuften und die Sicherheit der mehreren tausend Gäste nicht mehr gewährleistet war.

Architektonisch hat die Terroristenfurcht der späten Siebziger und frühen Achtziger Jahre unübersehbare Spuren hinterlassen. Das umfangreiche, von Passanten in seinen Dimensionen kaum abschätzbare neue Hörfunk-Betriebsgebäude von 1977 liegt mit seinem großen Parkplatz etwas abseits an der Wiesenflanke des Quettig. Von hier aus werden heute vier Radioprogramme des Südwestfunks gesendet; es enthält zahlreiche Hörfunkstudios und ist das Zuhause des Hörfunkdirektors und der beiden Chefredakteure des Hörfunks. Oberhalb der Portiersloge tummelt sich in einer Suite bescheiden möblierter Büros die quirlige Redaktionsmannschaft von SWF3.

Während alle hier erwähnten Bauten, zu denen sich 1993 ein massiver, tief in die Erde gebohrter Erweiterungsbau hinter dem Unterhaltungskomplex (UKO) gesellt hat, das Werk der Funk-Hauptabteilung Bauwesen sind, wurde das Haus der Technik in der Moltkestraße angekauft. Der Glaspalast, ein elegantes, lichtes Beispiel moderner Zweckarchitektur, war zuvor das Verwaltungsgebäude der Stahlfirma Willy Korff und ist seither der Sitz der Technischen Direktion des Südwestfunks. Erwähnenswert ist auch noch der weithin sichtbare SWF-Sendeturm auf dem Fremersberg, der zum Stadtbild gehört.

Intendanten und Programmgestaltung. – Hatte der erste Intendant des Südwestfunks, F r i e d r i c h   B i s c h o f f, zumindest in den frühen Aufbaujahren, noch der Innerlichkeitstradition der deutschen Lyrik verpflichtet, im Rundfunk das Sprachrohr der Dichter und auch ein Instrument zur geistigen und seelischen Selbsthilfe und Selbstheilung gesehen, so lag für seinen robust-diesseitigen Nachfolger H e l m u t   H a m m e r s c h m i d t, einen aus Cottbus stammenden Journalisten, der Schwerpunkt der Rundfunkarbeit bei der gut recherchierten, hochaktuellen, täglichen politischen Berichterstattung. Hammerschmidts Bemühen galt der ersten Erneuerung und Erweiterung des Programmangebots. Diesem Zwecke diente die Berufung von Günter Gaus zum Programmdirektor Hörfunk und Fernsehen. Gaus wurde 1966 erster Moderator der Baden-Badener Ausgabe des Polit-Magazins »Report«, das später – ab 1972 – der Fernsehreporter und Bestseller-Autor Franz Alt leitete und das heute von Jochen Waldmann moderiert wird. Gaus ging 1969 als Chefredakteur zum »Spiegel«; seither sind Hörfunk- und Fernsehdirektion getrennte Ressorts. Der Fernsehmann Hammerschmidt investierte viel kreative Energie in den Hörfunk. 1967 und nochmals 1975 erhielt der Südwestfunk ein neues Radioprogramm-Schema; 1968 wurde im Sendegebiet die Zahl von zwei Millionen Radiohörern, 1974 die von zwei Millionen Fernsehzuschauern erreicht.

Das Farbfernsehen wurde im August 1967 auf der 25. Großen Berliner Funkausstellung eingeführt. Der erste Farbfernsehbeitrag, den die ARD ausstrahlte, war der französische Unterhaltungsfilm »Cartouche, der Bandit«; er zeigte die Richtung an, die die Medien Radio und TV in ihrer Programmgestaltung in den folgenden Jahrzehnten immer entschlossener einschlugen. Die Publikumsgunst, die in Prozenten gemessene Sehbeteiligung wurde oberste Richtschnur der Programmgestalter. Die erste Farbfernseh-Sendung des Südwestfunks hieß »Folklore der Welt: Polen« (August 1967). Schon ein halbes Jahr später übertrug der SWF die Olympischen Winterspiele aus Grenoble teilweise farbig. Im April 1969 wurde das vom Saarländischen Rundfunk, vom Süddeutschen Rundfunk und vom Südwestfunk gemeinsam bestrittene neue Fernsehprogramm Südwest 3 aus der Taufe gehoben.

Im Mai 1976 wurde Willibald Hilf zum Intendanten des Südwestfunks gewählt. Der katholische Jurist aus Niederlahnstein war parlamentarischer Geschäftsführer der CDU-Landtagsfraktion in Mainz und seit 1969 Chef der rheinland-pfälzischen Staatskanzlei unter Helmut Kohl gewesen; dem Verwaltungsrat des Südwestfunks gehörte er seit 1968 an. In die sechzehnjährige Amtszeit Hilfs fällt die grundlegende Veränderung der Rundfunklandschaft in Deutschland. Neben dem öffentlich-rechtlichen Rundfunksystem wurde ein kommerzielles Rundfunksystem installiert; ARD und ZDF erhielten Konkurrenz von RTL, EINS PLUS, SAT 1 und weiteren privaten Rundfunkveranstaltern. Wie seine Kollegen, die Intendanten der übrigen Funkhäuser der Arbeitsgemeinschaft Deutscher Rundfunkanstalten, sah auch Hilf seine Hauptaufgabe darin, den von ihm geleiteten Sender politisch nach außen abzuschirmen und Schaden von ihm abzuwenden. Schaden? Es fehlte weder in den späten Siebziger noch in den Achtziger Jahren an Versuchen, die Autonomie der bundesdeutschen Sender zu beschneiden. Dem stärksten Druck sahen sich der Norddeutsche Rundfunk und der Südwestfunk ausgesetzt, die keine Landesrundfunkanstalten sind. Hilf wehrte im Konsens mit den Aufsichtsgremien Bestrebungen der Landesregierungen in Stuttgart und Mainz ab, den Südwestfunk mit dem Süddeutschen Rundfunk zu einem Südwestdeutschen Großsender zu fusionieren.

In souveräner Art gewachsen, zeigte sich Hilf Mitte der Achtziger Jahre einer neuen Herausforderung – dem Auftauchen und der Konkurrenz zahlreicher privater Anbieter auf dem Medienmarkt. Hilfs Amtszeit endete im März 1993. Zum vierten Intendanten des Südwestfunks wählten Rundfunk- und Verwaltungsrat auf ihrer Sitzung vom 28. September 1992 den Journalisten Peter Voß. Der Hamburger, Jahrgang 1941, war vor seiner Berufung Leiter der Hauptredaktion Aktuelles und stellvertretender Chefredakteur des Zweiten Deutschen Fernsehen.

Seit einer weiteren Programmreform sendet der Südwestfunk ab 1. Januar 1991 vier Hörfunkprogramme. *SWF1* setzt auf Unterhaltung und Information und ist, mit vielen Zuschaltungen aus den Landesstudios, das eigentliche, auf das Jahr 1946 zurückgehende Traditionsprogramm mit vielfältigem musikalischem Angebot, doch ohne die E-Musik (ernste Musik), die *S2 Kultur* vorbehalten ist. S2 Kultur ist ein Gemeinschaftsprogramm von SDR und SWF und wendet sich an den anspruchsvollen, konzentriert zuhörenden Radiohörer, der hier literarische und pädagogische Sendungen sowie eine ausführliche kulturelle Berichterstattung findet. Im musikalischen Bereich wechseln klassische und zeitgenössische Musik, Festspielübertragungen, Chanson, Folklore, Jazz. Ein Kennzeichen von S2 Kultur sind die einst von Bernhard Rübenach entwickelten, jeweils einem Themenkreis gewidmeten Schwerpunktprogramme. Die populäre Welle *SWF3* gibt es seit 1975; sie wurde von Gert Haedecke mit einem kleinen Stamm engagierter Mitarbeiter entwickelt und wird heute von Hans-Peter Stockinger geleitet. SWF3 bietet ein Programm rund um die Uhr, eingeteilt in mehrstündige Blöcke mit eigenwilligen Namen wie »Popfit«, »Litfaßwelle« oder »Lollipop«. Kein Wortbeitrag dauert länger als fünf Minuten, die Ansage ist unverwechselbar, humorvoll bis flapsig, und nicht selten auf exzentrische Weise um Originalität bemüht. Der stark rhythmisierte musikalische Hintergrund, Pop und Rock, spricht vor allem junge Leute an, für die SWF3 so etwas wie eine Lebensform ist. Mit mehr als drei Millionen Hörern an einem durchschnittlichen Werktag war SWF3 nach einer Medienanalyse vom Juni 1992 die in Deutschland erfolgreichste Servicewelle.

S 4 Baden-Württemberg und die *Landeswelle Rheinland-Pfalz* haben einen ganz anderen, weit hausbackeneren musikalischen Hintergrund – Evergreens, Schlager, vor allem deutscher Machart, die sogenannte Volksmusik. Durch das Programm von S 4

Baden-Württemberg, das der Südwestfunk gemeinsam mit dem Süddeutschen Rundfunk gestaltet und ausstrahlt, führen erfahrene Moderatorinnen und Moderatoren. In den Wortbeiträgen stehen Alltagssorgen, Geschichten tief aus der Provinz und die solide regionale Berichterstattung im Vordergrund.

S2 Kultur und SWF1 sind die Plattform für die älteste, aber noch immer begehrte radiophone Kunstform des Hörspiels. Die SWF-Hörspielabteilung unter Hermann Naber bedient die unterschiedlichsten Hörerwünsche von der Familienserie bis Science fiction. In der Programmfabrik Radio ist das Autorenhörspiel das Versuchslabor, in dem die Gefühle, Stimmungen und Befindlichkeiten von morgen erforscht und vorartikuliert werden.

Am *Ersten Fernsehprogramm* der ARD hat der Südwestfunk derzeit (1993) einen 9,75prozentigen Programmanteil. Das entspricht rund 450 Programmstunden im Jahr; die Sendeminute kostet die Hersteller, je nach Gattung, zwischen 2000 und 14 000 DM. *Südwest 3* wird zwischen Bonn, Frankfurt und dem Großen Walsertal empfangen und bietet bis spät in die Nacht hinein einen Querschnitt durch nahezu alle vom Fernsehen entwickelten Formen; von der Familienserie über Sendungen, die politische Hintergründe ausleuchten, ältere Spielfilme und Ratgebersendungen bis hin zu ernsten Diskussionsrunden, Kabarett, Satire und den beliebten Fragespielen. Kunstreisen und fesselnde Reportagen von den entferntesten Punkten der Erde fehlen nicht.

Die Baden-Badener sind fleißige Radiohörer und Fernsehteilnehmer. Zu ihrem »Haussender« SWF ist ihr Verhältnis freundschaftlich. Sie wissen, wieviel Publicity sie dem Unternehmen auf dem Funkhügel verdanken. Sie schätzen die sechs Konzerte, die das SWF-Sinfonieorchester jährlich im Kurhaus gibt, die Mitwirkung dieses Klangkörpers am »Baden-Badener Sommer«, den einmal im Jahr von der Hauptabteilung »Fernsehen Unterhaltung« gleichfalls im Kurhaus veranstalteten Galaabend »Baden-Badener Roulette« und die vielen vom Südwestfunk gesponserten Kleinkunstdarbietungen. Mehrere große Filmproduktionen des Südwestfunks hatten Baden-Baden und die nähere Umgebung zum Schauplatz: »Der Forellenhof«, »Lenz oder die Freiheit«, »Goldene Zeiten« und die deutsch-russische Koproduktion »Rauch«. Der Südwestfunk ist freilich keine bloße Baden-Badener Institution. Er ist der öffentlich-rechtliche Landessender für das Bundesland Rheinland-Pfalz. In Baden-Württemberg nimmt er diese Aufgabe gemeinsam mit dem Süddeutschen Rundfunk wahr. Auf nationaler Ebene hat sich der Sender in den letzten Jahren auch durch die Ausstrahlung des ARD-Satellitenprogramms *EINS PLUS* einen Namen gemacht; die Zukunft dieses Kulturprogramms ist angesichts der knappen Finanzmittel allerdings derzeit nicht absehbar. Auf europäischer Ebene hat sich seit 1992 der europäische Kulturkanal *ARTE* etabliert, der auf deutscher Seite maßgeblich auf Initiativen der baden-württembergischen Medienpolitik, aber auch des Südwestfunks zustande kam. So residiert mittlerweile in Baden-Baden neben dem Südwestfunk als Enkelkind auch die kleine deutsche Geschäftsstelle von ARTE, die von ARD und ZDF gemeinsam betrieben wird.

Presse, Verlagswesen und privater Rundfunk

Baden-Baden war und ist eine Stadt, in der sich die Presse, Verlage, und seit Kriegsende auch der Rundfunk und das Fernsehen, recht konzentriert niedergelassen haben. So ist es nicht verwunderlich, wenn heute gelegentlich von der »Medienstadt Baden-Baden« gesprochen wird.

IV. Die Stadt der Gegenwart

Zeitungen und Wochenblätter. – Angefangen hat das alles mit dem *Badeblatt*, das am 22. Mai 1811 erstmals erschien und die Zeitungsära an der Oos einläutete. Die erste Ausgabe firmierte noch unter der Bezeichnung *Anzeigenblatt für die Großherzogliche Stadt Baden*. Initiator war Johann Nepomuk Schnetzler, Amtmann und Badpolizeidirektor. Die Einleitung der ersten Nummer des Blattes hat an Gültigkeit bis auf den heutigen Tag nichts verloren: »Das Verzeichnis der hier ankommenden Badegäste wird in Form eines Amtsblattes erscheinen, in welches jedoch nur solche Gegenstände aufgenommen werden, deren Bekanntmachung den sich hier aufhaltenden Badgästen angenehm und interessant seyn kann. Hierunter eignen sich auffallende Wirkungen des Bades, öffentliche Anstalten und Verschönerungen, merkwürdige Ereignisse, Anzeigen von Bällen, Konzerten, Kunstwerken, Theaternachrichten ...«

Dieses kleinformatige, nur wenige Seiten starke Blättchen kam bald wöchentlich heraus. 1829 wurde es in *Badwochenblatt* umbenannt. Auch darin waren unter anderem in der sog. Fremdenliste die ankommenden Hotelgäste namentlich und mit Herkunftsort aufgeführt. Sie ist heute ein ideales Nachschlagewerk im Stadtarchiv, wenn es darum geht, Personendaten früherer, berühmter oder gar hochadeliger Gäste zu vervollständigen.

Bereits 1829 erscheint ein weiteres Blatt. Das »Badeblatt« setzte sein bewährtes Konzept mit kurörtlichem Schwerpunkt fort, während das *Wochenblatt für die Großherzogliche Stadt Baden* mehr über kommunale Ereignisse berichtete. Mit der Zeit nahm das »Badeblatt« Theater- und Konzertkritiken auf. Eine Weile erschien eine französisch geschriebene *Chronique de Bade* und spiegelte damit den Glanz der »Capitale d'été«, wie Baden-Baden damals überall in Europa bezeichnet wurde. Erste politische Artikel fanden im Umfeld der Revolution von 1848 ihren Eingang. 1941 stellte das »Badeblatt« – kriegsbedingt, wie es hieß – sein Erscheinen ein.

Von 1829 an, also 112 Jahre lang, hatte es neben dem »Badwochenblatt«, das 1896 in *Badener Tagblatt* umbenannt worden war, sowohl Einheimische als auch Kurgäste informiert. Das »Badener Tagblatt« erschien bis zum Ende des Krieges Tag für Tag weiter, wenn auch der Mantel vom »Völkischen Beobachter« aus Karlsruhe bezogen werden mußte. Dies wog wohl um so schwerer, weil das »Badener Tagblatt« und seine Vorläufer als ausgesprochen liberale Zeitungen galten.

Nach Kriegsende war das »Badener Tagblatt« die erste Tageszeitung überhaupt, die vom 2. August 1945 an in der französischen Besatzungszone wieder regelmäßig erscheinen durfte. 1949, im Gründungsjahr der Bundesrepublik Deutschland, vereinbarten der Inhaber und Verleger des Rastatter Tagblattes, Richard Greiser, und Werner Hambruch für die Druckerei Ernst Koelblin KG die Zusammenführung ihrer beiden Zeitungen zum *Badischen Tagblatt*.

Heute firmiert das »BT« als die große mittelbadische Heimatzeitung und gibt vom Hauptsitz in der Baden-Badener Stephanienstraße 1–3 insgesamt 4 Bezirksausgaben, jeweils mit identischem Mantel, heraus. Dies sind neben Baden-Baden die Ausgaben Rastatt, Murgtal und Bühl/Achern. Die verkaufte BT-Gesamtauflage beträgt rund 41200 Exemplare pro Tag. Zudem erscheint eine Wochenzeitung namens *WO*, die kostenlos an alle Haushalte im Vertriebsgebiet des »Badischen Tagblattes« verteilt wird. Das »BT« hat eine eigene Mantelredaktion. Mehr als 40 Redakteure und über 120 Korrespondenten und Mitarbeiter sorgen für den Inhalt.

Europa nannte sich in der ersten Hälfte des letzten Jahrhunderts eine vielgelesene literarische Zeitschrift. Solche Blätter hatten damals Einfluß und eine einflußreiche Leserschaft. Diese 1837 gegründete Wochenzeitschrift war das Sprachrohr des jungen Deutschland, apostrophiert als »Chronik der gebildeten Welt«. Der Schriftsteller August Lewald (1792–1871) war ihr Herausgeber. Mitarbeiter waren bedeutende

Männer, wie Gutzkow, Berthold Auerbach, Dingelstedt, Börne, Herwegh, aber auch Lenau und Gogol, außerdem Karl Spindler und Wilhelm von Chezy.
Ab Januar 1841 erschien das Blatt in Karlsruhe. Die Redaktion wurde für einige Jahre nach Baden-Baden verlegt. Das sich damals an der Oos ausbreitende internationale Leben bot der vielgelesenen Zeitschrift die entsprechende Resonanz. Der Wegzug Lewalds aus Baden-Baden im Jahre 1848 beendete die biedermeierliche »Europa«-Episode.

Ab dem 5. Mai 1858 wurde die Zeitungslandschaft durch die französischsprachige *Illustration de Bade* bereichert, vermutlich durch Spielbankpächter Edouard Bénazet protegiert. Charles Lallemand aus Straßburg, wo sich zunächst die Redaktion befand, war »Directeur«, Redakteur, Hauptautor, Rezensent und Illustrator in einer Person. Frankreichs namhafte Schriftsteller und Publizisten lieferten Beiträge. Ab 1861 erscheint kurzzeitig parallel dazu der *Mercure de Bade*. Trotz des nur kurzen Bestehens, 1867 stellte die »Illustration« ihr Erscheinen bereits wieder ein, gelang es diesen Blättern große Aufmerksamkeit zu erlangen. Neben unzähligen zeitgenössischen Anzeigen, oftmals aus der mitteleuropäischen Hotellerie und Gastronomie, wurden Berichte aus der Kurstadt und der Region um Baden-Baden veröffentlicht, so beispielsweise über Peterstal oder Straßburg. Hinzu kamen Informationen, Hintergründe und hilfreiche Tips zu den Themen Kultur und kulturelles Angebot, Jagd und Ausflugsziele.

Aus dem Text des Redaktionsprogramms: »Die Zeitung, die wir unter dem Titel «Illustration de Bade» herausgeben, hat zum Ziel, auf die Schönheiten Baden-Badens aufmerksam zu machen, Beschreibungen der bedeutendsten Denkmäler vorzunehmen, Ausflüge anzugeben, die in die Berge unternommen werden können, und die Sagen des Landes zu erzählen. Eine kleine Chronik wird die wichtigsten Ereignisse der Woche bekanntgeben, auf prominente Kurgäste aufmerksam machen, von Veranstaltungen und geistreichen Plaudereien berichten. Wir werden die ausgeführten und geplanten Verschönerungen anzeigen, die Theateraufführungen, die Bälle, die Konzerte, die in Vorbereitung sind, sowie auch die zu erwartenden Künstler. Wir berichten über Feste, über die Pferderennen und großen Hetzjagden.«

Aufgewertet wurden »Illustration« und »Mercure« durch eine große Anzahl von Illustrationen, in der Regel hervorragend gemachte Stahlstiche. Die Bedeutung des Blattes läßt sich wohl auch daran ermessen, daß beispielsweise im Jahre 1865 Büros außer in Baden-Baden auch in Straßburg und Paris geöffnet waren, in erster Linie wohl um Anzeigen entgegenzunehmen.

Die zentrumsnahe *Badische Volkszeitung* erscheint zuerst als *Echo von Baden* ab 1888 mit dem Untertitel »Katholisches Volksblatt«. Am 21. November 1931 erfolgte die letzte Ausgabe. Geschäftsstelle und Redaktion hatten ihren Sitz in der Hirschstraße 6. Johannes Pfeiffer schrieb in der letzten Ausgabe in seiner Funktion als Hauptschriftleiter seinen Lesern: »... eine neue Zeit klopft an die Tür. ... man sieht die Blumen welken und die Blätter fallen.«

Ausgerechnet in der Hirschstraße 6 ist ab Frühjahr 1931 die Redaktion und Geschäftstelle der *Neuen Baden-Badener Zeitung*, die ab 13. Mai 1931 täglich erscheint. Für die Schriftleitung ist Dr. Otto Färber verantwortlich. Als Verlag ist der Presseverein Baden-Baden GmbH genannt. 1935 stellt auch dieses Blatt sein Erscheinen ein.

Die *Morgenzeitung*, mit Untertitel »Handelsblatt«, hatte seit 23. Februar 1921 ihren Schwerpunkt bei Handel und Wirtschaft. Die Redaktion befand sich zumindest teilweise in Baden-Baden. Im Zuge der nationalsozialistischen Gleichstellung mußte das Blatt sein Erscheinen am 31. März 1936 einstellen und ging in das *Neue Badener*

Tagblatt über, das am 1. April 1936 erstmals herauskam. Das *Neue Badener Tagblatt mit Morgenzeitung* trat bis 1945 die Nachfolge des »Badener Tagblattes« an.

Der Führer, das Hauptorgan der NSDAP Gau Baden, erschien von 1932 bis einschließlich 11. April 1945 täglich, auch während des Krieges. Die darin enthaltene Merkurrundschau stellte den Lokalteil für die Bereiche Baden-Baden, Bühl und Rastatt dar. Herausgebracht wurde das braune Blatt beim »Führer Verlag GmbH« in Karlsruhe.

Die *Badische Zeitung* erschien in Freiburg und hatte mit ihrer »Mittelbadischen Rundschau« eine Lokalausgabe für Baden-Baden, Bühl und Rastatt. An den Kiosken der Kurstadt konnte die Zeitung allerdings nur von 1948 bis 31. Dezember 1951 erstanden werden. Ähnlich erging es der *Baden-Badener Zeitung*, die 1954 auf den Markt kam. Sie wurde am 30. April 1955 eingestellt und ging in den »BNN« auf. Die *Badischen Neuesten Nachrichten* gehören mit einer täglichen Auflage von 175 000 Exemplaren zu den dominierenden Zeitungen in Südwestdeutschland. Das Verbreitungsgebiet umfaßt die Region zwischen Bruchsal, Pforzheim und Achern. Neun Lokalausgaben, darunter eine aus der Baden-Badener Wilhelmstraße 4, gewährleisten eine intensive Berichterstattung über das örtliche Geschehen in Mittelbaden. Redaktionen in Bonn, Berlin und Stuttgart sowie eigene Vertretungen in Washington, Moskau, London, Paris, Rom, Brüssel, Wien und Madrid sorgen für den Informationsfluß. Zudem sind die BNN Pflichtblatt für die Stuttgarter Börse.

Nach dem 2. Weltkrieg erschien die erste Nummer am 1. März 1946, zunächst in den Kreisen Karlsruhe, Pforzheim und Bruchsal. Nach Aufhebung der Lizenzbestimmungen im Jahre 1949 war die Möglichkeit gegeben, sich in der französischen Besatzungszone auszuweiten. Es gab nun Bezirksausgaben für die Räume Rastatt-Murgtal, Baden-Baden, Bühl und Achern. Heute umfaßt die Berichterstattung allein über die Kurstadt an der Oos zwischen vier und sechs Seiten.

Parallel zur Tageszeitung wird für das Verbreitungsgebiet noch das Anzeigenblatt *Der Kurier* herausgegeben. Die Auflage für Mittelbaden beläuft sich auf 53 000 Exemplare, für den gesamten Bereich auf 428 000.

Der *Acher- und Bühler Bote (ABB)* wird auch heute noch im Baden-Badener Rebland gelesen, also in den Stadtteilen Neuweier, Steinbach und Varnhalt. Begonnen hatte die Bühler Pressegeschichte Mitte des 19. Jahrhunderts mit dem *Bühler Wochen- und Unterhaltungsblatt*, das ab 1895 *Bühler Wochenblatt* und ab 1913 *Bühler Tageblatt* hieß. Daneben gab es den *Acher- und Bühler Boten*, den Stadtpfarrer Monsignore Wilhelm Röckel durch den Ankauf des seit 1866 erscheinenden »Acherboten« Anfang der 1890er Jahre initiiert hatte.

Zusammen mit den Acherner »Badischen Nachrichten« wurde aus den beiden Bühler Blättern der *Mittelbadische Bote*, der – am 2. Januar 1936 erstmals erscheinend – auf der ganzen Linie ein Produkt nationalsozialistischer Presse- und Propagandapolitik war. Am 31. März 1943 wurde die letzte Ausgabe verkauft: »Infolge der durch den totalen Krieg bedingten Maßnahmen stellt der «Mittelbadische Bote» heute sein Erscheinen für die Dauer des Krieges ein«, hieß es auf der Titelseite. »Nach dem siegreichen Kriege hoffen wir, alle unsere Leser wieder begrüßen zu dürfen«, wurde weiter mitgeteilt. Es gebe nur noch eine Losung: »Kämpfen und arbeiten für den Sieg.«

Nach dem Krieg beherrschten die Alliierten das Zeitungswesen und -geschehen, sahen sie darin doch ein geeignetes Mittel zur Verwirklichung des angestrebten Demokratisierungsprozesses. Die Leser des »Acher- und Bühler Boten« mußten bis zum 29. Oktober 1949 warten, ehe sie ihre Zeitung wieder in der Hand halten konnten.

Dr. Alfons Kist, Bühler Bürgermeister und Landtagsabgeordneter in Freiburg, begrüßte die Zeitung auf der Titelseite pathetisch: »Unser Bote vom mittelbadischen

3. Öffentliches und kulturelles Leben

Land ..., seit langem von der einheimischen Bevölkerung sehnlichst erwartet, erscheint nun ... unter seinem alten, seit drei Generationen beliebten Namen wieder ...« Heute hat der »Acher- und Bühler Bote« eine tatsächlich verbreitete Auflage von rund 22 800 Exemplaren und wird zwischen Appenweier und dem Baden-Badener Rebland, zwischen Rheinmünster und Linx gelesen. Der »Acher- und Bühler Bote« arbeitet eng mit den »BNN« zusammen, sowohl wirtschaftlich als auch redaktionell. Gedruckt wird der »Acher- und Bühler Bote« bei den »BNN« in Karlsruhe.

Kurzeitungen. – Die erste Kurzeitung an der Oos war zweifellos das »Badeblatt« sowie die »Illustration de Bade« und der »Mercure de Bade«. 1950 knüpften Versuche an, nach dem Zweiten Weltkrieg wieder ein Blatt für den Kurgast auf die Beine zu stellen. Zu Neujahr erschien *Das Weltbad, Blätter des Kulturamts der Stadt Baden-Baden*, herausgegeben von dem Chronisten Heinrich Berl und deshalb »stark auf Historie gestellt«, schreibt Margot Fuß in dem in der »Tribüne« erschienen Beitrag »Zum Nutzen und Vergnügen der Badegäste – Kleine Chronik der Kurzeitungen«. Fast gleichzeitig, so Margot Fuß weiter, trat unter der Regie von Rolf Gustav Haebler und Hermann Leopold Mayer die *Kur-Zeitung Baden-Baden* ans Licht der Öffentlichkeit. Im Sommer 1951 startete die Bäder- und Kurverwaltung als rein aktuelles Programmheft *Die Woche in Baden-Baden*. Alle diese Kurzeitungen blieben kurzlebiges Stückwerk, Momentlösungen.

Im Frühjahr 1952 kam dann das Heft *Baden-Baden* heraus, das sich im Untertitel »Zeitschrift für Kultur und Sport, Gesellschaft und Mode, Reise und Bäder, Erholung und Kur« nannte. Herausgegeben von der Bäder- und Kurverwaltung, bemühten sich Redakteure wie Eugen Bargatzky und Georg Basner zehn Jahre hindurch, diese Zeitschrift zu einer eleganten Visitenkarte Baden-Badens zu gestalten. Was allerdings fehlte, bedingt durch die Erscheinungsweise von nur zwei oder drei Heften im Jahr, war die unmittelbare Aktualität. Ein zusätzliches Programmheft wurde notwendig, die *7 Tage*, ein Veranstaltungsanzeiger in Prospektformat. 1962 wurde »Baden-Baden« noch dreimal mit erweitertem Titel *Baden-Baden International* von der Kurverwaltung herausgegeben.

Die *Tribüne* erschien 14tägig vom 2. März 1963 bis 1974 über den Herausgeber Bäder- und Kurverwaltung (BKV) als Zeitschrift der BKV für das Kur- und Gesellschaftsleben. Darin wurde über Sehenswürdigkeiten, Freizeittips, lohnenswerte Ausflugsziele, sportliche und gesellschaftliche Höhepunkte und über das gesamte kulturelle Geschehen der Stadt an der Oos informiert. Sie war eine recht seitenstarke, teilweise farbig aufgemachte Stadtillustrierte im DIN A 5-Format.

Verlage. – Der *Sonnenverlag*, der seit fast 40 Jahren in Baden-Baden ansässig ist, wurde 1949 in Heidelberg vom damaligen Hauptgeschäftsführer des Klambt-Verlages, Dr. Günther Rose, und seiner Gattin Erika Rose gegründet. Der Sonnenverlag gehört seit seiner Gründung zur Unternehmensgruppe Klambt mit Hauptsitz in Speyer. Die Klambt-Gruppe ist ein Unternehmen, das im Verlagswesen, im Bereich der Versicherungen und im Druckgewerbe tätig ist. Insgesamt sind in der Klambt-Gruppe 700 Mitarbeiter beschäftigt. Der Sonnenverlag spricht mit seinen Titeln vorwiegend Frauen an und hat ca. 1,5 Mio. Leser. Seine Verlagsphilosophie gründet auf Information, Unterhaltung und Bildung – alles von der Thematik her auf die moderne Frau ausgerichtet.

Der Sonnenverlag hatte nach seiner Übersiedlung am 3. Juni 1954 nach Baden-Baden seinen Sitz zunächst in der Herchenbachstraße, später in der Bismarckstraße 4. Hier arbeiteten lange Jahre die Redaktionen. Zeitweilig war in Baden-Baden zudem die Hauptgeschäftsführung des Klambt-Verlages in der Yburgstraße 34 untergebracht. In der Bismarckstraße arbeiteten neben der Verwaltung die Redaktion der Monatsobjekte. Mit über 40 Beschäftigten platzte die Villa jedoch buchstäblich aus Ihren Nähten. Als das historische Gebäude ›Alleehaus‹ in der Lichtentalerstraße 10 im Herbst zum Verkauf anstand, griff der Sonnenverlag zu. Nach umfangreichen Renovierungsarbeiten zog ein Teil der Mitarbeiter in das ehemalige Kavaliershaus im Frühjahr 1981 ein.

Das Flaggschiff des Sonnenverlags, die Frauenzeitschrift »Frau mit Herz«, wurde zu jener Zeit noch in München herausgebracht. Erst 1985 kehrte die Redaktion der Zeitschrift nach Baden-Baden zurück. Seit 1987 steht Karin Karsten an der Spitze der Frau mit Herz-Redaktion. Die Muttergesellschaft des Sonnenverlags, der Klambt-Verlag, ist ein traditionsreiches Unternehmen. 1843 in Neurode im schlesischen Glatzer Bergland von Wilhelm Wenzel Klambt gegründet, gab der noch junge Verlag mit großem Erfolg den »Hausfreund« heraus. Die Klambt-Nachfolger, die Familie Rose, sorgen für seine Verbreitung in ganz Deutschland. Der »Hausfreund« war bis 1933 die »am weitesten verbreitete politische Zeitschrift Deutschlands«.

Die Folgen des Zweiten Weltkrieges waren für den Klambt-Verlag verheerend: Neurode, der Stammsitz, ging in polnischen Besitz über, die Niederlassung in Hamm war durch Bomben zerstört, nur die Hauptstelle in Speyer blieb unversehrt, und somit wurde dort der neue Hauptsitz gegründet. In Speyer erschien daher am 6. November 1949 die erste Nachkriegsausgabe des Hausfreunds für Stadt und Land. Die Lizenz erhielt das Unternehmen von der französischen Militärverwaltung, die ihren Sitz im Baden-Badener Hotel Stephanie hatte. Erst Ende der 1950er Jahre ging der »Hausfreund« in dem Titel »7 Tage« auf. Seit 1987 hat auch die Redaktion von »7 Tage« ihren Sitz in Baden-Baden, derzeit in der Stadelhofer Straße 14.

Hauptgeschäftsführer des Klambt- und Sonnenverlages ist heute ein Ururenkel von Wilhelm Wenzel Klambt, Dr. Gerd Joachim Rose. Axel Rose, ebenfalls Mitglied der Gründerfamilie, ist Verlagsleiter und Geschäftsführer von »7 Tage«. Gleichberechtigte Verlagsleiter des Sonnenverlags sind Herbert Seiler und Anton Kleiner. Zum 150jährigen Verlagsjubiläum 1993 hat Siegfried J. Bogdoll das Buch »150 Jahre Klambt-Verlag – 1843 bis 1993« herausgegeben.

Titel im Klambt Verlag

7 Tage	wöchentliche Frauenzeitschrift
Astrogramm	monatliche Horoskopröllchen
Rätsel und Freizeit	monatliche Rätselzeitschrift
Gewinnrätsel	monatliche Rätselzeitschrift
Gewinnen Sie	zweimonatliche Rätselzeitschrift
EXTRA	zweimonatliche Rätselzeitschrift
Neue Gesundheit	zweimonatliches Gesundheitsmagazin

Titel im Sonnenverlag

Frau mit Herz	wöchentliche Frauenzeitschrift
Rezepte mit Pfiff	monatliches Rezeptmagazin
Rätselsonne	zweimonatliches Rätselheft
Ideal	zweimonatliche Frauenzeitschrift
Rezepte Spezial	vierteljährliches Rezeptmagazin
Welt der Frau	vierteljährliche Frauenzeitschrift
Ingrid	sporadisch Handarbeiten
Katrin	sporadisches Journal für Mädchen
Mein Baby	sporadisches Babyheft

Die *Nomos Verlagsgesellschaft*, mit Sitz in der Waldseestraße 3–5, wurde 1936 von August Lutzeyer unter dessen Namen in Berlin gegründet. Am 1. Oktober 1954 zog der Verlag von Frankfurt nach Baden-Baden. 1964 erfolgte die Umbenennung in Nomos Verlagsgesellschaft, die seitdem von den Gesellschaftern des Suhrkamp Verlages getragen wird. Der Verlag betreut juristische Literatur und Zeitschriften, richtet seine Arbeit auf das Recht im weiteren Sinne, auf seine Wurzeln in Wirtschaft und Gesellschaft, in der Völkergemeinschaft und auf die durch den sozialen und politischen Wandel sich bildende neue Ordnung in Europa und in der Welt. Er arbeitet für zahlreiche deutsche und internationale wissenschaftliche Vereinigungen und unterhält Niederlassungen in Brüssel und Berlin.

Neben der Weiterführung der zum Teil seit Jahrzehnten bestehenden Loseblattwerke – insbesondere des »Deutschen Bundesrechts«, der vollständigen Sammlung aller Gesetze und Verordnungen der Bundesrepublik – wurde in den 50er Jahren mit dem Ausbau der Buchproduktion begonnen. Zukunftsorientiert wurde damals dem in den Anfängen steckenden europäischen Integrationsprozeß große Aufmerksamkeit gewidmet, so daß in den folgenden Jahren grundlegende Werke zur europäischen Integration erschienen. In der weiteren Folge wurde das Verlagsprogramm auf den Gebieten Verfassungsrecht, Verwaltungswissenschaft, Wirtschaftsrecht, internationale Zusammenarbeit, Völkerrecht, Wirtschaftswissenschaft und Politikwissenschaft erweitert. Der Verlag hat zusammen mit seiner in Sinzheim ansässigen Druckerei 160 Mitarbeiter.

Der *Verlag für Technik und Handwerk* wurde von Verleger Alfred Ledertheil 1946 gegründet. 1956 übersiedelte er mit dem damals noch kleinen Unternehmen nach Baden-Baden. 1978 verkaufte Ledertheil seinen Verlag an den dänischen Egmont-Konzern. Der Verlag hatte zu diesem Zeitpunkt die Zeitschrift »Flug- und Modelltechnik«, 6 Fachbücher und rund 600 Modellbaupläne im Programm. Im wesentlichen ist der Verlag für Technik und Handwerk heute ein Zeitschriften-Verlag und in den Bereichen Funktionsmodellbau (Flug-, Schiffs-, Automodellbau und Drachen), Funk-Hobby (Amateur- und CB-Funk, Telekommunikation) und populäre Hobbys (Foto, Film und Trucking) tätig. Das Gesamtprogramm umfaßt 13 Fachzeitschriften, zahlreiche Sonderpublikationen, 102 Fachbücher und über 1900 Modellbaupläne. In der Robert-Koch-Straße 4 hat der Verlag seinen Sitz.

1984 wurde im alten Zehnthof des Klosters Schwarzach im Bühler Ortsteil Moos von Inge und Hannes Elster der *Elster-Verlag* gegründet. Mittlerweile ist der Verlag in die Baden-Badener Fremersbergstraße 31 umgezogen. Der Verlag beschränkte sich zunächst auf Lyrik und regionale Themen. Im Laufe der Jahre kamen Kriminalliteratur, Reisebücher und Belletristik hinzu. Belletristik im Elster-Verlag ist verbunden mit Namen aus dem spanischsprachigen Literaturbereich, wie beispielsweise Alvaro Mutis, Juan Mars und Montserrat Roig. Im gehobenen Sachbuchbereich hat der Verlag zwei neue Reihen begonnen, eine über ethische Grundwerte, eine weitere über Stadt-Welten mit »Paris 1944–1962« und »Amsterdam 1585–1672«. Konstanten im stets interessanten Verlagsleben sind Frauenreiseführer und mit wachsender Leserbegeisterung Schwarzwald-Wanderführer.

Nur im Abonnement erhältlich ist in 60 Ländern der Erde die monatlich erscheinende Kosmetik-Fachzeitschrift »Kosmetik-International«. Der *Verlag Kosmetik International GmbH* hat seinen Sitz in der Schulstraße 12. Mit seinen 23 Mitarbeitern gehört er zu den führenden Kosmetik-Fachverlagen in der Bundesrepublik. Gleichzeitig veranstaltet er die Wiesbadener Kosmetikmesse.

Die *Agis-Verlag GmbH* wurde 1949, nach Aufhebung der Sperrgesetze der Aliierten, in Krefeld gegründet und zog 1956 nach Baden-Baden. Schwerpunkt der verlegerischen

Tätigkeit war von Anbeginn das Magazin »Gesundheit«, herausgegeben in Zusammenarbeit mit dem Bundesverband der Betriebskrankenkassen in Essen. Das Blatt erscheint heute im 46. Jahrgang und wird den Mitgliedern der Betriebskrankenkassen zweimonatlich ins Haus geschickt.

In den vielen Jahren seines Bestehens befaßte sich der Verlag außerdem mit der modernen Kunst und wissenschaftlichen Veröffentlichungen, insbesondere mit der Wissenschaftstheorie, die Prof. Max Bense in Stuttgart vertrat. Er gründete die Internationale Zeitschrift für Semiotik und Ästhetik »Semiosis«, die heute noch von Prof. E. Walther weitergeführt wird. Von Max Bense erschienen bei Agis das Hauptwerk »Ästhetika« sowie weitere Bücher, unter anderem auch die internationale Reihe »Kybernetik und Information«. Mit dem Übersiedeln nach Baden-Baden übernahm der Agis-Verlag von dem heute nicht mehr bestehenden Woldemar Klein Verlag die Zeitschrift »Das Kunstwerk« als Organ der modernen Kunst unter der Regie und Redaktion der Professoren Leopold Zahn, Klaus-Jürgen Fischer und Rolf-Gunter Dienst (bis 1967). Weiter wurde mehrere Jahrgänge hindurch die Zeitschrift »Vernissage« herausgegeben, die über das aktuelle Galerie-Geschehen in aller Welt berichtete.

Der Verlag residiert jetzt in der Ooser Luisenstraße 23 und bietet in einem Erweiterungsbau gegenüber dem Bahnhof Oos zwanzig Mitarbeitern einen modernen Arbeitsplatz. Leitende Verlegerin ist Karin Grochowiak. Ständiger Berater ist Prof. Thomas Grochowiak, ehemals Museumsdirektor in Recklinghausen und Präsident des Deutschen Künstlerbundes.

Erwähnenswert ist noch der *Holle-Verlag*, der durch den Verleger Gerard van Beest-Holle gegründet wurde. Seit 1954 war der Verlag in Baden-Baden ansässig, veröffentlichte vorwiegend Bücher zeitgenössischer ausländischer Autoren in großen Auflagen. Heute existiert der Verlag nicht mehr.

In der Bäder- und Kurstadt war in den 1920er und 30er Jahren geradezu eine Fülle von Verlagsneugründungen zu verzeichnen. In der Regel war diesen Verlagen allerdings nur ein kurzes Überleben gegeben. Heute sind in Baden-Baden weitere, kleinere Verlage ansässig, die zu einem Teil Ende der 40er und in den 50er Jahren gegründet wurden.

Ein Verleger, der Baden-Badener Geschichte machte, war *Johann Friedrich Cotta*, der seine Liebe zu ›Baden in Baden‹ im 19. Jahrhundert auch zu Papier brachte und sie so einem breiten Publikum zugänglich machte. Hier sei aus Otto Weiners Artikel »Einladung nach Baden 1812« zitiert: »Zuvor seien aber noch einige Anmerkungen beigefügt ..., denn es war nicht reine literarische oder journalistische Begeisterung, die den hochvermögenden Herrn Verleger Cotta bewogen, in dieser seiner vielgelesenen Zeitung (gemeint war das Morgenblatt für gebildete Stände, ab 1811 in Stuttgart von Cotta verlegt und selbst redigiert) gerade aus Baden-Baden überschwengliche Berichte zu bringen. Gewiß, das Überschwengliche, die Naturschwärmerei, die Mischung von klassischer Bildung und romantischer Seele gehörte damals zum guten Stil. Aber Cotta hatte auch noch sehr reale Interessen dabei. Er war nämlich nicht nur der Verleger der großen deutschen Dichter, er war auch Hotelier. Seit einigen Jahren. Und auch in Baden-Baden. Hier hatte er aus der großen Konkursmasse der Säkularisation das einst vom Markgrafen Wilhelm um 1630 im Zeichen der Gegenreformation gegründete Kapuzinerkloster, mit einem Bäderlehen für Thermalquellen, um 1805 erstanden und durch den berühmtesten badischen Baumeister Weinbrenner, zu einem Badhotel umbauen lassen. Und wer wird es ihm verübeln, wenn er nun, den modernen Begriff Werbung klug vorwegnehmend, in seinem Blatt in einer – fast ist man geneigt zu sagen: in einer raffinierten indirekten Weise Reklame macht für Baden-Baden bei Rastatt hieß es noch, ein eben sich entfaltender Kurort. In seiner eigenen, weit verbreiteten, viel gelesenen Zeitung!«

In vielen Artikeln und Beiträgen verkündete Johann Friedrich Cotta (1764–1832) den »Ruhm des Kurortes und seines cottaischen ›Badischen Hofes‹«. Aber ein weiteres Standbein machte den Mann aus Baden-Baden bekannt und verschaffte dem Cotta-Verlag Weltruhm. Cotta verlegte die Werke der deutschen Klassik.

Cotta zum Lob vermerkte ein Chronist: »Er war der erste in Deutschland, der geistige Arbeit angemessen honorierte und es bedeutenden Geistern ermöglichte, vom Ertrag ihrer Feder zu leben!« Das von Cotta geführte Rechnungsbuch 1789 bis 1806 blieb zudem erhalten. Dazu wiederum ein Zitat aus dem Artikel »Goethes ›Soll und Haben‹ bei Cotta« von Rudolf Adolph: »Es dürfte kaum ein zweites Kassenbuch existieren, das Soll und Haben sovieler erlauchter Geister verzeichnet.« Da gibt es den Kontoauszug Goethes. Und Goethe, der sich meist eines Schreibers bediente, pflegte Schriftstücke mit Angaben über seine finanziellen Verhältnisse eigenhändig zu schreiben. Im Contract über Goethes Werke lesen wir, daß das Verlagsrecht für acht Jahre zugestanden und Honorar für 20 Bände auf 16000 Taler festgesetzt wurde. Und da gibt es Briefe von Schiller, Fichte, Wieland, Lichtenberg, Herder, Kleist, Humboldt, Jean Paul und vielen anderen, die das Gesicht der deutschen Dichtung und sogar der Weltliteratur bestimmten.

Privater Rundfunk. – *Radio VICTORIA* war der erste große private Radiosender mit Redaktion und Sendestudios im Haus Victoria direkt am Leopoldsplatz, Sophienstraße 3, im Herzen der Stadt. Am 1. März 1989 war der neue Sender erstmals zu empfangen. »Victoria« sendet mit 80 Kilowatt von der Hornisgrinde (100,4 Megahertz) und erreicht damit aus Baden-Baden einen Großteil des Rheingrabens, auch das Elsaß und die Pfalz. Geschäftsführer und Programmdirektor dieses Regionalsenders war Christian Frietsch. Für den Sender arbeiteten rund 50 feste und freie Mitarbeiter. Ende Februar 1994 ging der Name Radio Victoria letztmals über den Äther. Eine weitere Sendelizenz wurde nicht mehr vergeben.

Radio Ladies First sendete seit dem 7. August 1988 sein Programm aus der Lichtentaler Frankreichstraße. Später sind die Studios nach Hügelsheim ausgelagert worden. Mit Radio Victoria teilte der Sender die Frequenz. Auch Ladies First stellte Ende Februar 1994 den Sendebetrieb ein.

Radio Regenbogen übernimmt am 1. April 1994 offiziell Studio und Frequenz von Radio Victoria. Regenbogen, seit 1988 auf Sendung, hat sein Hauptstudio in Mannheim. Neben Baden-Baden betreibt Regenbogen in Freiburg ein weiteres Studio und deckt damit die gesamte »Badenschiene« ab. Anfang 1995 hat Radio Regenbogen allein in Baden-Baden 14 feste Mitarbeiter beschäftigt.

Welle Fidelitas hat am 15. Oktober 1994 ein Regionalstudio in Baden-Baden, Lange Straße 114, eröffnet. Gesendet wird auf der Frequenz 100,9 Megahertz. Zwei feste Redakteure sorgen für Informationen aus Mittelbaden. Das Studio Baden-Baden ist das erste Studio von Welle Fidelitas, das mit digitaler Technik ausgestattet ist. Das Hauptstudio hat seinen Sitz in Karlsruhe.

V. DAS BILD DER STADT

1. Siedlungsentwicklung und Siedlungsfunktionen

Die Kernstadt

Altstadt. – Das historische Baden-Baden mit seinen in die Antike zurückreichenden Funktionen als Thermalkurort und Hauptort einer römischen Bezirksgemeinde, mit den mittelalterlichen und frühneuzeitlichen Aufgaben einer landesherrlichen Residenzstadt beschränkt sich weitgehend auf den engen, aber stark reliefierten Bereich des Stadthügels im Winkel von Oos und Rotenbach, der heute unter der dem einstigen südlichen Stadtgraben folgenden Sophienstraße verdolt ist (vgl. Kartenbeilagen 2 u. 5, Karte S. 108). Der vom Herrschaftssitz der Markgrafen bekrönte Stadthügel, an dem zum Teil das Grundgebirge des Friesenberggranits sowie Schichten des Oberkarbons und Porphyrkonglomerate des Oberrotliegenden zutage treten, ist mit tiefreichenden Spalten und Verwerfungen durchsetzt. Sie führen die Thermalwässer an die Oberfläche und sind die Ursache für die Kontinuität des Siedlungsplatzes und seiner Funktionen seit der Antike über das Mittelalter bis in die Gegenwart. Erst im vorigen Jahrhundert griff die Kurortfunktion auch auf das westliche Oosufer mit dem Bau des neuen Kurhauses von Friedrich Weinbrenner und der Trinkhalle von Heinrich Hübsch über. Die sie umgebenden und entlang der Lichtentaler Allee sich nach S fortsetzenden Anlagen wurden in den Kurbereich einbezogen und bildeten im W den Ansatz einer auf die Hänge von Friesenberg, Beutig und Quettig ausgreifenden Siedlungsausweitung.

Die Überreste der hoch- bis spätmittelalterlichen Burganlage von *Hohenbaden (Altes Schloß)* am Westabfall des Batterts, an die sich heute die Bebauung am Hungerberg und in der oberen Weststadt schon recht nah herangeschoben hat, und dann vor allem das von Spätgotik, Renaissance und Barock geprägte *Neue Schloß* auf dem Florentinerberg oberhalb der warmen Quellen bilden als Stützpunkte der Landes- und Stadtherrschaft zusammen mit der *Oberstadt*, die ursprünglich die Funktionen einer Vorburg des Neuen Schlosses hatte, das obere Siedlungsstockwerk der historischen Stadtanlage (vgl. Karte S. 108). Unterhalb dieser Stadtburg und Oberstadt liegt am nach S und W steil abfallenden Hang die *Unterstadt*, die sich in ihrer Topographie und Aufrißgliederung zweiteilen läßt. Ihr oberer Teil um den *Marktplatz* mit der *Stiftskirche*, von der vor allem ihr barocker Westturm und ihr steiles gotisches Giebeldach stadtbildprägend wirken, und der *Kanzleiberg* mit den einst mittelalterlichen Bauten der Landesherrschaft und den noch überlieferten massiven Barockgebäuden des Jesuitenordens, die heute der Stadtverwaltung als zentral gelegenes und die Altstadt beherrschendes *Rathaus* dienen, bilden das mittlere Siedlungsstockwerk der Altstadt. Ihr tieferliegender Teil entlang der *Langen Straße* und *Gernsbacher Straße*, der sich noch im 18. Jh. bis zu den Stadtmauern an der Sophien- und Luisenstraße erstreckte, ist dann das altstädtische Untergeschoß der historischen Stadtsiedlung.

Diese topographisch bedingte und durch das Relief vorgegebene Dreigliederung, die erst in ihrer Gesamtheit die Besonderheit und unverwechselbare Individualität der historischen Stadtanlage Baden-Badens ausmacht, spiegelt sich auch in den noch heute das Stadtbild bestimmenden Bauten, die von den einstigen und heutigen Funktionen der altstädtischen Teilbereiche künden. Der Sitz des Landesherrn hoch über der Stadt, die einst markgräfliche und heute städtische Verwaltung in dem an den steilabfallenden

1. Siedlungsentwicklung und Siedlungsfunktionen

Hang angelehnten Mittelteil, der im O mit seinen dominierenden, teils prunkvollen Bäderbauten der Gründer- und der Nachkriegszeit zur unteren Bürgerstadt mit ihren bis heute vorherrschenden Wohn-Geschäftshäusern an der Langen und Gernsbacher Straße überleitet, sind die unterschiedlichen Funktionsbereiche der alten Stadt.

Die drei- bis fünfgeschossigen, reich gegliederten Fassaden der Häuser in der Unterstadt mit Kaufläden und abwechslungsreich gegliederten Schaufensterfronten, zuweilen auch mit Cafés und Restaurants in den Erdgeschossen sowie Balkons, Erkern, Eckerkern und Ecktürmen darüber prägen die zum Teil üppig geschmückten und an ihren Außenfronten vielfach gegliederten Bürgerbauten. Sie entstammen der Gründerzeit und zeigen historisierende Stilelemente, die der Renaissance und dem Barock entlehnt sind, oder sie gehören der nachfolgenden Epoche des Jugendstils an. Diese prunkvollen Gebäude bewirken ein schon fast großstädtisches, von den Zerstörungen des Zweiten Weltkriegs verschontes Aufrißbild, zu dem die an Luisen- und Sophienstraße gelegenen Hotel-, Geschäftshaus- und Behördenbauten des 19. und frühen 20. Jh. stilvolle Ergänzungen und Siedlungsausweitungen über den einstigen Mauerbering hinaus bis an die Oos im W und an den unteren Hang des Annabergs im S bilden.

Die durch die Topographie des Oos- und Rotenbachtals bestimmten Straßenzüge von Luisen- und Sophienstraße, die im W und S der Altstadt auf den einstigen Stadtgräben liegen, und die der Hangtopographie folgenden Fußgängerzonen in der Langen und Gernsbacher Straße prägen mit ihren rechtwinklig wegstrebenden Quer- und Verbindungsgassen das wirtschaftliche Zentrum der historischen Bürger- und Kurstadt. Seine vielfältigen Geschäfte und Kaufstätten des täglichen und höheren Bedarfs sowie ausgesprochener Luxusgüter bilden heute eine geschlossene und zusammenhängende Einkaufszone. Zusammen mit den in ihrem Bereich liegenden Hotels und Gaststätten sowie den benachbarten Bäder- und Kureinrichtungen (s. u.) schaffen sie die Voraussetzungen für die nur für Baden-Badens Altstadt typische Verquickung von Geschäfts-, Kur- und Fremdenverkehrsfunktionen.

Vom klaren, überwiegend leiter- oder gitterförmigen Straßennetz der Unterstadt hebt sich das recht unregelmäßige Straßen- und Gassennetz im mittleren und oberen Bereich der Altstadt ab, das in erster Linie durch den Steilanstieg zur Oberstadt und zum Neuen Schloß geprägt ist. Enge, hangaufwärts strebende Straßen wie die die Lange Straße und den Marktplatz verbindende Hirschstraße oder die die östliche Gernsbacher Straße und den Marktplatz verknüpfende Steinstraße, ferner kleine Quergassen und den Steilhang unmittelbar erklimmende Staffelwege zwischen oft dicht zusammengerückten Häuserfronten beherrschen den völlig durch die Steilheit des Altstadthügels bedingten unregelmäßigen Grundriß.

Von der Stadtanlage vor dem großen Brand des Jahres 1689 gibt es abgesehen von der spätgotischen *Stiftskirche* mit ihrem hohen und schlanken Ostchor kaum Zeugnisse in der heutigen Architektur. Allenfalls die Enge der kurven- und schattenreichen Straßen und Gassen erinnern noch an die dichte mittelalterliche Bebauung innerhalb der Stadtmauern. Verschwunden sind die Badherbergen des 14. bis 17. Jh., an die nur noch das *Baldreit*, das heutige Stadtmuseum mit seinem reizvollen Innenhof, und das *Badhotel zum Hirsch* erinnern. Seine die untere Hirschstraße prägenden, vielfach gegliederten gründerzeitlichen Fassaden mit Anklängen an italienische Renaissancepaläste und mit einer in unserem Jahrhundert hinzugefügten torbogenartigen, die Hirschstraße überspannenden Verbindungsgalerie zum zugehörigen Nachbargebäude erinnern aber mehr an die Zeit des Weltbades im vorigen Jahrhundert. *Kopfsteinpflaster* und modellhaft wirkende, zwei- und dreigeschossige *Reihenhäuser in Traufseitenstellung* an der mittleren und oberen Hirschstraße führen dagegen in die Zeit des barocken bis spätbarocken Wiederaufbaus zurück, an den nicht zuletzt auch der alles überragende oktogonale obere *Glockenturm der Stiftskirche* mit seinem dreifach gegliederten Hauben- und Laternendach erinnert.

Meist als Putzbauten errichtete, zwei- bis dreigeschossige Traufseitenhäuser des 18. Jh., deren abgestufte Satteldächer mit Mansardeinbauten dem heutigen Altstadtbild sein barockes Flair vermitteln, entstanden auch um die Stiftskirche und den Marktplatz, an der Steingasse, wo die barocken Stiftshäuser im vorigen Jahrhundert aufgestockt wurden, und an anderen Altstadtstraßen der Ober- und Unterstadt. Ein freier »Fremdraum« in der dicht bebauten mittelalterlichen und frühneuzeitlichen Altstadt ist der heute weitoffene *Marktplatz* im N unmittelbar unter den hohen Stützmauern des Florentinerbergs mit den stadtseitigen Gärten des Neuen Schlosses. Dieser Freiraum, der im O durch das streng gegliederte, dreigeschossige *Alte Dampfbad* unter einem flachen Walmdach abschließt, entstand durch den Abriß kleiner und dicht gedrängter Häuser an der einstigen Höllgasse unter Aufgabe der mittelalterlichen Grund- und Aufrißgestaltung. Mit dem eleganten apsisartigen Anbau im O verlieh Heinrich Hübsch dem Alten Dampfbad Anklänge an die italienische Villenarchitektur der Renaissance.

Der wuchtigste barocke Baukomplex der Altstadt mit einer stadtbildprägenden Wirkung ist das heutige *Rathaus*, das den einstigen Kanzleiberg beherrscht. Im Hauptteil besteht es aus der im vorigen Jahrhundert ergänzten und aufgestockten Dreiflügelanlage des ehemaligen Jesuitenkollegs, an die im SW der gründerzeitliche Zweiflügelbau des einstigen Darmstädter Hofs anschließt und heute in die Gebäude der Stadtverwaltung einbezogen ist. Vom Marktplatz aus ist der Hauptbau durch ein Säulenportal zugänglich, das in den Innenhof führt.

Für das Stadtbild Baden-Badens viel entscheidender ist das *Neue Schloß*, das mit seiner nach außen massigen und burgartigen Architektur und seinen Gartenanlagen den obersten Teil des Altstadtgeländes einnimmt. Insgesamt stellt es eine vierkantige, einen Innenhof umschließende Gesamtanlage dar, die aus einem spätmittelalterlichen Bau des ausgehenden 14. Jh. hauptsächlich von 1479 bis 1530 in ein Residenzschloß der Renaissance umgebaut und durch den barocken Wiederaufbau umgewandelt wurde. Für das Stadtbild sind das östliche Hauptschloß mit der südlichen Schmalseite und ein die Südostecke des Innenhofs beherrschender Treppenturm sowie der südliche Orangerieflügel besonders wichtig. Als schmaler und langgezogener zweigeschossiger Bautrakt vermittelt letzterer zwischen der stadtseitigen Schloßterrasse und dem höherliegenden Schloßinnenhof.

Kur- und Bäderviertel. – Die Vereinigung der badischen Markgrafschaften 1771 und die Stabilisierung der politischen Verhältnisse im Großherzogtum der nachnapoleonischen Zeit brachten der einstigen »Hauptstadt« des baden-badischen Territoriums im vorigen Jahrhundert ein weit über das mittelalterliche und frühneuzeitliche Bebauungsareal hinausgreifende Ausweitung. Sie ist der städtebauliche Ausdruck neuer Funktionen als Standort einer weit über Deutschlands Grenzen hinaus angesehenen Spielbank des europäischen Adels und des vermögenden Bürgertums, die die Stadt in wenigen Jahrzehnten zum führenden Weltbad Europas heranwachsen ließ. Sie ist aber auch ein bis heute unübersehbares städtebauliches Zeugnis für den erfolgreichen Funktionswandel der Stadt zum eigentlichen Kur- und Heilbad, die nach der Schließung der Spielbanken 1871 im neu gegründeten Deutschen Reich folgen mußte. Rückbesinnung auf jahrhundertealte Funktionen der Thermen sowie deren Neubelebung und Ausweitung durch den Bau damals modernster und monumentaler Bäder- und Hotelpaläste, die zum Teil noch heute das Bild von Baden-Badens Innenstadt entscheidend prägen, waren der Schlüssel für diesen wirtschaftlichen und architektonischen Erfolg, der auch noch in der Gegenwart das Gesicht der modernen Kurstadt trotz neuer Bäderanlagen wie den Caracalla-Thermen mitprägt.

Friedrich Weinbrenners Umbau des einstigen Kapuzinerklosters vor dem Ooser Tor zum »Badischen Hof« 1807–09, dem ersten neuzeitlichen Badhotel im heutigen Baden-Baden, sein klassizistischer Bau des Palais Hamilton 1808, der heutigen Stadtsparkasse an der Sophienstraße westlich des Leopoldsplatzes, und die 1815 einsetzende Niederlegung der Stadtmauer waren die ersten Anzeichen dieser neuen Entwicklung im Stadtbild des frühen 19. Jh. Die bauliche und gärtnerische Ausgestaltung des Kurviertels westlich der Oos seit dem zweiten und dritten Jahrzehnt des vorigen Jahrhunderts hat mit dem neuen Konversationshaus Weinbrenners, das den Kern des heutigen Kurhauses bildet, der Trinkhalle von Heinrich Hübsch mit ihrer langgestreckten und zur Stadt hin offenen Säulenhalle sowie der Regulierung und Begradigung der Oos, die letztmals 1825 mit größeren Überschwemmungen über ihre Ufer trat, ihre Anfänge genommen. Diese Gebäude und die nach der Oosregulierung entstandene Lichtentaler Allee mit ihren Parkanlagen prägen noch heute das Bild der Kurstadt ganz entscheidend mit. Jüngere städtische und staatliche Repräsentationsbauten wie das Stadttheater im Stil eines französischen Neubarocks oder die dem Jugendstil verpflichtete Staatliche Kunsthalle zwischen der Friedrichstraße und nördlichen Lichtentaler Allee, nicht zuletzt dann die in spätklassizistischen Formen auf dem vorderen Friesenberg durch Leo von Klenze erbaute Stourdza-Kapelle erweitern und ergänzen die Architektur der Kuranlagen bis in unsere Zeit.

Heute noch erhaltenes, repräsentatives Zeugnis der wachsenden Kurstadtfunktion im ausgehenden 19. Jh. ist das Friedrichsbad. Es bildet mit seiner gewaltigen Baumasse eine architektonische Klammer zwischen dem Marktplatz mit der Stiftskirche und der östlichen Unterstadt. Am Römerplatz, der seine heutige Ausdehnung erst durch den Abriß des gründerzeitlichen Augustabades, des Fangobades und des Inhalatoriums sowie der Spitalbauten erhielt, entstand in der Nachbarschaft des neubarocken Klosters zum Heiligen Grab mit seinem modernen Schulbau im einstigen Spitalviertel, von dem nur noch die um ein Joch gekürzte gotische Spitalkirche kündet, das heutige *Kur- und Bäderviertel*. Der aus Glas und Beton gestaltete kubische Neubau des 1966 eröffneten *Kurmittelhauses* an der Stelle des ehemaligen Augustabades sowie die auffallende Rotunde der *Caracalla-Therme* gestalten seine gegenwartsbezogene Architektur. Von ihr hebt sich der prunkvolle Badepalast des *Friedrichsbades* ab, dessen monumentale Eingangsfront am Römerplatz und der unteren Steinstraße durch einen Mittelrisalit und Seitenrisalite gegliedert ist. Sein am Hang hinaufsteigender Mitteltrakt wird von einem zentralen Kuppelbau überwölbt, während sein oberer und rückwärtiger Bäderbau durch seitliche Ecktürme überhöht ist. An das Bäderviertel des 19. Jh. erinnert dann noch am nordöstlichen Marktplatz das *Alte Dampfbad* (s. o.). Neubauten bestimmen dann auch den Ostabschluß des Bäderviertels mit dem ehemaligen Landesbad, das 1951/52 zum *Staatlichen Rheumakrankenhaus* ausgebaut und 1973 erweitert wurde.

Innerstädtische Villenviertel. – Mit dem Wachstum der Stadt im vorigen Jahrhundert griff die Villenbebauung in der Nachbarschaft der Altstadt auf die Hänge und Höhen des Annabergs zwischen dem Rotenbachtälchen (Sophien-, untere Vincentiund Rotenbachtalstraße) im N und der Staufenbergstraße im S östlich der Oos sowie auf den Friesenberg, den Beutig- und Quettighügel westlich des Flusses über. Bis in die Zwischen- und Nachkriegszeit wurden damit die von kleinen Nebentälchen zerschnittenen Hänge des Oostals im inneren Stadtgebiet mit einer lockeren bis verdichteten, individuellen und ganz überwiegenden Einzelhausbebauung mit umgebenden Gartengrundstücken überdeckt, die ganz entscheidend den Stil Baden-Badens als Wohnsitz vermögender Bürger- und Rentnerschichten repräsentieren.

Im Winkel zwischen dem Rotenbachtälchen und der Stephanienstraße entstand, begrenzt von der Altstadt im N und der Lichtentaler Vorstadt im W, seit den ersten Planungen nach 1900 am *Annaberg* oder am *Rettig*, dessen Hänge sanft zum Rotenbach- und Oostal abfallen, ein vornehmes, nach »künstlerischen und hygienischen Gesichtspunkten« entworfenes Wohngebiet, das nach dem ersten badischen Großherzog *Friedrichshöhe* benannt wurde. Ein Teil seiner Straßennamen erinnert bis heute an Mitglieder des großherzoglichen Hauses. Ziel der Bebauung im Hangfußbereich des Merkurs war ein vornehmes Villenviertel in Verbindung mit einem öffentlichen Park. Die freistehende, eineinhalb- bis zweistöckige Bauweise mit villenartigen Gebäuden, die ca. 15 m lang und mit den vorgeschriebenen Mansardendächern nicht über 16 m hoch sein durften und von Gärten umgeben sein mußten, verzögerte – nicht zuletzt durch hohe Grundstückspreise – anfänglich die Veräußerung von Baugrundstücken, so daß zwischen 1904 und 1911 erst drei Bauplätze verkauft waren. 1916 waren es insgesamt 16, und 1924 kamen drei weitere dazu.

1921 wurde das ursprüngliche Parkprojekt wieder aufgenommen, und 1922 legte Max Laeuger einen Plan vor, der für die Friedrichshöhe ein Gesamtkunstwerk aus Wohnarchitektur und Park vorsah. Eine symmetrische Gesamtanlage mit gartenarchitektonischen Schmuckelementen und seitlich angegliederten Villenbauten sollte als Herzstück der Gesamtbebauung mit Laeugers Wasserspielen, dem *Paradies*, bis 1925 verwirklicht werden. Diese Wasserkunstanlage folgt der natürlichen Hangneigung von der oberen Markgrafenstraße bis zur Scheibenstraße, schneidet einige hangparallel angelegte Wohnstraßen und ist auf die Stiftskirche am gegenüberliegenden Altstadthügel als reizvollem Blickfang ausgerichtet. Ausgehend von einer oberen Brunnenanlage mit größerem Wasserbecken führt ein zopfartiger Wasserlauf mit typischen Anklängen an den Jugendstil in mehreren Teilabschnitten kaskadenartig hangabwärts. Unterbrochen an den kreuzenden Wohnstraßen (Zeppelinstr., Prinz-Weimar-Str.) mündet er in eine untere Brunnenanlage an der Scheibenstraße und bewirkt mit den beiderseitigen Wegen eine beschwingte offene Garten- und Parkarchitektur, die durch die von Gärten umgebenen angrenzenden Wohnhäuser in ihrem vornehm zurückhaltenden und sachlich schlichten Baustil der 1920er Jahre noch unterstützt wird.

Die *Villenbebauung westlich der Oos* setzte gegen Ende der 1870er Jahre in den Hanglagen des unteren Friesenbergs und am Quettig ein, und schon bald in den 1880er Jahren waren die stadtnahen Lagen der Beutigäcker und Ochsenäcker durch Straßen erschlossen und an Straßen in die westlichen Seitentäler der Oos angeschlossen. Entlang der Hermann-Sielcken-Straße wuchs das westliche Villengebiet damals auch vom Quettighügel aus bereits in das Tälchen des Herchenbächels hinein.

Die erste monumentale Villa der Gründerzeit war in diesem westlichen Villenviertel auf dem unteren Friesenberg über dem heutigen Kurhaus die 1887 vollendete *Villa Solms*, ein im Grund- und Aufriß an eine mittelalterliche Burg angelehnter Buntsandsteinbau. Seine Architektur mit Turm- und Toranlagen beeinflußte auch andere, noch vor der Jahrhundertwende entstandene Villen an der Kapuzinerstraße und Kaiser-Wilhelm-Straße, nicht zuletzt aber die Villa Stroh, die »Burg Cäcilienberg« auf dem der Oos zugewandten Ausläufer des Leisbergs über Lichtental. Die Mehrzahl der bis 1900 errichteten Villen waren aber zum einen in Parks integrierte Palaisbauten in den Formen der italienischen und französischen Renaissance und des Barocks, zum anderen

1. Siedlungsentwicklung und Siedlungsfunktionen

– weniger aufwendig und bescheidener gestaltet – Landhäuser nach Schweizer Art oder mit Anklängen an Schwarzwaldhäuser im Stil und verwendeten Baumaterial.

Ein repräsentatives Beispiel für die erste Gruppe ist die *Villa Carlotta* an der Kronprinzenstraße, 1886 errichtet und 1907/09 in barockisierendem Jugendstil umgestaltet. Anfangs stand sie in einem großen, durch Terrassen, Treppen und Brunnen gegliederten Park, der heute teilweise überbaut ist. Auch die 1870 erbaute und 1908 ähnlich umgestaltete *Villa Franchetti* am Hebelweg oder der 1910 errichtete Jugendstilbau der *Villa Sirius* an der Kaiser-Wilhelm-Straße sind aufwendige, fast schloßartige Repräsentationsbauten mit parkartigen Gärten.

Rustikalere Landhausformen vermitteln ein Fachwerkhaus an der Werderstraße 34 sowie bis zum Beginn unseres Jahrhunderts im Schweizerhausstil erstellte Bauten wie die *Villa Hohenstein* an der Friesenbergstraße oder andere Landhäuser am August-Schriever-Weg 1, an der Fremersbergstraße 10 und an der Kronprinzenstraße 12. Das Gebäude Quettigstraße 12, ein Bau von 1870, in dem sich heute ein Restaurant befindet, weist mit seiner Gestaltung auf Schwarzwaldhäuser hin. Die zweifellos eindrucksvollste Landhausanlage Baden-Badens ist aber die am Nordosthang des Quettigs 1858–97 ausgebaute *Villa Menchikoff* (Lichtentaler Allee 12 u. 14) des gleichnamigen russischen Fürsten, der als Pferdeliebhaber und Anhänger des Pferderennsportes in seinem Park auch eine kleine Trabrennbahn angelegt hatte. Wohn-, Wirtschafts- und Stallgebäude bestimmten einst das großflächige Anwesen, das bezeichnend war für Baden-Badens internationale Hochadelsgesellschaft im vorigen Jahrhundert.

Gegenüber der Anfangsbebauung in der Gründerzeit und der Jugendstilepoche hat sich die Bebauung an den westlichen Hängen des Oostals vom Friesenberg im NW bis zum Leisberg im SO stark verdichtet. Vorherrschend ist bis heute eine individuelle villenartige Wohnarchitektur in Gärten. Die großen und alten herrschaftlichen Villen aus der Zeit vor dem Ersten Weltkrieg verleihen der Hangbebauung an der Werderstraße und ihrer Umgebung auch im ausgehenden 20. Jh. ihr besonderes Flair. Aber diese alten Bauten sind gerade an der Werderstraße mit zahlreichen Neubauten aus der zweiten Hälfte unseres Jahrhunderts durchsetzt, die sich von ihren Proportionen und ihrer individuellen Gestaltung her zwar gut in die alte Bebauung einpassen, die aber auch neuartige Akzente mit Flachdächern und Penthouse-Aufsätzen (Werderstr. 13a, 16) oder mit in die Hänge hineingeschobenen Garagen setzen. Oberhalb der Werderstraße prägen dann ganz moderne, großzügig gestaltete Villen die Bebauung am oberen Friesenberg. Auch die Aufrisse der Bismarck- und Kaiser-Wilhelm-Straße werden wie die benachbarten Wohnstraßen am Friesenberg noch entscheidend durch alte Villen mit ihren Gärten bestimmt. Buntsandsteinmauerung an schloßartigen Bauten mit der Renaissance und dem Barock entliehenen Gestaltungselementen bilden einen Gegensatz zu jüngeren oder in der Nachkriegszeit modernisierten Wohnhäusern und Bungalows (Kaiser-Wilhelm-Str. 15b neben der Villa Sirius). Die ausgleichenden und die unterschiedlichen Bauformen verbindenden Elemente sind Gärten. Bei den älteren Villen waren es früher großflächige Parks, die in den vergangenen Jahrzehnten mit den wachsenden Grundstückspreisen einer Neubebauung und damit einer Siedlungsverdichtung ohne Aufgabe der vornehmen, durch Höhen- und Hanglage herausgehobenen Wohnfunktion zugeführt wurden.

Vom Oostal aus drang die Bebauung in die südlichen Nebentäler von Gunzenbach, unterem Herchenbach und Dettenbach vor. So erstrecken sich heute geschlossene Wohngebiete mit Villen, Ein- und Mehrfamilienhäusern individueller Prägung von den Hängen des Friesenbergs, der Beutig- und Quettighügel in die benachbarten Tälchen hinein. *Gunzenbach* und das *Südwestfunkviertel* im Tal des Dettenbachs sind die am weitesten nach S vorgeschobenen Bebauungsgebiete der Kernstadt. Ähnlich wie die Cité Française im Stadtteil Oos bildet das Südwestfunkgelände im Dettenbachtal – wenn auch auf ganz andere Art – eine »Stadt in der Stadt«.

Die für das Wirtschaftsleben Baden-Badens und seinen Bekanntheitsgrad weit über Deutschlands Grenzen hinaus so bedeutsame Rundfunk- und Fernsehanstalt hat als größter Arbeitgeber der Stadt und bedeutende kulturelle Institution innerhalb des öffentlich-rechtlichen Rundfunks in der Bundesrepublik im hinteren Dettenbachtal zwischen der Fremersberg- und Hermann-Sielcken-Straße vom Schirmhofweg bis zur Ernst-Becker-Straße ein »*Südwestfunk-Viertel*« geschaffen. 1951 begann sein Ausbau mit dem Rosbaud-Studio, einem Konzertsaal für ein großes Orchester und 350 Zuhörer. Ein Werkstattgebäude folgte noch im selben Jahr an der unteren Hans-Bredow-Straße. Neue Rundfunk- und Fernsehstudios, Technik-, Verwaltungs- und auch Wohngebäude ließen in zum Teil großen kubischen Flachdachblöcken und großflächigen Hallenbauten einen architektonischen Komplex entstehen, der mehr einer modernen industriellen Großanlage als einem Kulturinstitut ähnelt. Die teilweise weit auseinanderliegenden und für ihre Größe flach wirkenden Gebäude passen sich mit den gepflegten und zuweilen parkartigen Grünanlagen, die zu einer angenehmen Auflockerung der Bebauung beitragen, an die Wohnbebauung in der Nachbarschaft und im unteren Talabschnitt gut an. Auf das Bild der Alt- und Innenstadt haben sie durch ihre randliche Lage in einem Seitental keinen Einfluß.

Lichtentaler Vorstadt. – Die im S an die Innenstadt anschließende Vorstadtanlage brachte eine schon frühe Ausweitung der Bebauung im Tal der Oos in Richtung Lichtental mit seinem ins Hochmittelalter zurückreichenden klösterlichen Siedlungskern. Sie erstreckt sich über den östlichen Talboden vom Fluß bis an den unteren Westhang des Rettigs, wo oberhalb der Stephanienstraße die dichte und geschlossene Bebauung, wie sie für den Talboden bezeichnend ist, in eine jüngere, offenere und villenhafte Hangbebauung übergeht (s. o.). Ihre Hauptachse ist die vom Leopoldsplatz taleinwärts führende Lichtentaler Straße, an der sich, im S eingerahmt vom Haus des Kurgastes, dem Kongreßhaus und der Ev. Stadtkirche, über einer mehrgeschossigen Tiefgarage der Augustaplatz öffnet. Zentrum dieser 1974/75 neugestalteten Anlage ist ein künstlicher See mit großem Springbrunnen und unregelmäßig gestalteten Uferpartien, deren Ruhebänke zum Verweilen einladen. Funktional bildet der Augustaplatz einen Übergang zu den Kuranlagen an der Lichtentaler Allee, die mit ihm in das städtische Geschäftsviertel hineingreifen (vgl. Kartenbeilagen 5 und 6).

Die vorstädtische Hauptachse der Lichtentaler Straße zeigt in ihrem engen und kurvigen nördlichen Abschnitt sowie an ihrem geraden Verlauf bis zum Bertholdplatz einen unausgewogenen Aufriß. Ältere Reihenhäuser aus den 1850/60er Jahren, Wohn-Geschäftshäuser der Jahrhundertwende mit drei und vier Stockwerken, Mansarddächern oder mit durch unterschiedliche Schrägen mehrfach gegliederten Dächern sowie moderne kubische Bauten in vier- und fünfgeschossiger Bauweise wechseln sich ab. Der beherrschende Profanbau ist zweifellos das »Goldene Kreuz«, ein monumentales Wohn- und Geschäftshaus aus der Endphase der Gründerzeit. 1892/93 wurde es von Wilhelm Vittali, einem im Hotel- und Villenbau renommierten Architekten, an der Stelle einer Gastwirtschaft gleichen Namens als fünfgeschossiger Bau mit reichgegliederter Fassade und türmereichem Dach in großstädtischer Manier errichtet. Sein baulicher Gegenpol ist am Südrand des Platzes die zweitürmige neugotische *Ev. Stadtkirche*, die in ihrer bauplastischen Formenfülle und in ihrer Monumentalität mittelalterlichen Kathedral- und Münsterbauten nachempfunden ist. Ihre von Friedrich

1. Siedlungsentwicklung und Siedlungsfunktionen

Eisenlohr gewollte bauliche Dominanz durch das deutliche Überragen der umgebenden Geschäfts- und Wohnbebauung verlieh der südlichen Vorstadt auch die Bezeichnung »protestantische Vorstadt«. Die hoch aufragenden Bauteile mit den Türmen von 1876, dem Schiff und Chor (1855/65) lassen die übrigen den Augustaplatz einfassenden Bauten geradezu klein erscheinen, auch wenn es sich dabei um das 1967/77 erbaute Kongreßzentrum in der Gestalt eines großen kubischen Flachdachbaus oder beim »Haus des Kurgastes« um den Nordflügel des einstigen Hotels Stephanie handelt.

Die zentrale Stellung der Ev. Stadtkirche im Grund- und Aufrißplan der Lichtentaler Vorstadt zeigt sich nicht zuletzt in dem fächerförmig vom Ludwig-Wilhelm-Platz wegstrebenden Dreistrahl von Maria-Viktoria-Straße, Ludwig-Wilhelm-Straße und Schillerstraße. Der den Ludwig-Wilhelm-Platz beherrschende polygonale Südchor des evangelischen Gotteshauses bildet gewissermaßen die architektonische Klammer, die dieses Strahlenbündel vornehmer Wohnstraßen zusammenhält. Zwei- bis viergeschossige freistehende Villen mit umgebenden Gärten und Villen in Reihenhausbauweise prägen ihr Bild. Historisierende Formen des 19. Jh. sowie Elemente des Jugendstils überwiegen. Neben der auch heute noch vorherrschenden Wohnfunktion im dreistrahligen Straßenfächer und seiner Fortsetzung südlich der ihn schneidenden Bertholdstraße bestimmt auch die Kurstadtfunktion das Straßenbild. An die westliche Schillerstraße grenzt so der große Hotelkomplex von Brenners Parkhotel, dessen Schaufront der Oos und Lichtentaler Allee in einem gepflegten Park zugewandt ist. Der gründerzeitlichen Hotelanlage gegenüber steht an der Schillerstraße eine Dependance von Brenners Parkhotel, gegliedert mit einem Mittelrisalit und gehalten in – wenigstens teilweise – neubarocken Formen am Giebel und Dach. Auch die neubarocke Villa Ascona an der nördlichen Ludwig-Wilhelm-Straße hat heute die Funktion einer Dependance des benachbarten Nobelhotels.

Südlich der Bertholdstraße, wo, umgeben von Baumgruppen, die in den 1860er Jahren erbaute ehemalige Englische Kirche, die heutige *Ev.-lutherische Johanniskirche* als neugotischer Buntsandsteinbau aufragt, ist das alte, von Stilelementen der Neorenaissance und des Neubarocks geprägte Villenviertel des vorigen Jahrhunderts zum Teil auch mit städtischen Dienststellen durchsetzt. Im Gebäude Maria-Viktoria-Straße 18 findet sich so das Städtische Forstamt, an der südlichen Ludwig-Wilhelm-Straße – gegenüber der Gönneranlage – das Städtische Vermessungs- und Liegenschaftsamt. Ein typisches Element der Kurstadtfunktion ist dort am Südrand der Lichtentaler Vorstadt das 1868 erbaute Hotel Bellevue, das heute die Kurparkklinik und die Kurpark-Residenz Bellevue, ein Altenheim, beherbergt. An die einstige Funktion Baden-Badens als Luxus- und Spielbad von Weltgeltung, in dem im 19. Jh. der europäische Adel und reiche Bürgerschichten aus Wirtschaft, Hochfinanz und Politik regelmäßig verkehrten oder sich niedergelassen hatten, erinnert im SO an der Robert-Koch-Straße die *Russisch-Orthodoxe Kirche* mit ihrem goldenen Zwiebeldach. Gestiftet wurde das 1882 geweihte Gotteshaus von der seit der Jahrhundertmitte ständig gewachsenen russischen Kolonie.

Im SW der Lichtentaler Vorstadt bilden das Bertholdsbad und die südlich anschließende *Gönneranlage* zwischen der Ludwig-Wilhelm-Straße und der Oos als Erholungs- und Freizeiträume einen Übergang zu den Tennisplätzen an der Lichtentaler Allee. Die heutige, in ihrer Gesamtgestaltung von Max Laeuger entworfene und 1909 eingeweihte, licht- und luftdurchflutete Anlage, deren Vorgängerin zum 25jährigen Dienstjubiläum des Oberbürgermeisters Dr. Albert Gönner am Beginn des Jahrhunderts angelegt worden war, hat ein auf rechtwinkligem Grundriß streng geometrisch geplantes Netz von Spazierwegen, die von beschnittenen Hecken begleitet werden.

Gestalterischer Mittelpunkt ist der Josefinenbrunnen mit zwei rechteckigen Wasserbecken auf unterschiedlichem Niveau. Der Brunnenstock im Zentrum des oberen Beckens trägt typisches verschnörkeltes Jugendstildekor. Dem Jugendstil verpflichtet sind auch übergroße, seitlich am oberen Beckenrand angebrachte allegorische Steinskulpturen von Mann und Frau, die in ihrer Haltung die Heilkraft des Wassers ehren sollen, sowie eine wuchtige Amphore am Südrand der Anlage. Von der Lichtentaler Allee führt ein die Oos überspannender Brückenweg über die Josefinenbrücke durch ein ebenfalls in Jugendstilmanier mit Hirschskulpturen geschmücktes Tor zur Brunnenanlage.

Die am unteren Rettighang östlich der Lichtentaler Straße bis zur Stephanienstraße hinaufziehende Bebauung ist dicht und geht zum großen Teil auf ein altes Handwerkerquartier zurück. Wie an der Stephanienstraße herrscht ganz überwiegend eine Reihenhausbebauung vor. Zwei- und drei-, zuweilen auch viergeschossige Gebäude aus der Zeit vor dem 1. Weltkrieg überwiegen. An der Stephanienstraße ist dieses recht geschlossen wirkende Aufrißbild an einigen Stellen auch durch eine Nachkriegsbebauung überprägt. Weitgehend handelt es sich in diesem Bereich am unteren Rettighang um Wohnhäuser; nur selten finden sich Ladeneinbauten oder gewerbliche Betriebe. An der Abzweigung der Scheiben- von der Stephanienstraße fällt ein moderner größerer Gewerbebetrieb, eine Druckerei, auf. Bis dorthin zeigt die nördliche Stephanienstraße monumentale gründerzeitliche Hausfronten, wie sie für die benachbarte Altstadt bezeichnend sind. Herausragende Gebäudekomplexe sind an der Stephanienstraße die Realschule mit einem hohen und langgezogenen Klinkerbau unter einem flachen Giebeldach im Haupttrakt und mit einem Erweiterungsbau südlich der Rettigstraße. Zu ihm führt eine die Rettigstraße überspannende Verbindungsgalerie, ein durch die umgebende ältere Bebauung herausstechendes Architekturelement. Das Grundbuchamt nahe der Sophienstraße, das Finanzamt und das Hauptzollamt zwischen Scheiben- und Hardstraße verleihen der nördlichen Stephanienstraße noch innerstädtische behördliche Funktionen. Diese Dienststellen sind in neoklassizistischen Gebäuden untergebracht. Der zweigeschossige Hauptbau des Finanzamtes mit Walmdach wurde durch ein modernes dahinterstehendes Bürohaus in Flachdachbauweise erweitert.

Lichtental. – Der aus einer spätmittelalterlichen Klosteranlage hervorgegangene Stadtteil liegt rund 2,5 km südöstlich von Baden-Badens Altstadt im Tal der Oos an der Einmündung des Grobbachs. Sein dicht bebauter Siedlungskern liegt am Zusammenfluß der beiden Gewässer und unmittelbar unterhalb davon, wo das heute noch bestehende *Zisterzienserinnenkloster Lichtenthal* in einer Oosschlinge nicht nur den ältesten Siedlungsansatz, sondern auch einen weitgehend abgeschlossenen Siedlungsbereich bildet, der nur durch einen barocken Torbogen am nördlich vorgelagerten Klosterplatz betretbar ist. Bestimmt wird die Anlage durch ausgedehnte randliche, den Klosterbezirk durch ihre Außenmauern abschließende Wirtschaftsgebäude des 18. und 19. Jh., in deren Erdgeschossen an der Innenseite teilweise Läden eingerichtet wurden. Das um 1730 von dem Vorarlberger Barockbaumeister Peter Thumb umgestaltete Abteigebäude ist dreigeschossig und zeichnet sich durch höhere vortretende Eckrisalite aus. In gleicher Flucht ist an ihm die einschiffige, ebenfalls barock überformte Klosterkirche auf noch spätmittelalterlichem Grundriß angebaut. Hohe barocke Rundbogenfenster, ein steiles Satteldach, auf dem ein oktogonaler Dachreiter mit zwei übereinander angeordneten Zwiebeldächern aufsitzt, prägen diesen Kirchenbau seit der Mitte des 18. Jh. Die neben ihr stehende Fürstenkapelle, die als markgräfliche Grablege im späten 13. Jh. entstand, wurde bei Restaurierungsarbeiten im vorigen Jahrhundert

1. Siedlungsentwicklung und Siedlungsfunktionen

zum Teil neugotisch überprägt. Ein wesentliches barockes Schmuckelement der Gesamtanlage ist der von 1602 stammende Marienbrunnen in der Mitte des Klosterhofs. Sein polygonales Buntsandsteinbecken mit einem zentralen Brunnenstock wird von einer Marienstatue mit dem Jesuskind überhöht und geschmückt.

Im Bereich der innerörtlichen Hauptstraße zeigt der 1909 nach Baden-Baden eingemeindete *Stadtteil*, der im NO durch die Buntsandsteinkegel von Merkur und Kleinem Staufenberg sowie von dem durch Porphyrsteinbrüche angenagten Leisberg im SW eingerahmt wird, durchaus städtische Züge im Aufrißbild. Drei- und viergeschossige Wohn-Geschäftshäuser aus dem vorigen und frühen 20. Jh. sowie eingestreute Neubauten bestimmen die Mischbebauung aus den Zeiten vor und nach den beiden Weltkriegen. Auffallend ist ein hoher und großer zweigeschossiger Bau mit Rundbogenportal und oktogonalem Dachreiter, der über einer offenen Laterne ein Spitzhelmdach trägt. In diesem einstigen Rathaus ist heute die Polizeidienststelle untergebracht. Ortsbildprägend wirkt ferner an der Abzweigung der als B 500 (Schwarzwaldhochstraße) stark befahrenen Geroldsauer Straße ein neubarockes Wohn- und Geschäftshaus mit einem turmartigen, zwiebeldachbesetzten Eckerker. Sein Erdgeschoß wird heute durch ein italienisches Eiscafé genutzt.

Überragt wird Lichtentals Ortskern von der auf dem Bergsporn zwischen Oos- und Grobbachtal errichteten *St. Bonifatiuskirche*, der katholischen Pfarrkirche des weit ins Gebirge vorgeschobenen Stadtteils. Das wuchtige, in historisierenden Formen 1865 errichtete Gotteshaus zeigt Tür-, Fenstergewände und Lisenen aus Buntsandstein sowie Mauern aus Leisbergporphyr. Die dreischiffige Anlage mit hohem Mittelschiff und niedrigen Seitenschiffen hat einen dachreiterartig über dem Westbau aufragenden Glockenturm. Über seiner achteckigen Glockenstube mit hohen rundbogigen Schallfenstern sitzt ein Spitzhelmdach. Dem neuromanischen Formenschatz sind auch die Kirchenfenster, die Bogenfriese und die rundbogigen Zierelemente am hohen Ostchor zuzuordnen. Am Kirchweg oberhalb des durch Baumaterial, Größe und erhöhte Lage herausgehobenen Gotteshauses steht das zugehörige Pfarrhaus, ein zweigeschossiger Walmdachbau von 1915 mit Mansardeinbauten.

Das Aufrißbild des Ortskerns läßt im übrigen einen Übergang von der einst dörflichen zur städtischen Bebauung erkennen. Der dörfliche Charakter wird noch durch gewerbliche Betriebe in Handwerkerhäuschen repräsentiert. Städtisch wirkt die größere Wohnbebauung, die im Ortskern an die Altstadtbebauung der Gründer- und Vorkriegszeit anknüpft und in den Hanglagen mit modernen Wohnhäusern die vorherrschende Siedlungsfunktion des Stadtteils in der Gegenwart herausstreicht. Einen durchaus städtischen Eindruck erweckt auch die Beuerner Straße im Oostal unmittelbar oberhalb des Ortskerns von Lichtental. Ein siebengeschossiges Wohn-Geschäftshaus mit Penthausaufsatz und großem Elektrogeschäft im Erdgeschoß und die modernen Gebäude der städtischen Verkehrsbetriebe weiter oberhalb und östlich verleihen diesem Bereich sogar zentrale Funktionen für die gesamte Stadt.

Lokalere Züge trägt dagegen die stark vom Durchgangsverkehr belastete Geroldsauer Straße im unteren Grobbachtal. Eine funktional und zeitlich gemischte Bebauung mit Wohnhäusern, Gaststätten und bescheideneren Hotels prägt ihr Straßenbild, das von einer großen, schloßartigen Villa am vorderen Leisberghang beherrscht wird (s. o.). Wie die auf der gegenüberliegenden Talseite aufragende katholische Pfarrkirche ist sie aus farbkräftigem Leisbergporphyr errichtet, hat hochrechteckige Fenster, einen Eckturm auf quadratischem Grundriß mit einem spitzen Zeltdach und einen weiteren runden Turm mit einem Spitzkegeldach, so daß insgesamt ein fast burgartiger Eindruck entsteht.

Das 19. und 20. Jh. der Vor- und Zwischenkriegszeit brachte dann auch eine geschlossene Bebauung zwischen dem Lichtentaler Ortskern und der Lichtentaler Vorstadt. Der Straßenzug von südöstlicher Lichtentaler Straße und nordwestlicher Hauptstraße sowie die Maximiliansstraße sind östlich der Oos die beiden Hauptsiedlungsachsen dieses an der Maximilianstraße ebenfalls stark vom Durchgangsverkehr belasteten Wohngebietes. Am nordwestlichen Anfang beider etwa parallel verlaufenden Straßenzüge quillt er aus dem den Friesenberg unterfahrenden Michaelstunnel hervor. In Lichtental selbst erfüllt die Maximilianstraße die Funktion einer östlichen Ortskernumfahrung, die nur schlecht zu ihrem Charakter als Wohnstraße paßt. Neben einer noch individuellen Wohnhausbebauung aus der Vorkriegszeit finden sich dort auch recht schematisch gestaltete, dreigeschossige Mehrfamilienhäuser mit Giebeldächern in Traufseitenstellung. Das herausragende Bauwerk ist die große Hauptschule Lichtentals, ein dreigeschossiger Bau mit arkadenartigen Lauben im Erdgeschoß, die sich zum Schulhof hin öffnen, und einem ausgebauten Dachgeschoß. Der oosnah verlaufende Straßenzug von Haupt- und Lichtentaler Straße ist ganz unterschiedlich mit dicht aneinandergereihten, mehrgeschossigen städtischen Wohnhäusern der Vor-, Zwischen- und Nachkriegszeit besetzt. Im südlichen Bereich gegen Lichtental ist er entscheidend durch das Alleehotel Bären geprägt, dessen Gartenanlage zur Oos und Lichtentaler Allee hin gewandt ist. An der Oosseite läßt er teilweise noch eine vornehme alte Villenbebauung in Gärten erkennen. Herausstechende Baulichkeiten sind die zweitürmige evangelische *Lutherkirche* nahe dem Lichtentaler Ortsmittelpunkt und die moderne katholische *Kirche St. Josef* an der nördlichen Zusammenführung beider Straßenzüge. Letztere ist ein Zentralbau als Betonrippen- und Glaskonstruktion mit schräg geneigtem Dach und einem freistehenden Glockenturm. An der der Oos zugewandten Westseite läßt sich an der Sakristei und am Hauptbau auch Backsteinmauerwerk erkennen.

Im Stadtbezirk *Geroldsau* setzt sich die geschlossene Bebauung straßendorfartig im Grobbachtal in südlicher Richtung fort. In den Anfängen ein bereits hochmittelalterliches Rodungsdorf, erfüllt die Siedlung entlang der südlich der Bebauung steil ansteigenden Schwarzwaldhochstraße heute ganz überwiegend Wohnort- und Fremdenverkehrsfunktionen mit einer recht unterschiedlichen Bebauung. Reine Neubauten stehen an den Seitenstraßen der B 500, die innerhalb des Siedlungsbereiches Geroldsauer Straße heißt, und an den die unteren Talhänge erschließenden Neben- und Querstraßen. Zwischen der katholischen Heilig-Geist-Kirche und der Grobbachhalle hat sich entlang der B 500 östlich des Laisenbergs ein funktionales Ortszentrum entwickelt. An seinem Westrand liegen dort auch der Festplatz sowie Sport- und Tennisplätze.

Der im Oostal oberhalb von Lichtental liegende Stadtbezirk *Oberbeuern* ist der östlichste geschlossene Siedlungsteil der Stadt Baden-Baden. Mit seinem alten Baubestand ebenfalls eine langgestreckte Straßendorfanlage entlang der Oos bildend, geht er auf eine hochmittelalterliche Rodungssiedlung zurück, deren Hauptsiedlungsachse die heutige Beuerner Straße (L 79) ist. Trotz der heute stark vorherrschenden Wohnortfunktion lassen sich unter der älteren Bebauung noch Eindachhöfe erkennen, wie an der Beuerner Straße 70, die zum Teil giebelseitig zur Oos und Beuerner Straße blicken. Aus traufständigen Streckgehöften hervorgegangene Wohnhäuser lassen sich ebenfalls ausmachen. Die ganz überwiegende Zahl auch der alten Gebäude dient heute reinen Wohnzwecken. Auffallend ist an ihnen die häufige Verwendung von Holz, so an den Wänden der Obergeschosse. Teilweise fallen auch Fachwerkkonstruktionen auf. Abseits der Beuerner Straße stehen an parallel oder rechtwinklig zu ihr verlaufenden Neubaustraßen moderne Wohnhäuser, die überwiegend als Einfamilienhäuser erbaut wurden. Die gewerblichen Betriebe sind vorherrschend holzverarbeitende Unternehmen, die der Beuerner Straße eine Mischfunktion verleihen. In der Ortsmitte prägen auch Gasthäuser oder Hotels mit Restaurants das Straßenbild, die – ganz deutlich erkennbar – aus bäuerlichen Anwesen hervorgegangen sind, wie das Gasthaus zum Waldhorn, ein zweigeschossiger und langgestreckter Bau, oder auch das Gasthaus zum kühlen Krug an der innerörtlichen Beuerner Straße.

Südöstlich des Ortskerns von Lichtental liegt an einer terrassenartigen Hangverflachung in 250 bis 280 m ü.d.M. der Wohnplatz *Seelach*. Ursprünglich ein Weiler in nordöstlicher Hangexposition oberhalb von Oberbeuern mit einigen bäuerlichen Anwesen, deren Hauptgebäude trauf- und giebelständig zur Seelachstraße gerichtet sind, entwickelte sich westlich des landwirtschaftlichen Siedlungsteils oberhalb von Lichtental ein reines Wohngebiet mit villenhaften und bungalowartigen Einfamilienhäusern in Gärten, das heute an der westlichen unteren Seelachstraße mit dem Lichtentaler Ortskern verwachsen ist.

Weitere eigenständige Wohnplätze liegen über die Gkg Lichtental weit verstreut. Es handelt sich dabei um Siedlungsansätze in Tal-, Hang- und Höhenlagen, um einzelne Gebäude wie das Gasthaus *Bütthof* im Grobbachtal oberhalb der Geroldsauer Wasserfälle oder den *Grobbachhof* im oberen Grobbachtal in einer Höhenlage von rund 500 m, um Hof- und Hausgruppen wie die *Eckhöfe*, das Hofgut *Schafberg* oder die *Winterhalde* an den Hängen nördlich des Oostals, den *Oberen* und *Unteren Plättig* an der Schwarzwaldhochstraße in über 750 m ü.d.M., *Gaisbach* im unteren Rubachtal oder den *Scherrhof* auf einem Bergsattel der Buntsandsteinstufe im Quellgebiet der Oos (676 m NN). Bäuerliche Weiler oder ehemalige bäuerliche Weiler sind *Malschbach* im Tal des Malschbächels, einem flachen Nebental des Grobbachs, südwestlich oberhalb Geroldsau, *Müllenbach* in einem nördlichen Seitental der Oos und *Schmalbach* im tief eingeschnittenen Tal des Rubachs.

Weststadt. – Zwischen der Altstadt und Oos, das mit seiner Gemarkung 1928 nach Baden-Baden eingemeindet wurde, dehnt sich heute die langgestreckte Weststadt über den Talboden und an den Hängen des unteren Oostals aus. Dieser nicht genau abgegrenzte Stadtbezirk, in dem das einstige Dorf *Badenscheuern* aufging, umschließt heute das ehemalige *Bahnhofsviertel* und reicht im NW bis zum Schweigrother Platz und dem neuen Schulzentrum. Seine Hauptachse ist die zum Teil mit dem Verlauf eines römerzeitlichen Straßenzugs zusammenfallende Rheinstraße, die den innerstädtischen Straßenzug der Langen Straße im Bahnhofsviertel fortsetzt und im Stadtteil Oos in die mit dem Durchgangsverkehr der Bundesstraße 3 belegte Ooser Hauptstraße einmündet. Baulich verwachsen ist mit dem Bahnhofsviertel das links der Oos liegende *Oosscheuern*, das zwischen den Stadtwerken an der Waldseestraße und den Sportanlagen In der Aumatt überwiegend als reines Wohngebiet genutzt wird. Lediglich an der flußnahen Aumatt- und Eisenbahnstraße findet sich eine Mischbebauung mit Geschäften und gewerblichen Betrieben. Ende der 1950er Jahre erhielt dieses Wohngebiet links der Oos mit der evangelischen Pauluskirche einen architektonischen Mittelpunkt in zentraler Lage.

Kein anderes Stadtviertel hat seit dem vorigen Jahrhundert einen so häufigen Wandel durchlebt wie diese Weststadt. Beim Bau des ersten und zweiten Stadtbahnhofs wurde der Lauf der Oos verlegt. Durch die Mischfunktionen der Langen Straße und Rheinstraße, an denen Wohn-, Geschäfts- und Gewerbefunktionen zusammenfallen, hat sich bis in die Gegenwart das Aufrißbild oft gewandelt, und von dem schon im Hochmittelalter urkundlich als »Schure« überlieferten alten Badenscheuern ist außer einigen

Fachwerkhäusern des 18. und 19. Jh. und der neugotischen *Dreieichenkapelle* nichts übriggeblieben. Dieser Buntsandsteinbau mit einem Spitzhelmdach über der Glockenstube hebt sich deutlich aus der umgebenden Wohn-Geschäftshausbebauung an der Rheinstraße sowie der industriell-gewerblichen Bebauung an der auf die kleine Kirche zuführenden Gutenbergstraße und dem neuen Behördenkomplex mit Gerichten, der Polizeidirektion und dem Amt für öffentliche Ordnung ab. Jüngere und sehr einschneidende Veränderungen im Grund- und Aufrißbild brachten der Bau des Autobahnzubringers im Zuge der Bundesstraße 500, der 1958 als vierspurige Schnellstraße entlang der Oos und einstigen Stichbahn von Oos zum Stadtbahnhof eröffnet wurde und der im Bahnhofsviertel in die Lange Straße und den Michaelstunnel einmündet. Dieser den Friesenberg durchstoßende Straßentunnel hält heute wenigstens die Innenstadt und Lichtentaler Vorstadt vom Durchgangsverkehr frei. Für die Anwohner in der Weststadt brachte der streckenweise auf Stelzen geführte Autobahnzubringer aber eine erhebliche Lärmbelastung. Für die heute weitgehend dem innerstädtischen Verkehr vorbehaltene Rheinstraße brachte er allerdings auch eine spürbare Entlastung. Weitere Veränderungen bewirkten die 1978 erfolgte Stillegung und der nachfolgende Abbau der Stichbahnstrecke zum Stadtbahnhof sowie die Umnutzung des Stadtbahnhofs für geschäftliche und kommunale Zwecke am Beginn der 1980er Jahre. Neue und erhebliche Veränderungen werden im Bahnhofsviertel durch den Bau des neuen Festspielhauses mit neuen architektonischen Akzenten und neuen Funktionen, die damit in dieses Viertel hineingetragen werden, entstehen. Weitere Veränderungen wird die Weststadt dann auch durch den geplanten Anschluß der Baden-Badener Innenstadt an das regionale Schienenverkehrsnetz der Karlsruher Stadtbahn im Zuge der Ausweitung des Karlsruher Verkehrsverbundes erfahren.

Das *Bahnhofsviertel* wird trotz einschneidender Eingriffe im Zuge einer modernen Verkehrsplanung auch heute durch das Flair des einstigen Entrées in die Kurstadt geprägt. So läßt vor allem die Lange Straße mit ihren Wohnhäusern und Villen, Geschäftshäusern und Hotels einen biedermeierlichen und gründerzeitlichen Aufriß erkennen, der diese Geschäftsstraße auch in der Altstadt prägt. Seiner eigentlichen Funktion verlustig gegangen, bildet der Stadtbahnhof, der nach dem 1895 erfolgten Abbruch des ersten Fachwerk-Empfangsgebäudes im Stil einer monumentalen Neorenaissance errichtet wurde, auch heute noch einen architektonischen Blickfang und den Mittelpunkt des Viertels, der entscheidend von seinem mittelrisalitartigen Kuppelbau geprägt wird. Dazu passend wirken auch die nach 1890 erbauten Wohnhäuser an der am rechten Talhang parallel zur Langen Straße verlaufenden Balzenbergstraße. Mit ihren Porphyrsockeln, verputzten oder aus Backsteinen gemauerten Hausfronten mit Jugendstildekor und Mansarddächern machen diese drei- und viergeschossigen Wohnhäuser noch heute einen repräsentativen Eindruck, auch wenn das Straßenbild durch Bauten der Zwischen- und Nachkriegszeit starken Veränderungen unterlag. Wie in der Gegenwart erfüllte diese am Talhang entlangziehende Straße auch vor dem 1. Weltkrieg unterschiedliche Funktionen. Davon zeugen die hohen und wuchtigen Industriebauten der einstigen Zigarettenfabrik Batschari. Modernere gewerbliche Bauten dienen mit einer großen Werkshalle mit flachem Giebeldach dem Metallbau. Verbunden damit sind auch Handelsfunktionen durch ein Geschäft für Eisenhandel und Freizeitmöbel.

Im Flächennutzungsplan von 1988 ist die *Weststadt* zwischen Bernhardusplatz und Schweigrother Platz weitgehend als Wohngebiet ausgewiesen. Eine Ausnahme mit einer flächenhaften Mischnutzung, darunter gewerblich-industriellen Funktionen, bildet das von Gutenberg- und Murgstraße, Rheinstraße und Autobahnzubringer eingegrenzte Geviert, in dem vor allem die Gebäude der Schreibgerätefabrik Parker bestim-

1. Siedlungsentwicklung und Siedlungsfunktionen

mend hervortreten. Die sehr stark mit innerstädtischem Verkehr nach Oos und in die Stadtteile im Vorbergland sowie mit Durchgangsverkehr zur Bundesstraße 3 belastete Rheinstraße ist eine Wohn-Geschäftsstraße, die in den Erdgeschossen vieler Wohnhäuser Kaufläden des täglichen und höheren Bedarfs aufweist. Auch Büro- und Praxisräume sind vorhanden. Die heutige Bebauung ist recht uneinheitlich und läßt Wohnhäuser und Wohn-Geschäftshäuser noch aus dem vorigen Jahrhundert bis in die Nachkriegszeit erkennen. Bis zur Abzweigung der Uhlandstraße sind Kaufstätten unterschiedlichster Art recht zahlreich vertreten. Weiter westlich tritt die Wohnfunktion dann in den Vordergrund; Kaufläden finden sich aber immer noch, ebenso Gaststätten. Die Bebauung mit meist drei Wohnstockwerken über den Geschäften und Büros in den Erdgeschossen ist vom Alter her recht unterschiedlich. Durchweg größere wohnblockartige Gebäude, die traufständig angeordnet sind, verleihen der Rheinstraße ihr vorherrschendes Aufrißbild. Die den südlichen Hardberghang erschließenden Wohnstraßen lassen dann eine individuellere Bebauung mit Ein-, Zwei- und kleineren Mehrfamilienhäusern in anspruchsvoller Hanglage hervortreten. Am Hardberghang oberhalb der Weststadt wurde mit dem Hardbergbad ein Sport- und Freizeitgelände erschlossen, in dessen unmittelbarer Nachbarschaft die Jugendherberge steht.

Westlich der Dreieichenkapelle wird der Baubestand an der Rheinstraße jünger und entstammt weitgehend der Nachkriegszeit. Seine Funktionen sind auch hier gemischt, und in der Nachbarschaft von Wohnhäusern finden sich Handels- und Gewerbeunternehmen wie Autohäuser mit Reparaturwerkstätten und Tankstellen. Westlich der Murgstraße, wo sich südlich des Autobahnzubringers die Feuerwache in zentraler Lage zur Gesamtstadt befindet, setzt mit monton wirkenden viergeschossigen Wohnblöcken unter flacheren Giebeldächern eine für französische Militärangehörige und ihre Familien in der frühen Nachkriegszeit gebaute Wohnsiedlung ein. Aufgeschlossen wird sie von der Briegelackerstraße, die parallel zur Rheinstraße und zum Autobahnzubringer zieht. Die durch ihre Gleichartigkeit uniform wirkenden Geschoßhäuser stehen beiderseits giebelseitig an ihr. Südlich der Bundesstraße 500 (Autobahnzubringer) liegt zwischen dem Aumattstadion und der Feuerwache in einer nach S ausgreifenden Oosschlinge das reine Wohngebiet der *Ooswinkel-Siedlung*.

Im Grenzbereich zwischen der Weststadt und dem Stadtteil Oos bildet sich in den letzten Jahren am Schweigrother Platz ein neues Geschäftsviertel mit Banken heraus. Das hohe und neue Gebäude der Volksbank, weitere Geschäftsbauten und die ebenfalls ganz moderne Zweigstelle der Landeszentralbank an der schon am Hang oberhalb der Rheinstraße gelegenen Alemannenstraße, an der sonst kleinere zweigeschossige Doppelhäuser stehen, sind die Anfänge dieses noch jungen und sich erst voll herausbildenden Geschäftsbereiches. Die untere, am Schweigrother Platz nordwärts abzweigende Balger Straße ist noch diesem weststädtischen Geschäftsviertel zuzurechnen. Oberhalb der Volksbank liegt dort noch ein altes, früher wohl zur Ziegel- und Backsteinherstellung dienendes Fabrikgelände mit einer breiten Backsteinhalle mit Giebeldach und einem Fabrikschlot. Dem Geschäftsbereich am Schweigrother Platz ist dann ferner das benachbarte Haus des Handwerks, eine Zweigstelle der Karlsruher Handwerkskammer, zuzurechnen. Oberhalb der Rhein- und westlich der Balger Straße entstand dann am sanften Vorhügelhang das neue *Schulzentrum* mit langgestreckten Flachdachbauten, die sich durch großflächige Fensterfronten auszeichnen. Das Richard-Wagner-Gymnasium, am höheren Hang die Robert-Schuman-Schule und die Gewerbeschule sind hier mit einer Sporthalle und einem Sportplatz vereint und formen in ihrer Gesamtheit eine geschlossene und ansprechende, von Sachzwängen geprägte moderne Architektur.

Das die Weststadt beherrschende Gotteshaus am nordöstlichen oberen Bernhardusplatz ist die 1911/14 errichtete katholische *Bernhardeskirche*, ein Bau des Jugendstils mit neuromanischen Stilelementen, der durch seinen hohen Zentralbau mit einer Kupferdachkuppel, einem Eingangstrakt auf rechteckigem Grundriß am Bernhardusplatz und einem hochaufragenden Glockenturm auf quadratischem Grundriß auffällt, der an der Nordseite über einen Verbindungs- an den Zentralbau angehängt ist.

Oos. – Die günstige Verkehrslage des Dorfes am Westrand der Schwarzwaldvorberge an der alten Bergstraße und an der badischen Hauptbahnlinie von Karlsruhe nach Offenburg verursachte bereits vor dem 1. Weltkrieg einen Funktionswandel der Siedlung vom Bauerndorf zum Gewerbe- und Industriestandort. Die für Baden-Baden herausragende Verkehrsfunktion dieses westlichsten Stadtteils der Kernstadt zeigt sich heute nicht zuletzt daran, daß sein Bahnhof – seit der Stillegung der Stichbahn zum Stadtbahnhof in »Baden-Baden« umbenannt – ICE/IC/EC-Haltestation ist. Die vorteilhafte Lage im modernen Verkehrsnetz hat sich seit den endenden 1950er Jahren nach der Weiterführung der Autobahn A 5 an den südlichen Oberrhein und mit dem Bau ihres Zubringers, der am Südrand des Ortes über ein Kleeblatt mit der Bundesstraße 3 verknüpft ist, noch wesentlich verbessert. In jüngster Zeit erfuhr der Stadtteil Oos auch im Regionalverkehr durch die Ausweitung des Karlsruher Stadtbahnnetzes, das vorläufig noch auf den Gleisen der Deutschen Bahn AG betrieben wird, Verbesserungen. Schon vor dem 1. Weltkrieg fand die Kurstadt ferner Anschluß an den Luftverkehr. Bereits 1905 wurde auf dem Gelände westlich des Bahnhofs im Bereich des heutigen Flughafens Baden-Baden ein Landeplatz für Luftschiffe mit einer Luftschiffhalle eingeweiht.

Diese ausgezeichnete Verkehrslage am Rand der Rheinebene war mitentscheidend für die frühe Eingemeindung von Oos in die Stadt Baden-Baden im Jahr 1928. Damit wurde die schon im 19. Jh. einsetzende Verstädterung verstärkt, und heute ist außer einem recht unregelmäßigen Straßennetz und einer teils verschachtelten Bebauung im alten Oos vom einstigen Haufendorf landwirtschaftlicher Prägung kaum noch etwas zu finden. Vom dörflichen Siedlungskern und dem Bahnhof ausgehend, wuchs die Siedlung entlang der Ooser Hauptstraße und Sinzheimer Straße südwärts. Frühe Erweiterungen setzten ferner zwischen den Bahnanlagen und den genannten Straßen, der Nordsüdachse im Zuge der heutigen Bundesstraße 3, an der Ooser Bahnhofstraße ein. Erste gewerbliche Ansätze in der Nähe des Güterbahnhofs ließen dann auch bereits vor dem 1. Weltkrieg die Anfänge des großen Gewerbe- und Industriegebietes entstehen, das sich heute zwischen Bahnlinie und Sinzheimer Straße bis zum Autobahnzubringer ausdehnt.

Der *Siedlungskern von Oos* liegt im N des Stadtteils und umfaßt zum einen das einstige Dorf um die Ooser Hauptstraße von der Kuppenheimer Straße bis zur katholischen Pfarrkirche und vom Oosbach bis zur östlichen Burgstraße und zum Friedhof am sanften Anstieg der Vorhügel. Zum anderen gehört seit dem vorigen Jahrhundert das Bahnhofsviertel mit seiner städtischen Bebauung dazu, das im S mit den Anlagen der Post an das Industriegelände beim Güterbahnhof angrenzt. Funktional ist dieses Kerngebiet heute ein gemischter Wohn-Geschäftsbereich städtischer Prägung, in dem die ursprünglichen Aufgaben des Bauerndorfes verschwunden und im Aufrißbild fast ganz ausgelöscht sind.

Zwischen einer älteren Bebauung, die noch auf die einstige bäuerliche Bevölkerung oder auf dörfliche Handwerke (Seilerstraße) hinweist, stehen oft unvermittelt moderne mehrgeschossige Wohnhäuser mit Flachdächern wie an der Bachstraße am Südwestrand des alten Dorfes oder an der Ooser Luisenstraße, wo das Anwesen Nr. 5 noch heute ein

1. Siedlungsentwicklung und Siedlungsfunktionen

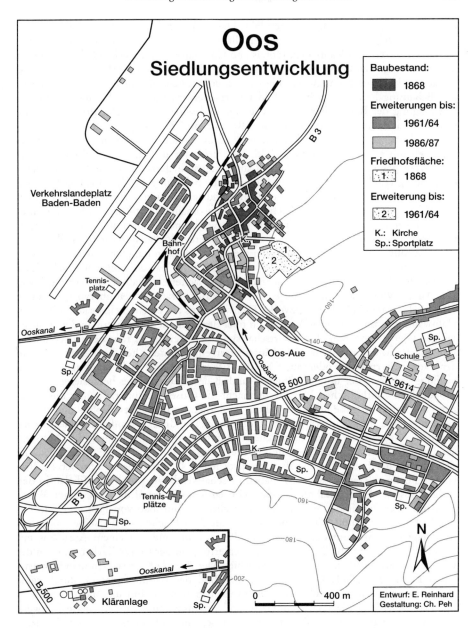

traufständiges Streckgehöft erkennen läßt. Die stark vom Durchgangsverkehr der B 3 belastete, kurvige Ooser Hauptstraße erfüllt unterschiedliche Funktionen mit Wohnhäusern, Häusern mit Kaufläden, Hotels und Gaststätten. Entsprechend vielgestaltig ist ihre Bebauung. Beim Anwesen Nr. 51 sticht ein kleines, einst bäuerliches Eindachhaus in Fachwerkbauweise, das giebelseitig zur Ooser Hauptstraße blickt, aus der umgebenden Bebauung heraus. Ihr Straßenbild beherrschend wirken aber bei der nördlichen Abzweigung der Bahnhofstraße die wuchtige und winklig angelegte, 1914–20 erbaute Grund- und Hauptschule, die Hotels und Restaurants »Zum Engel« in der Gestalt eines zweigeschossigen Walmdachgebäudes, und »Zum Goldenen Sternen«, ein gepflegtes Anwesen mit schönem Wirtshausschild. Die nicht nur die Hauptstraße, sondern das alte Oos insgesamt prägende *Kirche St. Dionys* ragt südlich davon durch ihren Glockenturm mit Spitzhelmdach weit über die umgebende Bebauung auf. Der 1864 nach Plänen von Heinrich Hübsch vollendete, hohe Buntsandsteinbau mit verhältnismäßig flachem Giebeldach und mehrseitigem Ostchor zeigt neuromanische Stilformen. Sein im unteren Teil breiter, aus der Westfassade herauswachsender Turm mit einem doppelt gekuppelten Rundbogenfenster trägt die schlankere Glockenstube mit Schallfenstern und Turmuhr. Einen Stilbruch bedeuten die modernen Windfangtüren am Haupt- und an den Seiteneingängen, die nicht zum Bau des 19. Jh. passen wollen. Östlich dieser Pfarrkirche dehnt sich der großflächige, 1956 erweiterte Friedhof am Vorhügelhang aus. An der von N auf ihn zuführenden Ooser Burgstraße stehen überwiegend ältere Häuser, darunter ein kleines, reizvolles Fachwerkhaus auf einem Steinsockel, mit einem Halbwalmdach und schrägen Wetterdach über den Erdgeschoßfenstern an der straßenseitigen Giebelfront. Bäuerliche Wirtschaftsteile bei oder hinter renovierten Wohnhäusern fallen auf, und moderne Wohnhäuser ersetzen auch den alten Baubestand. Wie an der Ooser Sternstraße oder auch an der Querstraße läßt sich in diesem ältesten Siedlungsteil noch der unregelmäßige Grundriß des Haufendorfes herauslesen.

Südlich der katholischen Pfarrkirche macht die Ooser Hauptstraße über die Kreuzung der Bahnhofstraße hinaus mit ihren modernen und größeren Wohn- und Wohngeschäfts- und Bürohäusern einen städtischeren Eindruck. Kaufläden wie Textil-, Elektro-, Fotogeschäfte, eine chemische Reinigung und – bedingt durch den Autoverkehr an der Durchgangsstraße – eine Tankstelle verleihen ihr vielfältige Funktionen, die sich auch an der Bahnhofstraße als ausgesprochenem Geschäftsbereich fortsetzen. Ihre viergeschossigen Traufseitenhäuser haben Geschäftseinbauten und Bankfilialen in den Erdgeschossen. An der Bahnhofstraße steht dann am Südrand des parkartigen Bahnhofsvorplatzes der moderne und hohe, dreischossige Bürobau von Post und Telekom mit Technikaufsatz und Richtfunkantennen auf dem Flachdach. An seiner südlichen Rückseite schließt dann der ausgedehnte Posthof an, und mit einem Autohaus mit Reparaturwerkstätten für italienische Marken erfolgt an der Ooser Karlstraße dann der Übergang zum Industrie- und Gewerbegebiet. Der *Bahnhof* mit seinem neoklassizistischen Empfangsgebäude bestimmt zwar das Bild des Bahnhofsplatzes, durch seine gestreckte und verhältnismäßig flache Bauweise beherrscht er ihn aber nicht übermächtig. Das äußerlich stilgerecht renovierte und im Innenraum modernisierte Bauwerk zeigt viele Attribute der frühen badischen Eisenbahnarchitektur, die von Friedrich Eisenlohr gestaltet wurde. Auf den höheren Mittelbau mit der Ein- und Ausgangshalle folgen beidseits zwei eingeschossige niedrigere Trakte in Traufseitenstellung, an die zwei wiederum höhere, zweigeschossige Endrisalite mit flachen Walmdächern anschließen.

Das *Industrie- und Gewerbegebiet* zwischen den Bahnanlagen und der Sinzheimer Straße, das im modernen Teil seit 1957 bis zu seiner heutigen Fläche erschlossen wurde, zeichnet sich durch einen regelhaften rechtwinkligen Straßengrundriß von der Güterbahnhof- bis zur Ruhr- und südlichen Bahnackerstraße aus. Nur die Industriestraße, die dem Ooskanal folgt, schneidet dieses Grundrißnetz spitzwinklig und führt in das Bruchgelände südwestlich des Flughafens, wo eine Kläranlage betrieben wird. Ältere Backstein- und Holzbauten im nördlichen Bereich des Güterbahnhofs werden schon an der Industriestraße durch moderne Verwaltungs- und Fabrikationsgebäude abgelöst, wo die zur Kosmetikbranche zählende Firma Juvena den Aufriß mit kubischen Baukörpern mit und ohne Fensterfronten bestimmt. Zu den höheren und dadurch den Aufriß des Industriegebiets über ihre unmittelbare Umgebung hinaus prägenden Gebäude gehören – weiter südlich – die schon älteren Gebäude der ehemaligen Büromöbelfabrik Stolzenberg und die modernen der Arzneimittelwerke Heel, darunter ein kubischer Bau mit sieben Stockwerken. Ein weiterer Industriebetrieb mit größeren modernen, höheren und flachen Bauten ist im südlichen Industriegebiet der Kosmetikhersteller Sanssouci. Mit Ausnahme einer älteren Fabrikhalle mit Giebeldach und zugehörigem Fabrikschlot an der Oliverstraße, die zu einem heute stillgelegten Betrieb gehören, gestalten moderne Gewerbe- und Industriebauten in flacher Giebeldach- oder Flachdachbauweise den Aufriß. Zwischen der Sinzheimer Straße und Oliverstraße fallen die Anlagen einer Baumschule mit ausgedehnten Gartenanlagen und Gewächshäusern auf. Sie heben sich deutlich von benachbarten modernen Druckereien und anderen Gewerbebetrieben ab. Insgesamt sind hier umweltverträgliche Produktionszweige versammelt, die den Kurstadtbetrieb im Oostal nicht störend beeinflussen.

Die Sinzheimer Straße zeigt als südliche Fortsetzung der Ooser Hauptstraße ein recht unterschiedliches Bild. Bis zur Einmündung der Güterbahnhofstraße und Schwarzwaldstraße ist sie noch ganz dem innerörtlichen Geschäftsgebiet zuzurechnen. Wohn- und Wohn-Geschäftshäuser noch aus der Zeit vor dem 1. Weltkrieg gestalten zusammen mit jüngeren und modernen Bauten den Aufriß. Herausragend nach Größe und Gestaltung ist ein hochhausartiges Bürogebäude, das teilweise auf Stelzen steht. Südlich der Industriestraße ist die Westseite der Sinzheimer Straße ein Mischgebiet, in dem Wohn- und Geschäftsfunktionen wahrgenommen werden. Kaufstätten wie ein Schuh- und Modemarkt sind dort zu finden und an der Einmündung der Ruhrstraße, ganz am Südrand der Bebauung, steht eine große Tankstelle. Der Handels- und Gewerbebereich erstreckt sich hier am südlichen Stadtrand mit Autohäusern und Autoreparaturwerkstätten auch auf die Ostseite der Sinzheimer Straße, an die dann ortseinwärts geschlossene Wohnflächen angrenzen. Einheitlich wirkende drei- und viergeschossige Wohnblöcke mit Giebeldächern aus der frühen Nachkriegszeit bestimmen das Wohnviertel zwischen Sinzheimer Straße und Autobahnzubringer. Die Danziger- und Königsberger Straße, die parallel zur Sinzheimer Straße verlaufen, erschließen dieses gleichförmig bebaute Wohngebiet mit den stets giebelseitig zu ihnen gerichteten Wohnhäusern. Lediglich die Grundschule Obere Breite am Südrand dieses für Flüchtlinge und Heimatvertriebene erbauten Wohnviertels bringt etwas Abwechslung in das Grund- und Aufrißbild.

Nach dem 2. Weltkrieg haben die Franzosen, die in Baden-Baden das Hauptquartier ihrer in Deutschland stationierten Truppen einrichteten, seit der Mitte des Jahrhunderts weite Flächen der Ooser Gemarkung für ihre Zwecke genutzt. Östlich der Wohnbebauung an der Sinzheimer Straße entstand zwischen Schwarzwaldstraße und Autobahnzubringer ein großes französisches *Kasernengelände*. Südlich des Autobahnzubringers wurde bis an den unteren Nordhang des Kälbelskopfes eine französische Wohnanlage, die *Cité Française*, gebaut. Durch Grünflächen und Kinderspielplätze getrennte, ganz überwiegend vierstöckige, wohnblockartige Geschoßhäuser in gleichmäßiger Ausrichtung prägen dieses Wohnviertel. Die ältesten dreigeschossigen Wohneinheiten sind kleiner und stehen nahe am Autobahnzubringer. Der einheitlich gelbliche Verputz der Wohnblöcke bewirkt eine gewisse Monotonie im Aufrißbild, die nur durch die *französische Kirche*, ein allen Bekenntnissen dienendes Gotteshaus, unterbrochen wird. Ihr hallenartiger kubischer Bau hat hohe und schmale Fenster. Neben ihm ragt dann ein freistehender Betonrippenturm mit einem Wendeltreppenaufgang auf. Inmitten dieser recht locker bebauten und gepflegt wirkenden französischen Wohnstadt, die durch etwa hangparallel verlaufende Straßen (Ortenau-, Ufgau- und Breisgaustraße) und einige Querstraßen erschlossen wird, wirkt eine Freiluft-Umspannanlage an der Bauernfeldstraße störend. Oberhalb der Breisgaustraße bringt das *Lycée Charles de Gaulle* mit seinem langgestreckten und hohen Bau sowie den benachbarten Sportanlagen etwas Abwechslung in die einheitliche Wohnanlage. Am Hang darüber befindet sich in einem weiteren größeren Gebäudekomplex der Dienstsitz des kommandierenden Generals.

Militärische Dienststellen, Kasernenanlagen, Verwaltungsbauten, Hotels für Offiziere und Unteroffiziere und vor allem das großflächige Wohngebiet französischer Soldaten und ihrer Familien schufen im sich zur Rheinebene öffnenden westlichen Abschnitt des Oostals und an seinem linken Hang ein ganz eigenständiges Viertel, eine »französische Stadt in der Stadt«, die in den letzten Jahrzehnten viel zum besonderen Charakter Baden-Badens beigetragen hat.

Östlich der Hubertusstraße, an deren oberem Ende die Markgräfin Sibylla Augusta im frühen 18. Jh. von dem Barockbaumeister Michael Ludwig Rohrer das auf kreuzförmigem Grundriß stehende *Jagdhaus* – weit außerhalb der heutigen Bebauung – errichten ließ, setzt wieder eine individuelle Wohnbebauung ein. Unterschiedlich alte Ein- und Zweifamilienhäuser sowie größere Mehrfamilienhäuser stehen dort am sanften Hang oberhalb der Schwarzwaldstraße und der Oos. Zwischen der Oos und dem Autobahnzubringer dehnt sich vom Städtischen Bauhof im O bis zur Wörthstraße im W ein gewerbliches Mischgebiet aus, darin eine große Kraftfahrzeughandlung und -reparaturwerkstatt und ein Lebensmittelmarkt sowie Wohnbauten.

Nördlich der Oos liegt dann bis zur Rhein- und der östlichen Ooser Bahnhofstraße, die in der zweiten Hälfte der 1950er Jahre bebaut wurde, das von Spazierwegen durchzogene Wiesengelände der *Oos-Aue*. Nördlich des großen Schulzentrums (s. o. Weststadt) zieht dann noch im O der einstigen Gkg Oos eine junge und individuelle, ab 1956 erschlossene Wohnbebauung an der Schußbachstraße zeilenartig am Hang bis zur Balger Straße hinauf. An der westlichen Rheinstraße bis zu ihrer Einmündung in die Ooser Hauptstraße findet sich eine dem Ortsinneren von Oos entsprechende unterschiedliche Bebauung von älteren Villen in Gärten am Hang bis zu einer dichten Bebauung mit Wohn- und Gewerbenutzung.

Der Nordrand des Stadtteils, der an der Kuppenheimer Straße (B 3) eine dichte Vorkriegsbebauung mit individuell gestalteten, giebel- und traufständigen Häusern mit unterschiedlichen Funktionen aufweist, ist durch das *Gewerbegebiet Oos-Nord* zwischen B 3 und Bahnlinie bis zur Abzweigung der nach Haueneberstein führenden L 67 vorgeschoben worden. Der noch im Ausbau begriffene Gewerbebereich wird durch Autohandlungen und -werkstätten sowie durch flachgiebelige Hallenbauten geprägt.

Westlich der Bahnhofsanlagen entstand schon vor dem 1. Weltkrieg ein Flugfeld, das heute den *Flughafen Baden-Baden*, einen seit 1959 modern ausgebauten Verkehrslandeplatz mit einer über 1200 m langen Start- und Landebahn beherbergt. An der Flugstraße stehen Flugzeughallen, die Gebäude der Deutschen Flugrettungswacht, eines Flugdienstes und einer Flugschule, das Flughafenrestaurant und Bauten von

94 Balg, Balger Hauptstraße

95 Balg, Streckgehöft Im Gässel

98 *Burgruine Alteberstein und Ebersteinburg vom Merkur*

99 *Haueneberstein von Südwesten*

96 *Ebersteinburg, Burgruine Alteberstein*

97 *Ebersteinburg, Ortsansicht vom Batterthang*

100 *Haueneberstein, Eberbachstraße*
101 *Haueneberstein, Neubaugebiet Am Mühlwäldle*
102 *Haueneberstein, Ortszentrum*

103 *Schloß Neuweier*

104 *Neuweier, Grundschule*   105 *Neuweier mit der Yburg*

106 *Sandweier von Südwesten*

107 *Sandweier, kath. Pfarrkirche St. Katharina*

108 *Sandweier, Iffezheimer Straße*

109 Sandweier, Autobahnkirche St. Christophorus

110 Steinbach, ehemaliges Amtshaus (Amt Yburg)

111 Steinbach, Barockhaus mit Durchgang (Steinbacher Straße 34)

112 *Varnhalt vom Nellenberg*

113 *Gallenbach vom Nellenberg*

Firmen der Flugzeugzubehörindustrie, die vom modernen Kontrollturm nur wenig überragt werden. Zwischen der Flugstraße und den Bahnanlagen liegt ein französisches Kasernengelände mit Mannschaftsunterkünften und Fahrzeughallen.

Die ländlichen Stadtteile

Balg

Der unter dem Westhang des bewaldeten Hardbergs in rd. 200 bis 220 m NN auf einer Vorhügelscholle über der Rheinebene sich von SW nach NO erstreckende Stadtteil geht auf ein noch vor dem 2. Weltkrieg nach Baden-Baden eingemeindetes Dorf des Mittelalters zurück, von dem im Grund- und Aufrißbild im Zuge des in der Nachkriegszeit verstärkt einsetzenden Funktionswandels zum Wohnvorort der Stadt im Tal der Oos nicht viel überkommen ist. Seine Hauptachse bildet die kurvig verlaufende Balger Hauptstraße, zu der am oberen Siedlungsrand, am Waldrand des Hardbergs, der Buchenweg etwa parallel verläuft. Quergassen, wie der Zieglerweg, die Waldgasse und der Pfarrweg, verbinden die beiden hangparallelen Hauptsiedlungsachsen und bewirken einen unregelmäßig leiterförmigen Gesamtgrundriß.

Die bevorzugte Wohnlage über der Rheinebene am Rand der Buntsandsteinscholle des Hardbergs bestimmt heute den Siedlungscharakter des Stadtteils, zu dem – etwas abgesetzt im S – die *Stadtklinik*, ein wuchtiger Baukomplex mit mehrgeschossigen Flachdachflügeln und angrenzenden Parkplatzanlagen gehört. Der ältere *Ortskern*, der sich auch zum funktionalen Siedlungszentrum des Stadtteils entwickelt hat, liegt an der mittleren Balger Hauptstraße, etwa von der Abzweigung der Waldgasse im S bis zur Grundschule im N. Auffallend ist in diesem Bereich eine dichtere, aber auch recht unterschiedliche Bebauung, bei der die heutige Wohnortfunktion des Stadtteils deutlich hervorsticht. Die verschiedenartige Bebauung wird bestimmt von Gasthäusern wie der »Rose«, einem dreigeschossigen traufständigen Haus, oder dem zweigeschossigen Gasthaus zur Blume mit seinem zweiseitigen Treppenaufgang am Untergeschoß. Die funktionale Ortsmitte prägen aber auch Wohn-Geschäftshäuser wie das Gebäude Balger Hauptstraße 58 mit einer Volksbankfiliale oder, an der Abzweigung der Straße Im Gässel, ein Streckgehöft mit einem rechtwinklig angebauten Schopf, das an die bäuerliche Tradition des Stadtteils erinnert. Unweit nördlich steht an der Balger Hauptstraße dann die *katholische Pfarrkirche St.Eucharius*, ein Kalksandsteinbau mit neuromanischen Zügen und einem zeltdachartigen Abschluß des Glockenturms. In der – wiederum nördlichen – Nachbarschaft dieses Gotteshauses stehen an der Talseite der Balger Hauptstraße ein moderner Kindergarten und die heutige Grundschule. Nördlich davon finden sich an der Balger Hauptstraße dann nur noch wenige Kaufläden und die Poststelle. Die Wohnortfunktion mit alten und neuen Häusern bestimmt ihren Aufriß. Hinter den straßenseitigen Wohnbauten stehen ehemalige bäuerliche Wirtschaftsbauten, und ein großer Teil dieser heute als reine Wohnhäuser genutzten Bauten, wie z. B. die Anwesen Balger Hauptstraße 100 und 101, gehen auf bäuerliche oder nebenerwerbslandwirtschaftliche Anwesen zurück.

Die Bebauung oberhalb der Balger Hauptstraße dient fast durchweg reinen Wohnzwecken. Das zeigt sich vor allem im SW des Stadtteils, wo im Bereich von Ziegler- und Hafnerweg, Töpfer- und Kalkbrennerweg ein modernes größeres *Neubaugebiet* mit ein- und zweigeschossigen Ein- und Zweifamilienhäusern in Gärten entstanden ist. Ein weiteres Neubaugebiet entstand im Sommer 1993 in den Mitteläckern und erweiterte die Siedlungsfläche im N mit noch wenigen Häusern, während in der Nach-

V. Das Bild der Stadt

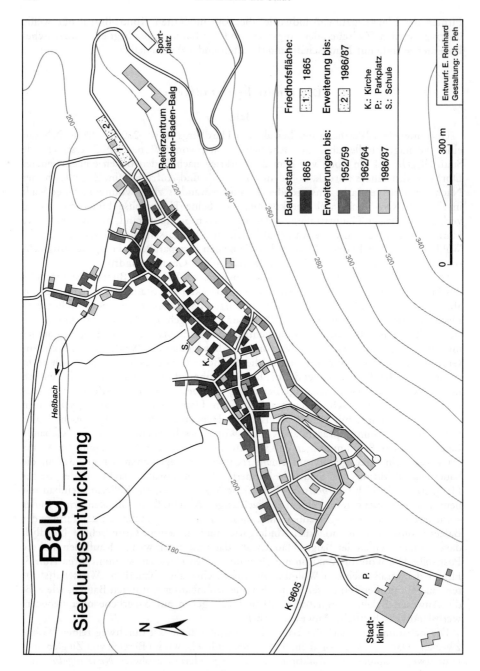

barschaft des ehemaligen Rathauses (Balger Hauptstr. 112), eines zweigeschossigen Baues mit flachem Walmdach und Porphyrsockel, der Siedlungsaufriß durch neue innerörtliche zweigeschossige Wohnhäuser mit zu Wohnzwecken ausgebauten Giebelbereichen umgestaltet worden ist.

Am Buchenweg, dem an den Waldrand des Hardberghanges angrenzenden höchstgelegenen Siedlungsteil, stehen im nördlichen Abschnitt einige ältere, aus bäuerlichen Anwesen hervorgegangene Wohnhäuser aus der Zeit vor dem 1. Weltkrieg. Giebel- und traufständige Gebäude auch der Zwischenkriegszeit säumen die Talseite dieser Wohnstraße. Im höher gelegenen SW bestimmen auch am Buchenweg neuere Wohnhäuser mit großflächigeren Grundrissen die Bebauung in der Nachbarschaft des Neubaugebietes um den Ziegler- und Hafnerweg (s. o.). Unter ihnen stechen am Südrand der Bebauung zwei Bungalows mit flachem Walm- und niedrigem Giebeldach in gepflegten und großen Gärten besonders hervor.

Ebersteinburg

Die Anfänge des heutigen Stadtteils, der in ca. 400 bis 470 m NN eine in der Einsattelung zwischen dem Battert und Ebersteinburger Schloßberg landschaftlich bevorzugte Wohnsiedlung bildet, gehen auf einen hochmittelalterlichen Burgweiler südlich der *Burgruine Alteberstein* zurück. Dieser erste ebersteinische Herrschaftssitz nahe dem Westrand des Gebirges bestimmt mit seinem mächtigen Bergfried des 13. Jh. auf quadratischem Grundriß, der im oberen Bereich durch seine glatte Mauerung, mit Bossenquadern an den Ecksteinen, schlitzartigen Scharten und einem Rundbogenfenster hervorsticht, noch heute ganz wesentlich das Siedlungs- und Landschaftsbild des Ortes. Die Ebersteinburger Straße, etwa vom Nordrand ihrer heutigen Bebauung bis zur Abzweigung der Badener Straße, die von ihr südwestwärts ansteigende Bienenstraße, ferner die zur Ebersteinburger Straße am Schloßberghang etwa parallel verlaufende Rosenstraße bis zur Abzweigung des Sonnenwegs im S und das Verbindungssträßchen Brunnenlinde zwischen nördlicher Ebersteinburger und Rosenstraße (Auffahrt zur Burgruine) bildeten das Dorf des 19. Jh., von dessen Aufriß durch den Funktionswandel zum Wohnvorort Baden-Badens nicht viel übriggeblieben ist.

Das *Siedlungszentrum Ebersteinburgs* ist nach seinen heutigen Funktionen ein Mischbereich, ein Geschäfts-/Wohnbezirk, der sich an der Ebersteinburger Straße vom ehemaligen Rathaus im N bis zur evangelischen Michaeliskapelle im S erstreckt und ein recht abwechslungsreiches Aufrißbild aufweist. Der bauliche Mittelpunkt ist der Bereich um das Rathaus mit der katholischen Pfarrkirche St. Antonius im O und dem Gasthof Falk zur Krone an der Ecke Ebersteinburger/Hilsbrunnenstraße. Der *Rathausbau* mit Buntsandstein-Sockelgeschoß und zwei Stockwerken aus Backsteinmauerwerk hebt sich schon durch seine Größe von der umgebenden Bebauung ab. Sein zur Ebersteinburger Straße leicht vorspringender Mittelrisalit, das flache Walmdach mit aufsitzender Sirene, die seine Außenfront gliedernden grauen Fenstergewände und Stockwerksgurte verleihen dem Gebäude eine gewisse repräsentative Wirkung. Das *katholische Gotteshaus*, das sich hinter dem an der innerörtlichen Hauptstraße wirkungsvoll plazierten Rathaus fast versteckt, läßt noch den spätgotischen Glockenturm auf rechteckigem Grundriß mit schmalen Fensterschlitzen in den Turmgeschossen und spitzbogigen Schallfenstern an der Glockenstube unter einem Spitzhelm-Schieferdach erkennen. Die hallenartige, nach N sich verjüngende Langhauserweiterung aus den späten 1960er Jahren zeigt Beton- und Waschbetonelemente unter einem mit Eternitplatten belegten Dach.

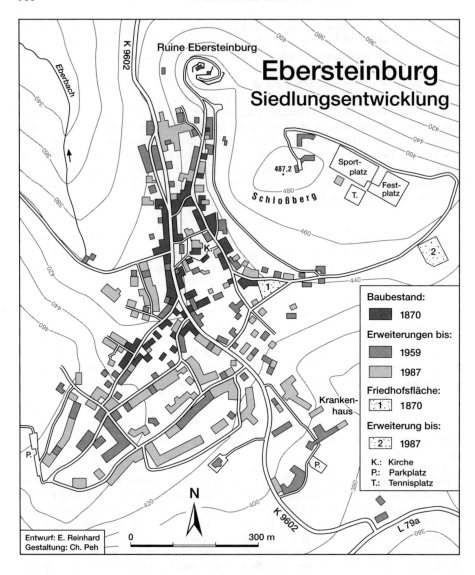

Die Bebauung um die Kirche ist im N und S modern. Einer älteren Bebauung gehört das *Gasthaus Falk zur Krone* an, an dessen teilweise als Holzbau errichtetes Nebengebäude ein modernes Gästehaus angefügt wurde. Gegenüber an der Hilsbrunnenstraße steht ein ebenfalls älteres langgestrecktes Giebeldachhaus mit der *Poststelle*. Südlich benachbart folgt an der verkehrsberuhigten Ebersteinburger Straße, die in dem hochgelegenen Stadtteil Hauptstraßenfunktionen erfüllt, die Geschäftsstelle einer Bank, zu der sich an der Abzweigung der Bienenstraße noch eine Sparkassenfiliale in einem modernen Wohn-Geschäftshaus gesellt. An Kaufläden fallen im Ortszentrum ein Friseursalon und Kosmetikgeschäft (Ecke Ebersteinburger Straße/Antoniusgasse), eine Bäckerei und an der inneren Badener Straße ein Blumengeschäft in einem größeren Neubau auf. Größere traufständige und durchaus individuell gestaltete Mehrfamilienhäuser, die eine ältere Bebauung ersetzen, prägen das heutige Bild des funktionalen Ortskerns, der nach S mit der *evangelischen Michaeliskapelle* von 1968 endet, einem bemerkenswerten kleinen Zentralbau, neben dem ein offener Glockenständer steht, eine Holzkonstruktion, die niedriger ist als das kleine Gotteshaus.

Die noch zum alten Siedlungsbereich zählende Rosenstraße am unteren Schloßberghang wird heute durch eine dichte und unterschiedlich alte Wohnbebauung gestaltet, die zum Teil auf kleinlandwirtschaftliche Anwesen zurückgeht. Häuser der Zwischen- und Vorkriegszeit lassen sich neben Neubauten erkennen. Sie sind überwiegend giebelseitig zur Straße gerichtet und haben kleine Vor- und Ziergärten. Am oberen Ende der Rosenstraße schließt ein neues dreigeschossiges Wohnhaus mit großen Balkons und flachem Giebelldach die Bebauung zur Burgruine Alteberstein auf dem nördlichen Schloßbergsporn ab.

Jüngere *Siedlungserweiterungen*, die mehr als eine Verdoppelung der überbauten Fläche bewirkten, setzten im S im Bereich der einstigen Ackerfluren Zieläcker, Kapf, Herrenäcker westlich der Ebersteinburger Straße sowie der Großbühnäcker und Luxenäcker östlich oberhalb davon ein. Einen frühen Siedlungsansatz bildet dort das *Krankenhaus Ebersteinburg*, ein drei- und viergeschossiger langgestreckter Bau mit ziegelgedecktem Walmdach. Nördlich benachbart steht am höheren Hang die moderne *Kurklinik »Maria Frieden«*, mit vier- und fünfgeschossigen Flachdachbauten, die diesen südlichen Krankenhauskomplex am Hang zur Wolfsschlucht wesentlich ausdehnen.

Das Neubaugebiet zwischen der Ebersteinburger Straße und dem östlichen Batterthang mit einem von der Topographie bestimmten unregelmäßig gitterförmigen Straßennetz lehnt sich im S an die bereits um 1870 bebaute Bienenstraße an. Unterschiedlich gestaltete ein- und zweigeschossige Ein- und Zweifamilienhäuser und Bungalows, darunter auch aufwendigere villenartige Bauten, prägen dieses moderne, ruhige und sonnige Neubaugebiet, das zu den bevorzugten Wohnlagen des Stadtkreises gehört. Am Nordrand dieser großflächigen Siedlungserweiterung entstand nahe der im N um den Battert zur Ruine Hohenbaden führenden Hilsbrunnenstraße das neue *Kur- und Gemeindezentrum* mit einer großen Mehrzweckhalle, einem Café, Restaurant und einer Pizzeria, dem eine Parkplatzanlage benachbart ist.

Am südlichen Schloßberghang wuchs die Siedlung am Sonnenweg und der Zimmerhardtstraße, in deren Winkel der alte Friedhof in einstiger Ortsrandlage liegt, bis zum *Werkhof des Staatl. Forstamtes Kaltenbronn*. Sein zweigeschossiges Haupthaus ist ein Buntsandsteinbau mit einem verschindelten Obergeschoß und Halbwalmdach. Auf dem Schloßberg dehnen sich an der oberen Zimmerhardtstraße Sportanlagen und der Festplatz aus. Am Weg dorthin wurde zwischen der Straße und den Tiefentaläckern der neue Friedhof mit einer modernen Kapelle in Beton- und Holzbauweise angelegt.

Am rd. 370 m hohen Sattel zwischen dem Oos- und Murgtal stehen das dreigeschossige Hotel und Restaurant zur Wolfsschlucht und – etwas abgesetzt und schon am unteren Nordhang des Merkurkegels am Staufenweg das modernere Hotel Merkurwald.

Haueneberstein

Haueneberstein gehört zu den am Westrand der Vorbergzone liegenden Stadtteilen. Sein auch nach der Eingemeindung in vielen Bereichen noch dörflicher Siedlungskern verrät ein über Jahrhunderte gewachsenes Dorf am Ausgang des Eberbachtales in die Rheinebene. Sein baulicher und funktionaler Mittelpunkt ist der Bereich um Rat-

V. Das Bild der Stadt

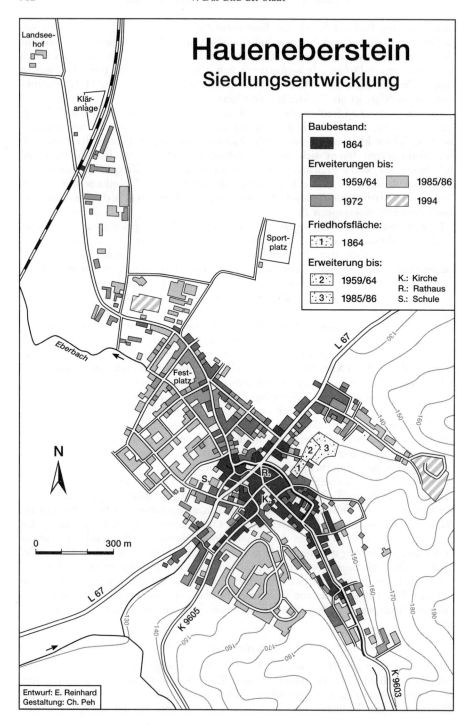

hausplatz und katholische Pfarrkirche St.Bartholomäus am westlichen Talausgang. Die Hauptachsen der Siedlungsentwicklung in historischer Zeit und in der Gegenwart erstrecken sich im Tal entlang der Eberbachstraße (K 9603). Nach NW setzt sich diese Achse entlang der Unteren Hafnerstraße und Bahnhofstraße in die Rheinebene hinein fort, wo nahe der Bahnlinie Rastatt–Oos–Offenburg ein modernes Industrie- und Gewerbegebiet entstand. Die zweite, etwa rechtwinklig dazu verlaufende alte Siedlungsentwicklungsachse ist die Karlsruher Straße (L 67), die am Rand der Vorberge entlangzieht und Baden-Oos mit Kuppenheim verbindet. Von diesem Entwicklungskreuz wuchs eine jüngere Bebauung flächenhaft in die Rheinebene, wo vor allem südlich der Unteren Hafner Straße und Bahnhofstraße ein Neubauviertel auf weitgehend rechtwinkligem Straßennetz entstand. Neue Wohnbereiche, die die junge Stadtteilfunktion Haueneberstins als Baden-Badener Wohnvorort betonen, ließen den Ort im S, im Winkel von Karlsruher Straße und Eberbachstraße, auf die lößbedeckten und sanft zur Rheinebene abfallenden Vorhügel hinaufwachsen, wo ein modernes und großzügig gestaltetes Neubaugebiet entstand.

Das *Siedlungszentrum* um den Rathausplatz und an der unteren westlichen Eberbachstraße wird von zwei Bauten beherrscht: dem ehemaligen Rathaus mit der heutigen Ortsverwaltung und der katholischen Pfarrkirche. Das *Rathaus* aus Kalksandstein auf einem Buntsandsteinsockel zeigt an der der Karlsruher Straße zugewandten Vorderfront einen Mittelrisalit und schließt mit einem Walmdach ab. An der dem Rathausplatz zugewandten Rückfront wurde ein modernes Treppenhaus mit Waschbeton- und großflächiger Fensterfront angebaut. Das Gasthaus zum Kreuz, hervorgegangen aus einem bäuerlichen Anwesen, eine Sparkassenfiliale, Apotheke und andere Kaufläden prägen den Ortsmittelpunkt am Rathausplatz und der westlichen ortsinneren Eberbachstraße als funktionalen Siedlungsmittelpunkt. Entsprechend vielschichtig ist seine Aufrißgestaltung mit unterschiedlich alten Gebäuden. Ein noch in die Zeit vor dem 2. Weltkrieg zurückreichender Baubestand wird von Bauten aus der Nachkriegszeit und jüngeren Neubauten unterbrochen. Die ältere Barockarchitektur der *Pfarrkirche St. Bartholomäus* mit ihrem gelben Verputz wird von einem mittelrisalitartig aus der nordöstlichen Giebelfront aufsteigenden Turm mit oktogonaler Glockenstube, Welscher Haube und darübersitzendem kleinen Spitzhelm überragt. Die am Hang erhöht über der Eberbachstraße erbaute Kirche mit einer länglichen Halle unter steilem Giebeldach wurde mit einem querhausartigen Anbau mit halbrundem Mittelchor erweitert, dessen Grundstein die Jahreszahl 1957 trägt. Ein moderner Kindergarten und das barocke, ebenfalls gelb verputzte Pfarrhaus an der Eberbachstraße unterhalb des Gotteshauses vervollständigen diesen Kirchbezirk im Zentrum der alten Siedlung.

Die *Eberbachstraße* oberhalb der Kirche und südöstlich außerhalb des Ortskerns zeigt einen einheitlicheren Aufriß. Weitgehend giebelständige Häuser, darunter auch Fachwerkbauten mit Halb- und Krüppelwalmdächern, die aus bäuerlichen Anwesen hervorgegangen sind, bestimmen ihr Straßenbild. Die äußere und obere Eberbachstraße erhält durch den in ein gemauertes Bachbett gefaßten, streckenweise in der Straßenmitte ziehenden Wasserlauf ihr besonderes Gepräge. Häuser unterschiedlichen Alters, unter denen die Bauten aus der Vorkriegszeit meist zweigeschossig sind und auf hohen Sockeln stehen, gestalten den Aufriß im Talbereich. Im Frühjahr 1994 entstehende Neubauten, die den älteren Baubestand an der Eberbachstraße ersetzen, sorgen für einen weiteren Wandel des Straßenbildes zwischen den Hügeln.

Beiderseits des Eberbachs zieht die Bebauung an den Talflanken – teils mit Neubauten der unmittelbaren Nachkriegszeit – hinauf. Gegen den oberen südöstlichen Bebauungsrand fallen villen- und bungalowartige Einfamilienhäuser auf meist großen

Sockelgeschossen auf. Außerhalb der Straßenabzweigung An der Mühle stehen Neubauten, ganz unterschiedliche Häuser aus der frühen Nachkriegszeit bis in die Gegenwart, die erhöht am Hang über der Eberbachstraße in dem sich verengenden Tal überwiegend traufseitig angeordnet sind. Unter ihnen stechen erhöht Am Mühlwäldle moderne Terrassenhäuser mit Dachterrassen und Dachgärten heraus. In diesem südöstlichen Ortsbereich dokumentiert sich der Funktionswandel des Stadtteils vom einstigen Dorf zum modernen städtischen Wohngebiet deutlich in der Art der Hangbebauung, zu der an der Eberbachstraße in Ortsrandlage sich auch kleinere eingeschossige Reihenhäuser gesellen, die gestaffelt aneinandergesetzt sind. Im Baubereich An der Mühle stehen nahe dem Eberbach noch alte Häuser, darunter ein Gebäude mit der Jahreszahl 1763 im Schlußstein über dem Kellertor.

Alt ist die Bebauung auch am *Herrenpfädel*, das ausgehend vom Rathausplatz in den Vorhügeln eine Verbindung zur Weststadt und nach Balg schafft. Giebelständige Häuser, die auf ehemalige bäuerliche Anwesen hinweisen und zum Teil vollständig zu Wohnzwecken umgebaut sind, sowie langgestreckte traufständige Eindachhäuser setzen sich gegen Neubauten ab, die im äußeren Bereich des Herrenpfädels mehr und mehr auftreten. Am *Lehnbergring*, der den flachen Hang darüber erschließt, erwuchs an einer durch die Hangtopographie in den Vorhügeln bestimmten Ringstraße das modernste geschlossene Neubaugebiet rein städtischer Prägung. Größere wohnblockartige Mehrfamilienhäuser in giebel- und traufseitiger Ausrichtung am Außenrand, Flachdachbungalows, größere zweigeschossige Flachdachhäuser, Einfamilienhäuser mit Giebeldächern und Reihenhäuser inmitten von Ziergärten, die einen weiten Blick in die Rheinebene ermöglichen, verleihen diesem Neubauviertel sein abwechslungsreiches Gesicht.

Eine dominierende alte Bebauung prägt dann das *ehemalige Dorf am Fuß der Vorberge*, so entlang der Karlsruher Straße mit ihrer funktional unterschiedlichen Mischbebauung, an der Alten Dorfstraße, Unteren und Oberen Hafnerstraße. Herausragendes Bauwerk an der Alten Dorfstraße ist die Grund- und Hauptschule, ein hoher dreiflügeliger Bau mit Buntsandsteinsockel und äußerst steilen Giebeldächern. Kontrastreich präsentiert sich zu diesem Schulbau aus der Zeit vor dem 1. Weltkrieg ein moderner Flachdachanbau auf vieleckigem Grundriß. Die umgebende, auf bäuerliche Grundlagen zurückgehende alte Bebauung läßt meist giebelseitig zur Straße gestellte Häuser mit hohen Giebel-, Halbwalm- und Krüppelwalmdächern erkennen. Die nördliche Karlsruher Straße zeigt sich als gemischtes Baugebiet mit Bauten der Vor- und Nachkriegszeit. Wohn- und Bürohäuser stehen neben einstigen bäuerlichen Anwesen, deren Nebengebäude noch die früheren Funktionen erkennen lassen. An der Waldstraße, die im N hangaufwärts abzweigt, hat sich außerhalb des vom Friedhof einmündenden Götzenbergweges eine zeilenartige Neubauerweiterung entwickelt. Am Waldrand geht sie in den »Schwarzwald-Wohnpark Haueneberstein« über, in eine neue durch Reihen- und Doppelhäuser geprägte ruhige Wohnanlage.

Am stärksten gewachsen ist der Stadtteil in der 2. Hälfte unseres Jahrhunderts in der Rheinebene bis zur Bahnlinie. Auf den Mischbereich des alten Dorfes folgt dort ein recht einförmiges Neubaugebiet, in dem sich am Zusammentreffen von Badstraße, Unterer Hafnerstraße und Bahnhofstraße durch wenige Kaufläden ein kleines funktionales Zentrum herausgebildet hat. Außerhalb der Siemensstraße und Hansjakobstraße geht es in ein geschlossenes *Gewerbegebiet* mit niedrigen und höheren Hallenbauten von Handels-, Gewerbe- und Industriebetrieben über. Als größerer Produktionsbetrieb sticht die Metallwarenfabrik Wolf mit ihren Flachdach-Werksbauten heraus. Einen besonderen Blickfang moderner Architektur bildet an der Robert-Bosch-Straße ein fünfgeschossiger Komplex auf oktogonalem Grundriß mit zweigeschossigen kubischen Anbauten.

Neuweier

Neuweier, der südlichste Stadtteil im Baden-Badener Rebland, nimmt wie das nördlicher gelegene Varnhalt eine Grenzlage am Westabbruch des Schwarzwalds zu seinen Vorbergen ein. Die Siedlungstopographie wird in erster Linie durch den Verlauf des Steinbachs bestimmt, dessen Tal im O des Dorfes steil in den Bühlertalgranit eingekerbt ist, und dessen Hänge im zentralen und westlichen Siedlungsbereich im Oberkarbon (N) und in der lößbedeckten Vorhügelzone (S) liegen. Die Ostwestrichtung des der Rheinebene zustrebenden Tals bildet somit die vom Steinbach begleitete Hauptausdehnungsachse des alten Dorfes, die westlich des Schlosses heute baulich mit dem benachbarten Stadtteil Steinbach verwachsen ist. Von fast allen Seiten ist das Dorf von heute bereinigten Reblagen umgeben, die an den karbonischen Hängen des Schloß- und Mauerbergs durch ihre Steilheit stark terrassiert sind, aber auch über dem südöstlichen Neubaugebiet im Grundgebirge unter dem Schartenberg und Heiligenstein steil über der Bebauung ansteigen. Weniger steil sind die Reblagen der Vorhügel, die sich von Schneckenbach westwärts bis nach Steinbach und seinem südlichen Neubaugebiet erstrecken.

Bereits in hochmittelalterlicher Zeit erfuhr die Siedlung entlang der heutigen Kelter- und Schartenbergstraße im Vorhügelland eine Ausweitung nach S, wo mit *Schneckenbach* eine zeilenartige bäuerliche Siedlung entstanden war, von der noch heute Überreste im alten Baubestand zeugen.

Der *Siedlungskern* hat sich bei der katholischen Pfarrkirche St. Michael an der Mauerbergstraße, der westöstlichen Hauptachse des Stadtteils, und an der ortsinneren Weinstraße herausgebildet, die südwestwärts ansteigend zu den Rebgewannen in den Lößhügeln und auf dem Bühlertalgranit am Kirchplatz von der Mauerbergstraße abzweigt. Am Kirchplatz steht ortsbildbeherrschend das im 2. Weltkrieg zerstörte und bis zur Jahrhundertmitte neu erbaute katholische Gotteshaus, ein Saalbau in grauem Naturstein mit hohen rundbogigen Seitenfenstern, einer Säulenvorhalle, die sich zur Mauerbergstraße öffnet, und einem auf quadratischem Grundriß stehenden Turm mit einem flachen Zeltdach über der Glockenstube im NW. Gegenüber der Kirche steht an der Mauerbergstraße das ehemalige Rathaus, in dem heute die Ortsverwaltung amtet. Es ist ein älterer, zweigeschossiger und traufständiger Bau unter einem Giebeldach mit Sockel, Tür-, Fenstereinfassungen und Ecksteinen aus Buntsandstein. Das benachbarte Informations- und Lesezentrum, mehrere Kaufläden, Hotels und Gasthäuser wie die »Traube« oder der im Landhausstil erbaute »Rebstock«, die Poststelle, das Gasthaus »Zum Alde Gott« sowie die alte Schule und die neue, in Klinkerbauweise als Flachdachbau errichtete Grundschule und die Turn- und Festhalle verleihen diesem Ortsmittelpunkt um den Kirchplatz und an der ortsinneren Weinstraße zusammen mit der umgebenden Wohnbebauung unterschiedliche Geschäfts-, Verwaltungs- und Wohnfunktionen sowie zentrale Aufgaben für die Gesamtsiedlung.

Westlich des architektonisch durch die Kirche herausgehobenen Ortszentrums bildet die Mauerbergstraße bis zur westlichen Bebauungsgrenze einen Siedlungsbereich mit gemischten Geschäfts- und Wohnfunktionen. Die alte Bebauung läßt meist zweigeschossige, giebel- und traufständig angeordnete Häuser mit vorherrschenden Wohnfunktionen erkennen. Zuweilen findet sich in ihnen auch ein Kaufladen. Zwischen den aus der Vor- und Zwischenkriegszeit stammenden Gebäuden stehen auch moderne Wohnhäuser, die die straßendorfartige Bebauung entlang der Mauerbergstraße verdich-

506 V. Das Bild der Stadt

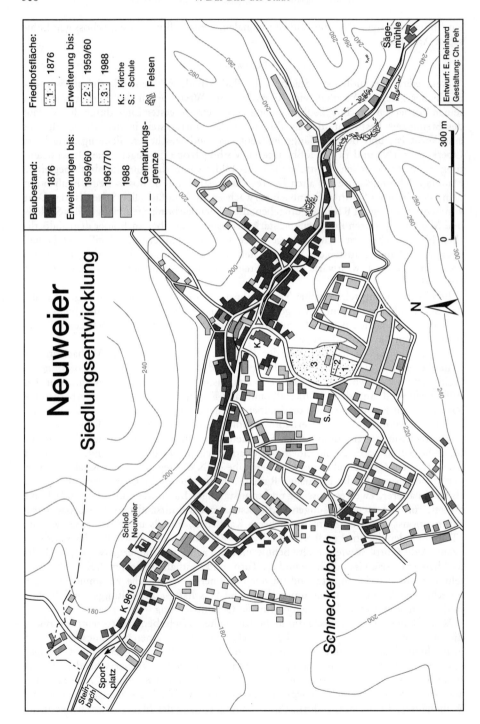

1. Siedlungsentwicklung und Siedlungsfunktionen

ten. An der Einmündung der mit Schneckenbach verbindenden Brunnmattstraße öffnet sich südlich des Steinbachs das Gelände einer großen Gärtnerei. Zwischen der Wohnbebauung fallen ferner die in Mauer- und Holzbautechnik errichteten Gebäude einer der holzverarbeitenden Industrie zugehörigen Palettenfabrik und – weiter westlich – das Hotel und Gasthaus »Zum Lamm« sowie die Winzergenossenschaft Neuweier-Bühlertal auf. Drei große Holzfässer mit den Namen geschätzter Weinsorten stehen am Rand ihres Vorhofs unter einem Schutzdach.

Der wuchtigste Baukomplex fast am Westrand des ehemaligen Dorfes ist das *Schloß Neuweier*, hervorgegangen aus einer mittelalterlichen Tiefburg. Der Haupttrakt mit vier runden Flankierungstürmen und umgeben vom ehemaligen Wassergraben ist dreigeschossig und entstammt der Mitte des 16. Jh. Über einem Buntsandsteinerker wohl aus der Umbauphase des späten 18. Jh. an der Talseite läßt sich das Renovierungsdatum 1895 ablesen. Westlich der mächtigen Viereckanlage stehen die teils in Fachwerkmanier errichteten Wirtschaftsgebäude mit einer Tordurchfahrt zum Schloßrestaurant. Unmittelbar oberhalb des Schlosses wird im Frühjahr 1995 ein Neubau erstellt, der durch seine Nähe zum alten Schloß wenig vorteilhaft für das Erscheinungsbild des das westliche Ortsbild entscheidend prägenden Baukörpers wirkt.

Östlich des Ortszentrums zeigt die Mauerbergstraße, deren überwiegend alte Bebauung zeilenartig in das enge, von Felshängen begrenzte Steinbachtal hinzieht, teilweise dicht zusammengedrängte, giebelseitig zur Straße blickende, zweistöckige Giebeldachhäuser, die bis ins 18. Jh. zurückreichen können. Ihre hohen Sockelgeschosse weisen auf einstige Weinkeller hin. An der Stelle älterer Gebäude wurden wenige neue Wohnhäuser errichtet wie an der Mauerbergstraße 110 und 110 A, die durch asymmetrische Dachgeschosse hervorstechen. Teilweise wurden die alten Häuser im östlichen Baugebiet auch modernisiert. Am Ortsrand steht dort ein Sägewerk.

Ausgehend von der Mauerbergstraße zieht eine junge Wohnbebauung in die den Südhang des Ibergs entwässernden Tälchen von Gaßeckbächel (Altenbergstraße) und Karrenbach (Zum Kegelspiel) hinein. An der Altenbergstraße fallen noch alte Winzerhöfe auf. Sonst wird der Aufriß durch moderne Ein- und Zweifamilienhäuser bestimmt.

Alte Aufrißelemente, die in die Zeit vor dem 1. Weltkrieg zurückreichen, weisen an der Schartenbergstraße, auf die ursprünglich bäuerliche Siedlung *Schneckenbach* hin, die zeilenartig oberhalb eines Vorhügeltälchens angelegt worden war. Eine Hofanlage sowie alte Wirtschaftsteile, die heute zu modernisierten Wohnhäusern gehören, so bei dem einstigen Streckhof an der Schartenbergstr. 51, erinnern an die landwirtschaftliche Siedlung im fruchtbaren Löß- und Lößlehmgebiet. Um den Treffpunkt der Kelter- und Schartenbergstraße ist ebenfalls noch eine ältere, auf landwirtschaftliche Grundlagen zurückgehende Bebauung auszumachen. Überwiegend ist die Bebauung, aus der sich noch zwei alte Siedlungskerne herauslesen lassen, jung und ersetzt zum Teil einen wesentlich älteren Baubestand. Das ist der Fall an der unteren Schartenbergstraße, die heute entscheidend vom Hotel Altenburg beeinflußt ist, dessen Gebäude an der Stelle bäuerlicher Häuser stehen.

Geschlossene *Neubaugebiete* südlich der Mauerbergstraße dehnen sich im hügeligen Gelände zwischen der Schartenberg- und Weinstraße, und mit einem fast rechtwinkligen Straßennetz östlich der Weinstraße und südöstlich des Friedhofs aus, wo vor allem moderne Einfamilienhäuser ein neues und dicht bebautes Wohngebiet unterhalb der Reblagen am Schartenberg schufen. Der bereits im vorigen Jahrhundert in Hanglage weit oberhalb der katholischen Pfarrkirche bestehende *Friedhof* mit seiner steilgiebeligen Einsegnungshalle wurde Ende der 1950er Jahre erweitert und geht in eine Parkanlage oberhalb des Ortskerns über.

Sandweier

Der im N des Stadtgebietes ganz in der Rheinebene liegende Stadtteil Sandweier hat sich vom einstigen Bauerndorf zu einem *Wohn- und Gewerbevorort* Baden-Badens und der Stadt Rastatt entwickelt. Auch im Ortskern um die katholische Pfarrkirche St. Katharina und im Bereich der älteren Bebauung ist das bäuerliche Siedlungselement heute völlig zurückgedrängt. An die Stelle einstiger Hofplätze ist heute eine reine Wohnbebauung oder eine gemischte Wohn- und handwerkliche oder gewerbliche Bebauung getreten, und abgesehen von der Stellung und Anordnung der Gebäude läßt der vorhandene Baubestand nur noch ganz selten Rückschlüsse auf einstige bäuerliche Wirtschaftsgebäude zu.

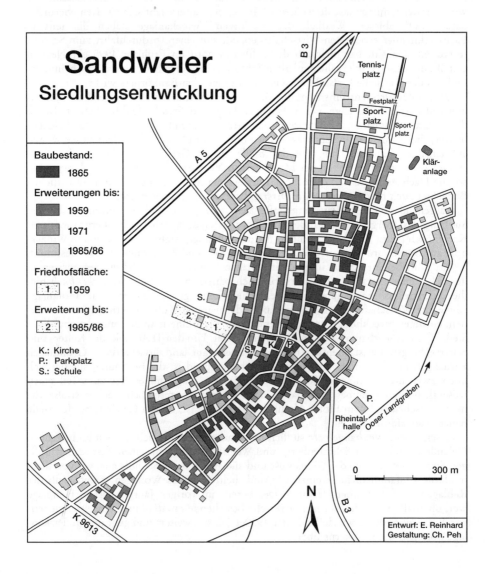

1. Siedlungsentwicklung und Siedlungsfunktionen 509

Aus dem alten Dorf, das sich an der Iffezheimer Straße bis zur alten Schule, an der Sandweierer Straße vom Nordring bis zum südöstlichen Ortsrand und an der inneren Römerstraße im S ausdehnt, ist durch den Funktionswandel vom Dorf zum Baden-Badener Stadtteil ein *großflächiger Siedlungskomplex* erwachsen. Der innerörtliche Bereich mit einer Wohn-Gewerbe-Geschäfts-Mischfunktion wird im N, O und W von ausgedehnten Wohnflächen umschlossen. An der Lärchenstraße gehen sie nach N in eine von Gewerbe- und Industriebetrieben sowie mit Sportanlagen und dem Festplatz genutzte Neubauzone über, die sich mit Sporthallen und Tennisplätzen bis zu einem kleinen Wäldchen an der Autobahn erstreckt. Gewerblich und industriell genutzte Flächen schließen die Bebauung auch beiderseits der äußeren Römerstraße zwischen der Werk- und Richard-Haniel-Straße ab. Das größte Gewerbegebiet Sandweiers dehnt sich südwestlich und westlich der Autobahnmeisterei und des Rasthofes Baden-Baden in der einstigen Flur Oberfeld aus. Die mit dem Rasthof und der Autobahnkirche (s. u.) dort angelegten Straßen »Am Rasthof«, »An der Autobahnkirche« und die Mittelfeldstraße umgrenzen dieses Gewerbegebiet westlich der A 5, das im S an die Richard-Haniel-Straße (Kreisstraße in Richtung Iffezheim) angrenzt, wo es am Rand eines großen Baggersees mit einem Kieswerk südlich der Richard-Haniel-Straße bis fast zur Stadtkreisgrenze fortgesetzt wird.

Das *Zentrum des alten Dorfes* und des heutigen Stadtteils liegt an der verkehrsbedingt fast platzartig erweiterten Abzweigung der Iffezheimer von der Sandweierer Straße, die mit dem Durchgangsverkehr der B 3 zwischen Rastatt und dem Stadtteil Oos stark belastet ist. Architektonisch wird es durch zwei hervorstechende Gebäude betont, die katholische *Pfarrkirche St. Katharina* und das an der ortsinneren Iffezheimer Straße unmittelbar benachbarte ehemalige Rathaus.

Ein gelber Wandverputz, rotbraune sandsteinfarbene Fenster- und Türgewände, Eckquaderungen und Geschoßgliederungen am Turm, ein steiles Giebeldach über einem breiten Kirchensaal mit hohen und hellen Rundbogenfenstern und Seitentüren, ferner ein risalitartig aus der nördlichen Giebelfront heraustretender viergeschossiger Glockenturm mit gekuppelten Schallfenstern und einem neubarock anmutenden Spitzhelmdach prägen den *Kirchenbau* in historisierenden Formen. Seine vorherrschenden Stilelemente sind der Neuromanik entliehen. Besondere Schmuckelemente an der Turmseite bilden das rundbogige Säulenportal sowie beiderseitig in die Giebelwand eingelassene, ebenfalls rundbogig abschließende Nischen mit Apostelfiguren auf hohen Sockelsteinen. Im Bogenfeld des Portals fallen an der Stelle des Tympanons Farbglasfenster auf. Das westlich benachbarte und traufseitig an der Iffezheimer Straße stehende ehemalige *Rathaus* barocker Prägung ist unter einem Walmdach mit Mansardeinbauten zweigeschossig und beherbergt heute neben der Ortsverwaltung auch die evangelische Kirchengemeinde.

Im übrigen wird dieser *Ortsmittelpunkt* von einigen Kaufläden, einer Bankfiliale und einer Apotheke, der Post und Gaststätten an Sandweierer und Römerstraße geprägt. Westlich dieses funktionalen Siedlungszentrum übernehmen an der Iffezheimer Straße die alte Schule, ein hoher zwei- und dreigeschossiger Backsteinbau mit Buntsandsteinsockel, der Friedhof mit einer kleinen neugotischen Kapelle aus Buntsandstein an der ortsinneren Nordwestecke sowie einer modernen Leichenhalle und Friedhofskapelle, eine Turnhalle jüngeren Datums und – am westlichen Bebauungsrand – die neue Grund- und Hauptschule weitere Funktionen für den gesamten Stadtteil in der Rheinebene. Die nördlich des Friedhofs am Westring stehende neue Schule ist ein zweigeschossiger kubischer Bau mit großen Fensterflächen im Klassenzimmerbereich des Obergeschosses.

Der *ältere Baubestand*, der noch ins 19. Jh. zurückreicht, erstreckt sich im Bereich der Sandweierer Straße und Mühlstraße im N bis zum Nordring, wo eine geschlossene jüngere Bebauung aus der zweiten Hälfte unseres Jahrhunderts einsetzt. Im W reicht die ältere Ortsbebauung bis zur Nieder- und Oberwaldstraße, im S entlang der Römerstraße bis zur Einmündung des Südrings und der Veilchenstraße. Dem Wohn- und Geschäftsgebiet sind davon vor allem noch die Sandweierer Straße bis zum Nordring, aber auch die innere Römerstraße zuzurechnen. Der Aufriß der Sandweierer Straße wird überwiegend von giebelständigen Ein- und Mehrfamilienhäusern gestaltet, in denen sich auch wenige Läden befinden. Auffallend unter ihrem Baubestand ist ein großes Autohaus mit Reparaturwerkstätten und Tankstelle. Seinen Kern bildet ein modernes dreigeschossiges Geschäftshaus in kubischer Gestalt mit Büros und Verkaufsräumen.

Die *Neubaugebiete*, die in dem Baden-Badener Stadtteil seit der Jahrhundertmitte die Wohnortfunktion verstärkten, weisen im NO, N und W der durch sie stark gewachsenen Siedlung eine dichte Bebauung mit vorherrschend individuell gestalteten Ein-, Zwei- und kleineren Mehrfamilienhäusern auf. Größere und blockartige Wohnbauten prägen aber auch das nordwestliche Erweiterungsgebiet zwischen Belchenstraße und Ooser Landgraben. Uniform wirken lediglich die Giebeldachhäuschen aus der frühen Nachkriegszeit, so im Bereich der Mühlstraße.

Eine 1995 zum Teil in Bebauung befindliche *Ortserweiterung* bildet sich im SO des Stadtteils zwischen dem Ooser Landgraben, der Großen Straße und der Rheintalhalle heraus. Ein- sowie größere Zwei- und Dreifamilienhäuser, die bereits fertiggestellt sind, im Rohbau hochgezogen oder noch im Bau sind, vermitteln bereits einen Eindruck von dieser jüngsten Siedlungserweiterung, deren südlicher Endpunkt mit der *Rheintalhalle* steht. Umgeben von Parkplätzen schafft diese Mehrzweck- und Sporthalle mit ihrer Flachdachkonstruktion einen neuen architektonischen Akzent in der Nachbarschaft des alten Ortsrandes an der Sandweierer Straße.

Zu den Neubaugebieten Sandweiers gehört auch die Bebauungsfläche westlich der Autobahn (s. o.), die im wesentlichen die *Autobahn-Rasthofanlage* mit Motel, ausgedehnten Parkplätzen und Tankstellen beinhaltet. Ein als Bau- und Kunstwerk weit über die Region hinaus bekanntes modernes Gotteshaus ist die katholische *Autobahnkirche St. Christophorus*, die unmittelbar westlich des Rasthofes in den Jahren 1977/78 in der Gestalt einer Pyramide errichtet wurde. Zusammen mit der umgebenden Parkanlage, in der Wege, begrenzt von Bildsäulen, aus den Haupthimmelsrichtungen auf die in klaren Formen gehaltene Kirche zuführen, erwuchs eine geglückte Symbiose von Landschaft, Architektur und moderner Kunst. Verschiedene Baumaterialien wie Beton, der den in der Pyramidenspitze zusammenlaufenden Eckstreben ihre Tragfähigkeit verleiht, unterschiedlich große, durch fluvialen Transport gerundete Gerölle aus dem Rhein, die den Sockelbau verblenden, und Holz für die Konstruktion des Pyramidendaches wurden durch den Karlsruher Architekten Friedrich Zwingmann verwendet. Der Karlsruher Maler und Bildhauer Emil Wachter schuf mit seinen bildhaften Betonreliefs im umgebenden Außen- und im Kircheninnenraum sowie mit den farbigen Glasbetonfenstern die künstlerische Ausgestaltung. Die weit nach außen wirkende Emailbemalung der Kirchentüren lenkt den Blick der Besucher auf die Eingänge und schafft einen deutlichen Gegensatz zum außen sonst in dezenten Farben gehaltenen Bauwerk.

Steinbach

Steinbach ist der westlichste und größte Stadtteil im Baden-Badener Rebland und blickt als einzige neu eingemeindete Ortschaft auf eine schon spätmittelalterliche städtische Vergangenheit zurück, die sich noch heute im Siedlungsbild niederschlägt. Mit ihrem unregelmäßig gestalteten und auf ein frühmittelalterliches Dorf zurückkreichenden Siedlungskern liegt sie am Ausgang eines vom Steinbach durchflossenen Tales in den rebenbestandenen Schwarzwaldvorhügeln. Er entwässert mit seinen Quellarmen das südwestliche Stadtgebiet im granitischen Grundgebirge, Oberkarbon und Porphyr um Schartenberg und Iberg und zeichnete im und am Rande seines Taltrichters die Topographie der mittelalterlichen Siedlung im Grenzbereich von Rheinebene und Vorhügelzone vor.

Zwei ganz unterschiedliche Siedlungselemente prägen den historisch gewachsenen Siedlungsverband bis heute: Die *eigentliche Stadt* mit dem dicht bebauten, kompakten Kernbereich um die Steinbacher Straße zwischen der Post und dem Gasthaus »Adler« im SW und der Grundschule im NO, die bis ins frühe 19. Jh. von Toren eingeschlossen war. Zu ihr gehört auch der hochgelegene Kirchplatz mit der neugotischen katholischen Pfarrkirche St. Jakob. Es ist insgesamt ein Bereich, dessen städtische Vergangenheit noch deutlich durch Mauerreste im S und SO (An der Stadtmauer) sowie im W (Grabenstraße) abzulesen ist. Der zweite Bestandteil der älteren Ortschaft außerhalb der Stadtmauern ist die *langgezogene, an das Tal gebundene Siedlungszeile* entlang der Yburgstraße und des Steinbachs in der Gestalt eines weitgehend beiderseits des Wasserlaufs entlangziehenden doppelzeiligen Straßendorfes, das bis zum heutigen Tag seine ursprünglich bäuerlichen Funktionen durch die Ansiedlung von Rebleuten und Landwirten an der Gestalt und der Anordnung der Häuser zu erkennen gibt.

Neuere Siedlungsteile des 19., frühen 20. Jh. und der Nachkriegszeit ließen den Stadtteil vor allem nach S, aber auch nach N und W bis zur B 3 wachsen. Ganz im W entstand an der Bahnlinie Oos–Bühl ein modernes *Gewerbe- und Industriegebiet.*

Im vorigen Jahrhundert wuchs der Ort im Zusammenhang mit dem Bahnbau entlang der Poststraße und beiderseits etwa parallel zu ihr verlaufender Straßen nach W. Eine dichte, gemischte Bebauung mit Wohnhäusern, Gewerbe- und kleinen Industriebetrieben herrscht in dieser an der Grabenstraße an die alte Stadt anschließenden frühen Siedlungserweiterung vor. Die Poststraße wird als westliche Verlängerung der Yburgstraße durch überwiegend giebelständige Gebäude geprägt, zwischen denen allerdings auch ein- und zweigeschossige Häuser in Traufseitenstellung erkennbar sind.

Südlich der Yburg- und Sommerstraße ließ ein Neubaugebiet mit mehrgeschossigen Wohnhäusern unter Giebeldächern die Siedlung beträchtlich nach S hinauswachsen. Seine Fläche überschreitet die der mittelalterlichen Stadtanlage und erstreckt sich östlich der Steinbacher Straße zwischen Sommerstraße und Eisentaler Weg über die sanft zur Gebirgsrandniederung abfallenden, einst rebenbestandenen Vorhügelhänge.

Nördlich des alten Stadtkerns, wo der Siedlungsaufriß an der ostwärts umbiegenden Grabenstraße heute durch den hallenartigen und flachgiebeligen Bau der Winzergenossenschaft und das moderne Feuerwehrgerätehaus mit Schlauchturm in Klinkerbauweise geprägt wird, entstand entlang der nördlichen Steinbacher Straße ein weiteres Neubaugebiet mit ganz unterschiedlichen Funktionen. Geschäfts- (Kaufläden, Apotheke) und Behördenfunktionen (Polizeiposten) mischen sich dort mit Wohnfunktionen im äußeren Bereich. Markante, das Ortsbild dort beeinflussende Bauwerke sind die evangelische Kirche mit einem zeltartigen Giebeldach über einem rechteckigen Kirchensaal, einem daran angebauten eingeschossigen Kindergarten unter einem Flachdach sowie einem freistehenden Glockenturm mit vier Betonstelzen im Untergeschoß, darüber die Glockenstube mit einem verschindelten spitzhelmartigen Dachabschluß. Westlich dieser Kirche überragt dann als viergeschossiges, blockartiges Flachdachgebäude das Evangelische Altenheim die umgebende Wohnbebauung, die heute ohne Unterbrechung in die Ortsteile Mührich und Umweg übergeht.

512 V. Das Bild der Stadt

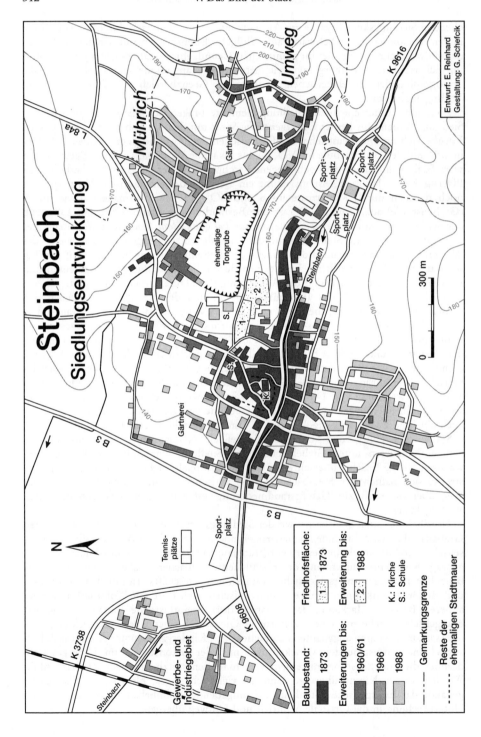

Eine moderne Grund- und Hauptschule bildet dort nördlich des Friedhofs den Übergang zum Ortsteil *Mührich*, im 19. Jh. noch eine allein stehende Ziegelhütte, heute ein landschaftlich bevorzugter Wohnort mit Neubauten in den Vorhügeln. Östlich und südöstlich schließt der Ortsteil *Umweg* an, im Kern eine ursprünglich weilerartige Winzersiedlung am unteren Westhang des Büchelbergs, die noch in der 2. H. 19. Jh. einen nur lockeren Siedlungsverband bildete. Heute zeigt der Ort an Umweger Straße und Rebbergstraße, von dem im O bevorzugte westexponierte Rebhänge ansteigen, eine geschlossene moderne Bebauung mit vorherrschender Wohnfunktion.

Varnhalt

Das bis zum Beginn des vorigen Jahrhunderts von Steinbach abhängige Varnhalt, das über den Steinbacher Wohnplatz Mührich auch mit dem mittelalterlichen Städtchen baulich verbunden ist, liegt im Rebland am Westrand des Schwarzwalds und in seiner Vorbergzone. Seine Siedlungstopographie wird bestimmt von kleinen, der Rheinebene zustrebenden Wiesentälchen, die die westlichen Porphyrdecken um den landschaftsbeherrschenden Iberg mit seiner den Ort überragenden Burgruine und den Nellenberg entwässern. Die überbaute Siedlungsfläche liegt mit dem oberen östlichen Varnhalt im Oberkarbon. Der Westteil des Dorfes und das aus einem Weiler gewachsene Gallenbach gehören den lößbedeckten Vorhügeln an, die sanft zur Rheinebene hinunterführen. Alte Siedlungsteile in Nestlage, umgeben von sanften Rebhängen und darüber steil ansteigende Waldhänge mit den Bergkegeln vom Fremersberg im NO, dem Nellenberg und Iberg im O bestimmen das abwechslungsreiche Landschaftsbild um Varnhalt, das von rd. 140 m NN am Westrand der Schwarzwaldvorhügel auf über 500 m in der Schwarzwaldvorscholle und im westlichen Porphyrmassiv aufsteigt.

Varnhalt und Gallenbach haben – verstärkt seit ihrer Eingemeindung in die Stadt Baden-Baden – einen durch die reizvolle landschaftliche Lage bedingten Funktionswandel vom agrarisch bestimmten Winzerdorf zum städtischen Wohnvorort durchlaufen. Die beiden alten Siedlungskerne von Varnhalt und Gallenbach, in denen auch heute noch Winzerhöfe prägend hervortreten, und die meist in Hanglage sich ausbreitenden und die Ortskerne umschließenden Neubaubereiche mit jüngeren Wohnhäusern und Villen, die einen vorstädtischen Siedlungscharakter entstehen lassen, sind heute die beiden Grund- und Aufrißelemente, die den Wandel der Siedlungsfunktion deutlich dokumentieren.

Varnhalt ist mit seinem alten *Siedlungskern* ein in westöstlicher Richtung sich hauptsächlich entlang der Klosterbergstraße erstreckendes Haufendorf über dem teils steil nach N abfallenden Talhang des die Iberghänge entwässernden Bachlaufes. Auf der Talseite stehen die Häuser auf hohen Substruktionen mit in den Hang hineingebauten Kellergeschossen. Östlich der südwärts abzweigenden Umweger Straße zeigt der Ortskern an der Klosterbergstraße ein vielschichtiges Aufrißbild. Handwerklich-gewerbliche Betriebe wie eine Schlosserei, Kaufläden der Lebensmittelbranche und des übrigen täglichen Bedarfs, ein überregional bekanntes Hotel und Restaurant, dessen Gebäudekomplex zum Teil noch auf einen alten landwirtschaftlichen Betrieb hinweist, und die Ortsverwaltung im ehemaligen Rathaus sowie kleinere Winzerhäuser und Rebhöfe bestimmen die ganz unterschiedlichen Funktionen des Varnhalter Siedlungskernes.

Herausragende und das Ortsbild prägende Bauten sind im Kernbereich die in den späten 1950er Jahren erbaute *katholische Herz-Jesu-Kirche*, ein gelb verputzter Saalbau mit Ostchor unter flachem Giebeldach an der Straße Am Kirchberg, und das ehemalige Rathaus. Ihr auf quadratischem Grundriß stehender Glockenturm trägt eine ebenfalls viereckige Glockenstube mit schmaleren Seiten, die mit einem flachen Zeltdach

V. Das Bild der Stadt

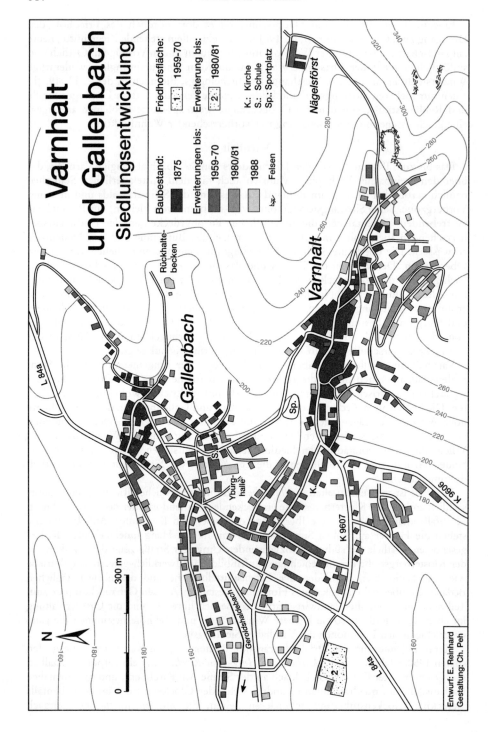

abschließt. Das einstige *Rathaus* am Hang über der Klosterbergstraße ist ein wuchtiger, auf hohem Sockelgeschoß stehender dreistöckiger Bau mit steilem Giebeldach.

Zum *östlichen Oberdorf* hin verdichtet sich die Bebauung, und die Klosterbergstraße verengt sich. Fachwerkhäuser auf Steinsockeln bestimmen den Aufriß mit, und trotz der heute vorherrschenden Wohnfunktion der älteren Gebäude lassen sich Winzerhöfe und ehemalige Bauernhäuser ausmachen. An der Weinsteige, die vom Ostrand des multifunktionalen Siedlungszentrums mit der Poststelle weg- und in nordwestlicher Richtung zum Ortsteil Gallenbach hinzieht, herrscht eine gemischte moderne und ältere Bebauung auf Hofgrundrissen vor. An der unteren Weinsteige bestimmen am Südrand Gallenbachs die großen Gebäude der *Winzergenossenschaft Varnhalt* und moderne Einfamilienhäuschen das Straßenbild. Am tieferliegenden Hang sticht dann in zentraler Lage zwischen den beiden Ortsteilen die moderne Architektur der *Grundschule* und der *Yburghalle* hervor. Das Schulgebäude unter flachem Schräg- und Giebeldach schmiegt sich mit seiner bergseits eingeschossigen und hangseits mehrgeschossigen Bauart dem leicht abfallenden Gelände an. Zwischen der ebenfalls flachgiebeligen Mehrzweckhalle und der Schule liegt der gepflasterte Schulhof.

Gallenbach erfüllt im N des Stadtteils heute ganz überwiegend Wohnortfunktionen. Sein alter Ortskern ist klein und erstreckt sich hauptsächlich an der oberen Gartenstraße oberhalb der Einmündung der Weinsteige und am ortsinneren Röderswaldweg. An ihm herrscht noch eine ältere landwirtschaftliche Bebauung vor. Die einst bäuerlichen Anlagen an der Gartenstraße, die ihre Herkunft aus Winzerhöfen nicht verleugnen können, wurden für Wohnzwecke umgebaut. Dicht gedrängt, giebelseitig zur Gartenstraße gerichtete ehemalige Streckhofanlagen fallen auf. Von der benachbarten Bebauung hebt sich ein Gärtnereibetrieb mit Gewächshäusern am Sonnenbergweg ab, und an der unteren Gartenstraße bestimmt das ältere Gasthaus Fremersberg den Aufriß. Sein zweistöckiger Haupttrakt steht auf einem hohen Kellergeschoß als Sockelbau und schließt mit einem Walmdach ab. Angesetzt ist ein niedrigerer Saalbau.

Im übrigen erfüllen die jüngeren Erweiterungen Gallenbachs reine Wohnfunktionen. Westlich der Gallenbacher Straße, wo eine größere Bauunternehmung als gewerblicher Betrieb auffällt, erstreckt sich diese Ein- und Zweifamilienhausbebauung zwischen den Reblagen am Sonnenberg und der Geroldshalde im N und dem Friedhofshügel im S an der Talstraße, Im Lindenbosch und an der Pfarrer-Augenstein-Straße weit nach W bis fast an den Rand der Rheinebene.

Wesentlich ausgedehnter sind die *Neubaubereiche Varnhalts* östlich der Gallenbacher Straße. Sie finden sich an der westlichen unteren Klosterbergstraße, am Lindenweg und Am Kirchberg. Neue und individuell geplante Wohnhäuser stehen südlich der Klosterbergstraße in Richtung Mührich (Steinbacher Weg, Fasanenweg). Architektonisch zum Teil recht aufwendig gestaltete Neubauten als Mehrfamilienhäuser säumen die Umweger Straße und führen die Wohnbebauung im Rebgewann Mäder bis fast an den Ortsrand von Umweg (Stadtteil Steinbach) heran. An der Umweger Straße bewirken vor allem zwei Hotel-Restaurants, die Häuser »Rebland« und »Im Mäder«, unterschiedliche Funktionen. Vielschichtig ist auch ihr Aufrißbild. Zu den modernen und als Hangbebauung individuell gestalteten Mehrfamilienhäusern, Restaurant- und Hotelbauten, deren Speisesäle mit großflächigen Fensterfronten hervorstechen, gesellen sich zum Ortsinneren zu noch ältere Häuser der Vorkriegszeit, teilweise als Fachwerkkonstruktionen in den Obergeschossen. Ein geschlossenes Neubaugebiet mit Einfamilienhäusern und Villen steigt am nördlichen Hang des Büchelbergs über dem Oberdorf bis an den Waldrand hinauf. An den hochgelegenen Wohnstraßen »Auf der Alm« und am Fernichweg im NW schob sich die junge Wohnbebauung bis in die Reblagen vor.

Inmitten der hochgelegenen östlichen Rebgewanne Varnhalts entstand die von Heimatvertriebenen gestiftete *Josefskapelle* mit steilem asymmetrischen Dach und Dachreiter. Am Ostrand der Reblagen unter dem Iberg befindet sich in rd. 300 m ü. d. M. der schon in der frühen Neuzeit urkundlich überlieferte Rebhof *Nägelsförst* als höchstgelegene Einzelhofsiedlung des Stadtteils Varnhalt.

Literatur und Karten

Arbeitskreis für Stadtgeschichte Baden-Baden e. V. (Hrsg.): Podiumsdiskussion: Ist unser Stadtbild zu retten? Beiträge zur Geschichte der Stadt und des Kurortes Baden-Baden. Sonderveröffentlichung der Podiumsdiskussion vom 15. 11. 1989. Baden-Baden o. J. (1990).

Arbeitskreis für Stadtgeschichte Baden-Baden e. V. (Hrsg.): Stadtführer Baden-Baden. Altstadt – Villen – Allee. Schriftenreihe NF Bd. 4. Baden-Baden 1994, 208 S.

Dehio, Georg: Handbuch der Deutschen Kunstdenkmäler. Baden-Württemberg. Bearb. v. Friedrich *Piel*. Sonderausgabe f. d. Wiss. Buchgesellschaft Darmstadt. München 1964, 591 S.

Deiseroth, Wolf (Bearb.): Ortskernatlas Baden-Württemberg. 2.2 Stadt Baden-Baden (Stadtkreis Baden-Baden). Hrsg. v. Landesdenkmalamt Bad.-Württ. u. Landesvermessungsamt Bad.-Württ. Stuttgart 1993, 164 S., 3 Kartenbeilagen.

Fuss, Margot: Baden-Baden damals. Alte Photographien erzählen ein Stück Stadtgeschichte 1860–1910. 2. Aufl. Konstanz 1982, 136 S.

Haebler, R. G.: Geschichte der Stadt Baden und des Kurortes Baden-Baden. II. Bd. Baden-Baden 1969.

Haedecke, Gerd: Baden-Baden. Konstanz 1980.

Kraetz, Julius: Die Gönneranlage. Beiträge zur Geschichte der Stadt und des Kurortes Baden-Baden. H. 9, April 1969. Hrsg. v. Arbeitskreis für Stadtgeschichte Baden-Baden e. V.

Kraetz, Julius: Die Kreisfreie Stadt Baden-Baden. In: Die Ortenau 1970, 50. Jahresband. 1970 (Sonderdruck des Arbeitskreises für Stadtgeschichte Baden-Baden e. V.).

Landesarchivdirektion Bad.-Württ. (Hrsg.): Das Land Baden-Württemberg. Amtliche Beschreibung nach Kreisen und Gemeinden. Bd. V: Regierungsbezirk Karlsruhe. Stuttgart 1976 (Stadtkreis Baden-Baden S. 7–21).

Martin, Peter: Salon Europas. Baden-Baden im 19. Jahrhundert. Konstanz 1983, 116 S.

Miller, Max u. Gerhard *Taddey* (Hrsg.): Handbuch der Historischen Stätten Deutschlands. 6. Bd.: Baden-Württemberg. 2. Aufl. Stuttgart 1980.

Schnell, Kunstführer Nr. 1148 (von 1979): Autobahnkirche St. Christophorus Baden-Baden. Bearb. v. J. *Rinderspacher*, Friedrich *Zwingmann* u. Emil *Wachter*. 4., überarbeitete Aufl. München u. Zürich 1992, 31 S.

Stadt Baden-Baden (Hrsg.): Stadt Baden-Baden. Flächennutzungsplan (von 1988) 1:20000, Erläuterungsbericht, 224 S. Bearb. v. Stadtbauamt Baden-Baden u. d. Architektengemeinschaft Seebacher u. Krauth, Bühl/Baden unter der Leitung von Hermann *Kamper*. Baden-Baden o. J. (1989).

Städt. Vermessungsamt Baden-Baden (Bearb. u. Hrsg.): Amtlicher Stadtplan Baden-Baden 1:15000. Stuttgart o. J.

Zimmermann, Annette: Das Villenviertel »Friedrichshöhe« in Baden-Baden. In: AQUAE 92. Beiträge zur Geschichte der Stadt und des Kurortes Baden-Baden. Heft 25, 1992. Hrsg. v. Arbeitskreis f. Stadtgeschichte Baden-Baden e. V. Baden-Baden 1992, S. 73–86.

2. Baudenkmäler

Kirchliche Bauten

Stiftskirche. – Die Erstnennung der katholischen Stiftskirche Hl. Maria, Petrus und Paulus erfolgte im Jahre 987, als damals vermutlich noch kleine Ortskirche in einer Urkunde Kaiser Ottos III. an den Grafen Managold. Markgraf Herrmann V. von Baden ließ um 1200 eine dreischiffige romanische Kirche erbauen, von der noch viereinhalb Stockwerke des wuchtigen romanischen Turmsockels mit lombardischen Zierformen und im Erdgeschoß die quadratische romanische Eingangshalle erhalten sind. Die unter Markgraf Jakob 1453 in eine Stiftskirche umgewandelte Ortskirche (1412) dient seit 1391 als Grablege der Markgrafen von Baden. Markgraf Rudolf VII. (1371–1391) ist als erster in der romanischen Kirche beigesetzt.

1453–1455 wird ein vierachsiger gotischer Chor mit Sterngewölbe errichtet, dessen vier Schlußsteine mit Wappen jeweils sechs Gewölberippen aufnehmen. Der Chorabschluß ist achteckig, die Achsenfelder mit Putzfläche haben hochliegende Maßwerkfenster mit moderner Verglasung. In den Feldern vor dem Triumphbogen sind statt der Fenster Grabdenkmäler der Markgrafen von Baden angeordnet. Jeweils links und rechts führt ein kleiner Durchgang in die stirnseitigen Kapellen der Seitenschiffe.

Nach Vollendung des Chores erfolgte die Errichtung des gotischen Mittelschiffs mit fünfeinhalb Achsen nach dem Schema einer Staffelhallenkirche. Achteckpfeiler aus Sandstein tragen ebenfalls ein Sterngewölbe. Die beiden Seitenschiffe sind ohne Obergaden bis fast zu der Höhe des Mittelschiffs aufgeführt. Zwischen eingezogenen Rechteckpfeilern sind in glatten Putzflächen die hohen Maßwerkfenster als einzige Lichtquelle angeordnet. Im Bereich der Seitenportale ist das Mauerwerk bis zur halben Wandhöhe pfeilerbündig eingezogen. Der romanische Turm mit Vorhalle wird in den neuen Kirchenraum integriert. Der romanische, quadratische Turmsockel wurde über seinem vierten Geschoß in ein Oktogon übergeführt und erhielt ursprünglich einen gotischen Spitzhelm. Eine völlig neue Gestaltung erfährt der romanische Haupteingang. Unter Beibehaltung des alten Rundbogens schafft der Baukünstler über beiderseitige Rundstabpfeilerbündel, die aus dem zurückgestuften romanischen Sockel aufsteigen, ab der Kämpferzone des Rundportales den Übergang zu einem mit langgestreckten Krabben bedeckten Wimperg, der als Abschluß eine Kreuzblumenkonsole als Sockel für die Figur der Gottesmutter als Schutzpatronin der Kirche trägt. Im Tympanon des Wimpergs ist als Relief die Hl. Veronika mit dem Schweißtuch dargestellt. Links und rechts des Wimpergs sind fialenartige Bündelpfeiler senkrecht aufgeführt, die über zwischengeschalteten Figurengruppen in baldachinüberkrönten Nischen die Figuren der Titularheiligen Petrus und Paulus aufnehmen.

Nachdem die Kirche 1689 bis auf den Chor ausgebrannt war, konnte Johann Peter Ernst Rohrer das Langhaus erst 1751 wieder eindecken. Schon 1712–1714 hatte Michael Ludwig Rohrer dem Turm eine barocke »welsche« Haube aufgesetzt. Nach einer Barockisierungsphase 1751 wird die Kirche 1866/67 wieder regotisiert. Nach mehreren Sanierungen wird die Kirche 1952/54 und 1967/68 in der ursprünglichen gotischen Form restauriert, das Dach in seiner geschlossenen gewalmten Form wieder hergestellt und für die Fenster ein thematisch und stilistisch geschlossener Fensterzyklus von Willy Oeser, Mannheim, gefertigt.

Aus gotischer Zeit, etwa 1490, stammt das aus zwölf Einzelstücken gefertigte Sakramentshäuschen, das links von der Chortreppe 12,80 m hoch in 5 Stockwerken, ähnlich dem Baum Jesse, aufsteigt. Der unbekannte Bildhauer hat sein Abbild am Sockel hinterlassen. Gotisch ist auch das Steinkreuz des Nicolaus Gerhaert von Leyden (etwa 1425–1473) aus dem Jahre 1467. Das von dem in Straßburg tätigen niederländischen Künstler gefertigte ehemalige Friedhofskreuz wurde von Hans Ulrich dem Scheerer in Auftrag gegeben und steht seit 1967 am Scheitelpunkt der Kirche, an der Stelle des ehemaligen Hochaltars.

Spitalkirche. – Die Spitalkirche wird 1351 als außerhalb der Stadt liegende, mit einem Spital verbundene Kirche erstmalig erwähnt. Die glatten, verputzten Mauerwände des einschiffigen Langhauses sind durch gotische Maßwerkfenster gegliedert. Den Raumabschluß bildet eine flache Putzdecke mit Deckenspiegel. Hinter dem Triumphbogen liegt etwas eingezogen der Chor mit achteckigem Abschluß und gotischen Maßwerkfenstern. Von außen zeigt sich der Chor mit fünf Strebepfeilern und unterhalb der Fenster umlaufendem Wasserschlag. Das ursprünglich drei Joch messende Langhaus wurde im Jahre 1968 um ein Joch verkürzt. Die schmucklose Giebelwand zeigt unter einem kleinen Rundfenster ein gotisches Maßwerkfenster und ein rechteckiges Eingangsportal mit darüberliegendem Tympanon mit schmückendem Maßwerk. Die farbigen Fenster mit Themen aus der Offenbarung des Johannes sind ebenso wie die Kirchentüren, die Türe des in eine gotische Nische eingelassenen Sakramentshäuschens, Altarkreuz und Leuchter eine Schöpfung des Kunstmalers Harry Mac Lean.

Evangelische Stadtkirche. – Die mit Dotationsurkunde des Großherzogs Leopold vom 20. Juli 1832 gegründete evangelisch-protestantische Pfarrei bemühte sich von Anbeginn an um die Errichtung eines eigenen Kirchengebäudes. Nach Schenkung eines Bauplatzes durch die politische Gemeinde konnte am 9. September 1855 der Grundstein gelegt werden. Mit der Planung war der 1805 in Lörrach geborene Friedrich Eisenlohr beauftragt. Wegen fehlender Gelder konnten die Kirche erst 1864 im Inneren fertiggestellt und eingeweiht, die Türme erst 1876 abgeschlossen werden.

Das Gebäude, im historisierenden, der Gotik verpflichteten Stil errichtet, ist durch ein schlichtes, dreiachsiges Langhaus, einen eingezogenen Chor mit achteckigem Abschluß und eine dreigeschossige Eingangsfassade mit zwei hochaufragenden Türmen gekennzeichnet. Über dem dreigeteilten, mit krabbengeschmückten Spitzbogen abgeschlossenen Eingangsportal öffnet sich im flächigen Mauerwerk des Obergeschosses ein viergeteiltes gotisches Maßwerkfenster. Bevorzugtes Element der vielfältigen Maßwerke ist das Vierblatt-Maßwerk. Das Dachgeschoß des Giebelfeldes ist mit einer Zwerchgalerie, einer reich geschmückten Rosette und der Dachneigung folgenden Blendarkaden geschmückt.

Englische Kirche. – 1864 bis 1867 wurde von der englischen Gemeinde in Baden mit Hilfe zahlreicher Spenden berühmter Persönlichkeiten wie Lord Augustus Loftus, Königin Victoria von England, das deutsche Kaiserpaar Wilhelm und Augusta sowie die Großherzöge von Baden die Englische Kirche »All Saints« errichtet. Architekt war der Londoner Thomas Henry Wyatt, der sich schon in England als Kirchenbauer einen Namen gemacht hatte. Die Ausführung erfolgte durch den Baden-Badener Baumeister Bernhard Belzer.

Der Kirchenbau präsentiert sich in normannisch-englischem Stil mit frühgotischen Elementen und dunkelrotem und gelbem Sandstein. Im Kircheninneren fällt die Kombination von Spitz- und Rundformen auf – romanische und gotische Stilelemente gehen hier eine Verbindung ein. Die Fenster wurden alle gestiftet. Das kostbarste, ein

2. Baudenkmäler

Doppelfenster, kam 1873 vom königlichen Konsul in Panama, Oberst Charles Wilthew, zum Gedenken an seine verstorbene Gattin. 1886 stiftete Maria Cleveland das St. Jakobs-Fenster, das wie die meisten Stiftungen von den berühmten Glasmalern Mayer & Co. in München hergestellt war. Das St. Johannes-Fenster wurde zum Gedenken des verstorbenen Sohnes Königin Victorias, Prinz Leopold von Albany, gestiftet. Im Jahre 1912 erhielt der langjährige Reverend Archibald White ein Gedächtnisfenster. Das Gotteshaus trägt heute den Namen *St. Johanniskirche*, analog zum Namen der evangelisch-lutherischen Gemeinde.

Pauluskirche. – An Stelle der 1908 unter Großherzog Friedrich II. errichteten Gnadenkapelle an der Jagdhausstraße wird von der 1946 gegründeten Pfarrei der Weststadtgemeinde die Errichtung eines neuen Gotteshauses geplant. Nach der Grundsteinlegung 1956 wird die neue Pauluskirche nach Plänen des Architekten Rolf E. Weber errichtet und 1958 eingeweiht.

Der Kirchenraum ist als Hallenkirche über einem die Gemeinderäume aufnehmenden Sockelgeschoß und freistehendem Campanile konzipiert. Zur Betonung des Saalcharakters sind alle zur Kirche gehörenden Teile (Turm, Eingang, Sakristei) so vom eigentlichen Kirchenraum gelöst, daß dessen eindeutige Rechteckform an keiner Stelle gestört ist. Der in Stahlbeton-Skelettbauweise mit gliedernden Stützen errichtete Kirchensaal ist an den beiden Stirnseiten mit Mauerwerk abgeschlossen. Die Felder der Langhauswände sind ebenfalls mit Backsteinmauerwerk ausgefacht, das in fünf übereinander liegenden Feldern schmale Lichtschlitze aufweist, die in ihrer indirekten Lichtführung den Abschluß des Innenraumes vom Draußen betonen.

Der freistehende Glockenturm ist gleichfalls durch lisenenartige Stahlbetonstützen an den vier Turmecken und durch Fugen begrenzte, geschoßhohe Felder gegliedert. Als Schallöffnungen für die Glocken sind in den obersten Feldern jeweils 7 x 7 quadratische Öffnungen gitterartig angeordnet.

St. Jakobus in Steinbach. – In dem zum Stkr. Baden-Baden zählenden Stadtteil Steinbach ist die dem Titularheiligen St. Jakobus geweihte Kirche besonders erwähnenswert. Die in den Jahren 1906/07 errichtete Kirche geht zurück auf verschiedene Vorgängerbauten, die bis in das 11. Jh. zurückzudatieren sind. In den im neugotischen Stil errichteten Neubau ist der spätgotische Chor aus der Mitte des 15. Jh. integriert. Der Chor mit Drei-Achtel-Schluß und dreijochigem Netzgewölbe wird durch sechs Spitzbogenfenster mit Maßwerk belichtet. Außer Chor und Sakristei werden in die neuerrichtete Kirche nur die romanische Tympanonplatte und einige Epitaphe übernommen. Der neogotische Spitzhelmturm kontrastiert zu den verbreiteten barocken Turmhauben und verweist auf den bedeutenden Baumeister des Straßburger Münsters Erwin von Steinbach.

Profane Bauten

Altes Schloß Hohenbaden. – Die am Westrand des Batterts gelegene Burgruine Hohenbaden reicht mit ihren Anfängen als Stammburg der Markgrafen von Baden bis ins 12. Jh. zurück. Obwohl ein urkundlicher Beweis nicht vorliegt, wird der älteste Teil der Burg sicher zu Recht nach Hermann II. († 1131) als »Hermannsbau« bezeichnet. Er umfaßt die romanische Oberburg mit Wohnbau, Berchfrit und oberen Burghof mit den sogenannten Wachstuben. Durch einen in den Fels geschroteten Halsgraben ist die Burg von der Felspartie des naheliegenden Battert abgetrennt und erhebt sich fast uneinnehmbar auf der so entstandenen Felsnase. Der Zugang erfolgt heute durch ein romanisches Pförtchen, das sich rechts oberhalb des ehemaligen Hauptzuganges befindet. Im Untergeschoß ist ein Brunnen noch recht gut erhalten, und zwischen Wachstuben und südlichem Wohnflügel gelangt man auf einen Altan, der früher als Burggärtlein gedient haben mag. 1978/80 wurde die geborstene Außenmauer des Berchfrits restauriert und der Turm und die Schildmauer mit einem neuen, dauerhaften Abschluß versehen.

Die frühgotischen Erweiterungen der Oberburg mit mehrgeschossigem Wohnbau mit zweifach gekuppelten Fenstern, Altan und spitzbogigem Zugangstor im Südwesten werden Markgraf Rudolf I. (1249 bis 1288) zugeschrieben. Aus dieser Zeit stammt die Befestigung der Burg mit Schildmauer über dem nördlichen Zwinger und auskragenden Umgängen und Ecktürmchen im Oberstock der Oberburg.

Den umfangreichsten Ausbau erfuhr das Schloß Hohenbaden unter Markgraf Bernhard I. († 1431). Nach seiner Verheiratung mit Anna von Oettingen läßt Bernhard I. südlich der romanischen Oberburg einen Palasbau errichten, der repräsentativem Wohnen dient. Der Palas erhebt sich über einem mächtigen Keller, der mit seinem zur Mitte zu ansteigenden Tonnengewölbe und im Scheitel sitzenden, auf drei Pfeilern ruhenden tragenden Gurtbogen einen einzigen zusammenhängenden Raum bildet. Das darüberliegende Erdgeschoß ist über drei spitzbogige Türen zu erreichen. Von der ehemaligen Holzdeckenkonstruktion sind lediglich die seitlichen Auflager und Reste der drei Mittelsäulen erhalten. An der Westwand ist eine Wendeltreppe angelegt, die der durchgehenden Verbindung zwischen allen Geschossen des Palas diente. Im Hauptgeschoß mit Rittersaal sind noch die Umfassungswände mit den großformatigen, durch Sandsteinprofile viergeteilten, tiefliegenden Fenster mit Sitznischen erhalten. Reste großer offener Hausteinkamine und eine korbbogenförmig abgeschlossene Öffnung in der Nordwand zu einem mit Sterngewölbe überdeckten Nischenraum mit kleinem Annex ergänzen den Eindruck einer großen mittelalterlichen Prachtentfaltung. Auch in den darüberliegenden Wohn- und Schlafgeschossen sind die Umfassungswände noch großenteils erhalten und unterstreichen die Bedeutung der Burganlage.

Gegen Osten schließt ein querliegender Zwischenbau aus der Zeit Markgraf Jakobs I. (1431–1453) die Lücke zwischen Oberburg und Palas und diente über eine ehemalige Treppenanlage als Verbindungsbau und zu weiteren Wohnzwecken. Die in diesem Bereich liegende bernhardinische Hauskapelle wird ergänzt durch einen Kapellenturm an der Ostseite der Burg.

Neues Schloß. – Über der mittelalterlichen Stadt erhebt sich das Neue Schloß der Markgrafen von Baden unmittelbar oberhalb des Austritts der heißen Quellen. Die auf dem Schloßberg bestehende ebene Fläche ist nicht als natürliche Gegebenheit anzunehmen, sondern als künstlich angelegte Ebene, worauf die südliche Abstützungsmauer ganz eindeutig hinweist. Die ursprüngliche Anlage dieser Ebene ist schwer feststellbar, da urkundliche Erwähnungen von anzunehmenden römischen oder merowingischen Vorbauten nicht mehr aufzufinden sind. Die strategisch günstige, an der engsten Stelle des Tales befindliche Stelle läßt jedoch vermuten, daß dieser Bergrücken schon zu römischer Zeit bebaut war.

Das nach mehreren Wiederaufbauphasen heute bestehende Neue Schloß, immer noch im Besitz der Markgrafen von Baden, zeigt sich als eine ringförmige Anlage verschiedenartiger Gebäude aus unterschiedlichen Stilrichtungen um einen zentralen Schloßhof angeordnet. Freistehend im Schloßhof befindet sich ein solitäres Gebäude, der sog. Kavaliersbau, dessen Gewölbekeller mit ansteigendem Tonnengewölbe und mittlerem Gurtbogen eine große Ähnlichkeit mit dem Palaskeller des Alten Schlosses aufweist und damit einer gotischen Bauperiode zuzuweisen ist. Ebenso weisen der westliche Torbau mit dem vorgelagerten Torturm und der Marstall gotische Stilelemente auf. Als Besonderheit ist, unter dem heutigen Hauptbau liegend, ein gotischer Keller aus der Zeit Markgraf Jakobs I. zu erwähnen, auf dem ein Wohngebäude für die markgräfliche Familie errichtet war. Der in ebenderselben Weise errichtete Keller mit Tonnengewölbe und mittlerem Gurtbogen auf drei Stützen wurde zur Zeit des Palastneubaus unter Philipp II. mit Fundamentmauern für den neuen Palastgrundriß verstärkt und neu aufgeteilt. Hierdurch entstand eine neue Raumaufteilung, die zusätzlich durch eine verwirrende Abfolge von Gängen und Räumen mit Scheintüren und dickwandigen, in eisernen Zapfen laufenden Steintüren zu einem Tresorraum für Wertsachen umgestaltet wurde.

Der unter Markgraf Philipp II. von dem Benediktbeurer Baumeister Weinhardt errichtete Palastbau (1576) weicht in seinem Grundriß deutlich von der Flucht des alten Wohnhauses ab und orientiert sich mit einer nach NO verschobenen Längsachse rechtwinklig zu dem Kavaliersbau. Der im Renaissancestil konzipierte dreigeschossige Palast in klaren rechteckigen Formen beschränkt sich auf Fenster und Türen als Schmuckelemente. Das gestufte Walmdach wird durch den Mittelrisalit des Haupttreppenhauses, vorgesetzte Giebelfelder und Gaupen durchbrochen. Ein in der Ecke zwischen Hauptbau und Wagenremise angeordneter Treppenturm schafft die Verbindung zum ehemaligen Zwinger, der nun als Garten genutzt wird. Die ehemalige Ringmauer wird bis auf das Hofniveau abgetragen und durch südlichen Anbau einer offenen Gewölbegalerie der Unterbau für die Wagenremise geschaffen.

Über ein zentrales – wegen der alten Spindeltreppe des jakobinischen Wohngebäudes etwas aus der Mitte verschobenes – Treppenhaus wird der Hauptbau als zweihüftige Anlage mit Mittelflur erschlossen. In allen drei Geschossen sind die Räume mit unterschiedlichen Abmessungen links und rechts des Mittelflures angeordnet und in den meisten Fällen durch Verbindungstüren zu Raumfluchten zusammengefaßt. Während im Erdgeschoß die Räume durch ein Kreuzgewölbe abgeschlossen sind, weisen die Räume der Obergeschosse flache Decken auf. Im NW schließt an den Hauptbau bis zum Kanzleiturm ein Küchenbau an, der zur Hofseite durch eine Loggia mit Säulenstellung und Steingeländer abgeschlossen ist. Besonders zu erwähnen sind im Erdgeschoß des Hauptbaues der klassizistische sog. Vier-Jahreszeitensaal, das reich stuckierte Prunkbad aus der Mitte des 17. Jh. und die tiefergelegte Hauskapelle.

Das 1689 durch Brandlegung zerstörte Schloß wird 1709 wieder hergerichtet. Nach Übergang der Markgrafschaft Baden-Baden an das Haus Baden-Durlach läßt Großherzog Leopold das Neue Schloß 1843–1847 herrichten und durch Einbau von Empfangssälen im ersten Obergeschoß als Sommerresidenz des Großherzogtums ausbauen.

Kurhaus mit Casino. – Bereits im Jahre 1765 war im Bereich des heutigen Kurhauses ein Promenadenhaus mit Gesellschafts-, Spiel- und Ballsälen errichtet worden, um dem großen Bedürfnis der zur Kur weilenden Gäste nach Unterhaltung Genüge zu tun. Nachdem sich zu Beginn des 19. Jh. dieses Promenadenhaus als unzureichend erwiesen hatte, wurde 1802 von Friedrich Weinbrenner im Jesuitengebäude (heute Rathaus) ein Konversationshaus mit Spielbetrieb eingebaut. Mit den erheblichen Einnahmen des Spielbankfonds und nach Übergang des Eigentums an das Großherzogtum konnte 1822 mit der Errichtung eines neuen Konversationshauses nach Plänen von Friedrich Weinbrenner begonnen werden. Um die umgebende Natur in das Kurerleben einzubeziehen, wurde wiederum das Gelände neben dem alten Promenadenhaus als Baugrundstück gewählt.

In seinem 1824 ausgeführten Entwurf ordnet Weinbrenner im Zentrum der Anlage einen quergelegten großen Konversationssaal mit vorgelagertem erhöhtem Portikus mit acht korinthischen Säulen und drei Bogenportalen auf einer Eingangsterrasse an. Der siebenachsige Saal wird links und rechts um drei etwas zurückliegende Achsen erweitert, die jeweils eine Galerie zum großen Konversationssaal und ein Speisezimmer bzw. ein Gesellschaftszimmer beinhalten. Ein linker, niedriger angeordneter Flügel mit Verkaufsboutiquen und vorgelagertem offenem Wandelgang verbindet den Konversationssaal mit dem alten Promenadehaus, in dem jetzt vorwiegend das Glücksspiel untergebracht ist. Über einen ebenfalls niedrigeren rechten Seitenflügel mit offenem Wandelgang und Verkaufsboutiquen verbindet Weinbrenner den Zentralbau mit einem Theaterneubau als Pendant zu dem bestehenden Promenadehaus. Beide Flügelbauten erhalten ein dreifeldriges Mittelrisalit mit Säulenvorlagen. Die gesamte Anlage wird überdeckt durch ein flachgeneigtes, schiefergedecktes gegliedertes Walmdach.

1838/39 erfolgt die erste Erweiterung. Der Große Saal wird rückwärtig um neue Säle ergänzt. 1853/54 werden unter dem Pächter Bénazet und dem Architekten Séchan aus Paris die beiden Seitenflügel ausgebaut. Die Boutiquen verschwinden zusammen mit den offenen Verbindungsgängen zugunsten neuer Säle. Das Promenadenhaus wird zu einem Wirtschaftsflügel umgebaut, während das Theater neuen Spielsälen weichen muß, die im verschwenderischen Stil der französischen Neorenaissance eingerichtet werden. Nur mit Mühe kann verhindert werden, daß die bauwütigen Franzosen die klassizistische Dachform in ein unförmiges Mansarddach verwandeln. Dennoch entsteht hier der noch heute bestehende und vielbewunderte Teil der Spielbank im Kurhaus Baden-Baden mit dem Gartensaal, dem Roten Saal und den weiteren Sälen im Stile Louis XV. Erst in den siebziger Jahren unseres Jahrhunderts wird der Spielbankbereich zur Hangseite hin erweitert und von der Innenarchitektin Herta-Maria Witzemann neu gestaltet.

Nach Aufhebung des Glücksspiels 1872 zeigte sich zunehmend, daß die Gastronomieräume im Bereich des alten Promenadenhauses, die sanitären Anlagen und die technischen Einrichtungen insbesondere der Heizung und Lüftung völlig unzureichend waren. 1908 entschloß sich daher die Großherzogliche Verwaltung, das Kurhaus Baden-Baden grundlegend zu erweitern und zu verbessern. 1912–1917 wurde im Bereich des linken Flügels ein neuer Restaurationsbetrieb mit vorgelagerter Terrasse und großer Wirtschaftsküche gebaut. Der seitlich verlegte Eingang mit Windfang erschließt eine große Vorhalle, von der aus der ehemalige Große Saal, heute Weinbrenner-Saal, über den alten Blumensaal der Spielbankbereich und über eine zentrale Treppenanlage der Große Bühnensaal zu erreichen sind. WC-Anlagen und Garderoben vervollständigen den Raumbedarf im Erdgeschoß.

Im Obergeschoß werden über die westlich gelegene Bühnenstraße hinweg zwei Säle mit versenkbarer Trennwand geschaffen, die insgesamt 1230 Plätze bieten. Zusätzlich entstehen über dem Gaststättenteil im Obergeschoß zusätzliche Säle und eine Aussichtsterrasse. Die Gestaltung der Fassade und der Innenräume paßt sich in Form und Farbe unter Verwendung zeitgenössischer Elemente dem Vorhandenen an und bewahrt den Eindruck einer geschlossenen Architekturform.

Das mit diesem Umbau gefundene Raumkonzept hat sich bislang fast ein Jahrhundert bewährt und wurde in den fünfziger und siebziger Jahren lediglich modernisiert und dem heutigen technischen Standard angepaßt. Der Bühnensaal wurde von dem Architekten Horst Linde und der Innenarchitektin Herta-Maria Witzemann zu einem modernen multifunktionalen Saal mit der heutigen Bezeichnung Bénazet-Saal umgebaut.

2. Baudenkmäler

Kongresshaus. – Nach dem Zweiten Weltkrieg fand in Baden-Baden 1953 als wichtiger erster Nachkriegskongress die erste Außenministerkonferenz auf deutschem Boden statt. Diese Konferenz und die folgenden Kongresse gaben Anlaß, neben den gesellschaftlich orientierten Räumen des Kurhauses auch speziell konzipierte Kongressräume mit der erforderlichen technischen Ausrüstung zur Verfügung zu stellen. Bereits 1958 wurde das Gelände des Hotels Stephanie erworben, und ein Architekten-Wettbewerb führte 1963 zu dem Ergebnis, daß der Alleeflügel des Hotels Stephanie als Haus des Kurgastes weiter verwendet werden sollte, während für ein neu zu errichtendes Kongresshaus das Hauptgebäude abzubrechen war.

Das von dem Architekten Günther Seemann, Ettlingen, geplante Gebäude umfaßte im Erdgeschoß ein Restaurant, im ersten Obergeschoß ein Auditorium mit steigenden Sitzreihen, Dolmetscherkabinen und Mikrofoneinrichtung, und im zweiten Obergeschoß einen multifunktionalen Saal, in der östlich gelegenen Nebenzone sind sanitäre Anlagen und Verwaltungsräume untergebracht. Ebenfalls mit einbezogen wurde ein angrenzendes Gebäude, das Haus Richter, für Ausstellungszwecke.

Das moderne, in Stahlbeton-Skelettbauweise errichtete Gebäude ist dreiseitig wandhoch verglast und im Deckenbereich mit Travertinplatten verkleidet. Holzverkleidungen der Wände und Steinboden vermitteln einen harmonisch ausgewogenen Eindruck.

Steigende Besucherzahlen und ständige technische Entwicklung gaben Anlaß zu Umbau und Erweiterung des erst 1968 fertiggestellten Gebäudes. Nach einem Wettbewerb wurde das Architekturbüro Erich Rossmann mit der Ausarbeitung der Pläne beauftragt. Nach knapp zweijähriger Bauzeit konnte der Umbau 1994 eingeweiht werden. Das Erdgeschoß bietet nunmehr neben einer Cafétéria eine auf 350 qm erweiterte Ausstellungsfläche. Im ersten und zweiten Obergeschoß wurden die bestehenden Säle technisch aufgerüstet, die Treppenanlage verlegt und das Gebäude nach W um eine Achse verbreitert. Der ehemalige Lichthof zwischen Kongresshaus und Haus Richter wurde geschickt als verbindender Treppenraum genutzt und die Kontaktmöglichkeit zwischen beiden Bauteilen wesentlich verbessert. Im zweiten Obergeschoß schafft eine Terrasse zur Oosseite eine Wandelmöglichkeit im Freien. Über die neuangelegte, an Stahlstäben freihängende Podesttreppe mit Stufen aus stäbchenverleimter Buche erreicht man im Untergeschoß das zusätzlich unter der zur Oos gelegenen Wiese angeordnete segmentförmige Auditorium, das mit 350 Plätzen und moderner Kommunikationstechnik das Raumangebot wesentlich erweitert.

Die zur Oos gewendete neue Fassade ist unabhängig von der bestehenden Fassade als vorgehängte Stahl-Glas-Fassade ausgeführt. Eine Betonung des Neuen durch den blauen Anstrich der Stahlteile ergibt einen harmonischen Gesamteindruck, auch in Verbindung mit den links und rechts stehenden Gebäuden in historischer Architektursprache. Ein erdgeschossig um den Neubau angelegtes Wasserbecken mit Brücke schafft kühlende Distanz zu der umgebenden Natur.

Trinkhalle. – Im Zuge der Modernisierung der Kuranlagen zu Anfang des 19. Jh. wurde 1839–43 an der Kaiserallee von Heinrich Hübsch, einem Schüler Weinbrenners, die Trinkhalle erbaut. Mit der Trinkhalle wollte man den zur Kur weilenden Gästen das Heilwasser in unmittelbarer Nähe des Konversationshauses anbieten.

Vor einer langen, mit Fresken geschmückten, fensterlosen Längswand ist eine große Wandelhalle mit Säulenstellung aus 16 Rundsäulen mit korinthischem Kapitell aus weißem Sandstein und Stirnwänden mit Zugangstüren angeordnet. In der Hallenmitte befindet sich der Zugang zu dem südlich gelegenen Kur- und Trinksaal, in dem die zur

Trinkkur gehörenden Heilwässer angeboten werden, sowie gegenüber die zur Stadt führende Mitteltreppe.

Im Giebelfeld über der Mitteltreppe ist ein Relief des Bildhauers Xaver Reich angeordnet mit einer Darstellung der Quellnymphe, zu der von rechts die Kranken kommen und nach links die Geheilten entschwinden. Über dem südlichen Eingang wird die Unterwerfung der Germanen durch die Römer dargestellt sowie der Aufenthalt der Römer in Baden-Baden und ihre Vertreibung durch die Alemannen.

Über dem nördlichen Eingang sieht man den Einzug des Türkenbezwingers Markgraf Ludwig Wilhelm in Rastatt, sowie die Gründung Karlsruhes und den Übergang der Grafschaft an die Zähringer.

Interessant sind die auf der Längswand dargestellten 14 Fresken, die Sagen aus der Umgebung Baden-Badens darstellen. Der Künstler war Friedrich Götzenberger, der den Auftrag erhielt, nachdem ein Entwurf des bekannten Künstlers Moritz von Schwind aus Kostengründen abgelehnt worden war.

Kunsthalle. – Die Kunsthalle Baden-Baden wurde in den Jahren 1907–1909 von dem Karlsruher Architekten Hermann Billing und seinem Partner Wilhelm Vittali geplant und errichtet. Das von dem Karlsruher Künstlerbund initiierte und von dem Maler Robert Engelhorn weitgehend finanzierte Gebäude sollte im Wesentlichen als Kunstgalerie für wechselnde Ausstellungen zeitgenössischer Kunst dienen. Heute ist die Kunsthalle im Besitz des Landes Baden-Württemberg.

Die Lage des Grundstücks zwischen Friedrichstraße und Lichtentaler Allee mit einer extremen Hangsituation und dem anschließenden Park wurde von dem Architekten bewußt aufgenommen. Durch Zurücksetzen des Gebäudes hinter die Häuserflucht der Lichtentaler Allee, ein im Hang eingebettetes Sockelgeschoß und die bis zur Allee herabgeführte breite Freitreppe gewinnt das Gebäude einen thronenden, erhabenen Charakter und gewährt gleichzeitig die räumliche Erweiterung in die Parkanlagen. Zwei schlichte kubische Baukörper bilden die asymmetrische Fassade mit einem durch Freitreppe und tympanonartigem Giebelfeld mit Wappenkartusche betonten Eingangsportal. Flache schlichte Wandgliederungen und die Verwendung von weißem Sandstein in Verbindung mit weißen Putzflächen verstärken den kubischen Eindruck und betonen die Tendenz zur Vereinfachung, die das Jahrzehnt vor dem Ersten Weltkrieg prägen und das »Neue Bauen« der Zwanziger Jahre vorbereiten. Der monumentalen Eingangsfassade steht eine stark gegliederte, durch kubische, ovale und achteckige Baukörper gebildete, eingeschossige rückwärtige Fassade gegenüber. Diese dem Straßenzug folgende Front wirkt jedoch keineswegs kleinteilig und vermeidet den Hinterhofcharakter, der den am Fuße eines Hanges errichteten Gebäuden meist zu eigen ist.

Im Gebäudeinneren wird der Besucher vom Vorraum aus über eine weitere Treppe in die Vorhalle geführt. Von dort aus sind im Sockelgeschoß zwei Schauräume mit seitlichem Fensterlicht erschlossen. Der Haupt- und Festsaal wird kurioserweise über eine schachtartige Treppe erreicht, die an der Giebelseite entlang direkt in den Saal mündet. Eine Folge von sieben unterschiedlich großen, in der Höhe differierenden Ausstellungsräumen mit Oberlicht schließt sich an den Hauptsaal an und ist so um einen zentralen Lichthof angeordnet, daß der Besucher über einen Rundgang wieder in den Hauptsaal gelangt. Zurückhaltende Ornamentierung im Hauptsaal und unterschiedliche Raumformen in den Kabinetten gewähren eine angemessene Umgebung für die einzelnen Exponate und beste Konzentration auf die ausgestellten Objekte.

Die frühere ovale Eingangshalle von der Friedrichstraße aus dient heute als Büroraum, da die hangseitig gelegenen Nebenräume für heutige Bedürfnisse nicht ausreichend ausgelegt sind.

Jagdhaus. – Nach einer ursprünglichen Absicht Markgraf Ludwig Wilhelms ließ seine Witwe, Markgräfin Sibylla Augusta 1716 für ihre jagdliebenden Söhne Ludwig Georg und August Georg das Jagdhaus über dem Dorf Winden mit freier Sicht nach W als Stützpunkt für Jagdgesellschaften errichten. Das von Michael Ludwig Rohrer völlig geometrisch geplante Jagdhaus ist aus dem Gedanken eines Rundbaus entwickelt. Um einen zentralen achteckigen Raum sind strahlenförmig vier Räume angeordnet, die mit ihren eingezogenen Stirnseiten die Form des achteckigen Kreuzes des Hubertusordens bilden. Der überwölbte Zentralraum birgt als Deckengemälde die Legende des St. Hubertus mit dem Hirsch. Das eingeschossige, unterkellerte Gebäude ist mit einem achtflächigen Kuppeldach bedeckt und trägt in der Mitte der Kuppel die vergoldete Figur eines Vierzehnenders im Wundbett. Die vier Flügelbauten sind mit schwalbenschwanzförmigen Walmdächern eingedeckt.

Ergänzt wird das Jagdschlößchen durch drei kleine freistehende Bauten: zwei Kavaliershäuser und ein achteckiges Küchengebäude. Eines der Kavaliershäuser wurde nach dem Zweiten Weltkrieg abgebrochen und durch einen Neubau ersetzt.

Neue Kanzlei. – Die Neue Kanzlei entstand etwa Mitte des 16. Jh. In die Bebauung wurden ältere Kelleranlagen aus dem 14. Jh. mit einbezogen. Der Torso mit Eckturm – er liegt hinter dem an die Schloßstraße grenzenden Barockgebäude – gehört in Baden-Baden zu den ältesten, heute noch sichtbaren Gebäudefragmenten des Spätmittelalters.

Aus dem Jahre 1643 ist eine Beschreibung der Neuen Kanzlei von Matthäus Merian überliefert, dessen Kupferstich aus dem frühen 17. Jh. als erste repräsentative Stadtansicht Baden-Badens gilt. Merian beschrieb die Neue Kanzlei als stattlichen dreigeschossigen Bau mit zwei achteckigen Türmen an den Ecken der Westseite und einem Dachreiter mit Kuppel.

Der Stadtbrand 1689 zog auch die Neue Kanzlei stark in Mitleidenschaft. Ihr Vordergebäude (zur Schloßstraße hin) gehörte jedoch zu den ersten Wiederaufbauten der nach dem Brand zögerlich einsetzenden Neubauphase.

Und so präsentiert sich der Barockbau noch heute: Unter dem langgestreckten zweigeschossigen Vorderbau befinden sich zwei kleine Keller mit Tonnengewölbe, der größere mit ehemaliger Schrottreppe. Die erhaltene Neue Kanzlei besteht im wesentlichen aus dem hinteren, schmaleren Anbau des Hauses – nach W hin dreigeschossig tief abfallend. Im N ist das Gebäude auf Höhe der früheren Stadtmauer durch ein hochgelegenes Gärtchen begrenzt. Die Putzquaderung stammt vermutlich aus dem 18. Jh. An der Nordwestecke befindet sich der Eckturm. Sein runder Unterbau enthält zwei mit grätigen Kreuzgewölben gedeckte Räume. Im untersten Geschoß ist noch eine Schießscharte zu sehen.

An der Südseite des Anbaus, links im Gärtchen, führt ein halbrund geschlossener Zugang durch einen Korridor zum Turm. Rechts daneben ist ein Spitzbogenportal mit abgefastem Gewände, vermutlich noch aus dem 14. Jh. Die Fenster mit geradem Sturz stammen aus dem 16. Jh. Im Anbau sind noch verschiedene Fenster mit gequaderten Gewänden und Spitzbogenstürzen aus dem 18. Jh. zu sehen.

Bäder

Friedrichsbad. – Der monumentale Prachtbau im Renaissance-Stil Palladios mit charakteristischer Zentralkuppel entstand nach eingehendem Studium römischer Thermen und des Göler-Bades in Budapest 1869–77 unter Federführung des Bauinspektors Carl Dernfeld. Über dem Mittelportal stehen Statuen des Äskulap und der Hygieia, darüber eine Kolossalbüste des Namensgebers Großherzog Friedrich I. (1826–1907). Rechts und links über der Hauptgalerie befinden sich Porträtköpfe von Persönlichkeiten, die mit der Entwicklung der Baden-Badener Thermenanlagen eng verbunden sind: Kaiser Hadrian, Kaiser Caracalla, der merowingische König Dagobert, Abt Ratfried, Markgraf Christoph I., Paracelsus, Vehus, Reuchlin, Agricola, Bunsen, Frech. Der dreigeschossige Bau ist, nach Abtrag des ursprünglichen Quellsinters der oberhalb austretenden Quellen, stufenförmig am Hang liegend errichtet. Im Fundamentbereich wurden größere Reste römischer Badruinen entdeckt, die auf eine schon damals terrassenförmig angelegte mehrgeschossige Badetherme schließen lassen.

Über eine breite Außentreppe wird das Gebäude zentral erschlossen. Im Erdgeschoß sind links und rechts der Eingangshalle die Räume für Wildbäder und Bewegungsbad mit Nebenräumen, sowie Umkleideräume, Frisör und Kosmetik angeordnet. Von der Eingangshalle führt eine Podesttreppe zu der großen, quer angelegten Trink- und Wandelhalle im ersten Obergeschoß und den hangseitig angeordneten Räumen des Großen Gesellschaftsbades. Die frontseitige Halle wurde ursprünglich für heilgymnastische Anwendungen genutzt. Heute dient der 500 qm große Saal als Raum für Vorträge, Ausstellungen usw. Die Badeabteilung ist mit zwei symmetrisch ausgebildeten Raumfolgen hangseitig neben einen zentralen Kuppelsaal mit 17,5 m hoher Kuppel und einem kreisrunden, mit Carrara-Marmor ausgekleideten Badebecken mit 8,10 m Durchmesser angeordnet. In jeder Abteilung sind neben Räumen für Umkleiden und Ruhen jeweils zwei Räume für Warmluft- und Dampfbäder.

Caracalla-Therme. – Als Ersatz für das in beengten räumlichen Verhältnissen von Josef Durm als Pendant zum Friedrichsbad errichtete Augustabad, das Inhalatorium und das Fangohaus wurde 1960–66 nach Abbruch der genannten Gebäude das Kurmittelhaus nach Plänen des Architekten Rolf E. Weber errichtet. Das in strenger geometrischer Form errichtete Gebäude in Stahlbeton-Skelettbauweise mit vorgehängter Glasfassade ist mit seiner eleganten Transparenz dem Bauhausgedanken verpflichtet. In dem siebengeschossigen Gebäude sind alle Badeeinrichtungen mit Wannenbädern, medizinischen Bädern und Fango untergebracht. Eine asymmetrisch und abgewinkelt angeordnete Eingangshalle mit Behindertenrampe zum Badebereich unterstreicht den kubischen Charakter des Hauptgebäudes. Im sechsten Technikgeschoß und dem siebten Doppelgeschoß war ein Thermal-Schwimmbad angeordnet.

1983–85 wird dem Kurmittelhaus eine Therme mit Innen- und Außenbecken und mehreren Bewegungsbädern angeschlossen. Gleichzeitig wird das Thermal-Schwimmbad im Dachgeschoß als unwirtschaftliches und nicht erweiterbares Bad abgebrochen. Als Kontrapunkt zu dem rechtwinklig konzipierten Kurmittelhaus entwickelt sich die Caracalla-Therme als vielfache Folge von runden Bauten und Badebecken. Das von den Architekten H. D. Hecker und Peter Krätz entworfene Gebäude greift in vielfacher Weise den in Baden-Baden sowohl im Kurhaus als auch im Friedrichsbad realisierten Gedanken des säulengetragenen Kuppelbaues auf und weist über einen auf vier Säulen errichteten Architrav vor der Eingangshalle auf die römische Tradition der Badeeinrichtungen hin. Der durch zwei Säulenreihen mit gläserner Wand und klassischer Kuppel definierte Raum der nach dem römischen Kaiser Caracalla benannten Therme weckt, gerade durch seine zurückhaltende Bemalung, die Erinnerung an die prunkvolle Farbigkeit mosaikverkleideter antiker Thermen.

Literatur

Kabierske, Gerhard: Das Gebäude der Kunsthalle Baden-Baden. In: AQUAE 91, Arbeitskreis für Stadtgeschichte Baden-Baden, 1991.
Krieg von Hochfelden, G. H.: Die beiden Schlösser zu Baden, Hasper'sche Hofbuchdruckerei Karlsruhe, 1851.
Lauck-Oelze, Ingrid: Das Jagdhaus auf dem Fremersberg. In: AQUAE 86, Arbeitskreis für Stadtgeschichte Baden-Baden, 1986.
Linde, Otto: Die Stiftskirche in Baden-Baden, Stadtgeschichtlicher Verlag Baden-Baden, 1949.
Linde, Otto: Die Burg Hohenbaden und das Neue Schloß in Baden-Baden, Konkordia Verlag Bühl.
Perkow, Ursula: Residents and Visitors, Arbeitskreis für Stadtgeschichte Baden-Baden, 1990.
Schwab, Karl: Baugeschichtliches über die Jakobuskirche. In: Das Baden-Badener Rebland unter der Yburg, Historischer Verein für Mittelbaden, Mitgliedergruppe Yburg, 1989.
Stürzenacker, August: Das Kurhaus in Baden-Baden und dessen Neubau, C. F. Müllersche Hofbuchhandlung Karlsruhe, 1918.

Register

Aalen, Stadt (Ostalbkreis) 26
Acher- und Bühler Bote (ABB) 472, 473
Achern, Stadt (Ortenaukreis) 363, 395, 404
Adolph, Rudolf 477
Aemilius Seranus 96
Affental (Eisental, Stadt Bühl, Lkr. Rastatt) 167, 168, 427
Albany, Prinz Leopold von 519
Albert, Herbert 459
Allerheiligen, Kloster (Lierbach, Stadt Oppenau, Ortenaukreis) 169
Allgemeiner Deutscher Bäderverband 230
Alt, Franz 467
Alteberstein, Burg (Ebersteinburg, Stkr. Baden-Baden) 111, 136, 147, 148, 151, 499
Altensteig, Stadt (Lkr. Calw) 82
Altertumshalle s. Antiquitätenhalle
Altertumsverein für das Großherzogtum Baden 85
Altes Schloß Hohenbaden 4, 84, 111, 112–114, 115, 136, 139, 148, 184, 478, 501
– Bernhardsbau 113, 520
– Gebäude 519f.
– Geologie 15, 17, 38, 43
– Hermannsbau 113, 519
– Jakobsbau 113
– Kapellenturm 113
– Oberburg 113
– Ulrichskapelle 113, 162
– Verkehr 265, 268
Altschweier (Stadt Bühl, Lkr. Rastatt) 335
Altstadt Baden-Baden
– Archäologie 84, 86, 88, 89
– Fußgängerzone 365, 366, 392, 414
– Kirche und Pfarrei 309, 423
– Sanierung 415
– Schule 301, 445, 447, 448
– Siedlung 478–480, 481, 482, 484, 486
– Soziale Einrichtungen 298
– Verkehr 392
Amberger, Gustav 457
Ämter s. Verwaltungsbezirke
Andlaw, Heinrich von 229
Antiquitätenhalle 131, 227, 228
Anzeigenblatt für die Großherzogliche Stadt Baden 470
Apollo Grannus 92
Appenweier, Stadt (Ortenaukreis) 265
Aquae (Aquae Aureliae, civitas Aquensis, civitas Aurelia Aquensis) 4, 91, 92, 93, 94, 95, 97, 98, 105, 129, 374

Arbeitsgemeinschaft Deutscher Rundfunkanstalten (ARD) 466, 468
Arnaud, Pierre 461
Arnold, Unternehmer 253
Aschmann (Familie) 169
– Salome 162
Au am Rhein (Lkr. Rastatt) 124
Auerbach (Elztal, Neckar-Odenwaldkreis) 91
Auerbach, Berthold 471

Baccara-Wettbewerbe 387
Bach, von (Familie) 159, 160, 168
Bachcompagnie 49, 135
Backnang, Stadt (Rems-Murr-Kreis) 111, 115, 156
Bad Bellingen (Lkr. Lörrach) 26
Bad Bergzabern, Stadt (Rheinland-Pfalz) 129
Bad Buchau, Stadt (Lkr. Biberach) 26
Bad Dürrheim, Stadt (Schwarzwald-Baar-Kreis) 224, 226
Bad Herrenalb, Stadt (Lkr. Calw) 35, 44, 395
Bad Liebenzell, Stadt, (Lkr. Calw) 35, 38
Badeärztlicher Verein 378
Badeblatt 470, 473
Baden, Freie Volksrepublik 205
Baden, Großherzogtum 1, 200, 205, 219, 260
Baden, Land 209, 210, 212, 226, 290, 376, 438
Baden, Markgrafen und Großherzöge 148, 149, 151, 154, 158, 159, 160, 161, 162, 165, 166, 168, 170, 172, 335, 438
– Baden 519, 520
– – Bernhard I. 111, 113, 121, 121, 129, 148, 165, 517, 520
– – Bernhard II. 139
– – Christoph I. 4, 105, 111, 113, 115, 116, 117, 118, 121, 128, 129, 166
– – Hermann II. 4, 110, 519
– – Hermann IV. 4
– – Hermann V. 155, 156, 517
– – Irmgard (Irmengard) 111, 151, 155, 156, 422
– – Jakob I. 111, 113, 121, 162, 423, 520
– – Karl I. 111, 121, 129, 162, 163
– – Philipp I. 116, 119, 123, 374
– – Rudolf I. 111, 423, 520
– – Rudolf II. 165
– – Rudolf III. 129
– – Rudolf VII. 133, 165, 517
– Baden-Baden
– – August Georg Simpert 111, 119, 132, 525
– – Bernhard III. 123

– – Eduard Fortunat 119
– – Ludwig Georg 525
– – Ludwig Wilhelm 107, 111, 525
– – Maria Franziska 115
– – Maria Magdalena 121
– – Maria Viktoria Pauline 119
– – Philibert 123
– – Philipp II. 113, 115, 123, 127, 162, 521
– – Sibylla Augusta 124, 140, 162, 496, 525
– – Wilhelm 114, 117, 123, 124, 162
– Baden-Durlach 106, 158
– – Georg Friedrich 111, 136
– Baden (Großherzöge und Prinzen) 518
– – Friedrich I. 231
– – Friedrich II. 457
– – Karl Friedrich 5, 85, 112, 117, 172, 265, 307, 385, 453
– – Leopold 259, 297, 308, 455, 518, 521
– – Ludwig 458
– – Luise 297, 305, 310, 457
– – Max 204
– – Wilhelm 309
Baden, Schulvisitatur 299
Baden-Baden (Zeitschrift) 473
Baden-Baden International (Zeitschrift) 473
Baden-Baden, Markgrafschaft 158, 170, 188, 423
Baden-Badener Zeitung 472
Baden-Durlach, Markgrafschaft 112, 158
Baden-Württemberg 5, 6, 216, 282, 413, 419, 437, 438, 452, 469
– Klima 53
– Kreisfreie Städte 355
– Landessportschulen 443
– Naturschutz 74
– Pflanzen- und Tierwelt 61
– Thermen 26
– Wirtschaft 230, 231, 353, 390
Badener Tagblatt 470
Badenscheuern, aufgeg. in Oosscheuern (Weststadt, Stkr. Baden-Baden)
– Bevölkerung 128, 319
– Kirche 138
– Schule 301
– Siedlung 489
– Vereine 245
– Versorgung 291
Badenweiler (Lkr. Breisgau-Hochschwarzwald) 38, 140, 224, 226, 229
Bäder- und Kurverwaltung s. Staatliche und Städtische Einrichtungen und Behörden
Bäderviertel 368
Badfonds s. Spielbankabgabe
Badische Neueste Nachrichten 472, 473

Badische Volkszeitung 471
Badische Zeitung 472
Badischer Landwirtschaftlicher Hauptverband 333
Badischer Sportbund 443
Badischer Weinbauverband 333
Badisches Tagblatt 470
Badwochenblatt 470
Bahnhofsviertel 489, 490
Baldreit-Stipendium 455
Balg (Stadtteil von Baden-Baden)
– Archäologie 99
– Bevölkerung 147, 177, 179, 185, 187, 193, 319, 320
– Gasthäuser 497
– Gemeinde 146, 163, 281, 282, 284
– Geologie 21, 22, 41, 134
– Gericht 163
– Geschichte 146 f.
– Gesundheitswesen 294, 418, 497
– Herrschaft und Grundbesitz 146
– Kirche und Pfarreien 120, 138, 143, 146 f., 163, 307, 425, 427, 497
– Naturschutz 75
– Politik 202, 210
– Schule 147, 299, 301, 447, 497
– Siedlung und Gemarkung 107, 146, 497–499
– Soziale Einrichtungen 298
– Vereine 311
– Verkehr 265, 266, 268
– Versorgung 290, 293
– Verwaltung 112, 284
– Wirtschaft 147, 164, 234, 239, 242, 243, 246, 250, 254, 262, 335
Balinger, Herbert 465
Bargatzky, Eugen 473
Bartning, Otto 145
Basel, Hochstift 162
Basel, Stadt 264, 265, 266, 397
Basner, Georg 473
Batschari, August 250
Bauer, Dr. Paul 212, 418
Baugesellen-Unterstützungs-Verein 245
Baumgärtner, Dr. J. 295
Baustoff-Bezugsgenossenschaft 245
Bayer, August von 86, 91
Becker, Hugo 145
Behörden 2, 286–289, 419–422
Behördenzentrum (Weststadt) 415
Bellingen s. Bad Bellingen
Belzer, Bernhard 140, 430, 518
Bénazet (Familie) 5, 404, 522
– Edouard 140, 141, 189, 222, 229, 231, 444, 471

– Jean Jacques 222, 229, 264, 292
Bense, Prof. Max 476
Berenbach, Hof 160
Berendt, Joachim Ernst 464
Bergzabern s. Bad Bergzabern
Berlioz, Hector 458, 459
Bermersbach (Stadt Gengenbach, Ortenaukreis) 107
Bernhard, Hubert 145
Besigheim, Stadt (Lkr. Ludwigsburg) 121
Beuern s. Lichtental (Stadtteil von Baden-Baden)
Beuerner Tal 112, 117, 120, 153, 154, 155; s. a. Lichtental (Stadtteil von Baden-Baden)
Beuerner Tor 105, 106, 114, 134, 232, 277
Beuren (Stadt Isny im Allgäu, Lkr. Ravensburg) 26
Bezirksämter s. Verwaltungsbezirke
Bibiensis (Bibiensium), vicus 99, 164
Bickesheim, aufgeg. in Durmersheim (Lkr. Rastatt) 151
Bietigheim (Stadt Bietigheim-Bissingen, Lkr. Ludwigsburg) 363
Bilharz, Hermann 296
Billing, Hermann 140, 143, 457, 524
Bischoff, Prof. Friedrich 462, 463, 464, 465, 466, 467
Bismarckdenkmal 144
Bleiche (Familie) 163
Bleichenhof 163
Blumenberg, Agnes von 121
Boemble, Hugo von 454
Bogdoll, Siegfried J. 474
Börne, Literat 471
Bosenstein, von 162
Bosslet, Albert 145
Botzheim, von 160
Brahms, Johannes 455, 459
Brahmsgesellschaft 455
Braun, Ludwig 418
Brenneisen, Wilhelm 167
Brenner
– Alfred 418
– Anton 233, 270
– Camill 233, 270, 299
Brentano, Lorentz 199
Bretten, Stadt (Lkr. Karlsruhe) 148, 395, 397
Briegelacker, Wohnquartier 322, 447
Britsch, Johann 140
Brombach (Familie) 169
Bruchsal, Stadt (Lkr. Karlsruhe) 395
Bube (Familie) 158; s. a. Röder (Familie)
Buchau s. Bad Buchau
Büchler (Familie) 305, 445, 449
– Hermann 449

Buchtung (Sinzheim, Lkr. Rastatt) 168
Bühl, Stadt (Lkr. Rastatt)
– Amt Yburg 168
– Gemeinde 282
– Kirche und Pfarrei 96, 121, 167, 169, 170
– Kloster Maria Hilf e.V. 426, 439
– Schlachthof 351
– Siedlung und Gemarkung 120
– Schulvisitatur 302
– Verkehr 265, 267, 391, 395, 395, 398
– Versorgung 401
– Verwaltung 136, 168, 417
– Wirtschaft 219, 331, 335, 363, 475
– Zünfte 171
Bühl-Rastatt, Reichstagswahlkreis 202
Bühler Tagblatt 472
Bühler Wochenblatt 472
Bühlertal (Lkr. Rastatt) 245, 331, 335
Bülow, Hans von 459
Bundesforschungsministerium 438
Bundestagswahlen 412
Burgeberstein s. Eberstein (Stadtteil von Baden Baden)
Burger, Dr. 296
Bürgerlicher Lese- und Gewerbeverein 310
Bürgerrat 417

Calixt Osman, Bruder Sultan Mohameds II. 4
Cambon, Charles-Antoine 141
Caritasverband für die Stadt Baden-Baden e.V. (CV) 426, 432, 449
Carlein, Dr. Walter 7, 286, 386, 414, 415, 417, 418, 421
Casino s. Spielbank
Chabert, Antoine 222, 229, 275
Chezy, Wilhelm von 471
Chronique de Bade 470
Cicéri, Pierre-Lucas-Charles 141
Cité Française 417, 418, 431, 484, 495f.
Civitas (Aurelia) Aquensis 91, 93, 97
Civitas Ulpia Sueborum Nicrensium 96
Cleveland, Maria 519
Cohors VII. 95
Cohors XXVI. 88, 94, 95, 96
Colmar, Stadt (Elsaß) 134
Comitatus Forchheim 110
Corinth, Lovis 457
Cotta, Johann Friedrich von 139, 232, 308, 476, 477
Couteau, Charles 141, 458
Cronberg, von 159

Daniel, Fabrikant 253
Darlehenskassen-Verein Haueneberstein 244
Darlehensverein Haueneberstein 374

Das Weltbad, Blätter des Kulturamts der Stadt Baden-Baden 473
Daxlanden (Stkr. Karlsruhe) 118, 124
Dengler, Dr. 439
Der Kurier 472
Derchy, Charles 141, 458
Dernfeld, Carl 142, 143, 526
Deutsche Könige und Kaiser
- Adelheid 110
- Augusta 232, 430, 518
- Dagobert III. 104
- Friedrich III. 4, 129
- Heinrich III. 105, 110, 114, 133
- Heinrich IV. 114
- Konrad II. 110
- Konrad III. 114
- Ludwig der Deutsche 105, 110
- Otto III. 106, 110, 119, 517
- Richard von Cornwall 168
- Rudolf 111
- Sigmund 129
- Wilhelm I. 222, 231, 232, 518
Deutsche Parkinson Vereinigung e.V. 434
Deutsche Pokermeisterschaften 387
Deutsche Zentrale für Tourismus 375
Deutscher Bäderverband (DBV) 375, 376, 378, 379
Deutscher Orden 146
Deutsches Rotes Kreuz 433, 438, 440
Dezernatsverteilung der Stadtverwaltung 421 f.
Die Woche in Baden-Baden 473
Dienst, Prof. Rolf-Gunter 476
Dingelstedt, Franz von 471
Dörfel (Stadt Baden-Baden) 307
Dreesbach, August 202
Dupressoir, Jacques Emile 229
Durand, Ludovic 141
Duras, französischer General 107
Durlach (Stkr. Karlsruhe) 157
Durm, Josef 142, 526
Dürrheim s. Bad Dürrheim
Dürrmenzer Hof 163
Duttenhurst (Sinzheim, Lkr. Rastatt) 168

Ebenung (Sinzheim, Lkr. Rastatt) 21, 45
Ebers, Dr. Paul 296
Eberstein, Grafschaft 107, 148, 155
Eberstein, von und Grafen von 136, 147, 148, 149, 151, 154, 168
- Berthold 152
- Reinbodo (Reginbodo) 148
Ebersteinburg (Stadtteil von Baden-Baden)
- Amtszugehörigkeit 112

- Bevölkerung 150, 182, 184, 185, 187, 188, 189, 193, 319
- Burg Alteberstein 111, 136, 147, 148, 151, 299, 499; s. a. Neueberstein
- Gasthaus 499, 500
- Gemeinde 149, 281, 282, 284, 285, 316, 414, 417, 418, 420
- Geographie 50
- Geologie 16, 17, 38, 42, 44, 61
- Geschichte 147–150
- Kirche und Pfarrei 120, 124, 145, 146, 149 f., 151, 152, 163, 307, 308, 309, 425, 427, 499, 501
- Krankenhaus, Kurklinik, Sanatorium 184, 294, 296, 426, 501
- Kur- und Gemeindezentrum 501
- Landschaftspflege 73
- Naturschutz 74, 75, 77, 78
- Pflanzen- und Tierwelt 64, 65
- Politik 204, 209, 210, 212, 412
- Rathaus, ehemaliges 499
- Schule 150, 150, 300, 302, 447, 451
- Siedlung und Gemarkung 147, 282, 499–501
- Soziale Einrichtungen 298, 426
- Vereine 245
- Verkehr 265, 268
- Versorgung 291, 293, 401, 404, 405, 500
- Verwaltung 112, 285, 288
- Werkhof des Staatlichen Forstamtes Kaltenbronn 501
- Wirtschaft 150, 221, 233, 234, 246, 254, 258, 260, 261, 374
Echo von Baden 471
Eckhöfe (Lichtental, Stkr. Baden-Baden) 489
Eiermann, Egon 145
Einkaufsgenossenschaft der Bäckerinnung eGmbH 245
Einkaufskontor des Großhandels 245
Einsiedeln (Schweiz) 374
Eisenlohr, Friedrich 143, 485, 494, 518
Eisental (Stadt Bühl, Lkr. Rastatt) 13, 167, 168, 185, 281, 282, 427
Elchesheim (Elchesheim-Illingen, Lkr. Rastatt) 121, 123
Elfner, Hermann 285
Elsässer, Martin 143
Elster, Hannes und Inge 475
Eltz, von (Familie) 159, 160, 168
- Johann Eberhard 136
Emmerich, Dr. Otto 296
Engelhorn, Robert 457, 524
England, Königin Victoria von 518
Entwicklungsgesellschaft Söllingen (EGS) 398
Erfurt, Universität 170

Erwin von Steinbach-Denkmal (Steinbach) 144
Erzberger, Matthias 204
Erzeugergemeinschaft Neuweier 331
Ettlingen, Stadt (Lkr. Karlsruhe) 81, 121, 145, 152, 157
Europa (literarische Zeitschrift) 470
Europäisches Parlament (Wahlen) 413

Falk, Kurt 418
Fecht, Dr. Hermann 211, 212
Feldmann, Dr. Olaf 414
Feldsiechenhaus s. Gutleut- oder Feldsiechenhaus
Festival GmbH 416, 419
Festspielhaus 490
Fichard, Robert von 441
Fieser, Reinhard 267
Fischer, Friedrich Theodor 140, 142
Fischer, Klaus-Jürgen, Prof. 476
Fischer, Willi 331
Fischereigesellschaft 264
Fleischer, Unternehmer 254
Flößerei 49, 135
Focken, Hayno 145
Forbach (Lkr. Rastatt) 111, 125, 157
Förch (Niederbühl, Stadt Rastatt) 118
Forchheim (Rheinstetten, Lkr. Karlsruhe) 118
Fränkische Könige
– Dagobert III. 110
Frankreich 264, 323, 358
– Könige und Kaiser
– – Ludwig XIV. 5
– – Napoleon III. 222
Frauenalb, Kloster (Schielberg, Marxzell, Lkr. Karlsruhe) 148
Frauenverein 297, 298, 310
Freiburg im Breisgau, Stadt
– Klima 60
– Kongreßort 8
– Thermen 26
– Universität 436, 438
– Wirtschaft 250
Freiburg, Erzbistum 307, 423, 426, 445, 449
Freie Künstlervereinigung Baden e.V. 140, 457
Freimaurerloge Badenia zum Fortschritt 311
Freithof (Stadt Baden-Baden) 106
Fremersberg, Klostergut 259, 260
Freudenstadt, Stadt 266, 391, 429
Frey, Dr. 295
Friedenweiler, Kloster (Lkr. Breisgau-Hochschwarzwald) 156
Friedmann, Dr. Bernhard 413
Friedrichshöhe (Wohngebiet) 266, 482
Frietsch, Christian 477

Friseur-Innung Baden-Baden 352
Fröhlich, Eduard 331
Frommel, Carl Ludwig 140
Fuchs, Franz 145
Fuss, Margot 454, 473
Fußballverein von 1919 311

Gagarine, Prinzessin 309
Gaggenau, Stadt (Lkr. Rastatt) 13, 16, 17, 19, 44, 395, 401
– Verkehr 395
Gaisbach (Lichtental, Stkr. Baden-Baden)
– Fischzuchtanstalt 264
– Geologie 48
– Herrschaft und Grundherrschaft 154, 160
– Schulzugehörigkeit 301
– Siedlung und Gemarkung 153, 489
Gaius Sempronius Saturninus 95
Gaius Valerius Romulus 95
Gaius Veturius Dexter 97
Gallenbach (Varnhalt, Stkr. Baden-Baden)
– Amtszugehörigkeit 168
– Gemeinde 282
– Geologie 45
– Kirche 172
– Siedlung und Gemarkung 167, 172, 513
– Verkehr 266
Gallwitz, Klaus 457
Gartenanlagen 419
Gastgewerbe s. Hotel- und Gastgewerbe
Gastl, L. 145
Gaus, Bürgermeister 430
Gaus, Günter 467
Gausbach (Forbach, Lkr. Rastatt) 123
Gebrauchtflugzeugmesse 370
Gechingen (Lkr. Calw) 121
Geck, Adolf 203, 204
Geiler von Kaysersberg 129
Gemeinde- und Kreisreform 417
Gemeinderat 420
Gemeinnütziger Verein 311
Gemmingen, von (Familie) 106, 115, 151, 159, 168; s.a. Selbach, von
– Dietrich 129
Gemmingerturm 105
Geographische Namen und Begriffe
– Aargau 160
– Achertal 37
– Alb (Fluß im Nordschwarzwald) 81
– Alpen 16, 21
– Annaberg 144, 225, 266, 289, 290, 479, 481, 482
– Baar 156

Register

- Badener Höhe 10, 20, 37, 38, 38, 42, 46, 47, 52, 53, 54, 57, 58, 59, 60, 63, 399, 401
- Badener Senke 10, 13, 14, 15, 16, 17, 19, 38, 42, 43, 46, 48
- Balzenberg 15, 329
- Battert 4, 14, 15, 19, 21, 38, 38, 40, 42, 43, 44, 50, 52, 57, 60, 63, 74, 82, 84, 85, 104, 110, 111, 265, 392, 399, 478, 499, 501, 519
- Benzenwinkel 16
- Bergsee 21, 21, 22
- Bergstraße 60
- Bernickelfels (Kreuzfelsen) 15, 75
- Beuerner Tal 112, 117, 120, 153, 154, 155, 164
- Beutig 289, 462, 478, 481, 483
- Binsenwasen 46
- Birket, -kopf 42, 43
- Blauen 38
- Blinder See 23
- Breisgau 111, 156
- Büchelberg 17, 45, 513, 515
- Bühlerhöhe 54
- Bühlot 170
- Cäcilienberg 45
- Dettenbach, -tal 483, 484
- Donon 96
- Dürrenberg 10, 20
- Eberbach, -schlucht, -tal 14, 15, 20, 42, 43, 50, 50, 147, 150, 501, 503, 504
- Eberkopf 16
- Eckbächel 46
- Eckberg 329, 435
- Eichelberg 42
- Eierkuchenberg 20, 38, 47, 48
- Elsaß 85, 189, 368
- Eltzenberg 161
- Elztal 38
- Enztal 60
- Eulenfelsen (am Plättig) 15
- Falkenbach 46, 50, 154
- Falkenfelsen 47
- Florentiner Berg 17, 26, 30, 86, 92, 106, 130, 478, 480
- Freiburger Bucht 38
- Fremersberg 10, 19, 20, 38, 42, 43, 44, 50, 52, 53, 54, 56, 57, 59, 60, 66, 105, 117, 120, 125, 265, 266, 290, 308, 345, 418, 467, 513
- Friedrichshöhe 266, 290, 291, 401
- Friesenberg 14, 15, 17, 135, 423, 430, 478, 481, 482, 483, 488, 490
- Gaßeckbächel 507
- Gebirgsrandniederung s. Kinzig-Murg-Rinne
- Geggenau 76
- Geroldsauer Tal 45

- Geroldsauer Wasserfälle 49, 75
- Gewerbekanal 49
- Grafenrötel (Sulzbach, Stadt Gaggenau) 20
- Grobbach, -tal 45, 46, 47, 48, 49, 50, 53, 60, 75, 82, 135, 153, 154, 486, 487, 488, 489
- Großer Staufenberg s. Merkur
- Grünbach 45, 64
- Gunzenbach, -bächel 18, 45, 50, 291, 483
- Haardt 60, 148
- Hainbach 81
- Hardberg 10, 20, 42, 43, 52, 60, 64, 118, 146, 491, 497, 499
- Harzbach 49, 289
- Heiligenberg (Heidelberg-Neuenheim) 96
- Heiligenstein 505
- Heimbach 50
- Herchenbach, -bächel 291, 482, 483
- Herrenwieser Quellen 401
- Herrenwieser See 23
- Heßbächel 64
- Heuberg 154
- Hinterer Wald 135
- Hochrhein 57
- Hohberg 107
- Horhalde 16
- Hornisgrinde 37, 38, 42, 47, 58, 59, 477
- Hummelberg (Gaggenau) 13, 14, 16, 20, 46
- Hungerberg 34
- Ibach 45
- Iberg 18, 45, 63, 507, 511, 516
- Iberst 18, 45, 52, 53, 54, 56, 57, 59, 60, 63, 118
- Immenstein 23, 38
- Kaiserstuhl 60, 82
- Kälbelberg, Kälbelskopf 22, 42, 50, 495
- Kandel 38
- Kapffelsen 75
- Karrenbach 507
- Katzenstein 43
- Kinzig 290
- Kinzig-Murg-Rinne 23, 40, 64, 66, 67, 74, 79, 81, 83, 511
- Kleiner Staufenberg 19, 20, 44, 45, 46, 50, 52, 54, 57, 59, 60, 117, 487
- Klemmbachtal 38
- Korbmattenkopf 18, 18, 45
- Kraichgau 111, 115, 148, 163
- Krebsbach, -tal 21, 43, 50
- Kreuzfelsen s. Bernickelfels
- Kuchenberg 46
- Kugelau 289
- Laisenberg 118
- Landgraben 40, 49
- Landschaftsschutzgebiete

– – Baden-Baden 76
– – Bruchgraben 76
– – Geggenau 76
– – Korbmatten 76
– – Yberg 76
– Lanzenfelsen (Schwarzwaldhochstraße) 15
– Leisberg 18, 45, 63, 246, 290, 483
– Leissee 74, 345
– Lichtentaler Graben, – Mulde 17, 19, 38, 40, 42, 43, 44, 45, 48, 49, 50
– Littersbach 42
– Losenberg 46
– Malschbächel, -bachtal 45, 489
– Markbach 64, 75
– Mauerberg (Neuweier) 505
– Merkur (= Großer Staufenberg) 19, 20, 38, 44, 45, 46, 50, 52, 53, 54, 56, 57, 59, 60, 63, 96, 97, 107, 117, 246, 267, 289, 345, 394, 396, 399, 406, 482, 487, 501
– Michaelsberg 430
– Michelbach, -tal 43, 45, 50, 135, 292
– Mittelbaden 368
– Mittelfeldkar 63
– Mittelfeldkopf 23, 38, 47
– Mittelschwarzwald 14
– Müllenbachtal 45
– Müllenbild 117
– Murg, -tal 17, 22, 41, 42, 44, 46, 48, 50, 148, 153, 157, 193, 264, 267, 290, 371, 391, 392, 401, 501
– Nagoldtal 82
– Naturdenkmäler
– – Kreuzacker 75
– – Magerrasen Sauersboschtal 75
– – Sandüne 75
– Naturschutzgebiete
– – Battert 75
– – Bruchgraben 67, 74
– – Jagdhäuser Wald 75
– – Korbmatten 74
– – Krebsbachtal 75
– – Markbach 75
– – Rastatter Ried 75
– Neckar, -becken 60, 88, 123, 199
– Neckarland 111
– Nellenberg 45, 513
– Nordschwarzwald 23, 38, 44, 46, 56, 57, 58, 59, 61, 66, 75, 79, 81, 99, 346, 399
– Obere Ohl 20
– Oberes Gäu 123
– Oberwald (Sandweier) 290
– Odenwald 60, 90, 91
– Oos 17, 22, 40, 41, 42, 43, 45, 46, 47, 49, 50, 52, 68, 79, 87, 89, 93, 94, 105, 106, 109, 110, 123, 130, 134, 135, 141, 154, 157, 170, 182, 196, 221, 224, 229, 247, 264, 291, 293, 299, 322, 329, 422, 478, 479, 481, 486, 487, 491
– Oosaue 496
– Oosbach 117, 120, 133, 167, 408
– Ooskanal 40, 41, 49
– Oostal 4, 5, 8, 37, 40, 42, 43, 44, 45, 46, 48, 52, 53, 54, 56, 57, 58, 59, 60, 60, 88, 90, 96, 96, 97, 98, 129, 265, 289, 329, 335, 370, 423, 482, 483, 484, 495, 496, 501
– Ortenau 157, 170
– Ortenauer Vorberge 37
– Pfeiferfels 45
– Pfinzgau 111
– Pflutterloch 30
– Plättig 46, 47, 265, 289, 399, 401
– Pulverstein 43
– Quettig 105, 109, 399, 462, 464, 465, 466, 477, 478, 481, 482, 483
– Rebland 8, 182, 236, 237, 260, 267, 292, 322, 329, 331, 367, 391, 395, 401, 418, 425, 427, 445, 505, 510, 513
– Rettig 88, 90, 94, 98, 448, 482, 484, 486
– Rhein = Altrhein 264
– Rhein = Oberrhein 21, 22, 23, 85, 91, 111, 157, 264, 492, 510
– Rheinauen 61, 65, 66, 77, 353
– Rheinebene = Oberrheinebene 8, 10, 22, 37, 38, 40, 42, 43, 45, 48, 50, 52, 53, 54, 56, 57, 58, 59, 60, 62, 64, 65, 66, 68, 69, 73, 79, 81, 83, 85, 96, 97, 98, 106, 110, 147, 184, 237, 265, 267, 290, 328, 353, 368, 396, 496, 497, 501, 503, 504, 505, 508, 509, 511
– Rheingraben = Oberrheingraben 13, 19, 20, 21, 22, 35, 38, 43, 45, 47, 57, 60, 67, 401
– Ritterplatte 38
– Rote Lache 20, 289, 399, 401
– Rotenbach (-bächel), -tal 35, 43, 46, 50, 79, 84, 86, 88, 94, 105, 223, 228, 478, 479, 482
– Rotenfelser Mulde 38, 44, 44
– Rubach, -tal 46, 47, 48, 49, 153, 489
– Ruberg 38, 46, 47, 48, 49, 117, 345
– Sand 46
– Sandbach 49
– Sauersberg 105, 109
– Schafberg 328, 329
– Schartenberg 505, 507, 511
– Scherr 399, 401
– Scherrbach 48
– Scherrhalde 289
– Schindelklamm 14, 21, 43, 50
– Schloßberg 19, 50, 98, 104, 106, 449, 499, 501, 505
– Schönbuch 123

- Schürkopf 20
- Schwarzwald 20, 21, 35, 37, 41, 45, 57, 59, 60, 61, 62, 63, 64, 65, 66, 67, 69, 73, 75, 77, 78, 266, 505, 513
- Schwarzwässerletal 45
- Schweigroter Matten 21
- Schweybach 135
- Seelich 105
- Sendelbrunnen 135
- Simmelsberg 46
- Staufenberg s. Kleiner Staufenberg und Merkur
- Steinbach, -tal 13, 14, 22, 23, 42, 45, 45, 46, 50, 68, 79, 505, 507, 511
- Steinberg 16, 46
- Steinbrüche
- – Hardberg 75
- – Vormbach (Bergsee) 22
- Südpfalz 368
- Taunus 89
- Tongrube Steinbach 22
- Traischbach, -tal 14, 20
- Vorfeldkopf 20, 38, 46, 47, 49
- Übelsbach 45, 81
- Uchtweid 76
- Ufgau 111, 148
- Urbach 47, 49
- Urberg 47
- Vogesen 59
- Vorberge (Vorbergzone, Vorhügelzone) 10, 23, 40, 41, 42, 44, 45, 45, 48, 50, 52, 53, 54, 56, 59, 60, 61, 64, 65, 66, 67, 68, 69, 73, 75, 81, 83, 98, 99, 100, 150, 157, 265, 328, 492, 494, 501, 503, 504, 505, 511, 513
- Waldbachtal 17
- Waldeneck 45, 118
- Waldsee, oberer und unterer 345
- Waldseebad (Gaggenau) 16
- Weißwegbächel 43
- Wiedenfelsen 15
- Wolfartsberg 10, 20, 21
- Wolfsschlucht 75, 501
- Zabergäu 156, 157
- Zaberner Senke 59
Gernsbach, Landkapitel 307
Gernsbach, Stadt (Lkr. Rastatt) 16, 46, 111, 121, 124, 148, 149, 265, 266, 373
Gernsbacher Tor 105, 118, 228
Gernsheim (römischer Militärposten) 88
Geroldsau (Lichtental, Stkr. Baden-Baden)
- Archäologie 79, 81, 82
- Bevölkerung und Wirtschaft 155, 329
- Gemeinde und Verwaltung 284, 285
- Geographie 49

- Grobbachhalle 488
- Herrschaftszugehörigeit 153
- Kirche und Pfarrei 120, 143, 307, 423, 425, 488
- Pflanzen- und Tierwelt 67
- Schule 301
- Siedlung und Gemarkung 153 f., 488
- Soziale Einrichtungen 298, 426, 433
- Verkehr 265, 266
- Versorgung 293
Gerwig, Robert 27
Gesellschaft der Freunde junger Kunst 457
Gesellschaft zur Förderung des Unternehmernachwuchses 370
Gettelbach, Gut 115
Gewerbe s. Handel, Gewerbe, Handwerk, Industrie
Gewerkverein der Schneider 245
Gilbert, Dr. 295
Gimbel, Gebrüder 457
Gleichauf, Rudolf 142
Gnaeius Pinarius Cornelius Clemens 88
Göbrichen (Neulingen, Lkr. Pforzheim) 121
Gochsheim (Stadt Kraichtal, Lkr. Karlsruhe) 121, 123, 148
Goethe, Johann Wolfgang von 141
Gogol, Nikolai Wassiljewitsch 471
Goldenes Kreuz (Wohn- und Geschäftshaus) 484
Göler, Freiherr von 430
Golfclub 299
Gommel, Hermann 418
Gönner, Dr. Albert 485
Gönneranlage 144, 299, 485
Götz, Peter 413
Götzenberger, Friedrich 524
Götzenberger, Jakob 142, 454
Grafenhof 168
Grassl, Otto 139
Greiser, Richard 470
Grobbachhof 489
Grochowiak
- Karin 476
- Thomas, Prof. 476
Groensfeld, Grafen von 148
Gropengiesser, Prof. Dr. Hermann 84
Grosholz
- Franz 232, 265
- Heinrich 299
- Philipp 232
Großer Schweighof 168
Großweier (Stadt Achern, Ortenaukreis) 136
Grötzingen (Stkr. Karlsruhe) 157
Grund, Johann 140, 457

Register

Guggert, Dr. Anton 293
Gunzenbach, abgeg. bei Lichtental (Stadtteil von Baden-Baden)
- Bevölkerung 128
- Kirche 120, 307, 425
- Siedlung 105
Gurs, Konzentrationslager 189
Gushurst, Egon 413
Gutleut- oder Feldsiechenhaus 105, 118, 119, 131, 294, 297
Gutzkow 471

Haebler, Rudolf Gustav 211, 473
Haedecke, Gert 468
Hagenau (Elsaß) 155
Hahn-Rebhof 115
Halberstung (Sinzheim, Lkr. Rastatt) 168
Haller, Bürgermeister 421
Hambruch, Werner 470
Hammerschmidt, Helmut 467
Handel, Gewerbe, Handwerk, Industrie 237–254, 347–374
- Aeroquip GmbH 362, 363
- Agis-Verlag GmbH 475
- AOK-Klinik GmbH Lahr 439
- Apparatebau Hundsbach GmbH Meß- und Prozeßleittechnik 362
- Arnold, Marmorschleiferei (Oos) 253
- Baden-Baden-Marketing GmbH 6, 416, 419
- Baden-Badener Versicherungs AG 374
- Baden-Württembergische Bank AG 372
- Badener Bachcompagnie 49, 135
- Badische Bank 372
- Badische Beamtenbank eG 373
- Batschari, Zigarettenfabrik 219, 250, 490
- Bausparkasse Deutsche Baugemeinschaft AG 245
- Bayerische Hypotheken und Wechselbank AG 372
- Becker Avionics AG & Co. KG 362
- Becker KG 362
- Beecham Ltd. 359
- Beiersdorf AG 360
- Bezirkssparkasse Kuppenheim 242
- Bold-Baubetriebe 363
- British-American Tobacco (BAT) 359
- British-American-Cosmetics Ltd. 359
- Buchholz Textilpflege 364
- Carasana GmbH 416
- Commerzbank AG 244, 373
- Cotta-Verlag 477
- Daniel, Lackfabrik (Oos) 253
- Deutsche Bank AG 269, 363, 373
- Deutsche Bundesbank 372
- Deutsche Hourdis-Fabrik GmbH (Oos) 41, 254
- Deutsche Luftfahrt-Elektronik 362
- Devant 279
- DLE Luftfahrtservice GmbH 362
- Dresdner Bank AG 363, 373
- Egmont-Konzern 475
- Einkaufsgenossenschaft der Bäckerinnung eGmbH 245
- Einkaufskontor des Großhandels 245
- Einzelhandelsbank Baden AG 244
- Elster-Verlag 475
- Emaillierwerk Oos W. Schneider GmbH & Co KG 254
- Ergo-Pharm-Unternehmensgruppe 362
- Familienheim Baden-Baden 245
- Festival GmbH 416, 419
- Fleischer, Essig- und Senffabrik (Steinbach) 254
- Flughafengesellschaft Baden-Baden mbH 267, 398, 399
- Fribad Cosmetics GmbH 358, 359
- Früher Verlag GmbH 472
- Gasversorgung Süddeutschland GmbH 399, 404, 406
- Gemeinnützige Baugenossenschaft Baden-Baden eGmbH 245
- Genossenschaftsbanken 373
- GMA Gesellschaft für Markt- und Absatzforschung mbH 365
- Graf, Brauerei (Lichtental) 232
- Gres, Parfümhaus 359
- Grosholz, Franz, Agentur 265
- Handelsbank Heilbronn 372
- Hecker, Architekturbüro 145
- Heel, Biologische Heilmittel GmbH 326, 360, 362, 495
- Heim, Rosel, Kosmetik 254
- Herrmann, Karl Theodor & Co., Bank 244
- Hettler, Ziegelwerke (Steinbach) 254
- Holle-Verlag 476
- Hubschrauber-Service- und Wartungszentrum 370
- Internationaler Club AG 231, 311, 370, 442, 444
- Joerger, C.F., Bank 244
- Juvena International AG 359, 360, 495
- Juvena Produits de Beauté GmbH 358, 359
- Kammerer & Belz, Architekturbüro 145
- Keller, Adolf, Spezialtiefbau GmbH 363
- Kies- und Betonwerke Rudolf Peter GmbH & Co. KG (Sandweier) 363
- Klambt, Unternehmensgruppe 473
- Klambt-Verlag 474

- Klehe, Hermann 250
- Klein & Klein, Baugeschäft 248
- Klein, Woldemar, Verlag 476
- Koelblin, Ernst KG, Druckerei 241, 470
- Kongreß GmbH 416
- Kosmetik International GmbH, Verlag 475
- Landeskreditbank Baden-Württemberg 374
- Landeszentralbank 244, 372, 491
- Ländliche Darlehenskasse (Lichtental) 244
- Lanninger Verwaltungsgesellschaft GmbH 363
- Lenz, Bankgruppe 230
- Liebig Klink GmbH 439
- Löw, Emil GmbH & Co KG 254
- Marx, Daniel Raphael, Buchdruckerei 241, 247
- media-control 370
- Mercedes-Benz (Rastatt) 355
- Messmer-Tee 239
- Metz, K. 292
- Meyer & Diss, Bank 244, 373
- Meyer, Franz Simon, Handels- und Bankhaus 244
- Mitteldeutsche Creditbank 244, 373
- Motorflug GmbH (Oos) 362
- Müller, G. & Co., Bank 244
- Nagel & Menz 247
- Neue Heimat, Baugenossenschaft 245
- Nomos Verlagsgesellschaft 475
- Oberrheinische Bank Mannheim 244
- Oberrheinische Kliniken GmbH & Co. Betriebs-KG (Nordrach) 439
- Parker Pen GmbH 364, 490
- Parkgaragengesellschaft Baden-Baden mbH 399
- Presseverein Baden-Baden GmbH, Verlag 471
- Raiffeisen Warengenossenschaft Yburg eG Baden-Baden 245
- Raiffeisenbanken 244, 374
- Rebland GmbH 399
- Reemtsma 250
- Reichsbank 244, 371, 372
- Reisebüro Baden-Baden GmbH 399
- Rhein-Main-Bank 373
- Rheinbold, Teerfabrik (Oos) 253
- Rheinische Creditbank 244, 269, 373
- Roth, Ofenfabrik (Oos) 219, 253, 254
- Rupprecht, J.G., Warenhaus 366
- Sänger & Lanninger GmbH & Co. 363
- Sans Soucis (Juvena) 254, 326
- Scherzinger & Härke, Architekturbüro 144
- Schiewe-Langenstein GdbR 439
- Schluchseewerke 363
- Schneider, Blechnerei (Oos) 253
- Schöck, Eberhard KG, - AG (Steinbach) 363
Schwend, Joseph GmbH & Co.(Steinbach) 363
- Scotzniovsky, Buchdruckerei und Verlag 241, 247
- Shoynear Cosmetics GmbH 360
- Sonnenverlag 473, 474
- Spar- und Kreditbanken (Steinbach, Varnhalt) 244
- Stadtsparkasse Baden-Baden 242, 371, 372, 373, 416
- Stolzenberg, Büromöbelfabrik 253, 495
- Strohmeyer, Ed., Bank 244
- Suhrkamp Verlag 475
- Thiergärtner GmbH 250
- Trinkaus & Burkhardt KGaA 372
- Trinova-Konzern 363
- Vereinsbank Baden-Baden eGmbH 243
- Verkehrsgesellschaft Baden-Baden/Gaggenau GmbH 399
- Verlag für Technik und Handwerk 475
- Vetter Hoch- und Tiefbau GmbH 363
- Volksbank 87, 243, 363, 371, 372, 373, 491
- Wagener, Kaufhaus 366
- Weiß, Franz Xaver, Verlag 241
- Wesel, Franz W., Druckerei und Verlag 364
- Wolf, Gebr., Bank 244
- Wolf, Metallwarenfabrik (Haueneberstein) 504
- Württembergische Bank 372
Handwerksorganisationen
- Friseur-Innung Baden-Baden 352
- Handwerkskammern
- - Freiburg 250
- - Karlsruhe 250, 352
- Haus des Handwerks 352
- Kreishandwerkerschaft Rastatt/Baden-Baden/Bühl 352
- Landesverband Südbaden des Maler- und Lackierer-Handwerks 352
- Maler- und Lackierer-Innung Baden-Baden 352
- Schreiner-Innung Baden-Baden 352
Harbrecht, Josef 216
Harrant, von (Familie) 169
Hartmann, Lothar 465
Haueneberstein (Stadtteil vonBaden-Baden)
- Archäologie 81, 83, 84, 99, 100
- Bevölkerung 153, 182, 184, 185, 319, 322
- Friedhof 297
- Gasthaus 503
- Gemeinde und Verwaltung 112, 151f., 281, 282, 284, 288, 316, 414, 417, 418, 420

- Geologie 10, 21, 22, 23, 41, 50, 79
- Geschichte 147, 150–153
- Heimatmuseum 455
- Herrschaftzugehörigkeit 112, 151
- Industrie- und Gewerbegebiet 503, 504
- Kirche und Pfarrei 124, 145, 150, 152, 163, 307, 425, 427, 503
- Naturschutz 76, 77
- Pflanzen- und Tierwelt 64, 65, 66
- Politik 203, 204, 210, 212, 412
- Rathaus 503
- Schule 153, 153, 302, 447, 504
- Siedlung und Gemarkung 150f., 501–505
- Vereine 244, 245, 311, 333, 374
- Verkehr 265, 268, 395, 398
- Versorgung 290, 291, 292, 293, 401, 404, 405
- Wirtschaft 134, 153, 234, 242, 244, 246, 254, 256, 257, 259, 260, 261, 326, 328, 357, 367, 374

Haus des Handwerks 352, 491
Haus des Kurgastes 134, 145, 270, 484, 485, 523
Haus Eiermann 145
Haus Graf Hardenberg 145
Haus Mann 145
Haus Richter 523
Hauser, Dr. Hugo 216, 413
Hausfreund (Zeitschrift) 474
Hecker, Friedrich 199
Hecker, H. D., Architekt 526
Heidelberg, Stadt 292, 302, 438
Heilbronn, Stadt, 60, 380
Heiligenthal, Dr. Franz 293
Heim, Rosel 254
Heimatverein Sandweier 456
Heimenhofen, Walter von 115
Hein, Paul 459
Heinefetter, Johann Baptist 142, 457
Heinrich, Erwin 457
Heinsheimer, Dr. 296
Herrenalb, Kloster 148, 156
Herrenalb, Stadt s. Bad Herrenalb
Herrengut 115
Herrenwies (Forbach, Lkr. Rastatt) 124, 290
Herrmann, Karl Theodor 244
Herwegh 471
Hettler, Unternehmer 254
Heuwel von Tiefenau (Familie) 159, 169, 172
Hexenturm 105, 106
Hilf, Willibald 465, 468
Hilfe für deutsche Aussiedler e.V. 432
Hinderer, von (Familie) 169
Hinterbalg 151
Hirn, Louis 461

Hirsau, Kloster 150, 152, 168, 170
Historischer Verein für Mittelbaden 455
Hobbing, E. 145
Hochberg, Johann 121
Hoffmann, Dr. von 295
Hohenbaden s. Altes Schloß Hohenbaden
Hohenheim, Theophrastus Bombastus von (Paracelsus) 374, 382
Hohmann, Johann 247
Holzamer, Dr. Karl 465
Homolka, E. 145
Honau, Kloster (Stadt Rheingau, Ortenaukreis) 168, 169
Hotel- und Gastgewerbe 231–236, 269–281; s. a. Kurbäder und Kureinrichtungen
- Adler 130
- Adler (Steinbach) 236, 511
- Alde Gott (Neuweier) 505
- Altenburg (Neuweier) 507
- Atlantic 233
- Badischer Hof 34, 97, 124, 131, 139, 227, 232, 244, 477, 481
- Baldreit 27, 130, 131, 132, 225, 227, 228, 232, 233, 300, 310, 415, 479
- Bär (Lichtental) 232, 488
- Bellevue 435, 485
- Blandan 420
- Blume 232
- Blume (Balg) 234, 497
- Brauerei Graf (Lichtental) 232
- Brenners Kurhof 461
- Brenners Parkhotel 233, 485
- Bütthof (Grobbachtal) 489
- Darmstädter Hof 225, 227, 232, 419, 422, 480
- Dilzer 233
- Drache 130, 131, 232, 233, 277
- Drei Könige 131
- Drei Mohren 131
- Engel 130
- Engel (Neuweier) 331
- Engel (Oos) 234, 492, 494
- Englischer Hof 232, 233, 244
- Erwin (Steinbach) 236
- Europäischer Hof 233, 373
- Falk zur Krone (Ebersteinburg) 499, 500
- Falkenhalde 435
- Fortuna 131, 233
- Französischer Hof 233
- Fremersberg (Varnhalt) 515
- Friedrichsbad 233
- Fuchs 232
- Fulleder 130
- Geist 233

- Goldener Schwan 131
- Goldener Stern (Oos) 234, 494
- Goldenes Kreuz 484
- Greifvogel 26, 129, 130
- Grethel 233
- Hirsch 129, 130, 131, 227, 232, 479
- Hirsch (Balg) 234
- Hirsch (Ebersteinburg) 234
- Hirsch (Steinbach) 236
- Holländischer Hof (Holland-Hotel) 232, 243
- Im Mäder (Varnhalt) 515
- Kaiserin Elisabeth 233, 234, 462, 465
- Kanne 130
- Korbmattfelsenhof 233
- Kreuz 232
- Kreuz (Hauenebersteim) 503
- Kreuz (Lichtental) 232
- Krone 130
- Krone (Ebersteinburg) 233, 234, 235
- Kühler Brunnen 26, 130
- Kühler Krug (Oberbeuern) 489
- Lamm 131, 232
- Lamm (Neuweier) 235, 507
- Landprinz (Steinbach) 236
- Linde (Steinbach) 171, 236
- Löwe 300
- Löwe (Lichtental) 232
- Ludwigsbad (Lichtental) 232
- Meister-Erwin-Halle (Steinbach) 236
- Merkurwald (Ebersteinburg) 501
- Messmer 232, 233, 234, 239
- Minerva 233
- Müller 232
- Neuer Brunnen 130
- Obere Sonne 131
- Ochse 130
- Rasthof Baden-Baden (Sandweier) 509, 510
- Rebland (Varnhalt) 515
- Rebstock (Neuweier) 235, 505
- Restaurant Ruine Alteberstein 234
- Rheinischer Hof 233
- Rose 310
- Rose (Balg) 497
- Rössel 232
- Rössel (Oos) 234
- Roter Löwe 129, 130
- Rumpelmayer 233
- Russischer Hof 232
- Salm 130, 228, 232, 233
- Schießhaus 131
- Schirmhof 233
- Schloßrestaurant Neuweier 236, 507
- Schnabel 119, 130
- Schwan 267
- Schwarzwaldhof 87, 89
- Sonne 130, 232
- Sonne (Oos) 234
- Sonne (Steinbach) 236
- Spieß 130
- Stadt Baden 232, 233
- Stadt Paris 232, 233
- Stadt Straßburg 232
- Stephanie 233, 234, 461, 485, 523
- Stephanienbad 233
- Stern (Steinbach) 235, 236
- Tannenhof 462, 464, 466
- Traube (Neuweier) 505
- Trompeter 129, 130
- Ungemach 26, 130
- Victoria 232, 233
- Waldhorn 131
- Waldhorn (Oberbeuern) 489
- Weinberg (Hauenebersteim) 234
- Weinberg (Steinbach) 236
- Wolf 232
- Wolfsschlucht (Ebersteinburg) 501
- Zabler 233
- Zähringer Hof 227, 232, 366

Hübner, Hannes 451
Hübsch, Heinrich 142, 143, 163, 227, 228, 425, 478, 480, 481, 494, 523
Hügelsheim (Lkr. Rastatt) 85, 398, 399, 405, 477
Hundsbach (Forbach, Lkr. Rastatt) 362

Iberg, von (Familie) 136
Iffezheim (Lkr. Rastatt)
- Gemeinde 166, 282
- Geschichte 152, 164, 165, 166, 167
- Kirche und Pfarrei 166, 167, 170
- Pferderennen 5, 223, 231, 311, 376, 387, 389, 442, 444
- Verkehr 264, 265, 391, 395
- Versorgung 399, 405
- Verwaltung 288
Illustration de Bade 471, 473
Industrie s. Handel, Gewerbe, Handwerk, Industrie
Ingenuus, Töpfer 87
Innenstadt
- Bevölkerung 319, 320, 322
- Schule 447
- Siedlung 143, 481, 484
- Verkehr 381, 392, 395, 415, 490
- Wirtschaft 364, 365, 366, 367, 368
Internationaler Club 231, 311, 370, 442, 444
Ippach, Pfarrer 429
Itzstein, Adam von 198

Jacques, Jean 189
Jagdhaus der Markgräfin Sibylla Augusta 21, 140, 162, 496, 525
Januaria 95
Jassy, Erzbischof von 430
Jesuiten, Jesuitenkolleg s. Kirchen
Joachim, Joseph 455
Joerger, C. F. 244
Jordanbad (Stadt Biberach an der Riß, Lkr. Biberach) 26
Jörger, A. 306
Jörger, Joseph 198, 199
Josefinenbrunnen 486
Jugendherberge 491
Jugendhilfeverbund Mittlerer Oberrhein 452

Kah, Stanislaus 454
Kämmerer von Worms (Familie) 168
Kämper, Herbert 143, 144, 425
Kappel (= Kappelwindeck, Stadt Bühl, Lkr. Rastatt) 121, 169
Kappelrodeck (Ortenaukreis) 123
Karls-Rebhof 115
Karlsruhe, Landkreis 354, 355, 398
Karlsruhe, Stadt
– Bautätigkeit 140
– Hauptbahnhof 397
– Hoftheater 458
– Kongresse 8
– Kunsthalle 142
– Künstlerbund 524
– Landessammlungen 454
– Oberschulamt 451
– Straßenbahn 395, 397
– Verkehr 265, 266, 267, 397, 398
– Verkehrsverbund 327, 395, 490
– Wirtschaft 140, 244, 250, 355, 363, 366
Karlsruhe, Technologieregion 9, 326, 354, 370
Karsten, Karin 474
Kartung (Sinzheim, Lkr. Rastatt) 168
Kastell Baden-Baden 88
Kastell auf dem Rettig 94
Kastner, Ägidius 159
Kehl, Stadt (Ortenaukreis) 364
Keppeler, K. S. 145
Kern, Hans 138
Kesselstatt, Grafen von 159
Kiefer, Oskar 144
Kindweiler, von 158, 168
Kirchen, Klöster, Religions- und Glaubensgemeinschaften 119–126, 307–310, 422–431
– Adventgemeinde 423
– Altkatholische Gemeinde 309, 429
– Anglikanische Hochkirche 309

– Arbeitsgemeinschaft christlicher Kirchen 423
– Bruderschaften 118, 126, 132
– Dekanatsorganisation (ev. und kath.) 307, 423, 424, 425, 427
– Evangelisch-Lutherische Kirche 309, 429, 430
– Evangelisch-Methodistische Gemeinde 429
– Evangelisches Gemeindezentrum 429
– Freie Evangelische Gemeinde 423
– Griechisch-Orthodoxe Kirche 309
– Hermann-Maas-Haus 427
– Israelitische Glaubensgemeinschaft 211, 310, 431
– Jesuiten, Jesuitenkolleg 106, 114, 117, 127, 131, 139, 161, 162, 163, 169, 229, 232, 259, 419, 478, 480, 521
– Kirchen (Gebäude)
– – All Saints Church (anglikanisch) 143, 309, 430, 485, 518f.
– – Autobahnkirche Sankt Christophorus (Sandweier) 145, 425, 510
– – Bernharduskapelle 425
– – Christi Verklärung (russisch-orthodox) 430
– – Christuskapelle (ev.-freikirchlich) 143, 429
– – Dreieichenkapelle 425, 490
– – Evangelische Kirche Steinbach 145, 427
– – Evangelische Stadtkirche 140, 143, 423, 427, 484, 485, 518
– – Friedenskirche (Oos) 143, 427
– – Heilig-Geist (Geroldsau) 143, 425
– – Herz-Jesu (Varnhalt) 145, 426, 513
– – Jesuitenkirche s. Jesuiten
– – Josefskapelle (Varnhalt) 516
– – Jungfrau Maria und Vierzehn Nothelfer (altkath.) 138, 139
– – Lutherkirche (Lichtental) 143, 427, 488
– – Margaretenkapelle (Yburg) 136
– – Michaeliskapelle (Ebersteinburg) 145, 427, 499
– – Nikolauskapelle des Gutleuthauses 118
– – Notre Dame de la Paix (Cité Française) 431, 496
– – Paulus (Weststadt) 144, 519
– – Russisch-Orthodoxe Kirche 143, 485
– – Sankt Antonius (Ebersteinburg) 145, 425, 499
– – Sankt Bartholomäus (Haueneberstein) 145, 425, 503
– – Sankt Bernhard (Weststadt) 143, 425, 492
– – Sankt Bonifatius (Lichtental) 143, 425, 487
– – Sankt Dionysius (Oos) 143, 425, 494
– – Sankt Eucharius (Balg) 143, 425, 497

– – Sankt Jakobus (Steinbach) 425, 511, 519
– – Sankt Johannes (ev.-luth.) 143, 309, 429, 430, 519, 485
– – Sankt Josef (Lichtental) 425, 488
– – Sankt Josef (Südstadt) 145
– – Sankt Katharina (Sandweier) 143, 425, 508, 509
– – Sankt Michael (Neuweier) 144, 425, 505
– – Sankt Paulus (Oosscheuern) 144, 427, 489
– – Spitalkirche 119, 138, 139, 228, 308, 309, 423, 427, 429, 481, 518
– – Stiftskirche s. Stift Baden-Baden
– – Stourdzakapelle (rumänisch-orthodox) 143, 429, 481
– Kirchengemeinden und Pfarreien (ev.)
– – Altstadt 309, 423, 427
– – Baden-Baden, Stadt 308, 309, 427
– – Balg 427
– – Ebersteinburg 309
– – Lichtental 309, 427
– – Oos 309, 427
– – Steinbach 427
– – Weststadt 309, 427
– Kirchengemeinden und Pfarreien (kath.)
– – Altstadt 423
– – Baden-Baden, Stadt 114, 115, 149, 163, 307
– – Balg 307, 425
– – Dörfel 307
– – Ebersteinburg 149, 307, 425
– – Geroldsau 307, 423, 425
– – Gunzenbach 307
– – Haueneberstein 307, 425
– – Lichtental (Beuern) 307, 423, 425
– – Neuweier 307, 425
– – Oberbeuern 307
– – Oos 307, 425
– – Oosscheuern 307
– – Sandweier 307, 425
– – Steinbach 307, 425
– – Südstadt 423, 425
– – Varnhalt 307, 426
– – Weitenung 307
– – Weststadt 423, 425
– Kirchenvogtei Schwarzach 307
– Klöster
– – Beginenhaus 105
– – Franziskanerkloster (Fremersberg) 118, 125, 308
– – Kapuziner 97, 105, 107, 124, 139, 150, 232, 308, 476, 481
– – Lichtenthal 107, 109, 111, 114, 115, 117, 118, 119, 120, 134, 136, 139, 146, 147, 151, 152, 154, 155–158, 160, 161, 162, 163, 165, 166, 169, 170, 172, 259, 262, 277, 300, 301, 302, 308, 335, 422, 423, 425, 426, 447, 455, 486
– – – Äbtissinnen 157f.
– – Vom Guten Hirten 426
– – Vom Heiligen Grab 86, 93, 106, 115, 125, 126, 127, 128, 131, 139, 227, 300, 305, 307, 308, 426, 445, 446, 449, 481
– Landkapitel Gernsbach und Ottersweier 307
– Marcel-Sturm-Haus 429
– Rumänisch-Orthodoxe Kirche 429, 430
– Russisch-Orthodoxe Kirche 309, 430
– Stift Baden-Baden 86, 91, 92, 94, 106, 117, 118, 120–123, 124, 125, 126f., 130, 133, 138, 139, 143, 163, 170, 307, 423, 448, 478, 479, 480, 481, 482, 517f.
Kist, Dr. Alfons 472
Klambt, Wilhelm Wenzel 474
Klehe, Hermann 250
Klein, Anton 84
Klein, Klaus 415, 419, 421, 422
Klein, Woldemar 476
Kleiner Schweighof 168
Kleiner, Anton 474
Klenze, Leopold von 143, 309, 429, 481
Knebel von Katzenelnbogen (Familie) 159, 160, 161, 168
– Johann Anton 161
Knebler von Kamer-Sunthausen, Konrad 159
Koelblin, Ernst 241, 470
Koennemann, Miloslaw 459
Kolonnaden 237, 366
Kölreuter, Dr. W. L. 227, 228
Kongreß GmbH 416
Kongreßhaus 7, 145, 223, 270, 325, 376, 416, 484, 485, 523
König, Advokat 134
Königsegg-Rothenfels, von 148
Königshof (Baden) 106
Konsumgenossenschaft 245
Konversationshaus 125, 139, 141, 190, 221, 225, 229, 232, 275, 419, 458, 459, 481, 521
Kopf, Joseph von 140, 457
Kornhaus 128
Krankenhäuser und Sanatorien 294–296, 435–439
– Anstalt für Morphium-, Kokain- und ähnliche Kranke 296
– AOK-Klinik Korbmattfelsenhof 439
– Augenklinik von Dr. von Hoffmann 295
– Dr. Maltens Anstalt für Herz-, Kreislauf- und Stoffwechselkranke 296
– DRK-Klinik 295, 426, 438f.

Register

- Gunzenbachhof (Klinik für offene Psychiatrie, Psychosomatik und Psychotherapie) 439
- Heilanstalt für Magen- etc. Leidende von Dr. Burger 296
- Heilanstalt für Morphium-Kranke, Villa Opperfeld, Dr. Müller 296
- Josefinenheim 295
- Kinderkrankenhaus Villa Hohenstein 295
- Klinik (Sanatorium) Dr. Franz Dengler 295, 439
- Klinik für Frauenkrankheiten von Dr. J. Baumgärtner 295
- Klinik für Innere Medizin (Ebersteinburg) 296
- Krankenhaus Ebersteinburg 426, 439, 501
- Kurklinik Maria Frieden 501
- Kurparkklinik 485
- Naturheilanstalt von Malten 296
- Pneumatische Anstalt 295
- Rehabilitationsklinik Höhenblick 439
- Sanatorien
- – Birkenhöhe 296, 439
- – Ebers (Annaberg) 296
- – Ebersteinburg 296
- – Frey-Gilbert 295
- – Groddeck 296
- – Heinsheimer 296
- – Höhenblick 296
- – Quisisana 295
- – Rubens 296
- – Rumpf 296
- Spital Lichtental 295
- Spital Steinbach 295, 298
- Staatliches Rheumakrankenhaus 142, 295, 297, 426, 437f., 481
- Städtisches Krankenhaus (Stadtklinik) 294, 295, 406, 414, 418, 421, 426, 436f., 497
- Vincentius-Krankenhaus 295
Krapf, Dr., Stadtphysikus 293
Krätz, Peter 526
Kredit- und Sparvereine 243, 374
Krausbeck, Kurt 212
Kressl, Nicolette 414
Kreutzer, Konradin 458
Krimbachhof 169
Kroll, Ludwig 211, 216
Küffer, Dr. Johann 129
Kulturelle Einrichtungen 453–469
- Baden-Badener Kammermusiktage 459
- Baden-Badener Musikfest 459
- Baden-Badener Orchester 415, 416, 419, 421, 459, 460
- Brahmshaus 455

- Festspielhaus 416
- Heimatmuseen 455, 456
- Jugendorchester 460
- Kleines Theater 226
- Lichtentaler Kirchenkonzerte 460
- Museum Kloster Lichtenthal 455
- Museum Palaeotechnicum 85, 453
- Orgelkonzerte 460
- Spielzeugmuseum 456
- Staatliche Kunsthalle 140, 225, 456f., 481, 524f.
- Stadtmuseum im Baldreit 84, 454f., 479
- Südwestfunk (Baden-Baden) 5, 8, 234, 241, 274, 280, 298, 306, 325, 326, 363, 370, 417, 418, 421, 460–469
- SWF-Sinfonieorchester Baden-Baden 459, 460, 464, 469
- Theater 140, 225, 229, 415, 416, 419, 421, 458, 481, 522
- Zähringer Museum 455
Kunstverein 140, 310, 456
Kuppenheim, Stadt (Lkr. Rastatt) 10, 20, 21, 35, 124, 134, 149, 151, 152, 242, 265, 288, 391, 431
Kur- und Bäderviertel 480f.
Kur- und Parkanlagen 415, 416
Kur-Zeitung Baden-Baden 473
Kurbäder und Kureinrichtungen 221–229, 374–385, 526f.; s. a. Hotel- und Gastgewerbe
- Armen- oder Fremdenbad 131, 227, 228, 297, 438
- Augustabad 95, 142, 224, 225, 227, 228, 229, 481, 526
- Bad am Spitalbrunnen 131
- Badeanlage auf dem oberen Markt 91
- Badischer Hof 227
- Baldreit 131, 227
- Bürgerbad 131
- Caracalla-Therme 7, 35, 139, 142, 145, 382, 386, 415, 416, 419, 481, 526f.
- Dampfbad 27, 142, 227, 229, 480, 481
- Darmstätter Hof 227
- Fangohaus 225, 526, 481
- Freibäder 131
- Friedrichsbad 30, 86, 93, 94, 95, 142, 145, 224, 225, 227, 228, 229, 293, 382, 415, 416, 419, 456, 481, 526
- Fürstliche Badstube 106
- Greifvogel 131
- Hirsch 227
- Inhalatorium 223, 224, 225, 229, 481, 526
- Kaiserbäder 86, 91, 92, 93, 94, 95, 456
- Kühler Brunnen 131
- Kurmittelhaus 142, 145, 223, 227, 481, 526

- Kurzentrum im Rotenbachtal 223, 228
- Landesbad 142, 225, 226, 228, 438, 481; s. a. Krankenhäuser und Sanatorien, Staatliches Rheumakrankenhaus
- Ochse 131
- Roter Löwe 131
- Salm 228
- Soldatenbäder 86, 93, 94, 95, 456
- Spieß 131
- Stahlbad (Lichtental) 222
- Trinkhalle 142, 225, 228, 478, 481, 523 f.
- Ungemach 106
- Zähringer Hof 227

Kurhaus 141, 204, 223, 225, 230, 237, 266, 385, 386, 387, 388, 389, 392, 416, 419, 458, 460, 469, 478, 481, 521 f.
Kurortentwicklungsplan 418
Kurviertel 481

La Graufesenque 87
Ladenburg, Stadt (Rhein-Neckar-Kreis) 88, 96
Laeuger, Max 144, 482, 485
Lagerhaus (Versorgungsbetriebe) 144
Lallemand, Charles 471
Lamey, August 200, 202
Landessportschulen 443
Landesverband Südbaden des Maler- und Lackierer-Handwerks 352
Landesversicherungsanstalt Baden 439
Landkreise s. Verwaltungsbezirke
Ländlicher Kredit- und Sparverein Oos 243
Ländlicher Kreditverein Steinbach 374
Landschad von Steinach (Familie) 168
Landtagswahlen 413
Landwirtschaftlicher Verein 245, 259
Lang, C. 292
Lang, Ludwig 140, 430
Langensteinbach (Karlsbad, Lkr. Karlsruhe) 140
Lauffen, Grafen von 148
Lauinger, Meinrad 418
Lazarus, Ursula 413
Lebenshilfe für das geistig behinderte Kind e.V. 432
Ledertheil, Alfred 475
Legio I. 95
Legio VII. 374
Leiberstung (Sinzheim, Lkr. Rastatt) 168
Lenau, Nikolaus 471
Lender, Franz Xaver 202
Lesegesellschaft 310
Lessing, Gotthold Ephraim 464
Leucippaeus, Philibert 129
Levi, Benjamin 310

Levy, Ludwig 310, 431
Lewald, August 470
Leyden, Nikolaus Gerhaert von 139, 518
Lichtental (Stadtteil von Baden-Baden) s. a. Beuerner Tal
- Archäologie 79, 81
- Bevölkerung 155, 177, 179, 185, 187, 189, 190, 192, 193, 319, 322
- Gemeinde 155, 262, 264, 281, 282, 285, 287
- Geographie, Geologie 44, 45, 49
- Geschichte 153–158
- Gesundheitswesen 294, 295, 296
- Grobbachhof 489
- Kirchen und Pfarreien 143, 307, 309, 423, 425, 427, 488
- Klima 53, 54, 60
- Naturschutz 76, 77
- Pflanzen- und Tierwelt 68
- Politik 202
- Schafhof (Kl. Lichtenthal) 259
- Schule 299, 301, 302, 307, 447, 448, 488
- Siedlung und Gemarkung 107, 153 f., 484, 486–489
- Soziale Einrichtungen 297, 298, 426
- Vereine 311
- Verkehr 266, 266, 268, 394
- Versorgung 290, 291, 292, 293
- Verwaltung 281, 284, 285, 287, 289
- Wirtschaft 128, 135, 155, 219, 221, 222, 232, 233, 234, 239, 242, 243, 244, 248, 253, 254, 259, 260, 262, 329, 367

Lichtentaler Allee s. Straßen und Plätze
Lichtentaler Tor 105
Lichtentaler Vorstadt 482, 484–486, 488, 490
Lichtenthal, Kloster s. Kirchen
Liebenstein, Kurt 419, 422
Liebenzell s. Bad Liebenzell
Liebermann, Max 457
Liedertafel Aurelia 310
Limburg, abgeg. Burg bei Weilheim an der Teck (Lkr. Esslingen) 110
Lindau, Jakob 202
Linde, Horst 145, 522
Linde, Otto 145
Liszt, Franz 459
Loftus, Lord Augustus 309, 518
Lopodunum = Ladenburg 96
Lortzing, Alfred 459
Lotsch, Johann Christian 142
Löw 129
Löw, Emil 254
Lucius Aemilius Crescens 97
Lucius Cassius Manius 95
Lucius Lollius Certus 95

Lucius Reburrinius Candidus 97
Ludwigsburg, Stadt 167
Lueger, Ingenieur 289, 291
Lützel, Kloster (Elsaß) 156
Lutzeyer, August 475

MacLean, Harry 139, 429, 518
Mahlberg, Stadt (Ortenaukreis) 123
Mahlow, Dietrich 457
Maichle, Dr. Albert 211
Mainz, Stadt (Rheinland-Pfalz) 88, 96, 97
Maler- und Lackierer-Innung Baden-Baden 352
Malsch, Grafen von 110, 148
Malschbach (Lichtental, Stkr. Baden-Baden)
– Bevölkerung und Wirtschaft 155, 329
– Geschichte 153, 154
– Kirche 120
– Schulzugehörigkeit 301
– Siedlung und Gemarkung 153, 154, 489
– Verkehr 265
Malten, Dr. 296
Manegold, Graf 114, 517
Männergesangverein Yburg 311
Mannheim, Stadt 244
Marcus Ulpius Traianus 91
Mariengarten, Kloster (St. Paul-Eppan, Südtirol) 157
Markgrafschaften
– Baden-Baden 158, 170, 188, 423
– Baden-Durlach 112, 158
Markt (Baden-Baden) 133
Mars, Juan 475
Marx, Daniel Raphael 241, 247
Maulbronn, Kloster (Enzkreis) 156
Max-Planck-Gesellschaft, München 438
Mayer & Co, Glasmaler 519
Mayer, Hermann Leopold 473
Mazerolles, Alexis Joseph 141
Mehlich, Ernst 459
Mercure de Bade 471, 473
Merian, Matthäus 525
Messmer, Eduard 239
Metzgergenossenschaft 245
Metzig 26, 26, 132
Meyer, Franz Simon 244
Michelbach (Stadt Gaggenau, Lkr. Rastatt) 19, 44
Michelbach, von (Familie) 169
Milchgenossenschaft Baden 245
Militär- und Veteranenvereine 311
Miltenberger, Henri 461
Mimeg (Mittelbadische Metzgereigenossenschaft GmbH) 245
Mitchetzky, Fürst 273

Mittelbadischer Bote 472
Mittermeier, Karl Joseph 198
Monpinot, Hauptmann 134
Mönsheim (Enzkreis) 121
Morgenblatt für gebildete Stände 476
Morgenthaler, Wendelin 216
Morgenzeitung, Handelsblatt 471
Moschellandsberg (Herzogtum Pfalz-Zweibrücken) 171
Moser, Karl 144
Moskau, Patriarchat 430
Mühlburg (Stkr. Karlsruhe) 111
Mührich (Steinbach, Stkr. Baden-Baden) 511, 513
Müllabfuhr 408–412
Müllenbach (Eisental, Stadt Bühl, Lkr. Rastatt) 427
– Amtszugehörigkeit 168
Müllenbach (Lichtental, Stkr. Baden-Baden)
– Amtszugehörigkeit 168
– Herrschaftszugehörigkeit 154, 155
– Gemeinde 155, 282
– Geologie 17, 18
– Schulzugehörigkeit 301
– Siedlung und Gemarkung 153, 167, 489
– Verkehr 265
Müller, Dr. 296
Müller, G. 244
Müllheim, Stadt (Lkr. Breisgau-Hochschwarzwald) 60
Müllhofen (Sinzheim, Lkr. Rastatt) 168
Münster, Sebastian 129
Münzhaus 106
Muri, Stift (Aargau) 160
Murner, Thomas 129
Museumsgesellschaft 310
Musikverein von 1922 311
Musikvereinigung von 1909 (Varnhalt) 311
Mutis, Alvaro 475
Mütterzentrum Känguruh e.V. 434
Mutzbauer, Rasso 286

Naber, Hermann 469
Nagel, Georg 247
Nagel, Karl 460
Nägelsförst (Varnhalt, Stkr. Baden-Baden)
– Kirche 172
– Siedlung und Gemarkung 167, 172
– Weingut 259, 331, 516
Nebenius, Karl Friedrich 229
Nellenburg, Graf Manegold von 110, 114, 119
Neuburg, Kloster (Elsaß) 156
Neudingen (Stadt Donaueschingen, Schwarzwald-Baar-Kreis)

– Kloster Maria Hof 156
Neue Baden-Badener Zeitung 471
Neue Kanzlei s. Staatliche und städtische Einrichtungen und Behörden, Kanzlei
Neueberstein, Burg (Obertsrot, Stadt Gernsbach, Lkr. Rastatt) 136, 148, 266
Neues Badener Tagblatt mit Morgenzeitung 471, 472
Neues Schloß Baden 4, 8, 26, 105, 106, 107, 111, 113f., 115, 128, 139f., 478, 479, 480
– Archäologie 104
– Gebäude 520f.
– Geologie 17, 30, 43
– Kavalierbau 113
– Museumsinventar 454
– Zähringer Museum 455
Neuhausen, von 160
Neureut (Stkr. Karlsruhe) 363
Neuweier (Stadtteil von Baden-Baden) 124, 136
– Amtszugehörigkeit 168
– Bevölkerung 160, 182, 184, 185, 188, 189, 196, 319
– Gemeinde 160, 281, 282, 284, 316, 414, 417, 420
– Geologie 16, 21, 44, 45, 46
– Geschichte 158–161, 167, 168
– Herrschaft und Grundbesitz 124, 136, 158–160
– Hotels und Gasthäuser 505, 507
– Kirchen und Pfarreien 144, 160, 167, 169, 307, 425, 427, 505
– Naturschutz 76
– Oberes Schloß 159, 160, 161
– Pflanzen- und Tierwelt 64
– Politik 198, 412
– Rathaus 505
– Schloßgut 13, 259
– Schule 160, 302, 447, 505
– Siedlung und Gemarkung 158, 505–507
– Turn- und Festhalle 505
– Unteres Schloß 159, 160, 161, 165, 172
– Vereine 245
– Verkehr 265, 266
– Versorgung 291, 293, 401, 405
– Winzergenossenschaft 245, 331, 507
– Wirtschaft 161, 235, 240, 241, 245, 246, 254, 256, 257, 258, 259, 260, 261, 330, 331, 373
Niederbühl (Stadt Rastatt, Lkr. Rastatt) 49, 50, 118, 124, 163, 265, 292
Nix von Hoheneck (Familie) 168
Nix von Hoheneck gen. von Enzberg 159
Nothausen, abgeg. bei Haueneberstein (Stadtteil von Baden-Baden) 150, 151, 152
Nympheros, römischer Sklave 95

Oberämter s. Verwaltungsbezirke
Oberbeuern (Lichtental, Stkr. Baden-Baden) s. a. Unterbeuern und Lichtental
– Archäologie 79, 81
– Bevölkerung und Wirtschaft 155, 242, 329
– Gasthäuser 489
– Geologie 45, 46, 48
– Geschichte 153
– Kirche 120, 307, 425
– Pflanzen- und Tierwelt 67
– Politik 199
– Schulzugehörigkeit 301
– Siedlung und Gemarkung 153, 488f.
– Soziale Einrichtungen 298
– Verkehr 394
– Versorgung 290
– Verwaltung 284
Obere Breite
– Bevölkerung 182
– Kirche 427
– Schule 447
Oberer Plättig (Lichtental, Stkr. Baden-Baden) 489
Oberndorf (Stadt Kuppenheim, Lkr. Rastatt) 49, 288
Oberrheinsweben 87
Oberstadt Baden-Baden 105, 106, 111, 478, 479, 480
Obertor 105
Obertsrot (Stadt Gernsbach, Lkr. Rastatt) 107
Obst- und Gartenbauverein (Haueneberstein) 333
Obst-Absatzgenossenschaft Bühl 331, 332
Ochsenscheuer-Gut 115
Oeser, Willy 138, 517
Oettingen, Grafen von 167, 168
– Anna 520
Offenburg, Stadt (Lkr. Offenburg) 164, 200, 265, 395, 396, 397, 429
Oos (Stadtteil von Baden-Baden)
– Archäologie 82, 83, 99, 100, 104
– Bevölkerung 164, 177, 179, 182, 184, 185, 187, 189, 190, 192, 193, 319
– Cité Française 417, 418, 431, 484, 495f.
– Flugplatz 267, 327, 353, 362, 370, 397, 96
– Gemeinde 163, 281, 282, 284, 285, 287
– Geographie, Geologie 10, 35, 36, 41, 48, 49, 79, 134
– Geschichte 161–164
– Gesundheitswesen 294, 296
– Herrschaft und Grundbesitz 140, 146, 162f.
– Höfe
– – Bleichenhof 163

– – Dürrmenzer Hof 163
– – Schweigroder Höfe 162, 163
– – Stumpfhof 162
– Industrie- und Gewerbegebiete 494–497
– Kirchen und Pfarreien 120, 124, 143, 146, 147, 163, 307, 309, 425, 427
– Landschaftspflege 73
– Luftschiffhalle 267, 397, 492
– Naturschutz 74, 77
– Pflanzen- und Tierwelt 65, 66, 67, 68
– Politik 199, 202, 203, 210
– Schule 163f., 299, 300, 302, 447, 494, 495, 496
– Siedlung und Gemarkung 104, 105, 107, 161f., 492–497
– Soziale Einrichtungen 298
– Vereine 243, 245, 311
– Verkehr 229, 265, 266, 268, 353, 391, 394, 396, 397, 415, 492, 494, 495
– Versorgung 290, 291, 292, 293, 351, 401, 404, 496
– Verwaltung 112, 285, 287
– Wirtschaft 164, 167, 219, 221, 234, 239, 242, 243, 248, 253, 254, 262, 326, 335, 357, 362, 367, 373, 495
Oos, von (Familie) 162
– Anselm 162
– Bertold 162
– Gottfried 162
– Konrad 162
– Peter 162
– Walter 162
Ooser Tor 105, 118, 132, 134
Oosscheuern (Weststadt, Stkr. Baden-Baden) s. a. Badenscheuern und Scheuern
– Bevölkerung 319
– Gemeinde, Verwaltung 285
– Geologie 41, 43
– Kirche 307, 425, 427
– Mühle 134
– Schulzugehörigkeit 301
– Siedlung 489
– Versorgung 290
Ooswinkel-Siedlung 144, 491
Ortenau, Landvogtei 157
Ortenberg, Werner von 168
Ortenberger Hof 168
Ortsverwaltung 421
Ottenhofen (Weitenung, Stadt Bühl, Lkr. Rastatt) 168
Ottersdorf (Stadt Rastatt, Lkr. Rastatt) 282
Ottersweier (Lkr. Rastatt) 121, 124, 157, 200, 307
Ow, von (Familie) 159, 160, 168, 172

Palais Biron 370
Palais Hamilton 30, 242, 481
Panofka, Henri 459
Paracelsus 374, 382
Paradies (Park- und Wasserkunstanlage) 144, 482
Parteien und Wählergemeinschaften
– Bündnis 90/Die Grünen 412, 413, 414, 417, 420
– Christlich Demokratische Union (CDU) 412, 413, 414, 417, 420
– Die Republikaner 412, 413
– Freie Demokratische Partei (F.D.P.) 412, 413, 414, 417
– Freie Wählergemeinschaft (FWG) 417, 420
– Grüne Bürgervereinigung / Die Unabhängigen 420
– Kommunistische Partei Deutschlands 417
– Sozialdemokratische Partei Deutschlands (SPD) 412, 413, 414, 417, 420
– Unabhängige Bürgerbewegung 417
Patronatsgesellschaft für das Theater Baden-Baden 458
Peronnet, Paul 461
Peter, Albert 425
Peters, Hans Albert 457
Peters, W. A. 463
Pfaltzer, Zacharias 134
Pfalzgrafen bei Rhein
– Amalie von Veldenz 129
– Ottheinrich 129
Pfarrwittumhof (Steinbach) 169
Pfeiffer, Johannes 471
Pforzheim, Stadt 49, 60, 111, 115, 128, 157, 395, 429
Piccini, Alexandre 459
Pohl, Richard 459
Pollailon, J. P. 292
Ponnelle, Pierre 461
Promenadebuden 225, 237
Promenadehaus 107, 130, 141, 224, 229, 241, 385, 458, 521, 522

Quast, Dieter 145
Quintus Caecilius Sollemnis 99
Quintus Valerius Pruso 97

Radiostationen (privat) 477
Radio-Diffusion Française 461
Rastatt, Kongreß von 198, 221, 229
Rastatt, Stadt (Lkr. Rastatt)
– Besitz Kl. Lichtenthal 157
– Besitz Stift Baden-Baden 124
– Festung 193, 198

- Franziskanerkloster 125
- Gemeinde 118
- Geographie 49
- Geologie 40
- Schloß, Residenz 107, 111, 113, 133
- Schule 128, 302, 299, 449
- Stadt- und 1. Landamt 281
- Umwelt 291
- Verkehr 265, 267, 395, 397, 398
- Wirtschaft 184, 240, 244, 261, 316, 355, 362, 371, 508

Rastatter Tagblatt 470
Räterkohorte VII. 95
Rathaus s. Staatliche und Städtische Einrichtungen und Behörden
Rätien 92
Raumünzach (Forbach, Lkr. Rastatt) 124
Rebland 8, 182, 236, 237, 260, 267, 292, 322, 329, 331, 367, 391, 395, 401, 418, 425, 427, 445, 505, 510, 513
Rechentshofen, Kloster (Hohenhaslach, Stadt Sachsenheim, Lkr. Ludwigsburg) 156
Region Mittlerer Oberrhein 347, 355
Reich, Xaver 142, 524
Reichshofrat in Wien 159
Reinhard gen. Chieme 160
Remchingen (Enzkreis) 121, 123
Renchtalbäder 229
Rennclub Baden-Baden 231
Rennplatz 105
Rheinboldt, Heinrich 250, 253
Rheinmünster (Lkr. Rastatt) 398
Richthofen, Hartmann von 389
Riekenberg, Adolf 143
Riemerschmid, Richard 144
Röckel, Wilhelm 472
Rodarii de Iberch
- Burcardus 136
- Heinricus 136
Röder (Familie) 158, 159, 160; s. a. Bube (Familie)
Röder von Diersburg (Familie) 168
Röder von Rodeck (Familie) 136, 170
- Heinrich 121
Röderer Hof 168
Rohrer (Baumeister)
- Johann Michael 138
- Johann Peter 138, 517
- Michael Ludwig 496, 517, 525
Roig, Montserrat 475
Römische Kaiser
- Caracalla 4, 92, 93, 95, 97
- Constantin 98
- Domitian 89, 90, 95

- Elagabal 97
- Galba 98
- Gordian 97
- Lucius Septimius Severus 92
- Magnentius 98
- Marcus Aurelius Antonius 92
- Severus Alexander 97
- Trajan 90, 91, 96
- Vespasian 88, 95
- Volusian 98

Rommel, Manfred 386
Roosevelt, Willy O. 299
Rosbaud, Hans 460, 464
Rose (Familie) 474
- Axel 474
- Gerd Joachim, Dr. 474
- Günther, Dr. 473
Rössler, Dr. Hans 454
Rössler, Dr. Oskar 296
Rossmann, Erich 523
Roßgarts Hof 168
Roth, Carl 253
Rothaar, Dr. Peter 380
Rottenburg am Neckar, Stadt (Lkr. Tübingen) 107, 125
Rübenach, Bernhard 463, 468
Rumpf, Dr. 296
Rust, von (Familie) 169
Rustenhof 169, 172

Saal, Georg 140, 457
Sachsenheimer Hof 168
Salem, Kloster (Bodenseekreis) 156
Sandweier (Stadtteil von Baden-Baden)
- Amtszugehörigkeit 112
- Archäologie 99, 164
- Autobahn-Rasthof 509, 510
- Bevölkerung 166, 182, 184, 185, 187, 193, 319, 322
- Gasthaus Adler 511
- Gemeinde 152, 166, 281, 282, 284, 285, 316, 414, 417, 418, 420
- Geologie 23, 37, 40, 79
- Geschichte 164–167
- Gesundheitswesen 294
- Gewerbegebiet 509
- Heimatmuseum 456
- Herrschaft und Grundbesitz 121, 165
- Kirche und Pfarrei 143, 145, 146, 151, 163, 166, 200, 307, 425, 427, 508, 509, 510, 511
- Naturschutz 75
- Pflanzen- und Tierwelt 67, 68
- Politik 202, 204, 210, 212, 412
- Rathaus 509

- Rheintalhalle 443
- Schickenhof 165
- Schule 166, 302, 447, 509
- Siedlung und Gemarkung 164, 508f.
- Soziale Einrichtungen 298
- Vereine 245, 311
- Verkehr 265, 391, 395, 398
- Versorgung 290, 291, 292, 293, 401, 404, 405
- Verwaltung 112, 285, 288
- Waldorf-Kindergarten 433
- Wirtschaft 166f., 234, 243, 246, 254, 256, 259, 261, 263, 328, 357, 363, 367

Sankt Paul-Eppan (Südtirol)
- Kloster Mariengarten 157

Sasbachwalden (Ortenaukreis) 138
Saulgau, Stadt (Lkr. Sigmaringen) 26
Schafberg, Hofgut (Gkg Lichtental) 328, 489
Schaffroth, Johann Stanislaus 450
Schaffroth, Physikus 293
Schenk von Stauffenberg 159
Scherrhof (Lichtental, Stkr. Baden-Baden)
- Geologie 16, 20, 46
- Glashütte 135
- Naturschutz 75
- Siedlung 489
- Verkehr 265

Scherzinger, Hans 143
Scheuern 105, 109, 112, 124, 161, 162, 163, 307; s. a. Badenscheuern, Ooscheuern
Schickenhof 165
Schießhaus 105
Schiftung (Sinzheim, Lkr. Rastatt) 168
Schiller, Friedrich von 141
Schlapper, Dr. Ernst 211, 212, 286, 417, 418
Schlaraffia 311
Schmalbach (Lichtental, Stkr. Baden-Baden)
- Bevölkerung 155
- Kirche 120
- Schule 301, 328
- Siedlung und Gemarkung 153, 154, 489
- Wirtschaft 328

Schmid, Dr. Carlo 462
Schmidt, Katharina 457
Schmitthenner, Paul 144
Schmitz, Dr. Otto 454
Schneckenbach (Neuweier, Stkr. Baden-Baden)
- Amtszugehörigkeit 168
- Grundherrschaft und Grundbesitz 160
- Siedlung und Gemarkung 158, 167, 505
- Versorgung 291

Schneeberg (Obersachsen) 171
Schneider, Ludwig 253
Schneider, W. 254
Schneider-Hassel, Oscar 462, 464

Schnetzler, Johann Nepomuk 470
Schreiber, Hippolyt 199
Schreiner-Innung Baden-Baden 352
Schröder, Gregor 145
Schroth, Johannes 143
Schulen und Bildungseinrichtungen 86, 88, 118, 126–128, 157, 247, 299–307, 328, 414, 415, 426, 445–453, 491
- Akademie des Handwerks 352
- Abendrealschule 448
- Altenpflegeschule 450
- Berufsschulen 451
- Clara-Schumann-Musikschule 451
- Förderschule 448
- Gewerbeschule 247, 449, 450, 491
- Grund- und Hauptschulen
- - Haueneberstein 447, 504
- - Lichtental 447, 448
- - Oos 447, 494
- - Sandweier 447, 509
- - Steinbach 447, 448, 513
- - Theodor-Heuss-Schule 448
- - Varnhalt 447
- Grundschulen
- - Balg 447, 497
- - Ebersteinburg 447
- - Innenstadt (Vincenti-Schule) 447, 449
- - Klosterschule Lichtenthal 157, 301, 302, 447
- - Neuweier 447, 505
- - Obere Breite (Pavillon-Schule) 447, 495
- - Varnhalt 447, 515
- Gymnasien
- - Gymnasium Hohenbaden 447, 448, 449; s. a. Kirchen, Stift Baden-Baden
- - Klosterschule vom Heiligen Grab 127, 128, 300, 305, 307, 426, 445, 449
- - Markgraf-Ludwig-Gymnasium 304, 305, 445, 449, 451
- - Pädagogium Baden-Baden 302, 305, 328, 445, 449
- - Richard-Wagner-Gymnasium 304, 445, 446, 448, 449, 450, 451, 491
- - Handelslehranstalt Baden-Baden (Robert-Schuman-Schule) 449, 450, 491
- - Krankenpflegeschule (Stadtklinik) 436, 437
- Realschule 127, 304, 448, 451, 486
- Robert-Schuman-Schule 449, 450, 491
- Schule der von Stulz-Schrieverschen-Waisenanstalt 452
- Schulzentrum West 145, 414, 415, 443, 446, 448, 449, 450, 489, 491
- Sonderschule für Lernbehinderte 448
- Sportschule Steinbach 443

- Volkshochschule Baden-Baden 451, 452
- Wirtschaftsoberschule 450
- Telekollegschule 306
Schuhmacher-Einkaufsgenossenschaft 245
Schumacher, Sonja 380
Schumann
- Clara 455, 459
- Robert 455
Schurmännischer Hof 169
Schütz, Johann 138
Schützen-Gesellschaft von 1840 310
Schwarzach (Rheinmünster, Lkr. Rastatt) 167, 170
Schwarzach, Kirchenvogtei 302, 299, 307
Schwarzach, Kloster (Rheinmünster, Lkr. Rastatt) 148, 160, 169
Schwarzwaldhochstraße s. Verkehrseinrichtungen
Schwedhelm, Hans 226, 230, 285
Schweighöfe 168
Schweigroder Höfe 162, 163
Schweigroder Mühle 117, 161, 162, 164
Schwind, Moritz von 524
Scottius (Billicatus), Töpfer 87
Scotzniovsky, Emilie 241
Séchan, Charles Polycarpe 141, 385, 522
Seelach (Lichtental, Stkr. Baden-Baden) 489
Seelich, Hof 105
Seemann, Günther 145, 523
Seiler, Herbert 474
Selbach (Stadt Gaggenau, Lkr. Rastatt) 193
Selbach, von (Familie) 106, 115, 133, 151, 152, 168; s. a. Gemmingen, von
- - Hans 133
- - Heinrich 129
- - Ottmann 133
Selighof 299
Selz, Kloster und Stift (Elsaß) 110, 169
Sermersheim-Hillert (Familie) 328
Sieben Tage (Anzeiger, Zeitschrift) 473, 474
Sielcken, Hermann 295
Sinzheim (Lkr. Rastatt)
- Amtszugehörigkeit 168
- Archäologie 93, 97
- Besitz des Stifts Baden-Baden 124
- Gemeinde 281, 316
- Geologie 35, 79
- Kirche und Pfarrei 167, 169, 170, 200
- Schule 451
- Siedlung und Gemarkung 120, 158, 167, 182
- Verkehr 395, 398, 398
- Wirtschaft 243, 245, 329, 331, 335, 475
Sinzheim, Stab 112, 281
Ski-Club Baden-Baden 441

Slevogt, Max 457
Söllingen (Rheinmünster, Lkr. Rastatt) 9, 123, 136, 363, 370, 121, 398, 405, 327, 417
Soziale Einrichtungen 297 f., 431–435
- Aktion Multiple Sklerose Erkrankter (AMSEL) e.V. 433
- Aktion Nächstenhilfe e.V. 426, 433
- Aktionskomitee Kind im Krankenhaus 432
- Alten- und Pflegeheime
- - Annaberg 298, 434
- - Bellevue 434, 435, 485
- - Christinen-Stift 434, 435
- - Georgsruhe 298
- - Gutleuthaus der AWO 298, 432, 434
- - Hahnhof 433, 434
- - Haus am Berg 427, 434
- - Josefsheim 298, 434
- - Lehrerinnenheim 298
- - Ludwig-Wilhelm-Stift 297, 298, 434
- - Marthahaus 298, 427, 429, 434
- - Quettig 298, 434
- - Rehoboth 433, 434
- - Reich 434, 436
- - Schafberg 298, 432, 434
- - Schwarzwald-Wohnstift 434
- - Steinbach 298, 427, 434, 511
- - Theresienheim 298
- - Vincentiushaus 426, 432, 434
- Altentagespflegestätte (Geroldsau, Steinbach) 426, 433
- Altentreffpunkt (Adlerstraße) 426
- Altenwerke der Katholischen Kirchengemeinden 432
- Amnesty International 432
- Arbeiterwohlfahrt (AWO) 432
- Arbeitskreis Asyl 432
- Armenhaus zu Baden 119
- Bernhardusheim 297
- Caritasverband 426, 449
- Deutsche Parkinson Vereinigung 434
- Deutscher Kinderschutzbund 432
- Deutscher Paritätischer Wohlfahrtsverband (DPWV) 433
- Deutsches Rotes Kreuz (DRK) 433, 438
- Diakonisches Werk 427, 429, 433
- Else-Stolz-Heim (AWO) 432
- Erholungsheim Annaberg 225, 226
- Freie Wohlfahrtspflege 432
- Gutleut-, Feldsiechenhaus 105, 118, 119, 131, 294, 297
- Kleinkinderbewahranstalt 297
- Krankenhausseelsorge Baden-Baden 426
- Kreisseniorenrat (KSR) 434
- Kriegsopferverbände 432

- Mahlzeit auf Rädern 426, 433
- Mobiler Sozialer Hilfsdienst (MSHD) 432
- Mütterzentrum Känguruh e.V. 434
- Schwesternheim Maria Frieden 297, 426
- Selbsthilfegruppen
- - Alsheimerkranke 432
- - Bechterew-Kranke 432
- - Diabetiker 432
- - MS-Kranke (AMSEL-Gruppe) 432
- - Parkinson-Kranke 432
- - Rheumatiker 432
- - Leben nach Krebs 432
- Sozial- und Jugendamt 419, 431
- Sozialdienst Katholischer Frauen 426, 432
- Sozialstationen
- - Caritasverband 432
- - Ev. Kirchengemeinde Baden-Baden 427
- - Mobiler Sozialer Hilfsdienste der AWO 435
- - Sozialstation e.V. 426
- Spital und Armenhaus (Steinbach) 297; s. a. Alten- und Pflegeheime, Steinbach
- Suppenanstalt 297
- Verband alleinstehender Mütter und Väter 432
- Verein Hilfe für deutsche Aussiedler 432
- Verein Lebenshilfe für das geistig behinderte Kind 432
- v. Stulz-Schrieversche Waisenanstalt (Kinder- und Jugendheim) 297, 309, 433, 435, 451
- Waisenhaus im Amtshaus Kl. Lichtenthal 297
- Weißer Ring 432

Spazier, Günther 375
Speyer, Stadt (Rheinland-Pfalz)
- Besitz des Kl. Lichtenthal 157
- Bischöfe 123, 156
- - Reinhard 129
- Bistum 120, 152, 307, 423
- Domkapitel 118, 119, 146, 147, 149, 163
- Domstift (Hochstift) 105, 110, 114, 119, 133, 148, 155, 163
- Handel 155
- Jesuitenkolleg 124
- Stift St. German 120

Spielbank 141, 142, 189, 199, 211, 222, 223, 224, 226, 227, 228, 229, 230, 234, 237, 264, 267, 324, 370, 376, 385–390, 414, 416, 431, 444, 458, 480, 522
Spielbankabgabe, Spielbankfonds 229, 385, 386, 390, 416, 485, 521
Spindler, Karl 471
Spitäler; s. a. Krankenhäuser; Soziale Einrichtungen

- Baden-Baden 105, 115, 118, 297
- Steinbach 297, 298, 434
Spitaltor s. Gernsbacher Tor
Sport und Sporteinrichtungen 298 f., 441–444
- Aumattstadion 442, 491
- Autorennen 299
- Bertholdsbad 299, 363, 443
- Flußschwimmbad 298
- Fußball 299
- Golfplätze 299
- Großsporthallen 443
- Hardbergbad 442, 491
- Pferderennen 5, 223, 231, 311, 376, 387, 389, 442, 444
- Reitbahn und -halle, Radfahrbahn 299
- Schießhalle (Balzenberg) 298
- Tennisplätze 299
- Turn- und Festhalle (Balzenberg) 298
- Turn- und Festhalle (Neuweier) 505
SR Yburg (Steinbach) 443
Staatliche und städtische Einrichtungen und Behörden 2, 286–289, 419–422
- Amt für öffentliche Ordnung 419
- Amtshaus 142
- Bäder- und Kurverwaltung 6, 35, 90, 211, 223, 224–227, 226, 227, 229, 230, 234, 264, 270, 310, 340, 368, 378, 380, 386, 390, 415, 416, 419, 421, 430, 456, 458, 459, 473
- Bauhof 496
- Behördenzentrum (Weststadt) 145, 415
- Elektrizitätswerk Baden-Baden 401, 402
- Finanzamt 486
- Forstamt 263, 264, 336, 346, 419, 485
- Gartenamt 419
- Gaswerk Baden-Baden 402
- Gesundheitsamt Rastatt, Außenstelle Baden-Baden 440
- Hauptpostamt 268
- Hochbauamt 419
- Kanzlei (alte und neue) 106, 111, 525
- Kurgärtnerei 421
- Physikat Baden 254
- Polizeidirektion 142, 226
- Post- und Eisenbahnamt 268
- Rathaus 96, 106, 117, 139, 125, 143, 419, 422, 478, 480, 521
- Revierförsterei Ebersteinburg 288
- Schlachthof 351
- Schul- Kultur- und Sportamt 419, 456
- Sozial- und Jugendamt 419, 431
- Stadtarchiv 456
- Stadtwerke 340, 399, 404, 405, 406, 421
- Standesamt 419
- Technisches Rathaus 419

- Telegrafenstation 268
- Verkehrsbetriebe Baden-Baden 399
- Vermessungs- und Liegenschaftsamt 419, 485
- Wasser- und Straßenbaudirektion (großherzoglich) 266

Stadelhofer, Ignaz 232
Städtepartnerschaft 415
Stadtgraben 105
Stadthalle 466
Stadtmauer 105
Stadtverfassung 128
Stadtwald 261, 263, 264, 266, 334–347
Stampfmühle 106
Staufenberg (Stadt Gernsbach, Lkr. Rastatt) 16, 193
Staufenberg, Graf Berthold von 168, 170
Stechplan 105
Steimig, Franz 296
Stein (Königsbach-Stein, Enzkreis) 121
Stein von Reichenstein, von 159
Stein zum Reichenstein, vom (Familie) 168
Stein, vom (Familie) 169
Steinbach (Stadtteil von Baden-Baden)
- Archäologie 81, 97
- Bevölkerung 170, 182, 184, 185, 189, 190, 196, 319, 320, 322
- Erwin von Steinbach-Denkmal 144
- Gemeinde 169, 281, 282, 285, 287, 316, 414, 417, 420, 513
- Geologie 10, 41, 79
- Geschichte 136, 162, 167–171
- Gesundheitswesen 295
- Gewerbe- und Industriegebiet 511
- Heimatmuseum 455
- Herrschaftsverhältnisse 157, 168f.
- Höfe
- – Grafenhof 168
- – Hof des Stiftes Selz 169, 169
- – Krimbachhof 169
- – Ortenberger Hof 168
- – Pfarrwittumhof 169
- – Röderer Hof 168
- – Roßgarts Hof 168
- – Rustenhof 169, 172
- – Sachsenheimer Hof 168
- – Schurmännischer Hof 169
- – Steinlerin Hof 168
- Kirche und Pfarrei 124, 145, 160, 167, 169, 169f., 172, 307, 425, 427
- Naturschutz 74, 76
- Politik 198, 202, 210, 211, 412
- Schule 170, 302, 445, 447, 448, 451, 513
- Siedlung und Gemarkung 107, 120, 158, 167f., 172, 505, 510–513

- Soziale Einrichtungen 297, 298, 298, 433, 434, 511
- Südbadische Sportschule 443
- Vereine 245, 374
- Verkehr 265, 266, 395
- Versorgung 291, 293, 401, 405
- Verwaltung 285, 287
- Wirtschaft 171, 219, 221, 235, 237, 240, 241, 244, 245, 254, 256, 257, 258, 259, 261, 326, 328, 330, 331, 335, 357, 363, 364, 374
- Wirtshaus zur Linde (1698) 171

Steinbach, Stab 112, 185, 282, 307
Steinbach, Albert von 168
Steinbock
- Daniel 119
- David 130
Steinenstadt (Stadt Neuenburg am Rhein, Lkr. Breisgau-Hochschwarzwald) 26
Steinerlin Hof 168
Stichdenbubengut 168
Stimmer, Tobias 139
Stockinger, Hans-Peter 468
Stollhofen (Rheinmünster, Lkr. Rastatt) 123, 167, 170
Stolzenberg, Unternehmer 253
Stourdza, Fürst Michael 309, 429
Straßburg, Stadt (Elsaß) 8, 9, 88, 97, 121, 123, 129, 130, 229, 247, 259, 364, 264, 267, 364
- Bischöfe 156, 167
- Bistum 120, 166, 307
- Handel 155
- Stadttheater 458
- Stift St. Peter 169
- Universität 438
Straßen und Plätze
- Augustaplatz 484, 485
- Bernhardusplatz 492
- Bertholdsplatz 242
- Briegelackerstraße 491
- Eberbachstraße (Haueneberstein) 503, 504
- Fußgängerzone 365, 366, 392, 414
- Gernsbacher Straße 365, 478, 479
- Goetheplatz 458
- Gutenbergstraße 490
- Hirschstraße 479
- Höllgasse 480
- Jesuitenplatz 419
- Karlsruher Straße (Haueneberstein) 503, 504
- Kronprinzenstraße 457
- Lange Straße 365, 366, 392, 414, 478, 479, 489, 490, 490
- Leopoldsplatz 392, 415, 418, 421, 477, 484
- Lichtentaler Allee 7, 225, 230, 231, 299, 442, 444, 456, 458, 478, 481, 484, 485, 486

- Lichtentaler Straße 365, 484
- Ludwig-Wilhelm-Platz 485
- Luisenstraße 365, 392, 478, 479
- Marktplatz 94, 98, 456, 478, 479, 480, 481
- Rheinstraße 392, 489, 490
- Römerplatz 456, 481
- Schußbachstraße 496
- Schweigrother Platz 372, 373, 489, 491
- Sinzheimer Straße 495
- Sophienstraße 365, 478, 479
- Steingasse 480
- Steinstraße 479
- Waldseestraße 402, 404

Straßenbeleuchtung (1845) 404
Strauss, Johann 459
Strauß, Dr. Jakob 123
Strickler, Reinhard 331
Strobel, Dr. Heinrich 462, 463, 464
Strohmeyer, Ed. 244
Strom, Iwan 430
Studienkreis für Tourismus 375
Stulz (von Ortenberg), Georg 297
Stumpfhof 162
Südbaden 211, 212, 227, 281, 386
Südstadt Baden-Baden 145, 423
Südwestfunk s. Kulturelle Einrichtungen
Südwestfunkviertel 483, 484
Sulz (Stadt Lahr, Ortenaukreis) 123
Sulzbach (Stadt Gaggenau, Lkr. Rastatt) 14
Svensson, Familie 328, 329

Tabernaemontanus (Dr. Jakob Theodor) 129
Tannert, Hannes 458
TC Rot-Weiß 299, 441, 444
Technologieregion Karlsruhe 9, 326, 354, 370
Tennenbach, Kloster (Stadt Emmendingen, Lkr. Emmendingen) 156
Thermalquellen, -stollen und -brunnen 26–37, 90, 104, 105, 106, 107, 114, 128, 129, 130, 161, 222, 227, 228, 392, 478, 480
- Baldreitquelle 27
- Brühbrunnen 119
- Brühequell = Brühquell 26, 26, 27, 33
- Büttenquelle (Bitt-, Bütt-) 27, 30, 131, 132
- Fettquelle 26, 30, 34, 35, 131
- Florentinerquellen 30
- Friedrichsquelle 27, 33
- Friedrichsstollen 27, 30, 33, 35
- Höllenquelle 26, 27, 30, 33, 131
- Höllgaßquelle 30
- Höllstollen 30
- Judenquelle 27, 30
- Kirchenstollen 30
- Klosterquelle 131
- Kühler Brunnen 26, 131
- Lauliche Quelle 131
- Murquelle 35, 131
- Neuer Stollen 30
- Quelle bei der Herberge zum Greifvogel 26
- Quellen bei der Metzig 26
- Reiherbrunnen 34
- Römerquelle 27
- Rosenstollen 30
- Stahlquelle 222
- Ungemachquelle 26, 27, 131
- Ursprungsquelle 131, 132, 227

Therstappen, Winzer 331
Thornton, Bürgermeister 421
Thumb, Peter 139, 486
Tiergarten 105, 266, 394, 399
Tietz, Prof. Dr. Bruno 380
Tribüne (Zeitschrift) 473
Trier, Bischof Eucharius 147
Trübner, Wilhelm 457
Tulla, Johann Gottfried 167
Turnverein 310
Turnverein von 1903 (Haueneberstein) 311
Twinger von Königshofen, Jakob 105

Ufgau 110, 148; s. a. Geographische Namen
Ulpia Sueborum Nicrensium 96
Ulrich, Hans (der Scheerer) 438, 518
Umweg (Steinbach, Stkr. Baden-Baden)
- Amtszugehörigeit 168
- Bevölkerung 170
- Geologie 45
- Grundbesitz und Herrschaft 124, 167, 169
- Schweighof, kleiner und großer 168
- Siedlung und Gemarkung 167, 511, 513
- Stichdenbubengut 168
- Verkehr 266
- Wirtschaft 171, 245, 259, 260

Unterbeuern (Lichtental, Stkr. Baden-Baden) s. a. Oberbeuern und Lichtental
- Bevölkerung und Wirtschaft 155
- Kirche 120, 425
- Schule 301
- Siedlung und Gemarkung 153
- Versorgung 290, 293
- Verwaltung 284

Unterer Plättig (Lichtental, Stkr. Baden-Baden) 489
Unteröwisheim (Stadt Kraichtal, Lkr. Karlsruhe 162
Unterstadt Baden-Baden 105, 106, 478, 479, 480, 481
Unterstützungsverein kranker Kutscher 245
Urach, Stadt (Lkr. Reutlingen) 26

Valerius Aprilis 96
Valerius Augustalis 97
Valerius Bassus 97
Valerius Castus 97
Valerius Perimus 95
van Aaken, Erwin 145
van Beest-Holle, Gerard 476
Varnhalt (Stadtteil von Baden-Baden)
– Archäologie 81
– Amtszugehörigkeit 168
– Bevölkerung 182, 184, 185, 190, 196, 319
– Gastronomie 515
– Gemeinde 172, 281, 282, 316, 414, 417, 420
– Geologie 18, 40, 44, 45
– Geschichte 172
– Grundbesitz und Herrschaft 167, 172
– Kirche und Pfarrei 145, 172, 307, 426, 427, 513, 516
– Naturschutz 76
– Politik 198, 209, 210, 211, 212, 412
– Rathaus 513, 515
– Schule 172, 302, 447, 451, 515
– Siedlung 513–516
– Siedlung und Gemarkung 167, 172, 513–516
– Soziale Einrichtungen 298
– Vereine 245, 311
– Verkehr 265, 266
– Versorgung 291, 292, 293, 405
– Winzergenossenschaft 245, 331, 515
– Wirtschaft 244, 245, 246, 254, 257, 258, 259, 260, 330, 331, 373
– Yburghalle 515
Veldenz, Pfalzgräfin Amalie von 129
Verband Badischer Gartenbaubetriebe 333
Verband der Obst- und Kleinbrenner 333
Verein gegen Haus- und Straßenbettel 297
Verein Landwirtschaftlicher Fachschulabsolventen 333
Verkehr und Verkehrseinrichtungen 264–268, 326 f., 391–398
– Baden-Baden-Linie 327, 395, 399, 421
– Bahnhof Baden-Baden 395, 396, 397, 494
– Bundesautobahn A 5 391
– Bundesstraße B 3 391
– Bundesstraße B 500 s. Schwarzwaldhochstraße
– Gesellschaft Regional-Verkehr-Süd 395
– Karlsruher Verkehrsverbund 327, 395, 397, 490
– Luftschiffhalle Oos 267, 397
– Merkur-Bergbahn 266, 345, 396, 415
– Michaelstunnel 7, 14, 16, 363, 392, 395, 396, 415, 418, 488, 490
– Regionalflugplatz Söllingen 327, 363, 370, 417

– Schloßbergtangente 392, 415
– Schloßbergtunnel 363
– Schwarzwaldhochstraße 47, 69, 266, 267, 391, 395, 488, 490
– Stadtbahnhof 143, 266, 268, 387, 388, 415, 489
– Stichbahn von Oos 396, 415
– Straßenbahn 394
– Tiefgaragen 363, 392, 396
– Verkehrsbetriebe 399
– Verkehrslandeplatz Baden-Oos 267, 327, 353, 362, 370, 397, 496
Verlage 473–477
Versorgungseinrichtungen 289–293, 399–412
– Badenwerk 292, 404
– Deponie Tiefloch 408, 410, 412
– Elektrizitätswerk Achern 292
– Feuerwehren 292 f., 491
– Gasbetriebe Bühl 405
– Gasversorgung Süddeutschland GmbH 404, 406
– Grundwasserwerk Oberwald 401
– Kanalisation 407 f.
– Kläranlagen 407, 408, 495
– Kompostierungsanlage 407, 409
– Müllabfuhr 408–412
– Murgwerk 292
– Städtisches Elektrizitätswerk Baden-Baden 402
– Städtisches Gaswerk Baden-Baden 292, 402, 404
– Stadtwerke Baden-Baden 292, 340, 399, 404, 405, 406, 421
– Überlandwerk Achern 404
– Umspannstationen 404
– Verkehrsbetriebe 399
– Zentrale Trinkwasserversorgung 399
Verwaltungsbezirke
– Ämter, Bezirks- und Oberämter, Landkreise
– – Achern 289
– – Baden 109, 112, 146, 151, 154, 162, 165, 193, 198, 199, 200, 202, 203, 204, 219, 237, 243, 248, 261, 281, 288, 289, 307
– – Bühl 244, 250, 281, 282, 288, 289, 307
– – Gernsbach 198
– – Kehl 288
– – Kuppenheim 151
– – Oberkirch 288
– – Ortenaukreis 371, 372
– – Rastatt 9, 151, 182, 198, 244, 250, 282, 288, 289, 328, 331, 352, 354, 356, 371, 372, 395, 432, 437
– – Schwarzach 307
– – Steinbach 158, 168, 172, 281, 307

Register

– – Stollhofen 151, 165, 166
– – Yburg 112, 158, 168
– Kreise
– – Mittelrheinkreis 281
– – Murg- und Pfinzkreis 281
– – Murgkreis 281
Viardot-Garcia, Pauline 459
Vicari, Hermann von 199
Vicus Bibiensis (-ium) 99, 164
Viehversicherungsvereine 245
Vierordt, C. 167
Villa Adler 465
Villa Ascona 485
Villa Carlotta 483
Villa Franchetti 483
Villa Haselburg 90
Villa Hohenstein 295, 483
Villa Menchikoff 483
Villa Opperfeld 296
Villa Seldeneck 464, 465
Villa Sirius 483
Villa Solms 482
Villenviertel 481–484
Vimbuch (Stadt Bühl, Lkr. Rastatt) 167, 170, 335
Vincentius-Verein 295, 296, 298, 310
Vittali, Wilhelm 143, 457, 484, 524
Vittalis, Steinmetz 95
Vogt von Welnhausen, Albrecht 163
Vogt, Zollbereiter 134
Vormberg (Sinzheim, Lkr. Rastatt) 18, 22
Vorschußverein (Baden) 243, 371
Vorstadt Baden-Baden 105
Voß, Peter 468

Wachsmann, Dr. A. 431
Wachter, Emil 139, 145, 425, 510
Wagbachkastell 88
Wagner, Richard 141, 459
Wahle, Prof. Ernst 85
Wald, Kloster (Lkr. Sigmaringen) 156, 157
Waldmann, Jochen 467
Walther, Prof. E. 476
Weber, Carl Maria von 459
Weber, Rolf E. 145, 145, 427, 519, 526
Weinbrenner
– Friedrich 5, 85, 139, 141, 227, 228, 453, 458, 476, 478, 481, 521, 522
– Johann Ludwig 143
Weiner, Otto 476
Weingärtner, Anton 462
Weingüter 331
– Eckberg 328, 331
– Fischer, Willi und Sohn 331

– Nägelförster Hof 259, 331, 516
– Schloß Neuweier 331
– Sermersheim-Hillert 329
Weinhart, Kaspar 139, 521
Weisenbach (Lkr. Rastatt) 107
Weiß, Franz Xaver 241, 247
Weiß, Kammerrat 159
Weiß, Johann 107, 131
Weißenburg, Kloster (Elsaß) 104, 105, 106, 107, 110, 114, 157, 422
Weitenung (Stadt Bühl, Lkr. Rastatt) 167, 168, 169, 185, 281, 282, 307, 427
Wendt, Ulrich 413, 415, 416, 417, 419, 421, 422
Wesel, Franz W. 364
Westfälischer Friede 423
Weststadt
– Behördenzentrum 145, 415
– Bevölkerung 319, 320, 322
– Gewerbeschule 247, 449, 450, 491
– Großsporthalle im Schulzentrum 443
– Kirchen
– – Bernhard 143, 425, 492
– – Paulus 144, 427, 489
– Kläranlage 407
– Pfarreien 309, 423, 425, 427
– Richard-Wagner-Gymnasium 304, 445, 446, 448, 449, 450, 491
– Robert-Schuman-Schule 449, 450, 491
– Schulzentrum West 145, 414, 415, 443, 446, 448, 449, 450, 489, 491
– Siedlung 478, 489–492
– Soziale Einrichtungen 298
– Stadtklinik (Städtisches Krankenhaus) 294, 295, 406, 414, 418, 421, 426, 436 f., 497
– Verkehr 392, 490
– Versorgung 401
– Wirtschaft 242, 243, 367
White, Thomas Archibald 299, 430, 441, 519
Wildbad im Schwarzwald, Stadt (Lkr. Calw) 35
Williard, Adolf 143
Wilthew, Charles 519
Wimpfen, Schlacht bei 111, 123
Winden (Sinzheim, Lkr. Rastatt) 157, 525
Winterhalde (Lichtental, Stkr. Baden-Baden) 489
Winterhalter, Franz Xaver 140
Wintersdorf (Stadt Rastatt, Lkr. Rastatt) 282, 395
Winzergenossenschaften 331
– Neuweier-Bühlertal 245, 331, 507
– Sinzheim 245
– Steinbach-Umweg 245, 331
– Varnhalt 245, 331, 515
Wira, Wolfram de 165

Witzemann, Herta-Maria 522
WO (Wochenzeitung) 470
Wochenblatt für die Großherzogliche Stadt Baden 470
Wohleb, Leo 304
Wohltätigkeitsgesellschaft Maria Hilf (Bühl) 296
Wolf, Apotheker 134
Wolff (Gebrüder) 244
– Christoph 199
Wolkenstein, von 148
Wonnental, Kloster (Stadt Kenzingen, Lkr. Emmendingen) 156
Wormser, Georg 230
Wunderlich, Hans 459
Württemberg, Herzog Karl Eugen von 154
Württemberg-Neuenstadt, Herzöge von 148, 154

Wurz, Camill 216, 413, 418
Wyatt, Thomas Henry 430, 518
Yburg, Burg (Altstadt, Stkr. Baden-Baden) 136f., 158, 168, 266, 282
Zabler, Hermann 278
Zahn, Prof. Leopold 476
Zähringen, Herzöge von 4, 110
Zeitungen und Wochenblätter 470–473
Zell am Harmersbach, Stadt (Ortenaukreis) 246
Zeughaus 106
Ziegelhütte 436
Zimmern, Kloster (Zabergäu) 156
Zollverein 260
Zünfte 132f., 171, 248
Zunsweier (Stadt Offenburg, Ortenaukreis) 88
Zwingmann, Friedrich 145, 425, 510
Zwosta, Jörg 415, 419, 421, 422